2003

Législation canadienne en ***propriété intellectuelle***

Canadian Legislation on ***Intellectual Property***

Ysolde Gendreau

LL.M. (McGill)
Docteur en droit (Paris II)
Professeur, Faculté de droit
de l'Université de Montréal

LL.M. (McGill)
Doctor of Law (Paris II)
Professor, Faculty of Law
of the Université de Montréal

Ejan Mackaay

LL.M. (Amsterdam et Toronto)
Docteur en droit (Amsterdam)
Professeur, Faculté de droit et
Centre de recherche en droit public
de l'Université de Montréal

LL.M. (Amsterdam and Toronto)
Doctor of Law (Amsterdam)
Professor, Faculty of Law and
Centre de recherche en droit public
of the Université de Montréal

CARSWELL
UNE SOCIÉTÉ THOMSON

La Bibliothèque nationale du Canada a catalogué cette publication comme suit :

Législation canadienne en propriété intellectuelle = Canadian Legislation on Intellectual Property

Annuel.
1994-
Texte en français et en anglais.
ISSN 1202-6913
ISBN 0-459-26799-X (édition 2003)

1. Propriété intellectuelle – Canada. I. Société Carswell. II. Titre : Canadian Legislation on Intellectual Property.

KE2794.54.A5   346.7104'8'0263   C95-300438-4F

The National Library of Canada has catalogued this publication as follows:

Législation canadienne en propriété intellectuelle = Canadian Legislation on Intellectual Property

Annual.
1994-
Text in French and English.
ISSN 1202-6913
ISBN 0-459-26799-X (2003 edition)

1. Intellectual property – Canada. I. Carswell Company. II. Title: Canadian Legislation on Intellectual Property.

KE2794.54.A5   346.7104'8'0263   C95-300438-4E

One Corporate Plaza
2075 Kennedy Road
Toronto (Ontario)
M1T 3V4

Service à la clientèle / Customer Care :
Toronto : 1 (416) 609-8000
Ailleurs au Canada/É.U. / Elsewhere in Canada/U.S. : 1 800 387-5164
Télécopieur / Fax : 1 (416) 298-5082
www.carswell.com

TABLE DES MATIÈRES

TABLE OF CONTENTS

AVANT-PROPOS

Législation canadienne en propriété intellectuelle en est à sa dixième édition. D'une année à l'autre, le nombre de lecteurs de cet ouvrage bilingue n'a cessé d'augmenter, que ce soit au Québec ou ailleurs. Cela traduit sans doute la croissance qu'a connue le domaine de la propriété intellectuelle au cours de cette décennie. Nous nous plaisons à y voir aussi le signe de la confiance continue des lecteurs et de leur fidélité à un ouvrage qui paraît répondre à un besoin tant chez les praticiens du droit que chez les universitaires.

Pour renforcer l'intérêt pratique de l'ouvrage, nous avons ajouté cette année les formules proposées par l'Office de la propriété intellectuelle du Canada pour les demandes relatives aux marques de commerce. Les modifications législatives cette année se limitent à des questions qu'on pourrait qualifier de forme. Plusieurs coquilles ont été corrigées. Nous remercions nos lecteurs de leur amabilité à nous les avoir signalées et nous les invitons à porter à notre attention celles qui nous auraient échappé.

Pour ce dixième anniversaire, nous tenons à remercier spécialement l'équipe de la société Carswell à Montréal, en particulier Me Mathieu Boutin, pour la confiance qui nous est manifestée depuis le début et pour le travail méticuleux de compilation et de mise en pages des éditions précédentes.

PREFACE

This is the tenth edition of *Canadian Legislation on Intellectual Property*. Over these ten years, the readership of our bilingual work has steadily increased, both in Quebec and elsewhere. No doubt this reflects in part the growing importance of intellectual property as a field of legal practice during the past decade. But we like to think that it is also a sign of the continuing trust and faithfulness of our readers to a book that appears to fill a need in practice as well as in academia.

To strengthen the practical interest of this work, we have included this year the forms proposed by the Canadian Intellectual Property Office for various applications pertaining to trade-marks. Legislative amendments this year are limited to matters one may qualify as of mere form. Several small errors have been corrected. We thank the readers who have been kind enough to flag these to us and encourage them to continue to do so for errors that have escaped our notice.

For this tenth anniversary, we take pleasure in thanking Carswell's Montreal office, in particular Mtre Mathieu Boutin, for the support they have shown in this endeavour from the beginning and for their meticulous work in compiling and editing the successive editions.

Les textes de l'édition actuelle sont à jour au **1er juin 2002.** Comme dans les éditions antérieures, les textes votés mais non encore en vigueur à la date de tombée sont présentés dans des zones ombrées.

Ysolde Gendreau
Ejan Mackaay

The present text is up to date as from **June 1, 2002.** As in previous editions, provisions that have been adopted but are not yet in force at that date are shaded in the text.

Ysolde Gendreau
Ejan Mackaay

UN APERÇU DE L'HISTOIRE LÉGISLATIVE

Les textes de base de la *Loi sur les brevets*, la *Loi sur les marques de commerce*, la *Loi sur le droit d'auteur* et la *Loi sur les dessins industriels* sont ceux de la refonte administrative de 1985. Chacune de ces lois a été modifiée ensuite par différents textes, dont certains les concernaient toutes.

La *Loi corrective de 1991* (L.C. 1992, ch. 1) de même que la *Loi d'actualisation du droit de la propriété intellectuelle* (L.C. 1993, ch. 15) et la *Loi sur le ministère de l'Industrie* (L.C. 1995, ch. 1) apportaient des corrections mineures aux quatre lois mentionnées. La *Loi de mise en œuvre de l'Accord de libre-échange nord-américain* (L.C. 1993, ch. 44) et la *Loi de mise en œuvre de l'Accord sur l'Organisation mondiale du commerce* (L.C. 1994, ch. 47) y ont, quant à elles, apporté des modifications plus substantielles.

Des modifications au régime des brevets pharmaceutiques ont été introduites dans la *Loi sur les brevets* par la *Loi modifiant la Loi sur les brevets et prévoyant certaines dispositions connexes* (L.R.C. 1985, ch. 33 [3e suppl.]) et par la *Loi de 1992 modifiant la Loi sur les brevets* (L.C. 1993, ch. 2). La *Loi corrective de 1994* (L.C. 1994, ch. 26) a fait des corrections mineures.

Les modifications qui s'imposaient à la *Loi sur les marques de commerce* ont été introduites par la *Loi modifiant la Loi sur les marques de commerce de Genève,* par la *Loi sur la défense nationale et la Loi sur les marques de commerce*, (L.C. 1990, ch. 14) et par la *Loi concernant la protection des obtentions végétales* (L.C. 1990, ch. 20).

La «phase I» de la révision de la *Loi sur le droit d'auteur* a été réalisée par la *Loi modi-*

A BRIEF LEGISLATIVE HISTORY

The provisions of the *Patent Act*, the *Trade-marks Act*, the *Copyright Act* and the *Industrial Design Act* are still essentially those stemming from the revision of 1985. Each of these Acts has been amended subsequently, in some instances by amending acts that concern all of them.

The *Miscellaneous Statute Law Amendment Act, 1991* (S.C. 1992, c. 1) made only minor corrections to four just mentioned Acts, as did the *Intellectual Property Improvement Act* (S.C. 1993, c. 15) and the *Department of Industry Act* (S.C. 1995, c. 1). By contrast, the *North American Free Trade Agreement Implementation Act* (S.C. 1993, c. 44) and the *World Trade Organization Agreement Implementation Act* (S.C. 1994, c. 47) substantially changed the four Acts.

Amendments to the rules regarding patented medication were introduced by the *Act to amend the Patent Act and to provide for certain matters in relation thereto* (R.S.C. 1985, c. 33 [3rd Supp.]) and *Patent Act Amendment Act* (S.C. 1993, c. 2). The *Miscellaneous Statute Law Amendment Act, 1994* (S.C. 1994, c. 26) brought only minor changes.

As for the *Trade-marks Act*, amendments were introduced by the *Act to amend the Geneva Conventions Act, the National Defence Act and the Trade-marks Act* (S.C. 1990, c. 14) and by the *Plant Breeders' Rights Act* (S.C. 1990, c. 20).

"Phase I" of the reform of the *Copyright Act* was implemented by the *Act to amend the Copyright Act and to amend other Acts in consequence thereof* (R.S.C. 1985, c. 10 [4th Supp.]). The cable retransmission right was

fiant la Loi sur le droit d'auteur et apportant des modifications connexes et corrélatives (L.R.C. 1985, ch. 10 [4e suppl.]). Le droit de retransmission par câble a été introduit par la *Loi de mise en œuvre de libre-échange Canada-États-Unis* (L.C. 1988, ch. 65) et légèrement corrigé par la *Loi modifiant la Loi sur le droit d'auteur* (L.C. 1993, ch. 23). La *Loi modifiant la loi sur le droit d'auteur* (L.C. 1997, ch. 24) constitue la «phase II» de la révision de la *Loi sur le droit d'auteur*. Des changements mineurs ont été apportés par la *Loi visant à corriger des anomalies, incompatibilités, archaïsmes et erreurs dans les lois du Canada ainsi qu'à y effectuer d'autres modifications mineures et non controversables* (L.R.C. 1985, ch. 10 [1er suppl.]), par le *Tarif des douanes* (L.R.C. 1985, ch. 41 [3e suppl.]) et par la *Loi sur les topographies de circuits intégrés* (L.C. 1990, ch. 37).

La *Loi sur les dessins industriels* aussi a été touchée par la «phase I» de la réforme de la *Loi sur le droit d'auteur*.

La *Loi sur les inventions des fonctionnaires* n'a pas connu de modification depuis la refonte de 1985.

La *Loi sur la protection des obtentions végétales* a été votée en 1990 et n'a subi que des modifications mineures par la *Loi modifiant la Loi sur le ministère de l'Agriculture et abrogeant ou modifiant certaines lois* (L.C. 1994, ch. 38) et par la *Loi sur le ministère de l'Industrie* (L.C. 1995, ch. 1).

Depuis son vote en 1990, des changements à la *Loi sur les topographies de circuits intégrés* ont été apportés par la *Loi corrective de 1991* (L.C. 1992, ch. 1), par la *Loi d'actualisation du droit de la propriété intellectuelle* (L.C. 1993, ch. 15), par la *Loi de mise en œuvre de l'Accord sur l'Organisation mondiale du commerce* (L.C. 1994, ch. 47) et par la *Loi sur le ministère de l'Industrie* (L.C. 1995, ch.1).

Depuis son adoption en 1992, la *Loi sur le statut de l'artiste* n'a subi que de légères modifications par la *Loi sur le Ministère du Patrimoine canadien* (L.C. 1995, ch. 11).

La *Loi sur le statut professionnel et les conditions d'engagement des artistes de la scène, du disque et du cinéma*, votée en 1987,

introduced by the *Canada-United States Free Trade Agreement Implementation Act* (S.C. 1988, c. 65) and slightly modified by the *Act to amend the Copyright Act* (S.C. 1993, c. 23). "Phase II" of the copyright law reform was achieved with the *Act to amend the Copyright Act* (S.C. 1997, c. 24). Further minor amendments were made by the *Act to correct certain anomalies, inconsistencies, archaisms and errors and to deal with other matters of a non-controversial and uncomplicated matter in the Statutes of Canada* (R.S.C. 1985, c. 10 [1st Supp.]), the *Customs Tariff* (S.R.C. 1985, c. 41 [3rd Supp.]) and the *Integrated Circuit Topography Act*. (S.C. 1990, c. 37).

The *Industrial Design Act* has been affected by "phase I" of the reform of the *Copyright Act*.

The *Act respecting inventions by public servants* has not been changed since the 1985 revision.

The *Plant Breeders' Rights Act* was adopted in 1990 and changed in minor respects by the *Act to amend the Department of Agriculture Act and to amend or repeal certain other Acts* (S.C. 1994, c. 38) and the *Department of Industry Act* (S.C. 1995, c. 1).

Since its adoption in 1990, the *Integrated Circuit Topography Act* has been amended a few times, by the *Miscellaneous Statute Law Amendment Act, 1991* (S.C. 1992, c. 1), the *Intellectual Property Improvement Act* (S.C. 1993, c. 15), the *World Trade Organization Agreement Implementation Act* (S.C. 1994, c. 47) and the *Department of Industry Act* (S.C. 1995, c. 1).

The *Status of the Artist Act*, adopted in 1992, was amended in minor respects by the *Department of Canadian Heritage Act* (S.C. 1995, c. 11).

The *Act respecting the professional status and conditions of engagement of performing, recording and film artists*, adopted in 1987, was slightly modified in 1988, at the time of the adoption of the *Act respecting the professional status of artists in the visual arts, arts and crafts and literature, and their contracts with promoters*. Both Acts were subsequently amended in minor ways by the

a été quelque peu modifiée en 1988 par la *Loi sur le statut professionnel des artistes des arts visuels, des métiers d'art et de la littérature et sur leurs contrats avec les diffuseurs.* Par la suite, toutes les deux ont connu des changements mineurs lors du vote de la *Loi modifiant diverses dispositions législatives concernant l'application du Code de procédure pénale* (L.Q. 1990, ch. 4), de la *Loi modifiant diverses dispositions législatives concernant l'application de certaines dispositions du Code de procédure pénale et modifiant diverses dispositions législatives* (L.Q. 1992, ch. 61), de la *Loi modifiant la Loi sur le ministère de la Culture et d'autres dispositions législatives* (L.Q. 1994, ch. 14) et de la *Loi modifiant la Loi sur le statut professionnel et les conditions d'engagement des artistes de la scène, du disque et du cinéma et modifiant d'autres dispositions législatives* (L.Q. 1997, ch. 26).

Ysolde Gendreau
Ejan Mackaay

Act to amend various legislative provisions respecting the implementation of the Code of Penal Procedure (S.Q. 1990, c. 4), the *Act respecting the implementation of certain provisions of the Code of Penal Procedure and amending various legislative provisions* (S.Q. 1992, c. 61), the *Act to amend the Act respecting the Ministère de la Culture and other legislative provisions* (S.Q. 1994, c. 14) and the *Act to amend the Act respecting the professional status and conditions of engagement of performing, recording and film artists and other legislative provisions* (S.Q. 1997, c. 26).

Ysolde Gendreau
Ejan Mackaay

LOI SUR LES BREVETS

Table des matières

PATENT ACT

Table of Contents

LOI SUR LES BREVETS

L.R.C. 1985, ch. P-4

Modifiée par L.R.C. 1985, ch. 33 (3e suppl.); L.C. 1992, ch. 1; 1993, ch. 2; ch. 15; ch. 44; 1994, ch. 26; ch. 47; 1995, ch. 1; 1996, ch. 8; 1999, ch. 31; 2001, ch. 10; ch. 34; ch. 41; 2002, ch. 8.

Loi concernant les brevets d'invention

TITRE ABRÉGÉ

Titre abrégé

1. *Loi sur les brevets.*
S.R.C., ch. P-4, art. 1.

DÉFINITIONS

Définitions

2. Sauf disposition contraire, les définitions qui suivent s'appliquent à la présente loi.

«brevet» *"patent"*
«brevet» Lettres patentes couvrant une invention.

«breveté» ou «titulaire d'un brevet» *"patentee"*
«breveté» ou «titulaire d'un brevet» Le titulaire ayant pour le moment droit à l'avantage d'un brevet.

«commissaire» *"Commissioner"*
«commissaire» Le commissaire aux brevets.

«date de dépôt» *"filing date"*
«date de dépôt» La date du dépôt d'une demande de brevet, déterminée conformément à l'article 28.

«date de priorité» [Abrogée, L.C. 1993, ch. 15, art. 26(1).]

«demande de priorité» *"request for priority"*
«demande de priorité» La demande visée à l'article 28.4.

PATENT ACT

R.S.C. 1985, c. P-4

Amended by R.S.C. 1985, c. 33 (3rd Supp.); S.C. 1992, c. 1; 1993, c. 2; c. 15; c. 44; 1994, c. 26; c. 47; 1995, c. 1; 1996, c. 8; 1999, c. 31; 2001, c. 10; c. 34; c. 41; 2002, c. 8.

An Act respecting patents of invention

SHORT TITLE

Short title

1. This Act may be cited as the *Patent Act*.
R.S.C., c. P-4, s. 1.

INTERPRETATION

Definitions

2. In this Act, except as otherwise provided,

"applicant" *«demandeur»*
"applicant" includes an inventor and the legal representatives of an applicant or inventor;

"claim date" *version anglaise seulement*
"claim date" means the date if a claim in an application for a patent in Canada, as determined in accordance with section 28.1;

"Commissioner" *«commissaire»*
"Commissioner" means the Commissioner of Patents;

"country" *«pays»*
"country" includes a Member of the World Trade Organization, as defined in subsection 2(1) of the *World Trade Organization Agreement Implementation Act*;

"filing date" *«date de dépôt»*
"filing date" means, in relation to an application for a patent in Canada, the date on which the application is filed, as determined in accordance with section 28;

«demandeur» ***"applicant"***
«demandeur» Sont assimilés à un demandeur un inventeur et les représentants légaux d'un demandeur ou d'un inventeur.
«exploitation sur une échelle commerciale» [Abrogée, L.C. 1993, ch. 44, art. 189.]
«invention» ***"invention"***
«invention» Toute réalisation, tout procédé, toute machine, fabrication ou composition de matières, ainsi que tout perfectionnement de l'un d'eux, présentant le caractère de la nouveauté et de l'utilité.
«ministre» ***"Minister"***
«ministre» Le ministre de la Consommation et des Affaires commerciales ou tel autre membre du Conseil privé de la Reine pour le Canada chargé par le gouverneur en conseil de l'application de la présente loi.
«pays» ***"country"***
«pays» Notamment un membre de l'Organisation mondiale du commerce au sens du paragraphe 2(1) de la *Loi de mise en oeuvre de l'Accord sur l'Organisation mondiale du commerce.*
«prédécesseur en droit» ***"predecessor in title"***
«prédécesseur en droit» Est assimilée à un prédécesseur en droit toute personne par l'intermédiaire de laquelle le demandeur de brevet réclame le droit à celui-ci.
«règlement» et «règle» ***"regulation"*** **and** ***"rule"***
«règlement» et «règle» S'entendent notamment d'une formule.
«réglementaire» ***"prescribed"***
«réglementaire» Prescrit par règle ou règlement du gouverneur en conseil; dans le cas où le terme qualifie une taxe, s'entend en outre d'une taxe dont le montant est déterminé selon les modalités réglementaires.
«représentants légaux» ***"legal representatives"***
«représentants légaux» Sont assimilés aux représentants légaux les héritiers, exécuteurs testamentaires, administrateurs, gardiens, curateurs, tuteurs, ayants droit, ainsi que toutes autres personnes réclamant par l'intermédiaire ou à la faveur de demandeurs et de titulaires de brevets.

"invention" ***«invention»***
"invention" means any new and useful art, process, machine, manufacture or composition of matter, or any new and useful improvement in any art, process, machine, manufacture or composition of matter;
"legal representatives" ***«représentants légaux»***
"legal representatives" includes heirs, executors, administrators, guardians, curators, tutors, assigns and all other persons claiming through or under applicants for patents and patentees of inventions;
"Minister" ***«ministre»***
"Minister" means the Minister of Consumer and Corporate Affairs or such other member of the Queen's Privy Council for Canada as is designated by the Governor in Council as the Minister for the purposes of this Act;
"patent" ***«brevet»***
"patent" means letters patent for an invention;
"patentee" ***«breveté»*** **ou** ***«titulaire d'un brevet»***
"patentee" means the person for the time being entitled to the benefit of a patent;
"predecessor in title" ***«prédécesseur en droit»***
"predecessor in title" includes any person through whom an applicant for a patent in Canada claims the right to the patent;
"prescribed" ***«réglementaire»***
"prescribed" means prescribed by rules or regulations of the Governor in Council and, in the case of a fee, includes a fee determined in the manner prescribed;
"prescribed fee" [Repealed, R.S.C., 1985, c. 33 (3rd Supp.), s. 1];
"priority date" [Repealed, S.C. 1993, c. 15, s. 26(1)];
"regulation" and "rule" ***«règlement» et «règle»***
"regulation" and "rule" include rule, regulation and form;
"request for priority" ***«demande de priorité»***
"request for priority" means a request under section 28.4;
"work on a commercial scale" [Repealed,

«taxe réglementaire» [Abrogée, L.R.C. 1985, ch. 33 (3e suppl.), art. 1.]
L.R.C. 1985, ch. P-4, art. 2; ch. 33 (3e suppl.), art. 1; L.C. 1992, ch. 1, art. 145, ann. VIII, n° 21(F); 1993, ch. 2, art. 2; ch. 15, art. 26; ch. 44, art. 189; 1994, ch. 47, art. 141.

S.C. 1993, c. 44, s. 189].
R.S.C., 1985, c. P-4, s. 2; c. 33 (3rd Supp.), s. 1; S.C. 1992, c. 1, s. 45, sch. VIII, No. 21(F); 1993, c. 2, s. 2; c. 15, s. 26; c. 44, s. 189; 1994, c. 47, s. 141.

SA MAJESTÉ

Obligation de Sa Majesté
2.1 La présente loi lie Sa Majesté du chef du Canada ou d'une province.
L.C. 1993, ch. 44, art. 190.

HER MAJESTY

Binding on Her Majesty
2.1 This Act is binding on Her Majesty in right of Canada or a province.
S.C. 1993, c. 44, s. 190.

BUREAU DES BREVETS ET FONCTIONNAIRES

Bureau des brevets
3. Est attaché au ministère de l'Industrie, ou à tout autre ministère fédéral que le gouverneur en conseil peut désigner, un bureau appelé le Bureau des brevets.
L.R.C. 1985, ch. P-4, art. 3; L.C. 1992, ch. 1, art. 145; 1995, ch. 1, art. 63(1).

Commissaire aux brevets
4. (1) Le gouverneur en conseil peut nommer un commissaire aux brevets. Sous la direction du ministre, celui-ci exerce les pouvoirs et fonctions qui lui sont attribués en conformité avec la présente loi.

Fonctions du commissaire
(2) Le commissaire reçoit les demandes, taxes, pièces écrites, documents et modèles pour brevets, fait et exécute tous les actes et choses nécessaires pour la concession et la délivrance des brevets; il assure la direction et la garde des livres, archives, pièces écrites, modèles, machines et autres choses appartenant au Bureau des brevets, et, pour l'application de la présente loi, est revêtu de tous les pouvoirs conférés ou qui peuvent être conférés par la *Loi sur les enquêtes* à un commissaire nommé en vertu de la partie II de cette loi.

PATENT OFFICE AND OFFICERS

Patent Office
3. There shall be attached to the Department of Industry, or to such other department of the Government of Canada as may be determined by the Governor in Council, an office called the Patent Office.
R.S.C. 1985, c. P-4, s. 3; S.C. 1992, c. 1, s. 145; 1995, c. 1, s. 63(1).

Commissioner of Patents
4. (1) The Governor in Council may appoint a Commissioner of Patents who shall, under the direction of the Minister, exercise the powers and perform the duties conferred and imposed on that officer by or pursuant to this Act.

Duties of Commissioner
(2) The Commissioner shall receive all applications, fees, papers, documents and models for patents, shall perform and do all acts and things requisite for the granting and issuing of patents of invention, shall have the charge and custody of the books, records, papers, models, machines and other things belonging to the Patent Office and shall have, for the purposes of this Act, all the powers that are or may be given by the *Inquiries Act* to a commissioner appointed under Part II of that Act.

Occupation de poste et traitement
(3) Le commissaire occupe son poste à titre amovible et reçoit le traitement annuel fixé par le gouverneur en conseil.

Délégation
(4) Le commissaire peut, après consultation avec le ministre, déléguer à toute personne qu'il estime compétente les pouvoirs et fonctions que lui confère la présente loi, sauf le pouvoir de déléguer prévu au présent paragraphe.

Appel
(5) Il peut être interjeté appel d'une décision prise en vertu de la présente loi par une personne autorisée conformément au paragraphe (4) de la façon dont il peut être interjeté appel d'une décision du commissaire prise en vertu de la présente loi, et aux mêmes conditions.
S.R.C., ch. P-4, art. 4; S.C. 1984, ch. 40, art. 57.

Sous-commissaire
5. (1) Un sous-commissaire aux brevets peut être nommé de la manière autorisée par la loi. Il doit être un fonctionnaire spécialiste possédant de l'expérience dans l'administration du Bureau des brevets.

Absence ou empêchement
(2) En cas d'absence ou d'empêchement du commissaire, le sous-commissaire, ou, en cas d'absence ou d'empêchement de celui-ci, un autre fonctionnaire désigné par le ministre, exerce les pouvoirs et fonctions du commissaire.
S.R.C., ch. P-4, art. 5.

Personnel
6. Sont nommés, de la manière autorisée par la loi, les examinateurs principaux, les examinateurs, les examinateurs associés, les examinateurs adjoints et les autres personnes nécessaires à l'application de la présente loi.
S.R.C., ch. P-4, art. 6.

Tenure of office and salary
(3) The Commissioner holds office during pleasure and shall be paid such annual salary as may be determined by the Governor in Council.

Delegation
(4) The Commissioner may, after consultation with the Minister, delegate to any person he deems qualified any of his powers, duties and functions under this Act, except the power to delegate under this subsection.

Appeal
(5) Any decision under this Act of a person authorized to make the decision pursuant to subsection (4) may be appealed in the like manner and subject to the like conditions as a decision of the Commissioner under this Act.
R.S.C., c. P-4, s. 4; S.C. 1984, c. 40, s. 57.

Assistant Commissioner
5. (1) An Assistant Commissioner of Patents may be appointed in the manner authorized by law and shall be a technical officer experienced in the administration of the Patent Office.

Absence or inability to act
(2) When the Commissioner is absent or unable to act, the Assistant Commissioner, or, if he also is at the same time absent or unable to act, another officer designated by the Minister, may exercise the powers and shall perform the duties of the Commissioner.
R.S.C., c. P-4, s. 5.

Staff
6. There may be appointed in the manner authorized by law such principal examiners, examiners, associate examiners and assistant examiners, clerks, stenographers and other assistants as are necessary for the administration of this Act.
R.S.C., c. P-4, s. 6.

Le personnel du Bureau ne peut acheter ou vendre des brevets

7. (1) Il est interdit au personnel du Bureau des brevets d'acheter, de vendre ou d'acquérir une invention, un brevet ou un droit à un brevet, ou tout intérêt y afférent, ou d'en faire le commerce. Est nul tout achat, vente, cession, acquisition ou transport d'une invention, d'un brevet, d'un droit à un brevet, ou de tout intérêt y afférent, auquel est partie un membre du personnel du Bureau.

Restriction

(2) Le paragraphe (1) ne s'applique pas à une vente effectuée par l'auteur original d'une invention, ni à une acquisition par dernier testament ou par succession ab intestat d'une personne décédée.
S.R.C., ch. P-4, art. 7.

Erreurs d'écriture

8. Un document en dépôt au Bureau des brevets n'est pas invalide en raison d'erreurs d'écriture; elles peuvent être corrigées sous l'autorité du commissaire.
S.R.C., ch. P-4, art. 8; L.C. 1993, ch. 15, art. 27.

Transmission électronique

8.1 (1) Sous réserve des règlements, les documents, renseignements ou taxes dont la présente loi exige ou autorise la remise au commissaire peuvent lui être transmis sous forme électronique ou autre, de la manière qu'il précise.

Date de réception

(2) Pour l'application de la présente loi, les documents, renseignements ou taxes ainsi transmis sont réputés avoir été reçus par le commissaire au moment déterminé par règlement.
L.C. 1993, ch. 15, art. 27.

Mise en mémoire

8.2 Sous réserve des règlements, les documents ou renseignements reçus par le commissaire, en application de la présente loi,

Officers of Patent Office not to deal in patents

7. (1) No officer or employee of the Patent Office shall buy, sell, acquire or traffic in any invention, patent or right to a patent, or any interest therein, and every purchase, sale, assignment, acquisition or transfer of any invention, patent or right to a patent, or any interest therein, made by or to any officer or employee is void.

Restriction

(2) Subsection (1) does not apply to a sale by an original inventor or to an acquisition under the last will, or by the intestacy, of a deceased person.
R.S.C., c. P-4, s. 7.

Clerical errors

8. Clerical errors in any instrument of record in the Patent Office do not invalidate the instrument, but they may be corrected under the authority of the Commissioner.
R.S.C., c. P-4, s. 8; S.C. 1993, c. 15, s. 27.

Electronic or other submission of documents, information or fees

8.1 (1) Subject to the regulations, any document, information or fee that is authorized or required to be submitted to the Commissioner under this Act may be submitted in electronic or other form in any manner specified by the Commissioner.

Time of receipt

(2) For the purposes of this Act, any document, information or fee submitted in accordance with subsection (1) is deemed to be received by the Commissioner at the time provided by the regulations.
S.C. 1993, c. 15, s. 27.

Storage of documents or information in electronic or other form

8.2 Subject to the regulations, any document or information received by the Commissioner under this Act in electronic or

sous forme électronique ou autre, peuvent être mis en mémoire par tout procédé, notamment mécanographique ou informatique, susceptible de les restituer en clair dans un délai raisonnable.
L.C. 1993, ch. 15, art. 27.

other form may be entered or recorded by any information storage device, including any system of mechanical or electronic data processing, that is capable of reproducing stored documents or information in intelligible form within a reasonable time.
S.C. 1993, c. 15, s. 27.

Perte ou destruction de brevets

9. En cas de destruction ou de perte d'un brevet, il peut en être délivré une copie certifiée, en remplacement du brevet qui aura été détruit ou perdu, sur paiement de la taxe réglementaire.
S.R.C., ch. P-4, art. 9.

Destroyed or lost patents

9. If any patent is destroyed or lost, a certified copy may be issued in lieu thereof on payment of the prescribed fee.
R.S.C., c. P-4, s. 9.

Consultation des documents

10. (1) Sous réserve des paragraphes (2) à (6) et de l'article 20, les brevets, demandes de brevet et documents relatifs à ceux-ci, déposés au Bureau des brevets, peuvent y être consultés aux conditions réglementaires.

Inspection by the public

10. (1) Subject to subsections (2) to (6) and section 20, all patents, applications for patents and documents filed in connection with patents or applications for patents shall be open to public inspection at the Patent Office, under such conditions as may be prescribed.

Période de non-consultation

(2) Sauf sur autorisation du demandeur, une demande de brevet et les documents relatifs à celle-ci ne peuvent être consultés avant l'expiration d'une période de dix-huit mois.

Confidentiality period

(2) Except with the approval of the applicant, an application for a patent, or a document filed in connection with the application, shall not be open to public inspection before a confidentiality period of eighteen months has expired.

Calcul de la période

(3) La période se calcule à compter de la date de dépôt de la demande de brevet ou, si une demande de priorité a été présentée à l'égard de celle-ci, de la date de dépôt de la première demande antérieurement déposée de façon régulière sur laquelle la demande de priorité est fondée.

Beginning of confidentiality period

(3) The confidentiality period begins on the filing date of the application or, where a request for priority has been made in respect of the application, it begins on the earliest filing date of any previously regularly filed application on which the request is based.

Demande de priorité retirée

(4) Pour l'application du paragraphe (3), le retrait total ou partiel d'une demande de priorité, au plus tard à la date réglementaire, vaut présomption de non-présentation de la demande.

Withdrawal of request

(4) Where a request for priority is withdrawn on or before the prescribed date, it shall, for the purposes of subsection (3) and to the extent that it is withdrawn, be considered never to have been made.

Demande de brevet retirée

(5) La demande de brevet qui est retirée, conformément aux règlements, à la date régle-

Withdrawn applications

(5) An application shall not be open to public inspection if it is withdrawn in accordance

mentaire ou avant celle-ci ne peut être consultée.

Dates
(6) Les dates réglementaires visées aux paragraphes (4) et (5) ne peuvent être postérieures à la date de l'expiration de la période visée au paragraphe (2).
L.R.C. 1985, ch. P-4, art. 10; ch. 33 (3e suppl.), art. 2; L.C. 1993, ch. 15, art. 28.

Brevets délivrés à l'étranger
11. Nonobstant l'exception que renferme l'article 10, le commissaire informe toute personne qui déclare par écrit le nom de l'inventeur, si ce nom est disponible, le titre de l'invention ainsi que le numéro et la date d'un brevet rapporté comme ayant été accordé dans un pays désigné autre que le Canada, et qui acquitte ou offre d'acquitter la taxe réglementaire, si une demande de brevet pour la même invention est en instance au Canada.
S.R.C., ch. P-4, art. 11.

RÈGLES ET RÈGLEMENTS

Règles et règlements
12. (1) Le gouverneur en conseil peut, par règle ou règlement :
a) prévoir la forme et le contenu des demandes de brevet;
b) prévoir la forme du registre des brevets et de ses index;
c) prévoir l'enregistrement de tous documents — cessions, transmissions, renonciations, jugements ou autres — relatifs à un brevet;
d) prévoir la forme et le contenu des certificats délivrés sous le régime de la présente loi;
e) prescrire les taxes qui peuvent être levées pour le dépôt des demandes de brevet ou les autres formalités d'application de la présente loi ou de ses règles ou règlements ou pour des services ou l'utilisation d'installations qui y sont prévus par le commissaire ou par tout fonctionnaire du Bureau des brevets ou prescrire les modalités de la détermination de ces taxes;
f) prescrire les taxes à payer pour le maintien en état des demandes de brevet ainsi que des

with the regulations on or before the prescribed date.

Prescribed date
(6) A prescribed date referred to in subsection (4) or (5) must be no later than the date on which the confidentiality period expires.
R.S.C., 1985, c. P-4, s. 10; c. 33 (3rd Supp.), s. 2; S.C. 1993, c. 15, s. 28.

Patents issued out of Canada
11. Notwithstanding the exception in section 10, the Commissioner, on the request of any person who states in writing the name of the inventor, if available, the title of the invention and the number and date of a patent said to have been granted in a named country other than Canada, and who pays or tenders the prescribed fee, shall inform that person whether an application for a patent of the same invention is or is not pending in Canada.
R.S.C., c. P-4, s. 11.

RULES AND REGULATIONS

Rules and regulations
12. (1) The Governor in Council may make rules or regulations
(a) respecting the form and contents of applications for patents;
(b) respecting the form of the Register of Patents and of the indexes thereto;
(c) respecting the registration of assignments, transmissions, disclaimers, judgments or other documents relating to any patent;
(d) respecting the form and contents of any certificate issued pursuant to this Act;
(e) prescribing the fees or the manner of determining the fees that may be charged in respect of the filing of applications for patents or the taking of other proceedings under this Act or under any rule or regulation made pursuant to this Act, or in respect of any services or the use of any facilities provided thereunder by the Commissioner or any person employed in the Patent Office;
(f) prescribing the fees or the manner of determining the fees that shall be paid to maintain in effect an application for a patent or to

droits conférés par les brevets ou les modalités de leur détermination;
g) prévoir le paiement des taxes réglementaires, y compris le moment et la manière selon laquelle ces taxes doivent être payées, les surtaxes qui peuvent être levées pour les paiements en souffrance, ainsi que les circonstances dans lesquelles les taxes peuvent être remboursées en tout ou en partie;
h) rendre effectives les stipulations de tout traité, convention, accord ou entente qui subsiste entre le Canada et tout autre pays;
i) par dérogation aux autres dispositions de la présente loi, mettre en oeuvre le Traité de coopération en matière de brevets, conclu à Washington le 19 juin 1970, ainsi que les modifications et révisions éventuellement apportées à celui-ci et auxquelles le Canada est partie;
j) prévoir l'inscription, le maintien et la suppression des noms de personne et d'entreprise dans le registre des agents de brevets, et notamment les conditions que doit remplir toute personne ou entreprise pour que son nom soit ainsi inscrit et maintenu;
j.1) régir la transmission des documents, renseignements et taxes visés à l'article 8.1, notamment en déterminant ceux qui peuvent être remis au titre du paragraphe 8.1(1), les personnes ou catégories de personnes habilitées à cet effet et les règles d'application du paragraphe 8.1(2);
j.2) régir la mise en mémoire des renseignements et documents visés à l'article 8.2;
j.3) déterminer les modalités de retrait des demandes de brevet et, pour l'application des paragraphes 10(4) et (5), préciser les dates, ou leur mode de détermination, de retrait des demandes de priorité et des demandes de brevet;
j.4) régir les demandes de priorité, notamment en ce qui a trait à leur délai de présentation, aux renseignements et documents à fournir à l'appui de celles-ci, au délai de transmission au commissaire de ces renseignements et documents ainsi qu'au retrait de ces demandes;
j.5) déterminer le délai de présentation des requêtes d'examen et fixer les taxes à payer aux termes du paragraphe 35(1);
j.6) régir le dépôt de matières biologiques

maintain the rights accorded by a patent;
(g) respecting the payment of any prescribed fees including the time when and the manner in which such fees shall be paid, the additional fees that may be charged for the late payment of such fees and the circumstances in which any fees previously paid may be refunded in whole or in part;
(h) for carrying into effect the terms of any treaty, convention, arrangement or engagement that subsists between Canada and any other country;
(i) for carrying into effect, notwithstanding anything in this Act, the Patent Cooperation Treaty done at Washington on June 19, 1970, including any amendments, modifications and revisions made from time to time to which Canada is a party;
(j) respecting the entry on, the maintenance of and the removal from the register of patent agents of the names of persons and firms, including the qualifications that must be met and the conditions that must be fulfilled by a person or firm before the name of the person or firm is entered thereon and to maintain the name of the person or firm on the register;
(*j*.1) respecting the submission of documents, information or fees under section 8.1, including
(i) the documents, information or fees that may be submitted in electronic or other form under that section,
(ii) the persons or classes of persons by whom they may be submitted, and
(iii) the time at which they are deemed to be received by the Commissioner;
(*j*.2) respecting the entering or recording of any document or information under section 8.2;
(*j*.3) prescribing the manner in which an application for a patent may be withdrawn and, for the purposes of subsections 10(4) and (5), prescribing the date, or the manner of determining the date, on or before which a request for priority or an application for a patent must be withdrawn;
(*j*.4) respecting requests for priority, including
(i) the period within which priority must be requested,
(ii) the manner in which and period within

visé à l'article 38.1;
j.7) déterminer les modalités de modification des mémoires descriptifs et des dessins faisant partie de la demande de brevet;
j.8) autoriser le commissaire, si celui-ci estime que les circonstances le justifient, à proroger, aux conditions réglementaires, tout délai fixé par la présente loi ou en vertu de celle-ci pour l'accomplissement d'un acte;
k) prendre toute autre mesure d'ordre réglementaire prévue par la présente loi;
l) prendre toute autre mesure d'application de la présente loi ou pour en assurer la mise en oeuvre par le commissaire et le personnel du Bureau des brevets.

which the Commissioner must be informed of the matters referred to in subsection 28.4(2),
(iii) the documentation that must be filed in support of requests for priority, and
(iv) the withdrawal of requests for priority;
(j.5) respecting the time within which requests for examination must be made and prescribed fees must be paid under subsection 35(1);
(j.6) respecting the deposit of biological material for the purposes of section 38.1;
(j.7) respecting the manner in which amendments may be made to specifications or drawings furnished as part of an application for a patent;
(j.8) authorizing the Commissioner to extend, subject to any prescribed terms and conditions, the time fixed by or under this Act for doing anything where the Commissioner is satisfied that the circumstances justify the extension;
(k) prescribing any other matter that by any provision of this Act is to be prescribed; and
(l) generally, for carrying into effect the objects and purposes of this Act or for ensuring the due administration thereof by the Commissioner and other officers and employees of the Patent Office.

Effet

(2) Toute règle ou tout règlement pris par le gouverneur en conseil a la même force et le même effet que s'il avait été édicté aux présentes.
L.R.C. 1985, ch. P-4, art. 12; ch. 33 (3e suppl.), art. 3; L.C. 1993, ch. 15, art. 29.

Effect

(2) Any rule or regulation made by the Governor in Council has the same force and effect as if it had been enacted herein.
R.S.C., 1985, c. P-4, s. 12; c. 33 (3rd Supp.), s. 3; S.C. 1993, c. 15, s. 29.

SCEAU

Sceau du Bureau

13. (1) Le commissaire fait faire un sceau répondant aux fins de la présente loi, et peut le faire apposer sur tous les brevets et autres documents, et leurs copies, émanant du Bureau des brevets.

Le sceau fait foi

(2) Les tribunaux, juges et autres personnes admettent d'office le sceau du Bureau des brevets et en admettent les empreintes en

SEAL

Seal of office

13. (1) The Commissioner shall cause a seal to be made for the purposes of this Act and may cause to be sealed therewith every patent and other instrument and copy thereof issuing from the Patent Office.

Seal to be evidence

(2) Every court, judge and person shall take notice of the seal of the Patent Office, shall admit the impressions thereof in evidence in

preuve, au même titre que les empreintes du grand sceau. Il en va de même, sans autre justification et sans production des originaux, pour toutes les copies ou tous les extraits certifiés, sous le sceau du Bureau des brevets, être des copies ou des extraits conformes de documents déposés à ce Bureau.
S.R.C., ch. P-4, art. 13.

like manner as the impressions of the Great Seal are admitted in evidence and shall take notice of and admit in evidence, without further proof and without production of the originals, all copies or extracts certified under the seal of the Patent Office to be copies of or extracts from documents deposited in that Office.
R.S.C., c. P-4, s. 13.

PREUVE DES BREVETS

Copies certifiées de brevets admises en preuve

14. Dans toute poursuite ou procédure relative à un brevet, autorisée à être prise ou exercée au Canada en vertu de la présente loi, une copie de tout brevet accordé dans un autre pays, ou de tout document officiel qui s'y rapporte, paraissant certifiée de la main du fonctionnaire compétent du gouvernement du pays dans lequel ce brevet a été obtenu, peut être produite au tribunal, ou à un juge du tribunal, et la copie de ce brevet ou de ce document paraissant être ainsi certifiée peut être admise en preuve sans production de l'original et sans justification de la signature ou du caractère officiel de la personne qui paraît l'avoir signée.
S.R.C., ch. P-4, art. 14.

PROOF OF PATENTS

Certified copies of patents as evidence

14. In any action or proceeding respecting a patent authorized to be had or taken in Canada under this Act, a copy of any patent granted in any other country, or any official document connected therewith, purporting to be certified under the hand of the proper officer of the government of the country in which the patent has been obtained, may be produced before the court or a judge thereof, and the copy of the patent or document purporting to be so certified may be admitted in evidence without production of the original and without proof of the signature or official character of the person appearing to have signed it.
R.S.C., c. P-4, s. 14.

AGENTS DE BREVETS

Registre des agents de brevets

15. Au Bureau des brevets est tenu un registre des agents de brevets sur lequel sont inscrits les noms de toutes les personnes et entreprises ayant le droit de représenter les demandeurs dans la présentation et la poursuite des demandes de brevet ou dans toute autre affaire devant le Bureau des brevets.
L.R.C. 1985, ch. P-4, art. 15; ch. 33 (3e suppl.), art. 4.

PATENT AGENTS

Register of patent agents

15. A register of patent agents shall be kept in the Patent Office on which shall be entered the names of all persons and firms entitled to represent applicants in the presentation and prosecution of applications for patents or in other business before the Patent Office.
R.S.C., 1985, c. P-4, s. 15; c. 33 (3rd Supp.), s. 4.

Inconduite

16. Pour inconduite grossière, ou pour toute autre cause qu'il juge suffisante, le commissaire peut refuser de reconnaître une personne comme procureur ou agent de brevets, soit dans tous les cas en général, soit dans un cas particulier.
S.R.C., ch. P-4, art. 16.

Misconduct

16. For gross misconduct or any other cause that he may deem sufficient, the Commissioner may refuse to recognize any person as a patent agent or attorney either generally or in any particular case.
R.S.C., c. P-4, s. 16.

APPELS

Pratique d'appel

17. Dans tous les cas où appel est prévu de la décision du commissaire à la Cour fédérale en vertu de la présente loi, cet appel est interjeté conformément à la *Loi sur la Cour fédérale* et aux règles et à la pratique de ce tribunal.

[Lors de l'entrée en vigueur de L.C. 2002, c. 8, art. 182, le titre le la Loi sur la Cour fédérale *deviendra* « Loi sur les Cours fédérales ».*]*

S.R.C., ch. P-4, art. 17; S.R.C., ch. 10 (2e suppl.), art. 64.

Avis d'appel

18. (1) Lorsque, aux termes de la présente loi, il peut être fait appel de sa décision devant la Cour fédérale, le commissaire adresse, par courrier recommandé, un avis de sa décision aux parties intéressées ou à leurs agents respectifs.

Délai

(2) L'appel doit être interjeté dans un délai de trois mois à compter de la date de l'envoi de cet avis, à moins qu'un autre délai ne soit fixé sous le régime de la présente loi.

S.R.C., ch. P-4, art. 18; ch. 10 (2e suppl.), art. 64; L.C. 1993, ch. 15, art. 30.

USAGES DE BREVETS PAR LE GOUVERNEMENT

Demande d'usage d'une invention brevetée par le gouvernement

19. (1) Sous réserve de l'article 19.1, le commissaire peut, sur demande du gouvernement du Canada ou d'une province, autoriser celui-ci à faire usage d'une invention brevetée.

Modalités

(2) Sous réserve de l'article 19.1, l'usage de l'invention brevetée peut être autorisé aux fins, pour la durée et selon les autres modalités que le commissaire estime convenables. Celui-ci fixe ces modalités en tenant compte des principes suivants :

APPEALS

Practice on appeals

17. In all cases where an appeal is provided from the decision of the Commissioner to the Federal Court under this Act, the appeal shall be had and taken pursuant to the *Federal Court Act* and the rules and practice of that Court.

[When S.C. 2002, c. 8, s. 182 comes into force, the title of the Federal Court Act *will be changed to* "Federal Courts Act."*]*

R.S.C., c. P-4, s. 17; R.S.C., c. 10 (2nd Supp.), s. 64.

Notice on appeal

18. (1) Whenever an appeal to the Federal Court from the decision of the Commissioner is permitted under this Act, notice of the decision shall be mailed by the Commissioner by registered letter addressed to the interested parties or their respective agents.

Time for taking appeal

(2) The appeal shall be taken within three months after the date of mailing of the notice, unless otherwise provided by or under this Act.

R.S.C., c. P-4, s. 18; c. 10 (2nd Supp.), s. 64, S.C. 1993, c. 15, s. 30.

USE OF PATENTS BY GOVERNMENT

Government may apply to use patented invention

19. (1) Subject to section 19.1, the Commissioner may, on application by the Government of Canada or the government of a province, authorize the use of a patented invention by that government.

Terms of use

(2) Subject to section 19.1, the use of the patented invention may be authorized for such purpose, for such period and on such other terms as the Commisioner considers expedient but the Commissioner shall settle those terms in accordance with the following principles:

a) la portée et la durée de l'usage doivent être limités aux fins auxquelles celui-ci a été autorisé;
b) l'usage ne peut être exclusif;
c) l'usage doit être avant tout autorisé pour l'approvisionnement du marché intérieur.

(*a*) the scope and duration of the use shall be limited to the purpose for which the use is authorized;
(*b*) the use authorized shall be non-exclusive; and
(*c*) any use shall be authorized predominantly to supply the domestic market.

Avis
(3) Le commissaire avise le breveté des usages de l'invention brevetée qui sont autorisées sous le régime du présent article.

Notice
(3) The Commissioner shall notify the patentee of any use of the patented invention that is authorized under this section.

Paiement d'une rémunération
(4) L'usager de l'invention brevetée paie au breveté la rémunération que le commissaire estime adéquate en l'espèce, compte tenu de la valeur économique de l'autorisation.

Payment of remuneration
(4) Where the use of the patented invention is authorized, the authorized user shall pay to the patentee such amount as the Commissioner considers to be adequate remuneration in the circumstances, taking into account the economic value of the authorization.

Fin de l'autorisation
(5) Le commissaire peut, sur demande du breveté et après avoir donné aux intéressés la possibilité de se faire entendre, mettre fin à l'autorisation s'il est convaincu que les circonstances qui y ont conduit ont cessé d'exister et ne se reproduiront vraisemblablement pas. Le cas échéant, il doit toutefois veiller à ce que les intérêts légitimes des personnes autorisées soient protégés de façon adéquate.

Termination of authorization
(5) The Commissioner may, on application by the patentee and after giving all concerned parties an opportunity to be heard, terminate the authorization if the Commissioner is satisfied that the circumstances that led to the granting of the authorization have ceased to exist and are unlikely to recur, subject to such conditions as the Commissioner deems appropriate to protect the legitimate interests of the authorized user.

Incessibilité
(6) L'autorisation prévue au présent article est incessible.
L.R.C., 1985, ch. P-4, art. 19; L.C. 1993, ch. 44, art. 191(1).

Authorization not transferable
(6) An authorization granted under this section is not transferable.
R.S.C. 1985, c. P-4, s. 19; S.C. 1993, c. 44, s. 191(1).

Conditions préalables
19.1 (1) Le commissaire ne peut donner l'autorisation visée à l'article 19 que si le demandeur lui démontre que :
a) d'une part, il s'est efforcé d'obtenir l'autorisation auprès du breveté, à des conditions et modalités commerciales raisonnables;
b) d'autre part, ses efforts n'ont pas abouti dans un délai raisonnable.

Conditions for authorizing use
19.1 (1) The Commissioner may not authorize the use of a patented invention under section 19 unless the applicant establishes that :
(*a*) it has made efforts to obtain from the patentee on reasonable commercial terms and conditions the authority to use the patented invention; and
(*b*) its efforts have not been successful within a reasonable period.

Exception
(2) Le paragraphe (1) ne s'applique pas dans les cas de situation nationale critique ou d'extrême urgence ou dans le cas où l'autorisation est demandée à des fins publiques non commerciales.

Exception
(2) Subsection (1) does not apply in cases of national emergency or extreme urgency or where the use for which the authorization is sought is a public non-commercial use.

Usages prévus par règlement
(3) Le commissaire ne peut s'appuyer sur l'article 19 pour autoriser des usages prévus par règlement, à moins que l'usager éventuel ne respecte les conditions réglementaires.

Prescribed uses
(3) The Commissioner may not, under section 19, authorize any use that is a prescribed use unless the proposed user complies with the prescribed conditions.

Limitation -semi-conducteurs
(4) Le commissaire ne peut s'appuyer sur l'article 19 pour autoriser l'usage de la technologie des semi-conducteurs, sauf dans les cas où l'autorisation est demandée à des fins publiques non commerciales.
L.C. 1993, ch. 44, art. 191(1); 1994, ch. 47, art. 142.

Limitation on use of semi-conductor technology
(4) The Commissioner may not, under section 19, authorize any use of semi-conductor technology other than a public non-commercial use.
S.C. 1993, c. 44, s. 191(1); 1994, c. 47, s. 142.

Appel
19.2 Toute décision rendue par le commissaire dans le cadre des articles 19 ou 19.1 peut faire l'objet d'un appel devant la Cour fédérale.
L.C. 1993, ch. 44, art. 191(1).

Appeal
19.2 Any decision made by the Commissioner under section 19 or 19.1 is subject to appeal to the Federal Court.
S.C. 1993, c. 44, s. 191(1).

Règlements
19.3 (1) Le gouverneur en conseil peut prendre, concernant les brevets, des règlements pour la mise en oeuvre de l'article 1720 de l'Accord.

Regulations
19.3 (1) The Governor in Council may make regulations for the purpose of implementing, in relation to patents, Article 1720 of the Agreement.

Définition de «Accord»
(2) Au paragraphe (1), «Accord» s'entend au sens du paragraphe 2(1) de la *Loi de mise en oeuvre de l'Accord de libre-échange nord-américain*.
L.C. 1993, ch. 44, art. 191(1).

Definition of "Agreement"
(2) In subsection (1), "Agreement" has the same meaning as in subsection 2(1) of the *North American Free Trade Agreement Implementation Act*.
S.C. 1993, c. 44, s. 191(1).

[**Note:** Le paragraphe (1) (remplaçant l'article 19 et insérant les articles 19.1 à 19.3) n'a pas pour effet, par lui-même, de faire encourir quelque responsabilité à Sa Majesté du chef du Canada ou d'une province pour les usages d'une invention brevetée antérieurs à son entrée en vigueur.]

[**Note:** Her Majesty in right of Canada or a province is not, by reason only of the enactment of subsection (1) (substituting section 19 and inserting sections 19.1 to 19.3), liable for any use of a patented invention before the day on which subsection (1) comes into force.]

BREVETS APPARTENANT AU GOUVERNEMENT

Cession au ministre de la Défense nationale

20. (1) Tout membre de l'administration publique fédérale ou du personnel d'une personne morale qui est un agent ou au service de la Couronne, qui, dans l'exercice de ses fonctions ou dans le cadre de son emploi, réalise une invention portant sur des instruments ou munitions de guerre, est tenu, s'il en est requis par le ministre de la Défense nationale, de céder à celui-ci, pour le compte de Sa Majesté, le plein bénéfice de l'invention et de tout brevet obtenu ou à obtenir pour celle-ci.

Idem

(2) Toute autre personne qui est l'auteur d'une telle invention peut céder au ministre de la Défense nationale, pour le compte de Sa Majesté, le plein bénéfice de l'invention et de tout brevet obtenu ou à obtenir pour celle-ci.

L'inventeur a droit à une indemnité

(3) L'inventeur visé au paragraphe (2) a droit à une indemnité pour une cession au ministre de la Défense nationale prévue dans la présente loi. S'il n'a pas été convenu de la considération à verser pour une telle cession, le commissaire en détermine le montant, mais il peut être interjeté appel de sa décision à la Cour fédérale.

Procédures devant la Cour fédérale

(4) Les procédures intentées devant la Cour fédérale sous le régime du paragraphe (3) ont lieu à huis clos, sur demande formulée au tribunal par une des parties.

La cession attribue les avantages

(5) La cession attribue efficacement au ministre de la Défense nationale, pour le compte de Sa Majesté, le bénéfice de l'invention et du brevet, et tous les engagements et conventions y contenus aux fins de garder, notamment, l'invention secrète sont valables et efficaces, nonobstant toute absence de contre-

GOVERNMENT OWNED PATENTS

Assignment to Minister of National Defence

20. (1) Any officer, servant or employee of the Crown or of a corporation that is an agent or servant of the Crown, who, acting within the scope of his duties and employment, invents any invention in instruments or munitions of war shall, if so required by the Minister of National Defence, assign to that Minister on behalf of Her Majesty all the benefits of the invention and of any patent obtained or to be obtained for the invention.

Idem

(2) Any person other than a person described in subsection (1) who invents an invention described in that subsection may assign to the Minister of National Defence on behalf of Her Majesty all the benefits of the invention and of any patent obtained or to be obtained for the invention.

Inventor entitled to compensation

(3) An inventor described in subsection (2) is entitled to compensation for an assignment to the Minister of National Defence under this Act and in the event that the consideration to be paid for the assignment is not agreed on, it is the duty of the Commissioner to determine the amount of the consideration, which decision is subject to appeal to the Federal Court.

Proceedings before Federal Court

(4) Proceedings before the Federal Court under subsection (3) shall be held in camera on request made to the court by any party to the proceedings.

Vesting on assignment

(5) An assignment to the Minister of National Defence under this Act effectually vests the benefits of the invention and patent in the Minister of National Defence on behalf of Her Majesty, and all covenants and agreements therein contained for keeping the invention secret and otherwise are valid and ef-

partie, et peuvent être exécutés en conséquence par le ministre de la Défense nationale.

fectual, notwithstanding any want of valuable consideration, and may be enforced accordingly by the Minister of National Defence.

Cédant et personne ayant connaissance de la cession

(6) Toute personne qui a fait au ministre de la Défense nationale une cession prévue au présent article, en ce qui concerne les engagements et conventions contenus dans cette cession aux fins de garder, notamment, l'invention secrète et en ce qui concerne toutes matières relatives à l'invention en question, et toute autre personne qui est au courant d'une telle cession et de ces engagements et conventions sont, pour l'application de la *Loi sur la protection de l'information,* réputées des personnes ayant en leur possession ou sous leur contrôle des renseignements sur ces matières qui leur ont été commis en toute confiance par une personne détenant un poste qui relève de Sa Majesté. La communication de l'un de ces renseignements par les personnes mentionnées en premier lieu à une personne autre que celle avec laquelle elles sont autorisées à communiquer par le ministre de la Défense nationale ou en son nom, constitue une infraction à l'article 4 de la *Loi sur la protection de l'information.*

Person making assignment and person having knowledge thereof

(6) Any person who has made an assignment to the Minister of National Defence under this section, in respect of any covenants and agreements contained in such assignment for keeping the invention secret and otherwise in respect of all matters relating to that invention, and any other person who has knowledge of such assignment and of such covenants and agreements, shall be, for the purposes of the *Security of Information Act,* deemed to be persons having in their possession or control information respecting those matters that has been entrusted to them in confidence by any person holding office under Her Majesty, and the communication of any of that information by the first mentioned persons to any person other than one to whom they are authorized to communicate with, by or on behalf of the Minister of National Defence, is an offence under section 4 of the *Security of Information Act.*

Le ministre peut présenter une demande de brevet

(7) Lorsqu'une convention a été conclue pour une telle cession, le ministre de la Défense nationale peut présenter au commissaire une demande de brevet pour l'invention, accompagnée d'une requête pour étude en vue de déterminer si elle est brevetable, et si cette demande est jugée recevable, il peut, avant que soit accordé tout brevet en l'espèce, certifier au commissaire que, dans l'intérêt public, les détails de l'invention et de la manière dont elle sera exploitée doivent être tenus secrets.

Minister may submit application for patent

(7) Where any agreement for an assignment to the Minister of National Defence under this Act has been made, the Minister of National Defence may submit an application for patent for the invention to the Commissioner, with the request that it be examined for patentability, and if the application is found allowable may, before the grant of any patent thereon, certify to the Commissioner that, in the public interest, the particulars of the invention and of the manner in which it is to be worked are to be kept secret.

Demande secrète

(8) Si le ministre de la Défense nationale le certifie, la demande et le mémoire descriptif, avec le dessin, le cas échéant, ainsi que toute

Secret application

(8) If the Minister of National Defence so certifies, the application and specification, with the drawing, if any, and any amendment

modification de la demande et toutes copies de ces documents et dessin, de même que le brevet accordé en l'espèce, sont placés dans un paquet scellé par le commissaire sous l'autorité du ministre de la Défense nationale.

of the application, and any copies of those documents and the drawing and the patent granted thereon shall be placed in a packet sealed by the Commissioner under authority of the Minister of National Defence.

Garde de la demande secrète

(9) Jusqu'à l'expiration de la période durant laquelle un brevet pour l'invention peut être en vigueur, le paquet est gardé scellé par le commissaire, et il ne peut être ouvert que sous l'autorité d'un arrêté du ministre de la Défense nationale.

Custody of secret application

(9) The packet described in subsection (8) shall, until the expiration of the term during which a patent for the invention may be in force, be kept sealed by the Commissioner, and shall not be opened except under the authority of an order of the Minister of National Defence.

Transmission de la demande secrète

(10) Le paquet est remis pendant la durée du brevet à toute personne autorisée par le ministre de la Défense nationale à le recevoir, et, s'il est retourné au commissaire, ce dernier le garde scellé.

Delivery of secret application

(10) The packet described in subsection (8) shall be delivered at any time during the continuance of the patent to any person authorized by the Minister of National Defence to receive it, and shall, if returned to the Commissioner, be kept sealed by him.

Transmission au ministre

(11) À l'expiration de la durée du brevet, le paquet est transmis au ministre de la Défense nationale.

Delivery to Minister

(11) On the expiration of the term of the patent, the packet described in subsection (8) shall be delivered to the Minister of National Defence.

Révocation

(12) Nulle procédure par voie de pétition ou autrement n'est recevable en vue de faire déclarer invalide ou nul un brevet concédé pour une invention à l'égard de laquelle le ministre de la Défense nationale a donné un certificat aux termes du paragraphe (7), sauf sur permission de ce dernier.

Revocation

(12) No proceeding by petition or otherwise lies to have declared invalid or void a patent granted for an invention in relation to which a certificate has been given by the Minister of National Defence under subsection (7), except by permission of the Minister.

Interdiction relative à la publication et l'inspection

(13) Aucune copie d'un mémoire descriptif ou autre document ou dessin à placer dans un paquet scellé, aux termes du présent article, ne peut de quelque manière que ce soit être publiée ni être accessible à l'inspection du public. Toutefois, sauf prescriptions contraires du présent article, la présente loi s'applique à l'égard d'une invention et d'un brevet qui y sont visés.

Prohibition of publication and inspection

(13) No copy of any specification or other document or drawing in respect of an invention and patent, by this section required to be placed in a sealed packet, shall in any manner whatever be published or open to the inspection of the public, but, except as otherwise provided in this section, this Act shall apply in respect of the invention and patent.

Renonciation par le ministre
(14) Le ministre de la Défense nationale peut renoncer aux avantages du présent article en ce qui concerne une invention particulière et, dès lors, le mémoire descriptif, les documents et le dessin sont gardés et traités de la manière régulière.

Waiver by Minister
(14) The Minister of National Defence may at any time waive the benefit of this section with respect to any particular invention, and the specification, documents and drawing relating thereto shall thereafter be kept and dealt with in the regular way.

Droits sauvegardés
(15) Il ne peut être fait droit à une réclamation concernant une contrefaçon de brevet qui s'est produite de bonne foi pendant la période où le brevet a été tenu secret sous le régime du présent article. Quiconque, avant la publication de ce brevet, avait accompli de bonne foi un acte qui, sans le présent paragraphe, aurait donné lieu à une telle réclamation, a droit, après la publication en question, d'obtenir une licence pour fabriquer, utiliser et vendre l'invention brevetée aux termes qui, en l'absence de convention entre les parties, peuvent être arrêtés par le commissaire ou par la Cour fédérale sur appel de la décision du commissaire.

Rights protected
(15) No claim shall be allowed in respect of any infringement of a patent that occurred in good faith during the time that the patent was kept secret under this section, and any person who, before the publication of the patent, had in good faith done any act that, but for this subsection would have given rise to a claim, is entitled, after the publication, to obtain a licence to manufacture, use and sell the patented invention on such terms as may, in the absence of agreement between the parties, be settled by the Commissioner or by the Federal Court on appeal from the Commissioner.

Communication au ministre
(16) La communication au ministre de la Défense nationale, ou à toute personne autorisée par ce dernier à en faire l'examen ou à en étudier les mérites, de toute invention destinée à un perfectionnement de munitions de guerre. n'est pas réputée, non plus qu'une chose faite aux fins de l'enquête, constituer un usage ou une publication de cette invention qui puisse nuire à l'octroi ou à la validité d'un brevet à cet égard.

Communication to Minister
(16) The communication of any invention for any improvement in munitions of war to the Minister of National Defence, or to any person or persons authorized by the Minister of National Defence to investigate the invention or the merits thereof, shall not, nor shall anything done for the purposes of the investigation, be deemed use or publication of the invention so as to prejudice the grant or validity of any patent for the invention.

Décret pour tenir secrète la demande non cédée
(17) Si le gouverneur en conseil est convaincu qu'une invention relative à tout instrument ou munition de guerre, décrite dans une demande spécifiée de brevet non cédée au ministre de la Défense nationale, est essentielle à la défense du Canada et que la publication d'un brevet en l'espèce devrait être empêchée afin de maintenir la sécurité de l'État, il peut ordonner que ces invention et demande ainsi que tous les documents s'y rattachant soient traités, pour l'application du

Order to keep non-assigned application secret
(17) The Governor in Council, if satisfied that an invention relating to any instrument or munition of war, described in any specified application for patent not assigned to the Minister of National Defence, is vital to the defence of Canada and that the publication of a patent therefor should be prevented in order to preserve the safety of the State, may order that the invention and application and all the documents relating thereto shall be treated for all purposes of this section as if the inven-

présent article, comme si l'invention avait été cédée, ou comme s'il avait été convenu de céder l'invention, au ministre de la Défense nationale.

tion had been assigned or agreed to be assigned to the Minister of National Defence.

Règles

(18) Le gouverneur en conseil peut établir des règles pour assurer le secret en ce qui concerne les demandes et les brevets visés par le présent article et, d'une façon générale, pour son application.
S.R.C., ch. P-4, art. 20; S.R.C., ch. 10 (2e suppl.), art. 64; L.C. 2001, ch. 41, art. 36.

Rules

(18) The Governor in Council may make rules for the purpose of ensuring secrecy with respect to applications and patents to which this section applies and generally to give effect to the purpose and intent thereof.
R.S.C., c. P-4, s. 20; R.S.C., c. 10 (2nd Supp.), s. 64; S.C. 2001, c. 41, s. 36.

Accord entre le Canada et un autre gouvernement

21. Si, aux termes d'un accord entre le gouvernement du Canada et tout autre gouvernement, il est prévu que le gouvernement du Canada appliquera l'article 20 aux inventions décrites dans une demande de brevet cédé par l'inventeur, ou que celui-ci convient de céder, à cet autre gouvernement, et si un ministre avise le commissaire que cet accord s'étend à l'invention dans une demande spécifiée, cette demande et tous les documents s'y rattachant sont traités de la manière prévue à l'article 20, sauf les paragraphes (3) et (4), comme si l'invention avait été cédée, ou qu'il avait été convenu de céder l'invention, au ministre de la Défense nationale.
S.R.C., ch. P-4, art. 21.

Agreement between Canada and other government

21. Where by any agreement between the Government of Canada and any other government it is provided that the Government of Canada will apply section 20 to inventions disclosed in any application for a patent assigned or agreed to be assigned by the inventor to that other government, and the Commissioner is notified by any minister of the Crown that the agreement extends to an invention in a specified application, the application and all the documents relating thereto shall be dealt with as provided in section 20, except subsections (3) and (4), as if the invention had been assigned or agreed to be assigned to the Minister of National Defence.
R.S.C., c. P-4, s. 21.

BREVETS LIÉS À L'ÉNERGIE NUCLÉAIRE

Communication à la Commission canadienne se sûreté nucléaire

22. Le commissaire est tenu de communiquer à la Commission canadienne de sûreté nucléaire toute demande de brevet qui, selon lui, concerne la production, les applications ou les usages de l'énergie nucléaire avant que ne l'étudie un examinateur nommé conformément à l'article 6 ou qu'elle ne soit accessible sous le régime de l'article 10.
L.R.C. 1985, ch. P-4, art. 22; ch. 33 (3e suppl.), art. 5; L.C. 1997, ch. 9, art. 111.

PATENTS RELATING TO NUCLEAR ENERGY

Communication to Canadian Nuclear Safety Commission

22. Any application for a patent for an invention that, in the opinion of the Commissioner, relates to the production, application or use of nuclear energy shall, before it is dealt with by an examiner appointed pursuant to section 6 or is open to inspection by the public under section 10, be communicated by the Commissioner to the Canadian Nuclear Safety Commission.
R.S.C., 1985, c. P-4, s. 22; c. 33 (3rd Supp.), s. 5; S.C. 1997, c. 9, s. 111.

DISPOSITIONS GÉNÉRALES

Usage d'une invention brevetée, sur navires, aéronefs, etc. d'un pays

23. Aucun brevet ne peut aller jusqu'à empêcher l'usage d'une invention sur un vaisseau, navire, aéronef ou véhicule terrestre de tout pays, qui entre temporairement ou accidentellement au Canada, pourvu que cette invention serve exclusivement aux besoins du vaisseau, navire, aéronef ou véhicule terrestre, et qu'elle ne soit pas ainsi utilisée à fabriquer des objets destinés à être vendus au Canada ou à en être exportés.
S.R.C., ch. P-4, art. 23.

24. [Abrogé, L.R.C. 1985, ch. 33 (3e suppl.), art. 6.]

Frais de procédure devant le tribunal

25. Les frais du commissaire, dans toutes procédures devant un tribunal en vertu de la présente loi, sont à la discrétion du tribunal, mais il ne peut être ordonné au commissaire de payer les frais de toute autre partie.
S.R.C., ch. P-4, art. 25.

Rapport annuel

26. Le commissaire fait, chaque année, établir et déposer un rapport d'exercice devant le Parlement.
L.R.C. 1985, ch. P-4, art. 26; ch. 33 (3e suppl.), art. 7.

Liste des brevets

26.1 (1) Le commissaire fait publier, au moins une fois l'an, la liste des brevets accordés et délivrés dans l'année.

Publication

(2) Le commissaire peut faire publier pour vente ou distribution tout document accessible pour consultation sous le régime de l'article 10.
L.R.C. 1985, ch. 33 (3e suppl.), art. 7.

GENERAL

Patented invention in vessels, aircraft, etc., of any country

23. No patent shall extend to prevent the use of any invention in any ship, vessel, aircraft or land vehicle of any country entering Canada temporarily or accidentally, if the invention is employed exclusively for the needs of the ship, vessel, aircraft or land vehicle, and not so used for the manufacture of any goods to be sold within or exported from Canada.
R.S.C., c. P-4, s. 23.

24. [Repealed, R.S.C., 1985, c. 33 (3rd Supp.), s. 6.]

Cost of proceedings before the court

25. In all proceedings before any court under this Act, the costs of the Commissioner are in the discretion of the court, but the Commissioner shall not be ordered to pay the costs of any other of the parties.
R.S.C., c. P-4, s. 25.

Annual report

26. The Commissioner shall, in each year, cause to be prepared and laid before Parliament a report of the proceedings under this Act.
R.S.C., 1985, c. P-4, s. 26; c. 33 (3rd Supp.), s. 7.

Publication of list of patents

26.1 (1) The Commissioner shall, at least once in each year, publish a list of all patents issued in the year.

Publication and printing of documents

(2) The Commissioner may publish any document open to the inspection of the public under section 10 and may print or cause to be printed, for distribution or sale, any such document.
R.S.C., 1985, c. 33 (3rd Supp.), s. 7.

DEMANDES DE BREVETS

Délivrance de brevet

27. (1) Le commissaire accorde un brevet d'invention à l'inventeur ou à son représentant légal si la demande de brevet est déposée conformément à la présente loi et si les autres conditions de celle-ci sont remplies.

Dépôt de la demande

(2) L'inventeur ou son représentant légal doit déposer, en la forme réglementaire, une demande accompagnée d'une pétition et du mémoire descriptif de l'invention et payer les taxes réglementaires.

Mémoire descriptif

(3) Le mémoire descriptif doit :

a) décrire d'une façon exacte et complète l'invention et son application ou exploitation, telles que les a conçues son inventeur;

b) exposer clairement les diverses phases d'un procédé, ou le mode de construction, de confection, de composition ou d'utilisation d'une machine, d'un objet manufacturé ou d'un composé de matières, dans des termes complets, clairs, concis et exacts qui permettent à toute personne versée dans l'art ou la science dont relève l'invention, ou dans l'art ou la science qui s'en rapproche le plus, de confectionner, construire, composer ou utiliser l'invention;

c) s'il s'agit d'une machine, en expliquer clairement le principe et la meilleure manière dont son inventeur en a conçu l'application;

d) s'il s'agit d'un procédé, expliquer la suite nécessaire, le cas échéant, des diverses phases du procédé, de façon à distinguer l'invention en cause d'autres inventions.

Revendications

(4) Le mémoire descriptif se termine par une ou plusieurs revendications définissant distinctement et en des termes explicites l'objet de l'invention dont le demandeur revendique la propriété ou le privilège exclusif.

APPLICATION FOR PATENTS

Commissioner may grant patents

27. (1) The Commissioner shall grant a patent for an invention to the inventor or the inventor's legal representative if an application for the patent in Canada is filed in accordance with this Act and all other requirements for the issuance of a patent under this Act are met.

Application requirements

(2) The prescribed application fee must be paid and the application must be filed in accordance with the regulations by the inventor or the inventor's legal representative and the application must contain a petition and a specification of the invention.

Specification

(3) The specification of an invention must

(a) correctly and fully describe the invention and its operation or use as contemplated by the inventor;

(b) set out clearly the various steps in a process, or the method of constructing, making, compounding or using a machine, manufacture or composition of matter, in such full, clear, concise and exact terms as to enable any person skilled in the art or science to which it pertains, or with which it is most closely connected, to make, construct, compound or use it;

(c) in the case of a machine, explain the principle of the machine and the best mode in which the inventor has contemplated the application of that principle; and

(d) in the case of a process, explain the necessary sequence, if any, of the various steps, so as to distinguish the invention from other inventions.

Claims

(4) The specification must end with a claim or claims defining distinctly and in explicit terms the subject-matter of the invention for which an exclusive privilege or property is claimed.

Variantes

(5) Il est entendu que, pour l'application des articles 2, 28.1 à 28.3 et 78.3, si une revendication définit, par variantes, l'objet de l'invention, chacune d'elles constitue une revendication distincte.

Alternative definition of subject-matter

(5) For greater certainty, where a claim defines the subject-matter of an invention in the alternative, each alternative is a separate claim for the purposes of sections 2, 28.1 to 28.3 and 78.3.

Demande incomplète

(6) Si, à la date de dépôt, la demande ne remplit pas les conditions prévues au paragraphe (2), le commissaire doit, par avis, requérir le demandeur de la compléter au plus tard à la date qui y est mentionnée.

When application to be completed

(6) Where an application does not completely meet the requirements of subsection (2) on its filing date, the Commissioner shall, by notice to the applicant, require the application to be completed on or before the date specified in the notice.

Délai

(7) Ce délai est d'au moins trois mois à compter de l'avis et d'au moins douze mois à compter de la date de dépôt de la demande.

Specified period

(7) The specified date must be at least three months after the date of the notice and at least twelve months after the filing date of the application.

Ce qui n'est pas brevetable

(8) Il ne peut être octroyé de brevet pour de simples principes scientifiques ou conceptions théoriques.
L.R.C. 1985, ch. P-4, art. 27; ch. 33 (3e suppl.), art. 8; L.C. 1993, ch. 15, art. 31; ch. 44, art. 192.

What may not be patented

(8) No patent shall be granted for any mere scientific principle or abstract theorem.
R.S.C., 1985, c. P-4, s. 27; c. 33 (3rd Supp.), s. 8; S.C. 1993, c. 15, s. 31; c. 44, s. 192.

Taxes périodiques

27.1 (1) Le demandeur est tenu de payer au commissaire, afin de maintenir sa demande en état, les taxes réglementaires pour chaque période réglementaire.

(2) et (3) [Abrogés, L.C. 1993, ch. 15, art. 32.]
L.R.C. 1985, ch. 33 (3e suppl.), art. 9; L.C. 1993, ch. 15, art. 32.

Maintenance fees

27.1 (1) An applicant for a patent shall, to maintain the application in effect, pay to the Commissioner such fees, in respect of such periods, as may be prescribed.

(2) and (3) [Repealed, S.C. 1993, c. 15, s. 32.]
R.S.C., 1985, c. 33 (3rd Supp.), s. 9; S.C. 1993, c. 15, s. 32.

Date de dépôt

28. (1) La date de dépôt d'une demande de brevet est la date à laquelle le commissaire reçoit les documents, renseignements et taxes réglementaires prévus pour l'application du présent article. S'ils sont reçus à des dates différentes, il s'agit de la dernière d'entre elles.

Filing date

28. (1) The filing date of an application for a patent in Canada is the date on which the Commissioner receives the documents, information and fees prescribed for the purposes of this section or, if they are received on different dates, the last date.

Taxes réglementaires

(2) Pour l'application du paragraphe (1), le commissaire peut, s'il estime que cela est équitable, fixer une date de réception des taxes antérieure à celle à laquelle elles ont été reçues.

L.R.C. 1985, ch. P-4, art. 28; ch. 33 (3e suppl.), art 10; L.C. 1993, ch. 15, art. 33.

Date de la revendication

28.1 (1) La date de la revendication d'une demande de brevet est la date de dépôt de celle-ci, sauf si :

a) la demande est déposée, selon le cas :

(i) par une personne qui a antérieurement déposé de façon régulière, au Canada ou pour le Canada, ou dont l'agent, le représentant légal ou le prédécesseur en droit l'a fait, une demande de brevet divulguant l'objet que définit la revendication,

(ii) par une personne qui a antérieurement déposé de façon régulière, dans un autre pays ou pour un autre pays, ou dont l'agent, le représentant légal ou le prédécesseur en droit l'a fait, une demande de brevet divulguant l'objet que définit la revendication, dans le cas où ce pays protège les droits de cette personne par traité ou convention, relatif aux brevets, auquel le Canada est partie, et accorde par traité, convention ou loi une protection similaire aux citoyens du Canada;

b) elle est déposée dans les douze mois de la date de dépôt de la demande déposée antérieurement;

c) le demandeur a présenté, à l'égard de sa demande, une demande de priorité fondée sur la demande déposée antérieurement.

Idem

(2) Dans le cas où les alinéas (1)*a)* à *c)* s'appliquent, la date de la revendication est la date de dépôt de la demande antérieurement déposée de façon régulière.

L.C. 1993, ch. 15, art. 33.

Objet non divulgué

28.2 (1) L'objet que définit la revendication d'une demande de brevet ne doit pas :

Deemed date of receipt of fees

(2) The Commissioner may, for the purposes of this section, deem prescribed fees to have been received on a date earlier than the date of their receipt if the Commissioner considers it just to do so.

R.S.C., 1985, c. P-4, s. 28; c. 33 (3rd Supp.), s. 10; S.C. 1993, c. 15, s. 33.

Claim date

28.1 (1) The date of a claim in an application for a patent in Canada (the "pending application") is the filing date of the application, unless

(a) the pending application is filed by

(i) a person who has, or whose agent, legal representative or predecessor in title has, previously regularly filed in or for Canada an application for a patent disclosing the subject-matter defined by the claim, or

(ii) a person who is entitled to protection under the terms of any treaty or convention relating to patents to which Canada is a party and who has, or whose agent, legal representative or predecessor in title has, previously regularly filed in or for any other country that by treaty, convention or law affords similar protection to citizens of Canada an application for a patent disclosing the subject-matter defined by the claim;

(b) the filing date of the pending application is within twelve months after the filing date of the previously regularly filed application; and

(c) the applicant has made a request for priority on the basis of the previously regularly filed application.

Claims based on previously regularly filled applications

(2) In the circumstances described in paragraphs (1)(*a*) to (*c*), the claim date is the filing date of the previously regularly filed application.

S.C. 1993, c. 15, s. 33.

Subject-matter of claim must not be previously disclosed

28.2 (1) The subject-matter defined by a claim in an application for a patent in Canada

a) plus d'un an avant la date de dépôt de celle-ci, avoir fait, de la part du demandeur ou d'un tiers ayant obtenu de lui l'information à cet égard de façon directe ou autrement, l'objet d'une communication qui l'a rendu accessible au public au Canada ou ailleurs;
b) avant la date de la revendication, avoir fait, de la part d'une autre personne, l'objet d'une communication qui l'a rendu accessible au public au Canada ou ailleurs;
c) avoir été divulgué dans une demande de brevet qui a été déposée au Canada par une personne autre que le demandeur et dont la date de dépôt est antérieure à la date de la revendication de la demande visée à l'alinéa (1)*a*);
d) avoir été divulgué dans une demande de brevet qui a été déposée au Canada par une personne autre que le demandeur et dont la date de dépôt correspond ou est postérieure à la date de la revendication de la demande visée à l'alinéa (1)*a*) si :
(i) cette personne, son agent, son représentant légal ou son prédécesseur en droit, selon le cas :
(A) a antérieurement déposé de façon régulière, au Canada ou pour le Canada, une demande de brevet divulguant l'objet que définit la revendication de la demande visée à l'alinéa (1)*a*),
(B) a antérieurement déposé de façon régulière, dans un autre pays ou pour un autre pays, une demande de brevet divulguant l'objet que définit la revendication de la demande visée à l'alinéa (1)*a*), dans le cas où ce pays protège les droits de cette personne par traité ou convention, relatif aux brevets, auquel le Canada est partie, et accorde par traité, convention ou loi une protection similaire aux citoyens du Canada,
(ii) la date de dépôt de la demande déposée antérieurement est antérieure à la date de la revendication de la demande visée à l'alinéa *a*),
(iii) à la date de dépôt de la demande, il s'est écoulé, depuis la date de dépôt de la demande déposée antérieurement, au plus douze mois,
(iv) cette personne a présenté, à l'égard de sa demande, une demande de priorité fondée sur la demande déposée antérieurement.

(the "pending application") must not have been disclosed
(a) more than one year before the filing date by the applicant, or by a person who obtained knowledge, directly or indirectly, from the applicant, in such a manner that the subject-matter became available to the public in Canada or elsewhere;
(b) before the claim date by a person not mentioned in paragraph (*a*) in such a manner that the subject-matter became available to the public in Canada or else-where;
(c) in an application for a patent that is filed in Canada by a person other than the applicant, and has a filing date that is before the claim date; or
(d) in an application (the "co-pending application") for a patent that is filed in Canada by a person other than the applicant and has a filing date that is on or after the claim date if
(i) the co-pending application is filed by
(A) a person who has, or whose agent, legal representative or predecessor in title has, previously regularly filed in or for Canada an application for a patent disclosing the subject-matter defined by the claim, or
(B) a person who is entitled to protection under the terms of any treaty or convention relating to patents to which Canada is a party and who has, or whose agent, legal representative or predecessor in title has, previously regularly filed in or for any other country that by treaty, convention or law affords similar protection to citizens of Canada an application for a patent disclosing the subject-matter defined by the claim,
(ii) the filing date of the previously regularly filed application is before the claim date of the pending application,
(iii) the filing date of the co-pending application is within twelve months after the filing date of the previously regularly filed application, and
(iv) the applicant has, in respect of the co-pending application, made a request for priority on the basis of the previously regularly filed application.

Retrait de la demande

(2) Si la demande de brevet visée à l'alinéa (1)*c*) ou celle visée à l'alinéa (1)*d*) a été retirée avant d'être devenue accessible au public, elle est réputée, pour l'application des paragraphes (1) ou (2), n'avoir jamais été déposée.

L.C. 1993, ch. 15, art. 33.

Withdrawal of application

(2) An application mentioned in paragraph (1)(*c*) or a co-pending application mentioned in paragraph (1)(*d*) that is withdrawn before it is open to public inspection shall, for the purposes of this section, be considered never to have been filed.

S.C. 1993, c. 15, s. 33.

Objet non évident

28.3 L'objet que définit la revendication d'une demande de brevet ne doit pas, à la date de la revendication, être évident pour une personne versée dans l'art ou la science dont relève l'objet, eu égard à toute communication :

a) qui a été faite, plus d'un an avant la date de dépôt de la demande, par le demandeur ou un tiers ayant obtenu de lui l'information à cet égard de façon directe ou autrement, de manière telle qu'elle est devenue accessible au public au Canada ou ailleurs;

b) qui a été faite par toute autre personne avant la date de la revendication de manière telle qu'elle est devenue accessible au public au Canada ou ailleurs.

L.C. 1993, ch. 15, art. 33.

Invention must not be obvious

28.3 The subject-matter defined by a claim in an application for a patent in Canada must be subject-matter that would not have been obvious on the claim date to a person skilled in the art or science to which it pertains, having regard to

(a) information disclosed more than one year before the filing date by the applicant, or by a person who obtained knowledge, directly or indirectly, from the applicant in such a manner that the information became available to the public in Canada or elsewhere; and

(b) information disclosed before the claim date by a person not mentioned in paragraph (*a*) in such a manner that the information became available to the public in Canada or elsewhere.

S.C. 1993, c. 15, s. 33.

Demande de priorité

28.4 (1) Pour l'application des articles 28.1, 28.2 et 78.3, le demandeur de brevet peut présenter une demande de priorité fondée sur une ou plusieurs demandes de brevet antérieurement déposées de façon régulière.

Request for priority

28.4 (1) For the purposes of sections 28.1, 28.2 and 78.3, an applicant for a patent in Canada may request priority in respect of the application on the basis of one or more previously regularly filed applications.

Conditions

(2) Le demandeur la présente selon les modalités réglementaires; il doit aussi informer le commissaire du nom du pays ou du bureau où a été déposée toute demande de brevet sur laquelle la demande de priorité est fondée, ainsi que de la date de dépôt et du numéro de cette demande de brevet.

Requirements governing request

(2) The request for priority must be made in accordance with the regulations and the applicant must inform the Commissioner of the filing date, country or office of filing and number of each previously regularly filed application on which the request is based.

Retrait de la demande

(3) Il peut, selon les modalités réglementaires, la retirer à l'égard de la demande déposée antérieurement; dans les cas où la demande de priorité est fondée sur plusieurs demandes,

Withdrawal of request

(3) An applicant may, in accordance with the regulations, withdraw a request for priority, either entirely or with respect to one or more previously regularly filed applications.

il peut la retirer à l'égard de toutes celles-ci ou d'une ou de plusieurs d'entre elles.

Plusieurs demandes

(4) Dans le cas où plusieurs demandes de brevet ont été déposées antérieurement dans le même pays ou non :
a) la date de dépôt de la première demande est retenue pour l'application de l'alinéa 28.1(1)*b*), du sous-alinéa 28.2(1)*d*)(iii) et des alinéas 78.3(1)*b*) et (2)*b*), selon le cas;
b) la date de dépôt de la première des demandes sur lesquelles la demande de priorité est fondée est retenue pour l'application du paragraphe 28.1(2), du sous-alinéa 28.2(1)*d*)(ii) et des alinéas 78.3(1)*d*) et (2)*d*), selon le cas.

Multiple previously regularly filed applications

(4) Where two or more applications have been previously regularly filed as described in paragraph 28.1(1)(*a*), subparagraph 28.2(1)(*d*)(i) or paragraph 78.3(1)(*a*) or (2)(*a*), either in the same country or in different countries,
(a) paragraph 28.1(1)(*b*), subparagraph 28.2(1)(*d*)(iii) or paragraph 78.3(1)(*b*) or (2)(*b*), as the case may be, shall be applied using the earliest filing date of the previously regularly filed applications; and
(b) subsection 28.1(2), subparagraph 28.2(1)(*d*)(ii) or paragraph 78.3(1)(*d*) or (2)(*d*), as the case may be, shall be applied using the earliest filing date of the previously regularly filed applications on the basis of which a request for priority is made.

Retrait de demandes déposées antérieurement

(5) Pour l'application des articles 28.1 et 28.2 et des paragraphes 78.3(1) et (2), une demande de brevet déposée antérieurement est réputée ne pas l'avoir été si les conditions suivantes sont réunies :
a) la demande a été déposée plus de douze mois avant la date de dépôt de la demande à l'égard de laquelle une demande de priorité a été présentée;
b) avant la date de dépôt de la demande à l'égard de laquelle une demande de priorité a été présentée, une autre demande de brevet divulguant l'objet que définit la revendication de celle-ci a été déposée :
(i) par la personne qui a déposé la demande antérieurement déposée, ou par l'agent, le représentant légal ou le prédécesseur en droit de celle-ci,
(ii) dans le pays ou pour le pays où l'a été la demande antérieurement déposée;
c) à la date de dépôt de cette autre demande — ou s'il y en a plusieurs, à la date de dépôt de la première demande —, la demande antérieurement déposée a été retirée, abandonnée ou refusée, sans avoir été accessible pour

Withdrawal, etc., of previously regularly filed applications

(5) A previously regularly filed application mentioned in section 28.1 or 28.2 or subsection 78.3(1) or (2) shall, for the purposes of that section or subsection, be considered never to have been filed if
(a) it was filed more than twelve months before the filing date of
(i) the pending application, in the case of section 28.1,
(ii) the co-pending application, in the case of section 28.2,
(iii) the later application, in the case of subsection 78.3(1), or
(iv) the earlier application, in the case of subsection 78.3(2);
(b) before the filing date referred to in paragraph (*a*), another application
(i) is filed by the person who filed the previously regularly filed application or by the agent, legal representative or predecessor in title of that person,
(ii) is filed in or for the country where the previously regularly filed application was filed, and
(iii) discloses the subject-matter defined by

consultation et sans laisser subsister de droits, et n'a pas été invoquée pour réclamer une priorité au Canada ou ailleurs.
L.C. 1993, ch. 15, art. 33; 2001, ch. 34, art. 63.

the claim in the application mentioned in paragraph (*a*); and
(*c*) on the filing date of the other application mentioned in paragraph (*b*) or, if there is more than one such application, on the earliest of their filing dates, the previously regularly filed application
(i) has been withdrawn, abandoned or refused without having been opened to public inspection and without leaving any rights outstanding, and
(ii) has not served as a basis for a request for priority in any country, including Canada.
S.C. 1993, c. 15, s. 33; 2001, c. 34, s. 63.

Demandeur non-résident

29. (1) Le demandeur de brevet qui ne semble pas résider ou faire des opérations à une adresse spécifiée au Canada désigne, à la date de dépôt de sa demande, une personne ou une maison d'affaires résidant ou faisant des opérations à une adresse spécifiée au Canada pour le représenter.

Non-resident applicants

29. (1) An applicant for a patent who does not appear to reside or carry on business at a specified address in Canada shall, on the filing date of the application, appoint as a representative a person or firm residing or carrying on business at a specified address in Canada.

Personne désignée censée représenter

(2) Sous réserve des autres dispositions du présent article, cette personne ou maison désignée est réputée, pour toutes les fins de la présente loi, y compris la signification des procédures prises sous son régime, le représentant de ce demandeur et de tout titulaire d'un brevet émis sur sa demande qui ne semble pas résider ou faire des opérations à une adresse spécifiée au Canada, et le commissaire l'inscrit comme tel.

Nominee deemed representative

(2) Subject to this section, a nominee of an applicant shall be deemed to be the representative for all purposes of this Act, including the service of any proceedings taken under it, of the applicant and of any patentee of a patent issued on his application who does not appear to reside or carry on business at a specified address in Canada, and shall be recorded as such by the Commissionner.

Nouveau représentant

(3) Le demandeur de brevet ou le breveté:
a) peut, par avis au commissaire, nommer un nouveau représentant à la place du représentant inscrit en dernier lieu, ou peut l'aviser d'un changement d'adresse de celui-ci;
b) doit nommer un nouveau représentant ou indiquer une nouvelle adresse exacte du représentant inscrit en dernier lieu, sur demande du commissaire mentionnant que le représentant inscrit en dernier lieu est décédé ou qu'une lettre qui lui a été envoyée par courrier ordinaire, à sa dernière adresse inscrite, a été retournée par suite de non-livraison.

New representatives

(3) An applicant for a patent or a patentee
(*a*) may, by giving notice to the Commissioner, appoint a new representative in place of the latest recorded representative, or may give notice to the Commissioner of a change in the address of the latest recorded representative; and
(*b*) shall so appoint a new representative or supply a new and correct address of the latest recorded representative on receipt of a request of the Commissioner stating that the latest recorded representative has died or that a letter addressed to the latest recorded representative at the latest recorded address and

sent by ordinary mail has been returned undelivered.

Défaut de nomination ou d'indication d'adresse

(4) Si, après demande du commissaire, le demandeur ou le breveté ne fait aucune nouvelle nomination ou n'indique aucune nouvelle adresse exacte dans les trois mois, la Cour fédérale ou le commissaire peut statuer sur toute procédure exercée sous le régime de la présente loi sans exiger la signification, au demandeur ou au breveté, de pièces y afférentes.

Where no new appointment is made or no new address supplied

(4) Where the Commissioner makes a request under paragraph (3)(*b*) and no new appointment is made or no new and correct address is supplied by the applicant or patentee within three months, the Federal Court or the Commissioner may dispose of any proceedings under this Act without requiring service on the applicant or patentee of any process in the proceedings.

Exigibilité de la taxe

(5) Aucun droit n'est exigible lors de la nomination d'un nouveau représentant ou de l'indication d'une nouvelle adresse exacte, à moins que cette nomination ou cette indication ne suive la demande du commissaire. En pareil cas, la taxe réglementaire est payable.
L.R.C. 1985, ch. P-4, art. 31; ch. 10 (2e suppl.), art. 64; L.C. 1993, ch. 15, art. 34.

When fee payable

(5) No fee is payable on the appointment of a new representative or the supply of a new and correct address, unless that appointment or supply follows a request by the Commissioner under subsection (3), in which case the prescribed fee is payable.
R.S.C., 1985, c. P-4, s. 31; c. 10 (2nd Supp.), s. 64; S.C. 1993, c. 15, s. 34.

30. [Abrogé, L.C. 1993, ch. 15, art. 35.]

30. [Repealed, S.C. 1993, c. 15, s. 35.]

DEMANDES COLLECTIVES

JOINT APPLICATIONS

Effet du refus par un inventeur conjoint de poursuivre la demande

31. (1) Lorsqu'une invention est faite par plusieurs inventeurs et que l'un d'eux refuse de soumettre une demande de brevet ou que le lieu où il se trouve ne peut être déterminé après une enquête diligente, les autres inventeurs ou leur représentant légal peuvent soumettre une demande, et un brevet peut être accordé au nom des inventeurs qui font la demande, si le commissaire est convaincu que l'inventeur conjoint a refusé de soumettre une demande ou que le lieu où il se trouve ne peut être déterminé après une enquête diligente.

Effect of refusal of a joint inventor to proceed

31. (1) Where an invention is made by two or more inventors and one of them refuses to make application for a patent or his whereabouts cannot be ascertained after diligent inquiry, the other inventors or their legal representatives may make application, and a patent may be granted in the name of the inventors who make the application, on satisfying the Commissioner that the joint inventor has refused to make application or that his whereabouts cannot be ascertained after diligent inquiry.

Pouvoirs du commissaire

(2) Lorsque, selon le cas :

a) un demandeur a consenti par écrit à céder un brevet, une fois concédé, à une autre personne ou à un codemandeur, et refuse de

Powers of Commissioner

(2) In any case where

(a) an applicant has agreed in writing to assign a patent, when granted, to another person or to a joint applicant and refuses to pro-

poursuivre la demande;
b) un différend survient entre des codemandeurs quant à la poursuite d'une demande,
le commissaire peut, si cette convention est établie à sa satisfaction, ou s'il est convaincu qu'il devrait être permis à un ou plusieurs de ces codemandeurs de procéder isolément, permettre à cette autre personne ou à ce codemandeur de poursuivre la demande, et il peut lui accorder un brevet, de telle manière cependant que toutes les personnes intéressées aient droit d'être entendues devant le commissaire, après l'avis qu'il juge nécessaire et suffisant.

Procédure quand un codemandeur se retire

(3) Lorsqu'une demande est déposée par des codemandeurs et qu'il apparaît par la suite que l'un ou plusieurs d'entre eux n'ont pas participé à l'invention, la poursuite de cette demande peut être conduite par le ou les demandeurs qui restent, à la condition de démontrer par affidavit au commissaire que le ou les derniers demandeurs sont les seuls inventeurs.

Codemandeurs

(4) Lorsque la demande est déposée par un ou plusieurs demandeurs et qu'il apparaît par la suite qu'un autre ou plusieurs autres demandeurs auraient dû se joindre à la demande, cet autre ou ces autres demandeurs peuvent se joindre à la demande, à la condition de démontrer au commissaire qu'ils doivent y être joints, et que leur omission s'est produite par inadvertance ou par erreur, et non pas dans le dessein de causer un délai.

Brevet accordé à tous

(5) Sous réserve des autres dispositions du présent article, dans le cas de demandes collectives, le brevet est accordé nommément à tous les demandeurs.

Appel

(6) Appel de la décision rendue par le commissaire en vertu du présent article peut être

ceed with the application, or
(b) disputes arise between joint applicants with respect to proceeding with an application,
the Commissioner, on proof of the agreement to his satisfaction, or if satisfied that one or more of the joint applicants ought to be allowed to proceed alone, may allow that other person or joint applicant to proceed with the application, and may grant a patent to him in such manner that all persons interested are entitled to be heard before the Commissioner after such notice as he may deem requisite and sufficient.

Procedure when one joint applicant retires

(3) Where an application is filed by joint applicants and it subsequently appears that one or more of them has had no part in the invention, the prosecution of the application may be carried on by the remaining applicant or applicants on satisfying the Commissioner by affidavit that the remaining applicant or applicants is or are the sole inventor or inventors.

Joining applicants

(4) Where an application is filed by one or more applicants and it subsequently appears that one or more further applicants should have been joined, the further applicant or applicants may be joined on satisfying the Commissioner that he or they should be so joined, and that the omission of the further applicant or applicants had been by inadvertence or mistake and was not for the purpose of delay.

To whom granted

(5) Subject to this section, in cases of joint applications, the patent shall be granted in the names of all the applicants.

Appeal

(6) An appeal lies to the Federal Court from the decision of the Commissioner under this

interjeté à la Cour fédérale.
L.R.C. 1985, ch. P-4, art. 33; S.R.C., ch. 10 (2e suppl.), art. 64.

PERFECTIONNEMENT

Perfectionnement

32. Quiconque est l'auteur d'un perfectionnement à une invention brevetée peut obtenir un brevet pour ce perfectionnement. Il n'obtient pas de ce fait le droit de fabriquer, de vendre ou d'exploiter l'objet de l'invention originale, et le brevet couvrant l'invention originale ne confère pas non plus le droit de fabriquer, de vendre ou d'exploiter l'objet du perfectionnement breveté.
L.R.C. 1985, ch. P-4, art. 34.

33 et **34.** [Abrogés, L.C. 1993, ch. 15, art. 36.]

DOSSIER D'ANTÉRIORITÉ

Dépôt

34.1 (1) Une personne peut déposer auprès du commissaire un dossier d'antériorité constitué de brevets, de demandes de brevet accessibles au public et d'imprimés qu'elle croit avoir effet sur la brevetabilité de toute revendication contenue dans une demande de brevet.

Pertinence

(2) La personne qui dépose le dossier doit en exposer la pertinence.
L.R.C. 1985, ch. 33 (3e suppl.), art. 11; L.C. 1993, ch. 15, art. 37.

EXAMEN

Requête d'examen

35. (1) Sur requête à lui faite en la forme réglementaire et sur paiement de la taxe réglementaire, le commissaire fait examiner la demande de brevet par tel examinateur compétent recruté par le Bureau des brevets.

section.
R.S.C., 1985, c. P-4, s. 33; R.S.C., c. 10 (2nd Supp.), s. 64.

IMPROVEMENTS

Improvements

32. Any person who has invented any improvement on any patented invention may obtain a patent for the improvement, but he does not thereby obtain the right of making, vending or using the original invention, nor does the patent for the original invention confer the right of making, vending or using the patented improvement.
R.S.C., 1985, c. P-4, s. 34.

33 and **34.** [Repealed, S.C. 1993, c. 15, s. 36.]

FILING OF PRIOR ART

Filing

34.1 (1) Any person may file with the Commissioner prior art, consisting of patents, applications for patents open to public inspection and printed publications, that the person believes has a bearing on the patentability of any claim in an application for a patent.

Pertinency

(2) A person who files prior art with the Commissioner under subsection (1) shall explain the pertinency of the prior art.
R.S.C., 1985, c. 33 (3rd Supp.), s. 11; S.C. 1993, c. 15, s. 37.

EXAMINATION

Request for examination

35. (1) The Commissioner shall, on the request of any person made in such manner as may be prescribed and on payment of a prescribed fee, cause an application for a patent to be examined by competent examiners to be employed in the Patent Office for that purpose.

Examen requis

(2) Le commissaire peut, par avis, exiger que le demandeur d'un brevet fasse la requête d'examen visée au paragraphe (1) ou paie la taxe réglementaire dans le délai mentionné dans l'avis, qui ne peut être plus long que celui déterminé pour le paiement de la taxe.

Required examination

(2) The Commissioner may by notice require an applicant for a patent to make a request for examination pursuant to subsection (1) or to pay the prescribed fee within the time specified in the notice, but the specified time may not exceed the time provided by the regulations for making the request and paying the fee.

(3) et (4) [Abrogés, L.C. 1993, ch. 15, art. 38.]
L.R.C. 1985, ch. P-4, art. 35; ch. 33 (3e suppl.), art. 12; L.C. 1993, ch. 15, art. 38.

(3) and (4) [Repealed, S.C. 1993, c. 15, s. 38.]
R.S.C. 1985, c. P-4, s. 35; c. 33 (3rd Supp.), s. 12; S.C. 1993, ch. 15, art. 38.

DEMANDES COMPLÉMENTAIRES

DIVISIONAL APPLICATIONS

Brevet pour une seule invention

36. (1) Un brevet ne peut être accordé que pour une seule invention, mais dans une instance ou autre procédure, un brevet ne peut être tenu pour invalide du seul fait qu'il a été accordé pour plus d'une invention.

Patent for one invention only

36. (1) A patent shall be granted for one invention only but in an action or other proceeding a patent shall not be deemed to be invalid by reason only that it has been granted for more than one invention.

Demandes complémentaires

(2) Si une demande décrit plus d'une invention, le demandeur peut restreindre ses revendications à une seule invention, toute autre invention divulguée pouvant faire l'objet d'une demande complémentaire, si celle-ci est déposée avant la délivrance d'un brevet sur la demande originale.

Limitation of claims by applicant

(2) Where an application (the "original application") describes more than one invention, the applicant may limit the claims to one invention only, and any other invention disclosed may be made the subject of a divisional application, if the divisional application is filed before the issue of a patent on the original application.

Idem

(2.1) Si une demande décrit et revendique plus d'une invention, le demandeur doit, selon les instructions du commissaire, restreindre ses revendications à une seule invention, toute autre invention divulguée pouvant faire l'objet d'une demande complémentaire, si celle-ci est déposée avant la délivrance d'un brevet sur la demande originale.

Limitation of claims on direction of Commissioner

(2.1) Where an application (the "original application") describes and claims more than one invention, the applicant shall, on the direction of the Commissioner, limit the claims to one invention only, and any other invention disclosed may be made the subject of a divisional application, if the divisional application is filed before the issue of a patent on the original application.

Abandon de la demande originale

(3) Si la demande originale a été abandonnée, le délai pour le dépôt d'une demande complémentaire se termine à l'expiration du délai

Original application abandoned

(3) If an original application mentioned in subsection (2) or (2.1) becomes abandoned, the time for filing a divisional application ter-

fixé pour le rétablissement de la demande originale aux termes de la présente loi.

minates with the expiration of the time for reinstating the original application under this Act.

Demandes distinctes

(4) Une demande complémentaire est considérée comme une demande distincte à laquelle la présente loi s'applique aussi complètement que possible. Des taxes distinctes sont acquittées pour la demande complémentaire, et sa date de dépôt est celle de la demande originale.

L.R.C. 1985, ch. P-4, art. 38; L.C. 1993, ch. 15, art. 39.

Separate applications

(4) A divisional application shall be deemed to be a separate and distinct application under this Act, to which its provisions apply as fully as may be, and separate fees shall be paid on the divisional application and it shall have the same filing date as the original application.

R.S.C., 1985, c. P-4, s. 38; S.C. 1993, c. 15, s. 39.

DESSINS, MODÈLES ET MATIÈRES BIOLOGIQUES

DRAWINGS, MODELS AND BIOLOGICAL MATERIALS

Dessins

37. (1) Dans le cas d'une machine ou dans tout autre cas où, pour l'intelligence de l'invention, il peut être fait usage de dessins, le demandeur fournit, avec sa demande, des dessins représentant clairement toutes les parties de l'invention.

Drawings

37. (1) In the case of a machine, or in any other case in which an invention admits of illustration by means of drawings, the applicant shall, as part of the application, furnish drawings of the invention that clearly show all parts of the invention.

Précisions

(2) Chaque dessin comporte les renvois correspondant au mémoire descriptif. Le commissaire peut, à son appréciation, exiger de nouveaux dessins ou en dispenser.

L.R.C. 1985, ch. P-4, art. 39; L.C. 1993, ch. 15, art. 40.

Particulars

(2) Each drawing must include references corresponding with the specification, and the Commissioner may require further drawings or dispense with any of them as the Commissioner sees fit.

R.S.C., 1985, c. P-4, s. 39; S.C. 1993, c. 15, s. 40.

Modèles et échantillons

38. (1) Dans tous les cas où l'invention est susceptible d'être représentée par un modèle, le demandeur fournit, si le commissaire le requiert, un modèle établi sur une échelle convenable, montrant les diverses parties de l'invention dans de justes proportions. Lorsque l'invention consiste en une composition de matières, le demandeur fournit, si le commissaire le requiert, des échantillons des ingrédients et de la composition, en suffisante quantité aux fins d'expérience.

Models and specimens

38. (1) In all cases in which an invention admits of representation by model, the applicant, if required by the Commissioner, shall furnish a model of convenient size exhibiting its several parts in due proportion, and when an invention is a composition of matter, the applicant, if required by the Commissioner, shall furnish specimens of the ingredients, and of the composition, sufficient in quantity for the purpose of experiment.

Substances dangereuses

(2) Si les ingrédients ou la composition sont d'une nature explosive ou dangereuse, ils

Dangerous substances

(2) If the ingredients or composition referred to in subsection (1) are of an explosive or

sont fournis avec toutes les précautions spécifiées dans la réquisition qui en est faite.
L.R.C. 1985, ch. P-4, art. 38; ch. 33 (3e suppl.), art. 13.

dangerous character, they shall be furnished with such precautions as are specified in the requisition therefor.
R.S.C., 1985, c. P-4, s. 38; c. 33 (3rd Supp.), s. 13.

Matières biologiques

38.1 (1) Lorsque le mémoire descriptif mentionne le dépôt d'un échantillon de matières biologiques et que ce dépôt est fait conformément aux règlements, l'échantillon est réputé faire partie du mémoire, et il en est tenu compte, dans la mesure où les conditions visées au paragraphe 27(3) ne peuvent être autrement remplies, pour la détermination de la conformité du mémoire à ce paragraphe.

Biological material may be deposited

38.1 (1) Where a specification refers to a deposit of biological material and the deposit is in accordance with the regulations, the deposit shall be considered part of the specification and, to the extent that subsection 27(3) cannot otherwise reasonably be complied with, the deposit shall be taken into consideration in determining whether the specification complies with that subsection.

Absence de présomption

(2) Il est entendu que pareille mention n'a pas pour effet de faire du dépôt de l'échantillon une condition à remplir aux termes du paragraphe 27(3).
L.C. 1993, ch. 15, art. 41.

Deposit not required

(2) For greater certainty, a reference to a deposit of biological material in a specification does not create a presumption that the deposit is required for the purpose of complying with subsection 27(3).
S.C. 1993, c. 15, s. 41.

MODIFICATION DU MÉMOIRE DESCRIPTIF ET DES DESSINS

AMENDMENTS TO SPECIFICATIONS AND DRAWINGS

Modification du mémoire descriptif et des dessins

38.2 (1) Sous réserve des paragraphes (2) et (3) et des règlements, le mémoire descriptif et les dessins faisant partie de la demande de brevet peuvent être modifiés avant la délivrance du brevet.

Amendments to specifications and drawings

38.2 (1) Subject to subsections (2) and (3) and the regulations, the specification and any drawings furnished as part of an application for a patent in Canada may be amended before the patent is issued.

Limite

(2) Le mémoire descriptif ne peut être modifié pour décrire des éléments qui ne peuvent raisonnablement s'inférer de celui-ci ou des dessins faisant partie de la demande, sauf dans la mesure où il est mentionné dans le mémoire qu'il s'agit d'une invention ou découverte antérieure.

Restriction on amendments to specifications

(2) The specification may not be amended to describe matter not reasonably to be inferred from the specification or drawings as originally filed, except in so far as it is admitted in the specification that the matter is prior art with respect to the application.

Idem

(3) Les dessins ne peuvent être modifiés pour y ajouter des éléments qui ne peuvent raisonnablement s'inférer de ceux-ci ou du mé-

Restriction on amendments to drawings

(3) Drawings may not be amended to add matter not reasonably to be inferred from the specification or drawings as originally filed,

moire descriptif faisant partie de la demande, sauf dans la mesure où il est mentionné dans le mémoire qu'il s'agit d'une invention ou découverte antérieure.
L.C. 1993, ch. 15, art. 41.

except in so far as it is admitted in the specification that the matter is prior art with respect to the application.
S.C. 1993, c. 15, s. 41.

39 à **39.26** [Abrogés, L.C. 1993, ch. 2, art. 3.]

39 to **39.26** [Repealed, S.C. 1993, c. 2, s. 3.]

REJET DES DEMANDES DE BREVETS

REFUSAL OF PATENTS

Le commissaire peut refuser le brevet

40. Chaque fois que le commissaire s'est assuré que le demandeur n'est pas fondé en droit à obtenir la concession d'un brevet, il rejette la demande et, par courrier recommandé adressé au demandeur ou à son agent enregistré, notifie à ce demandeur le rejet de la demande, ainsi que les motifs ou raisons du rejet.
L.R.C. 1985, ch. P-4, art. 42.

Refusal by Commissioner

40. Whenever the Commissioner is satisfied that an applicant is not by law entitled to be granted a patent, he shall refuse the application and, by registered letter addressed to the applicant or his registered agent, notify the applicant of the refusal and of the ground or reason therefor.
R.S.C., 1985, c. P-4, s. 42.

Appel à la Cour fédérale

41. Dans les six mois suivant la mise à la poste de l'avis, celui qui n'a pas réussi à obtenir un brevet en raison du refus ou de l'opposition du commissaire peut interjeter appel de la décision du commissaire à la Cour fédérale qui, à l'exclusion de toute autre juridiction, peut s'en saisir et en décider.
L.R.C. 1985, ch. P-4, art. 41; ch. 33 (3e suppl.), art. 16.

Appeal to Federal Court

41. Every person who has failed to obtain a patent by reason of a refusal of the Commissioner to grant it may, at any time within six months after notice as provided for in section 40 has been mailed, appeal from the decision of the Commissioner to the Federal Court and that Court has exclusive jurisdiction to hear and determine the appeal.
R.S.C., 1985, c. P-4, s. 41; c. 33 (3rd Supp.), s. 16.

OCTROI DES BREVETS

GRANT OF PATENTS

Contenu du brevet

42. Tout brevet accordé en vertu de la présente loi contient le titre ou le nom de l'invention avec renvoi au mémoire descriptif et accorde, sous réserve des autres dispositions de la présente loi, au breveté et à ses représentants légaux, pour la durée du brevet à compter de la date où il a été accordé, le droit, la faculté et le privilège exclusif de fabriquer, construire, exploiter et vendre à d'autres, pour qu'ils l'exploitent, l'objet de l'invention, sauf jugement en l'espèce par un tribunal compétent.
L.R.C. 1985, ch. P-4, art. 42; ch. 33 (3e suppl.), art. 16.

Contents of patent

42. Every patent granted under this Act shall contain the title or name of the invention, with a reference to the specification, and shall, subject to this Act, grant to the patentee and the patentee's legal representatives for the term of the patent, from the granting of the patent, the exclusive right, privilege and liberty of making, constructing and using the invention and selling it to others to be used, subject to adjudication in respect thereof before any court of competent jurisdiction.
R.S.C., 1985, c. P-4, s. 42; c. 33 (3rd Supp.), s. 16.

FORME ET DURÉE DES BREVETS

Délivrance

43. (1) Sous réserve de l'article 46, le brevet accordé sous le régime de la présente loi est délivré sous le sceau du Bureau des brevets. Il mentionne la date de dépôt de la demande, celle à laquelle elle est devenue accessible au public sous le régime de l'article 10, celle à laquelle il a été accordé et délivré ainsi que tout renseignement réglementaire.

Validité

(2) Une fois délivré le brevet, est, sauf preuve contraire, valide et acquis au breveté ou à ses représentants légaux pour la période mentionnée aux articles 44 ou 45.
L.R.C. 1985, ch. P-4, art. 43; ch. 33, (3e suppl.), art. 16; L.C. 1993, ch. 15, art. 42.

Durée du brevet

44. Sous réserve de l'article 46, la durée du brevet délivré sur une demande déposée le 1er octobre 1989 ou par la suite est limitée à vingt ans à compter de la date de dépôt de cette demande.
L.R.C. 1985, ch. P-4, art. 44; ch. 33 (3e suppl.), art. 16; L.C. 1993, ch. 15, art. 42.

Durée de dix-sept ans

45. (1) Sous réserve de l'article 46, la durée du brevet délivré au titre d'une demande déposée avant le 1er octobre 1989 est limitée à dix-sept ans à compter de la date à laquelle il est délivré.

La date d'expiration la plus tardive s'applique

(2) Si le brevet visé au paragraphe (1) n'est pas périmé à la date de l'entrée en vigueur du présent article, sa durée est limitée à dix-sept ans à compter de la date à laquelle il a été délivré ou à vingt ans à compter de la date de

FORM AND TERM OF PATENTS

Form and duration of patents

43. (1) Subject to section 46, every patent granted under this Act shall be issued under the seal of the Patent Office, and shall bear on its face the filing date of the application for the patent, the date on which the application became open to public inspection under section 10, the date on which the patent is granted and issued and any prescribed information.

Validity of patent

(2) After the patent is issued, it shall, in the absence of any evidence to the contrary, be valid and avail the patentee and the legal representatives of the patentee for the term mentioned in section 44 or 45, whichever is applicable.
R.S.C., 1985, c. P-4, s. 43; c. 33 (3rd Supp.), s. 16; S.C. 1993, c. 15, s. 42.

Term of patents based on applications filed on or after October 1, 1989

44. Subject to section 46, where an application for a patent is filed under this Act on or after October 1, 1989, the term limited for the duration of the patent is twenty years from the filing date.
R.S.C., 1985, c. P-4, s. 44; c. 33 (3rd Supp.), s. 16; S.C. 1993, c. 15, s. 42.

Term of patents based on applications filed before October 1, 1989

45. (1) Subject to section 46, where an application for a patent is filed under this Act before October 1, 1989, the term limited for the duration of the patent is seventeen years from the date on which the patent is issued.

Term from date of issue or filing

(2) Where the term limited for the duration of a patent referred to in subsection (1) had not expired before the day on which this section came into force, the term is seventeen years from the date on which the patent is issued or

dépôt de la demande, la date d'expiration la plus tardive prévalant.
L.R.C. 1985, ch. P-4, art. 45; ch. 33 (3e suppl.), art. 16; L.C. 1993, ch. 15, art. 42; 2001, ch. 10, art. 1.

twenty years from the filing date, whichever term expires later.
R.S.C., 1985, c. P-4, s. 45; c. 33 (3rd Supp.), s. 16; S.C. 1993, c. 15, s. 42; 2001, c. 10, s. 1.

Taxes périodiques

46. (1) Le titulaire d'un brevet délivré par le Bureau des brevets conformément à la présente loi après l'entrée en vigueur du présent article est tenu de payer au commissaire, afin de maintenir les droits conférés par le brevet en état, les taxes réglementaires pour chaque période réglementaire.

Maintenance fees

46. (1) A patentee of a patent issued by the Patent Office under this Act after the coming into force of this section shall, to maintain the rights accorded by the patent, pay to the Commissioner such fees, in respect of such periods, as may be prescribed.

Péremption

(2) En cas de non-paiement dans le délai réglementaire des taxes réglementaires, le brevet est périmé.
L.R.C. 1985, ch. P-4, art. 46; ch. 33 (3e suppl.), art. 16; L.C. 1993, ch. 15, art. 43.

Lapse of term if maintenance fees not paid

(2) Where the fees payable under subsection (1) are not paid within the time provided by the regulations, the term limited for the duration of the patent shall be deemed to have expired at the end of that time.
R.S.C., 1985, c. P-4, s. 46; c. 33 (3rd Supp.), s. 16; S.C. 1993, c. 15, s. 43.

REDÉLIVRANCE DE BREVETS

REISSUE OF PATENTS

Délivrance de brevets nouveaux ou rectifiés

47. (1) Lorsqu'un brevet est jugé défectueux ou inopérant à cause d'une description et spécification insuffisante, ou parce que le breveté a revendiqué plus ou moins qu'il n'avait droit de revendiquer à titre d'invention nouvelle, mais qu'il apparaît en même temps que l'erreur a été commise par inadvertance, accident ou méprise, sans intention de frauder ou de tromper, le commissaire peut, si le breveté abandonne ce brevet dans un délai de quatre ans à compter de la date du brevet, et après acquittement d'une taxe réglementaire additionnelle, faire délivrer au breveté un nouveau brevet, conforme à une description et spécification rectifiée par le breveté, pour la même invention et pour la partie restant alors à courir de la période pour laquelle le brevet original a été accordé.

Issue of new or amended patents

47. (1) Whenever any patent is deemed defective or inoperative by reason of insufficient description and specification, or by reason of the patentee's claiming more or less than he had a right to claim as new, but at the same time it appears that the error arose from inadvertence, accident or mistake, without any fraudulent or deceptive intention, the Commissioner may, on the surrender of the patent within four years from its date and the payment of a further prescribed fee, cause a new patent, in accordance with an amended description and specification made by the patentee, to be issued to him for the same invention for the then unexpired term for which the original patent was granted.

Effet du nouveau brevet

(2) Un tel abandon ne prend effet qu'au moment de la délivrance du nouveau brevet, et

Effect of new patent

(2) The surrender referred to in subsection (1) takes effect only on the issue of the new pat-

ce nouveau brevet, ainsi que la description et spécification rectifiée, a le même effet en droit, dans l'instruction de toute action engagée par la suite pour tout motif survenu subséquemment, que si cette description et spécification rectifiée avait été originalement déposée dans sa forme corrigée, avant la délivrance du brevet original. Dans la mesure où les revendications du brevet original et du brevet redélivré sont identiques, un tel abandon n'atteint aucune instance pendante au moment de la redélivrance, ni n'annule aucun motif d'instance alors existant, et le brevet redélivré, dans la mesure où ses revendications sont identiques à celles du brevet original, constitue une continuation du brevet original et est maintenu en vigueur sans interruption depuis la date du brevet original.

Brevets distincts pour éléments distincts
(3) Le commissaire peut accueillir des demandes distinctes et faire délivrer des brevets pour des éléments distincts et séparés de l'invention brevetée, sur versement de la taxe à payer pour la redélivrance de chacun de ces brevets redélivrés.
S.R.C., ch. P-4, art. 50.

RENONCIATIONS

Cas de renonciation

48. (1) Le breveté peut, en acquittant la taxe réglementaire, renoncer à tel des éléments qu'il ne prétend pas retenir au titre du brevet, ou d'une cession de celui-ci, si, par erreur, accident ou inadvertance, et sans intention de frauder ou tromper le public, dans l'un ou l'autre des cas suivants :
a) il a donné trop d'étendue à son mémoire descriptif, en revendiquant plus que la chose dont lui-même, ou son mandataire, est l'inventeur;
b) il s'est représenté dans le mémoire descriptif, ou a représenté son mandataire, comme étant l'inventeur d'un élément matériel ou substantiel de l'invention brevetée, alors qu'il n'en était pas l'inventeur et qu'il n'y avait aucun droit.

ent, and the new patent and the amended description and specification have the same effect in law, on the trial of any action thereafter commenced for any cause subsequently accruing, as if the amended description and specification had been originally filed in their corrected form before the issue of the original patent, but, in so far as the claims of the original and reissued patents are identical, the surrender does not affect any action pending at the time of reissue or abate any cause of action then existing, and the reissued patent to the extent that its claims are identical with the original patent constitutes a continuation thereof and has effect continuously from the date of the original patent.

Separate patents for separate parts
(3) The Commissioner may entertain separate applications and cause patents to be issued for distinct and separate parts of the invention patented, on payment of the fee for a reissue for each of the reissued patents.
R.S.C., c. P-4, s. 50.

DISCLAIMERS

Patentee may disclaim anything included in patent by mistake
48. (1) Whenever, by any mistake, accident or inadvertence, and without any wilful intent to defraud or mislead the public, a patentee has
(a) made a specification too broad, claiming more than that of which the patentee or the person through whom the patentee claims was the inventor, or
(b) in the specification, claimed that the patentee or the person through whom the patentee claims was the inventor of any material or substantial part of the invention patented of which the patentee was not the inventor, and to which the patentee had no lawful right,
the patentee may, on payment of a prescribed fee, make a disclaimer of such parts as the patentee does not claim to hold by virtue of the patent or the assignment thereof.

Forme et attestation de la renonciation
(2) L'acte de renonciation est déposé selon les modalités réglementaires, notamment de forme.

Form and attestation or disclaimer
(2) A disclaimer shall be filed in the prescribed form and manner.

(3) [Abrogé, L.C. 1993, ch. 15, art. 44.]

(3) [Repealed, S.C. 1993, c. 15, s. 44.]

Sans effet sur les actions pendantes
(4) Dans toute action pendante au moment où elle est faite, aucune renonciation n'a d'effet, sauf à l'égard de la négligence ou du retard inexcusable à la faire.

Pending suits not affected
(4) No disclaimer affects any action pending at the time when it is made, unless there is unreasonable neglect or delay in making it.

Décès du breveté
(5) Si le breveté original meurt, ou s'il cède son brevet, la faculté qu'il avait de faire une renonciation passe à ses représentants légaux, et chacun d'eux peut exercer cette faculté.

Death of patentee
(5) In case of the death of an original patentee or of his having assigned the patent, a like right to disclaim vests in his legal representatives, any of whom may exercise it.

Effet de la renonciation
(6) Après la renonciation, le brevet est considéré comme valide quant à tel élément matériel et substantiel de l'invention, nettement distinct des autres éléments de l'invention qui avaient été indûment revendiqués, auquel il n'a pas été renoncé et qui constitue véritablement l'invention de l'auteur de la renonciation, et celui-ci est admis à soutenir en conséquence une action ou poursuite à l'égard de cet élément.
L.R.C. 1985, ch. P-4, art. 48; ch. 33 (3e suppl.), art. 17; L.C. 1993, ch. 15, art. 44.

Effect of disclaimer
(6) A patent shall, after disclaimer as provided in this section, be deemed to be valid for such material and substantial part of the invention, definitely distinguished from other parts thereof claimed without right, as is not disclaimed and is truly the invention of the disclaimant, and the disclaimant is entitled to maintain an action or suit in respect of that part accordingly.
R.S.C., 1985, c. P-4, s. 48; c. 33 (3rd Supp.), s. 17; S.C. 1993, c. 15, s. 44.

RÉEXAMEN

RE-EXAMINATION

Demande
48.1 (1) Chacun peut demander le réexamen de toute revendication d'un brevet sur dépôt, auprès du commissaire, d'un dossier d'antériorité constitué de brevets, de demandes de brevet accessibles au public et d'imprimés et sur paiement des taxes réglementaires.

Request for re-examination
48.1 (1) Any person may request a re-examination of any claim of a patent by filing with the Commissioner prior art, consisting of patents, applications for patents open to public inspection and printed publications, and by paying a prescribed fee.

Pertinence
(2) La demande énonce la pertinence du dossier et sa correspondance avec les revendications du brevet.

Pertinency of request
(2) A request for re-examination under subsection (1) shall set forth the pertinency of the prior art and the manner of applying the prior art to the claim for which re-examination is requested.

Avis

(3) Sur réception de la demande, le commissaire en expédie un double au titulaire du brevet attaqué, sauf si celui-ci est également le demandeur.

L.R.C. 1985, ch. 33 (3e suppl.), art. 18; L.C. 1993, ch. 15, art. 45.

Notice to patentee

(3) Forthwith after receipt of a request for re-examination under subsection (1), the Commissioner shall send a copy of the request to the patentee of the patent in respect of which the request is made, unless the patentee is the person who made the request.

R.S.C., 1985, c. 33 (3rd Supp.), s. 18; S.C. 1993, c. 15, s. 45.

Constitution d'un conseil de réexamen

48.2 (1) Sur dépôt de la demande, le commissaire constitue un conseil de réexamen formé d'au moins trois conseillers, dont deux au moins sont rattachés au Bureau des brevets, qui se saisissent de la demande.

Establishment of re-examination board

48.2 (1) Forthwith after receipt of a request for re-examination under subsection 48.1(1), the Commissioner shall establish a re-examination board consisting of not fewer than three persons, at least two of whom shall be employees of the Patent Office, to which the request shall be referred for determination.

Décision

(2) Dans les trois mois suivant sa constitution, le conseil décide si la demande soulève un nouveau point de fond vis-à-vis de la brevetabilité des revendications du brevet en cause.

Determination to be made by board

(2) A re-examination board shall, within three months following its establishment, determine whether a substantial new question of patentability affecting any claim of the patent concerned is raised by the request for re-examination.

Avis

(3) Le conseil avise le demandeur de toute décision négative, celle-ci étant finale et ne pouvant faire l'objet d'un appel ou d'une révision judiciaire.

Notice

(3) Where a re-examination board has determined that a request for re-examination does not raise a substantial new question affecting the patentability of a claim of the patent concerned, the board shall so notify the person who filed the request and the decision of the board is final for all purposes and is not subject to appeal or to review by any court.

Idem

(4) En cas de décision positive, le conseil expédie un avis motivé de la décision au titulaire du brevet.

Idem

(4) Where a re-examination board has determined that a request for re-examination raises a substantial new question affecting the patentability of a claim of the patent concerned, the board shall notify the patentee of the determination and the reasons therefor.

Réponse

(5) Dans les trois mois suivant la date de l'avis, le titulaire en cause peut expédier au conseil une réponse exposant ses observations sur la brevetabilité des revendications

Filing of reply

(5) A patentee who receives notice under subsection (4) may, within three months of the date of the notice, submit to the re-examination board a reply to the notice setting out

du brevet visé par l'avis.
L.R.C. 1985, ch. 33 (3e suppl.), art. 18; L.C. 1993, ch. 15, art. 46(F).

submissions on the question of the patentability of the claim of the patent in respect of which the notice was given.
R.S.C., 1985, c. 33 (3rd Supp.), s. 18; S.C. 1993, c. 15, s. 46(F).

Procédure de réexamen

48.3 (1) Sur réception de la réponse ou au plus tard trois mois après l'avis mentionné au paragraphe 48.2(4), le conseil se saisit du réexamen des revendications du brevet en cause.

Re-examination proceeding

48.3 (1) On receipt of a reply under subsection 48.2(5) or in the absence of any reply within three months after notice is given under subsection 48.2(4), a re-examination board shall forthwith cause a re-examination to be made of the claim of the patent in respect of which the request for re-examination was submitted.

Dépôt de modifications

(2) Le titulaire peut proposer des modifications au brevet ou toute nouvelle revendication à cet égard qui n'ont pas pour effet d'élargir la portée des revendications du brevet original.

Patentee may submit amendments

(2) In any re-examination proceeding under subsection (1), the patentee may propose any amendment to the patent or any new claims in relation thereto but no proposed amendment or new claim enlarging the scope of a claim of the patent shall be permitted.

Durée

(3) Le réexamen doit être terminé dans les douze mois suivant le début de la procédure.
L.R.C. 1985, ch. 33 (3e suppl.), art. 18.

Time limitation

(3) A re-examination proceeding in respect of a claim of a patent shall be completed within twelve months of the commencement of the proceedings under subsection (1).
R.S.C., 1985, c. 33 (3rd Supp.), s. 18.

Constat

48.4 (1) À l'issue du réexamen, le conseil délivre un constat portant rejet ou confirmation des revendications du brevet attaqué ou, le cas échéant, versant au brevet toute modification ou nouvelle revendication jugée brevetable.

Certificate of board

48.4 (1) On conclusion of a re-examination proceeding in respect of a claim of a patent, the re-examination board shall issue a certificate

(a) cancelling any claim of the patent determined to be unpatentable;

(b) confirming any claim of the patent determined to be patentable; or

(c) incorporating in the patent any proposed amended or new claim determined to be patentable.

Annexe

(2) Le constat est annexé au brevet, dont il fait partie intégrante. Un double en est expédié, par courrier recommandé, au titulaire du brevet.

Certificate attached to patent

(2) A certificate issued in respect of a patent under subsection (1) shall be attached to the patent and made part thereof by reference, and a copy of the certificate shall be sent by registered mail to the patentee.

Effet du constat

(3) Pour l'application de la présente loi, lorsqu'un constat :

a) rejette une revendication du brevet sans en rejeter la totalité, celui-ci est réputé, à compter de la date de sa délivrance, délivré en la forme modifiée;

b) rejette la totalité de ces revendications, le brevet est réputé n'avoir jamais été délivré;

c) modifie une telle revendication ou en inclut une nouvelle, l'une ou l'autre prend effet à compter de la date du constat jusqu'à l'expiration de la durée du brevet.

Effect of certificate

(3) For the purposes of this Act, where a certificate issued in respect of a patent under subsection (1)

(a) cancels any claim but not all claims of the patent, the patent shall be deemed to have been issued, from the date of grant, in the corrected form;

(b) cancels all claims of the patent, the patent shall be deemed never to have been issued; or

(c) amends any claim of the patent or incorporates a new claim in the patent, the amended claim or new claim shall be effective, from the date of the certificate, for the unexpired term of the patent.

Appel

(4) Le paragraphe (3) ne s'applique qu'à compter de l'expiration du délai visé au paragraphe 48.5(2). S'il y a appel, il ne s'applique que dans la mesure prévue par le jugement définitif rendu en l'espèce.

L.R.C. 1985, ch. 33 (3e suppl.), art. 18; L.C. 1993, ch. 15, art. 47.

Appeals

(4) Subsection (3) does not apply until the time for taking an appeal has expired under subsection 48.5(2) and, if an appeal is taken, subsection (3) applies only to the extent provided in the final judgment on the appeal.

R.S.C., 1985, c. 33 (3rd Supp.), s. 18; S.C. 1993, c. 15, s. 47.

Appel

48.5 (1) Le titulaire du brevet peut saisir la Cour fédérale d'un appel portant sur le constat de décision visé au paragraphe 48.4(1).

Appeals

48.5 (1) Any decision of a re-examination board set out in a certificate issued under subsection 48.4(1) is subject to appeal by the patentee to the Federal Court.

Prescription

(2) Il ne peut être formé d'appel plus de trois mois après l'expédition du double du constat au titulaire du brevet.

L.R.C. 1985, ch. 33 (3e suppl.), art. 18.

Limitation

(2) No appeal may be taken under subsection (1) after three months from the date a copy of the certificate is sent by registered mail to the patentee.

R.S.C., 1985, c. 33 (3rd Supp.), s. 18.

CESSIONS ET DÉVOLUTIONS

Cessionnaire ou représentants personnels

49. (1) Un brevet peut être concédé à toute personne à qui un inventeur, ayant aux termes de la présente loi droit d'obtenir un brevet, a cédé par écrit ou légué par son dernier testament son droit de l'obtenir. En l'absence d'une telle cession ou d'un tel legs, le brevet peut être concédé aux représentants personnels de la succession d'un inventeur décédé.

ASSIGNMENTS AND DEVOLUTIONS

Assignee or personal representatives

49. (1) A patent may be granted to any person to whom an inventor, entitled under this Act to obtain a patent, has assigned in writing or bequeathed by his last will his right to obtain it, and, in the absence of an assignment or bequest, the patent may be granted to the personal representatives of the estate of the deceased inventor.

Opposition au retrait de la demande

(2) Si le demandeur d'un brevet a, après le dépôt de sa demande, cédé son droit d'obtenir le brevet, ou s'il a, avant ou après le dépôt de celle-ci, cédé par écrit tout ou partie de son droit de propriété sur l'invention, ou de son intérêt dans l'invention, le cessionnaire peut faire enregistrer cette cession au Bureau des brevets, en la forme fixée par le commissaire; aucune demande de brevet ne peut dès lors être retirée sans le consentement écrit de ce cessionnaire.

Assignees may object

(2) Where an applicant for a patent has, after filing the application, assigned his right to obtain the patent, or where the applicant has either before or after filing the application assigned in writing the whole or part of his property or interest in the invention, the assignee may register the assignment in the Patent Office in such manner as may be determined by the Commissioner, and no application for a patent may be withdrawn without the consent in writing of every such registered assignee.

Attestation

(3) La cession ne peut être enregistrée au Bureau des brevets à moins d'être accompagnée de l'affidavit d'un témoin attestant, ou à moins qu'il ne soit établi par une autre preuve à la satisfaction du commissaire, que cette cession a été signée et souscrite par le cédant.
L.R.C. 1985, ch. P-4, art. 49; ch. 33 (3e suppl.), art. 19.

Attestation

(3) No assignment shall be registered in the Patent Office unless it is accompanied by the affidavit of a subscribing witness or established by other proof to the satisfaction of the Commissioner that the assignment has been signed and executed by the assignor.
R.S.C., 1985, c. P-4, s. 49; c. 33 (3rd Supp.), s. 19.

Les brevets sont cessibles

50. (1) Tout brevet délivré pour une invention est cessible en droit, soit pour la totalité, soit pour une partie de l'intérêt, au moyen d'un acte par écrit.

Patents to be assignable

50. (1) Every patent issued for an invention is assignable in law, either as to the whole interest or as to any part thereof, by an instrument in writing.

Enregistrement

(2) Toute cession de brevet et tout acte de concession ou translatif du droit exclusif d'exécuter et d'exploiter l'invention brevetée partout au Canada et de concéder un tel droit à des tiers sont enregistrés au Bureau des brevets selon ce que le commissaire établit.

Registration

(2) Every assignment of a patent, and every grant and conveyance of any exclusive right to make and use and to grant to others the right to make and use the invention patented, within and throughout Canada or any part thereof, shall be registered in the Patent Office in the manner determined by the Commissioner.

Attestation

(3) L'acte de cession, de concession ou de transport ne peut être enregistré au Bureau des brevets à moins d'être accompagné de l'affidavit d'un témoin attestant, ou à moins qu'il ne soit établi par une autre preuve à la satisfaction du commissaire, qu'un tel acte de cession, de concession ou de transport a été signé et souscrit par le cédant et aussi par chacune des autres parties à l'acte.
L.R.C. 1985, ch. P-4, art. 50; ch. 33 (3e suppl.), art. 20.

Attestation

(3) No assignment, grant or conveyance shall be registered in the Patent Office unless it is accompanied by the affidavit of a subscribing witness or established by other proof to the satisfaction of the Commissioner that the assignment, grant or conveyance has been signed and executed by the assignor and by every other party thereto.
R.S.C., 1985, c. P-4, s. 50; c. 33 (3rd Supp.), s. 20.

Nullité de la cession, à défaut d'enregistrement

51. Toute cession en vertu des articles 49 ou 50 est nulle et de nul effet à l'égard d'un cessionnaire subséquent, à moins que l'acte de cession n'ait été enregistré, aux termes de ces articles, avant l'enregistrement de l'acte sur lequel ce cessionnaire subséquent fonde sa réclamation.
L.R.C. 1985, ch. P-4, art. 53.

When assignment void

51. Every assignment affecting a patent for invention, whether it is one referred to in section 49 or 50, is void against any subsequent assignee, unless the assignment is registered as prescribed by those sections, before the registration of the instrument under which the subsequent assignee claims.
R.S.C., 1985, c. P-4, s. 53.

Juridiction de la Cour fédérale

52. La Cour fédérale est compétente, sur la demande du commissaire ou de toute personne intéressée, pour ordonner que toute inscription dans les registres du Bureau des brevets concernant le titre à un brevet soit modifiée ou radiée.
L.R.C. 1985, ch. P-4, art. 54; ch. 10 (2e suppl.), art. 64.

Jurisdiction of Federal Court

52. The Federal Court has jurisdiction, on the application of the Commissioner or of any person interested, to order that any entry in the records of the Patent Office relating to the title to a patent be varied or expunged.
R.S.C., 1985, c. P-4, s. 54; c. 10 (2nd Supp.), s. 64.

PROCÉDURES JUDICIAIRES RELATIVES AUX BREVETS

LEGAL PROCEEDINGS IN RESPECT OF PATENTS

Nul en certains cas, ou valide en partie seulement

53. (1) Le brevet est nul si la pétition du demandeur, relative à ce brevet, contient quelque allégation importante qui n'est pas conforme à la vérité, ou si le mémoire descriptif et les dessins contiennent plus ou moins qu'il n'est nécessaire pour démontrer ce qu'ils sont censés démontrer, et si l'omission ou l'addition est volontairement faite pour induire en erreur.

Void in certain cases, or valid only for parts

53. (1) A patent is void if any material allegation in the petition of the applicant in respect of the patent is untrue, or if the specification and drawings contain more or less than is necessary for obtaining the end for which they purport to be made, and the omission or addition is wilfully made for the purpose of misleading.

Exception

(2) S'il apparaît au tribunal que pareille omission ou addition est le résultat d'une erreur involontaire, et s'il est prouvé que le breveté a droit au reste de son brevet, le tribunal rend jugement selon les faits et statue sur les frais. Le brevet est réputé valide quant à la partie de l'invention décrite à laquelle le breveté est reconnu avoir droit.

Exception

(2) Where it appears to a court that the omission or addition referred to in subsection (1) was an involuntary error and it is proved that the patentee is entitled to the remainder of his patent, the court shall render a judgment in accordance with the facts, and shall determine the costs, and the patent shall be held valid for that part of the invention described to which the patentee is so found to be entitled.

Copies du jugement

(3) Le breveté transmet au Bureau des brevets deux copies authentiques de ce juge-

Copies of judgment

(3) Two office copies of the judgment rendered under subsection (1) shall be furnished

ment. Une copie en est enregistrée et conservée dans les archives du Bureau, et l'autre est jointe au brevet et y est incorporée au moyen d'un renvoi.
L.R.C. 1985, ch. P-4, art. 55.

to the Patent Office by the patentee, one of which shall be registered and remain of record in the Office and the other attached to the patent and made a part of it by a reference thereto.
R.S.C., 1985, c. P-4, s. 55.

CONTREFAÇON

INFRINGEMENT

Juridiction des tribunaux
54. (1) Une action en contrefaçon de brevet peut être portée devant la cour d'archives qui, dans la province où il est allégué que la contrefaçon s'est produite, a juridiction, pécuniairement, jusqu'à concurrence du montant des dommages-intérêts réclamés et qui, par rapport aux autres tribunaux de la province, tient ses audiences dans l'endroit le plus rapproché du lieu de résidence ou d'affaires du défendeur. Ce tribunal juge la cause et statue sur les frais, et l'appropriation de juridiction par le tribunal est en soi une preuve suffisante de juridiction.

Jurisdiction of courts
54. (1) An action for the infringement of a patent may be brought in that court of record that, in the province in which the infringement is said to have occurred, has jurisdiction, pecuniarily, to the amount of the damages claimed and that, with relation to the other courts of the province, holds its sittings nearest to the place of residence or of business of the defendant, and that court shall decide the case and determine the costs, and assumption of jurisdiction by the court is of itself sufficient proof of jurisdiction.

Juridiction de la Cour fédérale
(2) Le présent article n'a pas pour effet de restreindre la juridiction attribuée à la Cour fédérale par l'article 20 de la *Loi sur la Cour fédérale* ou autrement.
[Lors de l'entrée en vigueur de L.C. 2002, c. 8, art. 182, le titre le la Loi sur la Cour fédérale *deviendra* Loi sur les Cours fédérales.*]*
L.R.C. 1985, ch. P-4, art. 56; ch. 10 (2e suppl.), art. 65.

Jurisdiction of Federal Court
(2) Nothing in this section impairs the jurisdiction of the Federal Court under section 20 of the *Federal Court Act* or otherwise.
[When S.C. 2002, c. 8, s. 182 comes into force, the title of the Federal Court Act *will be changed to* Federal Courts Act.*]*
R.S.C., 1985, c. P-4, s. 56; c. 10 (2nd Supp.), s. 65.

Contrefaçon et recours
55. (1) Quiconque contrefait un brevet est responsable envers le breveté et toute personne se réclamant de celui-ci du dommage que cette contrefaçon leur a fait subir après l'octroi du brevet.

Liability for patent infringement
55. (1) A person who infringes a patent is liable to the patentee and to all persons claiming under the patentee for all damage sustained by the patentee or by any such person, after the grant of the patent, by reason of the infringement.

Indemnité raisonnable
(2) Est responsable envers le breveté et toute personne se réclamant de celui-ci, à concurrence d'une indemnité raisonnable, quiconque accomplit un acte leur faisant subir un dommage entre la date à laquelle la demande de brevet est devenue accessible au public

Liability damage before patent is granted
(2) A person is liable to pay reasonable compensation to a patentee and to all persons claiming under the patentee for any damage sustained by the patentee or by any of those persons by reason of any act on the part of that person, after the application for the pat-

sous le régime de l'article 10 et l'octroi du brevet, dans le cas où cet acte aurait constitué une contrefaçon si le brevet avait été octroyé à la date où cette demande est ainsi devenue accessible.

ent became open to public inspection under section 10 and before the grant of the patent, that would have constituted an infringement of the patent if the patent had been granted on the day the application became open to public inspection under that section.

Partie à l'action

(3) Sauf disposition expresse contraire, le breveté est, ou est constitué, partie à tout recours fondé sur les paragraphes (1) ou (2).

Patentee to be party

(3) Unless otherwise expressly provided, the patentee shall be or be made a party to any proceeding under subsection (1) or (2).

Assimilation à une action en contrefaçon

(4) Pour l'application des autres dispositions du présent article et des articles 54 et 55.01 à 59, le recours visé au paragraphe (2) est réputé être une action en contrefaçon et l'acte sur lequel il se fonde est réputé être un acte de contrefaçon.
L.R.C. 1985, ch. P-4, art. 55; ch. 33 (3e suppl.), art. 21; L.C. 1993, ch. 15, art. 48.

Deemed action for infringement

(4) For the purposes of this section and sections 54 and 55.01 to 59, any proceeding under subsection (2) is deemed to be an action for the infringement of a patent and the act on which that proceeding is based is deemed to be an act of infringement of the patent.
R.S.C., 1985, c. P-4, s. 55; c. 33 (3rd Supp.), s. 21; S.C. 1993, c. 15, s. 48.

Prescription

55.01 Tout recours visant un acte de contrefaçon se prescrit à compter de six ans de la commission de celui-ci.
L.C. 1993, ch. 15, art. 48.

Limitation

55.01 No remedy may be awarded for an act of infringement committed more than six years before the commencement of the action for infringement.
S.C. 1993, c. 15, s. 48.

Nouveau produit

55.1 Dans une action en contrefaçon d'un brevet accordé pour un procédé relatif à un nouveau produit, tout produit qui est identique au nouveau produit est, en l'absence de preuve contraire, réputé avoir été produit par le procédé breveté.
L.C. 1993, ch. 2, art. 4.; ch. 44, art. 193.

Burden of proof for patented process

55.1 In an action for infringement of a patent granted for a process for obtaining a new product, any product that is the same as the new product shall, in the absence of proof to the contrary, be considered to have been produced by the patented process.
S.C. 1993, c. 2, s. 4; c. 44, s. 193.

Exception

55.2 (1) Il n'y a pas contrefaçon de brevet lorsque l'utilisation, la fabrication, la construction ou la vente d'une invention brevetée se justifie dans la seule mesure nécessaire à la préparation et à la production du dossier d'information qu'oblige à fournir une loi fédérale, provinciale ou étrangère réglementant la fabrication, la construction, l'utilisation ou la vente d'un produit.

Exception

55.2 (1) It is not an infringement of a patent for any person to make, construct, use or sell the patented invention solely for uses reasonably related to the development and submission of information required under any law of Canada, a province or a country other than Canada that regulates the manufacture, construction, use or sale of any product.

(2) et (3) [Abrogés, L.C. 2001, ch. 10, art. 2.]

Règlements

(4) Afin d'empêcher la contrefaçon d'un brevet d'invention par l'utilisateur, le fabricant, le constructeur ou le vendeur d'une invention brevetée au sens du paragraphe (1), le gouverneur en conseil peut prendre des règlements, notamment :

a) fixant des conditions complémentaires nécessaires à la délivrance, en vertu de lois fédérales régissant l'exploitation, la fabrication, la construction ou la vente de produits sur lesquels porte un brevet, d'avis, de certificats, de permis ou de tout autre titre à quiconque n'est pas le breveté;

b) concernant la première date, et la manière de la fixer, à laquelle un titre visé à l'alinéa *a*) peut être délivré à quelqu'un qui n'est pas le breveté et à laquelle elle peut prendre effet;

c) concernant le règlement des litiges entre le breveté, ou l'ancien titulaire du brevet, et le demandeur d'un titre visé à l'alinéa *a*), quant à la date à laquelle le titre en question peut être délivré ou prendre effet;

d) conférant des droits d'action devant tout tribunal compétent concernant les litiges visés à l'alinéa *c*), les conclusions qui peuvent être recherchées, la procédure devant ce tribunal et les décisions qui peuvent être rendues;

e) sur toute autre mesure concernant la délivrance d'un titre visé à l'alinéa *a*) lorsque celle-ci peut avoir pour effet la contrefaçon de brevet.

Divergences

(5) Une disposition réglementaire prise sous le régime du présent article prévaut sur toute

(2) and (3) [Repealed, S.C. 2001, c. 10, s. 2.]

Regulations

(4) The Governor in Council may make such regulations as the Governor in Council considers necessary for preventing the infringement of a patent by any person who makes, constructs, uses or sells a patented invention in accordance with subsection (1), including, without limiting the generality of the foregoing, regulations

(a) respecting the conditions that must be fulfilled before a notice, certificate, permit or other document concerning any product to which a patent may relate may be issued to a patentee or other person under any Act of Parliament that regulates the manufacture, construction, use or sale of that product, in addition to any conditions provided for by or under that Act;

(b) respecting the earliest date on which a notice, certificate, permit or other document referred to in paragraph *(a)* that is issued or to be issued to a person other than the patentee may take effect and respecting the manner in which that date is to be determined;

(c) governing the resolution of disputes between a patentee or former patentee and any person who applies for a notice, certificate, permit or other document referred to in paragraph *(a)* as to the date on which that notice, certificate, permit or other document may be issued or take effect;

(d) conferring rights of action in any court of competent jurisdiction with respect to any disputes referred to in paragraph *(c)* and respecting the remedies that may be sought in the court, the procedure of the court in the matter and the decisions and orders it may make; and

(e) generally governing the issue of a notice, certificate, permit or other document referred to in paragraph *(a)* in circumstances where the issue of that notice, certificate, permit or other document might result directly or indirectly in the infringement of a patent.

Inconsistency or conflict

(5) In the event of any inconsistency or conflict between

disposition législative ou réglementaire fédérale divergente.

(a) this section or any regulations made under this section, and

(b) any Act of Parliament or any regulations made thereunder,

this section or the regulations made under this section shall prevail to the extent of the inconsistency or conflict.

Interprétation

(6) Le paragraphe (1) n'a pas pour effet de porter atteinte au régime légal des exceptions au droit de propriété ou au privilège exclusif que confère un brevet en ce qui touche soit l'usage privé et sur une échelle ou dans un but non commercial, soit l'utilisation, la fabrication, la construction ou la vente d'une invention brevetée dans un but d'expérimentation. L.C. 1993, ch. 2, art. 4; 2001, ch. 10, art. 2.

For greater certainty

(6) For greater certainty, subsection (1) does not affect any exception to the exclusive property or privilege granted by a patent that exists at law in respect of acts done privately and on a non-commercial scale or for a non-commercial purpose or in respect of any use, manufacture, construction or sale of the patented invention solely for the purpose of experiments that relate to the subject-matter of the patent.

S.C. 1993, c. 2, s. 4; 2001, c. 10, s. 2.

Droit de l'acquéreur antérieur

56. (1) Quiconque, avant la date de revendication d'une demande de brevet, achète, exécute ou acquiert l'objet que définit la revendication peut utiliser et vendre l'article, la machine, l'objet manufacturé ou la composition de matières brevetés ainsi achetés, exécutés ou acquis avant cette date sans encourir de responsabilité envers le breveté ou ses représentants légaux.

Patent not to affect previous purchaser

56. (1) Every person who, before the claim date of a claim in a patent has purchased, constructed or acquired the subject matter defined by the claim, has the right to use and sell to others the specific article, machine, manufacture or composition of matter patented and so purchased, constructed or acquired without being liable to the patentee or the legal representatives of the patentee for so doing.

Non-application

(2) Le paragraphe (1) ne s'applique pas aux achats, exécutions ou aquisitions visés aux paragraphes (3) et (4).

Non-application

(2) Subsection (1) does not apply in respect of a purchase, construction or acquisition referred to in subsection (3) or (4).

Cas spéciaux

(3) L'article 56 de la *Loi sur les brevets*, dans sa version antérieure à la date d'entrée en vigueur du paragraphe (1), s'applique à l'achat, l'exécution ou l'aquisition, antérieurs à cette date, d'une invention pour laquelle un brevet est délivré relativement à une demande déposée après le 1er octobre 1989 mais avant l'entrée en vigueur du paragraphe (1).

Special case

(3) Section 56 of the *Patent Act*, as it read immediately before the day on which subsection (1) came into force, applies in respect of a purchase, construction or acquisition made before that day of an invention for which a patent is issued on the basis of an application filed after October 1, 1989 and before the day on which subsection (1) came into force.

Idem

(4) L'article 56 de la *Loi sur les brevets*, dans sa version antérieure au 1er octobre 1989,

Idem

(4) Section 56 of the *Patent Act*, as it read immediately before October 1, 1989 applies

s'applique à l'achat, l'exécution ou l'acquisition, antérieurs à la date d'entrée en vigueur du paragraphe (1), d'une invention pour laquelle un brevet est délivré avant le 1er octobre 1989, ou après cette date mais relativement à une demande déposée avant cette date.
L.R.C. 1985, ch. P-4, art. 56; ch. 33 (3e suppl.), art. 22.; L.C. 1993, ch. 44, art. 194 et 199.

in respect of a purchase, construction or acquisition made before the day on which subsection (1) came into force of an invention for which a patent is issued before October 1, 1989 or is issued after October 1, 1989 on the basis of an application filed before October 1, 1989.
R.S.C., 1985, c. P-4, s. 56; c. 33 (3rd Supp.), s. 22; S.C. 1993, c. 44, ss. 194 and 199.

Interdiction

57. (1) Dans toute action en contrefaçon de brevet, le tribunal, ou l'un de ses juges, peut, sur requête du plaignant ou du défendeur, rendre l'ordonnance qu'il juge à propos de rendre :
a) pour interdire ou défendre à la partie adverse de continuer à exploiter, fabriquer ou vendre l'article qui fait l'objet du brevet, et pour prescrire la peine à subir dans le cas de désobéissance à cette ordonnance;
b) pour les fins et à l'égard de l'inspection ou du règlement de comptes,
et d'une façon générale, quant aux procédures de l'action.

Injunction may issue

57. (1) In any action for infringement of a patent, the court, or any judge thereof, may, on the application of the plaintiff or defendant, make such order as the court or judge sees fit,
(a) restraining or enjoining the opposite party from further use, manufacture or sale of the subject-matter of the patent, and for his punishment in the event of disobedience of that order, or
(b) for and respecting inspection or account, and generally, respecting the proceedings in the action.

Appel

(2) Appel peut être interjeté de cette ordonnance dans les mêmes circonstances et au même tribunal qu'appel peut être interjeté des autres jugements ou ordonnances du tribunal qui a rendu l'ordonnance.
L.R.C. 1985, ch. P-4, art. 59.

Appeal

(2) An appeal lies from any order made under subsection (1) in the same circumstances and to the same court as from other judgments or orders of the court in which the order is made.
R.S.C., 1985, c. P-4, s. 59.

Revendications invalides

58. Lorsque, dans une action ou procédure relative à un brevet qui renferme deux ou plusieurs revendications, une ou plusieurs de ces revendications sont tenues pour valides, mais qu'une autre ou d'autres sont tenues pour invalides ou nulles, il est donné effet au brevet tout comme s'il ne renfermait que la ou les revendications valides.
L.R.C. 1985, ch. P-4, art. 60.

Invalid claims not to affect valid claims

58. When, in any action or proceeding respecting a patent that contains two or more claims, one or more of those claims is or are held to be valid but another or others is or are held to be invalid or void, effect shall be given to the patent as if it contained only the valid claim or claims.
R.S.C., 1985, c. P-4, s. 60.

Défense

59. Dans toute action en contrefaçon de brevet, le défendeur peut invoquer comme moyen de défense tout fait ou manquement

Defence

59. The defendant, in any action for infringement of a patent may plead as matter of defence any fact or default which by this Act

qui, d'après la présente loi ou en droit, entraîne la nullité du brevet; le tribunal prend connaissance de cette défense et des faits pertinents et statue en conséquence.
L.R.C. 1985, ch. P-4, art. 61.

or by law renders the patent void, and the court shall take cognizance of that pleading and of the relevant facts and decide accordingly.
R.S.C., 1985, c. P-4, s. 61.

INVALIDATION

IMPEACHMENT

Invalidation de brevets ou de revendications

60. (1) Un brevet ou une revendication se rapportant à un brevet peut être déclaré invalide ou nul par la Cour fédérale, à la diligence du procureur général du Canada ou à la diligence d'un intéressé.

Impeachment of patents or claims

60. (1) A patent or any claim in a patent may be declared invalid or void by the Federal Court at the instance of the Attorney General of Canada or at the instance of any interested person.

Déclaration relative à la violation

(2) Si une personne a un motif raisonnable de croire qu'un procédé employé ou dont l'emploi est projeté, ou qu'un article fabriqué, employé ou vendu ou dont sont projetés la fabrication, l'emploi ou la vente par elle, pourrait, d'après l'allégation d'un breveté, constituer une violation d'un droit de propriété ou privilège exclusif accordé de ce chef, elle peut intenter une action devant la Cour fédérale contre le breveté afin d'obtenir une déclaration que ce procédé ou cet article ne constitue pas ou ne constituerait pas une violation de ce droit de propriété ou de ce privilège exclusif.

Declaration as to infringement

(2) Where any person has reasonable cause to believe that any process used or proposed to be used or any article made, used or sold or proposed to be made, used or sold by him might be alleged by any patentee to constitute an infringement of an exclusive property or privilege granted thereby, he may bring an action in the Federal Court against the patentee for a declaration that the process or article does not or would not constitute an infringement of the exclusive property or privilege.

Cautionnement pour frais

(3) À l'exception du procureur général du Canada ou du procureur général d'une province, le plaignant dans une action exercée sous l'autorité du présent article fournit, avant de s'y engager, un cautionnement pour les frais du breveté au montant que le tribunal peut déterminer. Toutefois, le défendeur dans toute action en contrefaçon de brevet a le droit d'obtenir une déclaration en vertu du présent article sans être tenu de fournir un cautionnement.
L.R.C. 1985, ch. P-4, art. 62; ch. 10 (2e suppl.), art. 64.

Security for costs

(3) With the exception of the Attorney General of Canada or the attorney general of a province, the plaintiff in any action under this section shall, before proceeding therein, give security for the costs of the patentee in such sum as the Federal Court may direct, but a defendant in any action for the infringement of a patent is entitled to obtain a declaration under this section without being required to furnish any security.
R.S.C., 1985, c. P-4, s. 62; c. 10 (2nd Supp.), s. 64.

61. [Abrogé, L.R.C. 1985, ch. 33 (3e suppl.), art. 23.]

61. [Repealed, R.S.C., 1985, c. 33 (3rd Supp.), s. 23.]

JUGEMENTS

Jugement qui annule un brevet

62. Le certificat d'un jugement annulant totalement ou partiellement un brevet est, à la requête de quiconque en fait la production pour que ce certificat soit déposé au Bureau des brevets, enregistré à ce bureau. Le brevet ou telle partie du brevet qui a été ainsi annulé devient alors nul et de nul effet et est tenu pour tel, à moins que le jugement ne soit infirmé en appel en vertu de l'article 63.
L.R.C. 1985, ch. P-4, art. 64; L.C. 1993, ch. 15, art. 49.

Appel

63. Tout jugement annulant totalement ou partiellement ou refusant d'annuler totalement ou partiellement un brevet est sujet à appel devant tout tribunal compétent pour juger des appels des autres décisions du tribunal qui a rendu ce jugement.
L.R.C. 1985, ch. P-4, art. 65.

CONDITIONS

64. [Abrogé, L.C. 1993, ch. 44, art. 195.]

Abus des droits de brevets

65. (1) Le procureur général du Canada ou tout intéressé peut, après l'expiration de trois années à compter de la date de la concession d'un brevet, s'adresser au commissaire pour alléguer que, dans le cas de ce brevet, les droits exclusifs qui en dérivent ont donné lieu à un abus, et pour demander un recours sous l'autorité de la présente loi.

En quoi consiste l'abus

(2) Les droits exclusifs dérivant d'un brevet sont réputés avoir donné lieu à un abus lorsque l'une ou l'autre des circonstances suivantes s'est produite :

a) et *b*) [abrogés, L.C. 1993, ch. 44, art. 196(1)];

c) il n'est pas satisfait à la demande, au Canada, de l'article breveté, dans une mesure adéquate et à des conditions équitables;

d) par défaut, de la part du breveté, d'accorder une ou des licences à des conditions équi-

JUDGMENTS

Judgment voiding patent

62. A certificate of a judgment voiding in whole or in part any patent shall, at the request of any person filing it to make it a record in the Patent Office, be registered in the Patent Office, and the patent, or such part as is voided, shall thereupon be and be held to have been void and of no effect, unless the judgment is reversed on appeal as provided in section 63.
R.S.C., 1985, c. P-4, s. 64; S.C. 1993, c. 15, s. 49.

Appeal

63. Every judgment voiding in whole or in part or refusing to void in whole or in part any patent is subject to appeal to any court having appellate jurisdiction in other cases decided by the court by which the judgment was rendered.
R.S.C., 1985, c. P-4, s. 65.

CONDITIONS

64. [Repealed, S.C. 1993, c. 44, s. 195.]

Abuse of rights under patents

65. (1) The Attorney General of Canada or any person interested may, at any time after the expiration of three years from the date of the grant of a patent, apply to the Commissioner alleging in the case of that patent that there has been an abuse of the exclusive rights thereunder and asking for relief under this Act.

What amounts to abuse

(2) The exclusive rights under a patent shall be deemed to have been abused in any of the following circumstances:

(a) and *(b)* [repealed, S.C. 1993, c. 44, s. 196(1)];

(c) if the demand for the patented article in Canada is not being met to an adequate extent and on reasonable terms;

(d) if, by reason of the refusal of the patentee to grant a licence or licences on reasonable terms, the trade or industry of Canada or the

tables, le commerce ou l'industrie du Canada, ou le commerce d'une personne ou d'une classe de personnes exerçant un commerce au Canada, ou l'établissement d'un nouveau commerce ou d'une nouvelle industrie au Canada subissent quelque préjudice, et il est d'intérêt public qu'une ou des licences soient accordées;

e) les conditions que le breveté, soit avant, soit après l'adoption de la présente loi, fixe à l'achat, à la location ou à l'utilisation de l'article breveté, ou à la licence qu'il pourrait accorder à l'égard de cet article breveté, ou à l'exploitation ou à la mise en oeuvre du procédé breveté, portent injustement préjudice à quelque commerce ou industrie au Canada, ou à quelque personne ou classe de personnes engagées dans un tel commerce ou une telle industrie;

f) il est démontré que l'existence du brevet, dans le cas d'un brevet pour une invention couvrant un procédé qui comporte l'usage de matières non protégées par le brevet, ou d'un brevet pour une invention portant sur une substance produite par un tel procédé, a fourni au breveté un moyen de porter injustement préjudice, au Canada, à la fabrication, à l'utilisation ou à la vente de l'une de ces matières.

(3) et (4) [Abrogés, L.C. 1993, ch. 44, art. 196 (2).]

Définition de «article breveté»

(5) Pour l'application du présent article, «article breveté» s'entend notamment des articles fabriqués au moyen d'un procédé breveté.

L.R.C. 1985, ch. P-4, art. 65; L.C. 1993, ch. 2, art. 5; ch. 15, art. 51; ch. 44, art. 196.

Pouvoirs du commissaire en cas d'abus

66. (1) Lorsque le commissaire est convaincu qu'a été établi un cas d'abus de droits exclusifs à la faveur d'un brevet, il peut exercer l'un des pouvoirs suivants, selon qu'il le juge à propos dans les circonstances :

a) il peut ordonner la concession d'une licence à un demandeur, aux conditions que le commissaire estime convenables et qui contiennent une clause interdisant au porteur de

trade of any person or class of persons trading in Canada, or the establishment of any new trade or industry in Canada, is prejudiced, and it is in the public interest that a licence or licences should be granted;

(e) if any trade or industry in Canada, or any person or class of persons engaged therein, is unfairly prejudiced by the conditions attached by the patentee, whether before or after the passing of this Act, to the purchase, hire, licence or use of the patented article or to the using or working of the patented process; or

(f) if it is shown that the existence of the patent, being a patent for an invention relating to a process involving the use of materials not protected by the patent or for an invention relating to a substance produced by such a process, has been utilized by the patentee so as unfairly to prejudice in Canada the manufacture, use or sale of any materials.

(3) and (4) [Repealed, S.C. 1993, c. 44, s. 196(2).]

Definition of "patented article"

(5) For the purposes of this section, the expression "patented article" includes articles made by a patented process.

R.S.C. 1985, c. P-4, s. 65; S.C. 1993, c. 2, s. 5; c. 15, s. 51; c. 44, s. 196.

Powers of Commissioner in cases of abuse

66. (1) On being satisfied that a case of abuse of the exclusive rights under a patent has been established, the Commissioner may exercise any of the following powers as he may deem expedient in the circumstances:

(a) he may order the grant to the applicant of a licence on such terms as the Commissioner may think expedient, including a term precluding the licensee from importing into

licence d'importer au Canada des marchandises dont l'importation, si elle était pratiquée par d'autres personnes que le breveté ou des personnes se réclamant de lui, constituerait une violation du brevet; en pareil cas, le breveté et toutes les personnes détenant alors une licence sont réputés être mutuellement convenus d'empêcher une telle importation;
b) [abrogé, L.C. 1993, ch. 44, art. 197(1)];
c) s'il est convaincu que les droits exclusifs ont donné lieu à des abus dans les circonstances spécifiées à l'alinéa 65(2)*f*), il peut ordonner la concession de licences au demandeur et à tels de ses clients, à telles conditions, que le commissaire juge convenables;
d) s'il est convaincu que l'exercice de l'un des pouvoirs prévus au présent article ne peut en réaliser les objets et ceux de l'article 65, il ordonne la déchéance du brevet, soit immédiatement, soit à l'expiration d'un délai raisonnable que spécifie l'ordonnance, à moins que dans l'intervalle n'aient été remplies les conditions que fixe l'ordonnance en vue de réaliser les objets du présent article et de l'article 65; il peut, pour des motifs raisonnables et démontrés en chaque cas, prolonger par ordonnance subséquente le délai ainsi spécifié, mais il ne peut rendre aucune ordonnance de déchéance qui contrarie un traité, une convention, un accord ou un engagement avec un autre pays, auquel le Canada est partie;
e) s'il est d'avis que les objets du présent article et de l'article 65 seront plus efficacement réalisés en ne rendant aucune ordonnance aux termes des dispositions du présent article, il peut rendre une ordonnance qui rejette la requête, et décider comme il l'estime juste toute question de frais.

Canada any goods the importation of which, if made by persons other than the patentee or persons claiming under him, would be an infringement of the patent, and in that case the patentee and all licensees for the time being shall be deemed to have mutually covenanted against that importation;
(*b*) [repealed, S.C. 1993, c. 44, s. 197(1)];
(c) if the Commissioner is satisfied that the exclusive rights have been abused in the circumstances specified in paragraph 65(2)(*f*), he may order the grant of licences to the applicant and to such of his customers, and containing such terms, as the Commissioner may think expedient;
(d) if the Commissioner is satisfied that the objects of this section and section 65 cannot be attained by the exercise of any of the foregoing powers, the Commissioner shall order the patent to be revoked, either forthwith or after such reasonable interval as may be specified in the order, unless in the meantime such conditions as may be specified in the order with a view to ataining the objects of this section and section 65 are fulfilled, and the Commissioner may, on reasonable cause shown in any case, by subsequent order extend the interval so specified, but the Commissioner shall not make an order for revocation which is at variance with any treaty, convention, arrangement, or engagement with any other country to which Canada is a party; or
(e) if the Commissioner is of opinion that the objects of this section and section 65 will be best attained by not making an order under the provisions of this section, he may make an order refusing the application and dispose of any question as to costs thereon as he thinks just.

Procédures en vue de prévenir la violation du brevet

(2) Un porteur de licence aux termes de l'alinéa (1)*a)* a le droit d'exiger du breveté qu'il intente des procédures en vue de prévenir la violation du brevet; si le breveté refuse ou néglige d'intenter des procédures dans un délai de deux mois après en avoir été ainsi requis, le porteur de licence peut, en son propre

Proceedings to prevent infringement

(2) A licensee under paragraph (1)(*a*) is entitled to call on the patentee to take proceedings to prevent infringement of the patent, and if the patentee refuses or neglects to do so within two months after being so called on, the licensee may institute proceedings for infringement in his own name as though he

nom, comme s'il était lui-même le breveté, intenter une action en contrefaçon et mettre le breveté en cause comme défendeur. Un breveté ainsi mis en cause comme défendeur n'encourt aucuns frais, à moins qu'il ne produise une comparution et ne prenne part à l'instance.

were the patentee, making the patentee a defendant, but a patentee added as defendant is not liable for any costs unless he enters an appearance and takes part in the proceedings.

Signification au breveté

(3) La signification au breveté peut être effectuée en laissant le bref à son adresse ou à celle de son représentant pour fins de signification, telle qu'elle est enregistrée au Bureau des brevets.

Service on patentee

(3) Service on a patentee added as a defendant may be effected by leaving the writ at his address or at the address of his representative for service as appearing in the records of the Patent Office.

Considérations pertinentes

(4) En arrêtant les conditions d'une licence conformément à l'alinéa (1)*a*), le commissaire s'efforce autant que possible :

a) d'obtenir l'usage le plus répandu de l'invention au Canada, qui soit compatible avec le bénéfice raisonnable que le breveté tirera de ses droits de brevet;

b) d'obtenir au breveté le bénéfice maximal qui soit compatible avec une exploitation, au Canada, raisonnablement rémunératrice de l'invention par le porteur de licence;

(*c*) d'assurer des avantages égaux aux divers porteurs de licences, pouvant, à cette fin et pour motifs valables démontrés, réduire les redevances ou autres versements revenant au breveté en vertu de toute licence antérieurement accordée.

L.R.C. 1985, ch. P-4, art. 66; ch. 33 (3e suppl.), art. 24; L.C. 1993, ch. 44, art. 197(2).

Considerations by which Commissioner to be guided

(4) In settling the terms of a licence under paragraph (1)(*a*), the Commissioner shall be guided as far as possible by the following considerations:

(a) he shall endeavour to secure the widest possible use of the invention in Canada consistent with the patentee deriving a reasonable advantage from his patent rights;

(b) he shall endeavour to secure to the patentee the maximum advantage consistent with the invention being worked by the licensee at a reasonable profit in Canada; and

(*c*) he shall endeavour to secure equality of advantage among the sevaral licensees, and for this purpose may, on due cause being shown, reduce the royalties or other payments accruing to the patentee under any licence previously granted.

R.S.C., 1985, c. P-4, s. 66; c. 33 (3rd Supp.), s. 24; S.C. 1993, c. 44, s. 197(2).

67. [Abrogé, L.C. 1993, ch. 44, art. 198.]

67. [Repealed, S.C. 1993, c. 44, s. 198.]

Teneur des requêtes

68. (1) Toute requête présentée au commissaire en vertu de l'article 65 ou 66 :

a) expose complètement la nature de l'intérêt du demandeur, les faits sur lesquels le demandeur fonde sa requête, ainsi que le recours qu'il recherche;

b) est accompagnée de déclarations solennelles attestant l'intérêt du demandeur, ainsi que les faits exposés dans la requête.

Contents of applications

68. (1) Every application presented to the Commissioner under section 65 or 66 shall

(a) set out fully the nature of the applicant's interest, the facts on which the applicant bases his case and the relief that he seeks; and

(b) be accompanied by statutory declarations verifying the applicant's interest and the facts set out in the application.

Avis

(2) Le commissaire prend en considération les faits allégués dans la requête et dans les déclarations, et, s'il est convaincu que le demandeur possède un intérêt légitime et que, de prime abord, la preuve a été établie pour obtenir un recours, il enjoint au demandeur de signifier des copies de la requête et des déclarations au breveté ou à son représentant aux fins de signification, ainsi qu'à toutes autres personnes qui, d'après les registres du Bureau des brevets, sont intéressées dans le brevet, et le demandeur annonce la requête dans la *Gazette du Canada* et dans la *Gazette du Bureau des brevets.*
S.R.C., ch. P-4, art. 70.

Service

(2) The Commissioner shall consider the matters alleged in the application and declarations referred to in subsection (1), and, if satisfied that the applicant has a *bona fide* interest and that a case for relief has been made, he shall direct the applicant to serve copies of the application and declarations on the patentee or his representative for service and on any other persons appearing from the records of the Patent Office to be interested in the patent, and the applicant shall advertise the application in the *Canada Gazette* and the *Canadian Patent Office Record.*
R.S.C., c. P-4, s. 70.

Opposition et contre-mémoire

69. (1) Si le breveté ou un tiers désire s'opposer à la concession d'un recours en vertu des articles 65 à 70, il remet au commissaire, dans le délai prescrit ou dans le délai prolongé que celui-ci accorde sur pétition, un contre-mémoire attesté par une déclaration solennelle et exposant complètement les motifs pour lesquels opposition sera faite à la requête.

Opposition and counter statement

69. (1) If the patentee or any person is desirous of opposing the granting of any relief under sections 65 to 70, he shall, within such time as may be prescribed or within such extended time as the Commissioner may on application further allow, deliver to the Commissioner a counter statement verified by a statutory declaration fully setting out the grounds on which the application is to be opposed.

Comparution pour contre-interrogatoire

(2) Le commissaire prend en considération le contre-mémoire et la déclaration à l'appui, et il peut dès lors rejeter la requête, s'il est convaincu qu'il a été suffisamment répondu aux allégations de la requête, à moins que l'une des parties ne demande à être entendue ou que le commissaire lui-même ne fixe une audition. En tout cas, le commissaire peut requérir la comparution devant lui de l'un des déclarants pour être contre-interrogé ou examiné de nouveau sur les matières se rapportant aux points soulevés dans la requête et dans le contre-mémoire, et il peut, à condition de prendre les précautions voulues afin d'empêcher la divulgation de renseignements à des concurrents commerciaux, exiger la production, devant lui, des livres et documents se rapportant à l'affaire en litige.

Attendance for cross-examination

(2) The Commissioner shall consider the counter statement and declaration referred to in subsection (1) and may thereupon dismiss the application if satisfied that the allegations in the application have been adequately answered, unless any of the parties demands a hearing or unless the Commissioner himself appoints a hearing, and in any case the Commissioner may require the attendance before him of any of the declarants to be cross-examined or further examined on matters relevant to the issues raised in the application and counter statement, and he may, subject to due precautions against disclosure of information to rivals in trade, require the production before him of books and documents relating to the matter in issue.

Renvoi à la Cour fédérale

(3) Lorsque le commissaire ne rejette pas une requête, ainsi qu'il est prévu au paragraphe (2), et si, selon le cas :

a) les parties intéressées y consentent;

b) les procédures exigent un examen prolongé de documents, ou des recherches scientifiques ou locales qui, à son avis, ne peuvent convenablement avoir lieu devant lui,

il peut, avec l'approbation par écrit du ministre, ordonner que l'ensemble des procédures ou que toute question de fait en découlant soit déférée à la Cour fédérale, laquelle a juridiction en l'espèce.

Reference to Federal Court

(3) In any case where the Commissioner does not dismiss an application as provided in subsection (2), and

(a) if the parties interested consent, or

(b) if the proceedings require any prolonged examination of documents or any scientific or local investigation that cannot in the opinion of the Commissioner conveniently be made before him,

the Commissioner, with the approval in writing of the Minister, may order the whole proceedings or any issue of fact arising thereunder to be referred to the Federal Court, which has jurisdiction in the premises.

Idem

(4) Lorsque l'ensemble des procédures a ainsi été déféré, le jugement, la décision ou l'ordonnance du tribunal est définitive. Lorsqu'une question ou un point de fait a ainsi été déféré, le tribunal fait rapport de ses conclusions au commissaire.

L.R.C. 1985, ch. P-4, art. 71; ch. 10 (2e suppl.), art. 64.

Idem

(4) Where the whole proceedings are referred under subsection (1), the judgment, decision or order of the Federal Court is final, and where a question or issue of fact is referred under that subsection, the Court shall report its findings to the Commissioner.

R.S.C., 1985, c. P-4, s. 71; c. 10 (2nd Supp.), s. 64.

La licence considérée comme un acte

70. Toute ordonnance rendue pour concéder une licence sous l'autorité de la présente loi a, sans préjudice de tout autre mode de contrainte, le même effet que si elle était incorporée dans un acte de concession d'une licence souscrit par le breveté et par les autres parties nécessaires.

L.R.C. 1985, ch. P-4, art. 72.

Licence deemed to be by deed

70. Any order for the grant of a licence under this Act, without prejudice to any other method of enforcement, operates as if it were embodied in a deed granting a licence executed by the patentee and all other necessary parties.

R.S.C., 1985, c. P-4, s. 72.

Appel à la Cour fédérale

71. Toutes les ordonnances et décisions rendues par le commissaire sous l'autorité des articles 65 à 70 sont sujettes à appel à la Cour fédérale, et en tel cas, le procureur général du Canada ou un avocat qu'il peut désigner a le droit de comparaître et d'être entendu.

L.R.C. 1985, ch. P-4, art. 73; S.R.C., ch. 10 (2e suppl.), art. 64.

Appeal to Federal Court

71. All orders and decisions of the Commissioner under sections 65 to 70 are subject to appeal to the Federal Court, and on any such appeal the Attorney General of Canada or such counsel as he may appoint is entitled to appear and be heard.

R.S.C., 1985, c. P-4, s. 73; c. 10 (2nd Supp.), s. 64.

72. [Abrogé, L.R.C. 1985, ch. 33 (3e suppl.), art. 25.]

72. [Repealed, R.S.C., 1985, c. 33 (3rd Supp.), s. 25.]

ABANDON ET RÉTABLISSEMENT DES DEMANDES

Abandon

73. (1) La demande de brevet est considérée comme abandonnée si le demandeur omet, selon le cas :

a) de répondre de bonne foi, dans le cadre d'un examen, à toute demande de l'examinateur, dans les six mois suivant cette demande ou dans le délai plus court déterminé par le commissaire;

b) de se conformer à l'avis mentionné au paragraphe 27(6);

c) de payer, dans le délai réglementaire, les taxes visées à l'article 27.1;

d) de présenter la requête visée au paragraphe 35(1) ou de payer la taxe réglementaire dans le délai réglementaire;

e) de se conformer à l'avis mentionné au paragraphe 35(2);

f) de payer les taxes réglementaires mentionnées dans l'avis d'acceptation de la demande de brevet dans les six mois suivant celui-ci.

Idem

(2) Elle est aussi considérée comme abandonnée dans les circonstances réglementaires.

Rétablissement

(3) Elle peut être rétablie si le demandeur:

a) présente au commissaire, dans le délai réglementaire, une requête à cet effet;

b) prend les mesures qui s'imposaient pour éviter l'abandon;

c) paie les taxes réglementaires avant l'expiration de la période réglementaire.

Modification et réexamen

(4) La demande abandonnée au titre de l'alinéa (1)*f)* et rétablie par la suite est sujette à modification et à nouvel examen.

ABANDONMENT AND REINSTATEMENT OF APPLICATIONS

Deemed abandonment of applications

73. (1) An application for a patent in Canada shall be deemed to be abandoned if the applicant does not

(a) reply in good faith to any requisition made by an examiner in connection with an examination, within six months after the requisition is made or within any shorter period established by the Commissioner;

(b) comply with a notice given pursuant to subsection 27(6);

(c) pay the fees payable under section 27.1, within the time provided by the regulations;

(d) make a request for examination or pay the prescribed fee under subsection 35(1) within the time provided by the regulations;

(e) comply with a notice given under subsection 35(2); or

(f) pay the prescribed fees stated to be payable in a notice of allowance of patent within six months after the date of the notice.

Deemed abandonment in prescribed circumstances

(2) An application shall also be deemed to be abandoned in any other circumstances that are prescribed.

Reinstatement

(3) An application deemed to be abandoned under this section shall be reinstated if the applicant

(a) makes a request for reinstatement to the Commissioner within the prescribed period;

(b) takes the action that should have been taken in order to avoid the abandonment; and

(c) pays the prescribed fee before the expiration of the prescribed period.

Amendment and re-examination

(4) An application that has been abandoned pursuant to paragraph (1)*(f)* and reinstated is subject to amendment and further examination.

Date de dépôt originelle
(5) La demande rétablie conserve sa date de dépôt.
L.R.C. 1985, ch. P-4, art. 75; L.C. 1993, ch. 15, art. 52.

INFRACTIONS ET PEINES

74. [Abrogé, L.R.C. 1985, ch. 33 (3e suppl.), art. 26.]

Infractions et peines
75. Quiconque, selon le cas :
a) sans le consentement du breveté, écrit, peint, imprime, moule, coule, découpe, grave, empreint ou d'autre manière marque, sur un objet fabriqué ou vendu par lui, et pour la fabrication ou la vente exclusive duquel il n'est pas le breveté, le nom ou une imitation du nom d'un breveté qui détient le droit exclusif de fabriquer ou de vendre cet objet;
b) sans le consentement du breveté, écrit, peint, imprime, moule, coule, découpe, grave, empreint ou d'autre manière marque, sur un objet qui n'a pas été acheté du breveté, les mots «Brevet», «Lettres patentes», «Patente de la Reine (*ou* du Roi)», «Breveté», ou toute autre expression de même signification, avec l'intention de contrefaire ou d'imiter la marque, l'estampille ou la devise du breveté, ou de tromper le public et de le porter à croire que l'objet en question a été fabriqué ou vendu par le breveté ou avec son consentement;
c) expose en vente, comme breveté au Canada, un article qui n'a pas été breveté au Canada, dans le dessein de tromper le public,
commet un acte criminel et encourt une amende maximale de deux cents dollars et un emprisonnement maximal de trois mois, ou l'une de ces peines.
L.R.C. 1985, ch. P-4, art. 78.

Exposé faux, fausses inscriptions, etc.
76. Quiconque, relativement aux fins de la présente loi et en connaissance de cause, selon le cas :
a) fait un exposé faux;
b) effectue ou fait effectuer une fausse inscription dans un registre ou livre;

Original filing date
(5) An application that is reinstated retains its original filing date.
R.S.C. 1985, c. P-4, s. 75; S.C. 1993, c. 15, s. 52.

OFFENCES AND PUNISHMENT

74. [Repealed, R.S.C., 1985, c. 33 (3rd Supp.), s. 26.]

Offences
75. Every person who
(a) without the consent of the patentee, writes, paints, prints, moulds, casts, carves, engraves, stamps or otherwise marks on anything made or sold by him, and for the sole making or selling of which he is not the patentee, the name or any imitation of the name of any patentee for the sole making or selling of that thing,
(b) without the consent of the patentee, writes, paints, prints, moulds, casts, carves, engraves, stamps or otherwise marks on anything not purchased from the patentee, the words "Patent", "Letters Patent", "Queen's (or King's) Patent", "Patented" or any word or words of like import, with the intent of counterfeiting or imitating the stamp, mark or device of the patentee, or of deceiving the public and inducing them to believe that the thing in question was made or sold by or with the consent of the patentee, or
(c) with intent to deceive the public offers for sale as patented in Canada any article not patented in Canada,
is guilty of an indictable offence and liable to a fine not exceeding two hundred dollars or to imprisonment for a term not exceeding three months or to both.
R.S.C., 1985, c. P-4, s. 78.

False representations, false entries, etc.
76. Every person who, in relation to the purposes of this Act and knowing it to be false,
(a) makes any false representation,
(b) makes or causes to be made any false entry in any register or book,
(b.1) submits or causes to be submitted, in an

b.1) remet ou fait remettre, sous forme électronique, de faux documents ou renseignements ou des documents renfermant des renseignements faux;
c) fait ou fait faire un faux document ou altère la forme d'une copie de document;
d) produit ou présente un document renfermant des renseignements faux,
commet un acte criminel et encourt, sur déclaration de culpabilité, une amende maximale de cinq cents dollars et un emprisonnement maximal de six mois, ou l'une de ces peines.
L.R.C. 1985, ch. P-4, art. 79; L.C. 1993, ch. 15, art. 53.

electronic form, any false doc-ument, false information or document containing false information,
(c) makes or causes to be made any false document or alters the form of a copy of any document, or
(d) produces or tenders any document containing false information,
is guilty of an indictable offence and liable on conviction to a fine not exceeding five hundred dollars or to imprisonment for a term not exceeding six months or to both.
R.S.C., 1985, c. P-4, s. 79; S.C. 1993, c. 15, s. 53.

Infractions relatives aux médicaments brevetés

76.1 (1) Quiconque contrevient aux articles 80, 81, 82 ou 88 ou à une ordonnance prise sous le régime de l'un ou l'autre de ces articles commet une infraction et encourt, sur déclaration de culpabilité par procédure sommaire :
a) une amende maximale de cinq mille dollars et un emprisonnement maximal de six mois, ou l'une de ces peines, s'il s'agit d'une personne physique;
b) une amende maximale de vingt-cinq mille dollars, s'il s'agit d'une personne morale.

Offence respecting patented medicines

76.1 (1) Every person who contravenes or fails to comply with section 80, 81, 82 or 88 or any order made thereunder is guilty of an offence punishable on summary conviction and liable
(a) in the case of an individual, to a fine not exceeding five thousand dollars or to imprisonment for a term not exceeding six months or to both; and
(b) in the case of a corporation, to a fine not exceeding twenty-five thousand dollars.

Idem

(2) Quiconque contrevient à l'article 84 ou à une ordonnance prise sous le régime de l'article 83 commet une infraction et encourt, sur déclaration de culpabilité par procédure sommaire :
a) une amende maximale de vingt-cinq mille dollars et un emprisonnement maximal d'un an, ou l'une de ces peines, s'il s'agit d'une personne physique;
b) une amende maximale de cent mille dollars, s'il s'agit d'une personne morale.

Idem

(2) Every person who contravenes or fails to comply with section 84 or any order made under section 83 is guilty of an offence punishable on summary conviction and liable
(a) in the case of an individual, to a fine not exceeding twenty-five thousand dollars or to imprisonment for a term not exceeding one year or to both; and
(b) in the case of a corporation, to a fine not exceeding one hundred thousand dollars.

Prescription

(3) La poursuite d'une infraction visée aux paragraphes (1) ou (2) se prescrit par deux ans à compter de sa perpétration.

Limitation period

(3) Proceedings for an offence under subsection (1) or (2) may be commenced within, but not later than, two years after the time when the subject-matter of the proceedings arose.

Infractions continues

(4) Il est compté une infraction distincte pour chacun des jours au cours desquels se commet ou se continue l'infraction visée aux paragraphes (1) ou (2).
L.C. 1993, ch. 2, art. 6.

Continuing offence

(4) Where an offence under subsection (1) or (2) is committed or continued on more than one day, the person who committed the offence is liable to be convicted for a separate offence for each day on which the offence is committed or continued.
S.C. 1993, c. 2, s. 6.

77. [Abrogé, L.C. 1993, ch. 15, art. 54.]

77. [Repealed, S.C. 1993, c. 15, s. 54.]

Le délai est réputé prorogé

78. (1) Lorsqu'un délai spécifié en vertu de la présente loi ou en conformité avec celle-ci expire un jour où le Bureau des brevets est fermé au public, ce délai est réputé prorogé jusqu'au jour de réouverture du Bureau des brevets, inclusivement.

Time limit deemed extended

78. (1) Where any time limit or period of limitation specified under or pursuant to this Act expires on a day when the Patent Office is closed for business, that time limit or period of limitation shall be deemed to be extended to the next day when the Patent Office is open for business.

Jours de fermeture du Bureau au public

(2) Le Bureau des brevets est fermé au public le samedi et les jours fériés ainsi que les autres jours où la fermeture en est décidée par arrêté du ministre.

When Patent Office closed for business

(2) The Patent Office shall be closed for business on Saturdays and holidays and on such other days as the Minister by order declares that it shall be closed for business.

Publication

(3) Chaque arrêté pris par le ministre en vertu du paragraphe (2) est publié dans la *Gazette du Bureau des brevets* dès que possible après qu'il a été pris.
L.R.C. 1985, ch. P-4, art. 81.

Publication

(3) Every order made by the Minister under subsection (2) shall be published in the *Canadian Patent Office Record* as soon as possible after it is made.
R.S.C. 1985, c. P-4, s. 81.

DISPOSITIONS TRANSITOIRES

TRANSITIONAL PROVISIONS

Régime applicable aux demandes déposées avant le 1er octobre 1989

78.1 La présente loi dans sa version du 30 septembre 1989 s'applique aux demandes de brevet déposées jusqu'à cette date. Ces demandes sont également régies par l'article 38.1.
L.C. 1993, ch. 15, art. 55; 2001, ch. 10, art. 3.

Patent applications filed before October 1, 1989

78.1 Applications for patents in Canada filed before October 1, 1989 shall be dealt with and disposed of in accordance with section 38.1 and with the provisions of this Act as they read immediately before October 1, 1989.
S.C. 1993, c. 15, s. 55; 2001, c. 10, s. 3.

Régime applicable aux brevets délivrés avant le 1er octobre 1989

78.2 (1) Sous réserve du paragraphe (3), la présente loi dans sa version du 30 septembre

Patents issued before October 1, 1989

78.2 (1) Subject to subsection (3), any matter arising on or after October 1, 1989 in

1989, à l'exception de l'article 46, s'applique aux affaires survenant, le 1er octobre 1989 ou par la suite, relativement aux brevets délivrés avant le 1er octobre 1989. Ces affaires sont également régies par les articles 38.1 et 45.

respect of a patent issued before that date shall be dealt with and disposed of in accordance with sections 38.1 and 45 and with the provisions of this Act, other than section 46, as they read immediately before October 1, 1989.

Régime applicable aux brevets délivrés le 1er octobre 1989 ou par la suite sur demande antérieure à cette date

(2) Sous réserve du paragraphe (3), la présente loi dans sa version du 30 septembre 1989, à l'exception de l'article 46, s'applique aux affaires survenant, le 1er octobre 1989 ou par la suite, relativement aux brevets délivrés ce jour ou par la suite au titre de demandes déposées avant le 1er octobre 1989. Ces affaires sont également régies par les articles 38.1, 45, 46 et 48.1 à 48.5.

Patents issued on or after October 1, 1989 on the basis of previously filed applications

(2) Subject to subsection (3), any matter arising on or after October 1, 1989 in respect of a patent issued on or after that date on the basis of an application filed before that date shall be dealt with and disposed of in accordance with sections 38.1, 45, 46 and 48.1 to 48.5 and with the provisions of this Act, other than section 46, as they read immediately before October 1, 1989.

Les modifications, sauf certaines, sont prises en compte

(3) Les dispositions visées aux paragraphes (1) et (2) s'appliquent compte tenu des modifications apportées à la présente loi sauf celles de ces modifications entrées en vigueur le 1er octobre 1989 et le 1er octobre 1996.
L.C. 1993, ch. 15, art. 55; 2001, ch. 10, art. 3.

Application

(3) The provisions of this Act that apply as provided in subsections (1) and (2) shall be read subject to any amendments to this Act, other than the amendments that came into force on October 1, 1989 or October 1, 1996.
S.C. 1993, c. 15, s. 55; 2001, c. 10, s. 3.

Version antérieure de l'article 43

78.3 (1) En cas de conflit, au sens de l'article 43 dans sa version antérieure au 1er octobre 1989, entre une demande de brevet déposée avant cette date et une demande déposée à compter de celle-ci, les demandes sont régies par cet article dans sa version antérieure à cette date, et le demandeur dont l'invention est antérieure a droit au brevet si les conditions suivantes sont réunies :

a) la seconde demande est déposée par une personne dont les droits sont protégés par traité ou convention, relatif aux brevets, auquel le Canada est partie, et qui a antérieurement déposé selon les règles, dans un autre pays ou pour un autre pays qui accorde par traité, convention ou loi une protection similaire aux citoyens du Canada, une demande de brevet décrivant la même invention;

b) la seconde demande est déposée dans les douze mois du dépôt de la demande déposée

Previous version of section 43 applies

78.3 (1) Where a conflict, as defined in section 43 as it read immediately before October 1, 1989, exists between an application for a patent in Canada filed before October 1, 1989 (the "earlier application") and an application for a patent in Canada filed on or after that date (the "later application") and

(a) the later application is filed by a person who is entitled to protection under the terms of any treaty or convention relating to patents to which Canada is a party and who has previously regularly filed in or for any other country that by treaty, convention or law affords similar protection to citizens of Canada an application for a patent describing the same invention,

(b) the later application is filed within twelve months after the filing of the previously regularly filed application,

(c) the applicant in the later application has

antérieurement;
c) la personne qui a déposé la seconde demande a présenté, à l'égard de celle-ci, une demande de priorité fondée sur la demande déposée antérieurement;
d) la demande déposée antérieurement l'a été avant le dépôt de la première demande.

made a request for priority in respect of that application on the basis of the previously regularly filed application, and
(d) the earlier application is filed after the filing of the previously regularly filed application,
the applicant having the earlier date of invention shall be entitled to a patent and the applications shall be dealt with and disposed of in accordance with section 43, as it read immediately before October 1, 1989.

Exception

(2) Le paragraphe (1) ne s'applique pas si les conditions suivantes sont réunies :
a) la première demande est déposée par une personne qui a déposé antérieurement une demande de brevet dans les circonstances visées à l'alinéa (1)*a*);
b) la première demande est déposée dans les douze mois du dépôt de la demande déposée antérieurement;
c) la personne qui a déposée la première demande a présenté, à l'égard de celle-ci, une demande de priorité fondée sur la demande déposée antérieurement;
d) la demande déposée antérieurement l'a été avant celle déposée antérieurement par la personne visée à l'alinéa (1)*a*).
L.C. 1993, ch. 15, art. 55.

Exception

(2) Subsection (1) does not apply if
(a) the earlier application is filed by a person who is entitled to protection under the terms of any treaty or convention relating to patents to which Canada is a party and who has previously regularly filed in or for any other country that by treaty, convention or law affords similar protection to citizens of Canada an application for a patent describing the same invention;
(b) the earlier application is filed within twelve months after the filing of the previously regularly filed application mentioned in paragraph (*a*);
(c) the applicant in the earlier application has made a request for priority in respect of that application on the basis of the previously regularly filed application mentioned in paragraph (*a*); and
(d) the previously regularly filed application mentioned in paragraph (*a*) was filed before the filing of the previously regularly filed application mentioned in subsection (1).
S.C. 1993, c. 15, s. 55.

Régime applicable au traitement de certaines demandes

78.4 La présente loi dans sa version du 1er octobre 1996 de même que le paragraphe 27(2) dans sa version du 30 septembre 1996 s'appliquent aux demandes de brevet déposées le 1er octobre 1989 ou par la suite, mais avant le 1er octobre 1996.
L.C. 1993, ch. 15, art. 55; 2001, ch. 10, art. 4.

Patent applications filed on or after October 1, 1989

78.4 Applications for patents in Canada filed on or after October 1, 1989, but before October 1, 1996, shall be dealt with and disposed of in accordance with subsection 27(2) as it read immediately before October 1, 1996 and with the provisions of this Act as they read on October 1, 1996.
S.C. 1993, c. 15, s. 55; 2001, c. 10, s. 4.

Régime applicable aux affaires relatives à certains brevets

78.5 La présente loi de même que le paragraphe 27(2) dans sa version du 30 septembre 1996 s'appliquent aux affaires relatives aux brevets délivrés au titre de demandes déposées le 1er octobre 1989 ou par la suite, mais avant le 1er octobre 1996.

L.C. 1993, ch. 15, art. 55; 2001, ch. 10, art. 4.

Patents issued on or after October 1, 1989

78.5 Any matter arising in respect of a patent issued on the basis of an application filed on or after October 1, 1989, but before October 1, 1996, shall be dealt with and disposed of in accordance with the provisions of this Act and with subsection 27(2) as it read immediately before October 1, 1996.

S.C. 1993, c. 15, s. 55; 2001, c. 10, s. 4.

MÉDICAMENTS BREVETÉS

Définitions

Définitions

79. (1) Les définitions qui suivent s'appliquent au présent article et aux articles 80 à 103.

«breveté» ou «titulaire d'un brevet» *"patentee"*

«breveté» ou «titulaire d'un brevet» La personne ayant pour le moment droit à l'avantage d'un brevet pour une invention liée à un médicament, ainsi que quiconque était titulaire d'un brevet pour une telle invention ou exerce ou a exercé les droits d'un titulaire dans un cadre autre qu'une licence prorogée en vertu du paragraphe 11(1) de la Loi de 1992 modifiant la *Loi sur les brevets.*

«Conseil» *"Board"*

«Conseil» Le Conseil d'examen du prix des médicaments brevetés prorogé au titre de l'article 91.

«indice des prix à la consommation» *"Consumer Price Index"*

«indice des prix à la consommation» Indice des prix à la consommation publié par Statistique Canada sous le régime de la Loi sur la statistique.

«ministre» *"Minister"*

«ministre» Le ministre de la Santé ou tel autre membre du Conseil privé de la Reine pour le Canada chargé par le gouverneur en conseil de l'application du présent article et des articles 80 à 103.

«règlement» *"regulations"*

«règlement» Les règlements pris au titre de l'article 101.

PATENTED MEDICINES

Interpretation

Definitions

79. (1) In this section and in sections 80 to 103,

"Board" *«Conseil»*

"Board" means the Patented Medicine Prices Review Board continued by section 91;

"Consumer Price Index" *«indice des prix à la consommation»*

"Consumer Price Index" means the Consumer Price Index published by Statistics Canada under the authority of the *Statistics Act*;

"Minister" *«ministre»*

"Minister" means the Minister of Health or such other Member of the Queen's Privy Council for Canada as is designated by the Governor in Council as the Minister for the purposes of this section and sections 80 to 103;

"patentee" *«breveté»* ou *«titulaire d'un brevet»*

"patentee", in respect of an invention pertaining to a medicine, means the person for the time being entitled to the benefit of the patent for that invention and includes, where any other person is entitled to exercise any rights in relation to that patent other than under a licence continued by subsection 11(1) of the *Patent Act Amendment Act, 1992*, that other person in respect of those rights;

"regulations" *«règlement»*

"regulations" means regulations made under section 101.

Définition de «invention liée à un médicament»

(2) Pour l'application du paragraphe (1) et des articles 80 à 101, une invention est liée à un médicament si elle est destinée à des médicaments ou à la préparation ou la production de médicaments, ou susceptible d'être utilisée à de telles fins.
L.C. 1993, ch. 2, art. 7; 1996, ch. 8, art. 32.

Invention pertaining to a medicine

(2) For the purposes of subsection (1) and sections 80 to 101, an invention pertains to a medicine if the invention is intended or capable of being used for medicine or for the preparation or production of medicine.
S.C. 1993, c. 2, s. 7; 1996, c. 8, s. 32.

Renseignements sur les prix

Pricing Information

Renseignements réglementaires à fournir sur les prix

80. (1) Le breveté est tenu de fournir au Conseil, conformément aux règlements, les renseignements et documents sur les points suivants :

a) l'identification du médicament en cause;

b) le prix de vente — antérieur ou actuel — du médicament sur les marchés canadien et étranger;

c) les coûts de réalisation et de mise en marché du médicament s'il dispose de ces derniers renseignements au Canada ou s'il en a connaissance ou le contrôle;

d) les facteurs énumérés à l'article 85;

e) tout autre point afférent précisé par règlement.

Pricing information, etc., required by regulations

80. (1) A patentee of an invention pertaining to a medicine shall, as required by and in accordance with the regulations, provide the Board with such information and documents as the regulations may specify respecting

(a) the identity of the medicine;

(b) the price at which the medicine is being or has been sold in any market in Canada and elsewhere;

(c) the costs of making and marketing the medicine, where that information is available to the patentee in Canada or is within the knowledge or control of the patentee;

(d) the factors referred to in section 85; and

(e) any other related matters.

Idem

(2) Sous réserve du paragraphe (3), l'ancien titulaire d'un brevet est tenu de fournir au Conseil, conformément aux règlements, les renseignements et les documents sur les points suivants :

a) l'identification du médicament en cause;

b) le prix de vente du médicament sur les marchés canadien et étranger pendant la période où il était titulaire du brevet;

c) les coûts de réalisation et de mise en marché du médicament pendant cette période, qu'ils aient été assumés avant ou après la délivrance du brevet, s'il dispose de ces derniers renseignements au Canada ou s'il en a connaissance ou le contrôle;

d) les facteurs énumérés à l'article 85;

e) tout autre point afférent précisé par règlement.

Idem

(2) Subject to subsection (3), a person who is a former patentee of an invention pertaining to a medicine shall, as required by and in accordance with the regulations, provide the Board with such information and documents as the regulations may specify respecting

(a) the identity of the medicine;

(b) the price at which the medicine was sold in any market in Canada and elsewhere during the period in which the person was a patentee of the invention;

(c) the costs of making and marketing the medicine produced during that period, whether incurred before or after the patent was issued, where that information is available to the person in Canada or is within the knowledge or control of the person;

(d) the factors referred to in section 85; and

(e) any other related matters.

Prescription
(3) Le paragraphe (2) ne vise pas celui qui, pendant une période d'au moins trois ans, a cessé d'avoir droit à l'avantage du brevet ou d'exercer les droits du titulaire.
L.C. 1993, ch. 2, art. 7.

Limitation
(3) Subsection (2) does not apply to a person who has not been entitled to the benefit of the patent or to exercise any rights in relation to the patent for a period of three or more years.
S.C. 1993, c. 2, s. 7.

Renseignements sur les prix exigés par le Conseil
81. (1) Le Conseil peut, par ordonnance, enjoindre le breveté ou l'ancien titulaire du brevet de lui fournir les renseignements et les documents sur les points visés aux alinéas 80(1)*a)* à *e)*, dans le cas du breveté, ou, dans le cas de l'ancien breveté, aux alinéas 80(2)*a)* à *e)* ainsi que sur tout autre point qu'il précise.

Pricing information, etc. required by Board
81. (1) The Board may, by order, require a patentee or former patentee of an invention pertaining to a medicine to provide the Board with information and documents respecting
(a) in the case of a patentee, any of the matters referred to in paragraphs 80(1)*(a)* to *(e)*;
(b) in the case of a former patentee, any of the matters referred to in paragraphs 80(2)*(a)* to *(e)*; and
(c) such other related matters as the Board may require.

Respect
(2) L'ordonnance est à exécuter dans le délai précisé ou que peut fixer le Conseil.

Compliance with order
(2) A patentee or former patentee in respect of whom an order is made under subsection (1) shall comply with the order within such time as is specified in the order or as the Board may allow.

Prescription
(3) Il ne peut être pris d'ordonnances en vertu du paragraphe (1) plus de trois ans après qu'une personne ait cessé d'avoir droit aux avantages du brevet ou d'exercer les droits du titulaire.
L.C. 1993, ch. 2, art. 7.

Limitation
(3) No order may be made under subsection (1) in respect of a former patentee who, more than three years before the day on which the order is proposed to be made, ceased to be entitled to the benefit of the patent or to exercise any rights in relation to the patent.
S.C. 1993, c. 2, s. 7.

Avis du prix de lancement
82. (1) Tout breveté doit, dès que possible après avoir fixé la date à laquelle il compte mettre en vente sur un marché canadien un médicament qui n'y a jamais été vendu, notifier le Conseil de son intention et de la date à laquelle il compte le faire.

Notice of introductory price
82. (1) A patentee of an invention pertaining to a medicine who intends to sell the medicine in a market in Canada in which it has not previously been sold shall, as soon as practicable after determining the date on which the medicine will be first offered for sale in that market, notify the Board of its intention and of that date.

Renseignements sur les prix
(2) Sur réception de l'avis visé au paragraphe (1) ou lorsqu'il a des motifs de croire qu'un

Pricing information and documents
(2) Where the Board receives a notice under subsection (1) from a patentee or otherwise

breveté se propose de vendre sur un marché canadien un médicament qui n'y a jamais été vendu, le Conseil peut, par ordonnance, demander au breveté de lui fournir les renseignements et les documents concernant le prix proposé sur ce marché.

has reason to believe that a patentee of an invention pertaining to a medicine intends to sell the medicine in a market in Canada in which the medicine has not previously been sold, the Board may, by order, require the patentee to provide the Board with information and documents respecting the price at which the medicine is intended to be sold in that market.

Respect

(3) Sous réserve du paragraphe (4), l'ordonnance est à exécuter dans le délai précisé ou que peut fixer le Conseil.

Compliance with order

(3) Subject to subsection (4), a patentee in respect of whom an order is made under subsection (2) shall comply with the order within such time as is specified in the order or as the Board may allow.

Prescription

(4) Une ordonnance prise en vertu du paragraphe (2) n'oblige pas le breveté avant le soixantième jour de la date prévue pour la mise en vente du médicament sur le marché proposé.
L.C. 1993, ch. 2, art. 7.

Limitation

(4) No patentee shall be required to comply with an order made under subsection (2) prior to the sixtieth day preceding the date on which the patentee intends to first offer the medicine for sale in the relevant market.
S.C. 1993, c. 2, s. 7.

Prix excessifs

Excessive Prices

Ordonnance relative aux prix excessifs

83. (1) Lorsqu'il estime que le breveté vend sur un marché canadien le médicament à un prix qu'il juge être excessif, le Conseil peut, par ordonnance, lui enjoindre de baisser le prix de vente maximal du médicament dans ce marché au niveau précisé dans l'ordonnance et de façon qu'il ne puisse pas être excessif.

Order re excessive prices

83. (1) Where the Board finds that a patentee of an invention pertaining to a medicine is selling the medicine in any market in Canada at a price that, in the Board's opinion, is excessive, the Board may, by order, direct the patentee to cause the maximum price at which the patentee sells the medicine in that market to be reduced to such level as the Board considers not to be excessive and as is specified in the order.

Idem

(2) Sous réserve du paragraphe (4), lorsqu'il estime que le breveté a vendu, alors qu'il était titulaire du brevet, le médicament sur un marché canadien à un prix qu'il juge avoir été excessif, le Conseil peut, par ordonnance, lui enjoindre de prendre l'une ou plusieurs des mesures suivantes pour compenser, selon lui, l'excédent qu'aurait procuré au breveté la vente du médicament au prix excessif :
a) baisser, dans un marché canadien, le prix

Idem

(2) Subject to subsection (4), where the Board finds that a patentee of an invention pertaining to a medicine has, while a patentee, sold the medicine in any market in Canada at a price that, in the Board's opinion, was excessive, the Board may, by order, direct the patentee to do any one or more of the following things as will, in the Board's opinion, offset the amount of the excess revenues estimated by it to have been derived by the

de vente du médicament dans la mesure et pour la période prévue par l'ordonnance;
b) baisser, dans un marché canadien, le prix de vente de tout autre médicament lié à une invention brevetée du titulaire dans la mesure et pour la période prévue par l'ordonnance;
c) payer à Sa Majesté du chef du Canada le montant précisé dans l'ordonnance.

patentee from the sale of the medicine at an excessive price:
(a) reduce the price at which the patentee sells the medicine in any market in Canada, to such extent and for such period as is specified in the order;
(b) reduce the price at which the patentee sells one other medicine to which a patented invention of the patentee pertains in any market in Canada, to such extent and for such period as is specified in the order; or
(c) pay to Her Majesty in right of Canada an amount specified in the order.

Idem

(3) Sous réserve du paragraphe (4), lorsqu'il estime que l'ancien breveté a vendu, alors qu'il était titulaire du brevet, le médicament à un prix qu'il juge avoir été excessif, le Conseil peut, par ordonnance, lui enjoindre de prendre l'une ou plusieurs des mesures suivantes pour compenser, selon lui, l'excédent qu'aurait procuré à l'ancien breveté la vente du médicament au prix excessif :
a) baisser, dans un marché canadien, le prix de vente de tout autre médicament lié à une invention dont il est titulaire du brevet dans la mesure et pour la période prévue par l'ordonnance;
b) payer à Sa Majesté du chef du Canada le montant précisé dans l'ordonnance.

Idem

(3) Subject to subsection (4), where the Board finds that a former patentee of an invention pertaining to a medicine had, while a patentee, sold the medicine in any market in Canada at a price that, in the Board's opinion, was excessive, the Board may, by order, direct the former patentee to do any one or more of the following things as will, in the Board's opinion, offset the amount of the excess revenues estimated by it to have been derived by the former patentee from the sale of the medicine at an excessive price:
(a) reduce the price at which the former patentee sells a medicine to which a patented invention of the former patentee pertains in any market in Canada, to such extent and for such period as is specified in the order; or
(b) pay to Her Majesty in right of Canada an amount specified in the order.

Cas de politique de vente à prix excessif

(4) S'il estime que le breveté ou l'ancien breveté s'est livré à une politique de vente du médicament à un prix excessif, compte tenu de l'envergure et de la durée des ventes à un tel prix, le Conseil peut, par ordonnance, au lieu de celles qu'il peut prendre en application, selon le cas, des paragraphes (2) ou (3), lui enjoindre de prendre l'une ou plusieurs des mesures visées par ce paragraphe de façon à réduire suffisamment les recettes pour compenser, selon lui, au plus le double de l'excédent procuré par la vente au prix excessif.

Where policy to sell at excessive price

(4) Where the Board, having regard to the extent and duration of the sales of the medicine at an excessive price, is of the opinion that the patentee or former patentee has engaged in a policy of selling the medicine at an excessive price, the Board may, by order, in lieu of any order it may make under subsection (2) or (3), as the case may be, direct the patentee or former patentee to do any one or more of the things referred to in that subsection as will, in the Board's opinion, offset not more than twice the amount of the excess revenues estimated by it to have been derived by the patentee or former patentee from the sale of the medicine at an excessive price.

Excédent

(5) Aux fins des paragraphes (2), (3) ou (4), il n'est pas tenu compte, dans le calcul de l'excédent, des recettes antérieures au 20 décembre 1991 ni, dans le cas de l'ancien breveté, des recettes faites après qu'il a cessé d'avoir droit aux avantages du brevet ou d'exercer les droits du titulaire.

Excess revenues

(5) In estimating the amount of excess revenues under subsection (2), (3) or (4), the Board shall not consider any revenues derived by a patentee or former patentee before December 20, 1991 or any revenues derived by a former patentee after the former patentee ceased to be entitled to the benefit of the patent or to exercise any rights in relation to the patent.

Droit à l'audition

(6) Avant de prendre une ordonnance en vertu du présent article, le Conseil doit donner au breveté ou à l'ancien breveté la possibilité de présenter ses observations.

Right to hearing

(6) Before the Board makes an order under this section, it shall provide the patentee or former patentee with a reasonable opportunity to be heard.

Prescription

(7) Le présent article ne permet pas de prendre une ordonnance à l'encontre des anciens brevetés qui, plus de trois ans avant le début des procédures, ont cessé d'avoir droit aux avantages du brevet ou d'exercer les droits du titulaire.

L.C. 1993, ch. 2, art. 7, 1994, ch. 26, art. 54(F).

Limitation period

(7) No order may be made under this section in respect of a former patentee who, more than three years before the day on which the proceedings in the matter commenced, ceased to be entitled to the benefit of the patent or to exercise any rights in relation to the patent.

S.C. 1993, c. 2, s. 7; 1994, c. 26, s. 54(F).

Exécution

84. (1) Le breveté ou l'ancien breveté est tenu de commencer l'exécution de l'ordonnance de réduction des prix dans le mois suivant sa prise ou dans le délai supérieur que le Conseil estime pratique et raisonnable compte tenu de sa situation.

Compliance

84. (1) A patentee or former patentee who is required by any order made under section 83 to reduce the price of a medicine shall commence compliance with the order within one month after the date of the order or within such greater period after that date as the Board determines is practical and reasonable, having regard to the circumstances of the patentee or former patentee.

Idem

(2) Le breveté ou l'ancien breveté est tenu d'exécuter l'ordonnance de paiement à Sa Majesté dans le mois suivant sa prise ou dans le délai supérieur que le Conseil estime pratique et raisonnable, compte tenu de sa situation.

Idem

(2) A patentee or former patentee who is directed by any order made under section 83 to pay an amount to Her Majesty shall pay that amount within one month after the date of the order or within such greater period after that date as the Board determines is practical and reasonable, having regard to the circumstances of the patentee or former patentee.

Recouvrement des créances

(3) Les sommes payables en application d'une ordonnance prise en vertu du présent

Debt due to Her Majesty

(3) An amount payable by a patentee or former patentee to Her Majesty under any or-

article constituent des créances de Sa Majesté, dont le recouvrement peut être poursuivi à ce titre devant toute juridiction compétente.
L.C. 1993, ch. 2, art. 7.

der made under section 83 constitutes a debt due to Her Majesty and may be recovered in any court of competent jurisdiction.
S.C. 1993, c. 2. s. 7.

Facteurs de fixation du prix

85. (1) Pour décider si le prix d'un médicament vendu sur un marché canadien est excessif, le Conseil tient compte des facteurs suivants, dans la mesure où des renseignements sur ces facteurs lui sont disponibles :
a) le prix de vente du médicament sur un tel marché;
b) le prix de vente de médicaments de la même catégorie thérapeutique sur un tel marché;
c) le prix de vente du médicament et d'autres médicaments de la même catégorie thérapeutique à l'étranger;
d) les variations de l'indice des prix à la consommation;
e) tous les autres facteurs précisés par les règlements d'application du présent paragraphe.

Factors to be considered

85. (1) In determining under section 83 whether a medicine is being or has been sold at an excessive price in any market in Canada, the Board shall take into consideration the following factors, to the extent that information on the factors is available to the Board:
(a) the prices at which the medicine has been sold in the relevant market;
(b) the prices at which other medicines in the same therapeutic class have been sold in the relevant market;
(c) the prices at which the medicine and other medicines in the same therapeutic class have been sold in countries other than Canada;
(d) changes in the Consumer Price Index; and
(e) such other factors as may be specified in any regulations made for the purposes of this subsection.

Facteurs complémentaires

(2) Si, après avoir tenu compte de ces facteurs, il est incapable de décider si le prix d'un médicament vendu sur un marché canadien est excessif, le Conseil peut tenir compte des facteurs suivants :
a) les coûts de réalisation et de mise en marché;
b) tous les autres facteurs précisés par les règlements d'application du présent paragraphe ou qu'il estime pertinents.

Additional factors

(2) Where, after taking into consideration the factors referred to in subsection (1), the Board is unable to determine whether the medicine is being or has been sold in any market in Canada at an excessive price, the Board may take into consideration the following factors:
(a) the costs of making and marketing the medicine; and
(b) such other factors as may be specified in any regulations made for the purposes of this subsection or as are, in the opinion of the Board, relevant in the circumstances.

Coûts de recherche

(3) Pour l'application de l'article 83, le Conseil ne tient compte, dans les coûts de recherche, que de la part canadienne des coûts mondiaux directement liée à la recherche qui a abouti soit à l'invention du médicament, soit à sa mise au point et à sa mise en marché, calculée proportionnellement au rapport en-

Research Costs

(3) In determining under section 83 whether a medicine is being or has been sold in any market in Canada at an excessive price, the Board shall not take into consideration research costs other than the Canadian portion of the world costs related to the research that led to the invention pertaining to that medi-

tre les ventes canadiennes du médicament par le breveté et le total des ventes mondiales. L.C. 1993, ch. 2, art. 7.

cine or to the development and commercialization of that invention, calculated in proportion to the ratio of sales by the patentee in Canada of that medicine to total world sales. S.C. 1993, c. 2, s. 7.

Audiences publiques

86. (1) Les audiences tenues dans le cadre de l'article 83 sont publiques, sauf si le Conseil est convaincu, à la suite d'observations faites par l'intéressé, que la divulgation des renseignements ou documents en cause causerait directement à celui-ci un préjudice réel et sérieux; le cas échéant, l'audience peut, selon ce que décide le Conseil, se tenir à huis clos en tout ou en partie.

Hearings to be public

86. (1) A hearing under section 83 shall be held in public unless the Board is satisfied on representations made by the person to whom the hearing relates that specific, direct and substantial harm would be caused to the person by the disclosure of information or documents at a public hearing, in which case the hearing or any part thereof may, at the discretion of the Board, be held in private.

Avis

(2) Le Conseil avise le ministre de l'Industrie, ou tout autre ministre désigné par règlement, et les ministres provinciaux responsables de la santé de toute audience tenue aux termes de l'article 83 et leur donne la possibilité de présenter leurs observations. L.C. 1993, ch. 2, art. 7; 1995, ch. 1, art. 62(1).

Notice of hearing to certain persons

(2) The Board shall give notice to the Minister of Industry or such other Minister as may be designated by the regulations and to provincial ministers of the Crown responsible for health of any hearing under section 83, and each of them is entitled to appear and make representations to the Board with respect to the matter being heard. S.C. 1993, c. 2, s. 7; 1995, c. 1, s. 62(1).

Protection des renseignements

87. (1) Sous réserve du paragraphe (2), les renseignements ou documents fournis au Conseil en application des articles 80, 81, 82 ou 83 sont protégés; nul ne peut, après les avoir obtenus en conformité avec la présente loi, sciemment les communiquer ou en permettre la communication sans l'autorisation de la personne qui les a fournis, sauf s'ils ont été divulgués dans le cadre d'une audience publique tenue en vertu de l'article 83.

Information, etc., privileged

87. (1) Subject to subsection (2), any information or document provided to the Board under section 80, 81 or 82 or in any proceeding under section 83 is privileged, and no person who has obtained the information or document pursuant to this Act shall, without the authorization of the person who provided the information or document, knowingly disclose the information or document or allow it to be disclosed unless it has been disclosed at a public hearing under section 83.

Communication

(2) Le Conseil peut communiquer les renseignements ou documents qui lui sont confiés à quiconque est chargé, sous sa responsabilité, de l'application de la présente loi, ainsi qu'au ministre de l'Insustrie, ou tout autre ministre désigné par règlement, ou à un ministre provincial responsable de la santé, ou à tel de

Disclosure, etc.

(2) Any information or document referred to in subsection (1)

(a) may be disclosed by the Board to any person engaged in the administration of this Act under the direction of the Board, to the Minister of Industry or such other Minister as may be designated by the regulations and to the

leurs fonctionnaires, à seule fin de leur permettre de présenter leurs observations au titre du paragraphe 86(2); il peut aussi s'en servir pour établir le rapport visé à l'article 100.
L.C. 1993, ch. 2, art. 7; 1995, ch. 1, art. 62(1).

provincial ministers of the Crown responsible for health and their officials for use only for the purpose of making representations referred to in subsection 86(2); and
(b) may be used by the Board for the purpose of the report referred to in section 100.
S.C. 1993, c. 2, s. 7; 1995, c. 1, s. 62(1).

Renseignements sur les recettes et dépenses

Obligations des brevetés

88. (1) Le breveté est tenu, conformément aux règlements ou aux ordonnances du Conseil, de fournir à celui-ci des renseignements et documents sur les points suivants :
a) l'identité des titulaires des licences découlant du brevet au Canada;
b) les recettes directes ou indirectes qu'il a tirées de la vente au Canada du médicament, ainsi que la source de ces recettes;
c) les dépenses de recherche et développement faites au Canada relativement au médicament.

Sales and Expense Information

Sales and expense information, etc., to be provided

88. (1) A patentee of an invention pertaining to a medicine shall, as required by and in accordance with the regulations, or as the Board may, by order, require, provide the Board with such information and documents as the regulations or the order may specify respecting
(a) the identity of the licensees in Canada of the patentee;
(b) the revenue of the patentee, and details of the source of the revenue, whether direct or indirect, from sales of medicine in Canada; and
(c) the expenditures made by the patentee in Canada on research and development relating to medicine.

Renseignements complémentaires

(2) S'il estime pour des motifs raisonnables qu'une personne a des renseignements ou documents sur le montant des ventes au Canada de tout médicament ou sur les dépenses de recherche et développement supportées à cet égard au Canada par un titulaire de brevet, le Conseil peut, par ordonnance, l'obliger à les lui fournir — ou une copie de ceux-ci — selon ce que précise l'ordonnance.

Additional information, etc.

(2) Where the Board believes on reasonable grounds that any person has information or documents pertaining to the value of sales of medicine in Canada by a patentee or the expenditures made by a patentee in Canada on research and development relating to medicine, the Board may, by order, require the person to provide the Board with any of the information or documents that are specified in the order, or with copies thereof.

Délai

(3) L'ordonnance est à exécuter dans le délai précisé ou que peut fixer le Conseil.

Compliance with order

(3) A person in respect of whom an order is made under subsection (1) or (2) shall comply with the order within such time as is specified in the order or as the Board may allow.

Protection des renseignements

(4) Sous réserve de l'article 89, les renseignements ou documents fournis au Conseil sont

Information, etc., privileged

(4) Subject to section 89, any information or document provided to the Board under sub-

protégés; nul ne peut, après les avoir obtenus en conformité avec la présente loi, sciemment les communiquer ou en permettre la communication sans l'autorisation de celui qui les a fournis, sauf quant à l'application de la présente loi.
L.C. 1993, c. 2, art. 7.

section (1) or (2) is privileged, and no person who has obtained the information or document pursuant to this Act shall, without the authorization of the person who provided the information or document, knowingly disclose the information or allow it to be disclosed, except for the purposes of the administration of this Act.
S.C. 1993, c. 2, s. 7.

Rapport

89. (1) Le Conseil remet au ministre un rapport annuel exposant son estimation de la proportion, exprimée en pourcentage, que les dépenses de recherche et développement en matière de médicaments, faites au Canada dans l'année précédente, représentent par rapport aux recettes tirées de la vente au Canada de médicaments pendant la même période, et ce tant pour chaque breveté que pour l'ensemble des brevetés.

Report

89. (1) The Board shall in each year submit to the Minister a report setting out

(a) the Board's estimate of the proportion, as a percentage, that the expenditures of each patentee in Canada in the preceding year on research and development relating to medicine is of the revenues of those patentees from sales of medicine in Canada in that year; and

(b) the Board's estimate of the proportion, as a percentage, that the total of the expenditures of patentees in Canada in the preceding year on research and development relating to medicine is of the total of the revenues of those patentees from sales of medicine in Canada in that year.

Fondement du rapport

(2) Le rapport se fonde sur l'analyse des renseignements et documents obtenus au titre des paragraphes 88(1) ou (2) et des renseignements ou documents — que le Conseil juge pertinents — sur les recettes et dépenses mentionnées au paragraphe 88(1); par ailleurs, il est établi de manière à ne pas permettre de connaître l'identité de la personne qui a fourni ces renseignements ou documents visés aux paragraphes 88(1) ou (2).

Basis of report

(2) The report shall be based on an analysis of information and documents provided to the Board under subsections 88(1) and (2) and of such other information and documents relating to the revenues and expenditures referred to in subsection 88(1) as the Board considers relevant but, subject to subsection (3), shall not be set out in a manner that would make it possible to identify a person who provided any information or document under subsection 88(1) or (2).

Exception

(3) Dans son rapport, le Conseil identifie toutefois les brevetés pour lesquels une estimation est donnée; il peut aussi identifier les contrevenants aux paragraphes 88(1) ou (2) pour l'année en cause.

Exception

(3) The Board shall, in the report, identify the patentees in respect of whom an estimate referred to in subsection (1) is given in the report, and may, in the report, identify any person who has failed to comply with subsection 88(1) or (2) at any time in the year in respect of which the report is made.

Dépôt au Parlement
(4) Le ministre fait déposer le rapport devant chaque chambre du Parlement dans les trente premiers jours de séance de celle-ci suivant sa remise.
L.C. 1993, ch. 2, art. 7.

Tabling of report
(4) The Minister shall cause a copy of the report to be laid before each House of Parliament on any of the first thirty days on which that House is sitting after the report is submitted to the Minister.
S.C. 1993, c. 2, s. 7.

Enquêtes

Inquiries

Enquêtes
90. Le Conseil fait enquête sur toute question que lui défère le ministre et lui fait rapport dans le délai prescrit et dans le cadre strict du mandat dont il est investi par le ministre.
L.C. 1993, ch. 2, art. 7.

Inquiries
90. The Board shall inquire into any matter that the Minister refers to the Board for inquiry and shall report to the Minister at the time and in accordance with the terms of reference established by the Minister.
S.C. 1993, c. 2, s. 7.

Conseil d'examen du prix des médicaments brevetés

Patented Medicine Prices Review Board

Constitution
91. (1) Le Conseil d'examen du prix des médicaments brevetés est prorogé; il se compose d'au plus cinq conseillers nommés par le gouverneur en conseil.

Establishment
91. (1) The Patented Medicine Prices Review Board is hereby continued, and shall consist of not more than five members to be appointed by the Governor in Council.

Mandat
(2) Les conseillers sont nommés à titre inamovible pour un mandat de cinq ans, sous réserve de révocation motivée que prononce le gouverneur en conseil.

Tenure
(2) Each member of the Board shall hold office during good behaviour for a period of five years, but may be removed at any time, by the Governor in Council for cause.

Nouveau mandat
(3) Les mandats des conseillers sont renouvelables une seule fois.

Reappointment
(3) A member of the Board, on the expiration of a first term of office, is eligible to be reappointed for one further term.

Prolongation
(4) Le conseiller dont le mandat est échu peut terminer les affaires dont il est saisi.

Acting after expiration of appointment
(4) A person may continue to act as a member of the Board after the expiration of the person's term of appointment in respect of any matter in which the person became engaged during the term of appointment.

Rémunération
(5) Les conseillers reçoivent la rémunération fixée par le gouverneur en conseil et ont droit aux frais de déplacement et autres entraînés par l'accomplissement de leurs fonctions

Remuneration and expenses
(5) The members of the Board shall be paid such remuneration as may be fixed by the Governor in Council and are entitled to be paid reasonable travel and living expenses

hors du lieu de leur résidence habituelle.
L.C. 1993, ch. 2, art. 7.

incurred by them in the course of their duties under this Act while absent from their ordinary place of residence.
S.C. 1993, c. 2, s. 7.

Comité consultatif

92. (1) Le ministre peut constituer un comité consultatif chargé de le conseiller sur la nomination des conseillers au Conseil. Le comité est formé de représentants des ministres provinciaux responsables de la santé, de représentants des groupes de consommateurs, de représentants de l'industrie pharmaceutique et de toute autre personne que le ministre estime indiqué d'y nommer.

Advisory panel

92. (1) The Minister may establish an advisory panel to advise the Minister on the appointment of persons to the Board, which panel shall include representatives of the provincial ministers of the Crown responsible for health, representatives of consumer groups, representatives of the pharmaceutical industry and such other persons as the Minister considers appropriate to appoint.

Consultation

(2) Le ministre doit consulter le comité avant de faire ses recommandations au gouverneur en conseil sur la nomination d'un conseiller au Conseil.
L.C. 1993, ch. 2, art. 7.

Consultation

(2) The Minister shall consult with an advisory panel established under subsection (1) for the purpose of making a recommendation to the Governor in Council with respect to the appointment of a person to the Board.
S.C. 1993, c. 2, s. 7.

Président et vice-président

93. (1) Le gouverneur en conseil désigne, parmi les conseillers, un président et un vice-président.

Chairperson and Vice-chairperson

93. (1) The Governor in Council shall designate one of the members of the Board to be Chairperson of the Board and one of the members to be Vice-chairperson of the Board.

Attributions du président

(2) Le président est le premier dirigeant du Conseil et, à ce titre, il en assure la direction. Il est notamment chargé de la répartition des affaires entre les conseillers, de la constitution et de la présidence des audiences et des autres procédures, ainsi que de la conduite des travaux du Conseil et de la gestion de son personnel.

Duties of Chairperson

(2) The Chairperson is the chief executive officer of the Board and has supervision over and direction of the work of the Board, including

(a) the apportionment of the work among the members thereof and the assignment of members to deal with matters before the Board and to sit at hearings of the Board and to preside at hearings or other proceedings; and

(b) generally, the conduct of the work of the Board, the management of its internal affairs and the duties of its staff.

Attributions du vice-président

(3) En cas d'absence ou d'empêchement du président, ou de vacance de son poste, la présidence est assumée par le vice-président.
L.C. 1993, ch. 2, art. 7.

Duties of Vice-chairperson

(3) If the Chairperson is absent or incapacitated or if the office of Chairperson is vacant, the Vice-chairperson has all the powers and functions of the Chairperson during the ab-

sence, incapacity or vacancy.
S.C. 1993, c. 2, s. 7.

Personnel

94. (1) Le personnel nécessaire à l'exercice des activités du Conseil est nommé conformément à la *Loi sur l'emploi dans la fonction publique.*

Idem

(2) Ce personnel est réputé faire partie de la fonction publique pour l'application de la *Loi sur la pension de la fonction publique.*

Experts

(3) Le Conseil peut, à titre temporaire, retenir les services d'experts pour l'assister dans l'exercice de ses fonctions et, avec l'agrément du Conseil du Trésor, fixer et payer leur rémunération et leurs frais.
L.C. 1993, ch. 2, art. 7.

Siège

95. (1) Le siège du Conseil est fixé dans la région de la capitale nationale définie à l'annexe de la *Loi sur la capitale nationale.*

Réunions

(2) Le Conseil tient ses réunions au Canada aux dates, heures et lieux choisis par le président selon les besoins.
L.C. 1993, ch. 2, art. 7.

Attributions générales du Conseil

96. (1) Pour l'exercice de sa compétence, y compris l'assignation et l'interrogatoire des témoins, la prestation des serments, la production d'éléments de preuve et l'exécution de ses ordonnances, le Conseil est assimilé à une cour supérieure.

Règles

(2) Le Conseil peut, avec l'agrément du gouverneur en conseil, établir des règles régis-

Staff

94. (1) Such officers and employees as are necessary for the proper conduct of the work of the Board shall be appointed in accordance with the *Public Service Employment Act.*

Idem

(2) Persons appointed under subsection (1) shall be deemed to be employed in the Public Service for the purposes of the *Public Service Superannuation Act.*

Technical assistance

(3) The Board may engage on a temporary basis the services of persons having technical or specialized knowledge to advise and assist in the performance of its duties and, with the approval of the Treasury Board, the Board may fix and pay the remuneration and expenses of those persons.
S.C. 1993, c. 2, s. 7.

Principal office

95. (1) The principal office of the Board shall be in the National Capital Region described in the schedule to the *National Capital Act.*

Meetings

(2) The Board may meet at such times and places in Canada as the Chairperson deems advisable.
S.C. 1993, c. 2, s. 7.

General powers, etc.

96. (1) The Board has, with respect to the attendance, swearing and examination of witnesses, the production and inspection of documents, the enforcement of its orders and other matters necessary or proper for the due exercise of its jurisdiction, all such powers, rights and privileges as are vested in a superior court.

Rules

(2) The Board may, with the approval of the Governor in Council, make general rules

sant le quorum et les pratiques et procédures à suivre dans l'exercice de son activité.

(a) specifying the number of members of the Board that constitutes a quorum in respect of any matter; and

(b) for regulating the practice and procedure of the Board.

Règlement administratif

(3) Le Conseil peut, par règlement administratif, régir ses travaux, la gestion de ses affaires et les fonctions de son personnel.

By-laws

(3) The Board may make by-laws for carrying out the work of the Board, the management of its internal affairs and the duties of its staff.

Directives

(4) Sous réserve du paragraphe (5), le Conseil peut formuler des directives — sans que lui ou les brevetés ne soient liés par celles-ci — sur toutes questions relevant de sa compétence.

Guidelines

(4) Subject to subsection (5), the Board may issue guidelines with respect to any matter within its jurisdiction but such guidelines are not binding on the Board or any patentee.

Consultation

(5) Avant de formuler des directives, le Conseil doit consulter le ministre, les ministres provinciaux responsables de la santé et les représentants des groupes de consommateurs et de l'industrie pharmaceutique que le ministre peut désigner à cette fin.

Consultation

(5) Before the Board issues any guidelines, it shall consult with the Minister, the provincial ministers of the Crown responsible for health and such representatives of consumer groups and representatives of the pharmaceutical industry as the Minister may designate for the purpose.

Non-application de la *Loi sur les textes réglementaires*

(6) La *Loi sur les textes réglementaires* ne s'applique pas à ces directives.
L.C. 1993, ch. 2, art. 7.

Non-application of *Statutory Instruments Act*

(6) The *Statutory Instruments Act* does not apply to guidelines issued under subsection (4).
S.C. 1993, c. 2, s. 7.

Procédures

97. (1) Dans la mesure où les circonstances et l'équité le permettent, le Conseil agit sans formalisme, en procédure expéditive.

Proceedings

97. (1) All proceedings before the Board shall be dealt with as informally and expeditiously as the circumstances and considerations of fairness permit.

Décisions

(2) Les décisions sont prises à la majorité des conseillers, celui qui préside à l'audience disposant d'une voix prépondérante en cas de partage.
L.C. 1993, ch. 2, art. 7.

Differences of opinion among members

(2) In any proceedings before the Board,

(a) in the event of a difference of opinion among the members determining any question, the opinion of the majority shall prevail; and

(b) in the event of an equally divided opinion among the members determining any question, the presiding member may determine the question.

S.C. 1993, c. 2, s. 7.

Entrée en vigueur des ordonnances

98. (1) Le Conseil peut, dans ses ordonnances, fixer une date pour leur entrée en vigueur, en tout ou en partie, ou subordonner celle-ci à la survenance d'un événement, à la réalisation d'une condition ou à la bonne exécution, appréciée par lui-même ou son délégué, d'obligations imposées par l'ordonnance; il peut en outre y fixer une date pour leur cessation d'effet, en tout ou en partie, ou subordonner celle-ci à la survenance d'un événement précis.

Ordonnances provisoires

(2) Le Conseil peut prendre une ordonnance provisoire et se réserver le droit de compléter sa décision lors d'une audience ultérieure.

Modification des ordonnances

(3) Le Conseil peut annuler ou modifier ses ordonnances, et peut entendre une question de nouveau.

Certificat

(4) Lorsqu'il est convaincu par quiconque qu'il n'aura pas de motifs suffisants pour prendre l'ordonnance prévue à l'article 83, le Conseil peut, à la suite du paiement des droits réglementaires, délivrer à l'intéressé un certificat en ce sens, sans toutefois être lié par celui-ci.

L.C. 1993, ch. 2, art. 7.

Assimilation

99. (1) Les ordonnances du Conseil peuvent être assimilées à des ordonnances de la Cour fédérale ou d'une cour supérieure; le cas échéant, leur exécution s'effectue selon les mêmes modalités.

Procédure

(2) L'assimilation se fait selon la pratique et la procédure suivies par le tribunal saisi ou par la production au greffe du tribunal d'une copie certifiée conforme de l'ordonnance. L'ordonnance est dès lors une ordonnance de la cour.

Orders

98. (1) The Board may, in any order, direct

(a) that the order or any portion thereof shall come into force at a future time, on the happening of a contingency, event or condition specified in the order or on the performance to the satisfaction of the Board, or a person named by it, of any terms specified in the order; and

(b) that the whole or any portion of the order shall have effect for a limited time or until the happening of a specified event.

Interim orders, etc.

(2) The Board may make interim orders or reserve further directions for an adjourned hearing of a matter.

Rescission and variation

(3) The Board may vary or rescind any order made by it and may re-hear any matter.

Certificates

(4) Where any person satisfies the Board that the Board would not have sufficient grounds to make an order under section 83 in respect of the person, the Board may, after the person pays any fees required to be paid by the regulations, issue to the person a certificate to that effect, but no certificate is binding on the Board.

S.C. 1993, c. 2, s. 7.

Enforcement of orders

99. (1) Any order of the Board may be made an order of the Federal Court or any superior court of a province and is enforceable in the same manner as an order of the court.

Procedure

(2) To make an order of the Board an order of a court, the usual practice and procedure of the court in such matters may be followed or, in lieu thereof, the Board may file with the registrar of the court a certified copy of the Board's order, and thereupon the order becomes an order of the court.

Modification ou annulation

(3) Les ordonnances du Conseil qui modifient ou annulent des ordonnances déjà assimilées doivent, selon les mêmes modalités, faire l'objet d'une assimilation; l'ordonnance est alors réputée les modifier ou les annuler, selon le cas.

Effect of variation or rescission

(3) Where an order of the Board that has been made an order of a court is varied or rescinded by a subsequent order of the Board, the subsequent order of the Board shall be made an order of the court in the manner described in subsection (1), and the order of the court shall be deemed to have been varied or rescinded accordingly.

Faculté d'exécution

(4) Le présent article n'a pas pour effet de limiter l'exercice par le Conseil des compétences conférées par la présente loi.
L.C. 1993, ch. 2, art. 7.

Option to enforce

(4) Nothing in this section prevents the Board from exercising any of its powers under this Act.
S.C. 1993, c. 2, s. 7.

Rapport

100. (1) Le Conseil remet au ministre un rapport d'activité pour l'année précédente.

Report of Board

100. (1) The Board shall in each year submit to the Minister a report on its activities during the preceding year.

Idem

(2) Ce rapport comporte, outre un résumé des tendances des prix dans le secteur pharmaceutique, le nom de tous les brevetés ayant fait l'objet d'une ordonnance dans le cadre du paragraphe 80(2) et l'exposé de la situation dans chacun de ces cas.

Idem

(2) The report shall contain

(a) a summary of pricing trends in the pharmaceutical industry; and

(b) the name of each patentee in respect of whom an order was made under subsection 80(2) during the year and a statement as to the status of the matter in respect of which the order was made.

Résumé

(3) Le résumé peut se fonder sur les renseignements ou documents confiés au Conseil en application des articles 80, 81, 82 ou 83, mais sans permettre l'identification du breveté.

Report summary

(3) The summary referred to in paragraph (2)*(a)* may be based on information and documents provided to the Board by any patentee under section 80, 81 or 82 or in any proceeding under section 83, but shall not be set out in a manner that would make it possible to identify that patentee.

Dépôt du rapport

(4) Le ministre fait déposer le rapport devant chaque chambre du Parlement dans les trente premiers jours de séance de celle-ci suivant sa remise.
L.C. 1993, ch. 2, art. 7.

Tabling of report

(4) The Minister shall cause a copy of the report to be laid before each House of Parliament on any of the first thirty days on which that House is sitting after the report is submitted to the Minister.
S.C. 1993, c. 2, s. 7.

Règlements

Règlements

101. (1) Sous réserve du paragraphe (2), le gouverneur en conseil peut, par règlement :

a) préciser les renseignements et les documents à fournir au Conseil en application des paragraphes 80(1) ou (2) ou 88(1);

b) régir les conditions de forme, de temps et autres en ce qui touche la production de ces renseignements et documents;

c) déterminer la période mentionnée au paragraphe 80(2);

d) définir les facteurs d'application des paragraphes 85(1) ou (2), y compris les facteurs relatifs au prix de lancement d'un médicament;

e) désigner un ministre aux fins du paragraphe 86(2) ou de l'alinéa 87(2)*a)*;

f) définir, pour l'application des articles 88 et 89, «recherche et développement»;

g) imposer le paiement de droits préalablement à la délivrance du certificat visé au paragraphe 98(4) et en fixer le montant ou le mode de détermination;

h) obliger ou autoriser le Conseil à exercer certaines fonctions, outre celles prévues par la présente loi, précisées dans les règlements, y compris les fonctions relatives au prix de lancement d'un médicament;

i) conférer au Conseil les pouvoirs, outre ceux prévus par la présente loi, qui lui permettent, à son avis, de s'acquitter des fonctions que celui-ci doit exécuter aux termes des règlements pris au titre de l'alinéa *h)*.

Recommandation

(2) Les règlements visés aux alinéas (1)*d), f), h)* ou *i)* sont pris sur recommandation du ministre faite après consultation par celui-ci des ministres provinciaux responsables de la santé et des représentants des groupes de consommateurs et de l'industrie pharmaceutique

Regulations

Regulations

101. (1) Subject to subsection (2), the Governor in Council may make regulations

(a) specifying the information and documents that shall be provided to the Board under subsection 80(1) or (2) or 88(1);

(b) respecting the form and manner in which and times at which such information and documents shall be provided to the Board and imposing conditions respecting the provision of such information and documents;

(c) specifying a period for the purposes of subsection 80(2);

(d) specifying factors for the purposes of subsection 85(1) or (2), including factors relating to the introductory price of any medicine to which a patented invention pertains;

(e) designating a Minister for the purposes of subsection 86(2) or paragraph 87(2)*(a)*;

(f) defining, for the purposes of sections 88 and 89, the expression "research and development";

(g) requiring fees to be paid before the issue of any certificate referred to in subsection 98(4) and specifying those fees or the manner of determining those fees;

(h) requiring or authorizing the Board to perform such duties, in addition to those provided for in this Act, as are specified in the regulations, including duties to be performed by the Board in relation to the introductory price of any medicine to which a patented invention pertains; and

(i) conferring on the Board such powers, in addition to those provided for in this Act, as will, in the opinion of the Governor in Council, enable the Board to perform any duties required or authorized to be performed by it by any regulations made under paragraph *(h)*.

Recommendation

(2) No regulations may be made under paragraph (1)*(d)*, *(f)*, *(h)* or *(i)* except on the recommendation of the Minister, made after the Minister has consulted with the provincial ministers of the Crown responsible for health and with such representatives of consumer

qu'il juge utile de consulter.
L.C. 1993, ch. 2, art. 7.

groups and representatives of the pharmaceutical industry as the Minister considers appropriate.
S.C. 1993, c. 2, s. 7.

Réunions ministérielles

Réunions ministérielles
102. (1) Le ministre peut, à sa discrétion, convoquer une réunion des personnes suivantes :
a) le président et les conseillers que celui-ci désigne;
b) les ministres provinciaux responsables de la santé ou leurs représentants;
c) les représentants des groupes de consommateurs et de l'industrie pharmaceutique que le ministre peut désigner;
d) les autres personnes que le ministre estime indiquées.

Ordre du jour
(2) Les personnes réunies conformément au paragraphe (1) ont à examiner les sujets que le ministre peut leur déférer et qui ont trait à l'application des articles 79 à 101.
L.C. 1993, ch. 2, art. 7.

Meetings with Minister

Meetings with Minister
102. (1) The Minister may at any time convene a meeting of the following persons:
(a) the Chairperson and such members of the Board as the Chairperson may designate;
(b) the provincial ministers of the Crown responsible for health or such representatives as they may designate;
(c) such representatives of consumer groups and representatives of the pharmaceutical industry as the Minister may designate; and
(d) such other persons as the Minister considers appropriate.

Agenda
(2) The participants at a meeting convened under subsection (1) shall consider such matters in relation to the administration or operation of sections 79 to 101 as the Minister may determine.
S.C. 1993, c. 2, s. 7.

Ententes avec les provinces

Ententes avec les provinces
103. Le ministre peut conclure avec toute province des ententes concernant le partage avec celle-ci de sommes prélevées ou reçues par le receveur général en vertu de l'article 84, déduction faite des frais de perception et de partage.
L.C. 1993, ch. 2, art. 7; 1994, ch. 26, art. 55(F).

Agreements with provinces

Agreements with provinces
103. The Minister may enter into agreements with any province respecting the distribution to that province of amounts, received or collected by the Receiver General under section 84, less any costs incurred in relation to the collection and distribution of those amounts.
S.C. 1993, c. 2, s. 7; 1994, c. 26, s. 55(F).

DISPOSITIONS CONNEXES

—L.R.C. 1985, ch. 33 (3e suppl.), art. 28 à 32 :
28 à **30.** [Abrogés, L.C. 1993, ch. 15, art. 56.]

Paiement aux provinces
31. (1) Le ministre de la Consommation et des Affaires commerciales versera à chaque province pour chacun des exercices compris entre le 1er avril 1987 et le 31 mars 1991 pour

RELATED PROVISIONS

—R.S.C., 1985, c. 33 (3rd Supp.), ss. 28 to 32:
28 to **30.** [Repealed, S.C. 1993, c. 15, s. 56.]

Payments to provinces
31. (1) The Minister of Consumer and Corporate Affairs shall pay to each province for each of the fiscal years commencing in the period April 1, 1987 to March 31, 1991, for

la recherche et le développement en matière de médicaments un montant égal au produit obtenu par la multiplication de l'élément a) par l'élément b) :
a) le quotient obtenu par la division de vingt-cinq millions de dollars par le chiffre total de la population des provinces pour l'exercice à l'égard duquel le versement est effectué;
b) le chiffre de la population de la province pour ce même exercice.

the purpose of research and development relating to medicine, an amount equal to the product obtained by multiplying
(a) the quotient obtained by dividing
(i) twenty-five million dollars
by
(ii) the total population of all provinces for the fiscal year in respect of which the payment is made,
by
(b) the population of the province for the fiscal year in respect of which the payment is made.

Modalités
(2) Tout versement est prélevé sur le Trésor selon ce que le gouverneur en conseil peut fixer par règlement.

Time and manner of payment
(2) Payment of any amount under this section shall be made out of the Consolidated Revenue Fund at such times and in such manner as the Governor in Council may, by regulation, prescribe.

Détermination du chiffre de la population
(3) Le chiffre de la population d'une province pour un exercice est celui du 1er juin de l'exercice, déterminé et publié par le statisticien en chef du Canada.

Determination of population
(3) For the purposes of this section, the population of a province for a fiscal year shall be the population of that province on June 1 of that year as determined and published by the Chief Statistician of Canada.

Interdiction
32. (1) Par dérogation à l'article 39 de la *Loi sur les brevets* ou à toute licence délivrée sous son régime, il est interdit de se prévaloir d'une licence accordée sous le régime de cet article avant le 28 mars 1989 et relativement au médicament appelé chlorhydrate de diltiazem pour revendiquer ou exercer le droit d'importer ou de réaliser ce médicament pour vente à la consommation au Canada.

Prohibition
32. (1) Notwithstanding anything in section 39 of the *Patent Act* or in any licence granted under that section, no person shall, under a licence granted prior to March 28, 1989 under that section in respect of a patent pertaining to the medicine Diltiazem hydrochloride, have or exercise any right to
(a) import Diltiazem hydrochloride, if it is to be sold for consumption in Canada; or
(b) make Diltiazem hydrochloride for sale for consumption in Canada.

Durée de l'interdiction
(2) L'interdiction est levée le 28 mars 1989.

Duration of prohibition
(2) The prohibition under subsection (1) expires on March 28, 1989.

Interdiction des actions
(3) Il ne peut être intenté d'action, ou autre procédure, en dommages-intérêts contre Sa Majesté du chef du Canada pour l'application du paragraphe (1) à une licence qui y est visée.

Actions and proceedings barred
(3) No action or proceedings for any compensation or damages lie against Her Majesty in right of Canada as a result of the application of subsection (1) to a licence referred to in that subsection.

Loi de 1992 modifiant la Loi sur les brevets
L.C. 1993, ch. 2, art. 9 à 14

DISPOSITIONS CONNEXES

Définitions

9. Les définitions qui suivent s'appliquent au présent article et aux articles 10 à 13.

«date d'entrée en vigueur» *"commencement day"*

«date d'entrée en vigueur» La date d'entrée en vigueur de l'article 3 de la présente loi.

«loi antérieure *"former Act"*

«loi antérieure» La *Loi sur les brevets* dans sa version à la date d'entrée en vigueur.

Procédures pendantes

10. Toutes les procédures qui, à la date d'entrée en vigueur, sont en cours devant le Conseil d'examen du prix des médicaments brevetés se poursuivent conformément aux articles 79 à 101 de la *Loi sur les brevets,* édictés par l'article 7 de la présente loi, comme si elles avaient été entamées à cette date.

Validité d'une licence au titre de la loi antérieure

11. (1) Toute licence accordée au titre de l'article 39 de la loi antérieure avant le 20 décembre 1991 et en cours de validité à la date d'entrée en vigueur reste valide dans les limites de ses conditions. Les articles 39 à 39.14 de la loi antérieure s'appliquent à elle comme s'ils n'avaient pas été abrogés par l'article 3 de la présente loi.

Exception

(2) Pour l'application des articles 39 à 39.14 de la loi antérieure aux licences prorogées au titre du paragraphe (1), les interdictions prévues aux paragraphes 39.11(1) et 39.14(1) de la loi antérieure ne s'appliquent pas aux médicaments visés par une ordonnance prise au titre de l'alinéa 39.15(3)*d)* de la loi antérieure si cette ordonnance est en vigueur avant la date d'entrée en vigueur.

Patent Act Amendment, 1992
S.C. 1993, c. 2, s. 9 to 14

RELATED MATTERS

Definitions

9. In this section and sections 10 to 13,

"commencement day" *«date d'entrée en vigueur»*

"commencement day" means the day on which section 3 of this Act comes into force;

"former Act" *«loi antérieure»*

"former Act" means the *Patent Act*, as it read immediately before the commencement day.

Pending proceedings

10. Any proceeding pending before the Patented Medicine Prices Review Board immediately before the commencement day shall be taken up and continued under and in accordance with sections 79 to 101 of the *Patent Act*, as enacted by section 7 of this Act, as if the proceeding had been commenced on or after that day.

Licences continued

11. (1) A licence that has been granted under section 39 of the former Act before December 20, 1991 and that has not been terminated before the commencement day shall continue in effect according to its terms and, subject to subsection (2), sections 39 to 39.14 of the former Act shall continue to apply in respect of that licence as if they had not been repealed by section 3 of this Act.

Exception

(2) For the purposes of applying sections 39 to 39.14 of the former Act in respect of a licence continued by subsection (1), the prohibitions set out in subsections 39.11(1) and 39.14(1) of the former Act do not apply in respect of any medicine or medicines in respect of which an order has been made under paragraph 39.15(3)(*d*) of the former Act, if that order is in force immediately before the commencement day.

Non-validité d'une licence

12. (1) Toute licence accordée au titre de l'article 39 de la loi antérieure le 20 décembre 1991 ou après cesse d'être valide à l'expiration du jour précédant la date d'entrée en vigueur et les droits et privilèges acquis au titre de cette licence ou de la loi antérieure relativement à cette licence s'éteignent.

Licences ceasing to have effect

12. (1) Every licence granted under section 39 of the former Act on or after December 20, 1991 shall cease to have effect on the expiration of the day preceding the commencement day, and all rights or privileges acquired or accrued under that licence or under the former Act in relation to that licence shall thereupon be extinguished.

Aucune action en contrefaçon

(2) Il ne peut être intenté d'action en contrefaçon d'un brevet sous le régime de la *Loi sur les brevets* à l'égard d'un acte accompli, préalablement à la date d'entrée en vigueur, au titre d'une licence visée au paragraphe (1) et conformément aux articles 39 à 39.17 de la loi antérieure ou à cette licence.

Actions for infringement barred

(2) For greater certainty, no action for infringement of a patent lies under the *Patent Act* in respect of any act that is done before the commencement day under a licence referred to in subsection (1) in accordance with the terms of that licence and sections 39 to 39.17 of the former Act.

Aucune action en recouvrement

13. Il ne peut être intenté d'action en recouvrement contre Sa Majesté du chef du Canada à l'égard de toutes répercussions — directes ou indirectes — résultant de l'application des articles 11 ou 12 ou de l'abrogation des articles 39 à 39.17 de la loi antérieure.

Actions and proceedings barred

13. No action or proceeding for any compensation or damages lies against Her Majesty in right of Canada in respect of any direct or indirect consequence resulting from the application of section 11 or 12 or the repeal of sections 39 to 39.17 of the former Act.

Examen de certains articles

14. (1) À l'expiration de la quatrième année suivant la sanction de la présente loi, un comité, de la Chambre des communes, du Sénat ou mixte, désigné ou constitué à cette fin se saisit des dispositions de la *Loi sur les brevets* édictées par la présente loi et procède à l'examen détaillé de celles-ci et des conséquences de leur application.

Review of certain sections

14. (1) On the expiration of four years after this Act is assented to, the provisions of the *Patent Act* enacted by this Act shall be referred to such committee of the House of Commons, of the Senate or of both Houses of Parliament as may be designated or established for the purpose of the review referred to in subsection (2).

Idem

(2) Le comité dispose d'un an, ou du délai supérieur autorisé par la ou les chambres l'ayant désigné ou constitué, pour s'en acquitter et présenter son rapport en l'assortissant éventuellement de ses recommandations quant aux modifications à ses dispositions qu'il juge souhaitables.

Idem

(2) The committee shall undertake a comprehensive review of the provisions of the *Patent Act* enacted by this Act and shall, within one year after the review is undertaken or within such further time as the House or Houses that designated or established the committee may authorize, submit a report thereon, including such recommendations as the committee may wish to make pertaining to those provisions.

Règles sur les brevets

C.R.C., ch. 1250

Loi sur les brevets
(L.R.C. 1985, ch. P-4)

[Abrogé, DORS/96-423.]

Patent Rules

C.R.C., ch. 1250

Patent Act
(R.S.C. 1985, c. P-4)

[Repealed, SOR/96-423.]

RÈGLES SUR LES BREVETS (1996)

Table des matières

PATENT RULES (1996)

Table of Contents

Règles sur les brevets (1996)

DORS/96-423

Loi sur les brevets

(L.R.C. 1985, ch. P-4)

Modifiées par DORS/99-291; DORS/2002-120.

RÈGLES CONCERNANT LA LOI SUR LES BREVETS

TITRE ABRÉGÉ

1. *Règles sur les brevets.*

DÉFINITIONS

2. Les définitions qui suivent s'appliquent aux présentes règles.
« acides aminés » Les acides qui se trouvent généralement dans des protéines naturelles ou de tels acides aminés dans leur état modifié. (*amino acids*)
« agent de brevets » Toute personne ou maison d'affaires dont le nom est inscrit au registre des agents de brevets aux termes de l'article 15. (*patent agent*)
« autorité de dépôt internationale » S'entend au sens de l'article 2viii) du Traité de Budapest. (*international depositary authority*)
« Bureau des brevets » Le Bureau des brevets établi par l'article 3 de la Loi. (*Patent Office*)
« coagent » Agent de brevets nommé par un autre agent de brevets en application de l'article 21. (*associate patent agent*)
« correspondant autorisé » Pour une demande :
a) lorsque la demande a été déposée par l'in-

Patent Rules (1996)

SOR/96-423

Patent Act

(R.S.C. 1985, c. P-4)

Amended by SOR/99-291; SOR/2002-120.

RULES RESPECTING THE PATENT ACT

SHORT TITLE

1. These Rules may be cited as the *Patent Rules.*

INTERPRETATION

2. In these Rules,
"Act" means the *Patent Act*; (*Loi*)
"amino acid sequence" means
(*a*) an unbranched sequence of four or more contiguous amino acids, and
(*b*) any peptide or protein that includes abnormal linkages, cross links and end caps, non-peptidyl bonds or the like; (*séquence d'acides aminés*)
"amino acids" means those L-amino acids commonly found in naturally occurring proteins and such amino acids when they have been modified; (*acides aminés*)
"application" means, except as otherwise provided by these Rules, an application for a patent; (*demande*)
"associate patent agent" means a patent agent appointed by another patent agent in accordance with section 21; (*coagent*)
"authorized correspondent" means, in respect of an application,

venteur, qu'aucune cession de son droit au brevet, de son droit sur l'invention ou de son intérêt entier dans l'invention n'a été enregistrée au Bureau des brevets et qu'aucun agent de brevets n'a été nommé :
(i) l'unique inventeur,
(ii) s'il y a deux coïnventeurs ou plus, celui autorisé par ceux-ci à agir en leur nom,
(iii) s'il y a deux coïnventeurs ou plus et qu'aucun de ceux-ci n'a été ainsi autorisé, le premier inventeur nommé dans la pétition ou, dans le cas des demandes PCT à la phase nationale, le premier inventeur nommé dans la demande internationale;
b) lorsqu'un coagent a été nommé ou doit l'être en application de l'article 21, le coagent ainsi nommé;
c) lorsque les alinéas *a*) et *b*) ne s'appliquent pas, l'agent de brevets nommé en application de l'article 20. (*authorized correspondent*)
« délai de grâce » S'entend au sens de l'article 5[bis](1) de la *Convention de Paris pour la protection de la propriété industrielle*, intervenue le 20 mars 1883, et toutes ses modifications et révisions auxquelles le Canada est partie. (*period of grace*)
« demande » Sauf disposition contraire des présentes règles, demande de brevet. (*application*)
« demande complémentaire » Demande déposée conformément aux paragraphes 36(2) ou (2.1) de la Loi. (*divisional application*)
« demande internationale » Demande déposée conformément au Traité de coopération en matière de brevets. (*international application*)
« demande PCT à la phase nationale » Demande internationale à l'égard de laquelle le demandeur s'est conformé aux exigences du paragraphe 58(1) et, s'il y a lieu, du paragraphe 58(2). (*PCT national phase application*)
« description » La partie du mémoire descriptif distincte des revendications, visée à l'article 80. (*description*)
« *Gazette du Bureau des brevets* » *Gazette du Bureau des brevets* visée au paragraphe 78(3) de la Loi. (*Canadian Patent Office Record*)
« listage des séquences » La partie de la description d'une invention qui décrit les séquences de nucléotides ou les séquences

(*a*) where the application was filed by the inventor, where no transfer of the inventor's right to the patent or of the whole interest in the invention has been registered in the Patent Office and where no patent agent has been appointed
(i) the sole inventor,
(ii) one of two or more joint inventors authorized by all such inventors to act on their joint behalf, or
(iii) where there are two or more joint inventors and no inventor has been authorized in accordance with subparagraph (ii), the first inventor named in the petition or, in the case of PCT national phase applications, the first inventor named in the international application,
(*b*) where an associate patent agent has been appointed or is required to be appointed pursuant to section 21, the associate patent agent, or
(*c*) where paragraph (*a*) and (*b*) do not apply, a patent agent appointed pursuant to section 20; (*correspondant autorisé*)
"Budapest Treaty" means the *Budapest Treaty on the International Recognition of the Deposit of Microorganisms for the Purposes of Patent Procedure*, done at Budapest on April 28, 1977, to which Canada is a party: (*Traité de Budapest*)
"*Canadian Patent Office Record*" means the *Canadian Patent Office Record* referred to in subsection 78(3) of the Act; (*Gazette du Bureau des brevets*)
"claims" means claims referred to in subsection 27(4) of the Act or in subsection 34(2) of the Act as it read immediately before October 1, 1989; (*revendications*)
"description" means the part of a specification other than the claims, referred to in section 80; (*description*)
"divisional application" means an application filed in accordance with subsection 36(2) or (2.1) of the Act; (*demande complémentaire*)
"international application" means an application filed under the Patent Cooperation Treaty; (*demande internationale*)
"international depositary authority" means an international depositary authority within

d'acides aminés et qui donne les autres renseignements connexes exigés par les articles 113 à 130. (*sequence listing*)

« Loi » La *Loi sur les brevets.* (*Act*)

« Loi dans sa version antérieure au 1er octobre 1989 » La *Loi sur les brevets* dans sa version antérieure au 1er octobre 1989, compte tenu des modifications apportées à celle-ci, selon le cas :

a) après le 1er octobre 1989 mais avant le 1er octobre 1996;

b) après le 1er octobre 1996. (*the Act as it read immediately before October 1, 1989*)

« mémoire descriptif » Le mémoire descriptif de l'invention, conforme aux paragraphes 27(3) et (4) de la Loi. (*specification*)

« nucléotides » Les nucléotides qui peuvent être représentés au moyen des symboles indiqués à l'article 115 ou de tels nucléotides dans leur état modifié. (*nucleotides*)

« petite entité » À l'égard d'une invention, l'entité dotée d'au plus 50 employés ou une université. La présente définition exclut les entités suivantes :

a) celle qui a transféré un droit sur l'invention ou octroyé une licence à l'égard de ce droit à une entité dotée de plus de 50 employés qui n'est pas une université, ou qui est tenue de le faire par contrat ou toute autre obligation légale;

b) celle qui a transféré un droit sur l'invention ou octroyé une licence à l'égard de ce droit à une entité dotée d'au plus 50 employés ou à une université, ou qui est tenue de le faire par contrat ou toute autre obligation légale, et qui est au courant du transfert futur d'un droit sur l'invention ou de l'octroi futur d'une licence à l'égard de ce droit à une entité dotée de plus de 50 employés qui n'est pas une université, ou de l'existence d'un contrat ou d'une autre obligation légale prévoyant le transfert d'un tel droit ou l'octroi d'une telle licence à cette dernière. (*small entity*)

« pétition » La pétition visée à l'article 27 de la Loi. (*petition*)

« Règlement d'exécution du Traité de Budapest » Le *Règlement d'exécution du Traité de Budapest sur la reconnaissance internationale du dépôt des micro-organismes aux fins de la procédure en matière de brevets.*

the meaning of Article 2(viii) of the Budapest Treaty; (*autorité de dépôt internationale*)

"nucleotide sequence" means an unbranched sequence of 10 or more contiguous nucleotides; (*séquence de nucléotides*)

"nucleotides" means those nucléotides that can be represented using the symbols set out in section 115 and such nucleotides when they have been modified; (*nucléotides*)

"patent agent" means any person or firm whose name is entered on the register of patent agents pursuant to section 15; (*agent de brevets*)

"Patent Cooperation Treaty" means the *Patent Cooperation Treaty*, done at Washington on June 19, 1970, including any amendments, modifications and revisions made from time to time to which Canada is a party; (*Traité de coopération en matière de brevets*)

"Patent Office" means the Patent Office established by section 3 of the Act; (*Bureau des brevets*)

"PCT national phase application" means an international application in respect of which the applicant has complied with the requirements of subsection 58(1) and, where applicable, subsection 58(2); (*demande PCT à la phase nationale*)

"period of grace" means a period of grace within the meaning of Article 5bis(1) of the *Paris Convention for the Protection of Industrial Property*, made on March 20, 1883 and any amendments and revisions to which Canada is a party. (*délai de grâce*)

"petition" means a petition referred to in section 27 of the Act; (*pétition*)

"Regulations under the Budapest Treaty" means the *Regulations under the Budapest Treaty on the International Recognition of the Deposit of Microorganisms for the Purposes of Patent Procedure*; (*Règlement d'exécution du Traité de Budapest*)

"Regulations under the PCT" means the *Regulations under the Patent Cooperation Treaty*; (*Règlement d'exécution du PCT*)

"sequence listing" means, in respect of an invention, a part of the description describing nucleotide or amino acid sequences and giving other related information required by sections 113 to 130; (*listage des séquences*)

(*Regulations under the Budapest Treaty*)
« Règlement d'exécution du PCT » Le *Règlement d'exécution du Traité de coopération en matière de brevets*. (*Regulations under the PCT*)
« revendications » Les revendications visées au paragraphe 27(4) de la Loi ou au paragraphe 34(2) de la Loi dans sa version antérieure au 1er octobre 1989. (*claims*)
« séquence d'acides aminés »
a) Séquence linéaire d'au moins quatre acides aminés contigus;
b) tout peptide ou protéine qui comprend des liaisons anormales, des liaisons croisées et des séquences terminales, des liaisons non peptidiques ou des liaisons analogues. (*amino acid sequence*)
« séquence de nucléotides » Séquence linéaire d'au moins 10 nucléotides contigus. (*nucleotides sequence*)
« Traité de Budapest » Le *Traité de Budapest sur la reconnaissance internationale du dépôt des micro-organismes aux fins de la procédure en matière de brevets*, fait à Budapest le 28 avril 1977, auquel le Canada est partie. (*Budapest Treaty*)
« Traité de coopération en matière de brevets » Le *Traité de coopération en matière de brevets*, fait à Washington le 19 juin 1970, ainsi que les modifications et révisions éventuellement apportées à celui-ci auxquelles le Canada est partie. (*Patent Cooperation Treaty*)
« transfert » La transmission, y compris la cession, de la propriété du brevet, de la demande, du droit sur l'invention ou d'un intérêt dans l'invention. (*transfer*)
DORS/99-291, art. 1.

PARTIE I
RÈGLES D'APPLICATION GÉNÉRALE

Taxes

3. La personne qui remplit des formalités ou demande la prestation d'un service par le commissaire ou le Bureau des brevets verse au commissaire la taxe qui est prévue, le cas échéant, à l'annexe II.

"small entity" in respect of an invention, means an entity that employs 50 or fewer employees or that is a university, but does not include an entity that
(*a*) has transferred or licensed, or is under a contractual or other legal obligation to transfer or license, any right in the invention to an entity, other than a university, that employs more than 50 employees, or
(*b*) has transferred or licensed, or is under a contractual or other legal obligation to transfer or license, any right in the invention to an entity that employs 50 or fewer employees or that is a university, and has knowledge of any subsequent transfer or license of, or of any subsisting contractual or other legal obligation to transfer or license, any right in the invention to an entity, other than a university, that employs more than 50 employees; (*petite entité*)
"specification" means a specification of an invention in accordance with subsections 27(3) and (4) of the Act; (*mémoire descriptif*)
"the Act as it read immediately before October 1, 1989" means the provisions of the *Patent Act* as it read immediately before October 1, 1989 subject, where applicable, to any amendments to the *Patent Act* coming into force
(*a*) after October 1, 1989 and before October 1, 1996, or
(*b*) after October 1, 1996; (*Loi dans sa version antérieure au 1er octobre 1989*)
"transfer" means a change in ownership of a patent, of an application or of an interest in an invention and includes an assignment. (*transfert*)
SOR/99-291, s. 1.

PART I
RULES OF GENERAL APPLICATION

Fees

3. Where a person takes any proceeding or requests that any service be rendered by the Commissioner or by the Patent Office, the person shall pay to the Commissioner the appropriate fee, if any, set out in Schedule II for that proceeding or service.

4. (1) Le commissaire effectue, sur demande, le remboursement des taxes versées, selon les modalités prévues aux paragraphes (2) à (15).

(2) Si une demande n'est pas acceptée par le commissaire parce qu'elle ne satisfait pas aux exigences prescrites aux articles 93, 147 ou 178 pour l'attribution d'une date de dépôt, un montant égal à la taxe versée moins 25 $ est remboursé.

(3) Si une demande est soumise au commissaire par erreur et que celui-ci est avisé, avant l'attribution d'un numéro, que la demande sera retirée, un montant égal à la taxe versée pour la demande moins 25 $ est remboursé.

(4) Si, par inadvertance, la même personne ou son représentant dépose plus d'une demande à l'égard d'une même invention et que l'une de ces demandes est retirée avant l'examen, la taxe versée à l'égard de la demande retirée est remboursée, moins la moitié de la taxe de dépôt.

(5) Si le commissaire envoie un avis au demandeur en application du paragraphe 94(1) et que celui-ci ne satisfait pas aux exigences énoncées dans cet avis, un montant égal à la taxe versée conformément à ce paragraphe moins 25 $ est remboursé.

(6) Si le demandeur ou le breveté verse une taxe en tant qu'entité autre qu'une petite entité, aucun remboursement n'est effectué au seul motif qu'il est décidé par la suite qu'il était une petite entité au moment du versement.

(7) La taxe d'enregistrement de tout document relatif à un brevet ou à une demande est remboursée si elle est versée et que le document n'est pas déposé par la suite.

(8) Si une demande de rétablissement de demande abandonnée est reçue et que le demandeur ne remplit pas les conditions relatives au

4. (1) The Commissioner shall, upon request, refund fees in accordance with subsections (2) to (15).

(2) Where an application is not accepted by the Commissioner because it does not meet the requirements referred to in section 93, 147 or 178 entitling it to a filing date, the fee paid shall be refunded, less $25.

(3) Where an application is submitted to the Commissioner by mistake and the Commissioner is notified before the application has been assigned a number that the application is to be withdrawn, the fee paid on the withdrawn application shall be refunded, less $25.

(4) Where, through inadvertence, more than one application is filed for the same invention, by or on behalf of the same person, and where any one of such applications is withdrawn before examination, any fee paid on the withdrawn application shall be refunded, less one-half of the filing fee.

(5) Where the Commissioner sends a notice to the applicant pursuant to subsection 94(1) and the applicant does not comply with the requisition set out in that notice, any fee paid pursuant to that subsection shall be refunded, less $25.

(6) Where a fee is paid by an applicant or a patentee on the basis that it is not a small entity, no refund shall be made solely for the reason that it is later determined that is was at the time of payment a small entity.

(7) Where a fee to register any document relating to a patent or an application is received and the document is not submitted, the fee paid shall be refunded.

(8) Where a request for the reinstatement of an abandoned application is received and the applicant does not comply with the require-

rétablissement, la taxe versée est remboursée, moins la moitié de la taxe de rétablissement.

ments for reinstatement, any fee paid for reinstatement shall be refunded, less one-half of the reinstatement fee.

(9) En cas de refus d'un demande de rétablissement de demande abandonnée, la taxe versée pour le rétablissement est remboursée.

(9) Where a request for the reinstatement of an abandoned application is refused, any fee paid for reinstatement shall be refunded.

(10) La taxe finale visée aux paragraphes 30(1) ou (5) est remboursée dans l'un ou l'autre des cas suivants :
a) elle est reçue pendant la poursuite d'une demande et cette demande est par la suite rejetée ou abandonnée;
b) une demande de renvoi est reçue avant le début des préparatifs techniques de la délivrance;
c) elle est versée par une personne qui n'est pas le correspondant autorisé.

(10) A final fee referred to in subsection 30(1) or (5) shall be refunded if
(*a*) it is received during the prosecution of an application and the application is subsequently refused or abandoned;
(*b*) a request for its return is received before the start of technical preparations for issue; or
(*c*) it is submitted by a person who is not the authorized correspondent.

(11) Lorsqu'un candidat à l'examen des agents de brevets se désiste en envoyant un avis écrit au commissaire :
a) la taxe versée est remboursée si l'avis est reçu avant le 1er mars de l'année de l'examen;
b) un montant égal à la taxe versée moins 25 $ est remboursé si l'avis est reçu le 1er mars de l'année de l'examen ou après cette date mais avant la date de l'examen.

(11) Where a candidate for the Patent Agents' Examination withdraws the candidate's name by written notice to the Commissioner received
(*a*) before March 1 of the year of the examination, the fee paid shall be refunded; or
(*b*) on or after March 1 of the year of the examination and before the date of the examination, the fee paid shall be refunded, less $25.

(12) Lorsque la taxe reçue avec la demande d'une copie de document est insuffisante et que celle-ci est annulée, cette taxe est remboursée.

(12) When the fee received with a request for a copy of a document is insufficient and the request is cancelled, the fee paid shall be refunded.

(13) Lorsqu'une requête visée à l'article 68 de la Loi et présentée en vertu du paragraphe 65(1) de la Loi n'est pas annoncée dans la *Gazette du Bureau des brevets*, la taxe versée pour l'annonce de la demande remboursée.

(13) When an application referred to in section 68 of the Act and presented under subsection 65(1) of the Act is not advertised in the *Canadian Patent Office Record*, any fee paid for advertising the application shall be refunded.

(14) Sous réserve des paragraphes (2) à (13) et (15), toute taxe versée par erreur pour des copies d'un document que le Bureau des brevets ne détient pas ou versée en excédent de la taxe prévue est remboursée.

(14) Subject to subsections (2) to (13) and (15), any fee paid by mistake for copies of a document that the Patent Office does not have or paid in excess of the fee prescribed shall be refunded.

(15) Aucun remboursement n'est effectué s'il résulte du change sur la monnaie étrangère ou si la taxe à rembourser est inférieure à 1 $.

(15) No refund shall be made if the amount of the refund amounts to less than $1 or if the

refund results from the exchange on foreign currency.

Communications

5. (1) La correspondance à l'intention du commissaire ou du Bureau des brevets est adressée au « commissaire aux brevets ».

(2) La correspondance adressée au commissaire peut être livrée matériellement au Bureau des brevets pendant les heures normales d'ouverture et est réputée avoir été reçue par le commissaire le jour de la livraison.

(3) Pour l'application du paragraphe (2), la correspondance adressée au commissaire qui est livrée matériellement au Bureau des brevets en dehors des heures normales d'ouverture est réputée avoir été livrée au Bureau pendant les heures normales d'ouverture le jour de la réouverture.

(4) La correspondance adressée au commissaire peut être livrée matériellement à tout établissement désigné par lui dans la *Gazette du Bureau des brevets* pour recevoir, pendant les heures normales d'ouverture, livraison de cette correspondance. Les présomptions suivantes s'y appliquent dès lors :
a) si elle est livrée à l'établissement un jour où le Bureau est ouvert au public, elle est réputée avoir été reçue par le commissaire le jour de la livraison;
b) si elle est livrée à l'établissement un jour où le Bureau est fermé au public, elle est réputée avoir été reçue par le commissaire le jour de la réouverture.

(5) Pour l'application du paragraphe (4), si la correspondance adressée au commissaire est livrée matériellement à un établissement en dehors des heures normales d'ouverture, elle est réputée avoir été livrée à cet établissement

Communications

5. (1) Correspondence intended for the Commissioner or the Patent Office shall be addressed to the "Commissioner of Patents".

(2) Correspondence addressed to the Commissioner may be physically delivered to the Patent Office during ordinary business hours of the Office and shall be considered to be received by the Commissioner on the day of the delivery.

(3) For the purposes of subsection (2), where correspondence addressed to the Commissioner is physically delivered to the Patent Office outside of its ordinary business hours, it shall be considered to have been delivered to the Office during ordinary business hours on the day when the Office is next open for business.

(4) Correspondence addressed to the Commissioner may be physically delivered to an establishment that is designated by the Commissioner in the *Canadian Patent Office Record* as an establishment to which correspondence addressed to the Commissioner may be delivered, during ordinary business hours of that establishment, and
(*a*) where the delivery is made to the establishment on a day that the Patent Office is open for business, the correspondence shall be considered to be received by the Commissioner on that day; and
(*b*) where the delivery is made to the establishment on a day that the Patent Office is closed for business, the correspondence shall be considered to be received by the Commissioner on the day when the Office is next open for business.

(5) For the purposes of subsection (4), where correspondence addressed to the Commissioner is physically delivered to an establishment outside of ordinary business hours of the establishment, it shall be considered to

pendant les heures normales d'ouverture le jour de la réouverture.

have been delivered to that establishment during ordinary business hours on the day when the establishment is next open for business.

(6) La correspondance adressée au commissaire peut lui être communiquée à toute heure par tout mode de transmission électronique ou autre qu'il précise dans la *Gazette du Bureau des brevets.*

(6) Correspondence addressed to the Commissioner may be sent at any time by electronic or other means of transmission specified by the Commissioner in the *Canadian Patent Office Record.*

(7) Pour l'application du paragraphe (6), si, d'après l'heure locale du lieu où est situé le Bureau des brevets, la correspondance est livrée un jour où le Bureau est ouvert au public, elle est réputée avoir été reçue par le commissaire le jour de la livraison.

(7) For the purposes of subsection (6), where, according to the local time of the place where the Patent Office is located, the correspondence is delivered on a day when the Office is open for business, it shall be considered to be received by the Commissioner on that day.

(8) Pour l'application du paragraphe (6), si, d'après l'heure locale du lieu où est situé le Bureau des brevets, la correspondance est livrée un jour où le Bureau est fermé au public, elle est réputée avoir été reçue par le commissaire le jour de la réouverture.
DORS/99-291, art. 2.

(8) For the purposes of subsection (6), where, according to the local time of the place where the Patent Office is located, the correspondence is delivered on a day when the Office is closed for business, it shall be considered to be received by the Commissioner on the day when the Office is next open for business.
SOR/99-291, s. 2.

6. (1) Sauf disposition contraire de la Loi ou des présentes règles, dans le cadre de la poursuite ou du maintien d'une demande, le commissaire ne communique qu'avec le correspondant autorisé en ce qui concerne cette demande et ne tient compte que des communications reçues de celui-ci à cet égard.

6. (1) Except as provided by the Act or these Rules, for the purpose of prosecuting or maintaining an application the Commissioner shall only communicate with, and shall only have regard to communications from, the authorized correspondent.

(2) Aux fins de la nomination d'un agent de brevets ou d'un coagent ou de la révocation de cette nomination dans le cadre d'une demande, le commissaire ne tient compte que des communications reçues du demandeur, de l'agent de brevets et du coagent.

(2) For the purpose of appointing, in respect of an application, a patent agent or an associate patent agent or of revoking the appointment of a patent agent or an associate patent agent, the Commissioner shall have regard to communications from any of the applicant, the patent agent and the associate patent agent.

(3) Les personnes suivantes peuvent avoir des entrevues avec les membres du personnel du Bureau des brevets au sujet d'une demande, durant les heures de bureau :
a) le correspondant autorisé;
b) le demandeur, avec la permission du correspondant autorisé;

(3) Interviews with members of the Patent Office staff in respect of an application may be held during the business hours of the Patent Office by
(*a*) the authorized correspondent;
(*b*) the applicant, with the permission of the authorized correspondent; or

c) tout agent de brevets non résidant nommé, avec la permission du coagent.

(*c*) an appointed non-resident patent agent, with the permission of the associate patent agent.

7. Toute communication adressée au commissaire au sujet d'une demande contient les renseignements suivants :
a) le nom du demandeur ou de l'inventeur;
b) le numéro de la demande, si un numéro lui a été attribué par le Bureau des brevets;
c) le titre de l'invention.

7. Communications addressed to the Commissioner in relation to an application shall include
(*a*) the name of the applicant or inventor;
(*b*) the application number, if one has been assigned by the Patent Office; and
(*c*) the title of the invention.

8. (1) Sous réserve du paragraphe (2), toute communication adressée au commissaire au sujet d'une demande ou d'un brevet porte sur une seule demande ou un seul brevet.

8. (1) Subject to subsection (2), communications addressed to the Commissioner in relation to an application or a patent shall relate to one application or patent only.

(2) Le paragraphe (1) ne s'applique pas aux communications concernant :
a) les transferts, licences ou sûretés;
b) les changements de nom ou d'adresse d'un demandeur, d'un breveté, d'un agent de brevets, d'un coagent ou d'un représentant pour signification;
c) les taxes versées pour le maintien en état des demandes et des droits conférés par les brevets.

(2) Subsection (1) does not apply in respect of communications relating to
(*a*) a transfer, a licence or a security interest;
(*b*) a change in the name or address of an applicant, a patentee, a patent agent, an associate patent agent or a representative for service; or
(*c*) fees to maintain an application in effect or to maintain the rights accorded by a patent.

9. Le correspondant autorisé fournit au commissaire son adresse complète et toute communication qui lui est adressée par le commissaire ou le Bureau des brevets à cette adresse est réputée expédiée à la date qu'elle porte.

9. An authorized correspondent shall provide the Commissioner with its complete address and any communication sent by the Commissioner or by the Patent Office to the authorized correspondent at that address shall be considered to be sent on the date that it bears.

10. Il est accusé réception des communications adressées au commissaire en application de l'article 34.1 de la Loi et des communications adressées à celui-ci dans l'intention, déclarée ou apparente, de protester contre la délivrance d'un brevet; toutefois, sous réserve de l'article 10 de la Loi et de la Loi dans sa version antérieure au 1er octobre 1989, nul renseignement ne peut être donné sur les mesures qui ont été prises.

10. Communications addressed to the Commissioner pursuant to section 34.1 of the Act and communications addressed to the Commissioner with the stated or apparent intention of protesting against the granting of a patent shall be acknowledged, but, subject to section 10 of the Act or of the Act as it read immediately before October 1, 1989, no information shall be given as to the action taken.

11. Sous réserve de l'article 11 de la Loi, le commissaire et le Bureau des brevets ne peuvent fournir à quiconque de l'information

11. Except as provided by section 11 of the Act, the Commissioner and the Patent Office shall not provide any information respecting

concernant une demande qui n'est pas accessible au public pour consultation, sauf s'il s'agit du correspondant autorisé, du demandeur ou de la personne autorisée par le correspondant autorisé ou le demandeur à recevoir cette information.

an application that is not open to public inspection to any person other than the authorized correspondent, the applicant or a person authorized by the authorized correspondent or the applicant to receive the information.

Inscription des agents de brevets au registre des agents de brevets

Entry of Patent Agents on Register of Patent Agents

12. (1) Sous réserve du paragraphe 14(2), aux fins de l'inscription au registre des agents de brevets, toute personne a le droit de se présenter à l'examen de compétence visé à l'article 14 si, le 31 mars de l'année où elle se propose de se présenter à l'examen, elle remplit l'une des conditions suivantes :
a) elle réside au Canada et travaille depuis au moins 12 mois à titre de membre du personnel examinateur du Bureau des brevets;
b) elle réside au Canada et y a exercé des fonctions relatives à la pratique et au droit canadien en matière de brevets, y compris la préparation et la poursuite des demandes, pendant une période d'au moins 12 mois.

12. (1) Subject to subsection 14(2), for the purpose of having their name entered on the register of patent agents, a person is eligible to sit for the qualifying examination for patent agents referred to in section 14 if, on March 31 of the year in which the person proposes to sit for the examination,
(*a*) the person resides in Canada and has been employed for a period of at least 12 months on the examining staff of the Patent Office; or
(*b*) the person resides in Canada and has worked in Canada in the area of Canadian patent law and practice, including the preparation and prosecution of applications, for a period of at least 12 months.

(2) La personne visée à l'alinéa (1)*b*) remet au commissaire un affidavit ou une déclaration solennelle attestant son expérience et ses responsabilités relatives à la pratique et au droit canadiens en matière de brevets.

(2) A person referred to in paragraph (1)(*b*) shall file with the Commissioner an affidavit or statutory declaration setting out the person's experience and responsibilities in the area of patent law and practice.

13. (1) Est constituée la Commission d'examen chargée de préparer, de tenir et d'évaluer l'examen de compétence visé à l'article 14.

13. (1) An Examining Board is hereby established for the purpose of preparing, administering and marking the qualifying examination for patent agents referred to in section 14.

(2) La Commission d'examen compte au moins neuf membres nommés par le commissaire, dont le président et au moins trois autres membres font partie du personnel du Bureau des brevets et au moins cinq membres sont des agents de brevets proposés par l'Institut canadien des brevets et marques.

(2) The members of the Examining Board shall be appointed by the Commissioner, and the chairperson and at least three other members shall be employees of the Patent Office and at least five members shall be patent agents nominated by the Patent and Trademark Institute of Canada.

14. (1) La Commission d'examen tient un examen de compétence d'agent de brevets au cours du mois d'avril de chaque année.

14. (1) The Examining Board shall administer a qualifying examination for patent agents every year in the month of April.

(2) Le commissaire donne avis de la date de l'examen de compétence dans la *Gazette du Bureau des brevets* et y indique que toute personne qui a l'intention de se présenter à l'examen doit, dans le délai précisé, en aviser le commissaire par écrit et verser la taxe prévue à l'article 34 de l'annexe II.

(2) The Commissioner shall give notice in the *Canadian Patent Office Record* of the date of the qualifying examination and shall indicate in the notice that any person who proposes to sit for the examination shall, within the time specified in the notice, notify the Commissioner in writing and pay the fee set out in item 34 of Schedule II.

(3) Le commissaire désigne l'endroit ou les endroits où l'examen de compétence aura lieu et avise en conséquence par courrier recommandé, au moins deux semaines avant la date de l'examen, les personnes qui ont satisfait aux exigences énoncées au paragraphe (2).

(3) The Commissioner shall designate the place or places where the qualifying examination is to be held and shall notify by registered mail, at least two weeks before the date of the examination, every person who has complied with the requirements set out in subsection (2).

15. Le commissaire inscrit au registre des agents de brevets, moyennant paiement de la taxe prévue à l'article 33 de l'annexe II, le nom des personnes suivantes :
a) tout résident du Canada qui, en réussissant l'examen de compétence, a démontré une bonne connaissance de la pratique et du droit canadiens en matière de brevets;
b) tout résident d'un pays étranger qui est inscrit au bureau des brevets de ce pays ou au bureau des brevets régional pour ce pays et qui est en règle avec ce bureau;
c) toute maison d'affaires dont le nom d'au moins un membre est inscrit au registre des agents de brevets.

15. The Commissioner shall enter on the register of patent agents, on payment of the fee set out in item 33 of Schedule II, the name of
(*a*) any resident of Canada who has demonstrated a good knowledge of Canadian patent law and practice by passing the qualifying examination for patent agents relating to patent law and practice;
(*b*) any resident of a country other than Canada who is registered and in good standing with the patent office of that country or with a regional patent office for that country; and
(*c*) any firm, if the name of at least one member of the firm is entered on the register.

16. (1) Pendant la période du 1er janvier au 31 mars de chaque année :
a) tout résident du Canada dont le nom est inscrit au registre des agents de brevets est tenu de verser, pour maintenir cette inscription, la taxe prévue à l'article 35 de l'annexe II;
b) tout résident d'un pays étranger dont le nom est inscrit au registre des agents de brevets est tenu de déposer, pour maintenir cette inscription, un mémoire portant sa signature, indiquant son pays de résidence et déclarant qu'il est inscrit au bureau des brevets de ce pays ou au bureau des brevets régional pour ce pays et est en règle avec ce bureau;
c) toute maison d'affaires dont le nom est ins-

16. (1) During the period beginning on January 1 and ending on March 31 in every year
(*a*) every person who is a resident of Canada and whose name is entered on the register of patent agents shall pay the fee set out in item 35 of Schedule II in order to maintain the person's name on the register;
(*b*) every person who is a resident of another country and whose name is entered on the register of patent agents shall, in order to maintain the person's name on the register, file a statement, signed by the person, indicating the person's country of residence and stating that the person is registered and in good standing with the patent office of that

crit au registre des agents de brevets est tenue de déposer, pour maintenir cette inscription, un mémoire indiquant les noms de tous ses membres qui figurent à ce registre et portant la signature d'un membre dûment autorisé dont le nom figure au registre.

country or with a regional patent office for that country; and
(*c*) every firm whose name is entered on the register of patent agents shall, in order to maintain its name on the register, file a statement indicating each member of the firm whose name is entered on the register, signed by a duly authorized member of the firm whose own name is entered on the register.

(2) Le commissaire envoie à chaque agent de brevets qui n'a pas respecté les exigences du paragraphe (1) un avis exigeant qu'il s'y conforme dans les trois mois suivant la date de l'avis.

(2) The Commissioner shall send to every patent agent who fails to comply with subsection (1) a notice requiring compliance within the three-month period after the date of the notice.

(3) Le commissaire supprime du registre des agents de brevets le nom de tout agent de brevets qui :
a) omet de se conformer à l'avis visé au paragraphe (2);
b) ne remplit plus les conditions requises pour l'inscription au registre.

(3) The Commissioner shall remove from the register of patent agents the name of any patent agent who
(*a*) fails to comply with a notice sent pursuant to subsection (2); or
(*b*) no longer meets the requirements by virtue of which the name of the patent agent was entered on the register.

(4) La suppression d'un nom, par le commissaire, du registre des agents de brevets équivaut au refus de reconnaître la personne visée comme agent de brevets pour l'application de l'article 16 de la Loi.

(4) The removal by the Commissioner of the name of a person from the register of patent agents constitutes a refusal to recognize that person as a patent agent for the purposes of section 16 of the Act.

17. Une fois supprimé conformément au paragraphe 16(3), le nom d'un agent de brevets peut être inscrit de nouveau au registre des agents de brevets si celui-ci remplit les conditions suivantes :
a) il présente une demande écrite à cet effet au commissaire dans le délai d'un an suivant la date de suppression de son nom;
b) il verse la taxe prévue à l'article 36 de l'annexe II pour la réinscription;
c) il verse la taxe visée à l'alinéa 16(1)*a*) pour le maintien de l'inscription au registre ou dépose le mémoire visé aux alinéas 16(1)*b*) ou *c*), selon le cas;
d) il remplit les conditions visées à l'article 15 pour l'inscription au registre.

17. Where the name of a patent agent has been removed from the register of patent agents pursuant to subsection 16(3), it may be reinstated on the register if the patent agent
(*a*) applies to the Commissioner, in writing, for reinstatement within the one-year period after the date on which the name of the patent agent was removed from the register;
(*b*) pays the fee set out in item 36 of Schedule II for applying for reinstatement on the register;
(*c*) pays the fee referred to in paragraph 16(1)(*a*) for maintaining the name of the patent agent on the register or files the statement referred to in paragraph 16(1)(*b*) or (*c*), as the case may be; and
(*d*) meets the requirements referred to in section 15 for entry of the name of the patent agent on the register.

18. Toute décision du commissaire refusant de reconnaître une personne comme agent de brevets, rendue en vertu de l'article 16 de la Loi, est aussitôt inscrite au registre des agents de brevets et publiée dans la *Gazette du Bureau des brevets*; une copie de la décision est envoyée par courrier recommandé à la personne visée.

18. Any decision of the Commissioner, pursuant to section 16 of the Act, to refuse to recognize a person as a patent agent shall be forthwith entered in the register of patent agents and published in the *Canadian Patent Office Record*, and a copy shall be sent by registered mail to the person referred to in the decision.

19. (1) Lorsque le commissaire rend une décision en vertu de l'article 16 de la Loi refusant de reconnaître une personne comme agent de brevets, toute correspondance concernant la demande envoyée à celle-ci par le commissaire ou le Bureau des brevets dans les six mois précédant la date de la décision et à laquelle aucune réponse n'a été donnée jusqu'à cette date est réputée ne pas avoir été envoyée au demandeur.

19. (1) When the Commissioner makes a decision pursuant to section 16 of the Act that a person be refused recognition as a patent agent, any correspondence respecting an application sent by the Commissioner or by the Patent Office to that person within the six-month period preceding the date of the decision and to which no reply has been made by that date is deemed not to have been sent to the applicant.

(2) La demande déposée par la personne que le commissaire a refusé de reconnaître comme agent de brevets ou la demande dans laquelle une telle personne est nommée agent de brevets du demandeur ou coagent est considérée par le commissaire comme une demande déposée par le demandeur ou par l'agent de brevets ayant nommé le coagent, selon le cas.

(2) An application filed by a person who has been refused recognition as a patent agent by the Commissioner or an application that includes an appointment of such a person as patent agent of the applicant or as associate patent agent shall be treated by the Commissioner as an application filed by the applicant or by the patent agent who appointed the associate patent agent.

Nomination des agents de brevets

Appointment of Patent Agents

20. (1) Le demandeur qui n'est pas l'inventeur nomme un agent de brevets chargé de poursuivre la demande en son nom.

20. (1) An applicant who is not an inventor shall appoint a patent agent to prosecute the application for the applicant.

(2) L'agent de brevets est nommé dans la pétition ou dans un avis remis au commissaire et signé par l'agent ou le demandeur.

(2) The appointment of a patent agent shall be made in the petition or by submitting to the Commissioner a notice signed by the applicant.

(3) La nomination d'un agent de brevets peut être révoquée par un avis de révocation remis au commissaire et signé par l'agent ou le demandeur.

(3) The appointment of a patent agent may be revoked by submitting to the Commissioner a notice of revocation signed by the applicant or that patent agent.

21. (1) L'agent de brevets qui ne réside pas au Canada et qui est nommé agent de brevets d'un demandeur à l'égard d'une demande est tenu de nommer un agent de brevets résidant

21. (1) Every patent agent who does not reside in Canada and who is appointed as the patent agent for an applicant in respect of an application shall appoint as the associate pat-

au Canada à titre de coagent pour cette demande.

(2) L'agent de brevets qui réside au Canada et qui est nommé agent de brevets d'un demandeur à l'égard d'une demande peut nommer un agent de brevets résidant au Canada à titre de coagent pour cette demande.

(3) Le coagent est nommé dans la pétition ou dans un avis remis au commissaire et signé par l'agent de brevets qui l'a nommé.

(4) La nomination d'un coagent peut être révoquée par un avis de révocation remis au commissaire et signé par le coagent ou l'agent de brevets qui l'a nommé.

22. Tout acte fait par l'agent de brevets ou le coagent ou les concernant a le même effet que l'acte fait par le demandeur ou le concernant.

23. Lorsque le demandeur n'est pas l'inventeur et qu'aucun agent de brevets résidant au Canada n'a été nommé ou que la nomination de l'agent de brevets a été révoquée, le commissaire, par avis, exige que le demandeur nomme un agent de brevets résidant au Canada ou, si un agent de brevets non résidant a été nommé, que celui-ci nomme un coagent, dans les trois mois suivant l'avis.

24. Lorsque l'agent de brevets cesse d'exercer ses fonctions, l'agent de brevets qui démontre au commissaire qu'il en est le successeur est réputé, en ce qui concerne toute demande pour laquelle l'ancien agent de brevets avait été nommé, être l'agent de brevets jusqu'à ce qu'un autre agent de brevets soit nommé.

ent agent in respect of the application a patent agent who resides in Canada.

(2) Every patent agent who resides in Canada and who is appointed as the patent agent for an applicant in respect of an application may appoint as the associate patent agent in respect of the application a patent agent who resides in Canada.

(3) The appointment of an associate patent agent shall be made in the petition or by submitting to the Commissioner a notice signed by the patent agent who appointed the associate patent agent.

(4) The appointment of an associate patent agent may be revoked by submitting to the Commissioner a notice of revocation signed by the associate patent agent or the patent agent who appointed the associate patent agent.

22. Any act by or in relation to a patent agent or an associate patent agent shall have the effect of an act by or in relation to the applicant.

23. Where an applicant is not the inventor and no patent agent residing in Canada has been appointed or any such appointment has been revoked, the Commissioner shall by notice requisition either that the applicant appoint a patent agent residing in Canada or, where a non-resident patent agent has been appointed, that the non-resident patent agent appoint an associate patent agent, within the three-month period after the date of notice.

24. Where a patent agent withdraws from practice, any patent agent who is the successor to that patent agent and who has so established to the Commissioner, shall be considered to be the appointed patent agent until another patent agent is appointed, in respect of any application in which the patent agent who has withdrawn from practice has been appointed.

Délais

25. Sauf disposition contraire de la Loi ou des présentes règles, le délai d'exécution de tout acte que le commissaire exige, par avis, du demandeur pour qu'il se conforme à la Loi ou aux présentes règles est le délai de trois mois suivant la demande.

26. (1) Sous réserve du paragraphe (2) et des autres dispositions des présentes règles, sauf pour l'application de la partie V, le commissaire est autorisé à proroger tout délai prévu aux présentes règles ou fixé par lui en vertu de la Loi pour l'accomplissement d'un acte, s'il est convaincu que les circonstances le justifient et si, avant l'expiration du délai, la prorogation a été demandée et la taxe prévue à l'article 22 de l'annexe II a été versée.

(2) Lorsque, pour l'application de l'alinéa 73(1)*a*) de la Loi, le commissaire détermine un délai plus court pour permettre de répondre de bonne foi, dans le cadre d'un examen, à toute demande de l'examinateur, il n'est pas autorisé à proroger le délai de réponse au-delà des six mois suivant la demande.

27. (1) Sauf pour l'application de la partie V, le commissaire est autorisé à proroger le délai visé au paragraphe 18(2) de la Loi s'il est convaincu que les circonstances le justifient et si la taxe prévue à l'article 22 de l'annexe II a été versée.

(2) Sauf pour l'application de la partie V, lorsqu'il a expédié un avis au demandeur conformément au paragraphe 30(7), le commissaire est autorisé à proroger le délai visé à l'alinéa 73(1)*f*) de la Loi s'il est convaincu que les circonstances le justifient.

Time

25. Except where other times are provided by the Act or these Rules, the time within which action must be taken by an applicant where the Commissioner, by notice, requisitions the applicant to take any action necessary for compliance with the Act or these Rules is the three-month period after the requisition is made.

26. (1) Subject to subsection (2) and any other provision of these Rules, except in respect of Part V, the Commissioner is authorized to extend the time fixed by these Rules or by the Commissioner under the Act for doing anything, subject to both the extension being applied for and the fee set out in item 22 of Schedule II being paid before the expiry of that time, where the Commissioner is satisfied that the circumstances justify the extension.

(2) Where, for the purposes of paragraph 73(1)(*a*) of the Act, the Commissioner establishes a shorter period for replying in good faith to any requisition made by an examiner in connection with an examination, the Commissioner is not authorized to extend the time for replying beyond six months after the requisition is made.

27. (1) Except in respect of Part V, the Commissioner is authorized to extend the time fixed by subsection 18(2) of the Act, subject to the fee set out in item 22 of Schedule II being paid, where the Commissioner is satisfied that the circumstances justify the extension.

(2) Except in respect of Part V, where the applicant is sent a notice in accordance with subsection 30(7), the Commissioner is authorized to extend the time fixed by paragraph 73(1)(*f*) of the Act where the Commissioner is satisfied that the circumstances justify the extension.

Examen

28. (1) Sous réserve du paragraphe (2), le commissaire peut, à la demande de la personne qui verse la taxe prévue à l'article 4 de l'annexe II, devancer la date normale d'examen d'une demande s'il juge que le non-devancement est susceptible de porter préjudice aux droits de cette personne.

(2) Dans le cas d'une demande déposée le 1er octobre 1989 ou après cette date, le paragraphe (1) ne s'applique que si la demande est accessible au public pour consultation sous le régime de l'article 10 de la Loi et si une requête d'examen a été déposée conformément au paragraphe 35(1) de la Loi.

29. (1) Lorsque l'examinateur chargé de l'examen d'une demande conformément à l'article 35 de la Loi ou de la Loi dans sa version antérieure au 1er octobre 1989 a des motifs raisonnables de croire qu'une demande de brevet visant la même invention a été déposée dans tout pays ou pour tout pays, au nom du demandeur ou d'une autre personne se réclamant d'un inventeur désigné dans la demande examinée, il peut exiger que le demandeur lui fournisse les renseignements suivants et des copies des documents connexes :

a) toute antériorité citée à l'égard de ces demandes;

b) les numéros des demandes, les dates de dépôt et les numéros des brevets s'ils ont été octroyés;

c) les détails relatifs aux conflits, oppositions, réexamens ou procédures analogues;

d) si le document n'est ni en français ni en anglais, une traduction en français ou en anglais de tout ou partie du document.

(2) Lorsque l'examinateur chargé de l'examen d'une demande conformément à l'article 35 de la Loi ou de la Loi dans sa version antérieure au 1er octobre 1989 a des motifs raisonnables de croire qu'une invention mentionnée dans la demande faisait l'objet, avant la date du dépôt de la demande, d'une publication ou était brevetée, il peut exiger que le

Examination

28. (1) Subject to subsection (2), the Commissioner may advance an application for examination out of its routine order upon the request of any person who pays the fee set out in item 4 of Schedule II, where the Commissioner determines that failure to advance the application is likely to prejudice that person's rights.

(2) In respect of an application filed on or after October 1, 1989, subsection (1) only applies if the application is open to public inspection under section 10 of the Act and a request for examination has been made pursuant to subsection 35(1) of the Act.

29. (1) Where an examiner examining an application in accordance with section 35 of the Act or the Act as it read immediately before October 1, 1989 has reasonable grounds to believe that an application for a patent describing the same invention has been filed, in or for any country, on behalf of the applicant or on behalf of any other person claiming under an inventor named in the application being examined, the examiner may requisition from the applicant any of the following information and a copy of any related document:

(*a*) an identification of any prior art cited in respect of the applications;

(*b*) the application numbers, filing dates and, if granted, the patent numbers;

(*c*) particulars of conflict, opposition, re-examination or similar proceedings; and

(*d*) where a document is not in either English or French, a translation of the document, or a part of the document, into English or French.

(2) Where an examiner examining an application in accordance with section 35 of the Act or the Act as it read immediately before October 1, 1989 has reasonable grounds to believe that an invention disclosed in the application was, before the filing date of the application, published or the subject of a patent, the examiner may requisition the appli-

demandeur précise la première publication ou le brevet se rapportant à cette invention.

(3) Les paragraphes (1) et (2) ne s'appliquent pas aux renseignements et documents qui ne sont pas à la disposition du demandeur ou qui ne sont pas connus de lui, dans la mesure où il donne les motifs pour lesquels ils ne le sont pas.

30. (1) Lorsque l'examinateur qui a examiné une demande a des motifs raisonnables de croire que celle-ci est conforme à la Loi et aux présentes règles, le commissaire avise le demandeur que sa demande a été jugée acceptable et lui demande de verser la taxe finale applicable prévue aux alinéas 6*a*) ou *b*) de l'annexe II dans les six mois suivant la date de l'avis.

(2) Lorsque l'examinateur chargé de l'examen d'une demande conformément à l'article 35 de la Loi ou de la Loi dans sa version antérieure au 1er octobre 1989 a des motifs raisonnables de croire que celle-ci n'est pas conforme à la Loi et aux présentes règles, il informe le demandeur des irrégularités de la demande et lui demande de modifier sa demande en conséquence ou de lui faire parvenir ses arguments justifiant le contraire, dans les six mois suivant la demande de l'examinateur ou, sauf pour l'application de la partie V, dans le délai plus court déterminé par le commissaire en application de l'alinéa 73(1)*a*) de la Loi.

(3) Lorsque le demandeur a répondu de bonne foi à la demande de l'examinateur visée au paragraphe (2) dans le délai prévu, celui-ci peut refuser la demande s'il a des motifs raisonnables de croire qu'elle n'est toujours pas conforme à la Loi et aux présentes règles en raison des irrégularités signalées et que le demandeur ne la modifiera pas pour la rendre conforme à la Loi et aux présentes règles.

(4) En cas de refus, l'avis donné porte la mention « Décision finale » ou « Final Action », signale les irrégularités non corrigées et exige

cant to identify the first publication of or patent for that invention.

(3) Subsections (1) and (2) do not apply to any information or document that is not available or known to the applicant, provided that the applicant states the reasons why the information or document is not available or known.

30. (1) Where an examiner, after examining an application, has reasonable grounds to believe that the application complies with the Act and these Rules, the Commissioner shall notify the applicant that the application has been found allowable and shall requisition the payment of the applicable final fee set out in paragraph 6(*a*) or (*b*) of Schedule II within the six-month period after the date of the notice.

(2) Where an examiner examining an application in accordance with section 35 of the Act or the Act as it read immediately before October 1, 1989 has reasonable grounds to believe that an application does not comply with the Act or these Rules, the examiner shall inform the applicant of the application's defects and shall requisition the applicant to amend the application in order to comply or to provide arguments as to why the application does comply, within the six-month period after the requisition is made or, except in respect of Part V, within any shorter period established by the Commissioner in accordance with paragraph 73(1)(*a*) of the Act.

(3) Where an applicant has replied in good faith to a requisition referred to in subsection (2) within the time provided but the examiner has reasonable grounds to believe that the application still does not comply with the Act or these Rules in respect of one or more of the defects referred to in the requisition and that the applicant will not amend the application to comply with the Act and these Rules, the examiner may reject the application.

(4) Where an examiner rejects an application, the notice shall bear the notation "Final Action" or "Décision finale", shall indicate the

que le demandeur modifie la demande pour la rendre conforme à la Loi et aux présentes règles ou fasse parvenir des arguments justifiant le contraire, dans les six mois qui suivent ou, sauf pour l'application de la partie V, dans le délai plus court déterminé par le commissaire en application de l'alinéa 73(1)*a*) de la Loi.

outstanding defects and shall requisition the applicant to amend the application in order to comply with the Act and these Rules or to provide arguments as to why the application does comply, within the six-month period after the requisition is made or, except in respect of Part V, within any shorter period established by the Commissioner in accordance with paragraph 73(1)(*a*) of the Act.

(5) Lorsque, conformément au paragraphe 30(4), le demandeur modifie la demande ou fait parvenir des arguments et que l'examinateur a des motifs raisonnables de croire qu'elle est conforme à la Loi et aux présentes règles, le commissaire avise le demandeur que le refus est annulé et que la demande a été jugée acceptable et lui demande de verser la taxe finale applicable prévue aux alinéas 6*a*) ou *b*) de l'annexe II dans les six mois suivant la date de l'avis.

(5) Where in accordance with subsection 30(4) the applicant amends the application or provides arguments and the examiner has reasonable grounds to believe that the application complies with the Act and these Rules, the Commissioner shall notify the applicant that the rejection is withdrawn and that the application has been found allowable and shall requisition the payment of the applicable final fee set out in paragraph 6(*a*) or (*b*) of Schedule II within the six-month period after the date of the notice.

(6) Lorsque le refus n'est pas annulé selon le paragraphe (5), le commissaire en fait la révision et le demandeur se voit donner la possibilité de se faire entendre.

(6) Where the rejection is not withdrawn pursuant to subsection (5), the rejection shall be reviewed by the Commissioner and the applicant shall be given an opportunity to be heard.

(7) Lorsque, après l'expédition de l'avis visé aux paragraphes (1) ou (5) mais avant la délivrance d'un brevet, le commissaire a des motifs raisonnables de croire que la demande n'est pas conforme à la Loi et aux présentes règles, il en avise le demandeur, renvoie la demande à l'examinateur pour qu'il en poursuive l'examen et, si la taxe finale a été versée, la rembourse.

(7) Where, after a notice is sent in accordance with subsection (1) or (5) but before a patent is issued, the Commissioner has reasonable grounds to believe that the application does not comply with the Act or these Rules, the Commissioner shall notify the applicant, shall return the application to the examiner for further examination, and if the final fee has been paid shall refund it.

(8) Après l'expédition d'un avis au demandeur conformément au paragraphe (7), les articles 32 et 33 ne s'appliquent que si un autre avis lui est expédié en application des paragraphes (1) ou (5).

(8) After the applicant is sent a notice in accordance with subsection (7), sections 32 and 33 do not apply unless a further notice is sent to the applicant in accordance with subsection (1) or (5).

Modifications

31. La demande qui a été refusée par l'examinateur ne peut être modifiée après l'expiration du délai pour obtempérer à la demande

Amendments

31. An application that has been rejected by an examiner shall not be amended after the expiry of the time for responding to the ex-

de l'examinateur en application du paragraphe 30(4), sauf dans les cas suivants :
a) le refus est annulé en application du paragraphe 30(5);
b) le commissaire est convaincu, après révision, que le refus est injustifié et il en a informé le demandeur,
c) le commissaire a informé le demandeur que la modification est nécessaire pour que la demande soit conforme à la Loi et aux présentes règles;
d) La Cour fédérale ou la Cour suprême du Canada l'ordonne.

aminer's requisition, made pursuant to subsection 30(4), except
(*a*) where the rejection is withdrawn in accordance with subsection 30(5);
(*b*) where the Commissioner is satisfied after review that the rejection is not justified and the applicant has been so informed;
(*c*) where the Commissioner has informed the applicant that the amendment is necessary for compliance with the Act and these Rules; or
(*d*) by order of the Federal Court or the Supreme Court of Canada.

32. (1) Sauf disposition contraire de la Loi ou des présentes règles, après l'expédition d'un avis au demandeur conformément aux paragraphes 30(1) ou (5), aucune modification, autre que celle visant à corriger une erreur d'écriture évidente au vu de la demande, ne peut être apportée à la demande sans que la taxe prévue à l'article 5 de l'annexe II ait été versée.

32. (1) Except as otherwise provided by the Act or these Rules, after the applicant is sent a notice pursuant to subsection 30(1) or (5), no amendment, other than an amendment to correct a clerical error that is obvious on the face of the application, may be made to the application unless the fee set out in item 5 of Schedule II is paid.

(2) Sauf disposition contraire de la Loi ou des présentes règles, après l'expédition d'un avis au demandeur conformément aux paragraphes 30(1) ou (5), il ne peut être apporté à la demande aucune modification qui obligerait l'examinateur à effectuer un complément de recherche à l'égard de la demande ou qui rendrait la demande non conforme à la Loi et aux présentes règles.

(2) Except as otherwise provided by the Act or these Rules, after the applicant is sent a notice pursuant to subsection 30(1) or (5), no amendment may be made to the application that would necessitate a further search by the examiner in respect of the application or that would make the application not comply with the Act or these Rules.

33. Sauf disposition contraire de la Loi ou des présentes règles, aucune modification ne peut être apportée à la demande après le versement de la taxe finale visée aux paragraphes 30(1) ou (5).

33. Except as otherwise provided by the Act or these Rules, no amendment may be made to an application after payment of the final fee referred to in subsection 30(1) or (5).

34. Toute modification apportée à la demande se fait par remplacement des pages visées par de nouvelles pages et est accompagnée d'une justification de sa nature et de son projet.

34. Amendments to an application shall be made by inserting new pages in place of the pages altered by the amendments and shall be accompanied by a statement explaining their nature and purpose.

35. Les erreurs d'écriture contenues dans tout document relatif à une demande, autre que le mémoire descriptif, un dessin ou un document attestant un transfert ou un change-

35. Clerical errors in any document relating to an application, other than a specification, a drawing or a document effecting a transfer or a change of name, which are due to the fact

ment de nom, peuvent être corrigées par le demandeur lorsqu'elles ont été substituées à ce que l'auteur voulait évidemment dire.

that something other than what was obviously intended was written, may be corrected by the applicant.

Unité de l'invention

36. Pour l'application de l'article 36 de la Loi ou de la Loi dans sa version antérieure au 1er octobre 1989, la demande ne revendique pas plus d'une invention si les objets définis par les revendications sont liés entre eux de telle sorte qu'ils ne forment qu'un seul concept inventif général.

Unity of Invention

36. For the purposes of section 36 of the Act or of the Act as it read immediately before October 1, 1989, an application does not claim more than one invention if the subject-matters defined by the claims are so linked as to form a single general inventive concept.

Transferts et changements de nom

37. Lorsque le demandeur qui dépose une demande au Canada ou qui se conforme aux exigences du paragraphe 58(1) et, s'il y a lieu, du paragraphe 58(2) n'est pas l'inventeur, l'enregistrement des pièces suivantes au Bureau des brevets est obligatoire :

a) la preuve, par voie d'affidavit, de déclaration solennelle ou de copie de l'acte de transfert ou de changement de nom, que le demandeur est le représentant légal de l'inventeur;

b) des copies des actes de transfert relatifs au droit du demandeur de déposer la demande, sauf si elles sont déjà enregistrées pour l'application de l'alinéa *a*).

Transfers and Changes of Name

37. Where an applicant who files an application in Canada or who complies with the requirements of subsection 58(1) and, where applicable, subsection 58(2) is not the inventor, the following must be registered in the Patent Office:

(*a*) evidence, by way of affidavit, statutory declaration or copies of documents effecting transfers or changes of name, that the applicant is a legal representative of the inventor; and

(*b*) copies of documents effecting transfers relevant to the applicant's entitlement to file the application, unless copies of those transfers are registered for the purposes of paragraph (*a*).

38. Le commissaire ne reconnaît le transfert d'un brevet ou d'une demande que si une copie de l'acte de transfert du propriétaire actuellement reconnu au nouveau propriétaire a été enregistrée au Bureau des brevets à l'égard du brevet ou de la demande.

38. No transfer of a patent or an application to a new owner shall be recognized by the Commissioner unless a copy of the document effecting the transfer from the currently recognized owner to the new owner has been registered in the Patent Office in respect of that patent or application.

39. Le commissaire ne reconnaît le changement de nom du propriétaire d'un brevet ou d'une demande que si la preuve du changement de nom, par voie d'affidavit, de déclaration solennelle ou de copie de l'acte du changement, a été enregistrée au Bureau des brevets à l'égard du brevet ou de la demande.

39. No change in the name of the owner of a patent or an application shall be recognized by the Commissioner unless evidence of the change in the name of the owner, by way of affidavit, statutory declaration or a copy of a document effecting the change, has been registered in the Patent Office in respect of that patent or application.

40. L'enregistrement d'un transfert n'a pas pour effet de révoquer la nomination d'un agent de brevets ou la désignation d'un représentant.

41. Le brevet n'est délivré à la personne à qui a été transférée la demande que si la demande d'enregistrement du transfert a été déposée au plus tard à la date à laquelle la taxe finale a été versée conformément aux paragraphes 30(1) ou (5) ou, si celle-ci a été remboursée en application du paragraphe 30(7), au plus tard à la date à laquelle elle est de nouveau versée conformément aux paragraphes 30(1) ou (5).

Enregistrement des documents

42. Sous réserve des articles 49 et 50 de la Loi, le commissaire enregistre au Bureau des brevets tout document relatif à un brevet ou à une demande, sur réception d'une demande d'enregistrement accompagnée de la taxe prévue à l'article 21 de l'annexe II.

Redélivrance

43. La demande de redélivrance d'un brevet en application de l'article 47 de la Loi est établie selon la formule 1 et les instructions connexes figurant à l'annexe I, dans la mesure où les dispositions de cette formule et ces instructions s'y appliquent.

Renonciations

44. L'acte de renonciation visé à l'article 48 de la Loi ou de la Loi dans sa version antérieure au 1er octobre 1989 est établi selon la formule 2 et les instructions connexes figurant à l'annexe I, dans la mesure où les dispositions de cette formule et ces instructions s'y appliquent.

Réexamen

45. La demande de réexamen d'une revendication d'un brevet, sauf celle présentée par le titulaire du brevet, faite en vertu de l'article 48.1 de la Loi ainsi que le dossier d'antériorité sont déposés en double exemplaire.

40. Registration of a transfer shall not of itself operate as a revocation of an appointment of a patent agent or of an appointment of a representative.

41. A patent shall not be granted to a transferee of an application unless the request for registration of the transfer is filed on or before the date on which the final fee is paid in accordance with subsection 30(1) or (5) or, if the final fee is refunded in accordance with subsection 30(7), on or before the date on which the final fee is paid again in accordance with subsection 30(1) or (5).

Registration of Documents

42. Subject to sections 49 and 50 of the Act, the Commissioner shall, upon request and on payment of the fee set out in item 21 of Schedule II, register in the Patent Office any document relating to a patent or an application.

Reissue

43. An application for reissue pursuant to section 47 of the Act shall follow the form and the instructions for its completion set out in Form 1 of Schedule I to the extent that the provisions of the form and the instructions are applicable.

Disclaimer

44. A disclaimer pursuant to section 48 of the Act or of the Act as it read immediately before October 1, 1989 shall follow the form and the instructions for its completion set out in Form 2 of Schedule I to the extent that the provisions of the form and the instructions are applicable.

Re-Examination

45. Except when made by the patentee, a request pursuant to section 48.1 of the Act for a re-examination of any claim of a patent, and the prior art, shall be filed in duplicate.

Demandes et brevets secrets

46. Si, conformément au paragraphe 20(7) de la Loi, le ministre de la Défense nationale délivre un certificat à l'égard d'une demande, toutes les inscriptions se rapportant de quelque façon que ce soit à cette demande dans les registres ordinaires conservés au Bureau des brevets sont supprimées et il ne peut y être fait aucune autre inscription concernant la demande ou le brevet accordé au titre de celle-ci jusqu'à ce que le ministre renonce aux avantages de cet article à l'égard de la demande ou du brevet.

47. Si le gouverneur en conseil ordonne en vertu du paragraphe 20(17) de la Loi qu'une invention décrite dans une demande soit traitée, pour l'application de l'article 20 de la Loi, comme si elle avait été cédée ou comme s'il avait été convenu de la céder au ministre de la Défense nationale, le commissaire, dès qu'il est informé d'un tel décret, en avise le demandeur par courrier recommandé.

48. Le commissaire permet au fonctionnaire ou à l'officier des forces canadiennes de Sa Majesté autorisés par écrit par le ministre de la Défense nationale de consulter toute demande en instance qui a trait à un engin ou à des munitions de guerre et d'en obtenir copie.

Abus des droits de brevets

49. (1) Dans le présent article, « requête » s'entend d'une requête visée à l'article 68 de la Loi présentée au commissaire en application du paragraphe 65(1) de la Loi.

(2) La requête est accompagnée de la taxe prévue à l'article 16 de l'annexe II.

(3) Pour l'application du paragraphe 69(1) de la Loi, le délai prescrit est la période de quatre mois suivant, selon le cas :
a) la date à laquelle la personne ou le breveté a reçu signification d'une copie de la requête et des déclarations visées au paragraphe 68(1) de la Loi;

Secret Applications and Patents

46. Where the Minister of National Defence gives a certificate in accordance with subsection 20(7) of the Act in relation to an application, all entries in any way concerning the application that may appear in any ordinary register maintained in the Patent Office are wholly obliterated, and no further entry concerning the application or any patent granted on the basis of the application shall be made in any such register until that Minister waives the benefits of that section with respect to such application or patent.

47. Where the Governor in Council orders under subsection 20(17) of the Act that an invention described in an application shall be treated for the purposes of section 20 of the Act as if it had been assigned or agreed to be assigned to the Minister of National Defence, the Commissioner shall, as soon as the Commissioner is informed of the order, notify the applicant be registered mail.

48. The Commissioner shall permit any public servant authorized in writing by the Minister of National Defence, or any officer of Her Majesty's Canadian Forces authorized in writing by the Minister of National Defence, to inspect any pending application that relates to any instrument or munition of war and to obtain a copy of any such application.

Abuse of Rights Under Patents

49. (1) In this section, "application" means an application referred to in section 68 of the Act presented to the Commissioner under subsection 65(1) of the Act.

(2) Every application shall be accompanied by the fee set out in item 16 of Schedule II.

(3) For the purposes of subsection 69(1) of the Act, the prescribed time is the four-month period after
(*a*) the date on which the person or the patentee has been served with copies of the application and declarations referred to in subsection 68(1) of the Act; or

b) en l'absence de cette signification, la date à laquelle la requête est annoncée dans la *Gazette du Canada* ou la date à laquelle elle est annoncée dans la *Gazette du Bureau des brevets*, selon celle de ces dates qui est postérieure à l'autre.

(*b*) where the person or the patentee has not been so served, the later of the date on which the application is advertised in the *Canada Gazette* and the date on which the application is advertised in the *Canadian Patent Office Record.*

PARTIE II
TRAITÉ DE COOPÉRATION EN MATIÈRE DE BREVETS

PART II
PATENT COOPERATION TREATY

Définition

50. La définition qui suit s'applique à la présente partie.
« date de priorité » S'entend au sens de l'article 2xi) du Traité de coopération en matière de brevets. (*priority date*)

Definition

50. In this Part, "priority date" has the same meaning as in Article 2(xi) of the Patent Cooperation Treaty. (*date de priorité*)

Application du Traité

51. Sous réserve du paragraphe 58(8), les dispositions du Traité de coopération en matière de brevets et du Règlement d'exécution du PCT s'appliquent aux demandes suivantes :
a) toute demande internationale déposée auprès du commissaire;
b) toute demande internationale dans laquelle le Canada est désigné conformément à ce traité;
c) toute demande internationale dans laquelle le Canada est désigné et élu conformément à ce traité.
DORS/99-291, art. 3.

Application of Treaty

51. Subject to subsection 58(8), the provisions of the Patent Cooperation Treaty and the Regulations under the PCT shall apply in respect of
(*a*) an international application filed with the Commissioner;
(*b*) an international application in which Canada is designated in accordance with the Patent Cooperation Treaty; and
(*c*) an international application in which Canada is designated and elected in accordance with the Patent Cooperation Treaty.
SOR/99-291, s. 3.

Le Canada : office récepteur

52. Lorsqu'une demande internationale est déposée auprès du commissaire et que le demandeur ou, s'il y en a plusieurs, au moins l'un d'entre eux est de nationalité canadienne ou est résident du Canada, le commissaire agit à titre d'office récepteur au sens de l'article 2xv) du Traité de coopération en matière de brevets.

53. Toute demande internationale déposée auprès du commissaire est rédigée en français ou en anglais.

Canada as Receiving Office

52. Where an international application is filed with the Commissioner and the applicant or, where there is more than one applicant, at least one of the applicants is a national or resident of Canada, the Commissioner shall act as a receiving Office as defined in Article 2(xv) of the Patent Cooperation Treaty.

53. An international application, in order to be filed with the Commissioner, shall be written in either English or French.

54. (1) La correspondance adressée au commissaire à l'égard d'une demande internationale peut être livrée matériellement au Bureau des brevets pendant les heures normales d'ouverture et est réputée avoir été reçue par le commissaire le jour de la livraison.

(2) Pour l'application du paragraphe (1), la correspondance adressée au commissaire à l'égard d'une demande internationale qui est livrée matériellement au Bureau des brevets en dehors de ses heures normales d'ouverture est réputée avoir été livrée au Bureau pendant les heures normales d'ouverture le jour de la réouverture.

(3) La correspondance adressée au commissaire à l'égard d'une demande internationale peut être livrée matériellement à tout établissement désigné par lui dans la *Gazette du Bureau des brevets* pour recevoir, pendant les heures normales d'ouverture, livraison de cette correspondance. Les présomptions suivantes s'y appliquent dès lors :
a) si elle est livrée à l'établissement un jour où le Bureau est ouvert au public, elle est réputée avoir été reçue par le commissaire le jour de la livraison;
b) si elle est livrée à l'établissement un jour où le Bureau est fermé au public, elle est réputée avoir été reçue par le commissaire le jour de réouverture.

(4) Pour l'application du paragraphe (3), si la correspondance adressée au commissaire à l'égard d'une demande internationale est livrée matériellement à un établissement en dehors des heures normales d'ouverture, elle est réputée avoir été livrée à cet établissement pendant les heures normales d'ouverture le jour de la réouverture.

54. (1) Correspondence addressed to the Commissioner in respect of an international application may be physically delivered to the Patent Office during ordinary business hours of the Office and shall be considered to be received by the Commissioner on the day of the delivery.

(2) For the purposes of subsection (1), where correspondence addressed to the Commissioner in respect of an international application is physically delivered to the Patent Office outside of its ordinary business hours, it shall be considered to have been delivered to the Office during ordinary business hours on the day when the Office is next open for business.

(3) Correspondence addressed to the Commissioner in respect of an international application may be physically delivered to an establishment that is designated by the Commissioner in the *Canadian Patent Office Record* as an establishment to which correspondence addressed to the Commissioner may be delivered, during ordinary business hours of that establishment, and
(*a*) where the delivery is made to the establishment on a day that the Patent Office is open for business, the correspondence shall be considered to be received by the Commissioner on that day; and
(*b*) where the delivery is made to the establishment on a day that the Patent Office is closed for business, the correspondence shall be considered to be received by the Commissioner on the day when the Office is next open for business.

(4) For the purposes of subsection (3), where correspondence addressed to the Commissioner in respect of an international application is physically delivered to an establishment outside of ordinary business hours of the establishment, it shall be considered to have been delivered to that establishment during ordinary business hours on the day when the establishment is next open for business.

(5) La correspondance adressée au commissaire à l'égard d'une demande internationale peut lui être communiquée à toute heure par tout mode de transmission électronique ou autre qu'il précise dans la *Gazette du Bureau des brevets*.

(6) Pour l'application du paragraphe (5), si, d'après l'heure locale du lieu où est situé le Bureau des brevets, la correspondance est livrée un jour où le Bureau est ouvert au public, elle est réputée avoir été reçue par le commissaire le jour de la livraison.

(7) Pour l'application du paragraphe (5), si, d'après l'heure locale du lieu où est situé le Bureau des brevets, la correspondance est livrée un jour où le Bureau est fermé au public, elle est réputée avoir été reçue par le commissaire le jour de la réouverture.
DORS/99-291, art. 4.

(5) Correspondence addressed to the Commissioner in respect of an international application may be sent at any time by electronic or other means of transmission specified by the Commissioner in the *Canadian Patent Office Record*.

(6) For the purposes of subsection (5), where, according to the local time of the place where the Patent Office is located, the correspondence is delivered on a day when the Office is open for business, it shall be considered to be received by the Commissioner on that day.

(7) For the purposes of subsection (5), where, according to the local time of the place where the Patent Office is located, the correspondence is delivered on a day when the Office is closed for business, it shall be considered to be received by the Commissioner on the day when the Office is next open for business.
SOR/99-291, s. 4.

55. (1) Le demandeur qui dépose une demande internationale auprès du commissaire verse la taxe de transmission visée à la règle 14 du Règlement d'exécution du PCT et prévue à l'article 9 de l'annexe II, dans le mois qui suit la date de réception de la demande internationale par le commissaire.

(2) Les taxes versées en application des règles 15, 16 et 16bis du Règlement d'exécution du PCT sont payées en monnaie canadienne.

(3) Les montants reçu en application des règles 15, 16 et 16bis du Règlement d'exécution du PCT sont déposés dans le compte intitulé Fonds du Traité de coopération en matière de brevets, faisant partie du compte intitulé Fonds renouvelable de l'Office de la propriété intellectuelle du Canada, et sont prélevés sur ce compte aux fins prévues par ces règles.

55. (1) An applicant who files an international application with the Commissioner shall pay the transmittal fee referred to in Rule 14 of the Regulations under the PCT and set out in item 9 of Schedule II, within the one-month period after the date on which the international application is received by the Commissioner.

(2) Fees payable pursuant to Rules 15, 16 and 16bis of the Regulations under the PCT shall be paid in Canadian currency.

(3) Money received under Rules 15, 16 and 16bis of the regulations under the PCT shall be deposited in the account entitled the Patent Cooperation Treaty Fund within the account entitled the Canadian Intellectual Property Office Revolving Fund and shall be paid out of that account for purposes in accordance with those Rules.

Le Canada : office désigné ou élu

56. Lorsqu'est déposée une demande internationale dans laquelle le Canada est désigné,

Canada as Designated or Elected Office

56. Where an international application in which Canada is designated is filed, the Com-

le commissaire agit à titre d'office désigné au sent de l'article 2xiii) du Traité de coopération en matière de brevets.

missioner shall act as the designated Office as defined in Article 2(xiii) of the Patent Cooperation Treaty.

57. Lorsqu'est déposée une demande internationale dans laquelle le Canada est désigné et que le demandeur a élu le Canada comme pays pour lequel un rapport d'examen préliminaire international visé à l'article 35 du Traité de coopération en matière de brevets doit être établi, le commissaire agit à titre d'office élu au sens de l'article 2xiv) de ce traité.

57. Where an international application in which Canada is designated is filed and the applicant has elected Canada as a country in respect of which the international preliminary examination report referred to in Article 35 of the Patent Cooperation Treaty shall be established, the Commissioner shall act as an elected Office as defined in Article 2(xiv) of the Patent Cooperation Treaty.

Phase nationale au Canada

National Phase in Canada

58. (1) Le demandeur qui, dans une demande internationale, désigne le Canada ou désigne et élit le Canada est tenu, dans le délai prévu au paragraphe (3) :

a) lorsque le Bureau international de l'Organisation mondiale de la propriété intellectuelle n'a pas publié la demande internationale, de remettre au commissaire une copie de cette demande;

b) lorsque la demande internationale n'est ni en français ni en anglais, de remettre au commissaire la traduction française ou anglaise de cette demande;

c) de verser la taxe nationale de base prévue à l'article 10 de l'annexe II.

58. (1) An applicant who designates Canada, or who designates and elects Canada, in an international application shall, within the time prescribed by subsection (3),

(*a*) where the International Bureau of the World Intellectual Property Organization has not published the international application, provide the Commissioner with a copy of the international application;

(*b*) where the international application is not in English or French, provide the Commissioner with a translation of the international application into either English or French; and

(*c*) pay the basic national fee set out in item 10 of Schedule II.

(2) Le demandeur qui se conforme aux exigences du paragraphe (1) après le deuxième anniversaire de la date du dépôt international verse, dans le délai visé au paragraphe (3), la taxe prévue à l'article 30 de l'annexe II qui aurait été exigible selon les articles 99 ou 154 si la demande internationale avait été déposée au Canada à titre de demande canadienne à la date du dépôt international.

(2) An applicant who complies with the requirements of subsection (1) after the second anniversary of the international filing date shall, within the time prescribed by subsection (3), pay any fee set out in item 30 of Schedule II that would have been payable in accordance with section 99 or 154 had the international application been filed in Canada as a Canadian application on the international filing date.

(3) Le demandeur se conforme aux exigence du paragraphe (1) et, s'il y a lieu, du paragraphe (2) dans le délai suivant :

a) dans les trente mois suivant la date de priorité;

b) s'il verse la surtaxe pour paiement en souffrance prévue à l'article 11 de l'annexe II,

(3) An applicant shall comply with the requirements of subsection (1) and, where applicable, subsection (2) not later than on the expiry of

(*a*) the 30-month period after the priority date; or

(*b*) where the applicant pays the additional

dans les quarante-deux mois suivant la date de priorité.

fee for late payment set out in item 11 of Schedule II, the 42-month period after the priority date.

(4) Lorsque le demandeur remet la traduction française ou anglaise de la demande internationale conformément à l'alinéa (1)*b*), le commissaire, s'il a des motifs raisonnables de croire que la traduction n'est pas exacte, exige du demandeur qu'il fournisse une déclaration du traducteur portant qu'à sa connaissance la traduction est complète et fidèle.

(4) Where the applicant provides a translation of the international application into either English or French in accordance with paragraph (1)(*b*) and the Commissioner has reasonable grounds to believe that the translation is not accurate, the Commissioner shall requisition the applicant to provide a statement by the translator to the effect that, to the best of the translator's knowledge, the translation is complete and faithful.

(5) Lorsque le demandeur qui s'est conformé aux exigences du paragraphe (1) n'est pas le demandeur désigné initialement dans la demande internationale, le commissaire exige la preuve, si celle-ci ne ressort pas des documents déjà au Bureau des brevets, que le demandeur qui s'est conformé aux exigences du paragraphe (1) est le représentant légal du demandeur désigné initialement.

(5) Where the applicant who complies with the requirements of subsection (1) is not the applicant originally identified in the international application, the Commissioner shall requisition evidence that the applicant who complies with the requirements of that subsection is the legal representative of the originally identified applicant where the documents already in the Patent Office do not provide such evidence.

(5.1) Lorsque le demandeur qui s'est conformé aux exigences du paragraphe (1) ne se conforme pas à l'exigence formulée par le commissaire en vertu du paragraphe (5) dans les trois mois suivant la formulation de cette exigence, il est réputé ne jamais s'être conformé aux exigences du paragraphe (1).

(5.1) Where the applicant who complies with the requirements of subsection (1) does not comply with a requisition made by the Commissioner pursuant to subsection (5) within three months after the requisition is made, that applicant shall be deemed never to have complied with the requirements of subsection (1).

(6) Pour l'application du paragraphe (2), « date du dépôt international » s'entend de la date accordée par l'office récepteur à la demande internationale en conformité avec l'article 11 du Traité de coopération en matière de brevets.

(6) For the purposes of subsection (2), "international filing date" means the date accorded to an international application by a receiving Office pursuant to Article 11 of the Patent Cooperation Treaty.

(7) Il est entendu que l'article 26 ne s'applique pas aux délais prévus au paragraphe (3) mais qu'il s'applique à celui prévu au paragraphe (5.1).

(7) For greater certainty, section 26 does not apply in respect of the times specified in subsection (3) but does apply in respect of the time specified in subsection (5.1).

(8) L'article 48(2) du Traité de coopération en matière de brevets ne s'applique pas aux délais prévus au paragraphe (3) du présent arti-

(8) Article 48(2) of the Patent Cooperation Treaty does not apply in respect of the times specified in subsection (3) of this section or

cle ni aux délais applicables à l'égard d'une demande PCT à la phase nationale.

in respect of any time limit applicable to a PCT national phase application.

(9) La demande internationale ne peut devenir une demande PCT à la phase nationale si :
a) une période de trente-deux mois suivant la date de priorité s'est écoulée avant le 1er avril 2002;
b) le demandeur ne s'est pas conformé aux exigences du paragraphe (1) et, s'il y a lieu, du paragraphe (2) avant l'expiration de cette période;
c) l'élection du Canada n'a pas été faite avant l'expiration du dix-neuvième mois suivant la date de priorité.
DORS/99-291, art. 5; DORS/2002-120, art. 1.

(9) An international application may not become a PCT national phase application where:
(*a*) before April 1, 2002, the 32-month period after the priority date has expired;
(*b*) the applicant had not complied with the requirements of subsection (1) and, where applicable, subsection (2) before the expiry of that period; and
(*c*) an election of Canada was not made before the expiry of the nineteenth month after the priority date.
SOR/99-291, s. 5; SOR/2002-120, s. 1.

Application de la législation canadienne

Application of Canadian Legislation

59. Lorsqu'une demande internationale devient une demande PCT à la phase nationale, elle est dès lors réputée être une demande déposée au Canada et assujettie à la Loi et aux présentes règles.

59. When an international application becomes a PCT national phase application, the application shall thereafter be deemed to be an application filed in Canada and the Act and these Rules shall thereafter apply in respect of that application.

59.1 Il est entendu que, pour l'application de l'article 8 de la Loi, une demande internationale n'est réputée être un document en dépôt au Bureau des brevets que lorsqu'elle devient une demande PCT à la phase nationale.
DORS/99-291, art. 6.

59.1 For greater certainty, for the purpose of section 8 of the Act, an international application is deemed to be an instrument of record in the Patent Office only when it becomes a PCT national phase application.
SOR/99-291, s. 6.

59.2 Il est entendu que, dans le cas d'une demande internationale qui est devenue une demande PCT à la phase nationale, pour l'application de la Loi et des présentes règles :
a) les renseignements ou les avis inclus dans la demande internationale telle qu'elle est déposée sont réputés avoir été reçus par le commissaire à la date de dépôt accordée à la demande par un office récepteur en conformité avec l'article 11 du Traité de coopération en matière de brevets;
b) les renseignements ou les avis fournis en conformité avec les exigences du Traité de coopération en matière de brevets avant que la demande ne devienne une demande PCT à la phase nationale sont réputés avoir été reçus

59.2 For greater certainty, in respect of an international application that has become a PCT national phase application, for the purposes of the Act and these Rules,
(*a*) information or notices included in the international application as filed shall be considered to have been received by the Commissioner on the filing date accorded to the application by a receiving Office pursuant to Article 11 of the Patent Cooperation Treaty; and
(*b*) information or notices furnished in accordance with the requirements of the Patent Cooperation Treaty before the application has become a PCT national phase application shall be considered to have been received by

par le commissaire à la date à laquelle ils ont été fournis.
DORS/99-291, art. 6.

the Commissioner on the date that they were so furnished.
SOR/99-291, s. 6.

60. Pour l'application de l'article 11 de la Loi, la demande internationale dans laquelle le Canada est désigné est réputée être en instance au Canada seulement lorsqu'elle devient une demande PCT à la phase nationale.

60. For the purposes of section 11 of the Act, an international application in which Canada is designated is deemed to be pending in Canada only when it becomes a PCT national phase application.

61. L'obligation d'annexer une pétition à la demande, énoncée au paragraphe 27(2) de la Loi, ne s'applique pas aux demandes PCT à la phase nationale.

61. The requirement in subsection 27(2) of the Act that an application contain a petition does not apply to PCT national phase applications.

62. (1) La demande PCT à la phase nationale qui, à l'expiration du délai visé au paragraphe (2), ne contient pas les renseignements et documents suivants est réputée abandonnée pour l'application du paragraphe 73(2) de la Loi :
a) les nom et adresse de l'inventeur;
b) le listage des séquences, s'il est exigé par l'alinéa 111*a*);
c) si elle est exigée par l'alinéa 111*b*), une copie du listage des séquences sous forme déchiffrable par ordinateur, conforme à l'article 131;
d) la nomination d'un agent de brevets, si elle est exigée par l'article 20;
e) la nomination d'un coagent, si elle est exigée par l'article 21;
f) la désignation d'un représentant, si elle est exigée par l'article 29 de la Loi.

62. (1) In respect of a PCT national phase application, where, on or before the expiry of the time specified in subsection (2), the application does not contain the information and documents listed below, the application is deemed to be abandoned for the purposes of subsection 73(2) of the Act:
(*a*) the name and address of the inventor;
(*b*) a sequence listing, where required by paragraph 111(*a*);
(*c*) a copy of a sequence listing in computer readable form complying with section 131, where required by paragraph 111(*b*);
(*d*) an appointment of a patent agent, where required by section 20;
(*e*) an appointment of an associate patent agent, where required by section 21; and
(*f*) an appointment of a representative, where required by section 29 of the Act.

(2) Le délai dans lequel les renseignements et documents visés au paragraphe (1) doivent être présentés est celui des délais suivants qui expire le dernier :
a) les trente-six mois suivant la date de priorité;
b) [remplacé, DORS/2002-120, art. 2];
c) les six mois après que le demandeur s'est conformé aux exigences du paragraphe 58(1) et, s'il y a lieu, du paragraphe 58(2).

(2) The time by which the information and documents referred to in subsection (1) must be submitted is the expiry of the latest of
(*a*) the 36-month period after the priority date; and
(*b*) [replaced, SOR/2002-120, s. 2];
(*c*) the six-month period after the applicant complies with the requirements of subsection 58(1) and, where applicable, subsection 58(2).

(3) Il est entendu que l'article 26 ne s'applique pas au délai prévu au paragraphe (2).

(3) For greater certainty, section 26 does not apply in respect of the time specified in subsection (2).

(4) Il est entendu que la demande réputée abandonnée, avant le 1er avril 2002, en application du paragraphe (1) ne peut être rétablie selon le paragraphe 73(3) de la Loi après l'expiration des douze mois suivant la date à compter de laquelle elle est réputée abandonnée.
DORS/2002-120, art. 2.

(4) For greater certainty, where an application was, before April 1, 2002, deemed to have been abandoned pursuant to subsection (1), the application may not be reinstated in accordance with subsection 73(3) of the Act after the expiry of the 12-month period after the date on which the application was deemed to be abandoned.
SOR/2002-120, s. 2.

63. La demande internationale dans laquelle le Canada est désigné, ou désigné et élu, n'est pas réputée être une demande mentionnée aux alinéas 28.2(1)*c*) ou *d*) de la Loi, sauf si elle est devenue une demande PCT à la phase nationale.

63. An international application in which Canada is designated, or in which Canada is designated and elected, shall not be considered to be an application mentioned in paragraph 28.2(1)(*c*) of the Act or to be a co-pending application mentioned in paragraph 28.2(1)(*d*) of the Act unless it has become a PCT national phase application.

64. (1) L'article 28 de la Loi ne s'applique pas aux demandes PCT à la phase nationale.

64. (1) Section 28 of the Act does not apply to a PCT national phase application.

(2) La date de dépôt de la demande PCT à la phase nationale est réputée être la date accordée par l'office récepteur en conformité avec l'article 11 du Traité de coopération en matière de brevets.

(2) The filing date of a PCT national phase application shall be considered to be the date accorded by a receiving Office pursuant to Article 11 of the Patent Cooperation Treaty.

65. Dans le cas d'une demande PCT à la phase nationale, le demandeur peut substituer aux exigences de l'article 142 les exigences de la règle 4.10 du Règlement d'exécution du PCT dans sa version antérieure au 1er juillet 1998.
DORS/99-291, art. 7.

65. In respect of a PCT national phase application, the applicant may substitute the requirements of Rule 4.10 of the Regulations under the PCT as it read immediately before July 1, 1998 for the requirements of section 142.
SOR/99-291, s. 7.

66. Si le demandeur se conforme aux exigences du paragraphe 58(1) et, s'il y a lieu, du paragraphe 58(2) à la date où la demande en français ou en anglais est publiée par le Bureau international de l'Organisation mondiale de la propriété intellectuelle conformément à l'article 21 du Traité de coopération en matière de brevets, ou après cette date, la demande est réputée être accessible au public pour consultation sous le régime de l'article 10 de la Loi dès la date de sa publication.

66. Where the applicant complies with the requirements of subsection 58(1) and, where applicable, subsection 58(2) on or after the date of the publication of the application in English or French by the International Bureau of the World Intellectual Property Organization in accordance with Article 21 of the Patent Cooperation Treaty, the application is deemed to be open to public inspection under section 10 of the Act on and after the date of that publication.

PARTIE III
DEMANDES DÉPOSÉES LE 1er OCTOBRE 1996 OU PAR LA SUITE

Champ d'application

67. (1) La présente partie s'applique aux demandes déposées le 1er octobre 1996 ou par la suite et aux brevets délivrés au titre de ces demandes.

(2) Il est entendu que, pour l'application du paragraphe (1) :
a) les demandes complémentaires sont considérées comme déposées à la même date que les demandes originales;
b) les brevets redélivrés sont considérés comme délivrés au titre des demandes originales.

Présentation des documents

68. (1) Sous réserve du paragraphe (2), les documents sur support papier relatifs aux brevets et aux demandes sont présentés :
a) sur des feuilles de papier blanc de bonne qualité, ni froissées ni pliées, mesurant 21,6 cm sur 27,9 cm ou 21 cm sur 29,7 cm (format A4);
b) de manière à pouvoir être reproduits par la photographie, des procédés électrostatiques, l'offset et microfilmage, en un nombre indéterminé d'exemplaires;
c) sans interlinéations, ratures ni corrections.

(2) Les actes de transfert, les autres documents constatant un titre de propriété et les copies certifiées conformes de documents peuvent être présentés sur des feuilles de papier d'un format maximum de 21,6 cm sur 35,6 cm.

69. (1) Les marges minimales des pages contenant la description, les revendications et l'abrégé visé à l'article 79 sont les suivantes :
marge du haut : 2 cm
marge de gauche : 2,5 cm
marge de droite : 2 cm
marge du bas : 2 cm

PART III
APPLICATIONS FILED ON OR AFTER OCTOBER 1, 1996

Application

67. (1) This Part applies to applications filed on or after October 1, 1996 and to patents issued on the basis of such applications.

(2) For greater certainty, for the purposes of subsection (1)
(*a*) a divisional application is considered to be filed on the same date as the original application; and
(*b*) a reissued patent is considered to be issued on the basis of the original application.

Presentation of Documents

68. (1) Subject to subsection (2), documents filed in paper form in connection with patents and applications shall
(*a*) be on sheets of good quality white paper that are free of creases and folds and that are 21.6 cm x 27.9 cm or 21 cm x 29.7 cm (A4 format);
(*b*) be so presented as to permit direct reproduction by photography, electrostatic processes, photo offset, and microfilming, in any number of copies; and
(*c*) be free from interlineations, cancellations or corrections.

(2) Transfer documents, other documents concerning ownership, and certified copies of documents may be submitted on sheets of paper that are no larger than 21.6 cm x 35.6 cm.

69. (1) The minimum margins of pages containing the description, the claims and the abstract referred to in section 79 shall be as follows:
top 2 cm
left side 2.5 cm
right side 2 cm
bottom 2 cm

(2) Les marges minimales des pages contenant les dessins visés à l'article 37 de la Loi sont les suivantes :
marge du haut : 2,5 cm
marge de gauche : 2,5 cm
marge de droite : 1,5 cm
marge du bas : 1 cm

(2) The minimum margins of pages containing the drawings referred to in section 37 of the Act shall be as follows:
top 2.5 cm
left side 2.5 cm
right side 1.5 cm
bottom 1 cm

(3) Sous réserve des paragraphes (4) et (5) et 125(2), les marges des feuilles visées aux paragraphes (1) et (2) sont totalement vierges.

(3) Subject to subsections (4) and (5) and 125(2), the margins of the sheets referred to in subsections (1) and (2) must be completely blank.

(4) La marge du haut peut contenir dans le coin gauche ou le coin droit l'indication de la référence du dossier du demandeur.

(4) The top margin may contain in either corner an indication of the applicant's file reference.

(5) Les lignes de chaque page de la description et des revendications peuvent être numérotées, les numéros figurant dans la marge de gauche.

(5) The lines of each page of the description and of the claims may be numbered in the left margin.

70. (1) À l'exception des listages des séquences, des tableaux et des formules chimiques ou mathématiques, tous les textes des documents faisant partie de la description et des revendications sont présentés à interligne d'au moins 1 1/2.

70. (1) With the exception of sequence listings, tables and chemical and mathematical formulae, all text matter in documents forming part of the description or the claims shall be at least 1 1/2 line spaced.

(2) Les textes sont en caractères dont les majuscules ont au moins 0,21 cm de haut.

(2) All text matter shall be in characters the capital letters of which are not less than 0.21 cm high.

71. (1) Le commissaire refuse tout document qui lui est présenté dans une langue autre que le français ou l'anglais, sauf si le demandeur lui en remet la traduction française ou anglaise.

71. (1) The Commissioner shall refuse to take cognizance of any document submitted to the Commissioner that is not in the English or French language unless the applicant submits to the Commissioner a translation of the document into one of those languages.

(2) Une fois que le demandeur lui a remis la traduction française ou anglaise du document visé au paragraphe (1), le commissaire, s'il a des motifs raisonnables de croire que la traduction n'est pas exacte, exige du demandeur qu'il fournisse déclaration du traducteur portant qu'à sa connaissance la traduction est complète et fidèle.

(2) Where the applicant provides a translation of a document in accordance with subsection (1) and the Commissioner has reasonable grounds to believe that the translation is not accurate, the Commissioner shall requisition the applicant to provide a statement by the translator to the effect that, to the best of the translator's knowledge, the translation is complete and faithful.

(3) Le texte à la fois de l'abrégé, de la description, des dessins et des revendications est rédigé entièrement en français ou entièrement en anglais.

(3) The text matter of the abstract, the description, the drawings and the claims, individually and all together, shall be wholly in English or wholly in French.

72. La pétition, l'abrégé, la description, les dessins et les revendications commencent tous sur une nouvelle page.

72. The petition, the abstract, the description, the drawings and the claims shall each commence on a new page.

73. (1) Les pages de la description et des revendications sont numérotées consécutivement.

73. (1) The pages of the description and the claims shall be numbered consecutively.

(2) Les numéros de page sont inscrits en milieu de ligne, en haut ou en bas de la feuille, mais pas dans la marge.

(2) The page numbers shall be centered at the top or bottom of the sheet, but shall not be placed in the margin.

74. (1) La pétition, l'abrégé, la description et les revendications ne contiennent aucun dessin.

74. (1) The petition, the abstract, the description and the claims shall not contain drawings.

(2) L'abrégé, la description et les revendications peuvent contenir des formules chimiques ou mathématiques ou toute autre formule.

(2) The abstract, the description and the claims may contain chemical or mathematical formulae or the like.

75. (1) Sous réserve du paragraphe (2), chaque page d'un document est utilisée dans le sens vertical.

75. (1) Subject to subsection (2), each page of a document shall be used upright.

(2) Pour faciliter la présentation, les dessins, les tableaux et les formules chimiques ou mathématiques peuvent être disposés dans le sens de la longueur de la feuille de façon que la partie supérieure de ceux-ci soit sur le côté gauche de la feuille.

(2) Where it aids in presentation, drawings, tables and chemical or mathematical formulae may be presented sideways with the top of the drawings, tables or formulae at the left side of the sheet.

76. Toute marque de commerce mentionnée dans la demande est désignée comme telle.

76. Any trade-mark mentioned in the application shall be identified as such.

Pétition

Petitions

77. Sous réserve de l'article 78, la pétition est établie selon la formule 3 de l'annexe I et les instructions connexes, dans la mesure où les dispositions de cette formule et ces instructions s'y appliquent.

77. Subject to section 78, the petition shall follow the form and the instructions for its completion set out in Form 3 of Schedule I to the extent that the provisions of the form and the instructions are applicable.

Désignation d'un représentant

78. Pour l'application de l'article 29 de la Loi, la désignation d'un représentant au Canada est incluse dans la pétition conformément à l'article 5 de la formule 3 de l'annexe I ou dans un document distinct.

Appointments of Representative

78. For the purposes of section 29 of the Act, an appointment of a representative in Canada shall be included in the petition in accordance with item 5 of Form 3 of Schedule I or in a separate document.

Abrégé

79. (1) La demande contient un abrégé qui présente de l'information technique et qui ne peut être pris en considération dans l'évaluation de l'étendue de la protection demandée ou obtenue.

(2) L'abrégé comprend un résumé concis de ce qui est exposé dans la demande et, le cas échéant, la formule chimique qui, parmi toutes les formules figurant dans la demande, caractérise le mieux l'invention.

(3) L'abrégé précise le domaine technique auquel se rapporte l'invention.

(4) L'abrégé est rédigé en des termes qui permettent une compréhension claire du problème technique, de l'essence de la solution de ce problème par le moyen de l'invention et de l'usage principal ou des usages principaux de celle-ci.

(5) L'abrégé est rédigé de manière à pouvoir servir efficacement d'instrument de sélection aux fins de la recherche dans le domaine technique particulier.

(6) L'abrégé compte au plus 150 mots.

(7) Chacune des principales caractéristiques techniques mentionnées dans l'abrégé et illustrées par un dessin contenu dans la demande peut être suivie d'un signe de référence figurant entre parenthèses.

Abstracts

79. (1) An application shall contain an abstract that provides technical information and that cannot be taken into account for the purpose of interpreting the scope of protection sought or obtained.

(2) The abstract shall contain a concise summary of the matter contained in the application and, where applicable, the chemical formula that, among all the formulae included in the application, best characterizes the invention.

(3) The abstract shall specify the technical field to which the invention relates.

(4) The abstract shall be drafted in a way that allows the clear understanding of the technical problem, the gist of the solution of that problem through the invention, and the principal use or uses of the invention.

(5) The abstract shall be so drafted that it can efficiently serve as a scanning tool for purposes of searching in the particular art.

(6) The abstract shall not contain more than 150 words.

(7) Each main technical feature mentioned in the abstract and illustrated by a drawing in the application may be followed by a reference character placed between parentheses.

Description

80. (1) La description contient les renseignements suivants :

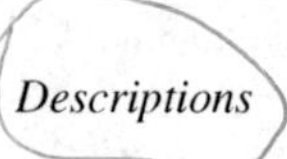

Descriptions

80. (1) The description shall
(*a*) state the title of the invention, which shall

a) le titre de l'invention, bref et précis;
b) le domaine technique auquel se rapporte l'invention;
c) une description de la technique antérieure qui, à la connaissance du demandeur, peut être considérée comme importante pour la compréhension de l'invention, la recherche à l'égard de celle-ci et son examen;
d) une description de l'invention en des termes permettant la compréhension du problème technique, même s'il n'est pas expressément désigné comme tel, et de sa solution;
e) une brève description des figures contenues dans les dessins, le cas échéant;
f) une explication d'au moins une manière envisagée par l'inventeur de réaliser l'invention, avec des exemples à l'appui, si cela est indiqué, et des renvois aux dessins, s'il y en a;
g) le listage des séquences, s'il est exigé par l'alinéa 111*a*).

(2) Il y a lieu de suivre la manière et l'ordre indiqués au paragraphe (1), sauf lorsque, en raison de la nature de l'invention, une manière différente ou un ordre différent entraînerait une meilleure compréhension ou une présentation plus économique.

81. (1) La description ne peut incorporer un autre document par renvoi.

(2) La description ne peut faire mention d'un document qui ne fait pas partie de la demande, sauf si celui-ci est accessible au public.

(3) Tout document dont fait mention la description est accompagné de références complètes.
DORS/99-291, art. 8

Dessins

82. (1) Les dessins sont exécutés en lignes noires bien délimitées, suffisamment denses et foncées pour en permettre une reproduction satisfaisante, et sont sans couleurs.

(2) Les coupes sont indiquées par des hachures qui n'empêchent pas de lire facilement les signes de référence et les lignes directrices.

be short and precise;
(*b*) specify the technical field to which the invention relates;
(*c*) describe the background art that, as far as is known to the applicant, can be regarded as important for the understanding, searching and examination of the invention;
(*d*) describe the invention in terms that allow the understanding of the technical problem, even if not expressly stated as such, and its solution;
(*e*) briefly describe the figures in the drawings, if any;
(*f*) set forth at least one mode contemplated by the inventor for carrying out the invention in terms of examples, where appropriate, and with reference to the drawings, if any; and
(*g*) contain a sequence listing where required by paragraph 111(*a*).

(2) The description shall be presented in the manner and order specified in subsection (1) unless, because of the nature of the invention, a different manner or a different order would afford a better understanding or a more economical presentation.

81. (1) The description shall not incorporate by reference another document.

(2) The description shall not refer to a document that does not form part of the application unless the document is available to the public.

(3) Any document referred to in the description shall be fully identified.
SOR/99-291, s. 8.

Drawings

82. (1) Drawings shall be in black, sufficiently dense and dark, well-defined lines to permit satisfactory reproduction and shall be without colourings.

(2) Cross-sections shall be indicated by hatching that does not impede the clear reading of the reference characters and lead lines.

(3) Tous les chiffres, lettres et lignes directrices sont simples et clairs.

(3) All numbers, letters and lead lines shall be simple and clear.

(4) Chaque élément d'une figure est en proportion avec chacun des autres éléments de la figure, sauf lorsque l'utilisation d'une proportion différente est indispensable pour la clarté de la figure.

(4) Elements of the same figure shall be in proportion to each other unless a difference in proportion is indispensable for the clarity of the figure.

(5) La hauteur des chiffres et des lettres dans un dessin n'est pas inférieure à 0,32 cm.

(5) The height of the numbers and letters in a drawing shall not be less than 0.32 cm.

(6) Une même page de dessins peut contenir plusieurs figures.

(6) The same page of drawings may contain several figures.

(7) Lorsque des figures paraissant sur plus d'une page constituent une seule figure complète, elles sont présentées de telle sorte que l'on puisse assembler la figure complète sans cacher aucune partie des figures partielles.

(7) Where figures on two or more pages are intended to form a single complete figure, the figures on the several pages shall be so arranged that the whole figure can be assembled without concealing any part of the partial figures.

(8) Les différentes figures sont numérotées consécutivement.

(8) The different figures shall be numbered consecutively.

(9) Des signes de référence non mentionnés dans la description ne peuvent figurer dans les dessins, et vice versa.

(9) Reference characters not mentioned in the description shall not appear in the drawings, and vice versa.

(10) Les signes de référence des mêmes éléments sont identiques dans toute la demande.

(10) The same features, when denoted by reference characters, shall, throughout the application, be denoted by the same characters.

(11) Les dessins ne peuvent contenir de texte, sauf dans la mesure nécessaire à leur compréhension.

(11) The drawings shall not contain text matter except to the extent required for the understanding of the drawings.

Photographies

83. Lorsqu'une invention est d'une nature telle qu'elle ne peut être illustrée par des dessins, mais qu'elle peut être illustrée par des photographies, le demandeur peut inclure dans la demande de telles photographies ou des reproductions de celles-ci.

Photographs

83. In any case in which an invention does not admit of illustration by means of drawings but does admit of illustration by means of photographs, the applicant may, as part of the application, furnish photographs, or reproductions of photographs, that illustrate the invention.

Revendications

84. Les revendications sont claires et concises et se fondent entièrement sur la description, indépendamment des documents mentionnés dans celle-ci.

85. S'il y a plus d'une revendication, elles sont numérotées consécutivement, en chiffres arabes, à partir du chiffre 1.

86. (1) Sous réserve des paragraphes (2) et (3), sauf lorsque cela est nécessaire, les revendications ne se fondent pas, pour ce qui concerne les caractéristiques techniques de l'invention, sur des renvois à la description ou aux dessins. En particulier, elles ne se fondent pas sur des expressions telles que « comme décrit dans la partie ... de la description » ou « comme illustré dans la figure ... des dessins ».

(2) Lorsque la demande contient des dessins, les caractéristiques mentionnées dans les revendications peuvent être suivies des signes de référence applicables, placés entre parenthèses, qui figurent dans ces dessins.

(3) Lorsque la demande contient le listage des séquences, les revendications peuvent renvoyer au numéro d'identification de séquence visé au paragraphe 113(2).

(4) Lorsque le mémoire descriptif mentionne le dépôt d'un échantillon de matières biologiques, les revendications peuvent renvoyer à ce dépôt.

87. (1) Sous réserve du paragraphe (2), la revendication qui inclut toutes les caractéristiques d'une ou de plusieurs autres revendications (appelées « revendication dépendante » au présent article) renvoie au numéro de ces autres revendications et précise les caractéristiques additionnelles revendiquées.

(2) La revendication dépendante peut seulement renvoyer à une ou plusieurs revendications antérieures.

Claims

84. The claims shall be clear and concise and shall be fully supported by the description independently of any document referred to in the description.

85. If there are several claims, they shall be numbered consecutively in Arabic numerals beginning with the number "1".

86. (1) Subject to subsections (2) and (3), claims shall not, except where necessary, rely, in respect of the features of the invention, on references to the description or drawings and, in particular, they shall not rely on such references as: "as described in Part ... of the description", or "as illustrated in figure ... of the drawings".

(2) Where the application contains drawings, the features mentioned in the claims may be followed by the reference characters, placed between parentheses, appearing in the drawings and relating to such features.

(3) Where the application contains a sequence listing, the claims may refer to a sequence identifier number referred to in subsection 113(2).

(4) Where the specification refers to a deposit of biological material, the claims may refer to that deposit.

87. (1) Subject to subsection (2), any claim that includes all the features of one or more other claims (in this section referred to as a "dependent claim") shall refer by number to the other claim or claims and shall state the additional features claimed.

(2) A dependent claim may only refer to a preceding claim or claims.

(3) La revendication dépendante comporte toutes les restrictions contenues dans la revendication à laquelle elle renvoie ou, si elle renvoie à plusieurs revendications, toutes les restrictions figurant dans la revendication ou les revendications avec lesquelles elle est prise en considération.

Demandes de priorité

88. (1) Pour l'application du paragraphe 28.4(2) de la Loi :
a) la demande de priorité peut être incluse dans la pétition ou dans un document distinct;
b) lorsque la demande de priorité est fondée sur une seule demande de brevet antérieurement déposée de façon régulière, le demandeur la présente et communique au commissaire la date du dépôt, le nom du pays du dépôt et le numéro de la demande de brevet antérieurement déposée de façon régulière, dans les seize mois suivant la date du dépôt de cette demande de brevet;
c) lorsque la demande de priorité est fondée sur deux ou plusieurs demandes de brevet antérieurement déposées de façon régulière :
(i) le demandeur la présente et communique au commissaire la date du dépôt et le nom du pays du dépôt de chaque demande de brevet antérieurement déposée de façon régulière sur laquelle est fondée la demande de priorité, dans les seize mois suivant la date du dépôt de la première de ces demandes,
(ii) le demandeur communique au commissaire le numéro de chaque demande de brevet antérieurement déposée de façon régulière sur laquelle est fondée la demande de priorité, dans le délai prévu au sous-alinéa (i) ou dans les douze mois suivant la date du dépôt de la demande de brevet antérieurement déposée de façon régulière, selon celui de ces délais qui expire après l'autre.

(2) Lorsqu'une demande de priorité fondée sur une demande de brevet déposée antérieurement de façon régulière est retirée avant la date d'expiration de la période de seize mois qui suit la date du dépôt de cette demande de brevet, les délais prévus au paragraphe (1) sont comptés comme si la demande de prio-

(3) Any dependent claim shall be understood as including all the limitations contained in the claim to which it refers or, if the dependent claim refers to more than one other claim, all the limitations contained in the particular claim or claims in relation to which it is considered.

Priority Claims

88. (1) For the purposes of subsection 28.4(2) of the Act,
(*a*) a request for priority may be made in the petition or in a separate document;
(*b*) where a request for priority is based on one previously regularly filed application, the request must be made, and the applicant must inform the Commissioner of the filing date, country of filing and application number of the previously regularly filed application, before the expiry of the sixteen-month period after the date of filing of that application; and
(*c*) where a request for priority is based on two or more previously regularly filed applications,
(i) the request must be made, and the applicant must inform the Commissioner of the filing date and country of filing of each previously regularly filed application on which the request for priority is based, before the expiry of the sixteen-month period after the earliest date of filing of those applications, and
(ii) the applicant must, for each previously regularly filed application on which the request for priority is based, inform the Commissioner of its application number before the expiry of the twelve-month period after its date of filing or before the expiry of the period referred to in subparagraph (i), whichever is later.

(2) Where a request for priority on the basis of a particular previously regularly filed application is withdrawn before the expiry of the sixteen-month period after the date of filing of that application, the times prescribed in subsection (1) shall be computed as if the request for priority had never been made

rité n'avait jamais été fondée sur cette demande de brevet.

based on that application.

(3) Dans le cas d'une demande PCT à la phase nationale, pour l'application du paragraphe (1) et par dérogation au paragraphe 28.4(2) de la Loi, lorsque la demande de brevet déposée antérieurement de façon régulière vise un brevet délivré par un organisme national ou intergouvernemental habilité à délivrer des brevets ayant effet dans plus d'un pays, le demandeur peut communiquer au commissaire le nom de l'organisme auprès duquel la demande a été déposée au lieu du nom du pays du dépôt.

(3) In respect of a PCT national phase application, for the purposes of subsection (1) and notwithstanding subsection 28.4(2) of the Act, where the previously regularly filed application is for a patent granted by a national or an intergovernmental authority having the power to grant patents effective in more than one country, the applicant may provide the Commissioner with the name of the authority with which the application was filed instead of the country of filing.

(4) Dans le cas d'une demande PCT à la phase nationale, pour l'application du paragraphe (1) et par dérogation au paragraphe 28.4(2) de la Loi, lorsque la demande de brevet déposée antérieurement de façon régulière est une demande internationale, le demandeur peut communiquer au commissaire le nom de l'office récepteur où la demande a été déposée au lieu du nom du pays du dépôt.

(4) In respect of a PCT national phase application, for the purposes of subsection (1) and notwithstanding subsection 28.4(2) of the Act, where the previously regularly filed application is an international application, the applicant may provide the Commissioner with the name of the receiving Office with which the application was filed instead of the country of filing.

(5) L'article 26 ne s'applique pas aux délais prévus au paragraphe (1).
DORS/99-291, art. 9.

(5) Section 26 does not apply in respect of the times specified in subsection (1).
SOR/99-291, s. 9.

89. Lorsque l'examinateur prend en compte, en application des articles 28.1 à 28.4 de la Loi, une demande de brevet antérieurement déposée de façon régulière sur laquelle la demande de priorité est fondée, il peut exiger du demandeur qu'il dépose une copie certifiée conforme de cette demande de brevet ainsi qu'un certificat du bureau des brevets où elle a été déposée, indiquant la date du dépôt effectif.

89. Where a previously regularly filed application on the basis of which a request for priority is based is taken into account by an examiner pursuant to sections 28.1 to 28.4 of the Act, the examiner may requisition the applicant to file a certified copy of the previously regularly filed application and a certification from the patent office in which the application was filed indicating the actual date of its filing.

90. (1) Pour l'application du paragraphe 28.4(3) de la Loi, le demandeur peut retirer sa demande de priorité à l'égard de toutes les demandes de brevet déposées antérieurement de façon régulière, ou de l'une ou de plusieurs d'entre elles, en déposant une requête à cet effet auprès du commissaire. Celui-ci lui envoie alors un avis l'informant que la demande de priorité a été retirée.

90. (1) For the purposes of subsection 28.4(3) of the Act, an applicant may withdraw a request for priority, either entirely or with respect to one or more previously regularly filed applications, by filing a request with the Commissioner and the Commissioner shall send a notice to the applicant advising that the request for priority has been withdrawn.

(2) La date de prise d'effet du retrait de la demande de priorité selon le paragraphe (1) est la date à laquelle le commissaire reçoit la requête de retrait.

(2) The effective date of the withdrawal of a request for priority pursuant to subsection (1) shall be the date the request for withdrawal is received by the Commissioner.

Effet des retraits sur la consultation des documents

Effect of Withdrawals on Public Inspection

91. Pour l'application du paragraphe 10(4) de la Loi, lorsqu'une demande de priorité est retirée conformément à l'article 90 à l'égard d'une demande de brevet déposée antérieurement de façon régulière, la date réglementaire est la date d'expiration de la période de seize mois qui suit la date du dépôt de cette demande de brevet ou, lorsque le commissaire est en mesure, à une date ultérieure qui précède l'expiration de la période visée au paragraphe 10(2) de la Loi, d'arrêter les préparatifs techniques en vue de la consultation de cette demande, cette date ultérieure.

91. For the purposes of subsection 10(4) of the Act, where a request for priority with respect to a particular previously regularly filed application is withdrawn in accordance with section 90, the prescribed date is the date on which a period of sixteen months after the filing date of that previously regularly filed application expires, or, where the Commissioner is able to stop technical preparations to open the application to public inspection at a subsequent date preceding the expiry of the confidentiality period referred to in subsection 10(2) of the Act, that subsequent date.

92. Pour l'application du paragraphe 10(5) de la Loi, la date réglementaire est la date qui précède de deux mois la date d'expiration de la période durant laquelle la demande ne peut être accessible au public pour consultation ou, lorsque le commissaire est en mesure, à une date ultérieure qui précède l'expiration de la période visée au paragraphe 10(2) de la Loi, d'arrêter les préparatifs techniques en vue de la consultation de cette demande, cette date ultérieure.

92. For the purposes of subsection 10(5) of the Act, the prescribed date is the date that is two months before the date of expiry of the confidentiality period or, where the Commissioner is able to stop technical preparations to open the application to public inspection at a subsequent date preceding the expiry of the confidentiality period referred to in subsection 10(2) of the Act, that subsequent date.

Date du dépôt

Filing Date

93. Pour l'application du paragraphe 28(1) de la Loi, la date du dépôt d'une demande, autre qu'une demande PCT à la phase nationale, est la date à laquelle le commissaire reçoit les documents, renseignements et taxes suivants :
a) une indication en français ou en anglais selon laquelle l'octroi d'un brevet canadien est demandé;
b) le nom du demandeur;
c) l'adresse du demandeur ou de son agent de brevets;
d) un document rédigé en français ou en anglais qui, à première vue, semble décrire une

93. For the purposes of subsection 28(1) of the Act, the filing date of an application, other than a PCT national phase application, is the date on which the Commissioner receives the following documents, information and fees:
(*a*) an indication in English or French that the granting of a Canadian patent is sought;
(*b*) the name of the applicant;
(*c*) the address of the applicant or of a patent agent of the applicant;
(*d*) a document, in English or French, that on its face appears to describe an invention; and
(*e*) the application fee set out in item 1 of Schedule II.

invention;
e) la taxe prévue à l'article 1 de l'annexe II.

Demande incomplète

94. (1) Pour toute demande autre qu'une demande PCT à la phase nationale, lorsque, à l'expiration du délai prévu au paragraphe (2), l'abrégé, la description, les revendications ou les dessins ne sont pas conformes aux articles 68, 69 et 70 ou que la demande ne contient pas les renseignements et les documents suivants, le commissaire, par avis, exige que le demandeur, s'il y a lieu, se conforme à ces articles ou présente ces renseignements ou documents et verse la taxe prévue à l'article 2 de l'annexe II dans les trois mois suivant la date de l'avis ou dans les douze mois suivant la date du dépôt de la demande, selon celui de ces délais qui expire après l'autre :
a) une pétition conforme à l'article 77;
b) un abrégé;
c) le listage des séquences, s'il est exigé par l'alinéa 111*a*);
d) une copie du listage des séquences sous une forme déchiffrable par ordinateur, si elle est exigée par l'alinéa 111*b*);
e) une ou plusieurs revendications;
f) un dessin auquel renvoie la description;
g) la nomination d'un agent de brevets, si elle est exigée par l'article 20;
h) la nomination d'un coagent de brevets, si elle est exigée par l'article 21;
i) la désignation d'un représentant, si elle est exigée par l'article 29 de la Loi.

(2) Pour l'application du paragraphe (1), le délai est la période de quinze mois qui suit la date du dépôt de la demande ou, lorsqu'une demande de priorité a été présentée à l'égard de la demande, la date du dépôt de la première des demandes de brevet antérieurement déposées de façon régulière sur lesquelles la demande de priorité est fondée.

(3) L'article 26 ne s'applique pas au délai prévu au paragraphe (2).

Completing the Application

94. (1) In respect of an application other than a PCT national phase application, where, at the expiry of the time specified in subsection (2), the abstract, the description, the claims or the drawings do not comply with sections 68, 69 and 70, or the application does not contain the information and documents listed below, the Commissioner shall, by notice to the applicant, requisition the applicant to comply with those sections or to submit that information or those documents, as the case may be, and to pay the fee set out in item 2 of Schedule II before the expiry of the later of the three-month period after the date of the notice and the twelve-month period after the filing date of the application:
(*a*) a petition complying with section 77;
(*b*) an abstract;
(*c*) a sequence listing, where required by paragraph 111(*a*);
(*d*) a copy of a sequence listing in computer readable form, where required by paragraph 111(*b*);
(*e*) a claim or claims;
(*f*) any drawing referred to in the description;
(*g*) an appointment of a patent agent, where required by section 20;
(*h*) an appointment of an associate patent agent, where required by section 21; and
(*i*) an appointment of a representative, where required by section 29 of the Act.

(2) For the purposes of subsection (1), the time is the fifteen-month period after the filing date of the application or, where a request for priority has been made in respect of the application, the fifteen-month period after the earliest filing date of any previously regularly filed application on which the request for priority is based.

(3) Section 26 does not apply in respect of the time set out in subsection (2).

Requêtes d'examen

95. Pour l'application du paragraphe 35(1) de la Loi, la requête d'examen d'une demande contient les renseignements suivants :
a) les nom et adresse de l'auteur de la requête;
b) le nom du demandeur, si celui-ci n'est pas l'auteur de la requête;
c) les renseignements permettant d'identifier la demande, notamment le numéro de celle-ci.

96. (1) Sous réserve du paragraphe (2), pour l'application de l'alinéa 73(1)*d*) de la Loi, la requête d'examen d'une demande est présentée, et la taxe prévue à l'article 3 de l'annexe II est versée, dans les cinq ans suivant la date du dépôt de la demande.

(2) La requête d'examen d'une demande complémentaire est faite, et la taxe prévue à l'article 3 de l'annexe II est versée, dans celui des délais suivants qui expire après l'autre :
a) les cinq ans suivant la date du dépôt de la demande originale;
b) les six mois suivant la date à laquelle la demande complémentaire est effectivement déposée conformément aux paragraphes 36(2) ou (2.1) de la Loi.

(3) L'article 26 ne s'applique pas aux délais prévus aux paragraphes (1) et (2).

Abandon et rétablissement

97. Pour l'application du paragraphe 73(2) de la Loi, la demande est considérée comme abandonnée si le demandeur omet de répondre de bonne foi à toute demande du commissaire visée aux articles 23, 25 ou 94 dans le délai prévu à ces articles.
DORS/99-291, art. 10.

98. Pour que la demande considérée comme abandonnée en application de l'article 73 de la Loi soit rétablie, le demandeur, à l'égard de chaque omission visée au paragraphe 73(1) de la Loi ou à l'article 97, présente au com-

Requests for Examination

95. For the purposes of subsection 35(1) of the Act, a request for examination of an application shall contain the following information:
(*a*) the name and address of the person making the request;
(*b*) if the person making the request is not the applicant, the name of the applicant; and
(*c*) information, such as the application number, sufficient to identify the application.

96. (1) Subject to subsection (2), for the purposes of paragraph 73(1)(*d*) of the Act, a request for the examination of an application shall be made and the fee set out in item 3 of Schedule II shall be paid before the expiry of the five-year period after the filing date of the application.

(2) A request for the examination of a divisional application shall be made and the fee set out in item 3 of Schedule II shall be paid before the expiry of the later of
(*a*) the five-year period after the filing date of the original application; and
(*b*) the six-month period after the date on which the divisional application is actually filed in accordance with subsection 36(2) or (2.1) of the Act.

(3) Section 26 does not apply in respect of the times prescribed in subsections (1) and (2).

Abandonment and Reinstatement

97. For the purposes of subsection 73(2) of the Act, an application is deemed to be abandoned if the applicant does not reply in good faith to any requisition of the Commissioner referred to in section 23, 25 or 94 within the time provided in that section.
SOR/99-291, s. 10.

98. In order for an application deemed to be abandoned under section 73 of the Act to be reinstated, the applicant shall, in respect of each failure to take an action referred to in subsection 73(1) of the Act or section 97,

missaire une requête à cet effet, prend les mesures qui s'imposaient pour éviter la présomption d'abandon et paie la taxe prévue à l'article 7 de l'annexe II, dans les douze mois suivant la date de prise d'effet de la présomption d'abandon.

make a request for reinstatement to the Commissioner, take the action that should have been taken in order to avoid the deemed abandonment and pay the fee set out in item 7 of Schedule II, before the expiry of the twelve-month period after the date on which the application is deemed to be abandoned as a result of that failure.

Taxes pour le maintien en état

99. (1) Pour l'application du paragraphe 27.1(1) et de l'alinéa 73(1)*c*) de la Loi, la taxe applicable prévue à l'article 30 de l'annexe II pour le maintien de la demande en état est payée à l'égard des périodes indiquées à cet article, avant l'expiration des délais qui y sont fixés.

(2) Lorsqu'une demande complémentaire est déposée, les taxes prévues à l'article 30 de l'annexe II qui auraient été exigibles en application du paragraphe 27.1(1) de la Loi si la demande complémentaire avait été déposée à la date du dépôt de la demande originale sont payées au moment où la demande complémentaire est effectivement déposée conformément aux paragraphes 36(2) ou (2.1) de la Loi.

100. (1) Sous réserve des paragraphes (2) et (3), pour l'application de l'article 46 de la Loi, la taxe applicable prévue à l'article 31 de l'annexe II pour le maintien en état des droits conférés par un brevet est payée à l'égard des périodes indiquées à cet article, avant l'expiration des délais, y compris les délais de grâce, qui y sont fixés.

(2) Au paragraphe (1), « brevet » ne vise pas le brevet redélivré.

(3) Aucune taxe pour le maintien en état des droits conférés par le brevet n'est exigible pour la période à l'égard de laquelle a été payée une taxe pour le maintien en état de la demande du brevet.

101. (1) Sous réserve du paragraphe (2), pour l'application de l'article 46 de la Loi, la

Maintenance Fees

99. (1) For the purposes of subsection 27.1(1) and paragraph 73(1)(*c*) of the Act, to maintain an application in effect, the applicable fee set out in item 30 of Schedule II shall be paid in respect of the periods set out in that item before the expiry of the times provided in that item.

(2) Where a divisional application is filed, any fee set out in item 30 of Schedule II, that would have been payable pursuant to subsection 27.1(1) of the Act had the divisional application been filed on the filing date of the original application, shall be paid when the divisional application is actually filed in accordance with subsection 36(2) or (2.1) of the Act.

100. (1) Subject to subsections (2) and (3), for the purposes of section 46 of the Act, the applicable fee to maintain the rights accorded by a patent, set out in item 31 of Schedule II, shall be paid in respect of the periods set out in that item before the expiry of the times, including periods of grace, provided in that item.

(2) In subsection (1), "patent" does not include a reissued patent.

(3) No fee to maintain the rights accorded by a patent shall be payable in respect of any period for which a fee to maintain the application for that patent was paid.

101. (1) Subject to subsection (2), for the purposes of section 46 of the Act, the applica-

taxe applicable prévue à l'article 31 de l'annexe II pour le maintien en état des droits conférés par un brevet redélivré est payée à l'égard des mêmes périodes et avant l'expiration des mêmes délais que pour le brevet original.

ble fee to maintain the rights accorded by a reissued patent, set out in item 31 of Schedule II, shall be paid in respect of the same periods and before the expiry of the same times as for the original patent.

(2) Aucune taxe pour le maintien en état des droits conférés par le brevet redélivré n'est exigible pour la période à l'égard de laquelle a été payée une taxe pour le maintien en état des droits conférés par le brevet original ou le maintien en état de la demande de celui-ci.

(2) No fee to maintain the rights accorded by a reissued patent shall be payable in respect of any period for which a fee was paid to maintain the rights accorded by the original patent or to maintain the application for the original patent.

102. L'article 26 ne s'applique pas aux délais prévus aux articles 99, 100 et 101.

102. Section 26 does not apply in respect of the times set out in sections 99, 100 and 101.

Dépôt de matières biologiques

Deposits of Biological Material

103. Pour l'application du paragraphe 38.1(1) de la Loi, lorsque le mémoire descriptif d'une demande déposée au Canada ou du brevet délivré au titre de cette demande mentionne le dépôt d'un échantillon de matières biologiques, le dépôt est réputé effectué conformément au présent règlement si les exigences des articles 104 à 106 sont respectées.

103. For the purposes of subsection 38.1(1) of the Act, where a specification in an application filed in Canada, or in a patent issued on the basis of such an application, refers to a deposit of biological material, the deposit shall be considered to be in accordance with these regulations if sections 104 to 106 are complied with.

104. (1) Le demandeur dépose l'échantillon de matières biologiques auprès d'une autorité de dépôt internationale au plus tard à la date du dépôt de la demande.

104. (1) The deposit of the biological material shall be made by the applicant with an international depositary authority on or before the filing date of the application.

(2) Le demandeur communique au commissaire le nom de l'autorité de dépôt internationale et le numéro d'ordre attribué par celle-ci au dépôt, avant que la demande soit rendue accessible au public pour consultation sous le régime de l'article 10 de la Loi.

(2) The applicant shall inform the Commissioner of the name of the international depositary authority and the accession number given by the international depositary authority to the deposit, before the application is open to public inspection under section 10 of the Act.

(3) Les renseignements visés au paragraphe (2) sont incorporés à la description.

(3) The information required by subsection (2) must be included in the description.

(4) Avant que la demande soit rendue accessible au public pour consultation sous le régime de l'article 10 de la Loi, le demandeur peut déposer un avis auprès du commissaire indiquant qu'il veut, jusqu'à ce qu'un brevet

(4) Before the application is open to public inspection under section 10 of the Act, the applicant may file a notice with the Commissioner stating the applicant's wish that, until either a patent has been issued on the basis of

soit délivré au titre de la demande ou que celle-ci soit rejetée, ou soit abandonnée et ne puisse plus être rétablie, ou soit retirée, que le commissaire n'autorise la remise d'un échantillon des matières biologiques déposées qu'à un expert indépendant désigné par lui conformément à l'article 109.

(5) L'article 26 ne s'applique pas aux délais prévus au présent article.
DORS/99-291, art. 11.

104.1 Lorsque le mémoire descriptif mentionne le dépôt d'un échantillon de matières biologiques et que l'examinateur en tient compte en application des paragraphes 27(3) et 38.1(1) de la Loi, celui-ci exige du demandeur l'insertion dans le mémoire descriptif de la date du dépôt initial auprès de l'autorité de dépôt internationale.
DORS/99-291, art. 12.

105. Lorsque, en application de la règle 5 du Règlement d'exécution du Traité de Budapest, des échantillons de matières biologiques sont transférés à une autorité de dépôt internationale de remplacement parce que la première autorité de dépôt internationale a cessé d'accomplir les tâches qui lui incombaient, le demandeur ou le breveté communique au commissaire le nom de l'autorité de remplacement et le nouveau numéro d'ordre attribué par elle au dépôt, dans les trois mois suivant la date de la délivrance du récépissé par celle-ci.

106. (1) Lorsqu'un nouveau dépôt est effectué auprès d'une autre autorité de dépôt internationale conformément aux articles 4(1)*b*)(i) ou (ii) du Traité de Budapest, le demandeur ou le breveté communique au commissaire le nom de cette autorité et le nouveau numéro d'ordre attribué par elle au dépôt, dans les trois mois suivant la date de la délivrance du récépissé par celle-ci.

the application or the application is refused, or is abandoned and no longer subject to reinstatement, or is withdrawn, the Commissioner only authorize the furnishing of a sample of the deposited biological material to an independent expert nominated by the Commissioner in accordance with section 109.

(5) Section 26 does not apply to the times set out in this section.
SOR/99-291, s. 11.

104.1 Where a deposit of biological material with an international depositary authority is referred to in a specification and is taken into account by an examiner pursuant to subsections 27(3) and 38.1(1) of the Act, the examiner shall requisition the applicant to include in the description the date of the original deposit with the international depositary authority.
SOR/99-291, s. 12.

105. Where, pursuant to Rule 5 of the Regulations under the Budapest Treaty, samples of biological material are transferred to a substitute international depositary authority for the reason that the original international depositary authority has discontinued the performance of functions, the applicant or the patentee must inform the Commissioner of the name of the substitute international depositary authority and of the new accession number given to the deposit by the substitute international depositary authority before the expiry of the three-month period after the date of issuance of a receipt by the substitute international depositary authority.

106. (1) Where a new deposit is made with another international depositary authority pursuant to Article 4(1)(*b*)(i) or (ii) of the Budapest Treaty, the applicant or the patentee must inform the Commissioner of the name of that authority and of the new accession number given to the deposit by that authority before the expiry of the three-month period after the date of issuance of a receipt by that authority.

(2) Lorsque, en application de l'article 4 du Traité de Budapest, le déposant reçoit notification de l'impossibilité pour l'autorité de dépôt internationale de remettre des échantillons et qu'aucun nouveau dépôt n'est effectué conformément à cet article, la demande ou le brevet est, aux fins de toute procédure à son égard, traité comme si le dépôt n'avait pas été effectué.

107. (1) Le commissaire publie dans la *Gazette du Bureau des brevets* une formule de requête en vue de la remise d'un échantillon de matières déposées; le contenu de cette formule est identique à celui de la formule visée à la règle 11.3*a*) du Règlement d'exécution du Traité de Budapest.

(2) Sous réserve des articles 108 et 110, lorsque le mémoire descriptif d'un brevet canadien ou d'une demande déposée au Canada qui est accessible au public pour consultation sous le régime de l'article 10 de la Loi mentionne le dépôt par le demandeur d'un échantillon de matières biologiques et qu'une personne dépose auprès du commissaire une requête selon la formule visée au paragraphe (1), le commissaire fait à l'égard de cette personne la certification visée à la règle 11.3*a*) du Règlement d'exécution du Traité de Budapest.

(3) Sauf dans les cas d'application du paragraphe 110(2), lorsque le commissaire fait la certification visée au paragraphe (2), il envoie une copie de la requête, accompagnée de la certification, à la personne qui a déposé la requête.

108. Le commissaire ne peut, jusqu'à ce qu'un brevet ait été délivré au titre de la demande ou que celle-ci ait été rejetée, ou ait été abandonnée et ne puisse plus être rétablie, ou ait été retirée, faire la certification visée au paragraphe 107(2) à l'égard d'une personne, notamment un expert indépendant, à moins d'avoir reçu l'engagement donné par cette personne au demandeur, selon lequel :
a) elle ne mettra aucun échantillon de matières biologiques remis par l'autorité de dépôt

(2) Where, pursuant to Article 4 of the Budapest Treaty, the depositor is notified of the inability of the international depositary authority to furnish samples and no new deposit is made in accordance with that Article, the application or patent shall, for the purposes of any proceedings in respect of that application or patent, be treated as if the deposit had never been made.

107. (1) The Commissioner shall publish in the *Canadian Patent Office Record* a form for making a request for the furnishing of a sample of a deposit, the contents of which shall be the same as the contents of the form referred to in Rule 11.3(*a*) of the Regulations under the Budapest Treaty.

(2) Subject to sections 108 and 110, where a specification in a Canadian patent or in an application filed in Canada that is open to public inspection pursuant to section 10 of the Act refers to a deposit of biological material by the applicant, and where a person files with the Commissioner a request made on the form referred to in subsection (1), the Commissioner shall make the certification referred to in Rule 11.3(*a*) of the Regulations under the Budapest Treaty in respect of that person.

(3) Except where subsection 110(2) applies, where the Commissioner makes a certification pursuant to subsection (2), the Commissioner shall send a copy of the request together with the certification to the person who filed the request.

108. Until either a patent has been issued on the basis of the application or the application is refused, or is abandoned and no longer subject to reinstatement, or is withdrawn, the Commissioner shall not make the certification referred to in subsection 107(2) in respect of a person, including an independent expert, unless the Commissioner has received an undertaking by that person to the applicant
(*a*) not to make any sample of biological ma-

internationale ni aucune culture dérivée d'un tel échantillon à la disposition d'une autre personne avant qu'un brevet ait été délivré au titre de la demande ou que celle-ci ait été rejetée, ou ait été abandonnée et ne puisse plus être rétablie, ou ait été retirée;
b) elle n'utilisera l'échantillon de matières biologiques remis par l'autorité de dépôt internationale et toute culture dérivée d'un tel échantillon que dans le cadre d'expériences qui se rapportent à l'objet de la demande, jusqu'à ce qu'un brevet ait été délivré au titre de la demande ou que celle-ci ait été rejetée, ou ait été abandonnée et ne puisse plus être rétablie, ou ait été retirée.

terial furnished by the international depositary authority or any culture derived from such sample available to any other person before either a patent is issued on the basis of the application or the application is refused, or is abandoned and no longer subject to reinstatement, or is withdrawn; and
(*b*) to use the sample of biological material furnished by the international depositary authority and any culture derived from such sample only for the purpose of experiments that relate to the subject-matter of the application until either a patent is issued on the basis of the application or the application is refused, or is abandoned and no longer subject to reinstatement, or is withdrawn.

109. (1) Lorsque l'avis visé au paragraphe 104(4) a été déposé à l'égard d'une demande, le commissaire, sur réception d'une demande de désignation, désigne dans un délai raisonnable un expert indépendant aux fins de la demande, avec l'assentiment du demandeur.

109. (1) Where a notice has been filed with the Commissioner pursuant to subsection 104(4) in respect of an application, the Commissioner, upon the request of any person that an independent expert be nominated and with the agreement of the applicant, shall within a reasonable time nominate a person as an independent expert for the purposes of that application.

(2) Si le commissaire et le demandeur ne peuvent s'entendre sur la désignation d'un expert indépendant dans un délai raisonnable après réception de la demande de désignation, l'avis visé au paragraphe 104(4) est réputé ne pas avoir été déposé.

(2) If the Commissioner and the applicant cannot agree on the nomination of an independent expert within a reasonable time after the request is made, the notice of the applicant referred to in subsection 104(4) is deemed never to have been filed.

110. (1) Lorsque l'avis visé au paragraphe 104(4) a été déposé à l'égard d'une demande, seul l'expert indépendant désigné par le commissaire conformément à l'article 109 peut déposer la requête visée à l'article 107 jusqu'à ce qu'un brevet soit délivré au titre de la demande ou que celle-ci soit rejetée, ou soit abandonnée et ne puisse plus être rétablie, ou soit retirée.

110. (1) Where a notice has been filed with the Commissioner pursuant to subsection 104(4) in respect of an application, until a patent is issued on the basis of the application or the application is refused, or is abandoned and no longer subject to reinstatement, or is withdrawn, a request pursuant to section 107 may only be filed by an independent expert nominated by the Commissioner in accordance with section 109.

(2) Lorsque le commissaire fait la certification visée au paragraphe 107(2) à l'égard de l'expert indépendant qu'il a désigné, il envoie une copie de la requête, accompagnée de la certification, au demandeur et à la per-

(2) Where the Commissioner makes a certification pursuant to subsection 107(2) in respect of an independent expert nominated by the Commissioner, the Commissioner shall send a copy of the request together with the

sonne qui a demandé la désignation de l'expert.

Listage des séquences

111. Lorsqu'une demande décrit une séquence de nucléotides ou d'acides aminés qui n'est pas désignée comme faisant partie d'une découverte antérieure :
a) la description contient, à l'égard de cette séquence, le listage des séquences;
b) une copie du listage des séquences est déposée sous une forme déchiffrable par ordinateur, conforme à l'article 131;
c) le demandeur dépose auprès du commissaire une déclaration portant que le contenu de la copie du listage des séquences sous une forme déchiffrable par ordinateur est identique au contenu du listage des séquences figurant dans la description.

112. Lorsqu'une demande décrit une séquence de nucléotides ou d'acides aminés qui n'est pas désignée comme faisant partie d'une découverte antérieure, la séquence ne peut être modifiée que si les conditions suivantes sont réunies :
a) le listage des séquences est modifié conformément aux articles 113 à 130;
b) une copie du listage des séquences modifié est déposée sous une forme déchiffrable par ordinateur, conforme à l'article 131;
c) le demandeur dépose auprès du commissaire une déclaration portant que le contenu de la copie du listage des séquences modifié sous modifié sous une forme déchiffrable par ordinateur est identique au contenu du listage des séquences modifié figurant dans la description.

113. (1) Le listage des séquences est intitulé « Listage des séquences » ou « Sequence Listing » et commence sur une nouvelle page.

(2) Chaque séquence de nucléotides ou d'acides aminés divulguée est indiquée séparément dans le listage des séquences et porte un numéro d'identification tel que « SEQ ID NO:1 », « SEQ ID NO:2 » ou « SEQ ID NO:3 ».

certification to the applicant and to the person who requested the nomination of the independent expert.

Sequence Listings

111. Where an application describes a nucleotide or amino acid sequence other than a sequence identified as forming part of the prior art,
(*a*) the description shall contain in respect of that sequence, a sequence listing;
(*b*) a copy of the sequence listing shall be filed in a computer-readable form that complies with section 131; and
(*c*) a statement shall be filed by the applicant with the Commissioner that the content of the copy of the sequence listing in computer-readable form is the same as the content of the sequence listing contained in the description.

112. Where an application describes a nucleotide or amino acid sequence other than a sequence identified as forming part of the prior art, the sequence may not be amended unless
(*a*) the sequence listing is amended in accordance with sections 113 to 130;
(*b*) a copy of the amended sequence listing is filed in a computer-readable form that complies with section 131; and
(*c*) a statement is filed by the applicant with the Commissioner that the content of the copy of the amended sequence listing in computer-readable form is the same as the content of the amended sequence listing contained in the description.

113. (1) A sequence listing shall be entitled "Sequence Listing" or "Listage des séquences", and shall begin on a new page.

(2) Each nucleotide or amino acid sequence disclosed shall appear separately in the sequence listing and shall be assigned a separate sequence identifier number such as "SEQ ID NO:1", "SEQ ID NO:2" or "SEQ ID NO:3".

Symboles à utiliser dans les listages des séquences

114. Toute séquence de nucléotides est représentée par un seul brin de codage, dans le sens 5'-3' et de gauche à droite.

115. Les nucléotides sont représentés au moyen de symboles prévus au tableau du présent article.

TABLEAU

Symbole	*Signification*	*Origine de la désignation*
A	A	*A*dénine
G	G	*G*uanine
C	C	*C*ytosine
T	T	*T*hymine
U	U	*U*racile
R	G ou A	pu*R*ine
Y	T/U ou C	p*Y*rimidine
M	A ou C	a*M*ino
K	G ou T/U	*K*eto (Ceto)
S	G ou C	Interactions fortes (3 liaisons d'hydrogène)
W	A ou T/U	Interactions faibles (2 liaisons d'hydrogène)
B	G ou C ou T/U	autre que A
D	A ou G ou T/U	autre que C
H	A ou C ou T/U	autre que G
V	A ou G ou C	autre que T et U
N	(A ou G ou C ou T/U) ou (non connu ou autre)	(n'importe lequel)

116. (1) Les nucléotides modifiés sont désignés par « N » dans la séquence et assortis de renseignements complémentaires dans le listage des séquences.

(2) Les symboles prévus au tableau du présent paragraphe peuvent être utilisés pour la

Symbols to be Used for Sequence Listings

114. A nucleotide sequence shall be presented only by a single strand, in the 5' to 3' direction from left to right.

115. Nucleotides shall be represented using the symbols set out in the table to this section.

TABLE

Symbol	*Meaning*	*Origin of designation*
A	A	*A*denine
G	G	*G*uanine
C	C	*C*ytosine
T	T	*T*hymine
U	U	*U*racil
R	G or A	pu*R*ine
Y	T/U or C	p*Y*rimidine
M	A or C	a*M*ino
K	G or T/U	*K*eto
S	G or C	*S*trong interactions 3H-bonds
W	A or T/U	*W*eak interactions 2H-bonds
B	G or C or T/U	not A
D	A or G or T/U	not C
H	A or C or T/U	not G
V	A or G or C	not T, not U
N	(A or G or C or T/U) or (unknown or other)	a*N*y

116. (1) Modified nucleotides shall be listed in the sequence as "N", with further information given elsewhere in the sequence listing.

(2) For the purpose of providing the further information referred to in subsection (1), the

présentation des renseignements complémentaires visés au paragraphe (1).

TABLEAU

Symbole	*Signification*
ac4c	4-acétylcytidine
chm5u	5-(carboxyhydroxyméthyl) uridine
cm	2'-O-méthylcytidine
cmnm5s2u	5-carboxyméthylamino-méthyl-2-thio-uridine
cmnm5u	5-carboxyméthylamino-méthyluridine
d	dihydro-uridine
fm	2'-O-méthylpseudo-uridine
gal q	bêta, D-galactosylqueuosine
gm	2'-O-méthylguanosine
i	inosine
i6a	N6-isopentenyladénosine
m1a	1-méthyladénosine
m1f	1-méthylpseudo-uridine
m1g	1-méthylguanosine
m1i	1-méthylinosine
m22g	2,2-diméthylguanosine
m2a	2-méthyladénosine
m2g	2-méthylguanosine
m3c	3-méthylcytidine
m5c	5-méthylcytidine
m6a	N6-méthyladénosine
m7g	7-méthylguanosine
mam5u	5-méthylaminométhyluridine
mam5s2u	5-méthoxyaminométhyl-2-thio-uridine
man q	bêta, D-mannosylqueuosine
mcm5s2u	5-méthoxycarbonylméthyl-2-thio-uridine
mcm5u	5-méthoxycarbonylméthyl-uridine
mo5u	5-méthoxyuridine
ms2i6a	2-méthylthio-N6-isopen-tenyladénosine
ms2t6a	N-((9-bêta-D-ribofuranosyl-2-méthylthiopurine-6-y 1) carbamoy 1) thréonine
mt6a	N-((9-bêta-D-ribofuranosyl-purine-6-y 1) N-méthylcarba-moy 1) thréonine

symbols set out in the table to this subsection may be used.

TABLE

Symbol	*Meaning*
ac4c	4-acetylcytidine
chm5u	5-(carboxyhydroxymethyl) uridine
cm	2'-O-methylcytidine
cmnm5s2u	5-carboxymethylaminomethyl-2-thiouridine
cmnm5u	5-carboxymethylaminomethyluridine
d	dihydrouridine
fm	2'-O-methylpseudouridine
gal q	beta, D-galactosylqueuosine
gm	2'-O-methylguanosine
i	inosine
i6a	N6-isopentenyladenosine
m1a	1-methyladenosine
m1f	1-methylpseudouridine
m1g	1-methylguanosine
m1i	1-methylinosine
m22g	2,2-dimethylguanosine
m2a	2-methyladenosine
m2g	2-methylguanosine
m3c	3-methylcytidine
m5c	5-methylcytidine
m6a	N6-methyladenosine
m7g	7-methylguanosine
mam5u	5-methylaminomethyluridine
mam5s2u	5-methoxyaminomethyl-2-thiouridine
man q	beta, D-mannosylqueuosine
mcm5s2u	5-methoxycarbonylmethyl-2-thiouridine
mcm5u	5-methoxycarbonylmethyl-uridine
mo5u	5-methoxyuridine
ms2i6a	2-methylthio-N6-isopen-tenyladenosine
ms2t6a	N-((9-beta-D-ribofuranosyl-2-methylthiopurine-6-yl) carbamoy 1) threonine
mt6a	N-((9-beta-D-ribofuranosyl-purine-6-y 1) N-methylcarba-moy 1) threonine

TABLEAU (*suite*)

Symbole	*Signification*
mv	ester méthylé d'uridine 5 oxyacétique acide
o5u	acide d'uridine 5 oxyacétique
osyw	wybutoxosine
p	pseudo-uridine
q	queuosine
s2c	2-thiocytidine
s2t	5-méthyl-2-thio-uridine
s2u	2-thio-uridine
s4u	4-thio-uridine
t	5-méthyluridine
t6a	N-((9-bêta-D-ribofuranosylpurine-6-y 1) - carbamoy 1) thréonine
tm	2'-O-méthyl-5-méthyluridine
um	2'-O-méthyluridine
yw	wybutosine
x	3-(3-amino-3-carboxypropyl) uridine, (acp3) u

TABLE (*continued*)

Symbol	*Meaning*
mv	uridine-5-oxyacetic acid-methylester
o5u	uridine-5-oxyacetic acid (v)
osyw	wybutoxosine
p	pseudouridine
q	queuosine
s2c	2-thiocytidine
s2t	5-methyl-2-thiouridine
s2u	2-thiouridine
s4u	4-thiouridine
t	5-methyluridine
t6a	N-((9-beta-D-ribofuranosylpurine-6-y 1) - carbamoy 1) threonine
tm	2'-O-methyl-5-methyluridine
um	2'-O-methyluridine
yw	wybutosine
x	3-(3-amino-3-carboxy-propyl) uridine, (acp3) u

117. Les acides aminés d'une séquence d'acides aminés sont énumérés dans le sens amino-carboxy et de gauche à droite, mais les groupes amino et carboxy ne sont pas représentés dans la séquence.

117. The amino acids in an amino acid sequence shall be listed in the amino to carboxy direction from left to right, and the amino and carboxy groups shall not be represented in the sequence.

118. Les acides aminés d'une séquence d'acides aminés sont représentés au moyen des symboles prévus au tableau du présent article.

118. The amino acids in an amino acid sequence shall be represented using the symbols set out in the table to this section.

TABLEAU

Symbole	*Signification*
Ala	Alanine
Cys	Cystéine
Asp	Acide aspartique
Glu	Acide glutamique
Phe	Phénylalanine
Gly	Glycine
His	Histidine
Ile	Isoleucine
Lys	Lysine
Leu	Leucine

TABLE

Symbol	*Meaning*
Ala	Alanine
Cys	Cysteine
Asp	Aspartic Acid
Glu	Glutamic Acid
Phe	Phenylalanine
Gly	Glycine
His	Histidine
Ile	Isoleucine
Lys	Lysine
Leu	Leucine

TABLEAU (*suite*)

Symbole	*Signification*
Met	Méthionine
Asn	Asparagine
Pro	Proline
Gln	Glutamine
Arg	Arginine
Ser	Sérine
Thr	Thréonine
Val	Valine
Trp	Tryptophane
Tyr	Tyrosine
Asx	Aspartique ou aspartine
Glx	Glutamique ou Glutamine
Xaa	Acide aminé de la série D, indéterminé ou autre

TABLE (*continued*)

Symbol	*Meaning*
Met	Methionine
Asn	Asparagine
Pro	Proline
Gln	Glutamine
Arg	Arginine
Ser	Serine
Thr	Threonine
Val	Valine
Trp	Tryptophan
Tyr	Tyrosine
Asx	Aspartic or Aspartine
Glx	Glutamic or Glutamine
Xaa	D-amino acid, unknown or other

119. (1) Les acides aminés modifiés ou peu connus sont désignés par « Xaa » et assortis de renseignements complémentaires dans le listage des séquences.

(2) Les codes prévus au tableau du présent paragraphe peuvent être utilisés pour la présentation des renseignements complémentaires visés au paragraphe (1).

TABLEAU

Symbole	*Signification*
Aad	acide 2-amino-adipique
bAad	acide 3-amino-adipique
bA1a	bêta-alanine, acide bêta-amino-propionique
Abu	acide 2-amino-butyrique
4Abu	acide 4-amino-butyrique, acide pipéridinique
Acp	acide 6-amino-caproïque
Ahe	acide 6-amino-heptanoïque
Aib	acide 2-amino-isobutyrique
bAib	acide 3-amino-isobutyrique
Apm	acide 2-amino-pimélique
Dbu	acide 2,4-diamino-butyrique
Des	desmosine
Dpm	acide 2,2'-diaminopimélique
Dpr	acide 2,3'-diaminopropionique

119. (1) Modified or unusual amino acids shall be listed in the sequence as "Xaa", with further information given elsewhere in the sequence listing.

(2) For the purpose of providing the further information referred to in subsection (1), the symbols set out in the table to this subsection may be used.

TABLE

Symbol	*Meaning*
Aad	2-Aminoadipic acid
bAad	3-Aminoadipic acid
bA1a	beta-Alanine, beta-Aminopropionic acid
Abu	2-Aminobutyric acid
4Abu	4-Aminobutyric acid, piperidinic acid
Acp	6-Aminocaproic acid
Ahe	2-Aminoheptanoic acid
Aib	2-Aminoisobutyric acid
bAib	3-Aminoisobutyric acid
Apm	2-Aminopimelic acid
Dbu	2,4 Diaminobutyric acid
Des	Desmosine
Dpm	2,2'-Diaminopimelic acid
Dpr	2,3'-Diaminopropionic acid

TABLEAU (*suite*)

Symbole	*Signification*
EtGly	N-éthylglycine
EtAsn	N-éthylasparagine
Hyl	hydroxylysine
aHyl	allo-hydroxylysine
3Hyp	3-hydroxyproline
4Hyp	4-hydroxyproline
Ide	isodesmosine
alle	allo-isoleucine
MeGly	N-méthylglycine, sarcosine
Melle	N-méthylisoleucine
MeLys	6-N-méthyllysine
MeVal	N-méthylvaline
Nva	norvaline
Nle	norleucine
Orn	ornithine

TABLE (*continued*)

Symbol	*Meaning*
EtGly	N-Ethylglycine
EtAsn	N-Ethylasparagine
Hyl	Hydroxylysine
aHyl	allo-Hydroxylysine
3Hyp	3-Hydroxyproline
4Hyp	4-Hydroxyproline
Ide	Isodesmosine
alle	allo-Isoleucine
MeGly	N-Methylglycine, sarcosine
Melle	N-Methylisoleucine
MeLys	6-N-methyllysine
MeVal	N-Methylvaline
Nva	Norvaline
Nle	Norleucine
Orn	Ornithine

Mode de présentation des listages des séquences

120. (1) Les nucléotides d'une séquence de nucléotides figurent sur le listage par groupes de 10 bases, sauf dans les régions codantes de la séquence.

(2) Les bases, d'un nombre inférieur à 10, qui restent à l'extrémité de régions non codantes d'une séquence sont regroupées et séparées des groupes voisins par une espace.

121. Les nucléotides des régions codantes d'une séquence de nucléotides figurent sur le listage sous forme de triplets (codons).

122. Une séquence de nucléotides comporte au plus 16 codons ou 60 nucléotides par ligne, avec une espace entre chaque codon ou groupe de 10 nucléotides.

123. Une séquence d'acides aminés comporte au plus 16 acides aminés par ligne, avec une espace entre chaque acide aminé.

124. (1) Les acides aminés correspondant aux codons dans les régions codantes d'une séquence de nucléotides figurent immédiatement sous les codons correspondants.

Format to be Used for Sequence Listings

120. (1) The nucleotides of a nucleotide sequence shall be listed in groups of 10 bases, except in the coding parts of the sequence.

(2) Leftover bases, fewer than 10 in number at the end of non-coding parts of a sequence, shall be grouped together and separated from adjacent groups by a space.

121. The nucleotides of the coding parts of a nucleotide sequence shall be listed as triplets.

122. A nucleotide sequence shall be listed with a maximum of 16 codons or 60 nucleotides per line, with a space between each codon or group of 10 nucleotides.

123. An amino acid sequence shall be listed with a maximum of 16 amino acids per line, with a space between each amino acid.

124. (1) Amino acids corresponding to the codons in the coding parts of a nucleotide sequence shall be indicated immediately under the corresponding codons.

(2) Lorsqu'un codon est coupé par un intron, le symbole de l'acide aminé figure sous la partie du codon contenant deux nucléotides.

(2) Where a codon is split by an intron, the amino acid symbol shall be indicated below the portion of the codon containing two nucleotides.

125. (1) L'énumération des nucléotides commence par le premier nucléotide de la séquence, qui porte le numéro 1.

125. (1) The nucleotides in a nucleotide sequence shall be enumerated starting at the first nucleotide of the sequence with number 1.

(2) Cette énumération est continue dans toute la séquence dans le sens 5'-3'. Elle figure dans la marge de droite sur la ligne contenant les codes à une lettre correspondant aux nucléotides et indique le numéro du dernier nucléotide de cette ligne.

(2) The enumeration shall be continuous through the whole nucleotide sequence in the direction 5' to 3' and shall be marked in the right margin, next to the line containing the one-letter codes for the nucleotides, and giving the number of the last nucleotide of that line.

126. (1) Sous réserve du paragraphe (2), l'énumération des acides aminés commence par le premier acide aminé au niveau du terminal, qui porte le numéro 1. Le nombre figure sous la séquence à tous les cinq acides aminés.

126. (1) Subject to subsection (2), the enumeration of amino acids in an amino acid sequence shall start at the first amino acid at the amino terminal as number 1 and shall be marked under the sequence every 5 amino acids.

(2) Lorsqu'une protéine mature a été identifiée :
a) l'énumération des acides aminés commence par le premier acide aminé de la protéine mature, qui porte le numéro 1;
b) les acides aminés précédant la protéine mature, lorsqu'ils existent, portent des nombres négatifs numérotés à rebours, en commençant par l'acide aminé voisin de celui-ci portant le numéro 1.

(2) Where a mature protein has been identified
(*a*) the amino acids shall be enumerated starting at the first amino acid of the mature protein, with number 1; and
(*b*) the amino acids preceding the mature protein, when present, shall have negative numbers, counting backwards starting with the amino acid next to number 1.

127. (1) La séquence composée d'un ou de plusieurs segments non contigus d'une séquence plus grande ou de segments provenant de différentes séquences est numérotée comme une séquence distincte.

127. (1) A sequence that is made up of one or more non-contiguous segments of a larger sequence or segments from different sequences shall be presented as a separate sequence.

(2) La séquence comportant une ou des espaces est numérotée comme une série de séquences distinctes portant des numéros d'identification distincts.

(2) A sequence with a gap or gaps shall be numbered as a plurality of separate sequences with separate sequence identifier numbers.

128. Les méthodes d'énumération présentées aux articles 126 et 127 s'appliquent aux séquences de nucléotides ou d'acides aminés

128. The enumeration methods set out in sections 126 and 127 apply to circular nucleotide and amino acid sequences with the ex-

de configuration circulaire, sauf que le demandeur peut désigner comme premier nucléotide ou acide aminé toute séquence de nucléotides ou d'acides aminés.

ception that any nucleotide or amino acid sequence may be designated by the applicant as the first nucleotide or amino acid.

129. (1) L'ordre de présentation des éléments d'information du listage des séquences est l'ordre dans lequel ceux-ci sont énumérés dans les présentes règles, accompagnés des en-têtes de données pertinentes.

129. (1) The order of presentation of the items of information in a sequence listing shall follow the order in which those items are listed in these Rules with the appropriate data element headings.

(2) Les en-têtes sont en lettres majuscules.

(2) The headings shall be in upper case characters.

(3) Lorsque le texte suivant un en-tête occupe plus d'une ligne, les lignes subséquentes à la première sont en retrait afin de pouvoir être distinguées de l'en-tête dans la marge gauche.

(3) When more than one line is necessary for the text following a heading, the additional lines shall be indented to distinguish them from the heading at the left margin.

130. Le listage des séquences contient, en plus de la séquence de nucléotides ou d'acides aminés proprement dite, juste avant celle-ci, les en-têtes de données suivants et les éléments d'information pertinent, selon qu'ils s'appliquent en l'espèce et sont à la disposition du demandeur :

INFORMATION GÉNÉRALES
    DEMANDEUR :
    TITRE DE L'INVENTION :
    NOMBRE DE SÉQUENCES :
    ADRESSE POUR LA CORRESPONDANCE :
    LISTAGE DÉCHIFFRABLE PAR ORDINATEUR
        ORDINATEUR :
        SYSTÈME D'EXPLOITATION :
        LOGICIEL :
    DONNÉES RELATIVES À LA DEMANDE ACTUELLE
        NUMÉRO DE LA DEMANDE :
        DATE DE DÉPÔT :
        CLASSEMENT :
    DONNÉES RELATIVES À LA DEMANDE ANTÉRIEURE
        NUMÉRO DE LA DEMANDE :
        DATE DE DÉPÔT :
        CLASSEMENT :
    INFORMATIONS CONCERNANT L'AGENT

130. The sequence listing shall include, in addition to and immediately preceding the actual nucleotide or amino acid sequence, the following data element headings and the respective items of information, if applicable and when available to the applicant:

GENERAL INFORMATION
    APPLICANT:
    TITLE OF INVENTION:
    NUMBER OF SEQUENCES:
    CORRESPONDENCE ADDRESS:
    COMPUTER-READABLE FORM
        COMPUTER:
        OPERATING SYSTEM:
        SOFTWARE:
    CURRENT APPLICATION DATA
        APPLICATION NUMBER:
        FILING DATE:
        CLASSIFICATION:
    PRIOR APPLICATION DATA
        APPLICATION NUMBER:
        FILING DATE:
        CLASSIFICATION:
    PATENT AGENT INFORMATION
        NAME:
        REFERENCE NUMBER:
INFORMATION FOR SEQ ID NO.:
    SEQUENCE CHARACTERISTICS
        LENGTH:
        TYPE:

NOM :
NUMÉRO DE RÉFÉRENCE :
INFORMATIONS CONCERNANT SEQ ID NO. :
CARACTÉRISTIQUES DE LA SÉQUENCE
LONGUEUR :
TYPE :
NOMBRE DE BRINS :
CONFIGURATION :
TYPE DE MOLÉCULE :
HYPOTHÉTIQUE :
ANTI-SENS :
TYPE DE FRAGMENT :
ORIGINE :
SOURCE IMMÉDIATE :
POSITION DANS LE GÉNOME
CHROMOSOME/SEGMENT :
POSITION SUR LA CARTE :
UNITÉS :
CARACTÉRISTIQUE
NOM/CLÉ :
EMPLACEMENT :
MÉTHODE D'IDENTIFICATION :
AUTRES INFORMATIONS :
INFORMATIONS CONCERNANT LA PUBLICATION
AUTEURS :
TITRE :
BULLETIN OFFICIEL :
VOLUME :
NUMÉRO :
PAGES :
DATE :
NUMÉRO DU DOCUMENT :
DATE DE DÉPÔT :
DATE DE PUBLICATION :
RÉSIDUS PERTINENTS DANS SEQ ID NO. :
DESCRIPTION DE SÉQUENCE : SEQ ID NO. :

STRANDEDNESS:
TOPOLOGY:
MOLECULE TYPE:
HYPOTHETICAL:
ANTI-SENSE:
FRAGMENT TYPE:
ORIGINAL SOURCE:
IMMEDIATE SOURCE:
POSITION IN GENOME
CHROMOSOME/SEGMENT:
MAP POSITION:
UNITS:
FEATURE
NAME/KEY:
LOCATION:
IDENTIFICATION METHOD:
OTHER INFORMATION:
PUBLICATION INFORMATION
AUTHORS:
TITLE:
JOURNAL:
VOLUME:
ISSUE:
PAGES:
DATE:
DOCUMENT NUMBER:
FILING DATE:
PUBLICATION DATE:
RELEVANT RESIDUES IN SEQ ID NO.:
SEQUENCE DESCRIPTION: SEQ ID NO.:

Listage des séquences déchiffrable par ordinateur

131. (1) La copie du listage des séquences sous une forme déchiffrable par ordinateur est une copie imprimable du listage enregistré sur disquette. Elle est codée et formatée de façon qu'une copie imprimée du listage des

Computer-readable Form of Sequence Listings

131. (1) The copy of the sequence listing in computer readable form shall comprise a printable copy of the sequence listing recorded on diskette and shall be encoded and formatted so that a printed copy of the se-

séquences puisse être recréée au moyen des commandes d'impression de l'une des configurations ordinateur/système d'exploitation précisées par le commissaire dans la *Gazette du Bureau des brevets*.

quence listing may be recreated using the print commands of the computer operating system configuration specified by the Commissioner in the *Canadian Patent Office Record*.

(2) La disquette fournie est assortie d'une protection d'écriture.

(2) The submitted diskette shall be write-protected.

(3) Sous réserve des paragraphes (4) et (5), la disquette porte une étiquette fixe sur laquelle figurent les renseignements suivants : le format de la disquette ainsi que le nom du demandeur, le titre de l'invention, un numéro de référence, la date à laquelle les données ont été enregistrées sur la disquette, ainsi que la marque et le type de l'ordinateur et du système d'exploitation au moyen desquels le fichier a été créé sur la disquette.

(3) Subject to subsections (4) and (5), the diskette shall have a label permanently fixed to it that includes a description of the format of the diskette as well as the name of the applicant, the title of the invention, a reference number, the date on which the data were recorded on the diskette and the name and type of computer and operating-system that generated the file on the diskette.

(4) Si cette étiquette ne peut contenir tous les renseignements visés au paragraphe (3), le nom du demandeur, le titre de l'invention et un numéro de référence y sont inscrits, et les autres renseignements, de même que le nom du demandeur, le titre de l'invention et le numéro de référence, sont portés sur une étiquette apposée sur l'emballage de la disquette.

(4) If all of the information referred to in subsection (3) cannot be included on a label affixed to the diskette, the label shall include the name of the applicant, the title of the invention and a reference number, and the additional information shall be provided on a container for the diskette together with the name of the applicant, the title of the invention and the reference number.

(5) Si la disquette est fournie après la date du dépôt de la demande, l'étiquette porte cette date et les renseignements permettant d'identifier la demande, notamment le numéro de celle-ci.

(5) If the diskette is submitted after the filing date of an application, the label shall also include the filing date of the application and information, such as the application number, sufficient to identify the application.

PARTIE IV
DEMANDES DÉPOSÉES DURANT LA PÉRIODE COMMENÇANT LE 1ER OCTOBRE 1989 ET SE TERMINANT LE 30 SEPTEMBRE 1996

PART IV
APPLICATIONS FILED IN THE PERIOD BEGINNING ON OCTOBER 1, 1989 AND ENDING ON SEPTEMBER 30, 1996

Champ d'application

Application

132. (1) La présente partie s'applique aux demandes déposées durant la période commençant le 1er octobre 1989 et se terminant le 30 septembre 1996 ainsi qu'aux brevets délivrés au titre de ces demandes.

132. (1) This Part applies to applications filed in the period beginning on October 1, 1989 and ending on September 30, 1996 and to patents issued on the basis of such applications.

(2) Il est entendu que, pour l'application du paragraphe (1) :
a) les demandes complémentaires sont considérées comme déposées à la même date que les demandes originales;
b) les brevets redélivrés sont considérés comme délivrés au titre des demandes originales.

(2) For greater certainty, for the purposes of subsection (1)
(*a*) a divisional application is considered to be filed on the same date as the original application; and
(*b*) a reissued patent is considered to be issued on the basis of the original application.

Forme et contenu de la demande

Form and Contents of Applications

133. (1) Tout document déposé à l'égard d'un brevet ou d'une demande est présenté clairement et lisiblement sur des feuilles de papier blanc de bonne qualité qui, sauf dans le cas des actes de transfert, des autres documents constatant un titre de propriété et des copies certifiées conformes de documents, mesurent au plus 21,6 cm sur 33 cm (8 1/2 pouces sur 13 pouces).

133. Every document filed in connection with a patent or an application shall be presented clearly and legibly on sheets of good quality white paper, which shall not, except in the case of transfer documents, other documents concerning ownership and certified copies of documents, be more than 21.6 cm x 33 cm (8 1/2 inches x 13 inches).

134. Le titre d'une demande est précis et concis. Il ne contient pas de marque de commerce, de mot inventé ni de nom de personne.

134. The title of an application shall be accurate and concise, and shall not include any trade-mark, coined word or personal name.

135. (1) Le mémoire descriptif, ayant des caractères non mutilés d'au moins 12 points, ne présente pas d'interlinéations, de ratures ni de corrections et est à interligne d'au moins 1 1/2. Chaque page comporte une marge du haut d'environ 3,3 cm (1 1/4 pouce), une marge du bas et une marge de gauche d'environ 2,5 cm (un pouce) et une marge de droite d'environ 1,3 cm (1/2 pouce).

135. (1) The specification shall be undefaced type not smaller than 12 pitch, free from interlineations, cancellations or corrections and at least 1 1/2 line spaced and on each page there shall be a top margin of approximately 3.3 cm (1 1/4 inches), left-hand and bottom margins of approximately 2.5 cm (1 inch) and a right-hand margin of approximately 1.3 cm (1/2 inch).

(2) La largeur de la feuille constitue le bas de la page mais, dans le cas des tableaux, graphiques et autres éléments semblables qui ne peuvent être insérés de façon satisfaisante dans la largeur, la longueur du côté droit de la feuille constitue le bas de la page; si un tableau, un graphique ou autre élément semblable est plus long que la longueur de la feuille, il peut être réparti sur deux ou plusieurs feuilles.

(2) A shorter side of the sheet shall be the bottom, but for tables, charts and the like that cannot satisfactorily be accommodated within the width of the sheet, the right-hand longer side of the sheet shall be the bottom and if a table, chart or the like is longer than the length of the sheet, it may de divided between two or more sheets.

(3) Le mémoire descriptif ne contient aucun dessin ni croquis, sauf des formules chimiques développées ou autres formules semblables.

(3) No drawing or sketch, other than a graphic chemical formula or the like, may appear in the specification.

(4) Les pages de la description sont numérotées consécutivement au bas.

(4) The pages of the description shall be numbered consecutively at the bottom.

(5) Les revendications sont numérotées consécutivement.

(5) Claims shall be numbered consecutively.

136. (1) Le commissaire refuse tout document qui lui est présenté dans une langue autre que le français ou l'anglais, sauf si le demandeur lui en remet la traduction française ou anglaise.

136. (1) The Commissioner shall refuse to take cognizance of any document submitted to the Commissioner that is not in the English or French language unless the applicant submits to the Commissioner a translation of the document into one of those languages.

(2) Une fois que le demandeur lui a remis la traduction française ou anglaise du document visé au paragraphe (1), le commissaire, s'il a des motifs raisonnables de croire que la traduction n'est pas exacte, exige du demandeur qu'il fournisse une déclaration du traducteur portant qu'à sa connaissance la traduction est complète et fidèle.

(2) Where the applicant provides a translation of a document in accordance with subsection (1) and the Commissioner believes on reasonable grounds that the translation is not accurate, the Commissioner shall requisition the applicant to provide a statement by the translator to the effect that, to the best of the translator's knowledge, the translation is complete and faithful.

(3) Le texte à la fois de l'abrégé, de la description, des dessins et des revendications est rédigé entièrement en français ou entièrement en anglais.
DORS/99-291, art. 13.

(3) The text matter of the abstract, the description, the drawings and the claims, individually and all together, shall be wholly in English or wholly in French.
SOR/99-291, s. 13.

137. (1) La description ne peut incorporer un autre document par renvoi.

137. (1) The description shall not incorporate by reference another document.

(2) La description ne peut faire mention d'un document qui ne fait pas partie de la demande, sauf si celui-ci est accessible au public.

(2) The description shall not refer to a document that does not form part of the application unless the document is available to the public.

(3) Tout document dont fait mention la description est accompagné de références complètes.
DORS/99-291, art. 14.

(3) Any document referred to in the description shall be fully identified.
SOR/99-291, s. 14.

138. (1) Les revendications sont complètes, indépendamment des documents mentionnés dans la description.

138. (1) Claims must be complete independently of any document referred to in the description.

(2) Chaque revendication se fonde entièrement sur la description.

(2) Every claim must be fully supported by the description.

(3) Il peut être fait mention dans une revendication d'une ou de plusieurs revendications antérieures.

(3) Reference may be made in a claim to a preceding claim or claims.

139. (1) La demande contient un abrégé qui présente de l'information technique et qui ne peut être pris en considération dans l'évaluation de l'étendue de la protection demandée ou obtenue.

139. (1) An application shall contain an abstract that provides technical information and that cannot be taken into account for the purpose of interpreting the scope of the protection sought or obtained.

(2) L'abrégé est un bref exposé technique de la description et indique l'utilité de l'invention ainsi que la façon dont elle se distingue d'autres inventions.

(2) The abstract shall consist of a brief technical statement of the description indicative of the utility of the invention and the manner in which the invention is distinguishable from other inventions.

140. Toute marque de commerce mentionnée dans la demande est désignée comme telle.

140. Any trade-mark that is mentioned in the application shall be identified as such.

Dessins

Drawings

141. (1) Les dessins sont conformes aux exigences suivantes :
a) chaque feuille comporte une marge nette d'au moins 2,5 cm (1 pouce) de chaque côté;
b) chaque dessin est exécuté en lignes noires et claires;
c) les vues figurant sur la même feuille sont disposées dans le même sens et, dans la mesure du possible, sont présentées de façon que la largeur de la feuille constitue le bas de la page; toutefois, si une vue est plus longue que la largeur de la feuille, elle peut être disposée de façon que le long côté droit de la feuille constitue le bas de la page et, si une vue est plus longue que la longueur d'une feuille, elle peut être répartie sur deux ou plusieurs feuilles;
d) les vues sont tracées à une échelle assez grande pour en permettre une lecture aisée et sont suffisamment espacées pour montrer qu'elles sont distinctes; toutefois, l'échelle et l'espacement sont limités à ce qui est nécessaire à ces fins;
e) les hachures, les lignes d'effet et les lignes d'ombre sont le moins nombreuses possible et ne sont pas rapprochées;
f) les signes de référence sont clairs et distincts et mesurent au moins 0,3 cm (1/8 de

141. (1) Drawings shall comply with the following requirements:
(*a*) every sheet shall have a clear margin of at least 2.5 cm (1 inch) on all sides;
(*b*) every drawing shall be prepared with clear black lines;
(*c*) all views on the same sheet shall stand in the same direction and, if possible, stand so that a shorter side of the sheet is the bottom but if a view longer than the width of a sheet is necessary, it may stand so that the right-hand longer side of the sheet becomes the bottom, and if a view longer than the length of a sheet is necessary, it may be divided between two or more sheets;
(*d*) all views shall be on a sufficiently large scale so as to be easily read and shall be separated by sufficient spaces to keep them distinct but shall not be on a larger scale or separated by greater spaces than is necessary for such purposes;
(*e*) section lines, lines for effect and shading lines shall be as few as possible and shall not be closely drawn;
(*f*) reference characters shall be clear and distinct and not less than 0.3 cm (1/8 inch) in height;
(*g*) the same reference character shall be used

pouce) de hauteur;
g) un seul signe de référence est utilisé pour la même partie figurant dans des vues différentes et le même signe ne peut servir à désigner différentes parties;
h) aucun signe de référence ne devrait figurer sur une surface d'ombre, mais s'il y est, un espace est laissé en blanc dans la surface d'ombre pour l'inscription du signe;
i) les vues sont numérotées consécutivement sans égard au nombre de feuilles;
j) seuls les dessins et les signes de référence et légendes se rapportant aux dessins figurent sur une feuille de dessin.

for the same part in different views and shall not be used to designate different parts;
(*h*) a reference character should not be placed on a shaded surface, but if it is so placed a blank space shall be left in the shading where it appears;
(*i*) the views shall be numbered consecutively throughout without regard to the number of sheets; and
(*j*) nothing shall appear on a sheet except the drawings and the reference characters and legends pertaining to the drawings.

(2) Les dessins sont livrés au commissaire exempts de plis, déchirures, froissements et autres imperfections.

(2) Drawings shall be delivered to the Commissioner free of folds, breaks, creases or other imperfections.

Demande de priorité

142. (1) Sous réserve de l'article 65, pour l'application du paragraphe 28.4(2) de la Loi, en ce qui concerne une demande :
a) la demande de priorité peut être incluse dans la pétition ou dans un document distinct;
b) elle est présentée dans les six mois suivant la date du dépôt de la demande;
c) dans les six mois suivant la date du dépôt de la demande, le demandeur communique au commissaire le nom du pays où a été antérieurement déposée de façon régulière toute demande de brevet sur laquelle la demande de priorité est fondée, ainsi que la date du dépôt et le numéro de cette demande de brevet.

Priority Claims

142. (1) Subject to section 65, for the purposes of subsection 28.4(2) of the Act in respect of an application (in this subsection referred to as the "subject application"),
(*a*) a request for priority may be made in the petition or in a separate document;
(*b*) a request for priority must be made before the expiry of the six-month period after the filing date of the subject application; and
(*c*) the applicant shall provide the Commissioner with the date and country of filing and the application number of each previously regularly filed application on which the request for priority is based, before the expiry of the six-month period after the filing date of the subject application.

(2) L'article 26 ne s'applique pas aux délais prévus au paragraphe (1).

(2) Section 26 does not apply in respect of the times prescribed in subsection (1).

143. Lorsque l'examinateur prend en compte, en application des articles 28.1 à 28.4 de la Loi, une demande de brevet antérieurement déposée de façon régulière sur laquelle la demande de priorité est fondée, il peut exiger du demandeur qu'il dépose une copie certifiée conforme de cette demande de brevet ainsi qu'un certificat du Bureau des brevets où elle a été déposée, indiquant la date du dépôt effectif.

143. Where a previously regularly filed application on the basis of which a request for priority is based is taken into account by an examiner pursuant to sections 28.1 to 28.4 of the Act, the examiner may requisition the applicant to file a certified copy of the previously regularly filed application and a certification from the patent office in which the application was filed indicating the actual date of its filing.

144. (1) Pour l'application du paragraphe 28.4(3) de la Loi, le demandeur peut retirer sa demande de priorité à l'égard de toutes les demandes de brevet déposées antérieurement de façon régulière, ou de l'une ou de plusieurs d'entre elles, en déposant une requête à cet effet auprès du commissaire. Celui-ci lui envoie alors un avis l'informant que la demande de priorité a été retirée.

(2) La date de prise d'effet du retrait de la demande de priorité selon le paragraphe (1) est la date à laquelle le commissaire reçoit la requête de retrait.

144. (1) For the purposes of subsection 28.4(3) of the Act, an applicant may withdraw a request for priority, either entirely or with respect to one or more previously regularly filed applications, by filing a request with the Commissioner and the Commissioner shall send a notice to the applicant advising that the request for priority has been withdrawn.

(2) The effective date of the withdrawal of a request for priority pursuant to subsection (1) shall be the date the request for withdrawal is received by the Commissioner.

Effet des retraits sur la consultation de documents

145. Pour l'application du paragraphe 10(4) de la Loi, lorsqu'une demande de priorité est retirée conformément à l'article 144 à l'égard d'une demande de brevet déposée antérieurement de façon régulière, la date réglementaire est la date d'expiration de la période de seize mois qui suit la date du dépôt de cette demande de brevet ou, lorsque le commissaire est en mesure, à une date ultérieure qui précède l'expiration de la période visée au paragraphe 10(2) de la Loi, d'arrêter les préparatifs techniques en vue de la consultation de cette demande, cette date ultérieure.

146. Pour l'application du paragraphe 10(5) de la Loi, la date réglementaire est la date qui précède de deux mois la date d'expiration de la période durant laquelle la demande ne peut être accessible au public pour consultation ou, lorsque le commissaire est en mesure, à une date ultérieure qui précède l'expiration de la période visée au paragraphe 10(2) de la Loi, d'arrêter les préparatifs techniques en vue de la consultation de cette demande, cette date ultérieure.

Effect of Withdrawals on Public Inspection

145. For the purposes of subsection 10(4) of the Act, where a request for priority with respect to a particular previously regularly filed application is withdrawn in accordance with section 144, the prescribed date is the date that is sixteen months after the filing date of that previously regularly filed application, or, where the Commissioner is able to stop technical preparations to open the application to public inspection at a subsequent date preceding the expiry of the confidentiality period referred to in subsection 10(2) of the Act, that subsequent date.

146. For the purposes of subsection 10(5) of the Act, the prescribed date is the date that is two months before the date of expiry of the confidentiality period or, where the Commissioner is able to stop technical preparations to open the application to public inspection at a subsequent date preceding the expiry of the confidentiality period referred to in subsection 10(2) of the Act, that subsequent date.

Date du dépôt

147. (1) Pour l'application du paragraphe 28(1) de la Loi, la date du dépôt d'une demande, autre qu'une demande PCT à la phase nationale, est la date à laquelle la taxe prévue

Filing Date

147. (1) For the purposes of subsection 28(1) of the Act, the filing date of an application, other than a PCT national phase application, is the date on which the fee set out in

à l'article 1 de l'annexe II a été versée et les documents suivants relatifs à la demande ont été déposés :
a) une pétition signée par le demandeur ou par un agent de brevets en son nom;
b) un mémoire descriptif, comprenant les revendications;
c) tout dessin auquel renvoie le mémoire descriptif;
d) un abrégé de la description, qui peut être inséré au début du mémoire descriptif.

(2) Lorsque le demandeur s'est conformé aux exigences des alinéas (1)*a*) à *c*), le commissaire peut, même si les autres exigences du paragraphe (1) n'ont pas été remplies, attribuer une date de dépôt à la demande s'il est convaincu qu'il serait injuste de ne pas le faire; en pareil cas, la date de dépôt attribuée est la date où le demandeur s'est conformé aux exigences de ces alinéas.

item 1 of Schedule II has been paid and the following documents relating to the application have been filed:
(*a*) a petition executed by the applicant or a patent agent on the applicant's behalf;
(*b*) a specification, including claims;
(*c*) any drawing referred to in the specification; and
(*d*) an abstract of the description, which abstract may be inserted at the beginning of the specification.

(2) Where paragraphs (1)(*a*) to (*c*) have been complied with in respect of an application, the application may, notwithstanding that the whole of that subsection has not been complied with, be given a filing date by the Commissioner if the Commissioner is satisfied that it would be unjust not to do so, and in such case, the filing date given to the application is the day on which paragraphs (1)(*a*) to (*c*) were complied with by the applicant.

Présomption d'abandon

148. (1) La demande, autre qu'une demande PCT à la phase nationale, qui ne contient pas les renseignements et les documents suivants à la date de son dépôt est, pour l'application du paragraphe 73(2) de la Loi, considérée comme abandonnée si le demandeur, dans les douze mois suivant la date de dépôt, ne paie pas la taxe prévue à l'article 2 de l'annexe II et ne dépose pas ces renseignements et documents :
a) un abrégé;
b) la nomination d'un agent de brevets, si elle est exigée par l'article 20;
c) la nomination d'un coagent, si elle est exigée par l'article 21;
d) la désignation d'un représentant, si elle est exigée par l'article 29 de la Loi.

(2) L'article 26 ne s'applique pas au délai prévu au paragraphe (1).

Deemed Abandonment

148. (1) Where an application other than a PCT national phase application did not, on the filing date of the application, contain the information and documents listed below, the application shall, for the purposes of section 73(2) of the Act, be deemed to be abandoned if, after the expiry of the twelve-month period after the filing date, the applicant has not paid the fee set out in item 2 of Schedule II and filed the following information and documents:
(*a*) an abstract;
(*b*) an appointment of a patent agent, where required by section 20;
(*c*) an appointment of an associate patent agent, where required by section 21; and
(*d*) an appointment of a representative, where required by section 29 of the Act.

(2) Section 26 does not apply in respect of the time set out in subsection (1).

Requêtes d'examen

149. Pour l'application du paragraphe 35(1) de la Loi, la requête d'examen d'une de-

Requests for Examination

149. For the purposes of subsection 35(1) of the Act, a request for examination of an appli-

mande contient les renseignements suivants :
a) les nom et adresse de l'auteur de la requête;
b) le nom du demandeur, si celui-ci n'est pas l'auteur de la requête;
c) les renseignements permettant d'identifier la demande, notamment le numéro de celle-ci.

cation shall contain the following information:
(*a*) the name and address of the person making the request;
(*b*) if the person making the request is not the applicant, the name of the applicant; and
(*c*) information, such as the application number, sufficient to identify the application.

150. (1) Sous réserve du paragraphe (2), pour l'application de l'alinéa 73(1)*d*) de la Loi, la requête d'examen d'une demande est présentée, et la taxe prévue à l'article 3 de l'annexe II est versée, dans les sept ans suivant la date du dépôt de la demande.

150. (1) Subject to subsection (2), for the purposes of paragraph 73(1)(*d*) of the Act, a request for the examination of an application shall be made and the fee set out in item 3 of Schedule II shall be paid before the expiry of the seven-year period after the filing date of the application.

(2) La requête d'examen d'une demande complémentaire est faite, et la taxe prévue à l'article 3 de l'annexe II est versée, dans celui des délais suivants qui expire après l'autre :
a) les sept ans suivant la date du dépôt de la demande originale;
b) les six mois suivant la date à laquelle la demande complémentaire est effectivement déposée conformément aux paragraphes 36(2) ou (2.1) de la Loi.

(2) A request for the examination of a divisional application shall be made and the fee set out in item 3 of Schedule II shall be paid before the expiry of the later of
(*a*) the seven-year period after the filing date of the original application; and
(*b*) the six-month period after the date on which the divisional application is actually filed in accordance with subsection 36(2) or (2.1) of the Act.

(3) L'article 26 ne s'applique pas aux délais prévus aux paragraphes (1) et (2).

(3) Section 26 does not apply in respect of the times prescribed in subsections (1) and (2).

Abandon et rétablissement

Abandonment and Reinstatement

151. Pour l'application du paragraphe 73(2) de la Loi, la demande est considérée comme abandonnée si le demandeur omet de répondre de bonne foi à toute demande du commissaire visée aux articles 23 ou 25 dans le délai prévu à ces articles.
DORS/99-291, art. 15.

151. For the purposes of subsection 73(2) of the Act, an application is deemed to be abandoned if the applicant does not reply in good faith to any requisition of the Commissioner referred to in section 23 or 25 within the time provided in that section.
SOR99/291, s. 15.

152. Pour que la demande considérée comme abandonnée en application de l'article 73 de la Loi soit rétablie, le demandeur, à l'égard de chaque omission mentionnée au paragraphe 73(1) de la Loi ou visée à l'article 151, présente au commissaire une requête à cet effet, prend les mesures qui s'imposaient pour éviter la présomption d'abandon et paie la taxe prévue à l'article 7 de l'annexe II, dans

152. In order for an application deemed to be abandoned under section 73 of the Act to be reinstated, the applicant must, in respect of each failure to take an action referred to in subsection 73(1) of the Act or section 151, make a request for reinstatement to the Commissioner, take the action that should have been taken in order to avoid the deemed abandonment and pay the fee set out in item 7

les douze mois suivant la date de prise d'effet de la présomption d'abandon.

of Schedule II before the expiry of the twelve-month period after the date on which the application is deemed to be abandoned as a result of that failure.

153. (1) Lorsque, avant le 1er octobre 1996, une demande a été frappée de déchéance aux termes du paragraphe 73(1) de la Loi dans sa version antérieure à cette date et n'a pas été rétablie, elle est considérée comme ayant été abandonnée en application de l'alinéa 73(1)*f*) de la Loi à la date où elle a été frappée de déchéance et elle peut être rétablie conformément au paragraphe 73(3) de la Loi.

(2) Sous réserve du paragraphe (3), lorsque, avant le 1er octobre 1996, une demande était considérée comme abandonnée aux termes de la Loi ou des *Règles sur les brevets* dans leur version antérieure à cette date et n'a pas été rétablie, elle est considérée comme ayant été abandonnée en application du paragraphe 73(2) de la Loi à cette date antérieure d'abandon présumé et elle peut être rétablie conformément au paragraphe 73(3) de la Loi.

(3) Lorsque, avant le 1er avril 1996, une demande était considérée comme abandonnée en application du paragraphe 27.1(2) de la Loi dans sa version antérieure à cette date, elle ne peut être rétablie selon le paragraphe 73(3) de la Loi.

(4) Le paragraphe 16(4) du *Règlement d'application du traité de coopération en matière de brevet*, dans sa version antérieure au 1er octobre 1996, s'applique aux demandes internationales réputées abandonnées avant cette date en vertu du paragraphe 16(3) de ce règlement.

153. (1) Where, before October 1, 1996, an application was forfeited pursuant to subsection 73(1) of the Act as it read immediately before that date and was not restored, the application is deemed to have been abandoned pursuant to paragraph 73(1)(*f*) of the Act on the same date as the forfeiture and may be reinstated in accordance with subsection 73(3) of the Act.

(2) Subject to subsection (3), where, before October 1, 1996, an application was deemed to have been abandoned pursuant to the Act or the *Patent Rules* as they read before that date and was not reinstated, the application is deemed to have been abandoned pursuant to subsection 73(2) of the Act on the same date as the earlier deemed abandonment and may be reinstated in accordance with subsection 73(3) of the Act.

(3) Where an application was, before April 1, 1996, deemed to have been abandoned pursuant to subsection 27.1(2) of the Act as it read immediately before that date, the application may not be reinstated in accordance with subsection 73(3) of the Act.

(4) Subsection 16(4) of the *Patent Cooperation Treaty Regulations* as they read immediately before October 1, 1996 applies to an international application that was, before that date, deemed to be abandoned pursuant to subsection 16(3) of those Regulations.

Taxes pour le maintien en état

154. (1) Pour l'application du paragraphe 27.1(1) et de l'alinéa 73(1)*c*) de la Loi, la taxe applicable prévue à l'article 30 de l'annexe II pour le maintien de la demande en état est payée à l'égard des périodes indiquées à cet article, avant l'expiration des délais qui y sont fixés.

Maintenance Fees

154. (1) For the purposes of subsection 27.1(1) and paragraph 73(1)(*c*) of the Act, the applicable fee to maintain an application in effect, set out in item 30 of Schedule II, shall be paid in respect of the periods set out in that item before the expiry of the times provided in that item.

(2) Lorsqu'une demande complémentaire est déposée, les taxes prévues à l'article 30 de l'annexe II qui auraient été exigibles en application du paragraphe 27.1(1) de la Loi si la demande complémentaire avait été déposée à la date du dépôt de la demande originale sont payées au moment où la demande complémentaire est effectivement déposée conformément aux paragraphes 36(2) ou (2.1) de la Loi.

(2) Where a divisional application is filed, any fee set out in item 30 of Schedule II, that would have been payable pursuant to subsection 27.1(1) of the Act had the divisional application been filed on the filing date of the original application, shall be paid when the divisional application is actually filed in accordance with subsection 36(2) or (2.1) of the Act.

155. (1) Sous réserve des paragraphes (2) et (3), pour l'application de l'article 46 de la Loi, la taxe applicable prévue à l'article 31 de l'annexe II pour le maintien en état des droits conférés par un brevet est payée à l'égard des périodes indiquées à cet article, avant l'expiration des délais, y compris les délais de grâce, qui y sont fixés.

155. (1) Subject to subsections (2) and (3), for the purposes of section 46 of the Act, the applicable fee to maintain the rights accorded by a patent, set out in item 31 of Schedule II, shall be paid in respect of the periods set out in that item before the expiry of the times, including periods of grace, provided in that item.

(2) Au paragraphe (1), « brevet » ne vise pas le brevet redélivré.

(2) In subsection (1), "patent" does not include a reissued patent.

(3) Aucune taxe pour le maintien en état des droits conférés par le brevet n'est exigible pour la période à l'égard de laquelle a été payée une taxe pour le maintien en état de la demande du brevet.

(3) No fee to maintain the rights accorded by a patent shall be payable in respect of any period for which a fee to maintain the application for that patent was paid.

156. (1) Sous réserve du paragraphe (2), pour l'application de l'article 46 de la Loi, la taxe applicable prévue à l'article 31 de l'annexe II pour le maintien en état des droits conférés par un brevet redélivré est payée à l'égard des mêmes périodes et avant l'expiration des mêmes délais que pour le brevet original.

156. (1) Subject to subsection (2), for the purposes of section 46 of the Act, the applicable fee to maintain the rights accorded by a reissued patent, set out in item 31 of Schedule II, shall be paid in respect of the same periods and before the expiry of the same times as for the original patent.

(2) Aucune taxe pour le maintien en état des droits conférés par le brevet redélivré n'est exigible pour la période à l'égard de laquelle a été payée une taxe pour le maintien en état des droits conférés par le brevet original ou le maintien en état de la demande de celui-ci.

(2) No fee to maintain the rights accorded by a reissued patent is payable in respect of any period for which a fee was paid to maintain the rights accorded by the original patent or to maintain the application for the original patent.

157. L'article 26 ne s'applique pas aux délais prévus au articles 154, 155 et 156.

157. Section 26 does not apply in respect of the times set out in sections 154, 155 and 156.

158. (1) Lorsque, avant le 1er octobre 1996, la taxe exigible pour le maintien en état d'une

158. (1) Where, before October 1, 1996, a fee to maintain in effect an application or the

demande ou des droits conférés par un brevet a été payée, respectivement en application des articles 76.1 et 80.1 des *Règles sur les brevets* dans leur version antérieure à cette date, pour la période d'un an suivant un anniversaire donné, cette taxe est, pour l'application des articles 154, 155 ou 156, réputée avoir été payée pour la période d'un an suivant l'anniversaire subséquent.

(2) Au paragraphe (1), « anniversaire » s'entend de l'anniversaire de la date du dépôt de la demande.

Dépôt de matières biologiques

159. Pour l'application du paragraphe 38.1(1) de la Loi, lorsque le mémoire descriptif d'une demande déposée au Canada ou du brevet délivré au titre de cette demande mentionne le dépôt d'un échantillon de matières biologiques, le dépôt est réputé effectué conformément au présent règlement si les exigences des articles 160 à 162 sont respectées.

160. (1) Sous réserve du paragraphe (2), le demandeur dépose l'échantillon de matières biologiques auprès d'une autorité de dépôt internationale au plus tard à la date du dépôt de la demande.

(2) Le demandeur peut effectuer le dépôt auprès d'une autorité de dépôt internationale après la date du dépôt de la demande, si les conditions suivantes sont réunies :
a) il a effectué un dépôt ailleurs qu'auprès d'une telle autorité au plus tard à la date du dépôt de la demande de sorte que, après que la demande est rendue accessible au public pour consultation sous le régime de l'article 10 de la Loi, des échantillons de matières déposées soient rendus accessibles au public;
b) il communique au commissaire le nom de l'autorité de dépôt visée à l'alinéa *a*) et la date du dépôt, au plus tard le 1er janvier 1998, ou le jour précédant celui où la demande est rendue accessible au public pour consultation sous le régime de l'article 10 de la Loi si ce jour est postérieur;

rights accorded by a patent was paid under section 76.1 or 80.1 of the *Patent Rules* as they read immediately before that date for a one-year period commencing immediately after a particular anniversary, for the purposes of section 154, 155 or 156, that fee shall be considered to have been paid for the one-year period commencing immediately after the subsequent anniversary.

(2) In subsection (1), "anniversary" means the anniversary of the date of filing of the application.

Deposits of Biological Material

159. For the purposes of subsection 38.1(1) of the Act, where a specification in an application filed in Canada, or in a patent issued on the basis of such an application, refers to a deposit of biological material, the deposit shall be considered to be in accordance with these regulations if sections 160 to 162 are complied with.

160. (1) Subject to subsection (2), the deposit of the biological material shall be made by the applicant with an international depositary authority on or before the filing date of the application.

(2) The deposit with an international depositary authority may be made by the applicant after the filing date of the application provided that
(*a*) a deposit was made by the applicant in a depositary other than an international depositary authority on or before the filing date of the application in a manner so that, after the application is open to public inspection under section 10 of the Act, samples of the deposit are made available to the public;
(*b*) the applicant informs the Commissioner of the name of the depositary referred to in paragraph (*a*) and the date of making of the deposit before the application is open to public inspection under section 10 of the Act or on or before January 1, 1998, whichever is the later; and

c) le dépôt auprès de l'autorité de dépôt internationale est effectué au plus tard le 1er octobre 1997.

(*c*) the deposit with the international depositary authority is made on or before October 1, 1997.

(3) Le demandeur communique au commissaire le nom de l'autorité de dépôt internationale, la date du dépôt initial auprès de celle-ci et le numéro d'ordre attribué par elle au dépôt, au plus tard le 1er janvier 1998, ou le jour précédant celui où la demande est rendue accessible au public pour consultation sous le régime de l'article 10 de la Loi si ce jour est postérieur.

(3) The applicant must inform the Commissioner of the name of the international depositary authority, the date of the original deposit with the international depositary authority and the accession number given by the international depositary authority to the deposit, before the application is open to public inspection under section 10 of the Act or on or before January 1, 1998, whichever is the later.

(4) Le demandeur peut, au plus tard le 1er janvier 1998, ou le jour précédant celui où la demande est rendue accessible au public pour consultation sous le régime de l'article 10 de la Loi si ce jour est postérieur, déposer un avis auprès du commissaire indiquant qu'il veut, jusqu'à ce qu'un brevet soit délivré au titre de la demande ou que celle-ci soit rejetée, ou soit abandonnée et ne puisse plus être rétablie, ou soit retirée, que le commissaire n'autorise la remise d'un échantillon des matières biologiques déposées qu'à un expert indépendant désigné par lui conformément à l'article 165.

(4) The applicant may, before the application is open to public inspection under section 10 of the Act or on or before January 1, 1998, whichever is the later, file a notice with the Commissioner stating the applicant's wish that, until either a patent has been issued on the basis of the application or the application is refused, or is abandoned and no longer subject to reinstatement, or is withdrawn, the Commissioner only authorize the furnishing of a sample of the deposited biological material to an independent expert nominated by the Commissioner in accordance with section 165.

(5) L'article 26 ne s'applique pas aux délais prévus au présent article.

(5) Section 26 does not apply to the times set out in this section.

161. Lorsque, en application de la règle 5 du Règlement d'exécution du Traité de Budapest, des échantillons de matières biologiques sont transférés à une autorité de dépôt internationale de remplacement parce que la première autorité de dépôt internationale de remplacement a cessé d'accomplir les tâches qui lui incombaient, le demandeur ou le breveté communique au commissaire le nom de l'autorité de remplacement et le nouveau numéro d'ordre attribué par elle au dépôt, au plus tard le 1er janvier 1998, ou le dernier jour du délai des trois mois suivant la date de délivrance du récépissé par celle-ci si ce jour est postérieur.

161. Where, pursuant to Rule 5 of the Regulations under the Budapest Treaty, samples of biological material are transferred to a substitute international depositary authority for the reason that the original international depositary authority has discontinued the performance of functions, the applicant or the patentee must inform the Commissioner of the name of the substitute international depositary authority and of the new accession number given to the deposit by the substitute international depositary authority on or before the later of January 1, 1998 and the expiry of the three-month period after the date of issuance of a receipt by the substitute international depositary authority.

162. (1) Lorsqu'un nouveau dépôt est effectué auprès d'une autre autorité de dépôt internationale conformément aux articles 4(1)*b*)(i) ou (ii) du Traité de Budapest, le demandeur ou le breveté communique au commissaire le nom de cette autorité et le nouveau numéro d'ordre attribué par elle au dépôt, au plus tard le 1er janvier 1998, ou le dernier jour du délai de trois mois suivant la date de la délivrance du récépissé par celle-ci si ce jour est postérieur.

(2) Lorsque, en application de l'article 4 du Traité de Budapest, le déposant reçoit notification de l'impossibilité pour l'autorité de dépôt internationale de remettre des échantillons et qu'aucun nouveau dépôt n'est effectué conformément à cet article, la demande ou le brevet est, aux fins de toute procédure à son égard, traité comme si le dépôt n'avait pas été effectué.

163. (1) Le commissaire publie dans la *Gazette du Bureau des brevets* une formule de requête en vue de la remise d'un échantillon de matières déposées; le contenu de cette formule est identique à celui de la formule visée à la règle 11.3*a*) du Règlement d'exécution du Traité de Budapest.

(2) Sous réserve des articles 164 et 166, lorsque le mémoire descriptif d'un brevet canadien ou d'une demande déposée au Canada qui est accessible au public pour consultation conformément à l'article 10 de la Loi mentionne le dépôt par le demandeur d'un échantillon de matières biologiques et qu'une personne dépose auprès du commissaire une requête selon la formule visée au paragraphe (1), le commissaire fait à l'égard de cette personne la certification visée à la règle 11.3*a*) du Règlement d'exécution du Traité de Budapest.

(3) Sauf dans les cas d'application du paragraphe 166(2), lorsque le commissaire fait la certification visée au paragraphe (2), il envoie une copie de la requête, accompagnée de la certification, à la personne qui a déposé la requête.

162. (1) Where a new deposit is made with another international depositary authority pursuant to Article 4(1)(*b*)(i) or (ii) of the Budapest Treaty, the applicant or the patentee must inform the Commissioner of the name of that authority and of the new accession number given to the deposit by that authority on or before the later of January 1, 1998 and the expiry of the three-month period after the date of issuance of a receipt by that authority.

(2) Where, pursuant to Article 4 of the Budapest Treaty, the depositor is notified of the inability of the international depositary authority to furnish samples and no new deposit is made in accordance with that Article, the application or patent shall, for the purposes of any proceedings in respect of that application or patent, be treated as if the deposit had never been made.

163. (1) The Commissioner shall publish in the *Canadian Patent Office Record* a form for making a request for the furnishing of a sample of a deposit, the contents of which shall be the same as the contents of the form referred to in Rule 11.3(*a*) of the Regulations under the Budapest Treaty.

(2) Subject to sections 164 and 166, where a specification in a Canadian patent or in an application filed in Canada that is open to public inspection pursuant to section 10 of the Act refers to a deposit of biological material by the applicant, and where a person files with the Commissioner a request made on the form referred to in subsection (1), the Commissioner shall make the certification referred to in Rule 11.3(*a*) of the Regulations under the Budapest Treaty in respect of that person.

(3) Except where subsection 166(2) applies, where the Commissioner makes a certification pursuant to subsection (2), the Commissioner shall send a copy of the request together with the certification to the person who filed the request.

164. Le commissaire ne peut, jusqu'à ce qu'un brevet ait été délivré au titre de la demande ou que celle-ci ait été rejetée, ou ait été abandonnée et ne puisse plus être rétablie, ou ait été retirée, faire la certification visée au paragraphe 163(2) à l'égard d'une personne, notamment un expert indépendant, à moins d'avoir reçu l'engagement donné par cette personne au demandeur, selon lequel :
a) elle ne mettra aucun échantillon de matières biologiques remis par l'autorité de dépôt internationale ni aucune culture dérivée d'un tel échantillon à la disposition d'une autre personne avant qu'un brevet ait été délivré au titre de la demande ou que celle-ci ait été rejetée, ou ait été abandonnée et ne puisse plus être rétablie, ou ait été retirée;
b) elle n'utilisera l'échantillon de matières biologiques remis par l'autorité de dépôt internationale et toute culture dérivée d'un tel échantillon que dans le cadre d'expériences qui se rapportent à l'objet de la demande, jusqu'à ce qu'un brevet ait été délivré au titre de la demande ou que celle-ci ait été rejetée, ou ait été abandonnée et ne puisse plus être rétablie, ou ait été retirée.

164. Until either a patent has been issued on the basis of the application or the application is refused, or is abandoned and no longer subject to reinstatement, or is withdrawn, the Commissioner shall not make the certification referred to in subsection 163(2) in respect of a person, including an independent expert, unless the Commissioner has received an undertaking by that person to the applicant
(*a*) not to make any sample of biological material furnished by the international depositary authority or any culture derived from such sample available to any other person before either a patent is issued on the basis of the application or the application is refused, or is abandoned and no longer subject to reinstatement, or is withdrawn; and
(*b*) to use the sample of biological material furnished by the international depositary authority and any culture derived from such sample only for the purpose of experiments that relate to the subject-matter of the application until either a patent is issued on the basis of the application or the application is refused, or is abandoned and no longer subject to reinstatement, or is withdrawn.

165. (1) Lorsque l'avis visé au paragraphe 160(4) a été déposé à l'égard d'une demande, le commissaire, sur réception d'une demande de désignation, désigne dans un délai raisonnable un expert indépendant aux fins de la demande, avec l'assentiment du demandeur.

165. (1) Where a notice has been filed with the Commissioner pursuant to subsection 160(4) in respect of an application, the Commissioner, upon the request of any person that an independent expert be nominated and with the agreement of the applicant, shall within a reasonable time nominate a person as an independent expert for the purposes of that application.

(2) Si le commissaire et le demandeur ne peuvent s'entendre sur la désignation d'un expert indépendant dans un délai raisonnable après réception de la demande de désignation, l'avis visé au paragraphe 160(4) est réputé ne pas avoir été déposé.

(2) If the Commissioner and the applicant cannot agree on the nomination of an independent expert within a reasonable time after the request is made, the notice of the applicant referred to in subsection 160(4) is deemed never to have been filed.

166. (1) Lorsque l'avis visé au paragraphe 160(4) a été déposé à l'égard d'une demande, seul l'expert indépendant désigné par le commissaire peut déposer la requête visée à l'article 163 jusqu'à ce qu'un brevet soit délivré

166. (1) Where a notice has been filed with the Commissioner pursuant to subsection 160(4) in respect of an application, until a patent is issued on the basis of the application or the application is refused, or is abandoned

au titre de la demande ou que celle-ci soit rejetée, ou soit abandonnée et ne puisse plus être rétablie, ou soit retirée

and no longer subject to reinstatement, or is withdrawn, a request pursuant to section 163 may only be filed by an independent expert nominated by the Commissioner.

(2) Lorsque le commissaire fait la certification visée au paragraphe 163(2) à l'égard de l'expert indépendant qu'il a désigné, il envoie une copie de la requête, accompagnée de la certification, au demandeur et à la personne qui a demandé la désignation de l'expert.

(2) Where the Commissioner makes a certification pursuant to subsection 163(2) in respect of an independent expert nominated by the Commissioner, the Commissioner shall send a copy of the request together with the certification to the applicant and to the person who requested the nomination of the independent expert.

PARTIE V
DEMANDES DÉPOSÉES AVANT LE 1ER OCTOBRE 1989

Champ d'application

167. (1) La présente partie s'applique aux demandes déposées avant le 1er octobre 1989 et aux brevets délivrés au titre de ces demandes.

(2) Il est entendu que, pour l'application du paragraphe (1) :
a) les demandes complémentaires sont considérées comme déposées à la même date que les demandes originales;
b) les brevets redélivrés sont considérés comme délivrés au titre des demandes originales.

Mise en mémoire

168. Tout document reçu par le commissaire à l'égard d'une demande ou d'un brevet est, aux fins de la consultation visée à l'article 10 de la Loi dans sa version antérieure au 1er octobre 1989, gardé dans sa forme originale ou mis en mémoire par tout procédé, notamment mécanographique ou informatique, susceptible de le restituer en clair dans un délai raisonnable.

PART V
APPLICATIONS FILED BEFORE OCTOBER 1, 1989

Application

167. (1) This Part applies to applications filed before October 1, 1989 and to patents issued on the basis of such applications.

(2) For greater certainty, for the purposes of subsection (1)
(*a*) a divisional application is considered to be filed on the same date as the original application; and
(*b*) a reissued patent is considered to be issued on the basis of the original application.

Storage

168. Any paper received by the Commissioner relating to an application or to a patent shall, for the purposes of the inspection referred to in section 10 of the Act as it read immediately before October 1, 1989, be kept in its original form or be entered or recorded by any information storage device, including any system of mechanical or electronic data processing, that is capable of reproducing stored papers or information in intelligible form within a reasonable time.

Forme et contenu de la demande

169. Tout document déposé à l'égard d'un brevet ou d'une demande est présenté clairement et lisiblement sur des feuilles de papier blanc de bonne qualité qui, sauf dans le cas des actes de transfert, des autres documents constatant un titre de propriété et des copies certifiées conformes de documents, mesurent au plus 21,6 cm sur 33 cm (8 1/2 pouces sur 13 pouces).

170. Le titre d'une demande est précis et concis. Il ne contient pas de marque de commerce, de mot inventé ni de nom de personne.

171. (1) Le mémoire descriptif, ayant des caractères non mutilés d'au moins 12 points, ne présente pas d'interlinéations, de ratures ni de corrections, et est à interligne d'au moins 1 1/2. Chaque page comporte une marge du haut d'environ 3,3 cm (1 1/4 pouce), une marge du bas et une marge de gauche d'environ 2,5 cm (un pouce) et une marge de droite d'environ 1,3 cm (1/2 pouce).

(2) La largeur de la feuille constitue le bas de la page mais, dans le cas des tableaux, graphiques et autres éléments semblables qui ne peuvent être insérés de façon satisfaisante dans la largeur, la longueur du côté droit de la feuille constitue le bas de la page; si un tableau, un graphique ou autre élément semblable est plus long que la longueur de la feuille, il peut être réparti sur deux ou plusieurs feuilles.

(3) Le mémoire descriptif ne contient aucun dessin ni croquis, sauf des formules chimiques développées ou autres formules semblables.

(4) Les pages de la description sont numérotées consécutivement au bas.

(5) Les revendications sont numérotées consécutivement.

Form and Contents of Applications

169. Every document filed in connection with a patent or an application shall be presented clearly and legibly on sheets of good quality white paper, which shall not, except in the case of transfer documents, other documents concerning ownership and certified copies of documents, be more than 21.6 cm x 33 cm (8 1/2 inches x 13 inches).

170. The title of an application shall be accurate and concise, and shall not include any trade-mark, coined word or personal name.

171. (1) The specification shall be in undefaced type not smaller than 12 pitch, free from interlineations, cancellations or corrections and at least 1 1/2 line spaced and on each page there shall be a top margin of approximately 3.3 cm (1 1/4 inches), left-hand and bottom margins or approximately 2.5 cm (one inch) and a right-hand margin of approximately 1.3 cm (1/2 inch).

(2) A shorter side of the sheet shall be the bottom, but for tables, charts and the like that cannot satisfactorily be accommodated within the width of the sheet, the right-hand longer side of the sheet shall be the bottom and if a table, chart or the like is longer than the length of the sheet, it may de divided between two or more sheets.

(3) No drawing or sketch, other than a graphic chemical formula or the like, may appear in the specification.

(4) The pages of the description shall be numbered consecutively at the bottom.

(5) Claims shall be numbered consecutively.

172. (1) Le commissaire refuse tout document qui lui est présenté dans une langue autre que le français ou l'anglais, sauf si le demandeur lui en remet la traduction française ou anglaise.

172. (1) The Commissioner shall refuse to take cognizance of any document submitted to the Commissioner that is not in the English or French language unless the applicant submits to the Commissioner a translation of the document into one of those languages.

(2) Une fois que le demandeur lui a remis la traduction française ou anglaise du document visé au paragraphe (1), le commissaire, s'il a des motifs raisonnables de croire que la traduction n'est pas exacte, exige du demandeur qu'il fournisse une déclaration du traducteur portant qu'à sa connaissance la traduction est complète et fidèle.

(2) Where the applicant provides a translation of a document in accordance with subsection (1) and the Commissioner believes on reasonable grounds that the translation is not accurate, the Commissioner shall requisition the applicant to provide a statement by the translator to the effect that, to the best of the translator's knowledge, the translation is complete and faithful.

(3) Le texte à la fois de l'abrégé, de la description, des dessins et des revendications est rédigé entièrement en français ou entièrement en anglais.
DORS/99-291, art. 16.

(3) The text matter of the abstract, the description, the drawings and the claims, individually and all together, shall be wholly in English or wholly in French.
SOR/99-291, s. 16.

173. (1) La description ne peut incorporer un autre document par renvoi.

173. (1) The description shall not incorporate by reference another document.

(2) La description ne peut faire mention d'un document qui ne fait pas partie de la demande, sauf si celui-ci est accessible au public.

(2) The description shall not refer to a document that does not form part of the application unless the document is available to the public.

(3) Tout document dont fait mention la description est accompagné de références complètes.
DORS/99-291, art. 17.

(3) Any document referred to in the description shall be fully identified.
SOR/99-291, s. 17.

174. (1) Les revendications sont complètes, indépendamment des documents mentionnés dans la description.

174. (1) Claims must be complete independently of any document referred to in the description.

(2) Chaque revendication se fonde entièrement sur la description.

(2) Every claim must be fully supported by the description.

(3) Il peut être fait mention dans une revendication d'une ou de plusieurs revendications antérieures.

(3) Reference may be made in a claim to a preceding claim or claims.

175. (1) La demande contient un abrégé qui présente de l'information technique et qui ne peut être pris en considération dans l'évalua-

175. (1) An application shall contain an abstract that provides technical information and that cannot be taken into account for the pur-

tion de l'étendue de la protection demandée ou obtenue.

(2) L'abrégé est un bref exposé technique de la description et indique l'utilité de l'invention ainsi que la façon dont elle se distingue d'autres inventions.

176. Toute marque de commerce mentionnée dans la demande est désignée comme telle.

Dessins

177. (1) Les dessins fournis à l'appui d'une demande sont conformes aux exigences suivantes :
a) chaque feuille comporte une marge nette d'au moins 2,5 cm (1 pouce) de chaque côté;
b) chaque dessin est exécuté en lignes noires et claires;
c) les vues figurant sur la même feuille sont disposées dans le même sens et, dans la mesure du possible, sont présentées de façon que la largeur de la feuille constitue le bas de la page; toutefois, si une vue est plus longue que la largeur de la feuille, elle peut être disposée de façon que le long côté droit de la feuille constitue le bas de la page et, si une vue est plus longue que la longueur d'une feuille, elle peut être répartie sur deux ou plusieurs feuilles;
d) les vues sont tracées à une échelle assez grande pour en permettre une lecture aisée et sont suffisamment espacées pour montrer qu'elles sont distinctes; toutefois, l'échelle et l'espacement sont limités à ce qui est nécessaire à ces fins;
e) les hachures, les lignes d'effet et les lignes d'ombre sont le moins nombreuses possible et ne sont pas rapprochées;
f) les signes de référence sont clairs et distincts et mesurent au moins 0,3 cm (1/8 de pouce) de hauteur;
g) un seul signe de référence est utilisé pour la même partie figurant dans des vues différentes et le même signe ne peut servir à désigner différentes parties;
h) aucun signe de référence ne devrait figurer

pose of interpreting the scope of protection sought or obtained.

(2) The abstract shall consist of a brief technical statement of the description indicative of the utility of the invention and the manner in which the invention is distinguishable from other inventions.

176. Any trade-mark that is mentioned in the application shall be identified as such.

Drawings

177. (1) Drawings furnished in support of an application shall comply with the following requirements:
(*a*) every sheet shall have a clear margin of at least 2.5 cm (1 inch) on all sides;
(*b*) every drawing shall be prepared with clear black lines;
(*c*) all views on the same sheet shall stand in the same direction and, if possible, stand so that a shorter side of the sheet is the bottom but if a view longer than the width of a sheet is necessary, it may stand so that the right-hand longer side of the sheet becomes the bottom, and if a view longer than the length of a sheet is necessary, it may de divided between two or more sheets;
(*d*) all views shall be on a sufficiently large scale so as to be easily read and shall be separated by sufficient spaces to keep them distinct but shall not be on a larger scale or separated by greater spaces than is necessary for such purposes;
(*e*) section lines, lines for effect and shading lines shall be as few as possible and shall not be closely drawn;
(*f*) reference characters shall be clear and distinct and not less than 0.3 cm (1/8 inch) in height;
(*g*) the same reference character shall be used for the same part in different views and shall not be used to designate different parts;
(*h*) a reference character should not be placed on a shaded surface, but if it is so placed a blank space shall be left in the shading where it appears;

sur une surface d'ombre, mais s'il y est, un espace est laissé en blanc dans la surface d'ombre pour l'inscription du signe;
i) les vues sont numérotées consécutivement sans égard au nombre de feuilles;
j) seuls les dessins et les signes de référence et légendes se rapportant aux dessins figurent sur une feuille de dessin.

(*i*) the views shall be numbered consecutively throughout without regard to the number of sheets; and
(*j*) nothing shall appear on a sheet except the drawings and the reference characters and legends pertaining to the drawings.

(2) Les dessins sont livrés au commissaire exempts de plis, déchirures, froissements et autres imperfections.

(2) Drawings shall be delivered to the Commissioner free of folds, breaks, creases or other imperfections.

Dépôt des demandes

Filing of Applications

178. (1) La date du dépôt d'une demande visée au paragraphe 27(1) de la Loi dans sa version antérieure au 1er octobre 1989 est la date à laquelle la taxe de dépôt a été versée et les documents suivants relatifs à la demande ont été déposés :
a) une attestation portant que l'octroi d'un brevet est demandé, signée par le demandeur ou par un agent de brevets en son nom;
b) un mémoire descriptif, comprenant les revendications;
c) un abrégé de la description, qui peut être inséré au début du mémoire descriptif.

178. (1) The filing date of an application referred to in subsection 27(1) of the Act as it read immediately before October 1, 1989 is the date on which the fee for filing it was paid and the following documents relating to it were filed:
(*a*) a statement that the granting of a patent is sought, executed by the applicant or a patent agent on the applicant's behalf;
(*b*) a specification,including claims;
(*c*) any drawing referred to in the specification; and
(*d*) an abstract of the description, which abstract may be inserted at the beginning of the specification.

(2) Lorsque le demandeur s'est conformé aux exigences des alinéas (1)*a*) à *c*), le commissaire peut, même si les autres exigences du paragraphe (1) n'ont pas été remplies, attribuer une date de dépôt à la demande s'il est convaincu qu'il serait injuste de ne pas le faire; en pareil cas, la date de dépôt attribuée est la date où le demandeur s'est conformé aux exigences de ces alinéas.

(2) Where paragraphs (1)(*a*) to (*c*) have been complied with in respect of an application, the application may, notwithstanding that the whole of subsection (1) has not been complied with, be given a filing date by the Commissioner if the Commissioner is satisfied that it would be unjust not to do so, and in such case, the filing date given to the application is the day on which paragraphs (1)(*a*) to (*c*) were complied with by the applicant.

Priorité des demandes

Priority of Applications

179. Pour l'application de l'article 4D de la *Convention de Paris pour la protection de la propriété industrielle*, intervenue le 20 mars 1883, et toutes ses modifications et révisions auxquelles le Canada est partie, la demande déposée au Canada ne peut bénéficier de la

179. For the application of Article 4D of the *Paris Convention for the Protection of Industrial Property*, made on March 20, 1883 and any amendments and revisions to which Canada is party, the protection of section 28 of the Act as it read immediately before Octo-

protection accordée par l'article 28 de la Loi dans sa version antérieure au 1er octobre 1989, à moins que le demandeur, pendant que la demande est en instance, ne réclame la protection prévue à cet article et n'avise le commissaire de la date du dépôt et du numéro de chaque demande en pays étranger sur laquelle il se fonde.

ber 1, 1989 may not be claimed in respect of an application filed in Canada unless, while the application is pending, the applicant claims the protection of that section and informs the Commissioner of the filing date and number of each application in a country other than Canada on which the applicant bases the claim.

180. Lorsque l'examinateur prend en compte, en application des articles 27 et 28 de la Loi dans sa version antérieure au 1er octobre 1989, une demande de brevet antérieurement déposée de façon régulière sur laquelle la demande de priorité est fondée, il peut exiger du demandeur qu'il dépose une copie certifiée conforme de cette demande de brevet ainsi qu'un certificat du bureau des brevets où elle a été déposée, indiquant la date de dépôt effectif.

180. Where a previously regularly filed application on the basis of which a request for priority is based is taken into account by an examiner pursuant to sections 27 and 28 of the Act as it read immediately before October 1, 1989, the examiner may requisition the applicant to file a certified copy of the previously regularly filed application and a certificate from the patent office in which the application was filed indicating the actual date of its filing.

Modifications visant l'inclusion d'autres matières

181. Il est interdit de modifier le mémoire descriptif ou les dessins faisant partie de la demande pour décrire ou ajouter des éléments qui ne peuvent raisonnablement s'en inférer.

Amendments to Add Matter

181. No person shall amend the specification or drawings to describe or add matter not reasonably to be inferred from the specification or drawings as originally filed.

Taxes pour la maintien en état

182. (1) Pour l'application des articles 45 et 46 de la Loi, la taxe applicable prévue à l'article 32 de l'annexe II pour le maintien de la demande en état des droits conférés par un brevet délivré le 1er octobre 1989 ou par la suite est payée à l'égard des périodes indiquées à cet article, avant l'expiration des délais qui y sont fixés.

(2) Au paragraphe (1), « brevet » ne vise pas le brevet redélivré.

(3) Sous réserve du paragraphe (4), pour l'application de l'article 45 de la Loi, la taxe applicable prévue à l'article 32 de l'annexe II pour le maintien en état des droits conférés par un brevet redélivré est payée à l'égard des

Maintenance Fees

182. (1) For the purposes of sections 45 and 46 of the Act, the applicable fee to maintain the rights accorded by a patent issued on or after October 1, 1989, set out in item 32 of Schedule II, shall be paid in respect of the periods set out in that item before the expiry of the times provided in that item.

(2) In subsection (1), "patent" does not include a reissued patent.

(3) Subject to subsection (4), for the purposes of section 45 of the Act, the applicable fee to maintain the rights accorded by a reissued patent, set out in item 32 of Schedule II, shall be paid in respect of the same periods and

mêmes périodes et avant l'expiration des mêmes délais, y compris les délais de grâce, que le brevet original.

before the expiry of the same times, including periods of grace, as for the original patent.

(4) Aucune taxe pour le maintien en état des droits conférés par le brevet redélivré n'est exigible :
a) si le brevet original a été délivré avant le 1er octobre 1989;
b) pour toute période à l'égard de laquelle a été payée une taxe pour le maintien en état des droits conférés par le brevet original.

(4) No fee to maintain the rights accorded by a reissued patent is payable
(*a*) if the original patent was issued before October 1, 1989; or
(*b*) in respect of any period for which a fee was paid to maintain the rights accorded by the original patent.

(5) Lorsque, avant le 1er octobre 1996, la taxe exigible pour le maintien en état des droits conférés par un brevet a été payée, en application de l'article 80.1 des *Règles sur les brevets* dans leur version antérieure à cette date, pour la période d'un an suivant un anniversaire donné, cette taxe est, pour l'application du présent article, réputée avoir été payée pour la période d'un an suivant l'anniversaire subséquent.

(5) Where, before October 1, 1996, a fee to maintain the rights accorded by a patent was paid under section 80.1 of the *Patent Rules* as they read immediately before that date for a one-year period commencing immediately after a particular anniversary, for the purposes of this section, that fee shall be considered to have been paid for the one-year period commencing immediately after the subsequent anniversary.

(6) Au paragraphe (5), « anniversaire » s'entend de l'anniversaire de la date de délivrance du brevet.

(6) For the purposes of subsection (5), "anniversary" means the anniversary of the date on which the patent was issued.

Dépôt de matières biologiques

Deposits of Biological Material

183. Pour l'application du paragraphe 38.1(1) de la Loi, lorsque le mémoire descriptif d'une demande déposée au Canada ou du brevet délivré au titre de cette demande mentionne le dépôt d'un échantillon de matières biologiques, le dépôt est réputé effectué conformément au présent règlement si les exigences des articles 184 à 186 sont respectées.

183. For the purposes of subsection 38.1(1) of the Act, where a specification in an application filed in Canada, or in a patent issued on the basis of such an application, refers to a deposit of biological material, the deposit shall be considered to be in accordance with these regulations if sections 184 to 186 are complied with.

184. (1) Sous réserve du paragraphe (2), le demandeur dépose l'échantillon de matières biologiques auprès d'une autorité de dépôt internationale au plus tard à la date du dépôt de la demande.

184. (1) Subject to subsection (2), the deposit of the biological material shall be made by the applicant with an international depositary authority on or before the filing date of the application.

(2) Le demandeur peut effectuer le dépôt auprès d'une autorité de dépôt internationale après la date du dépôt de la demande, si les conditions suivantes sont réunies :

(2) The deposit with an international depositary authority may be made by the applicant after the filing date of the application provided that

a) il a effectué un dépôt ailleurs qu'auprès d'une telle autorité au plus tard à la date du dépôt de la demande de sorte que, après la délivrance du brevet, des échantillons sont rendus accessibles au public;
b) le demandeur communique au commissaire le nom de l'autorité de dépôt visée à l'alinéa *a*) et la date du dépôt au plus tard le 1er janvier 1998;
c) le dépôt auprès de l'autorité de dépôt internationale est effectué au plus tard le 1er octobre 1997.

(3) Le demandeur communique au commissaire le nom de l'autorité de dépôt internationale, la date du dépôt initial auprès de celle-ci et le numéro d'ordre attribué par elle au dépôt, au plus tard le 1er janvier 1998.

185. Lorsque, en application de la règle 5 du Règlement d'exécution du Traité de Budapest, des échantillons de matières biologiques sont transférés à une autorité de dépôt internationale de remplacement parce que la première autorité de dépôt internationale de remplacement a cessé d'accomplir les tâches qui lui incombaient, le demandeur ou le breveté communique au commissaire le nom de l'autorité de remplacement et le nouveau numéro d'ordre attribué par elle au dépôt, au plus tard le 1er janvier 1998, ou le dernier jour du délai des trois mois suivant la date de délivrance du récépissé par celle-ci si ce jour est postérieur.

186. (1) Lorsqu'un nouveau dépôt est effectué auprès d'une autre autorité de dépôt internationale conformément aux articles 4(1)*b*)(i) ou (ii) du Traité de Budapest, le demandeur ou le breveté communique au commissaire le nom de cette autorité et le nouveau numéro d'ordre attribué par elle au dépôt, au plus tard le 1er janvier 1998, ou le dernier jour du délai de trois mois suivant la date de la délivrance du récépissé par celle-ci si ce jour est postérieur.

(*a*) a deposit was made by the applicant in a depositary other than an international depositary authority on or before the filing date of the application in a manner so that, after the issuance of the patent, samples of the deposit are made available to the public;
(*b*) the applicant informs the Commissioner of the name of the depositary referred to in paragraph (*a*) and the date of making of the deposit on or before January 1, 1998; and
(*c*) the deposit with the international depositary authority is made on or before October 1, 1997.

(3) The applicant shall inform the Commissioner of the name of the international depositary authority, the date of the original deposit with the international depositary authority and the accession number given by the international depositary authority to the deposit, on or before January 1, 1998.

185. Where, pursuant to Rule 5 of the Regulations under the Budapest Treaty, samples of biological material are transferred to a substitute international depositary authority for the reason that the original international depositary authority has discontinued the performance of functions, the applicant or the patentee must inform the Commissioner of the name of the substitute international depositary authority and of the new accession number given to the deposit by the substitute international depositary authority on or before the later of January 1, 1998 and the expiry of the three-month period after the date of issuance of a receipt by the substitute international depositary authority.

186. (1) Where a new deposit is made with another international depositary authority pursuant to Article 4(1)(*b*)(i) or (ii) of the Budapest Treaty, the applicant or the patentee must inform the Commissioner of the name of that authority and of the new accession number given to the deposit by that authority on or before the later of January 1, 1998 and the expiry of the three-month period after the date of issuance of a receipt by that authority.

(2) Lorsque, en application de l'article 4 du Traité de Budapest, le déposant reçoit notification de l'impossibilité pour l'autorité de dépôt internationale de remettre des échantillons et qu'aucun nouveau dépôt n'est effectué conformément à cet article, la demande ou le brevet est, aux fins de toute procédure à son égard, traité comme si le dépôt n'avait pas été effectué.

(2) Where, pursuant to Article 4 of the Budapest Treaty, the depositor is notified of the inability of the international depositary authority to furnish samples and no new deposit is made in accordance with that Article, the application or patent shall, for the purposes of any proceedings in respect of that application or patent, be treated as if the deposit had never been made.

187. (1) Le commissaire publie dans la *Gazette du Bureau des brevets* une formule de requête en vue de la remise d'un échantillon de matières déposées; le contenu de cette formule est identique à celui de la formule visée à la règle 11.3*a*) du Règlement d'exécution du Traité de Budapest.

187. (1) The Commissioner shall publish in the *Canadian Patent Office Record* a form for making a request for the furnishing of a sample of a deposit, the contents of which shall be the same as the contents of the form referred to in Rule 11.3(*a*) of the Regulations under the Budapest Treaty.

(2) Lorsque le mémoire descriptif d'un brevet canadien mentionne le dépôt par le demandeur d'un échantillon de matières biologiques et qu'une personne dépose auprès du commissaire une requête selon la formule visée au paragraphe (1), le commissaire fait à l'égard de cette personne la certification visée à la règle 11.3*a*) du Règlement d'exécution du Traité de Budapest.

(2) Where a specification in a Canadian patent refers to a deposit of biological material by the applicant, and where a person files with the Commissioner a request made on the form referred to in subsection (1), the Commissioner shall make the certification referred to in Rule 11.3(*a*) of the Regulations under the Budapest Treaty in respect of that person.

(3) Lorsque le commissaire fait la certification visée au paragraphe (2), il envoie une copie de la requête, accompagnée de la certification, à la personne qui a déposé la requête.

(3) Where the Commissioner makes a certification pursuant to subsection (2), the Commissioner shall send a copy of the request together with the certification to the person who filed the request.

PARTIE VI
ABROGATIONS ET ENTRÉE EN VIGUEUR

PART VI
REPEALS AND COMING INTO FORCE

Abrogations

Repeals

188. Les *Règles sur les brevets* sont abrogées.

188. The *Patent Rules* are repealed.

189. Le *Règlement d'application du Traité de coopération en matière de brevets* est abrogé.

189. The *Patent Cooperation Treaty Regulations* are repealed.

Entrée en vigueur

Coming into Force

190. Les présentes règles entrent en vigueur le 1er octobre 1996.

190. These Rules come into force on October 1, 1996.

ANNEXE I
(Articles 43, 44 et 77)

FORMULES RÉGLEMENTAIRES

FORMULE 1

(Article 47 de la Loi sur les brevets)

Demande de redélivrance

1. Le titulaire du brevet n° .... , accordé le .... pour une invention ayant pour titre .... , demande qu'un nouveau brevet lui soit délivré conformément au mémoire descriptif modifié ci-joint, pour la partie non écoulée de la durée du premier brevet, et il s'engage à abandonner le brevet original dès la délivrance du nouveau brevet.

2. Le nom et l'adresse complète du breveté sont : ....

3. Les raisons pour lesquelles le brevet est jugé défectueux ou inopérant sont les suivantes : ....

4. L'erreur a été commise par inadvertance, accident ou méprise, sans intention de frauder ou de tromper, de la manière suivante :

....

5. Le breveté a pris connaissance des faits à l'origine de la présente demande vers le .... de la manière suivante : ....

....

6. Le breveté désigne .... , dont l'adresse complète au Canada est ...., pour le représenter au Canada conformément à l'article 29 de la *Loi sur les brevets*.

7. Le breveté nomme .... , dont l'adresse complète est .... , son agent de brevets.

SCHEDULE I
(Sections 43, 44 and 77)

PRESCRIBED FORMS

FORM 1

(Section 47 of the Patent Act)

Application for Reissue

1. The patentee of Patent No. .... , granted on .... for an invention entitled .... , requests that a new patent be issued, in accordance with the accompanying amended specification, for the unexpired term for which the original patent was granted and agrees to surrender the original patent effective on the issue of a new patent.

2. The name and complete address of the patentee is ....

3. The respects in which the patent is deemed defective or inoperative are ....

....

4. The error arose from inadvertence, accident or mistake, without any fraudulent or deceptive intention, in the following manner:

....

5. The knowledge of the new facts giving rise to the application were obtained by the patentee on or about .... in the following manner: ....

6. The patentee appoints .... , whose complete address in Canada is ...., as the patentee's representative in Canada pursuant to section 29 of the *Patent Act*.

7. The patentee appoints .... , whose complete address is .... , as the patentee's patent agent.

Instructions

Dans les articles 2, 6 et 7, les noms et adresses sont présentés dans l'ordre suivant, les divers élément étant bien séparés : nom de famille (en majuscules), prénom(s), initiales, ou dénomination sociale de la maison d'affaires, numéro civique, rue, ville, province ou État, code postal, numéro de téléphone, numéro de télécopieur, pays.

Instructions

In sections 2, 6 and 7, names and addresses must be presented in the following order with a clearly visible separation between the various elements: family name (in capital letters), given name(s), initials, or firm name, street name and number, city, province or state, postal code, telephone number, fax number and country.

FORMULE 2

(Article 48 de la Loi sur les brevets ou de la Loi dans sa version antérieure au 1er octobre 1989)

Acte de renonciation

1. Le titulaire du brevet n° .... , accordé le .... pour une invention ayant pour titre .... , a par erreur, accident ou inadvertance et sans intention de frauder ou de tromper le public :
a) donné trop d'étendue au mémoire descriptif en revendiquant plus que la chose dont lui-même ou son mandataire (la personne par l'entremise de laquelle il revendique) est l'(le premier) inventeur;
b) dans le mémoire descriptif, s'est représenté ou a représenté son mandataire (la personne par l'entremise de laquelle il revendique) comme étant l'(le premier) inventeur d'un élément matériel ou substantiel de l'invention brevetée, alors qu'il n'en était pas l'(le premier) inventeur et qu'il n'y avait (légalement) aucun droit.

2. Le nom et l'adresse complète du breveté sont : ....

3. (1) Le breveté renonce à l'intégralité de la revendication suivante : ....

(2) Le breveté renonce à l'intégralité de la revendication suivante : .... à l'exception des éléments suivants : ....

FORM 2

(Section 48 of the Patent Act or the Act as it read immediately before October 1, 1989)

Disclaimer

1. The patentee of Patent No. .... , granted on .... for an invention entitled .... , has, by mistake, accident or inadvertence, and without any wilful intent to defraud or mislead the public,
(*a*) made the specification too broad, claiming more than that of which the patentee or the person through whom the patentee claims was the (first) inventor; or
(*b*) in the specification, claimed that the patentee or the person through whom the patentee claims was the (first) inventor of any material or substantial part of the invention patented of which the patentee was not the (first) inventor, and to which the patentee had no lawful right.

2. The name and complete address of the patentee is ....

3. (1) The patentee disclaims the entirety of claim ....

(2) The patentee disclaims the entirety of claim .... with the exception of the following: ....

Instructions

Dans l'article 1, les expressions « la personne par l'entremise de laquelle il revendique », « le premier » et « légalement » ne peuvent être utilisées qu'à l'égard des brevets délivrés au titre d'une demande déposée avant le 1er octobre 1989.

Dans l'article 2, les noms et adresses sont présentés dans l'ordre suivant, les divers élément étant bien séparés : nom de famille (en majuscules), prénom(s), initiales, numéro civique, rue, ville, province ou État, code postal, numéro de téléphone, numéro de télécopieur et pays.

Pour chaque revendication visée par l'acte de renonciation, le breveté inclut dans l'acte de renonciation soit le paragraphe 3(1), soit le paragraphe 3(2).

Instructions

In section 1, the word "first" may be included only for patents issued on the basis of an application filed before October 1, 1989.

In section 2, the name and address must be presented in the following order with a clearly visible separation between the various elements: family name (in capital letters), given name(s), initials, street name and number, city, province or state, postal code, telephone number, fax number and country.

With respect to each claim covered by the disclaimer, the patentee shall include in the disclaimer either subsection 3(1) or (2).

FORMULE 3

(Paragraphe 27(2) de la Loi sur les brevets)

Pétition pour l'octroi d'un brevet

1. Le demandeur .... , dont l'adresse complète est .... , demande qu'un brevet lui soit accordé pour l'invention ayant pour titre .... , qui est décrite et revendiquée dans le mémoire descriptif ci-joint.

2. La présente demande est une demande complémentaire de la demande portant le numéro .... et déposée au Canada le ....

3. (1) Le demandeur est le seul inventeur.

(2) L'inventeur est .... , dont l'adresse complète est .... , et le demandeur est le titulaire du droit à l'invention ou de l'intérêt entier dans l'invention au Canada.

FORM 3

(Subsection 27(2) of the Patent Act)

Petition for Grant of a Patent

1. The applicant, ... , whose complete address is .... , requests the grant of a patent for an invention, entitled .... , which is described and claimed in the accompanying specification.

2. This application is a division of application number .... , filed in Canada on ....

3. (1) The applicant is the sole inventor.

(2) The inventor is .... , whose complete address is .... , and the applicant owns in Canada the whole interest in the invention.

4. Le demandeur revendique la priorité à l'égard de la demande en raison de la demande qui suit, déposée antérieurement de façon régulière :

Pays de dépôt	*Numéro de la demande*	*Date de dépôt*
....	....	....
....	....	....

5. Le demandeur désigne .... , dont l'adresse complète au Canada est .... , pour le représenter au Canada conformément à l'article 29 de la *Loi sur les brevets*.

6. Le demandeur nomme .... , dont l'adresse complète est .... , son agent de brevets.

7. Le demandeur croit avoir droit au titre de petite entité au sens de l'article 2 des *Règles sur les brevets*.

8. Le demandeur demande que la figure n° .... des dessins soit jointe à l'abrégé quand il sera rendu accessible au public pour consultation sous le régime de l'article 10 de la *Loi sur les brevets* ou publié.

Instructions

Dans l'article 1, le paragraphe 3(2) et les articles 5 et 6, les noms et adresses sont présentés dans l'ordre suivant, les divers élément étant bien séparés : nom de famille (en majuscules), prénom(s), initiales, ou dénomination sociale de la maison d'affaires, numéro civique, rue, ville, province ou État, code postal, numéro de téléphone, numéro de télécopieur, pays.

Dans les articles 5 et 6, la désignation de représentants et la nomination d'agents de brevets peuvent aussi figurer dans un document distinct.

Le demandeur inclut dans la pétition soit le paragraphe 3(1), soit le paragraphe 3(2).

4. The applicant requests priority in respect of the application on the basis of the following previously regularly filed application:

Country of filing	*Application number*	*Filing date*
....	....	....
....	....	....

5. The applicant appoints .... , whose complete address in Canada is .... , as the applicant's representative in Canada, pursuant to section 29 of the *Patent Act*.

6. The applicant appoints .... , whose complete address is .... , as the applicant's patent agent.

7. The applicant believes that the applicant is entitled to claim status as a "small entity" as defined under section 2 of the *Patent Rules*.

8. The applicant requests that Figure No. .... of the drawings accompany the abstract when it is open to public inspection under section 10 of the *Patent Act* or published.

Instructions

In section 1, subsection 3(2) and sections 5 and 6, names and addresses must be presented in the following order with a clearly visible separation between the various element: family name (in capital letters), given name(s), initials, or firm name, street name and number, city, province or state, postal code, telephone number, fax number and country.

In sections 5 and 6, appointment of representatives and appointment of patent agents may also be done in a separate document.

The applicant shall include in the petition either subsection 3(1) or (2).

Les demandes de priorité peuvent figurer dans l'article 4 de la pétition ou dans un document distinct.

Requests for priority may be done in section 4 of the petition or in a separate document.

ANNEXE II
(Article 3)

TARIF DES TAXES

PARTIE I
DEMANDES

Colonne I Article	Description	Colonne II Taxe
1.	Dépôt d'une demande conformément au paragraphe 27(2) de la Loi :	
	a) lorsque le demandeur est une petite entité	150,00 $
	b) lorsque le demandeur est une grande entité	300,00
2.	Complètement d'une demande selon le paragraphe 94(1) ou évitement de la présomption d'abandon selon le paragraphe 148(1) des présentes règles	200,00
3.	Requête d'examen d'une demande selon le paragraphe 35(1) de la Loi :	
	a) lorsque le demandeur est une petite entité	200,00
	b) lorsque le demandeur est une grande entité	400,00
4.	Demande de devancement de la date d'examen d'une demande, selon l'article 28 des présentes règles	100,00
5.	Dépôt d'une modification, selon le paragraphe 32(1) des présentes règles, après l'expédition d'un avis conformément aux paragraphes 30(1) ou (5) de celles-ci	200,00
6.	Taxe finale selon les paragraphes 30(1) ou (5) des présentes règles :	
	a) à l'égard des demandes déposées le 1er octobre 1989 ou par la suite :	
	(i) taxe de base :	
	(A) lorsque le demandeur est une petite entité	150,00
	(B) lorsque le demandeur est une grande entité	300,00
	(ii) plus, pour chaque page du mémoire descriptif et des dessins en sus de 100 pages	4,00
	b) à l'égard des demandes déposées avant le 1er octobre 1989 :	
	(i) taxe de base :	
	(A) lorsque le demandeur est une petite entité	350,00
	(B) lorsque le demandeur est une grande entité	700,00
	(ii) plus, pour chaque page du mémoire descriptif et des dessins en sus de 100 pages	4,00
7.	Demande de rétablissement d'une demande abandonnée	200,00
8.	Demande de rétablissement d'une demande frappée de déchéance, aux termes du paragraphe 73(2) de la Loi dans sa version antérieure au 1er octobre 1989	200,00

SCHEDULE II
(Section 3)

TARIFF OF FEES

PART I
APPLICATIONS

Column I Item	Description	Column II Fee
1.	On filing an application under subsection 27(2) of the Act:	
	(*a*) where the applicant is a small entity	$ 150.00
	(*b*) where the entity is a large entity	300.00
2.	On completing an application under subsection 94(1) or on avoiding a deemed abandonment under subsection 148(1) of the Rules	200.00
3.	On requesting examination of an application under subsection 35(1) of the Act:	
	(*a*) where the applicant is a small entity	200.00
	(*b*) where the entity is a large entity	400.00
4.	On requesting the advance of an application for examination under section 28 of these Rules	100.00
5.	On filing an amendment under subsection 32(1) of these Rules, after a notice is sent pursuant to subsection 30(1) or (5) of these Rules	200.00
6.	Final fee under subsection 30(1) or (5) of these Rules:	
	(*a*) for applications filed on or after October 1, 1989:	
	(i) basic fee	
	(A) where the applicant is a small entity	150.00
	(B) where the entity is a large entity	300.00
	(ii) plus, for each page of specification and drawings in excess of 100 pages	4.00
	(*b*) for applications filed before October 1, 1989:	
	(i) basic fee	
	(A) where the applicant is a small entity	350.00
	(B) where the entity is a large entity	700.00
	(ii) plus, for each page of specification and drawings in excess of 100 pages	4.00
7.	On requesting reinstatement of an abandoned application	200.00
8.	On applying for restoration of a forfeited application under subsection 73(2) of the Act as it read immediately before October 1, 1989	200.00

PARTIE II
DEMANDES INTERNATIONALES

Colonne I Article	Description	Colonne II Taxe
9.	Taxe de transmission, selon le paragraphe 55(1) des présentes règles	200,00 $
10.	Taxe nationale de base, selon l'alinéa 58(1)*c*) des présentes règles :	
	a) lorsque le demandeur est une petite entité	150,00
	b) lorsque le demandeur est une grande entité	300,00
11.	Surtaxe pour paiement en souffrance, selon le paragraphe 58(3) des présentes règles	200,00

PART II
INTERNATIONAL APPLICATIONS

Column I Item	Description	Column II Fee
9.	Transmittal fee under subsection 55(1) of these Rules	$ 200.00
10.	Basic national fee under paragraph 58(1)(*c*) of these Rules	
	(*a*) where the applicant is a small entity	150.00
	(*b*) where the entity is a large entity	300.00
11.	Additional fee for late payment under subsection 58(3) of these Rules	200.00

PARTIE III
BREVETS

Colonne I Article	Description	Colonne II Taxe
12.	Dépôt d'une demande de redélivrance d'un brevet selon l'article 47 de la Loi	800,00 $
13.	Renonciation à un brevet conformément à l'article 48 de la Loi ou de la Loi dans sa version antérieure au 1er octobre 1989	100,00
14.	Requête de réexamen de toute revendication d'un brevet selon le paragraphe 48.1(1) de la Loi :	
	a) lorsque la personne qui demande le réexamen est une petite entité	1 000,00
	b) lorsque la personne qui demande le réexamen est une grande entité	2 000,00
15.	Requête d'enregistrement d'un jugement conformément à l'article 62 de la Loi ou de la Loi dans sa version antérieure au 1er octobre 1989	50,00
16.	Présentation d'une requête au commissaire selon le paragraphe 65(1) de la Loi :	
	a) pour le premier brevet visé par la demande	2 000,00
	b) pour chaque brevet supplémentaire visé par la demande	250,00
17.	Demande d'annonce dans la *Gazette du Bureau des brevets* d'une requête visée au paragraphe 65(1) de la Loi, conformément au paragraphe 68(2) de la Loi	200,00
18.	Demande de publication dans la *Gazette du Bureau des brevets* d'un avis portant la liste des numéros des brevets qui peuvent faire l'objet d'une licence ou d'une vente, autre que celui qui paraît au moment de la délivrance du brevet, pour chaque numéro de brevet	20,00

PART III
PATENTS

Column I Item	Description	Column II Fee
12.	On filing an application to reissue a patent under section 47 of the Act	$ 800.00
13.	On making a disclaimer to a patent under section 48 of the Act, or of the Act as it read immediately before October 1, 1989	100.00
14.	On requesting re-examination of a claim or claims in a patent under subsection 48.1(1) of the Act:	
	(*a*) where the person requesting re-examination is a small entity	1,000.00
	(*b*) where the person requesting re-examination is a large entity	2,000.00
15.	On requesting registration of a judgment under section 62 of the Act, or of the Act as it read immediately before October 1, 1989	50.00
16.	On presenting an application to the Commissioner under subsection 65(1) of the Act:	
	(*a*) for the first patent to which the application relates	2,000.00
	(*b*) for each additional patent to which the application relates	250.00
17.	On requesting an advertisement of an application under subsection 65(1) of the Act in the *Canadian Patent Office Record* in accordance with subsection 68(2) of the Act.	200.00
18.	On requesting publication in the *Canadian Patent Office Record* of a notice listing the patent numbers of patents available for licence or sale, other than at the time of issuance of the patent, for each patent number listed	20.00

PARTIE IV
DISPOSITIONS GÉNÉRALES

Colonne I Article	Description	Colonne II Taxe
19.	Demande de correction d'une erreur d'écriture, selon l'article 8 de la Loi ou de la Loi dans sa version antérieure au 1er octobre 1989	200,00 $
20.	Envoi d'un avis au commissaire faisant état d'un nouveau représentant, d'un changement d'adresse ou d'une nouvelle adresse exacte conformément au paragraphe 29(3) de la Loi ou de la Loi dans sa version antérieure au 1er octobre 1989	20,00

PART IV
GENERAL

Column I Item	Description	Column II Fee
19.	On requesting correction of a clerical error under section 8 of the Act, or of the Act as it read immediately before October 1, 1989	$ 200.00
20.	On giving notice to the Commissioner of a new representative or a change in address, or on supplying a new and correct address, under subsection 29(3) of the Act, or of the Act as it read immediately after October 1, 1989	20.00

Colonne I Article	Description	Colonne II Taxe
21.	Demande d'enregistrement d'un document conformément aux articles 49 ou 50 de la Loi ou de la Loi dans sa version antérieure au 1er octobre 1989, ou aux articles 37, 38, 39 ou 42 des présentes règles : *a*) pour le premier brevet ou la première demande visés par le document *b*) pour chaque brevet ou demande supplémentaire visé par le document	 100,00 $ 50,00
22.	Demande de prorogation de délai selon les articles 26 ou 27 des présentes règles	200,00

Column I Item	Description	Column II Fee
21.	On requesting registration of a document under section 49 or 50 of the Act, or of the Act as it read immediately before October 1, 1989, or under sections 37, 38, 39 or 42 of these Rules: (*a*) for the first patent or application to which the document relates (*b*) for each additional patent or application to which the document relates	 $ 100.00 50.00
22.	On applying for an extension of time under section 26 or 27 of these Rules	200.00

PARTIE V
RENSEIGNEMENTS ET COPIES

Colonne I Article	Description	Colonne II Taxe
23.	Demande de renseignements sur une demande en instance visée à l'article 11 de la Loi	100,00 $
24.	Demande de renseignements pour savoir si un brevet a été délivré par suite d'une demande déposée au Canada et désignée par un numéro de série	20,00
25.	Demande d'une copie d'un document, la page	0,50
26.	Demande d'une copie certifiée d'un document : *a*) le certificat *b*) la page	 35,00 0,50
27.	Pour chaque exemplaire d'un brevet canadien portant un numéro de série de 1 à 445 930	4,00
28.	Demande de copie d'un ruban magnétique	50,00
29.	Demande de transcription d'un ruban magnétique, la page de transcription	50,00

PART V
INFORMATION AND COPIES

Column I Item	Description	Column II Fee
23.	On requesting information respecting a pending application under section 11 of the Act	$ 100.00
24.	On requesting information on whether a patent has issued, on the basis of an application filed in Canada and identified by a serial number	20.00
25.	On requesting a copy of a document, for each page	0.50
26.	On requesting a certified copy of a document (*a*) for the certificate (*b*) for each page	 35.00 0.50
27.	On requesting a copy of a Canadian patent identified by any of serial numbers 1 to 445,930	4.00
28.	On requesting a copy of an audio magnetic tape	50.00
29.	On requesting a transcript of an audio magnetic tape, for each page in the transcript	50.00

PARTIE VI
TAXES POUR LE MAINTIEN EN ÉTAT

Colonne I Article	Description	Colonne II Taxe
30.	Maintien en état d'une demande déposée le 1er octobre 1989 ou par la suite, selon les articles 99 et 154 des présentes règles : *a*) paiement au plus tard le 2e anniversaire du dépôt de la demande à l'égard de la période d'un an se terminant au 3e anniversaire : (i) lorsque le demandeur est une petite entité (ii) lorsque le demandeur est une grande entité *b*) paiement au plus tard le 3e anniversaire du dépôt de la demande à l'égard de la période d'un an se terminant au 4e anniversaire : (i) lorsque le demandeur est une petite entité (ii) lorsque le demandeur est une grande entité *c*) paiement au plus tard le 4e anniversaire du dépôt de la demande à l'égard de la période d'un an se terminant au 5e anniversaire : (i) lorsque le demandeur est une petite entité (ii) lorsque le demandeur est une grande entité *d*) paiement au plus tard le 5e anniversaire du dépôt de la demande à l'égard de la période d'un an se terminant au 6e anniversaire : (i) lorsque le demandeur est une petite entité (ii) lorsque le demandeur est une grande entité	 50,00 $ 100,00 50,00 100,00 50,00 100,00 75,00 150,00

PART VI
MAINTENANCE FEES

Column I Item	Description	Column II Fee
30.	For maintaining an application filed on or after October 1, 1989 in effect, under sections 99 and 154 of these Rules: (*a*) payment on or before the second anniversary of the filing date of the application in respect of the one-year period ending on the third anniversary: (i) where the applicant is a small entity (ii) where the entity is a large entity (*b*) payment on or before the third anniversary of the filing date of the application in respect of the one-year period ending on the fourth anniversary: (i) where the applicant is a small entity (ii) where the entity is a large entity (*c*) payment on or before the fourth anniversary of the filing date of the application in respect of the one-year period ending on the fifth anniversary: (i) where the applicant is a small entity (ii) where the entity is a large entity (*d*) payment on or before the fifth anniversary of the filing date of the application in respect of the one-year period ending on the sixth anniversary: (i) where the applicant is a small entity (ii) where the entity is a large entity	 $ 50.00 100.00 50.00 100.00 50.00 100.00 75.00 150.00

Colonne I Article	Description	Colonne II Taxe

e) paiement au plus tard le 6e anniversaire du dépôt de la demande à l'égard de la période d'un an se terminant au 7e anniversaire :
(i) lorsque le demandeur est une petite entité ... 75,00 $
(ii) lorsque le demandeur est une grande entité ... 150,00

f) paiement au plus tard le 7e anniversaire du dépôt de la demande à l'égard de la période d'un an se terminant au 8e anniversaire :
(i) lorsque le demandeur est une petite entité ... 75,00
(ii) lorsque le demandeur est une grande entité ... 150,00

g) paiement au plus tard le 8e anniversaire du dépôt de la demande à l'égard de la période d'un an se terminant au 9e anniversaire :
(i) lorsque le demandeur est une petite entité ... 75,00
(ii) lorsque le demandeur est une grande entité ... 150,00

h) paiement au plus tard le 9e anniversaire du dépôt de la demande à l'égard de la période d'un an se terminant au 10e anniversaire :
(i) lorsque le demandeur est une petite entité ... 75,00
(ii) lorsque le demandeur est une grande entité ... 150,00

i) paiement au plus tard le 10e anniversaire du dépôt de la demande à l'égard de la période d'un an se terminant au 11e anniversaire :
(i) lorsque le demandeur est une petite entité . 100,00
(ii) lorsque le demandeur est une grande entité ... 200,00

j) paiement au plus tard le 11e anniversaire du dépôt de la demande à l'égard de la période d'un an se terminant au 12e anniversaire :
(i) lorsque le demandeur est une petite entité . 100,00
(ii) lorsque le demandeur est une grande entité ... 200,00

k) paiement au plus tard le 12e anniversaire du dépôt de la demande à l'égard de la période d'un an se terminant au 13e anniversaire :
(i) lorsque le demandeur est une petite entité . 100,00
(ii) lorsque le demandeur est une grande entité ... 200,00

l) paiement au plus tard le 13e anniversaire du dépôt de la demande à l'égard de la période d'un an se terminant au 14e anniversaire :
(i) lorsque le demandeur est une petite entité . 100,00
(ii) lorsque le demandeur est une grande entité ... 200,00

m) paiement au plus tard le 14e anniversaire du dépôt de la demande à l'égard de la période d'un an se terminant au 15e anniversaire :
(i) lorsque le demandeur est une petite entité . 100,00
(ii) lorsque le demandeur est une grande entité ... 200,00

n) paiement au plus tard le 15e anniversaire du dépôt de la demande à l'égard de la période d'un an se terminant au 16e anniversaire :
(i) lorsque le demandeur est une petite entité . 200,00
(ii) lorsque le demandeur est une grande entité ... 400,00

o) paiement au plus tard le 16e anniversaire du dépôt de la demande à l'égard de la période d'un an se terminant au 17e anniversaire :
(i) lorsque le demandeur est une petite entité . 200,00
(ii) lorsque le demandeur est une grande entité ... 400,00

p) paiement au plus tard le 17e anniversaire du dépôt de la demande à l'égard de la période d'un an se terminant au 18e anniversaire :
(i) lorsque le demandeur est une petite entité . 200,00
(ii) lorsque le demandeur est une grande entité ... 400,00

q) paiement au plus tard le 18e anniversaire du dépôt de la demande à l'égard de la période d'un an se terminant au 19e anniversaire :
(i) lorsque le demandeur est une petite entité . 200,00
(ii) lorsque le demandeur est une grande entité ... 400,00

r) paiement au plus tard le 19e anniversaire du dépôt de la demande à l'égard de la période d'un an se terminant au 20e anniversaire :
(i) lorsque le demandeur est une petite entité . 200,00
(ii) lorsque le demandeur est une grande entité ... 400,00

Column I Item	Description	Column II Fee

(*e*) payment on or before the sixth anniversary of the filing date of the application in respect of the one-year period ending on the seventh anniversary:
(i) where the applicant is a small entity ... $ 75.00
(ii) where the entity is a large entity ... 150.00

(*f*) payment on or before the seventh anniversary of the filing date of the application in respect of the one-year period ending on the eighth anniversary:
(i) where the applicant is a small entity ... 75.00
(ii) where the entity is a large entity ... 150.00

(*g*) payment on or before the eighth anniversary of the filing date of the application in respect of the one-year period ending on the ninth anniversary:
(i) where the applicant is a small entity ... 75.00
(ii) where the entity is a large entity ... 150.00

(*h*) payment on or before the ninth anniversary of the filing date of the application in respect of the one-year period ending on the tenth anniversary:
(i) where the applicant is a small entity ... 75.00
(ii) where the entity is a large entity ... 150.00

(*i*) payment on or before the tenth anniversary of the filing date of the application in respect of the one-year period ending on the eleventh anniversary:
(i) where the applicant is a small entity ... 100.00
(ii) where the entity is a large entity ... 200.00

(*j*) payment on or before the eleventh anniversary of the filing date of the application in respect of the one-year period ending on the twelfth anniversary:
(i) where the applicant is a small entity ... 100.00
(ii) where the entity is a large entity ... 200.00

(*k*) payment on or before the twelfth anniversary of the filing date of the application in respect of the one-year period ending on the thirteenth anniversary:
(i) where the applicant is a small entity ... 100.00
(ii) where the entity is a large entity ... 200.00

(*l*) payment on or before the thirteenth anniversary of the filing date of the application in respect of the one-year period ending on the fourteenth anniversary:
(i) where the applicant is a small entity ... 100.00
(ii) where the entity is a large entity ... 200.00

(*m*) payment on or before the fourteenth anniversary of the filing date of the application in respect of the one-year period ending on the fifteenth anniversary:
(i) where the applicant is a small entity ... 100.00
(ii) where the entity is a large entity ... 200.00

(*n*) payment on or before the fifteenth anniversary of the filing date of the application in respect of the one-year period ending on the sixteenth anniversary:
(i) where the applicant is a small entity ... 200.00
(ii) where the entity is a large entity ... 400.00

(*o*) payment on or before the sixteenth anniversary of the filing date of the application in respect of the one-year period ending on the seventeenth anniversary:
(i) where the applicant is a small entity ... 200.00
(ii) where the entity is a large entity ... 400.00

(*p*) payment on or before the seventeenth anniversary of the filing date of the application in respect of the one-year period ending on the eighteenth anniversary:
(i) where the applicant is a small entity ... 200.00
(ii) where the entity is a large entity ... 400.00

(*q*) payment on or before the eighteenth anniversary of the filing date of the application in respect of the one-year period ending on the nineteenth anniversary:
(i) where the applicant is a small entity ... 200.00
(ii) where the entity is a large entity ... 400.00

(*r*) payment on or before the nineteenth anniversary of the filing date of the application in respect of the one-year period ending on the twentieth anniversary:
(i) where the applicant is a small entity ... 200.00
(ii) where the entity is a large entity ... 400.00

Colonne I Article	Description	Colonne II Taxe

31. Maintien en état des droits conférés par un brevet délivré au titre d'une demande déposée le 1er octobre 1989 ou par la suite, selon les articles 100, 101, 155 et 156 des présentes règles :
    a) à l'égard de la période d'un an se terminant au 3e anniversaire du dépôt de la demande :
        (i) taxe, si elle est payée au plus tard le 2e anniversaire :
            (A) lorsque le breveté est une petite entité .... 50,00 $
            (B) lorsque le breveté est une grande entité 100,00
        (ii) taxe, y compris la surtaxe pour paiement en souffrance, si elle est payée dans le délai de grâce d'un an suivant le 2e anniversaire :
            (A) lorsque le breveté est une petite entité 250,00
            (B) lorsque le breveté est une grande entité 300,00
    b) à l'égard de la période d'un an se terminant au 4e anniversaire du dépôt de la demande :
        (i) taxe, si elle est payée au plus tard le 3e anniversaire :
            (A) lorsque le breveté est une petite entité 50,00
            (B) lorsque le breveté est une grande entité 100,00
        (ii) taxe, y compris la surtaxe pour paiement en souffrance, si elle est payée dans le délai de grâce d'un an suivant le 3e anniversaire :
            (A) lorsque le breveté est une petite entité 250,00
            (B) lorsque le breveté est une grande entité 300,00
    c) à l'égard de la période d'un an se terminant au 5e anniversaire du dépôt de la demande :
        (i) taxe, si elle est payée au plus tard le 4e anniversaire :
            (A) lorsque le breveté est une petite entité 50,00
            (B) lorsque le breveté est une grande entité 100,00
        (ii) taxe, y compris la surtaxe pour paiement en souffrance, si elle est payée dans le délai de grâce d'un an suivant le 4e anniversaire :
            (A) lorsque le breveté est une petite entité 250,00
            (B) lorsque le breveté est une grande entité 300,00
    d) à l'égard de la période d'un an se terminant au 6e anniversaire du dépôt de la demande :
        (i) taxe, si elle est payée au plus tard le 5e anniversaire :
            (A) lorsque le breveté est une petite entité 75,00
            (B) lorsque le breveté est une grande entité 150,00
        (ii) taxe, y compris la surtaxe pour paiement en souffrance, si elle est payée dans le délai de grâce d'un an suivant le 5e anniversaire :
            (A) lorsque le breveté est une petite entité 275,00
            (B) lorsque le breveté est une grande entité 350,00
    e) à l'égard de la période d'un an se terminant au 7e anniversaire du dépôt de la demande :
        (i) taxe, si elle est payée au plus tard le 6e anniversaire :
            (A) lorsque le breveté est une petite entité 75,00
            (B) lorsque le breveté est une grande entité 150,00
        (ii) taxe, y compris la surtaxe pour paiement en souffrance, si elle est payée dans le délai de grâce d'un an suivant le 6e anniversaire :
            (A) lorsque le breveté est une petite entité 275,00
            (B) lorsque le breveté est une grande entité 350,00

Column I Item	Description	Column II Fee

31. For maintaining the rights accorded by a patent issued on the basis of an application filed on or after October 1, 1989, under sections 100, 101, 155 and 156 of these Rules:
    (*a*) in respect of the one-year period ending on the third anniversary of the filing date of the application:
        (i) fee, if payment on or before the second anniversary
            (A) where the patentee is a small entity $ 50.00
            (B) where the patentee is a large entity ... 100.00
        (ii) fee, including additional fee for late payment, if payment within the period of grace of one year following the second anniversary:
            (A) where the patentee is a small entity .. 250.00
            (B) where the patentee is a large entity ... 300.00
    (*b*) in respect of the one-year period ending on the fourth anniversary of the filing date of the application:
        (i) fee, if payment on or before the third anniversary
            (A) where the patentee is a small entity 50.00
            (B) where the patentee is a large entity ... 100.00
        (ii) fee, including additional fee for late payment, if payment within the period of grace of one year following the third anniversary:
            (A) where the patentee is a small entity .. 250.00
            (B) where the patentee is a large entity ... 300.00
    (*c*) in respect of the one-year period ending on the fifth anniversary of the filing date of the application:
        (i) fee, if payment on or before the fourth anniversary
            (A) where the patentee is a small entity 50.00
            (B) where the patentee is a large entity ... 100.00
        (ii) fee, including additional fee for late payment, if payment within the period of grace of one year following the fourth anniversary:
            (A) where the patentee is a small entity .. 250.00
            (B) where the patentee is a large entity ... 300.00
    (*d*) in respect of the one-year period ending on the sixth anniversary of the filing date of the application:
        (i) fee, if payment on or before the fifth anniversary
            (A) where the patentee is a small entity 75.00
            (B) where the patentee is a large entity ... 150.00
        (ii) fee, including additional fee for late payment, if payment within the period of grace of one year following the fifth anniversary:
            (A) where the patentee is a small entity .. 275.00
            (B) where the patentee is a large entity ... 350.00
    (*e*) in respect of the one-year period ending on the seventh anniversary of the filing date of the application:
        (i) fee, if payment on or before the sixth anniversary
            (A) where the patentee is a small entity 75.00
            (B) where the patentee is a large entity ... 150.00
        (ii) fee, including additional fee for late payment, if payment within the period of grace of one year following the sixth anniversary:
            (A) where the patentee is a small entity .. 275.00
            (B) where the patentee is a large entity ... 350.00
    (*f*) in respect of the one-year period ending on the eighth anniversary of the filing date of the application:
        (i) fee, if payment on or before the seventh anniversary
            (A) where the patentee is a small entity 75.00
            (B) where the patentee is a large entity ... 150.00
        (ii) fee, including additional fee for late payment, if payment within the period of grace of one year following the seventh anniversary:
            (A) where the patentee is a small entity .. 275.00
            (B) where the patentee is a large entity ... 350.00

Colonne I Article	Description	Colonne II Taxe
	f) à l'égard de la période d'un an se terminant au 8e anniversaire du dépôt de la demande :	
	(i) taxe, si elle est payée au plus tard le 7e anniversaire :	
	(A) lorsque le breveté est une petite entité	75,00 $
	(B) lorsque le breveté est une grande entité	150,00
	(ii) taxe, y compris la surtaxe pour paiement en souffrance, si elle est payée dans le délai de grâce d'un an suivant le 7e anniversaire :	
	(A) lorsque le breveté est une petite entité	275,00
	(B) lorsque le breveté est une grande entité	350,00
	g) à l'égard de la période d'un an se terminant au 9e anniversaire du dépôt de la demande :	
	(i) taxe, si elle est payée au plus tard le 8e anniversaire :	
	(A) lorsque le breveté est une petite entité	75,00
	(B) lorsque le breveté est une grande entité	150,00
	(ii) taxe, y compris la surtaxe pour paiement en souffrance, si elle est payée dans le délai de grâce d'un an suivant le 8e anniversaire :	
	(A) lorsque le breveté est une petite entité	275,00
	(B) lorsque le breveté est une grande entité	350,00
	h) à l'égard de la période d'un an se terminant au 10e anniversaire du dépôt de la demande :	
	(i) taxe, si elle est payée au plus tard le 9e anniversaire :	
	(A) lorsque le breveté est une petite entité	75,00
	(B) lorsque le breveté est une grande entité	150,00
	(ii) taxe, y compris la surtaxe pour paiement en souffrance, si elle est payée dans le délai de grâce d'un an suivant le 9e anniversaire :	
	(A) lorsque le breveté est une petite entité	275,00
	(B) lorsque le breveté est une grande entité	350,00
	i) à l'égard de la période d'un an se terminant au 11e anniversaire du dépôt de la demande :	
	(i) taxe, si elle est payée au plus tard le 10e anniversaire :	
	(A) lorsque le breveté est une petite entité	100,00
	(B) lorsque le breveté est une grande entité	200,00
	(ii) taxe, y compris la surtaxe pour paiement en souffrance, si elle est payée dans le délai de grâce d'un an suivant le 10e anniversaire :	
	(A) lorsque le breveté est une petite entité	300,00
	(B) lorsque le breveté est une grande entité	400,00
	j) à l'égard de la période d'un an se terminant au 12e anniversaire du dépôt de la demande :	
	(i) taxe, si elle est payée au plus tard le 11e anniversaire :	
	(A) lorsque le breveté est une petite entité	100,00
	(B) lorsque le breveté est une grande entité	200,00
	(ii) taxe, y compris la surtaxe pour paiement en souffrance, si elle est payée dans le délai de grâce d'un an suivant le 11e anniversaire :	
	(A) lorsque le breveté est une petite entité	300,00
	(B) lorsque le breveté est une grande entité	400,00

Column I Item	Description	Column II Fee
	(*g*) in respect of the one-year period ending on the ninth anniversary of the filing date of the application:	
	(i) fee, if payment on or before the eighth anniversary	
	(A) where the patentee is a small entity	$ 75.00
	(B) where the patentee is a large entity	150.00
	(ii) fee, including additional fee for late payment, if payment within the period of grace of one year following the eighth anniversary:	
	(A) where the patentee is a small entity	275.00
	(B) where the patentee is a large entity	350.00
	(*h*) in respect of the one-year period ending on the tenth anniversary of the filing date of the application:	
	(i) fee, if payment on or before the ninth anniversary	
	(A) where the patentee is a small entity	75.00
	(B) where the patentee is a large entity	150.00
	(ii) fee, including additional fee for late payment, if payment within the period of grace of one year following the ninth anniversary:	
	(A) where the patentee is a small entity	275.00
	(B) where the patentee is a large entity	350.00
	(*i*) in respect of the one-year period ending on the eleventh anniversary of the filing date of the application:	
	(i) fee, if payment on or before the tenth anniversary	
	(A) where the patentee is a small entity	100.00
	(B) where the patentee is a large entity	200.00
	(ii) fee, including additional fee for late payment, if payment within the period of grace of one year following the tenth anniversary:	
	(A) where the patentee is a small entity	300.00
	(B) where the patentee is a large entity	400.00
	(*j*) in respect of the one-year period ending on the twelfth anniversary of the filing date of the application:	
	(i) fee, if payment on or before the eleventh anniversary	
	(A) where the patentee is a small entity	100.00
	(B) where the patentee is a large entity	200.00
	(ii) fee, including additional fee for late payment, if payment within the period of grace of one year following the eleventh anniversary:	
	(A) where the patentee is a small entity	300.00
	(B) where the patentee is a large entity	400.00
	(*k*) in respect of the one-year period ending on the thirteenth anniversary of the filing date of the application:	
	(i) fee, if payment on or before the twelfth anniversary	
	(A) where the patentee is a small entity	100.00
	(B) where the patentee is a large entity	200.00
	(ii) fee, including additional fee for late payment, if payment within the period of grace of one year following the twelfth anniversary:	
	(A) where the patentee is a small entity	300.00
	(B) where the patentee is a large entity	400.00
	(*l*) in respect of the one-year period ending on the fourteenth anniversary of the filing date of the application:	
	(i) fee, if payment on or before the thirteenth anniversary:	
	(A) where the patentee is a small entity	100.00
	(B) where the patentee is a large entity	200.00
	(ii) fee, including additional fee for late payment, if payment within the period of grace of one year following the thirteenth anniversary:	
	(A) where the patentee is a small entity	300.00
	(B) where the patentee is a large entity	400.00

Colonne I Article	Description	Colonne II Taxe
	k) à l'égard de la période d'un an se terminant au 13e anniversaire du dépôt de la demande :	
	(i) taxe, si elle est payée au plus tard le 12e anniversaire :	
	(A) lorsque le breveté est une petite entité	100,00 $
	(B) lorsque le breveté est une grande entité	200,00
	(ii) taxe, y compris la surtaxe pour paiement en souffrance, si elle est payée dans le délai de grâce d'un an suivant le 12e anniversaire :	
	(A) lorsque le breveté est une petite entité	300,00
	(B) lorsque le breveté est une grande entité	400,00
	l) à l'égard de la période d'un an se terminant au 14e anniversaire du dépôt de la demande :	
	(i) taxe, si elle est payée au plus tard le 13e anniversaire :	
	(A) lorsque le breveté est une petite entité	100,00
	(B) lorsque le breveté est une grande entité	200,00
	(ii) taxe, y compris la surtaxe pour paiement en souffrance, si elle est payée dans le délai de grâce d'un an suivant le 13e anniversaire :	
	(A) lorsque le breveté est une petite entité	300,00
	(B) lorsque le breveté est une grande entité	400,00
	m) à l'égard de la période d'un an se terminant au 15e anniversaire du dépôt de la demande :	
	(i) taxe, si elle est payée au plus tard le 14e anniversaire :	
	(A) lorsque le breveté est une petite entité	100,00
	(B) lorsque le breveté est une grande entité	200,00
	(ii) taxe, y compris la surtaxe pour paiement en souffrance, si elle est payée dans le délai de grâce d'un an suivant le 14e anniversaire :	
	(A) lorsque le breveté est une petite entité	300,00
	(B) lorsque le breveté est une grande entité	400,00
	n) à l'égard de la période d'un an se terminant au 16e anniversaire du dépôt de la demande :	
	(i) taxe, si elle est payée au plus tard le 15e anniversaire :	
	(A) lorsque le breveté est une petite entité	200,00
	(B) lorsque le breveté est une grande entité	400,00
	(ii) taxe, y compris la surtaxe pour paiement en souffrance, si elle est payée dans le délai de grâce d'un an suivant le 15e anniversaire :	
	(A) lorsque le breveté est une petite entité	400,00
	(B) lorsque le breveté est une grande entité	600,00
	o) à l'égard de la période d'un an se terminant au 17e anniversaire du dépôt de la demande :	
	(i) taxe, si elle est payée au plus tard le 16e anniversaire :	
	(A) lorsque le breveté est une petite entité	200,00
	(B) lorsque le breveté est une grande entité	400,00
	(ii) taxe, y compris la surtaxe pour paiement en souffrance, si elle est payée dans le délai de grâce d'un an suivant le 16e anniversaire :	
	(A) lorsque le breveté est une petite entité	400,00
	(B) lorsque le breveté est une grande entité	600,00

Column I Item	Description	Column II Fee
	(*m*) in respect of the one-year period ending on the fifteenth anniversary of the filing date of the application:	
	(i) fee, if payment on or before the fourteenth anniversary:	
	(A) where the patentee is a small entity	$ 100.00
	(B) where the patentee is a large entity	200.00
	(ii) fee, including additional fee for late payment, if payment within the period of grace of one year following the fourteenth anniversary:	
	(A) where the patentee is a small entity	300.00
	(B) where the patentee is a large entity	400.00
	(*n*) in respect of the one-year period ending on the sixteenth anniversary of the filing date of the application:	
	(i) fee, if payment on or before the fifteenth anniversary:	
	(A) where the patentee is a small entity	200.00
	(B) where the patentee is a large entity	400.00
	(ii) fee, including additional fee for late payment, if payment within the period of grace of one year following the fifteenth anniversary:	
	(A) where the patentee is a small entity	400.00
	(B) where the patentee is a large entity	600.00
	(*o*) in respect of the one-year period ending on the seventeenth anniversary of the filing date of the application:	
	(i) fee, if payment on or before the sixteenth anniversary:	
	(A) where the patentee is a small entity	200.00
	(B) where the patentee is a large entity	400.00
	(ii) fee, including additional fee for late payment, if payment within the period of grace of one year following the sixteenth anniversary:	
	(A) where the patentee is a small entity	400.00
	(B) where the patentee is a large entity	600.00
	(*p*) in respect of the one-year period ending on the eighteenth anniversary of the filing date of the application:	
	(i) fee, if payment on or before the seventeenth anniversary:	
	(A) where the patentee is a small entity	200.00
	(B) where the patentee is a large entity	400.00
	(ii) fee, including additional fee for late payment, if payment within the period of grace of one year following the seventeenth anniversary:	
	(A) where the patentee is a small entity	400.00
	(B) where the patentee is a large entity	600.00
	(*q*) in respect of the one-year period ending on the nineteenth anniversary of the filing date of the application:	
	(i) fee, if payment on or before the eighteenth anniversary:	
	(A) where the patentee is a small entity	200.00
	(B) where the patentee is a large entity	400.00
	(ii) fee, including additional fee for late payment, if payment within the period of grace of one year following the eighteenth anniversary:	
	(A) where the patentee is a small entity	400.00
	(B) where the patentee is a large entity	600.00
	(*r*) in respect of the one-year period ending on the twentieth anniversary of the filing date of the application:	
	(i) fee, if payment on or before the nineteenth anniversary:	
	(A) where the patentee is a small entity	200.00
	(B) where the patentee is a large entity	400.00
	(ii) fee, including additional fee for late payment, if payment within the period of grace of one year following the nineteenth anniversary:	
	(A) where the patentee is a small entity	400.00
	(B) where the patentee is a large entity	600.00

Colonne I Article	Description	Colonne II Taxe
	p) à l'égard de la période d'un an se terminant au 18e anniversaire du dépôt de la demande :	
	(i) taxe, si elle est payée au plus tard le 17e anniversaire :	
	(A) lorsque le breveté est une petite entité	200,00 $
	(B) lorsque le breveté est une grande entité	400,00
	(ii) taxe, y compris la surtaxe pour paiement en souffrance, si elle est payée dans le délai de grâce d'un an suivant le 17e anniversaire :	
	(A) lorsque le breveté est une petite entité	400,00
	(B) lorsque le breveté est une grande entité	600,00
	q) à l'égard de la période d'un an se terminant au 19e anniversaire du dépôt de la demande :	
	(i) taxe, si elle est payée au plus tard le 18e anniversaire :	
	(A) lorsque le breveté est une petite entité	200,00
	(B) lorsque le breveté est une grande entité	400,00
	(ii) taxe, y compris la surtaxe pour paiement en souffrance, si elle est payée dans le délai de grâce d'un an suivant le 18e anniversaire :	
	(A) lorsque le breveté est une petite entité	400,00
	(B) lorsque le breveté est une grande entité	600,00
	r) à l'égard de la période d'un an se terminant au 20e anniversaire du dépôt de la demande :	
	(i) taxe, si elle est payée au plus tard le 19e anniversaire :	
	(A) lorsque le breveté est une petite entité	200,00
	(B) lorsque le breveté est une grande entité	400,00
	(ii) taxe, y compris la surtaxe pour paiement en souffrance, si elle est payée dans le délai de grâce d'un an suivant le 19e anniversaire :	
	(A) lorsque le breveté est une petite entité	400,00
	(B) lorsque le breveté est une grande entité	600,00
32.	Maintien en état des droits conférés par un brevet délivré le 1er octobre 1989 ou par la suite au titre d'une demande déposée avant cette date, selon les paragraphes 182(1) et (3) des présentes règles :	
	a) à l'égard de la période d'un an se terminant au 3e anniversaire de la délivrance du brevet :	
	(i) taxe, si elle est payée au plus tard le 2e anniversaire :	
	(A) lorsque le breveté est une petite entité	50,00 $
	(B) lorsque le breveté est une grande entité	100,00
	(ii) taxe, y compris la surtaxe pour paiement en souffrance, si elle est payée dans le délai de grâce d'un an suivant le 2e anniversaire :	
	(A) lorsque le breveté est une petite entité	250,00
	(B) lorsque le breveté est une grande entité	300,00
	b) à l'égard de la période d'un an se terminant au 4e anniversaire de la délivrance du brevet :	
	(i) taxe, si elle est payée au plus tard le 3e anniversaire :	
	(A) lorsque le breveté est une petite entité	50,00
	(B) lorsque le breveté est une grande entité	100,00

Column I Item	Description	Column II Fee
32.	For maintaining the rights accorded by a patent issued on or after October 1, 1989 on the basis of an application filed before that date, under subsections 182(1) and (3) of these Rules:	
	(*a*) in respect of the one-year period ending on the third anniversary of the date on which the patent was issued:	
	(i) fee, if payment on or before the second anniversary:	
	(A) where the patentee is a small entity	$ 50.00
	(B) where the patentee is a large entity	100.00
	(ii) fee, including additional fee for late payment, if payment within the period of grace of one year following the second anniversary:	
	(A) where the patentee is a small entity	250.00
	(B) where the patentee is a large entity	300.00
	(*b*) in respect of the one-year period ending on the fourth anniversary of the date on which the patent was issued:	
	(i) fee, if payment on or before the third anniversary:	
	(A) where the patentee is a small entity	50.00
	(B) where the patentee is a large entity	100.00
	(ii) fee, including additional fee for late payment, if payment within the period of grace of one year following the third anniversary:	
	(A) where the patentee is a small entity	250.00
	(B) where the patentee is a large entity	300.00

Colonne I Article	Description	Colonne II Taxe

(ii) taxe, y compris la surtaxe pour paiement en souffrance, si elle est payée dans le délai de grâce d'un an suivant le 3ᵉ anniversaire :
(A) lorsque le breveté est une petite entité .... 250,00 $
(B) lorsque le breveté est une grande entité 300,00

c) à l'égard de la période d'un an se terminant au 5ᵉ anniversaire de la délivrance du brevet :
(i) taxe, si elle est payée au plus tard le 4ᵉ anniversaire :
(A) lorsque le breveté est une petite entité 50,00
(B) lorsque le breveté est une grande entité 100,00
(ii) taxe, y compris la surtaxe pour paiement en souffrance, si elle est payée dans le délai de grâce d'un an suivant le 4ᵉ anniversaire :
(A) lorsque le breveté est une petite entité 250,00
(B) lorsque le breveté est une grande entité 300,00

d) à l'égard de la période d'un an se terminant au 6ᵉ anniversaire de la délivrance du brevet :
(i) taxe, si elle est payée au plus tard le 5ᵉ anniversaire :
(A) lorsque le breveté est une petite entité 75,00
(B) lorsque le breveté est une grande entité 150,00
(ii) taxe, y compris la surtaxe pour paiement en souffrance, si elle est payée dans le délai de grâce d'un an suivant le 5ᵉ anniversaire :
(A) lorsque le breveté est une petite entité 275,00
(B) lorsque le breveté est une grande entité 350,00

e) à l'égard de la période d'un an se terminant au 7ᵉ anniversaire de la délivrance du brevet :
(i) taxe, si elle est payée au plus tard le 6ᵉ anniversaire :
(A) lorsque le breveté est une petite entité 75,00
(B) lorsque le breveté est une grande entité 150,00
(ii) taxe, y compris la surtaxe pour paiement en souffrance, si elle est payée dans le délai de grâce d'un an suivant le 6ᵉ anniversaire :
(A) lorsque le breveté est une petite entité 275,00
(B) lorsque le breveté est une grande entité 350,00

f) à l'égard de la période d'un an se terminant au 8ᵉ anniversaire de la délivrance du brevet :
(i) taxe, si elle est payée au plus tard le 7ᵉ anniversaire :
(A) lorsque le breveté est une petite entité 75,00
(B) lorsque le breveté est une grande entité 150,00
(ii) taxe, y compris la surtaxe pour paiement en souffrance, si elle est payée dans le délai de grâce d'un an suivant le 7ᵉ anniversaire :
(A) lorsque le breveté est une petite entité 275,00
(B) lorsque le breveté est une grande entité 350,00

g) à l'égard de la période d'un an se terminant au 9ᵉ anniversaire de la délivrance du brevet :
(i) taxe, si elle est payée au plus tard le 8ᵉ anniversaire :
(A) lorsque le breveté est une petite entité 75,00
(B) lorsque le breveté est une grande entité 150,00

Column I Item	Description	Column II Fee

(*c*) in respect of the one-year period ending on the fifth anniversary of the date on which the patent was issued:
(i) fee, if payment on or before the fourth anniversary:
(A) where the patentee is a small entity $ 50.00
(B) where the patentee is a large entity ... 100.00
(ii) fee, including additional fee for late payment, if payment within the period of grace of one year following the fourth anniversary:
(A) where the patentee is a small entity .. 250.00
(B) where the patentee is a large entity ... 300.00

(*d*) in respect of the one-year period ending on the sixth anniversary of the date on which the patent was issued:
(i) fee, if payment on or before the fifth anniversary:
(A) where the patentee is a small entity 75.00
(B) where the patentee is a large entity ... 150.00
(ii) fee, including additional fee for late payment, if payment within the period of grace of one year following the fifth anniversary:
(A) where the patentee is a small entity .. 275.00
(B) where the patentee is a large entity ... 350.00

(*e*) in respect of the one-year period ending on the seventh anniversary of the date on which the patent was issued:
(i) fee, if payment on or before the sixth anniversary:
(A) where the patentee is a small entity 75.00
(B) where the patentee is a large entity ... 150.00
(ii) fee, including additional fee for late payment, if payment within the period of grace of one year following the sixth anniversary:
(A) where the patentee is a small entity .. 275.00
(B) where the patentee is a large entity ... 350.00

(*f*) in respect of the one-year period ending on the eighth anniversary of the date on which the patent was issued:
(i) fee, if payment on or before the seventh anniversary:
(A) where the patentee is a small entity 75.00
(B) where the patentee is a large entity ... 150.00
(ii) fee, including additional fee for late payment, if payment within the period of grace of one year following the seventh anniversary:
(A) where the patentee is a small entity .. 275.00
(B) where the patentee is a large entity ... 350.00

(*g*) in respect of the one-year period ending on the ninth anniversary of the date on which the patent was issued:
(i) fee, if payment on or before the eighth anniversary:
(A) where the patentee is a small entity 75.00
(B) where the patentee is a large entity ... 150.00
(ii) fee, including additional fee for late payment, if payment within the period of grace of one year following the eighth anniversary:
(A) where the patentee is a small entity .. 275.00
(B) where the patentee is a large entity ... 350.00

(*h*) in respect of the one-year period ending on the tenth anniversary of the date on which the patent was issued:
(i) fee, if payment on or before the ninth anniversary:
(A) where the patentee is a small entity 75.00
(B) where the patentee is a large entity ... 150.00
(ii) fee, including additional fee for late payment, if payment within the period of grace of one year following the ninth anniversary:
(A) where the patentee is a small entity .. 275.00
(B) where the patentee is a large entity ... 350.00

Colonne I Article	Description	Colonne II Taxe

(ii) taxe, y compris la surtaxe pour paiement en souffrance, si elle est payée dans le délai de grâce d'un an suivant le 8e anniversaire :
(A) lorsque le breveté est une petite entité .... 275,00 $
(B) lorsque le breveté est une grande entité 350,00

h) à l'égard de la période d'un an se terminant au 10e anniversaire de la délivrance du brevet :
(i) taxe, si elle est payée au plus tard le 9e anniversaire :
(A) lorsque le breveté est une petite entité 75,00
(B) lorsque le breveté est une grande entité 150,00
(ii) taxe, y compris la surtaxe pour paiement en souffrance, si elle est payée dans le délai de grâce d'un an suivant le 9e anniversaire :
(A) lorsque le breveté est une petite entité 275,00
(B) lorsque le breveté est une grande entité 350,00

i) à l'égard de la période d'un an se terminant au 11e anniversaire de la délivrance du brevet :
(i) taxe, si elle est payée au plus tard le 10e anniversaire :
(A) lorsque le breveté est une petite entité 100,00
(B) lorsque le breveté est une grande entité 200,00
(ii) taxe, y compris la surtaxe pour paiement en souffrance, si elle est payée dans le délai de grâce d'un an suivant le 10e anniversaire :
(A) lorsque le breveté est une petite entité 300,00
(B) lorsque le breveté est une grande entité 400,00

j) à l'égard de la période d'un an se terminant au 12e anniversaire de la délivrance du brevet :
(i) taxe, si elle est payée au plus tard le 11e anniversaire :
(A) lorsque le breveté est une petite entité 100,00
(B) lorsque le breveté est une grande entité 200,00
(ii) taxe, y compris la surtaxe pour paiement en souffrance, si elle est payée dans le délai de grâce d'un an suivant le 11e anniversaire :
(A) lorsque le breveté est une petite entité 300,00
(B) lorsque le breveté est une grande entité 400,00

k) à l'égard de la période d'un an se terminant au 13e anniversaire de la délivrance du brevet :
(i) taxe, si elle est payée au plus tard le 12e anniversaire :
(A) lorsque le breveté est une petite entité 100,00
(B) lorsque le breveté est une grande entité 200,00
(ii) taxe, y compris la surtaxe pour paiement en souffrance, si elle est payée dans le délai de grâce d'un an suivant le 12e anniversaire :
(A) lorsque le breveté est une petite entité 300,00
(B) lorsque le breveté est une grande entité 400,00

l) à l'égard de la période d'un an se terminant au 14e anniversaire de la délivrance du brevet :
(i) taxe, si elle est payée au plus tard le 13e anniversaire :
(A) lorsque le breveté est une petite entité 100,00
(B) lorsque le breveté est une grande entité 200,00
(ii) taxe, y compris la surtaxe pour paiement en souffrance, si elle est payée dans le délai de grâce d'un an suivant le 13e anniversaire :

Column I Item	Description	Column II Fee

(*i*) in respect of the one-year period ending on the eleventh anniversary of the date on which the patent was issued:
(i) fee, if payment on or before the tenth anniversary:
(A) where the patentee is a small entity $ 100.00
(B) where the patentee is a large entity ... 200.00
(ii) fee, including additional fee for late payment, if payment within the period of grace of one year following the tenth anniversary:
(A) where the patentee is a small entity .. 300.00
(B) where the patentee is a large entity ... 400.00

(*j*) in respect of the one-year period ending on the twelfth anniversary of the date on which the patent was issued:
(i) fee, if payment on or before the eleventh anniversary:
(A) where the patentee is a small entity .. 100.00
(B) where the patentee is a large entity ... 200.00
(ii) fee, including additional fee for late payment, if payment within the period of grace of one year following the eleventh anniversary:
(A) where the patentee is a small entity .. 300.00
(B) where the patentee is a large entity ... 400.00

(*k*) in respect of the one-year period ending on the thirteenth anniversary of the date on which the patent was issued:
(i) fee, if payment on or before the twelfth anniversary:
(A) where the patentee is a small entity .. 100.00
(B) where the patentee is a large entity ... 200.00
(ii) fee, including additional fee for late payment, if payment within the period of grace of one year following the twelfth anniversary:
(A) where the patentee is a small entity .. 300.00
(B) where the patentee is a large entity ... 400.00

(*l*) in respect of the one-year period ending on the fourteenth anniversary of the date on which the patent was issued:
(i) fee, if payment on or before the thirteenth anniversary:
(A) where the patentee is a small entity .. 100.00
(B) where the patentee is a large entity ... 200.00
(ii) fee, including additional fee for late payment, if payment within the period of grace of one year following the thirteenth anniversary:
(A) where the patentee is a small entity .. 300.00
(B) where the patentee is a large entity ... 400.00

(*m*) in respect of the one-year period ending on the fifteenth anniversary of the date on which the patent was issued:
(i) fee, if payment on or before the fourteenth anniversary:
(A) where the patentee is a small entity .. 100.00
(B) where the patentee is a large entity ... 200.00
(ii) fee, including additional fee for late payment, if payment within the period of grace of one year following the fourteenth anniversary:
(A) where the patentee is a small entity .. 300.00
(B) where the patentee is a large entity ... 400.00

(*n*) in respect of the one-year period ending on the sixteenth anniversary of the date on which the patent was issued:
(i) fee, if payment on or before the fifteenth anniversary:
(A) where the patentee is a small entity .. 200.00
(B) where the patentee is a large entity ... 400.00
(ii) fee, including additional fee for late payment, if payment within the period of grace of one year following the fifteenth anniversary:
(A) where the patentee is a small entity .. 400.00
(B) where the patentee is a large entity ... 600.00

Colonne I Article	Description	Colonne II Taxe
	(A) lorsque le breveté est une petite entité	300,00 $
	(B) lorsque le breveté est une grande entité	400,00
	m) à l'égard de la période d'un an se terminant au 15ᵉ anniversaire de la délivrance du brevet :	
	(i) taxe, si elle est payée au plus tard le 14ᵉ anniversaire :	
	(A) lorsque le breveté est une petite entité	100,00
	(B) lorsque le breveté est une grande entité	200,00
	(ii) taxe, y compris la surtaxe pour paiement en souffrance, si elle est payée dans le délai de grâce d'un an suivant le 14ᵉ anniversaire :	
	(A) lorsque le breveté est une petite entité	300,00
	(B) lorsque le breveté est une grande entité	400,00
	n) à l'égard de la période d'un an se terminant au 16ᵉ anniversaire de la délivrance du brevet :	
	(i) taxe, si elle est payée au plus tard le 15ᵉ anniversaire :	
	(A) lorsque le breveté est une petite entité	200,00
	(B) lorsque le breveté est une grande entité	400,00
	(ii) taxe, y compris la surtaxe pour paiement en souffrance, si elle est payée dans le délai de grâce d'un an suivant le 15ᵉ anniversaire :	
	(A) lorsque le breveté est une petite entité	400,00
	(B) lorsque le breveté est une grande entité	600,00
	o) à l'égard de la période d'un an se terminant au 17ᵉ anniversaire de la délivrance du brevet :	
	(i) taxe, si elle est payée au plus tard le 16ᵉ anniversaire :	
	(A) lorsque le breveté est une petite entité	200,00
	(B) lorsque le breveté est une grande entité	400,00
	(ii) taxe, y compris la surtaxe pour paiement en souffrance, si elle est payée dans le délai de grâce d'un an suivant le 16ᵉ anniversaire :	
	(A) lorsque le breveté est une petite entité	400,00
	(B) lorsque le breveté est une grande entité	600,00

Column I Item	Description	Column II Fee
	(*o*) in respect of the one-year period ending on the seventeenth anniversary of the date on which the patent was issued:	
	(i) fee, if payment on or before the sixteenth anniversary:	
	(A) where the patentee is a small entity	$ 200.00
	(B) where the patentee is a large entity	400.00
	(ii) fee, including additional fee for late payment, if payment within the period of grace of one year following the sixteenth anniversary:	
	(A) where the patentee is a small entity	400.00
	(B) where the patentee is a large entity	600.00

PARTIE VII
AGENTS DE BREVETS

Colonne I Article	Description	Colonne II Taxe
33.	Demande d'inscription au registre des agents de brevets conformément à l'article 15 des présentes règles	$ 100,00
34.	Envoi d'un avis au commissaire, conformément au paragraphe 14(2) des présentes règles, par une personne qui entend se présenter à tout ou partie de l'examen de compétence	200,00
35.	Maintien de l'inscription du nom d'un agent de brevets dans le registre des agents de brevets, selon l'alinéa 16(1)*a*) des présentes règles	300,00
36.	Présentation au commissaire d'une demande de réinscription au registre des agents de brevets, selon l'article 17 des présentes règles	200,00

DORS/99-291, art. 18, 19 et 20.

PART VII
PATENT AGENT

Column I Item	Description	Column II Fee
33.	On applying for entry on the register of patent agents under section 15 of these Rules	$ 100.00
34.	On notifying the Commissioner pursuant to subsection 14(2) of these Rules of a proposal to sit for the whole or any part of the qualifying examination	200.00
35.	For maintaining the name of a patent agent on the register of patent agents pursuant to paragraph 16(1)(*a*) of these Rules	300.00
36.	On applying to the Commissioner for reinstatement on the register of patent agents under section 17 of these Rules	200.00

SOR/99-291, s. 18, 19 and 20.

Règlement d'application du Traité de coopération en matière de brevets

DORS/89-453

Loi sur les brevets
(L.R.C. 1985, ch. P-4)

[Abrogé, DORS/96-423.]

Patent Cooperation Treaty Regulations

SOR/89-453

Patent Act
(R.S.C. 1985, c. P-4)

[Repealed, SOR/96-423.]

RÈGLEMENT SUR LES VERSEMENTS AUX PROVINCES POUR LA RECHERCHE ET LE DÉVELOPPEMENT (MÉDICAMENTS)

Table des matières

PAYMENTS TO EACH PROVINCE FOR RESEARCH AND DEVELOPMENT (MEDICINE) REGULATIONS

Table of Contents

Règlement sur les versements aux provinces pour la recherche et le développement (médicaments)

DORS/88-167

Loi sur les brevets
(L.R.C. 1985, ch. P-4)

RÈGLEMENT CONCERNANT LE VERSEMENT AUX PROVINCES POUR LA RECHERCHE ET LE DÉVELOPPEMENT EN MATIÈRE DE MÉDICAMENTS

Titre abrégé

1. *Règlement sur les versements aux provinces pour la recherche et le développement (médicaments).*

Définition

2. La définition qui suit s'applique au présent règlement
«Loi» La *Loi modifiant la Loi sur les brevets et prévoyant certaines dispositions connexes (Act).*

Versement

3. Tout versement visé au paragraphe 31(1) de la Loi est fait au plus tard à la fin de l'exercice à l'égard duquel le versement doit être effectué.

Payments to each Province for Research and Development (Medicine) Regulations

SOR/88-167

Patent Act
(R.S.C. 1985, c. P-4)

REGULATIONS RESPECTING PAYMENTS TO EACH PROVINCE FOR THE PURPOSE OF RESEARCH AND DEVELOPMENT RELATING TO MEDICINE

Short Title

1. These Regulations may be cited as the *Payments to each Province for Research and Development (Medicine) Regulations.*

Interpretation

2. In these regulations, "Act" means *An Act to amend the Patent Act and to provide for certain matters in relation thereto. (Loi)*

Payment

3. Payment of any amount under subsection 31(1) of the act shall be made not later than the end of each fiscal year in respect of which the amount is payable.

Règlement sur les médicaments brevetés

DORS/88-474

Loi sur les brevets
(L.R.C. 1985, ch. P-4)

[Abrogé, DORS/94-688.]

Patented Medicines Regulations

SOR/88-474

Patent Act
(R.S.C. 1985, c. P-4)

[Repealed, SOR/94-688.]

RÈGLEMENT DE 1994 SUR LES MÉDICAMENTS BREVETÉS

Table des matières

PATENTED MEDICINES REGULATIONS, 1994

Table of Contents

Règlement de 1994 sur les médicaments brevetés

DORS/94-688

Modifié par DORS/95-172; DORS/98-105.

Loi sur les brevets
(L.R.C. 1985, ch. P-4)

RÈGLEMENT CONCERNANT LA PRÉSENTATION DE RENSEIGNEMENTS SUR LES MÉDICAMENTS BREVETÉS ET SUR LES RECETTES ET LES DÉPENSES EN RECHERCHE ET DÉVELOPPEMENT DES BREVETÉS

Titre abrégé

1. *Règlement de 1994 sur les médicaments brevetés.*

Définitions

2. Les définitions qui suivent s'appliquent au présent règlement.
« avis de conformité » S'entend d'un avis de conformité délivré en vertu de l'article C.08.004 du *Règlement sur les aliments et drogues*. (*notice of compliance*)
« Loi » La *Loi sur les brevets*. (*Act*)
DORS/98-105, art. 1.

Renseignements sur l'identification et le prix des médicaments

3. (1) Pour l'application des alinéas 80(1)*a*) et (2)*a*) de la Loi, les renseignements identifiant le médicament doivent indiquer :
a) le nom et l'adresse du breveté ou de l'ancien breveté ainsi que son adresse postale au Canada;

Patented Medicines Regulations, 1994

SOR/94-688

Amended by SOR/95-172; SOR/98-105.

Patent Act
(R.S.C. 1985, c. P-4)

REGULATIONS SPECIFYING THE INFORMATION TO BE PROVIDED RELATING TO PATENTED MEDICINES AND PATENTEES' REVENUES AND RESEARCH AND DEVELOPMENT EXPENDITURES

Short Title

1. These Regulations may be cited as the *Patented Medicines Regulation, 1994.*

Interpretation

2. The definitions in this section apply in these Regulations.
"Act" means the *Patent Act*. (*Loi*)
"notice of compliance" means a notice of compliance that is issued under section C.08.004 of the *Food and Drug Regulations*. (*avis de conformité*)
SOR/98-105, s. 1.

Information Respecting the Identity and Price of Medicines

3. (1) For the purposes of paragraphs 80(1)(*a*) and 80(2)(*a*) of the Act, information identifying the medicine shall indicate
(*a*) the name and address of the patentee or former patentee and the address for correspondence in Canada;

b) si celui-ci détient le brevet ou est le titulaire d'une licence autre que celle prorogée en vertu du paragraphe 11(1) de la *Loi de 1992 modifiant la Loi sur les brevets*, ou toute autre personne visée par la définition de «breveté» au paragraphe 79(1) de la Loi;
c) l'appellation générique et la marque du médicament;
d) si le médicament est destiné à usage humain ou vétérinaire;
e) son usage thérapeutique approuvé par le ministre de la Santé nationale et du Bien-être social;
f) la date à laquelle le premier avis de conformité a été délivré au breveté ou à l'ancien breveté pour le médicament;
g) le numéro d'identification de drogue attribué à chaque forme posologique et à chaque concentration du médicament conformément au *Règlement sur les aliments et drogues*;
h) le numéro de brevet de chaque invention du breveté ou de l'ancien breveté liée au médicament, la date d'octroi ainsi que la date d'expiration du brevet.

(*b*) whether the reporting patentee referred to in paragraph (*a*) is the patent holder, a person holding a licence other than a licence continued by subsection 11(1) of the *Patent Act Amendment Act, 1992*, or any other person referred to in the definition "patentee" in subsection 79(1) of the Act;
(*c*) the generic name and brand name of the medicine;
(*d*) whether the medicine is for human or veterinary use;
(*e*) the therapeutic use of the medicine approved by the Minister of Health and Welfare;
(*f*) the date on which the first notice of compliance was issued to the patentee or former patentee in respect of the medicine;
(*g*) the drug identification number assigned to each strength and dosage form of the medicine under the *Food and Drug Regulations*;
(*h*) the patent number of each invention of the patentee or former patentee pertaining to the medicine, the date on which each patent was granted and the date on which each patent will expire.

(2) Les renseignements visés au paragraphe (1) doivent être fournis :
a) soit si un avis de conformité a été délivré pour le médicament;
b) soit si le médicament est offert en vente au Canada.

(2) The information required under subsection (1) shall be provided if
(*a*) a notice of compliance has been issued in respect of the medicine; or
(*b*) the medicine is being offered for sale in Canada.

(3) Les renseignements visés au paragraphe (1) doivent être fournis, selon la première de ces éventualités suivantes :
a) dans les 30 jours suivant la date à laquelle le premier avis de conformité est délivré pour le médicament;
b) dans les 30 jours suivant la date à laquelle le médicament est offert en vente au Canada pour la première fois.

(3) The information referred to in subsection (1) shall be provided within the earlier of
(*a*) 30 days after the date on which the first notice of compliance is issued in respect of the medicine, and
(*b*) 30 days after the date on which the medicine is first offered for sale in Canada.

(4) Les renseignements visés au paragraphe (1) doivent être tenus à jour, et toute modification qui y est apportée doit être présentée dans les 30 jours suivant celle-ci.
DORS/98-105, art. 2.

(4) The information referred to in subsection (1) shall be up to date and any modification of that information shall be reported within 30 days after the modification.
SOR/98-105, s. 2.

4. (1) Pour l'application des alinéas 80(1)*b*) et (2)*b*) de la Loi, les renseignements identi-

4. (1) For the purposes of paragraphs 80(1)(*b*) and (2)(*b*) of the Act, information

fiant le médicament et ceux sur son prix de vente doivent indiquer :
a) l'identité du breveté ou de l'ancien breveté;
b) l'appellation générique et la marque du médicament;
c) la période visée au paragraphe (2) à laquelle s'appliquent les renseignements;
d) le numéro d'identification de drogue attribué en vertu du *Règlement sur les aliments et drogues* ou, lorsqu'aucun numéro n'a été attribué, un autre numéro d'identification attribué à chaque forme posologique et à chaque concentration du médicament du breveté ou de l'ancien breveté;
e) la quantité du médicament vendue et soit son prix moyen par emballage, soit les recettes nettes dérivées des ventes de chaque forme posologique, de chaque concentration et de chaque format d'emballage dans lesquels le médicament était vendu sous sa forme posologique finale par le breveté ou l'ancien breveté à chaque catégorie de clients dans chacune des provinces durant les périodes visées a paragraphe (2);
f) le prix départ usine accessible au public de chaque forme posologique, de chaque concentration et de chaque format d'emballage dans lesquels le médicament était vendu par le breveté ou l'ancien breveté à chaque catégorie de clients dans chacune des provinces durant les périodes visées au paragraphe (2);
g) lorsque le médicament est vendu dans un ou plusieurs des pays nommés à l'annexe I, le prix départ usine accessible au public de chaque forme posologique, de chaque concentration et de chaque format d'emballage dans lesquels le médicament était vendu à chaque catégorie de clients dans chacun de ces pays au cours des périodes visées au paragraphe (2).

(2) Les renseignements visés au paragraphe (1) sont fournis à l'égard de :
a) la période de 30 jours suivant la date à laquelle le médicament est vendu au Canada pour la première fois;
b) chaque période de six mois commençant le 1er janvier et le 1er juillet de chaque année.

(3) Les renseignements visés au paragraphe (2) doivent être présentés dans les 30 jours

identifying the medicine and concerning the price of the medicine shall indicate
(*a*) the identity of the patentee or former patentee;
(*b*) the generic name and brand name of the medicine;
(*c*) the time period, referred to in subsection (2), to which the information pertains;
(*d*) the drug identification number assigned under the *Food and Drug Regulations* or, where no drug identification number has been assigned, any other identification number assigned to each dosage form and strength of the medicine of the patentee or former patentee;
(*e*) the quantity of the medicine sold and either the average price per package or the net revenue from sales of each dosage form, strength and package size in which the medicine was sold in final dosage form by the patentee or former patentee to each class of customer in each province during the periods referred to in subsection (2);
(*f*) the publicly available ex-factory price for each dosage form, strength and package size of the medicine that was sold by the patentee or former patentee to each class of customer in each province during the periods referred to in subsection (2);
(*g*) where the medicine is being sold in one or more of the countries set out in Schedule I, the publicly available ex-factory price for each dosage form, strength and package size in which the medicine was sold to each class of customer in each of those countries, during the periods referred to in subsection (2).

(2) The information referred to in subsection (1) shall be provided in respect of
(*a*) the 30 day period following the date of the first sale in Canada of the medicine; and
(*b*) each six month period commencing on January 1 and July 1 of each year.

(3) The information referred to in subsection (2) shall be provided within 30 days after the

suivant la fin de chaque période visée à ce paragraphe.

end of each period referred to in that subsection.

(4) Pour l'application de l'alinéa (1)*e*), le prix après déduction des réductions accordées à titre de promotion ou sous forme de rabais, escomptes, remboursements, biens ou services gratuits, cadeaux ou autres avantages semblables et après déduction de la taxe de vente fédérale doit être utilisée pour le calcul du prix moyen par emballage dans lequel le médicament était vendu.

(4) For the purposes of paragraph (1)(*e*), in calculating the average price per package of medicine, the actual price after any reduction given as a promotion or in the form of rebates, discounts, refunds, free goods, free services, gifts or any other benefits of a like nature and after deduction of the federal sales tax shall be used.

(5) Pour l'application de l'alinéa (1)*e*), le montant des recettes après déduction des réductions accordées sous forme de rabais, escomptes, remboursements biens ou services gratuits, cadeaux ou autres avantages semblables et après déduction de la taxe de vente fédérale doit être utilisé pour le calcul des recettes nettes pour chaque forme posologique, chaque concentration et chaque format d'emballage dans lesquels le médicament était vendu sous sa forme posologique finale.

(5) For the purposes of paragraph (1)(*e*), in calculating the net revenue from sales of each dosage form, strength and package size in which the medicine was sold in final dosage form, the actual revenue after any reduction in the form of rebates, discounts, refunds, free goods, free services, gifts or any other benefits of a like nature and after deduction of federal sales taxes shall be used.

(6) Sous réserve du paragraphe (7), le présent article ne s'applique pas à un médicament vendu par le breveté ou l'ancien breveté à une personne avec qui il a un lien de dépendance ou à tout autre breveté ou ancien breveté.

(6) Subject to subsection (7), this section does not apply in respect of medicine sold by the patentee or former patentee to any person with whom the patentee or former patentee does not deal at arm's length, or to any other patentee or former patentee.

(7) Lorsque le breveté ou l'ancien breveté vend le médicament à une personne avec qui il a un lien de dépendance et que celle-ci n'est pas tenue de fournir des renseignements en vertu des alinéas 80(1)*a*) et 80(2)*a*) de la Loi, le breveté ou l'ancien breveté doit fournir les renseignements prévus en vertu des alinéas (1)*e*) à *g*) à l'égard de toute revente du médicament par cette personne.

(7) Where the patentee or former patentee sells the medicine to a person with whom the patentee or former patentee does not deal at arm's length and the person is not required to provide information pursuant to paragraphs 80(1)(*a*) and 80(2)(*a*) of the Act, the patentee or former patentee shall provide the information required under paragraphs (1)(*e*) to (*g*) in respect of any resale of the medicine by that person.

(8) Pour l'application de l'alinéa (1)*g*), le prix auquel le médicament était vendu dans un pays étranger doit être exprimé dans la devise de ce pays.

(8) For the purposes of paragraph (1)(*g*), the price at which a medicine was sold in a country other than Canada shall be expressed in the currency of that country.

(9) Pour l'application du présent article, les dispositions de la *Loi de l'impôt sur le revenu*

(9) For the purposes of this section, the provisions of the *Income Tax Act*, as that Act read

dans sa version du 1er décembre 1987 s'appliquent, compte tenu des adaptations nécessaires, à la détermination du lien de dépendance entre le breveté et une autre personne.

(10) Pour l'application du présent article, «prix départ usine accessible au public» s'entend notamment de tout prix d'un médicament breveté dont sont convenus le breveté ou l'ancien breveté et l'autorité réglementante compétente du pays dans lequel le breveté vend le médicament.
DORS/98-105, art. 3.

Recettes et dépenses de recherche et développement

5. (1) Pour l'application du paragraphe 88(1) de la Loi, les renseignements sur l'identité des titulaires des licences découlant du brevet au Canada et sur les recettes et les dépenses de recherche et développement du breveté doivent indiquer :
a) le nom et l'adresse du breveté ainsi que son adresse postale au Canada;
b) le nom et l'adresse des titulaires des licences au Canada;
c) les recettes brutes totales tirées de toutes les ventes de médicaments pour usage humain et vétérinaire effectuées par le breveté au Canada durant l'année et les recettes totales qui proviennent des titulaires des licences au titre des ventes au Canada de médicaments pour usage humain et vétérinaire;
d) un résumé de toutes les dépenses engagées par le breveté durant l'année pour l'exécution, au Canada par lui ou pour son compte, de recherche et développement en matière de médicaments pour usage humain ou vétérinaire y compris :
(i) une description du type de recherche et développement et le nom de la personne ou de l'entité qui les a exécutés,
(ii) pour chaque type de recherche et développement, les montants dépensés par le breveté ou par la personne ou l'entité qui a exécuté la recherche et le développement,
(iii) le nom de la province où la recherche et le développement ont été effectués et le mon-

on December 1, 1987, apply with such modifications as the circumstances require, in determining whether a patentee or former patentee is dealing at arm's length with another person.

(10) For the purposes of this section, "publicly available ex-factory price" includes any price of a patented medicine that is agreed on by the patentee or former patentee and the appropriate regulatory authority of the country in which the medicine is sold by the patentee.
SOR/98-105, s. 3.

Revenues and Research and Development Expenditures

5. (1) For the purposes of subsection 88(1) of the Act, information concerning the identity of any licensee in Canada of the patentee and the revenues and research and development expenditures of the patentee shall indicate
(*a*) the name and address of the patentee and the address for correspondence in Canada;
(*b*) the name and address of all licensees in Canada of the patentee;
(*c*) the total gross revenues from all sales in Canada during the year by the patentee of medicine for human and veterinary use and the total revenues received from all licensees from the sale in Canada of medicine for human and veterinary use; and
(*d*) a summary of all expenditures made during the year by the patentee towards the cost of research and development relating to medicine for human or veterinary use carried out in Canada by or on behalf of the patentee, including
(i) a description of the type of research and development and the name of the person or entity that carried out the research and development,
(ii) the expenditures of the patentee or the person or entity that carried out the research and development, in respect of each type of research and development, and
(iii) the name of the province in which the research and development was carried out

tant dépensé dans la province par le breveté ou par la personne ou l'entité.

(2) Les renseignements visés au paragraphe (1) doivent être fournis pour chaque année civile et être présentés dans les 60 jours suivant la fin de l'année.

(3) Les recettes brutes totales visées à l'alinéa (1)*c*) sont celles qui se rapportent aux ventes de médicaments :
a) auxquels un numéro d'identification de drogue a été attribué conformément au *Règlement sur les aliments et drogues* ou ceux qui ont été approuvés pour la vente à un chercheur compétent conformément à ce règlement;
b) qui sont utilisés pour le diagnostic, le traitement, l'atténuation ou la prévention de maladies, de troubles ou d'états physiques anormaux ou de leurs symptômes, ainsi que pour la modification de fonctions organiques chez les humains ou les animaux;
c) dont la vente est promue par quelque moyen que ce soit auprès des médecins, des dentistes, des vétérinaires, des hôpitaux, des détaillants ou des grossistes de drogues ou des fabricants de produits pharmaceutiques contrôlés.

(4) Pour l'application de l'alinéa (1)*d*), le breveté doit indiquer :
a) les dépenses en immobilisations totales afférentes aux immeubles et le montant de dépréciation annuelle de ceux-ci, qui est calculée à un taux annuel de 4 pour cent sur une période maximale de 25 ans;
b) les dépenses totales relatives à l'équipement;
c) la source du financement des dépenses de recherche et de développement du breveté et le montant fourni.
DORS 95/172.

6. Pour l'application du paragraphe 88(1) de la Loi, «recherche et développement» s'entend des activités pour lesquelles les dépenses engagées sont admissibles, ou le seraient si elles avaient été engagées par un contribuable au Canada, à un crédit d'impôt à

and the expenditures in that province by the patentee or the person or entity.

(2) The information referred to in subsection (1) shall be provided for each calendar year and shall be submitted within 60 days after the end of each calendar year.

(3) The total gross revenues referred to in paragraph (1)(*c*) shall comprise revenues from sales of medicine
(*a*) for which a drug identification number has been issued under the *Food and Drug Regulations* or which has been approved for sale to qualified investigators under those Regulations;
(*b*) that is used in the diagnosis, treatment, mitigation or prevention of a disease, disorder or abnormal physical state or the symptoms thereof or in the modification of organic functions in humans or animals; and
(*c*) the sale of which is promoted by any means to physicians, dentists, veterinarians, hospitals, drug retailers or wholesalers or manufacturers of ethical pharmaceutical products.

(4) For the purposes of paragraph (1)(*d*), the patentee shall specify
(*a*) the total capital expenditures on buildings and the annual depreciation of the buildings which depreciation shall be calculated at an annual rate of four per cent for a maximum of 25 years;
(*b*) the total capital expenditures on equipment; and
(*c*) the source and amount of the funds for expenditures made by the patentee towards the cost of research and development.
SOR 95/172.

6. For the purposes of subsection 88(1) of the Act, the expression "research and development" means those activities for which expenditures qualify, or would qualify if the expenditures were made by a taxpayer in Canada, for an investment tax credit in re-

l'investissement pour la recherche scientifique et le développement expérimental aux termes de la *Loi de l'impôt sur le revenu* dans sa version du 1er décembre 1987.

spect of scientific research and experimental development under the *Income Tax Act* as that Act read on December 1, 1987.

Dispositions générales

7. Tout renseignement fourni conformément au présent règlement doit être accompagné d'un certificat établi par une personne dûment autorisée attestant leur exactitude.

General

7. Any information provided pursuant to these Regulations shall be accompanied by a certificate signed by a duly authorized person certifying that the information is true and correct.

ANNEXE I
(*Alinéa 4(1)g)*)

Article	Pays
1.	États-Unis
2.	France
3.	Italie
4.	République fédérale de l'Allemagne
5.	Royaume-Uni
6.	Suède
7.	Suisse

SCHEDULE I
(*Paragraph 4(1)(g)*)

Item	Country
1.	Federal Republic of Germany
2.	France
3.	Italy
4.	Sweden
5.	Switzerland
6.	United Kingdom
7.	United States

ANNEXE I

FORMULE 1
(ART. 3)

Conseil d'examen du prix des médicaments brevetés

ANNEXE I
FORMULAIRE 1
(article 3)

Réservé au bureau

RENSEIGNEMENTS IDENTIFIANT LE MÉDICAMENT

1 APPELLATIONS ET USAGE DU MÉDICAMENT

Appellation commerciale du médicament	
Appellation générique	
Usage thérapeutique approuvé par le ministre de la Santé nationale et du Bien-être social	Usage ☐ humain ☐ vétérinaire

2 AVIS DE CONFORMITÉ

1er avis de conformité délivré au breveté (A M J)	Date à laquelle le plus ancien avis de conformité a été délivré au breveté soumettant les renseignements ou à tout autre breveté (A M J)	Le plus ancien avis de conformité a été délivré à

3 NUMÉRO D'IDENTIFICATION DE DROGUE (DIN)

Numéro(s) d'identification de drogue (DIN)	Forme posologique	Concentration/Unité

4 NUMÉRO DE BREVET DES INVENTIONS DU BREVETÉ (Y COMPRIS LES BREVETS EXPIRÉS) LIÉES AU MÉDICAMENT

Numéro de brevet	Date d'octroi (A M J)	Date d'expiration (A M J)

5 BREVETÉ SOUMETTANT LES RENSEIGNEMENTS

Nom et adresse du breveté soumettant les renseignements	
Indiquer si le breveté soumettant les renseignements est ☐ le titulaire du brevet ☐ le titulaire d'une licence autre que celle visée à l'article 41 de la *Loi sur les brevets* ☐ autre(spécifier)	
Signature (breveté ou dirigeant de la société, avec indication de son titre)	Date
Adresse postale au Canada	

SCHEDULE I

FORM 1
(S. 3)

Patented Medicine
Prices Review Board

SCHEDULE I
FORM 1
(*Section 3*)

Office use only

MEDICINE IDENTIFICATION SHEET

1 NAMES AND USE OF THE MEDICINE

Trade name of medicine	
Generic name	
Therapeutic use of the medicine approved by the Minister of National Health and Welfare	Use ☐ Human ☐ Veterinary

2 NOTICE OF COMPLIANCE (N.O.C.)

Patentee's first N.O.C. Y M D	Date of earliest N.O.C. issued to the reporting patentee or any other patentee Y M D	Earliest N.O.C. issued to

3 DRUG IDENTIFICATION NUMBER (DIN)

Drug Identification Number(s) (DIN)	Dosage Form	Strength/Unit

4 PATENT NUMBER OF PATENTEE'S INVENTIONS (INCLUDING EXPIRED PATENTS) PERTAINING TO THE MEDICINE

Patent Number	Date of Grant Y M D	Expiry Date Y M D

5 REPORTING PATENTEE

Name and address of the reporting patentee	
Identify if the reporting patentee is ☐ the patent holder ☐ person holding a licence other than a licence referred to in section 41 of the *Patent Act* ☐ other (specify)	
Signature of patentee or corporate officer (including title)	Date
Address for correspondence in Canada	

FORMULE 2
(ART. 4)

Conseil d'examen du prix des médicaments brevetés

FORMULAIRE 2
(article 4)

RENSEIGNEMENTS IDENTIFIANT LE MÉDICAMENT ET RENSEIGNEMENTS SUR SON PRIX

Réservé au bureau

1 RENSEIGNEMENTS GÉNÉRAUX

Année sur laquelle portent les renseignements	Période sur laquelle portent les renseignements De	A	Usage ☐ humain ☐ vétérinaire
Appellation commerciale du médicament			
Appellation générique			
Nom et adresse du breveté soumettant les renseignements			

2 VENTES DU MÉDICAMENT AU CANADA AUTREMENT QUE SOUS SA FORME POSOLOGIQUE FINALE

Prix moyen par kg	Prix départ usine par kg	Quantité vendue en kg	Province*	Catégorie de clients*

3 VENTES DU MÉDICAMENT DANS D'AUTRES PAYS AUTREMENT QUE SOUS SA FORME POSOLOGIQUE FINALE
(en devises du pays respectif)

Prix départ usine par kg	Pays*	Catégorie de clients*

* Voir page 4

FORMULE 2 (P. 2)

FORMULAIRE 2 (*Suite*)

4 VENTES DU MÉDICAMENT AU CANADA PAR LE BREVETÉ SOUS SA FORME POSOLOGIQUE FINALE

Numéro d'identification de drogue (DIN)	Concentration/Unité **	Forme posologique*	Format d'emballage **	Quantité vendue (Nombre de formats vendus)	Indiquer soit Recettes nettes	ou Prix moyen par emballage	Province*	Catégorie de clients*

* Voir page 4.

** Remplir une ligne distincte pour chaque concentration, chaque forme posologique et chaque format d'emballage

FORMULE 2 (P. 3)

FORMULAIRE 2(*suite*)

5 VENTES DU MÉDICAMENT PAR LE BREVETÉ SOUS SA FORME POSOLOGIQUE FINALE – RENSEIGNEMENTS SUR LES PRIX DÉPART USINE

Indiquer soit l'appellation générique du médicament ou	le numéro d'identification de drogue (DIN) si vendu au Canada	Concentration / Unité**	Forme posologique	Format d'emballage**	Prix départ usine	Province ou pays*	Catégorie de clients*

* Voir page 4

** Remplir une ligne distincte pour chaque concentration, chaque forme posologique et chaque format d'emballage

FORMULE 2 (P. 4)

FORMULAIRE 2 (fin)

CODES DES FORMES POSOLOGIQUES

50 - Aérosol
51 - Ampoule
52 - Capsule
53 - Cartouche
54 - Masticable
55 - Lotion nettoyante
56 - Crème
57 - Effervescent
58 - Émollient
59 - Émulsion
60 - Entérique
61 - Microsphères en enrobage entérique en capsules
62 - Granules
63 - Inhalation
64 - Injectable
65 - Lotion
66 - Dans l'huile
67 - Pommade
68 - Liquide oral
69 - Poudre orale
70 - Rinçage oral
71 - Poudre
72 - Poudre pour inhalation
73 - Mousse rectale en aérosol
74 - Solution
75 - Vaporisateur
76 - Suppositoire
77 - Suspension
78 - Comprimé
79 - Fiole
99 - Autre

CODES DES PROVINCES

01 - T.-N.
02 - Î.-P.-É.
03 - N.-É.
04 - N.-B.
05 - QC
06 - ONT.
07 - MAN.
08 - SASK.
09 - ALB.
10 - C.-B.
11 - T.N.-O.
12 - YUK.
13 - CANADA (lorsque la province est inconnue)

CODES DES PAYS

15 - RÉPUBLIQUE FÉDÉRALE D'ALLEMAGNE
16 - FRANCE
17 - ITALIE
18 - SUÈDE
19 - SUISSE
20 - ROYAUME-UNI
21 - ÉTATS-UNIS

CODES DES CATÉGORIES DE CLIENTS

01 - HÔPITAL
02 - PHARMACIE
03 - GROSSISTE
04 - AUTRES

6 BREVETÉ SOUMETTANT LES RENSEIGNEMENTS

Signature (breveté ou dirigeant de la société, avec indication de son titre)	Date
Adresse postale au Canada	

FORM 2
(S. 4)

Patented Medicine
Prices Review Board

FORM 2
(*Section 4*)

Page 1 of 4

INFORMATION ON THE IDENTITY OF THE MEDICINE
AND ON THE PRICES OF THE MEDICINE

Office use only

1 GENERAL INFORMATION

Year to which information applies	Period to which information applies From	To	Use ☐ Human ☐ Veterinary
Trade name of medicine			
Generic name			
Name and address of the reporting patentee			

2 SALES OF THE MEDICINE IN OTHER THAN FINAL DOSAGE FORM – IN CANADA

Average price per kg	Ex-factory price per kg	Quantity of sales in kg	Province*	Class of customer*

3 SALES OF THE MEDICINE IN OTHER THAN FINAL DOSAGE FORM – IN OTHER COUNTRIES (in currency in which medicine was sold)

Ex-factory price per kg	Country*	Class of customer*

* See page 4.

FORM 2 (P. 2)

FORM 2 - *Continued*

4 SALES OF THE MEDICINE BY THE PATENTEE IN FINAL DOSAGE FORM IN CANADA

Drug Identification Number	Strength/Unit**	Dosage form*	Package size**	Quantity sold (No. of packages sold)	Indicate either Net revenues	or Avg price per pkg	Province*	Class of customer*

* See page 4.

** Use separate line for each strength, dosage form and package size

FORM 2 (P. 3)

FORM 2 – *Continued*

5 SALES OF THE MEDICINE BY THE PATENTEE IN FINAL DOSAGE FORM – EX-FACTORY PRICES REPORT

Indicate either: Generic name of medicine	or Drug Identification Number where sold in Canada	Strength / Unit**	Dosage form *	Package size **	Ex-factory price	Province or country *	Class of customer *

* See page 4.

** Use separate line for each strength, dosage form and package size.

FORM 2 (P. 4)

FORM 2 - Concluded

DOSAGE FORM CODES

50 - Aerosol
51 - Ampoule
52 - Capsule
53 - Cartridge
54 - Chewable
55 - Cleansing lotion
56 - Cream
57 - Effervescent
58 - Emollient
59 - Emulsion
60 - Enteric
61 - Enteric coated microspheres in capsules
62 - Granule
63 - For inhalation
64 - Injectable
65 - Lotion
66 - In oil
67 - Ointment
68 - Oral liquid
69 - Oral powder
70 - Oral rinse
71 - Powder
72 - Powder for inhalation
73 - Rectal aerosol foam
74 - Solution
75 - Spray
76 - Suppository
77 - Suspension
78 - Tablet
79 - Vial
99 - Other

PROVINCE CODES

01 - NFLD.
02 - P.E.I.
03 - N.S.
04 - N.B.
05 - QUE.
06 - ONT.
07 - MAN.
08 - SASK.
09 - ALTA.
10 - B.C.
11 - N.W.T.
12 - YUKON
13 - CANADA (where province is not known)

COUNTRY CODES

15 - FEDERAL REPUBLIC OF GERMANY
16 - FRANCE
17 - ITALY
18 - SWEDEN
19 - SWITZERLAND
20 - UNITED KINGDOM
21 - UNITED STATES

CLASS OF CUSTOMER CODES

01 - HOSPITAL
02 - DRUGSTORE OR PHARMACY
03 - WHOLESALER
04 - OTHER

6 REPORTING PATENTEE

Signature of patentee or corporate officer (including title)	Date
Address for correspondence in Canada	

FORMULE 3
(ART. 6)

Commissaire des brevets

FORMULAIRE 3
(*article 6*)

Page 1 de 2

DEMANDE EN VERTU DU PARAGRAPHE 41.16(1) DE LA *LOI SUR LES BREVETS*

1. Je/Nous ______________________________

de ______________________________

____
(nom et adresse du(des) du demandeur(s))

demande/demandons par la présente une directive concernant un médicament en vertu du paragraphe 41.16(1) de la *Loi sur les brevets*.

2

Numéro du brevet	Appellation générique et appellation chimique du médicament	Date d'octroi du brevet

3 Résumé des activités exécutées pour l'invention du médicament :

a) quand et où le médicament a été conçu,

b) description des étapes à partir de la conception jusqu'à la réalisation du médicament :

(i) quand, ou et par qui le médicament a été réalisé en premier lieu,

(ii) comment, quand, ou et par qui les essais préliminaires pour évaluer l'utilité du médicament ont été effectués,

(iii) description des étapes ultérieures réalisées pour perfectionner le médicament avant les essais précliniques, le cas échéant.

____

4 Résumé des activités exécutées pour développer le médicament et le rendre commercialisable :

a) les essais précliniques auxquels il a été soumis et où, quand et par qui ces essais ont été effectués :

____

b) les essais cliniques des phases I, II et III auxquels le médicament a été soumis et où, quand et par qui ces essais ont été effectués :

____

FORMULE 3 (P. 2)

FORMULAIRE 3 (*suite et fin*) Page 2 de 2

DEMANDE EN VERTU DU PARAGRAPHE 41.16(1) DE LA *LOI SUR LES BREVETS*

5 Type et montant des dépenses faites au Canada et à l'étranger pour l'invention du médicament :

TOTAL AU CANADA $	TOTAL À L'ÉTRANGER EN DOLLARS CANADIENS $

6 Type et montant des dépenses faites au Canada et à l'étranger pour le développement de cette invention :

TOTAL AU CANADA $	TOTAL À L'ÉTRANGER EN DOLLARS CANADIENS $

7 Donner les raisons pour lesquelles une partie de la réalisation de l'invention du médicament, de son développement et des dépenses a été effectuée à l'étranger :

8 Autres renseignements pertinents concernant l'invention et le développement du médicament :

9

Signature(breveté ou dirigeant de la société, avec indication de son titre)	Date
Adresse postale au Canada	

FORM 3
(S. 6)

Commissioner
of Patents

FORM 3
(*Section 6*)

Page 1 of 2

APPLICATION UNDER SUBSECTION 41.16 (1) OF THE *PATENT ACT*

1 I / We ______________________________

whose address is ______________________________

____

(name and address of applicant (s))

hereby make application for an order under subsection 41.16 (1) of the *Patent Act* respecting a medicine

2

Patent number	Name of medicine (give generic and chemical names)	Date of grant of patent

3 A summary of the activities carried out in inventing the medicine:

(a) when and where the idea for the medicine originated,

(b) a description of the steps taken to reduce the original conception to the actual medicine

(i) when, where and by whom the medicine was first made.

(ii) how, when, where and by whom the preliminary utility testing of the medicine was conducted.

(iii) a description of any subsequent steps taken to perfect the medicine before preclinical trials where such tests were carried out

____

4 A summary of the activities carried out to develop the medicine to a marketable state:

a) what preclinical trials were carried out on the medicine and where, when and by whom they were carried out;

____

b) what phases I, II and III clinical trials were carried out on the medicine and where, when and by whom the trials were carried out.

____

FORM 3 (P. 2)

FORM 3 - *Concluded*

APPLICATION UNDER SUBSECTION 41.16 (1) OF THE *PATENT ACT*

5 The type and amount of expenditures that were made within and outside Canada in inventing the medicine

TOTAL IN CANADA $	TOTAL OUTSIDE CANADA IN CANADIAN DOLLARS $

6 The type and amount of expenditures that were made within and outside Canada in developing this invention

TOTAL IN CANADA $	TOTAL OUTSIDE CANADA IN CANADIAN DOLLARS $

7 Explain why any part of the inventing, development and expenditures occurred outside Canada.

8 Other relevant information about the inventing and development of the medicine.

9

Signature of patentee or corporate officer (including title)	Date
Address for correspondence in Canada	

FORMULE 4
(ART. 7)

Commissaire des brevets

FORMULAIRE 4
(*article 7*)

DEMANDE EN VERTU DU PARAGRAPHE 41.16 (4) DE LA *LOI SUR LES BREVETS*

1 Je ______________________________

de ______________________________

____
(nom et adresse du demandeur)

étant un titulaire d'une licence accordée sous le régime de l'article 41 de la *Loi sur les brevets* pour les brevets suivants, demande au commissaire des brevets une directive en vertu du paragraphe 41.16(4) de cette loi.

2 Nom et adresse du breveté

____

____

____

3 Numéro du brevet	Titre du brevet	Date d'octroi

4 Numéro de la licence	Date de la licence	Date de la délivrance du premier avis de conformité pour le médicament

Nom du médicament (donner l'appellation générique et l'appellation chimique)

Le demandeur peut inclure tout renseignement susceptible d'aider le commissaire des brevets à déterminer que le breveté ne réalise pas le médicament au Canada de façon à approvisionner – en tout ou en grande partie – le marché canadien.

____

____

____

5 Signature (titulaire de licence ou dirigeant de la société, avec indication de son titre)	Date
Adresse postale au Canada	

FORM 4
(S. 7)

Commissioner
of Patents

FORM 4
(*Section 7*)

APPLICATION UNDER SUBSECTION 41.16 (4) OF THE *PATENT ACT*

1 I, ______________________________

whose address is ______________________________

____
(name and address of applicant)

being a licensee under section 41 of the *Patent Act* in respect of the following patents, hereby apply to the Commissioner of Patents for an order under subsection 41 16(4) of that Act

2 The name and address of the patentee is

____

____

____

3

Patent number	Patent title	Date of grant

4

Licence number	Licence date	Date of the notice of compliance that was first issued in respect of the medicine.

Name of medicine (give generic and chemical names)

The applicant may include any information likely to help the Commissioner of Patents to determine that the patentee is not making the medicine in Canada for the purposes of completely or substantially supplying the Canadian market for the medicine.

5

Signature of licensee or corporate officer (including title)	Date
Address for correspondence in Canada	

FORMULE 5
(ART. 8)

Commissaire des brevets

FORMULAIRE 5
(*article 8*)

Page 1 de 2

RENSEIGNEMENTS SUR L'IDENTIFICATION ET LA RÉALISATION D'UN MÉDICAMENT FOURNIS EN APPLICATION DU PARAGRAPHE 41.16(9) DE LA *LOI SUR LES BREVETS*

1 Nom du breveté ______________________

Adresse du breveté ______________________

2

Numéro du brevet	Titre du brevet	Date d'octroi
Nom du médicament (appellation générique, appellation chimique et appellation commerciale)		Période visée

3 Le médicament a-t-il été réalisé au Canada durant la période visée?

☐ Oui ☐ Non ▶ *Dans l'affirmative, remplir les autres parties du formulaire.*

4 Nom de la personne ou de l'entité qui a exécuté le procédé de fabrication au Canada durant la période visée

5 Nature et étendue des activités exécutées au Canada durant la période visée relativement à la réalisation du médicament

6 Quantités du médicament réalisées au Canada durant la période visée

7 Catégories de clients dans chaque province pour lesquels le médicament a été réalisé au Canada par le breveté durant la période visée, et quantité du médicament réalisée pour chacune de ces catégories de clients

Province	Catégorie de clients*	Quantité	Province	Catégorie de clients*	Quantité

* CODES DES CATÉGORIES DE CLIENTS

01 - HÔPITAL
02 - PHARMACIE
03 - GROSSISTE
04 - AUTRES

FORMULE 5 (P.2)

FORMULAIRE 5 (*suite et fin*) Page 2 de 2

RENSEIGNEMENTS SUR L'IDENTIFICATION ET LA RÉALISATION D'UN MÉDICAMENT FOURNIS EN APPLICATION DU PARAGRAPHE 41.16(9) DE LA *LOI SUR LES BREVETS*

8 Décrire le procédé de fabrication exécuté au Canada durant la période visée. Indiquer les dates et les lieux au Canada où le procédé de fabrication a été utilisé

9 Si une partie du procédé de fabrication a été exécutée à l'extérieur du Canada, la décrire et donner les raisons pour lesquelles elle n'a pas été exécutée au Canada.

10

Signature (breveté ou dirigeant de la société, avec indication de son titre)	Date
Adresse postale au Canada	

FORM 5
(S. 8)

Commissioner of Patents

FORM 5
(Section 8)

Page 1 of 2

REPORT ON IDENTIFICATION AND MAKING OF MEDICINES
PURSUANT TO SUBSECTION 41 16(9) OF THE *PATENT ACT*

1 Name of patentee ______

Address of patentee ______

2

Patent number	Patent title	Date of grant
Name of medicine (generic, chemical & trade names)		Period reported on

3 Was the medicine made in Canada during the applicable period?

☐ Yes ☐ No ▶ *If yes, complete rest of form*

4 Name of the person or entity that carried out the manufacturing process in Canada during the applicable period

5 The nature and extent of the activities carried out in Canada during the applicable period in relation to the making of the medicine were as follows:

6 The quantities of the medicine made in Canada during the applicable period were as follows

7 The classes of customers in each province for which the medicine was made in Canada by the patentee during the applicable period and the quantity of the medicine made for each class of customer were as follows:

Province	Class * of customer	Quantity	Province	Class * of customer	Quantity

* *CLASS OF CUSTOMER CODES*

01 – HOSPITAL
02 – DRUGSTORE OR PHARMACY
03 – WHOLESALER
04 – OTHER

FORM 5 (P. 2)

FORM 5 - *Concluded* Page 2 of 2

REPORT ON IDENTIFICATION AND MAKING OF MEDICINES PURSUANT TO SUBSECTION 41.16(9) OF THE *PATENT ACT*

8	Describe the manufacturing process carried out in Canada during the applicable period. Indicate the dates and places in Canada at which the manufacturing process was carried out :
9	If any part of the manufacturing process was carried out in a country other than Canada, describe what part(s) of the process and the reasons for not carrying them out in Canada.

10	Signature of patentee or corporate officer (including title)	Date
	Address for correspondence in Canada	

FORMULE 6
(ART. 9)

Conseil d'examen du prix des médicaments brevetés

FORMULAIRE 6
(*article 9*)

Page 1 de 2

RENSEIGNEMENTS SUR LE NOM DES TITULAIRES DES LICENCES DÉCOULANT DU BREVET AU CANADA ET SUR LES RECETTES ET LES DÉPENSES, FOURNIS EN APPLICATION DU PARAGRAPHE 41 25(1) DE LA *LOI SUR LES BREVETS*

1 Nom du breveté ____________________

Adresse du breveté ____________________

Année sur laquelle portent les renseignements ____________________

2 TITULAIRES DES LICENCES

Nom et adresse des titulaires des licences	
Nom	Nom
Adresse	Adresse

3 RECETTES

	Pour usage humain	Pour usage vétérinaire
Recettes brutes totales tirées de toutes les ventes au Canada des médicaments par le breveté	$	$
Recettes totales des ventes de médicaments au Canada qui proviennent des titulaires des licences	$	$

4 RECHERCHE ET DÉVELOPPEMENT EN MATIÈRE DE MÉDICAMENTS

DÉPENSES COURANTES SUPPORTÉES PAR LE BREVETÉ			
A. Traitements et salaires	$	D. Autres charges directes (autres dépenses qui sont directement liées à la R & D)	$
B. Matières directes (dépenses en matières directes)	$	E. Paiements à des institutions désignées (université, collège, institut de recherche ou autre)	$
C. Contractants et sous-contractants	Universités $	F. Paiements à des conseils dispensateurs	$
	Autres $	G. Paiements à d'autres organismes	$

5 DÉPENSES EN IMMOBILISATIONS TOTALES

Immeubles – Valeur amortie	$		
Total des dépenses en immobilisations pour l'année	$	Équipement	$

6 TYPE DE RECHERCHE ET DE DÉVELOPPEMENT – MÉDICAMENTS POUR USAGE HUMAIN

Dépenses faites au Canada au titre de la R & D en matière de médicaments pour usage humain. Identifier l'exécutant

Type de R & D	Breveté	Autres sociétés	Universités	Hôpitaux	Autres
Fondamentale-chimique	$	$	$	$	$
Fondamentale-biologique					
Procédés de fabrication					
Essais précliniques I					
Essais précliniques II					
Essais cliniques de la phase I					
Essais cliniques de la phase II					
Essais cliniques de la phase III					
Autre R & D admissible					

FORMULE 6 (p. 2)

FORMULAIRE 6 *(suite et fin)* Page 2 de 2

RENSEIGNEMENTS SUR LE NOM DES TITULAIRES DES LICENCES DÉCOULANT DU BREVET AU CANADA ET SUR LES RECETTES ET LES DÉPENSES, FOURNIS EN APPLICATION DU PARAGRAPHE 41.25(1) DE LA *LOI SUR LES BREVETS*

7 TYPE DE RECHERCHE ET DE DÉVELOPPEMENT – MÉDICAMENTS POUR USAGE VÉTÉRINAIRE

Dépenses faites au Canada au titre de la R & D en matière de médicaments pour usage vétérinaire. Identifier l'exécutant.

Type de R & D	Breveté	Autres sociétés	Universités	Hôpitaux	Autres
Fondamentale-chimique	$	$	$	$	$
Fondamentale-biologique					
Procedes de fabrication					
Essais precliniques I					
Essais precliniques II					
Essais cliniques de la phase I					
Essais cliniques de la phase II					
Essais cliniques de la phase III					
Autre R & D admissible					

8 SOURCES DU FINANCEMENT DE LA R & D

Financement interne	$	Gouvernement fédéral	$
Personne sans lien de dépendance	$	Gouvernement provincial	$
Personne avec lien de dépendance	$	Autre (spécifier)	$

9 RENSEIGNEMENTS SUR LA R & D DANS CHAQUE PROVINCE

Province où la R & D a été effectuée	DÉPENSES EN R & D PAR				
	Breveté	Autres sociétés	Universités	Hôpitaux	Autres
T.-N.	$	$	$	$	$
Î.-P.-É.					
N.-É.					
N.-B.					
QC					
ONT					
MAN.					
SASK					
ALB.					
C.-B.					
YUK. et T.N.-O.					

10 BREVETÉ SOUMETTANT LES RENSEIGNEMENTS

Signature (breveté ou dirigeant de la société, avec indication de son titre)	Date
Adresse postale au Canada	

FORM 6
(S. 9)

Patented Medicine
Prices Review Board

FORM 6
(Section 9)

REPORT ON THE NAME OF ANY LICENSEE IN CANADA OF THE PATENTEE AND THE REVENUES AND EXPENDITURES PROVIDED PURSUANT TO SUBSECTION 41.25(1) OF THE *PATENT ACT*

1 Name of patentee ______________________

Address of patentee ______________________

Year to which information applies ______________________

2 LICENSEES

Names and addresses of licensees	
Name	Name
Address	Address

3 REVENUES

	For human use	For veterinary use
Total gross revenues from all sales of medicines in Canada by patentee	$	$
Total revenues from licensees from sale of medicines in Canada	$	$

4 RESEARCH AND DEVELOPMENT PERTAINING TO MEDICINES

CURRENT EXPENDITURES MADE BY THE PATENTEE			
A. Wages and salaries	$	D. Other direct costs (other expenditures that are directly attributable to R & D)	$
B. Direct material (expenditures on material and supplies directly used)	$	E. Payments to designated institutions (university, college, research institute or other)	$
C. Contractors and subcontractors	Universities $	F. Payments to granting councils	$
	Other $	G. Payments to other organizations	$

5 TOTAL CAPITAL EXPENDITURES

Buildings - Depreciated value	$		
Total capital expenditures in the year	$	Equipment	$

6 TYPE OF RESEARCH AND DEVELOPMENT – MEDICINE FOR HUMAN USE
Expenditures in Canada for R & D pertaining to medicines for human use. Identify who carried out the research.

Type of R & D	Patentee	Other companies	Universities	Hospitals	Others
Basic – chemical	$	$	$	$	$
Basic – biological					
Manufacturing processes					
Preclinical trials I					
Preclinical trials II					
Clinical trials Phase I					
Clinical trials Phase II					
Clinical trials Phase III					
Other qualifying R&D					

FORM 6 (p. 2)

FORM 6 – *Concluded*

Page 2 of 2

REPORT ON THE NAME OF ANY LICENSEE IN CANADA OF THE PATENTEE AND THE REVENUES AND EXPENDITURES PROVIDED PURSUANT TO SUBSECTION 41.25(1) OF THE *PATENT ACT*

7 TYPE OF RESEARCH AND DEVELOPMENT – MEDICINE FOR VETERINARY USE

Expenditures in Canada for R & D pertaining to medicines for veterinary use. Identify who carried out the research.

Type of R & D	Patentee	Other companies	Universities	Hospitals	Others
Basic – chemical	$	$	$	$	$
Basic – biological					
Manufacturing processes					
Preclinical trials I					
Preclinical trials II					
Clinical trials Phase I					
Clinical trials Phase II					
Clinical trials Phase III					
Other qualifying R&D					

8 SOURCE OF FUNDS FOR R & D

Internal funds	$	Federal government	$
Arm's length person	$	Provincial government	$
Not arm's length person	$	Other (specify)	$

9 INFORMATION ON R & D IN EACH PROVINCE

Province where R&D was performed	R & D EXPENDITURES BY				
	Patentee	Other companies	Universities	Hospitals	Other
NFLD.	$	$	$	$	$
P.E.I.					
N.S.					
N.B.					
QUE.					
ONT.					
MAN.					
SASK.					
ALTA.					
B.C.					
YUKON AND N.W.T.					

10 REPORTING PATENTEE

Signature of patentee or corporate officer (including title)	Date
Address for correspondence in Canada	

RÈGLEMENT SUR LES MÉDICAMENTS BREVETÉS (AVIS DE CONFORMITÉ)

Table des matières

PATENTED MEDICINES (NOTICE OF COMPLIANCE) REGULATIONS

Table of Contents

Règlement sur les médicaments brevetés (avis de conformité)

DORS/93-133

Modifié par DORS/98-166; DORS/99-379.

Loi sur les brevets
(L.R.C. 1985, ch. P-4)

RÈGLEMENT CONCERNANT LES AVIS DE CONFORMITÉ PORTANT SUR LES MÉDICAMENTS BREVETÉS

Titre abrégé

1. *Règlement sur les médicaments brevetés (avis de conformité).*

Définitions

2. Les définitions qui suivent s'appliquent au présent règlement.
«avis de conformité» Avis délivré au titre de l'article C.08.004 du *Règlement sur les aliments et drogues. (notice of compliance)*
«expiré» Se dit du brevet qui est expiré, qui est périmé ou qui a pris fin par l'effet d'une loi. (*expire*)
«liste de brevets» Liste de brevets soumise aux termes de l'article 4. (*patent list*)
«médicament» Substance destinée à servir ou pouvant servir au diagnostic, au traitement, à l'atténuation ou à la prévention d'une maladie, d'un désordre, d'un état physique anormal, ou de leurs symptômes. (*medicine*)
«ministre» Le ministre de la Santé nationale et du Bien-être social. (*Minister*)
«première personne» La personne visée au paragraphe 4(1). (*first person*)
«registre» Le registre tenu par le ministre

Patented Medicines (Notice of Compliance) Regulations

SOR/93-133

Amended by SOR/98-166; SOR/99-379.

Patent Act
(R.S.C. 1985, c. P-4)

REGULATIONS RESPECTING A NOTICE OF COMPLIANCE PERTAINING TO PATENTED MEDICINES

Short Title

1. These Regulations may be cited as the *Patented Medicines (Notice of Compliance) Regulations*.

Interpretation

2. In these Regulations,
"claim for the medicine itself" includes a claim in the patent for the medicine itself when prepared or produced by the methods or processes of manufacture particularly described and claimed or by their obvious chemical equivalents; (*revendication pour le médicament en soi*)
"claim for the use of the medicine" means a claim for the use of the medicine for the diagnosis, treatment, mitigation or prevention of a disease, disorder or abnormal physical state, or the symptoms thereof; (*revendication pour l'utilisation du médicament*)
"court" means the Federal Court of Canada or any other superior court of competent jurisdiction; (*tribunal*)
"expire" means, in relation to a patent, expire, lapse or terminate by operation of law; (*expiré*)

conformément à l'article 3. (*register*)
«revendication pour le médicament en soi» S'entend notamment d'une revendication, dans le brevet, pour le médicament en soi préparé ou produit selon les modes du procédé de fabrication décrits en détail et revendiqués ou selon leurs équivalents chimiques manifestes. (*claim for the medicine itself*)
«revendication pour l'utilisation du médicament» Revendication pour l'utilisation du médicament aux fins du diagnostic, du traitement, de l'atténuation ou de la prévention d'une maladie, d'un désordre, d'un état physique anormal, ou de leurs symptômes. (*claim for the use of the medicine*)
«seconde personne» Selon le cas, la personne visée aux paragraphes 5(1) ou (1.1). (*second person*)
«tribunal» La Cour fédérale du Canada ou tout autre cour supérieure compétente. (*court*)
DORS/98-166, art. 1; DORS/99-379, art. 1.

Registre

3. (1) Le ministre tient un registre des renseignements fournis aux termes de l'article 4. À cette fin, il peut refuser d'y ajouter ou en supprimer tout renseignement qui n'est pas conforme aux exigences de cet article.

(2) Le registre est ouvert à l'inspection publique durant les heures de bureau.

(3) Aucun renseignement soumis aux termes de l'article 4 n'est consigné au registre avant la délivrance de l'avis de conformité à l'égard duquel il a été soumis.

(4) Pour décider si tout renseignement fourni aux termes de l'article 4 doit être ajouté au registre ou en être supprimé, le ministre peut consulter le personnel du Bureau des brevets.
DORS/98-166, art. 2.

Liste de brevets

4. (1) La personne qui dépose ou a déposé une demande d'avis de conformité pour une

"first person" means the person referred to in subsection 4(1); (*première personne*)
"medicine" means a substance intended or capable of being used for the diagnosis, treatment, mitigation or prevention of a disease, disorder or abnormal physical state, or the symptoms thereof; (*médicament*)
"Minister" means the Minister of National Health and Welfare; (*ministre*)
"notice of compliance" means a notice issued under section C.08.004 of the *Food and Drug Regulations*; (*avis de conformité*)
"patent list" means a list of all patents that is submitted pursuant to section 4; (*liste de brevets*)
"register" means the register maintained by the Minister under section 3. (*registre*)
"second person" means the person referred to in subsection 5(1) or (1.1), as the case may be. (*seconde personne*)
SOR/98-166, s. 1; SOR/99-379, s. 1.

Register

3. (1) The Minister shall maintain a register of any information submitted under section 4. To maintain it, the Minister may refuse to add or may delete any information that does not meet the requirements of that section.

(2) The register shall be open to public inspection during business hours.

(3) No information submitted pursuant to section 4 shall be included on the register until after the issuance of the notice of compliance in respect of which the information was submitted.

(4) For the purpose of deciding whether information submitted under section 4 should be added to or deleted from the register, the Minister may consult with officers or employees of the Patent Office.
SOR/98-166, s. 2.

Patent List

4. (1) A person who files or has filed a submission for, or has been issued, a notice of

drogue contenant un médicament ou qui a obtenu un tel avis peut soumettre au ministre une liste de brevets à l'égard de la drogue, accompagnée de l'attestation visée au paragraphe (7).

compliance in respect of a drug that contains a medicine may submit to the Minister a patent list certified in accordance with subsection (7) in respect of the drug.

(2) La liste de brevets au sujet de la drogue doit contenir les renseignements suivants :
a) la forme posologique, la concentration et la voie d'administration de la drogue;
b) tout brevet canadien dont la personne est propriétaire ou à l'égard duquel elle détient une licence exclusive ou a obtenu le consentement du propriétaire pour l'inclure dans la liste, qui comporte une revendication pour le médicament en soi ou une revendication pour l'utilisation du médicament, et qu'elle souhaite voir inscrit au registre;
c) une déclaration portant, à l'égard de chaque brevet, que la personne qui demande l'avis de conformité en est le propriétaire, en détient la licence exclusive ou a obtenu le consentement du propriétaire pour l'inclure dans la liste;
d) la date d'expiration de la durée de chaque brevet aux termes des articles 44 ou 45 de la *Loi sur les brevets;*
e) l'adresse de la personne au Canada aux fins de signification de tout avis d'allégation visé aux alinéas 5(3)*b)* ou *c)*, ou les nom et adresse au Canada d'une autre personne qui peut en recevoir signification avec le même effet que s'il s'agissait de la personne elle-même.

(2) A patent list submitted in respect of a drug must
(a) indicate the dosage form, strength and route of administration of the drug;
(b) set out any Canadian patent that is owned by the person, or in respect of which the person has an exclusive licence or has obtained the consent of the owner of the patent for the inclusion of the patent on the patent list, that contains a claim for the medicine itself or a claim for the use of the medicine and that the person wishes to have included on the register;
(c) contain a statement that, in respect of each patent, the person applying for a notice of compliance is the owner, has an exclusive licence or has obtained the consent of the owner of the patent for the inclusion of the patent on the patent list;
(d) set out the date on which the term limited for the duration of each patent will expire pursuant to section 44 or 45 of the *Patent Act*; and
(e) set out the address in Canada for service on the person of any notice of an allegation referred to in paragraph 5(3)*(b)* or *(c)*, or the name and address in Canada of another person on whom service may be made, with the same effect as if service had been made on the person.

(3) Sous réserve du paragraphe (4), la personne qui soumet une liste de brevets doit le faire au moment du dépôt de la demande d'avis de conformité.

(3) Subject to subsection (4), a person who submits a patent list must do so at the time the person files a submission for a notice of compliance.

(4) La première personne peut, après la date de dépôt de la demande d'avis de conformité et dans les 30 jours suivant la délivrance d'un brevet qui est fondée sur une demande de brevet dont la date de dépôt est antérieure à celle de la demande d'avis de conformité, soumettre une lise de brevets, ou toute modification apportée à une liste de brevets, qui contient les renseignements visés au paragraphe (2).

(4) A first person may, after the date of filing of a submission for a notice of compliance and within 30 days after the issuance of a patent that was issued on the basis of an application that has a filing date that precedes the date of filing of the submission, submit a patent list, or an amendment to an existing patent list, that includes the information referred to in subsection (2).

(5) Lorsque la première personne soumet, conformément au paragraphe (4), une liste de brevets ou une modification apportée à une liste de brevets, elle doit indiquer la demande d'avis de conformité à laquelle se rapporte la liste ou la modification, en précisant notamment la date de dépôt de la demande.

(5) When a first person submits a patent list or an amendment to an existing patent list in accordance with subsection (4), the first person must identify the submission to which the patent list or the amendment relates, including the date on which the submission was filed.

(6) La personne qui soumet une liste de brevets doit la tenir à jour mais ne peut ajouter de brevets à une liste que si elle le fait en conformité avec le paragraphe (4).

(6) A person who submits a patent list must keep the list up to date but may not add a patent to an existing patent list except in accordance with subsection (4).

(7) La personne qui soumet une liste de brevets ou une modification apportée à une liste de brevets aux termes des paragraphes (1) ou (4) doit remettre une attestation portant que :
a) les renseignements fournis sont exacts;
b) les brevets mentionnés dans la liste ou dans la modification sont admissibles à l'inscription au registre et sont pertinents quant à la forme posologique, la concentration et la voie d'admnistration de la drogue visée par la demande d'avis de conformité.
DORS/98-166, art. 3.

(7) A person who submits a patent list or an amendment to an existing patent list under subsection (1) or (4) must certify that
(a) the information submitted is accurate; and
(b) the patents set out on the patent list or in the amendment are eligible for inclusion on the register and are relevant to the dosage form, strength and route of administration of the drug in respect of which the submission for a notice of compliance has been filed.
SOR/98-166, s. 3.

5. (1) Lorsqu'une personne dépose ou a déposé une demande d'avis de conformité pour une drogue et la compare, ou fait référence, à une autre drogue pour en démontrer la bioéquivalence d'après les caractéristiques pharmaceutiques et, le cas échéant, les caractéristiques en matière de biodisponibilité, cette autre drogue ayant été commercialisée au Canada aux termes d'un avis de conformité délivré à la première personne et à l'égard de laquelle une liste de brevets a été soumise, elle doit inclure dans la demande, à l'égard de chaque brevet inscrit au registre qui se rapporte à cette autre drogue :
a) soit une déclaration portant qu'elle accepte que l'avis de conformité ne sera pas délivré avant l'expiration du brevet;
b) soit une allégation portant que, selon le cas:
(i) la déclaration faite par la première personne aux termes de l'alinéa 4(2)*c*) est fausse,
(ii) le brevet est expiré,
(iii) le brevet n'est pas valide,
(iv) aucune revendication pour le médica-

5. (1) Where a person files or has filed a submission for a notice of compliance in respect of a drug and compares that drug with, or makes reference to, another drug for the purpose of demonstrating bioequivalence on the basis of pharmaceutical and, where applicable, bioavailability characteristics and that other drug has been marketed in Canada pursuant to a notice of compliance issued to a first person and in respect of which a patent list has been submitted, the person shall, in the submission, with respect to each patent on the register in respect of the other drug,
(a) state that the person accepts that the notice of compliance will not issue until the patent expires; or
(b) allege that
(i) the statement made by the first person pursuant to paragraph 4(2)(*c*) is false,
(ii) the patent has expired,
(iii) the patent is not valid, or
(iv) no claim for the medicine itself and no claim for the use of the medicine would be infringed by the making, constructing, using

ment en soi ni aucune revendication pour l'utilisation du médicament ne seraient contrefaites advenant l'utilisation, la fabrication, la construction ou la vente par elle de la drogue faisant l'objet de la demande d'avis de conformité.

or selling by that person of the drug for which the submission for the notice of compliance is filed.

(1.1) Sous réserve du paragraphe (1.2), lorsque le paragraphe (1) ne s'applique pas, la personne qui dépose ou a déposé une demande d'avis de conformité pour une drogue contenant un médicament que l'on trouve dans une autre drogue qui a été commercialisée au Canada par suite de la délivrance d'un avis de conformité à la première personne et à l'égard de laquelle une liste de brevets a été soumise doit inclure dans la demande, à l'égard de chaque brevet inscrit au registre visant cette autre drogue contenant ce médicament, lorsque celle-ci présente la même voie d'administration et une forme posologique et une concentration comparables :

a) soit une déclaration portant qu'elle accepte que l'avis de conformité ne soit pas délivré avant l'expiration du brevet;

b) soit une allégation portant que, selon le cas :

(i) la déclaration faite par la première personne aux termes de l'alinéa 4(2)*c*) est fausse,

(ii) le brevet est expiré,

(iii) le brevet n'est pas valide,

(iv) aucune revendication pour le médicament en soi ni aucune revendication pour l'utilisation du médicament ne seraient contrefaites advenant l'utilisation, la fabrication, la construction ou la vente par elle de la drogue faisant l'objet de la demande d'avis de conformité.

(1.1) Subject to subsection (1.2), where subsection (1) does not apply and where a person files or has filed a submission for a notice of compliance in respect of a drug that contains a medicine found in another drug that has been marketed in Canada pursuant to a notice of compliance issued to a first person and in respect of which a patent list has been submitted, the person shall, in the submission, with respect to each patent included on the register in respect of the other drug containing the medicine, where the drug has the same route of administration and a comparable strength and dosage form,

(*a*) state that the person accepts that the notice of compliance will not issue until the patent expires; or

(*b*) allege that

(i) the statement made by the first person pursuant to paragraph 4(2)(*c*) is false,

(ii) the patent has expired,

(iii) the patent is not valid, or

(iv) no claim for the medicine itself and no claim for the use of the medicine would be infringed by the making, constructing, using or selling by that person of the drug for which the submission for the notice of compliance is filed.

(1.2) Si une personne visée au paragraphe (1.1) a signifié, conformément aux alinéas (3)*b*) ou *c*), un avis d'allégation à une première personne à l'égard d'un brevet inscrit au registre, elle n'est tenue de signifier un avis d'allégation à l'égard de la même demande, de la même allégation et du même brevet à aucune autre première personne.

(1.2) Where a person referred to in subsection (1.1) has served, in accordance with paragraph (3)(*b*) or (*c*), a notice of allegation on a first person in respect of a patent included on the register, the person is not required to serve a notice of allegation in respect of the same submission, the same allegation and the same patent on another first person.

(2) Lorsque, après le dépôt par la seconde personne d'une demande d'avis de conformité mais avant la délivrance de cet avis, une liste de brevets ou une modification apportée à une liste de brevets est soumise à l'égard d'un brevet aux termes du paragraphe 4(4), la seconde personne doit modifier la demande pour y inclure, à l'égard de ce brevet, la déclaration ou l'allégation exigées par les paragraphes (1) ou (1.1), selon le cas.

(2) Where, after a second person files a submission for a notice of compliance but before the notice of compliance is issued, a patent list or an amendment to a patent list is submitted in respect of a patent pursuant to subsection 4(4), the second person shall amend the submission to include, in respect of that patent, the statement or allegation that is required by subsection (1) or (1.1), as the case may be.

(3) Lorsqu'une personne fait une allégation visée aux alinéas (1)*b*) ou (1.1)*b*) ou au paragraphe (2), elle doit :
a) fournir un énoncé détaillé du droit et des faits sur lesquels elle se fonde;
b) si l'allégation est faite aux termes de l'un des sous-alinéas (1)*b*)(i) à (iii) ou (1.1)*b*) (i) à (iii), signifier un avis de l'allégation à la première personne;
c) si l'allégation est faite aux termes des sous-alinéas (1)*b*)(iv) ou (1.1)*b*)(iv) :
(i) signifier à la première personne un avis de l'allégation relative à la demande déposée selon les paragraphes (1) ou (1.1), au moment où elle dépose la demande ou par la suite,
(ii) insérer dans l'avis d'allégation une description de la forme posologique, de la concentration et de la voie d'administration de la drogue visée par la demande;
d) signifier au ministre une preuve de la signification effectuée conformément aux alinéas *b)* ou *c)*.
DORS/98-166, art. 4; DORS/99-379, art. 2.

(3) Where a person makes an allegation pursuant to paragraph (1)(*b*) or (1.1)(*b*) or subsection (2), the person shall
(a) provide a detailed statement of the legal and factual basis for the allegation; and
(b) if the allegation is made under any of subparagraphs (1)*(b)*(i) to (iii) or (1.1)(*b*)(i) to (iii), serve a notice of the allegation on the first person;
(c) if the allegation is made under subparagraph (1)*(b)*(iv) or (1.1)(*b*)(iv),
(i) serve on the first person a notice of the allegation relating to the submission filed under subsection (1) or (1.1) at the time that the person files the submission or at any time thereafter, and
(ii) include in the notice of allegation a description of the dosage form, strength and route of administration of the drug in respect of which the submission has been filed; and
(d) serve proof of service of the information referred to in paragraph *(b)* or *(c)* on the Minister.
SOR/98-166, s. 4; SOR/99-379, s. 2.

Droits d'action

6. (1) La première personne peut, dans les 45 jours après avoir reçu signification d'un avis d'allégation aux termes des alinéas 5(3)*b)* ou *c)*, demander au tribunal de rendre une ordonnance interdisant au ministre de délivrer un avis de conformité avant l'expiration du brevet visé par l'allégation.

(2) Le tribunal rend une ordonnance en vertu du paragraphe (1) à l'égard du brevet visé par une ou plusieurs allégations si elle conclut qu'aucune des allégations n'est fondée.

Right of Action

6. (1) A first person may, within 45 days after being served with a notice of an allegation pursuant to paragraph 5(3)*(b)* or *(c)*, apply to a court for an order prohibiting the Minister from issuing a notice of compliance until after the expiration of a patent that is the subject of the allegation.

(2) The court shall make an order pursuant to subsection (1) in respect of a patent that is the subject of one or more allegations if it finds that none of those allegations is justified.

(3) La première personne signifie au ministre, dans la période de 45 jours visée au paragraphe (1), la preuve que la demande visée à ce paragraphe a été faite.

(3) The first person shall, within the 45 days referred to in subsection (1), serve the Minister with proof that an application referred to in that subsection has been made.

(4) Lorsque la première personne n'est pas le propriétaire de chaque brevet visé dans la demande mentionnée au paragraphe (1), le propriétaire de chaque brevet est une partie à la demande.

(4) Where the first person is not the owner of each patent that is the subject of an application referred to in subsection (1), the owner of each such patent shall be made a party to the application.

(5) Lors de l'instance relative à la demande visée au paragraphe (1), le tribunal peut, sur requête de la seconde personne, rejeter la demande si, selon le cas :
a) il estime que les brevets en cause ne sont pas admissibles à l'inscription au registre ou ne sont pas pertinents quant à la forme posologique, la concentration et la voie d'administration de la drogue pour laquelle la seconde personne a déposé une demande d'avis de conformité;
b) il conclut qu'elle est inutile, scandaleuse, frivole ou vexatoire ou constitue autrement un abus de procédure.

(5) In a proceeding in respect of an application under subsection (1), the court may, on the motion of a second person, dismiss the application
(a) if the court is satisfied that the patents at issue are not eligible for inclusion on the register or are irrelevant to the dosage form, strength and route of administration of the drug for which the second person has filed a submission for a notice of compliance; or
(b) on the ground that the application is redundant, scandalous, frivolous or vexatious or is otherwise an abuse of process.

(6) Aux fins de la demande visée au paragraphe (1), lorsque la seconde personne a fait une allégation aux termes des sous-alinéas 5(1)*b*)(iv) ou (1.1)*b*)(iv) à l'égard d'un brevet et que ce brevet a été accordé pour le médicament en soi préparé ou produit selon les modes ou procédés de fabrication décrits en détail et revendiqués ou selon leurs équivalents chimiques manifestes, la drogue que la seconde personne projette de produire est, en l'absence d'une preuve contraire, réputée préparée ou produite selon ces modes ou procédés.

(6) For the purposes of an application referred to in subsection (1), where a second person has made an allegation under subparagraph 5(1)*(b)*(iv) or (1.1)(*b*)(iv) in respect of a patent and where that patent was granted for the medicine itself when prepared or produced by the methods or processes of manufacture particularly described and claimed or by their obvious chemical equivalents, it shall be considered that the drug proposed to be produced by the second person is, in the absence of proof to the contrary, prepared or produced by those methods or processes.

(7) Sur requête de la première personne, le tribunal peut, au cours de l'instance :
a) ordonner à la seconde personne de produire les extraits pertinents de la demande d'avis de conformité qu'elle a déposée et lui enjoindre de produire sans délai tout changement apporté à ces extraits au cours de l'instance;
b) enjoindre au ministre de vérifier que les

(7) On the motion of a first person, the court may, at any time during a proceeding,
(a) order a second person to produce any portion of the submission for a notice of compliance filed by the second person relevant to the disposition of the issues in the proceeding and may order that any change made to the portion during the proceeding be produced by the second person as it is made; and

extraits produits correspondent fidèlement aux renseignements figurant dans la demande d'avis de conformité.

(b) order the Minister to verify that any portion produced corresponds fully to the information in the submission.

(8) Tout document produit aux termes du paragraphe (7) est considéré comme confidentiel.

(8) A document produced under subsection (7) shall be treated confidentially.

(9) Le tribunal peut, au cours de l'instance relative à la demande visée au paragraphe (1), rendre toute ordonnance relative aux dépens, notamment sur une base avocat-client, conformément à ses règles.

(9) In a proceeding in respect of an application under subsection (1), a court may make any order in respect of costs, including on a solicitor-and-client basis, in accordance with the rules of the court.

(10) Lorsque le tribunal rend une ordonnance relative aux dépens, il peut tenir compte notamment des facteurs suivants :
a) la diligence des parties à poursuivre la demande;
b) l'inscription, sur la liste de brevets qui fait l'objet d'une attestation, de tout brevet qui n'aurait pas dû y être inclus aux termes de l'article 4;
c) le fait que la première personne n'a pas tenu à jour la liste de brevets conformément au paragraphe 4(6).
DORS/98-166, art. 5; DORS/99-379, art. 3.

(10) In addition to any other matter that the court may take into account in making an order as to costs, it may consider the following factors:
(a) the diligence with which the parties have pursued the application;
(b) the inclusion on the certified patent list of a patent that should not have been included under section 4; and
(c) the failure of the first person to keep the patent list up to date in accordance with subsection 4(6).
SOR/98-166, s. 5; SOR/99-379, s. 3.

Avis de conformité

7. (1) Le ministre ne peut délivrer un avis de conformité à la seconde personne avant la plus tardive des dates suivantes :
a) [abrogé, DORS/98-166, art. 6];
b) la date à laquelle la seconde personne se conforme à l'article 5;
c) sous réserve du paragraphe (3), la date d'expiration de tout brevet inscrit au registre qui ne fait pas l'objet d'une allégation;
d) sous réserve du paragraphe (3), la date qui suit de 45 jours la date de réception de la preuve de signification de l'avis d'allégation visé aux alinéas 5(3)*b)* ou *c)* à l'égard de tout brevet inscrit au registre;
e) sous réserve des paragraphes (2), (3) et (4), la date qui suit de 24 mois la date de réception de la preuve de présentation de la demande visée au paragraphe 6(1);
f) la date d'expiration de tout brevet faisant l'objet d'une ordonnance rendue aux termes du paragraphe 6(1).

Notice of Compliance

7. (1) The Minister shall not issue a notice of compliance to a second person before the latest of
(a) [repealed, SOR/98-166, s. 6],
(b) the day on which the second person complies with section 5,
(c) subject to subsection (3), the expiration of any patent on the register that is not the subject of an allegation,
(d) subject to subsection (3), the expiration of 45 days after the receipt of proof of service of a notice of any allegation pursuant to paragraph 5(3)*(b)* or *(c)* in respect of any patent on the register,
(e) subject to subsections (2), (3) and (4), the expiration of 24 months after the receipt of proof of the making of any application under subsection 6(1), and
(f) the expiration of any patent that is the subject of an order pursuant to subsection 6(1).

(2) L'alinéa (1)*e*) ne s'applique pas si, à l'égard de chaque brevet visé par une demande au tribunal aux termes du paragraphe 6(1) :
a) soit le brevet est expiré;
b) soit le tribunal a déclaré que le brevet n'est pas valide ou qu'aucune revendication pour le médicament en soi ni aucune revendication pour l'utilisation du médicament ne seraient contrefaites.

(3) Les alinéas (1)*c*), *d*) et *e*) ne s'appliquent pas à l'égard d'un brevet si le propriétaire de celui-ci a consenti à ce que la seconde personne utilise, fabrique, construise ou vende la drogue au Canada.

(4) L'alinéa (1)*e)* cesse de s'appliquer à l'égard de la demande visée au paragraphe 6(1) si celle-ci est retirée ou fait l'objet d'un désistement par la première personne ou est rejetée par le tribunal qui en est saisi.

(5) Lorsque le tribunal n'a pas encore rendu d'ordonnance aux termes du paragraphe 6(1) à l'égard d'une demande, il peut :
a) abréger le délai visé à l'alinéa (1)*e)* avec le consentement de la première personne et de la seconde personne, ou s'il conclut que la première personne n'a pas, au cours de l'instance relative à la demande, collaboré de façon raisonnable au règlement expéditif de celle-ci;
b) proroger le délai visé à l'alinéa (1)*e)* avec le consentement de la première personne et de la seconde personne, ou s'il conclut que la seconde personne n'a pas, au cours de l'instance relative à la demande, collaboré de façon raisonnable au règlement expéditif de celle-ci.
DORS/98-166, art. 6.

(2) Paragraph (1)(*e*) does not apply if at any time, in respect of each patent that is the subject of an application pursuant to subsection 6(1),
(a) the patent has expired; or
(b) the court has declared that the patent is not valid or that no claim for the medicine itself and no claim for the use of the medicine would be infringed.

(3) Paragraphs (1)(*c*), (*d*) and (*e*) do not apply in respect of a patent if the owner of the patent has consented to the making, constructing, using or selling of the drug in Canada by the second person.

(4) Paragraph (1)*(e)* ceases to apply in respect of an application under subsection 6(1) if the application is withdrawn or discontinued by the first person or is dismissed by the court hearing the application.

(5) If the court has not yet made an order under subsection 6(1) in respect of an application, the court may
(a) shorten the time limit referred to in paragraph (1)*(e)* on consent of the first and second persons or if the court finds that the first person has failed, at any time during the proceeding, to reasonably cooperate in expediting the application; or
(b) extend the time limit referred to in paragraph (1)*(e)* on consent of the first and second persons or, if the court finds that the second person has failed, at any time during the proceeding, to reasonably cooperate in expediting the application.
SOR/98-166, s. 6.

8. (1) Si la demande présentée aux termes du paragraphe 6(1) est retirée ou fait l'objet d'un désistement par la première personne ou est rejetée par le tribunal qui en est saisi, ou si l'ordonnance interdisant au ministre de délivrer un avis de conformité, rendue aux termes de ce paragraphe, est annulée lors d'un appel, la première personne est responsable envers la seconde personne de toute perte subie au cours de la période :

8. (1) If an application made under subsection 6(1) is withdrawn or discontinued by the first person or is dismissed by the court hearing the application or if an order preventing the Minister from issuing a notice of compliance, made pursuant to that subsection, is reversed on appeal, the first person is liable to the second person for any loss suffered during the period

a) débutant à la date, attestée par le ministre, à laquelle un avis de conformité aurait été délivré en l'absence du présent règlement, sauf si le tribunal estime d'après la preuve qu'une autre date est plus appropriée;
b) se terminant à la date du retrait, du désistement ou du rejet de la demande ou de l'annulation de l'ordonnance.

(2) La seconde personne peut, par voie d'action contre la première personne, demander au tribunal de rendre une ordonnance enjoignant à cette dernière de lui verser une indemnité pour la perte visée au paragraphe (1).

(3) Le tribunal peut rendre une ordonnance aux termes du présent article sans tenir compte du fait que la première personne a institué ou non une action pour contrefaçon du brevet visé par la demande.

(4) Le tribunal peut rendre l'ordonnance qu'il juge indiquée pour accorder réparation par recouvrement de dommages-intérêts ou de profits à l'égard de la perte visée au paragraphe (1).

(5) Pour déterminer le montant de l'indemnité à accorder, le tribunal tient compte des facteurs qu'il juge pertinents à cette fin, y compris, le cas échéant, la conduite de la première personne ou de la seconde personne qui a contribué à retarder le règlement de la demande visée au paragraphe 6(1).
DORS/98-166, art. 8.

Signification

9. (1) La signification de tout document prévu dans le présent règlement doit être faite à personne ou par courrier recommandé.

(2) La signification par courrier recommandé est réputée être effectuée le cinquième jour suivant sa mise à la poste.

(a) beginning on the date, as certified by the Minister, on which a notice of compliance would have been issued in the absence of these Regulations, unless the court is satisfied on the evidence that another date is more appropriate; and
(b) ending on the date of the withdrawal, the discontinuance, the dismissal or the reversal.

(2) A second person may, by action against a first person, apply to the court for an order requiring the first person to compensate the second person for the loss referred to in subsection (1).

(3) The court may make an order under this section without regard to whether the first person has commenced an action for the infringement of a patent that is the subject matter of the application.

(4) The court may make such order for relief by way of damages or profits as the circumstances require in respect of any loss referred to in subsection (1).

(5) In assessing the amount of compensation the court shall take into account all matters that it considers relevant to the assessment of the amount, including any conduct of the first or second person which contributed to delay the disposition of the application under subsection 6(1).
SOR/98-166, s. 8.

Service

9. (1) Service of any document referred to in these Regulations shall be effected personally or by registered mail.

(2) Service by registered mail shall be deemed to be effected on the addressee five days after mailing.

Règlement sur la protection et l'emmagasinage de médicaments brevetés

DORS/93-134

Loi sur les brevets
(L.R.C. 1985, ch. P-4)

[Abrogé, DORS/2000-373.]

Manufacturing and Storage of Patented Medicines Regulations

SOR/93-134

Patent Act
(R.S.C. 1985, c. P-4)

[Repealed, SOR/2000-373.]

LOI SUR LES INVENTIONS DES FONCTIONNAIRES

Table des matières

PUBLIC SERVANTS INVENTIONS ACT

Table of Contents

LOI SUR LES INVENTIONS DES FONCTIONNAIRES

L.R.C. 1985, ch. P-32

Modifiée par L.C. 1997, ch. 9.

Loi concernant les inventions des fonctionnaires

TITRE ABRÉGÉ

Titre abrégé

1. *Loi sur les inventions des fonctionnaires.*
S.R.C., ch. P-31, art. 1.

DÉFINITIONS

Définitions

2. Les définitions qui suivent s'appliquent à la présente loi.

«fonctionnaire» ***"public servant"***

«fonctionnaire» Toute personne employée dans un ministère et tout membre du personnel des Forces canadiennes ou de la Gendarmerie royale du Canada.

«invention» ***"invention"***

«invention» Tout procédé, technique, moyen de fabrication ainsi que toute machine — ou tout perfectionnement dans l'un ou l'autre de ces cas — présentant un caractère de nouveauté et d'utilité.

«ministère» ***"department"***

«ministère» Outre les ministères définis dans la *Loi sur la gestion des finances publiques*, les sociétés mandataires définies à l'article 83 de cette loi et mentionnées à la partie I de l'annexe III de cette loi.

«ministre compétent» ***"appropriate minister"***

«ministre compétent» S'entend, par rapport à un fonctionnaire, du ministre compétent, aux

PUBLIC SERVANTS INVENTIONS ACT

R.S.C. 1985, c. P-32

Amended by S.C. 1997, c. 9.

An Act respecting inventions by public servants

SHORT TITLE

Short title

1. This Act may be cited as the *Public Servants Inventions Act.*
R.S.C., c. P-31, s. 1.

INTERPRETATION

Definitions

2. In this Act,

"appropriate minister" ***«ministre compétent»***

"appropriate minister", in relation to a public servant, means the minister who under the *Financial Administration Act* is the appropriate minister with respect to the department in which the public servant is employed;

"department" ***«ministère»***

"department" means a department as defined in the *Financial Administration Act,* and includes an agent corporation, as defined in section 83 of that Act, that is named in Part I of Schedule III to that Act;

"invention" ***«invention»***

"invention" means any new and useful art, process, machine, manufacture or composition of matter, or any new and useful improvement in any art, process, machine, manufacture or composition of matter;

"public servant" ***«fonctionnaire»***

"public servant" means any person employed in a department, and includes a member of

termes de la *Loi sur la gestion des finances publiques*, pour le ministère où le fonctionnaire est employé.
S.R.C., ch. P-31, art. 2; S.C. 1984, ch. 31, art. 14.

the Canadian Forces or the Royal Canadian Mounted Police.
R.S.C., c. P-31, s. 2; S.C. 1984, c. 31, s. 14.

INVENTIONS DÉVOLUES À LA COURONNE

Inventions dévolues à Sa Majesté

3. Sont dévolues à Sa Majesté du chef du Canada, avec tous les droits y afférents au Canada ou à l'étranger :
a) toute invention faite par un fonctionnaire soit dans l'exercice ou le cadre de ses attributions, soit grâce à des installations, du matériel ou une aide financière fournis par Sa Majesté ou pour le compte de celle-ci;
b) toute invention faite par un fonctionnaire et découlant de ses attributions, ou s'y rattachant.
S.R.C., ch. P-31, art. 3.

Obligations de l'inventeur

4. (1) Le fonctionnaire auteur d'une invention a l'obligation :
a) d'en informer le ministre compétent et de fournir à celui-ci les renseignements et documents qu'il lui demande à ce sujet;
b) d'obtenir le consentement écrit du ministre compétent avant de déposer, hors du Canada, une demande de brevet concernant l'invention;
c) de révéler sa qualité de fonctionnaire, dans toute demande de brevet déposée au Canada à l'égard de l'invention.

Obligation du commissaire aux brevets

(2) S'il lui apparaît qu'une demande de brevet vise une invention dont l'auteur est un fonctionnaire, le commissaire aux brevets en informe le ministre compétent et fournit à ce dernier les renseignements qu'il sollicite à cet égard.
S.R.C., ch. P-31, art. 4.

INVENTIONS VESTED IN HER MAJESTY

Inventions vested in Her Majesty

3. The following inventions, and all rights with respect thereto in Canada or elsewhere, are vested in Her Majesty in right of Canada, namely,
(*a*) an invention made by a public servant while acting within the scope of his duties or employment, or made by a public servant with facilities, equipment or financial aid provided by or on behalf of Her Majesty; and
(*b*) an invention made by a public servant that resulted from or is connected with his duties or employment.
R.S.C., c. P-31, s. 3.

Duties of inventor

4. (1) Every public servant who makes an invention
(*a*) shall inform the appropriate minister of the invention and shall provide the minister with such information and documents with respect thereto as the minister requires;
(*b*) shall not file outside Canada an application for a patent in respect of the invention without the written consent of the appropriate minister; and
(*c*) shall, in any application in Canada for a patent in respect of the invention, disclose in his application that he is a public servant.

Duties of Commissioner of Patents

(2) If it appears to the Commissioner of Patents that an application for a patent relates to an invention made by a public servant, the Commissioner shall inform the appropriate minister of the application and give to the minister such information with respect thereto as the minister requires.
R.S.C., c. P-31, s. 4.

Décision à prendre

5. (1) En cas de doute sur la dévolution à Sa Majesté d'une invention sous le régime de la présente loi, le ministre compétent est saisi de la question; il dispose d'un délai de trois mois pour prendre une décision.

Avis à l'inventeur

(2) Dès qu'il a pris une décision en application du paragraphe (1), le ministre compétent la notifie par écrit à l'inventeur.

Appel à la Cour fédérale

(3) Si le ministre compétent décide qu'une invention est, en application de la présente loi, dévolue à Sa Majesté, l'inventeur ou toute autre personne revendiquant un droit sur l'invention peut, dans les trente jours suivant la date où lui a été notifiée la décision du ministre, ou dans le délai supérieur éventuellement accordé par celui-ci, interjeter appel auprès de la Cour fédérale.

Décision par la Cour fédérale

(4) Si le ministre compétent ne prend aucune décision dans le délai précisé par le paragraphe (1), l'inventeur ou toute autre personne revendiquant un droit sur l'invention peut, dans les trente jours qui suivent l'expiration de ce délai, demander à la Cour fédérale de rendre une décision en l'espèce.
S.R.C., ch. P-31, art. 5; L.R.C. 1985, ch. 10 (2e suppl.), art. 64.

Demande de brevet

6. (1) Par dérogation à la *Loi sur les brevets*, le ministre compétent peut déposer une demande, nommant l'inventeur, en vue de l'obtention d'un brevet pour une invention dévolue à Sa Majesté en application de la présente loi.

Délivrance au nom de Sa Majesté

(2) Le brevet est délivré au nom de Sa Majesté, sauf instructions contraires du ministre compétent.
S.R.C., ch. P-31, art. 6.

Determination of questions

5. (1) Whenever any question arises as to whether an invention is vested in Her Majesty by this Act, the appropriate minister shall determine the question within three months after the question is referred to the minister.

Notice

(2) The appropriate minister, on determining a question under subsection (1) in respect of an invention, shall forthwith in writing notify the inventor of the determination.

Appeal to Federal Court

(3) If the appropriate minister determines under subsection (1) that an invention is vested in Her Majesty by this Act, the inventor or any other person claiming an interest in the invention may appeal to the Federal Court within thirty days after the date the inventor or other person is notified of the determination or within such longer period as the appropriate minister may allow.

Determination by Federal Court

(4) If no determination is made by the appropriate minister within the time specified in subsection (1), the inventor or any other person claiming an interest in the invention may apply to the Federal Court, within thirty days after the expiration of the time specified, to have the question determined.
R.S.C., c. P-31, s. 5; R.S.C. 1985, c. 10 (2nd Supp.), s. 64.

Application for patent

6. (1) Notwithstanding anything in the *Patent Act*, the appropriate minister may file an application, naming the inventor, for a patent for an invention vested in Her Majesty by this Act.

Patent issued in the name of Her Majesty or as otherwise directed

(2) Any patent issued on an application under subsection (1) shall be issued in the name of Her Majesty or as otherwise directed by the appropriate minister.
R.S.C., c. P-31, s. 6.

Obligation de signature

7. Le fonctionnaire auteur d'une invention dévolue à Sa Majesté en application de la présente loi signe tous les documents requis par le ministre compétent pour le dépôt d'une demande de brevet à cet égard, au Canada ou à l'étranger.
S.R.C., ch. P-31, art. 7.

Inventor to execute documents

7. A public servant who has made an invention vested in Her Majesty by this act shall execute all documents required by the appropriate minister in connection with the filing of an application for a patent for the invention in Canada or elsewhere.
R.S.C., c. P-31, s. 7.

Renonciation aux droits

8. (1) Le ministre compétent peut, au nom de Sa Majesté, soit renoncer à tout ou partie des droits concernant une invention dévolue à Sa Majesté en application de la présente loi ou une invention faite ou à venir par un fonctionnaire, soit abandonner ou transférer tout ou partie de ces droits, et signer tout acte ayant pour objet d'y donner effet.

Waiver of rights

8. (1) The appropriate minister may on behalf of Her Majesty waive, abandon or transfer all or any of the rights in respect of any invention vested in Her Majesty by this Act or in respect of any invention made or to be made by any public servant, and may execute any instrument to give effect thereto.

Restrictions

(2) L'application du paragraphe (1) est subordonnée, dans le cas d'une invention visée à l'article 20 ou 21 de la *Loi sur les brevets*, à l'agrément du ministre de la Défense nationale et, dans le cas d'une invention visée à l'article 22 de cette loi, à l'agrément de la Commission canadienne de sûreté nucléaire.
S.R.C., ch. P-31, art. 8; L.C. 1997, ch. 9, art. 116.

Restrictions

(2) No interest in an invention coming within section 20 or 21 of the *Patent Act* shall be waived, abandoned or transferred under this section without the approval of the Minister of National Defence, and no interest in an invention coming within section 22 of that Act shall be waived, abandoned or transferred under this section without the approval of the Canadian Nuclear Safety Commission.
R.S.C., c. P-31, s. 8; S.C. 1997, c. 9, s. 116.

Administration et contrôle en matière d'inventions

9. (1) Les pouvoirs d'administration et de contrôle, pour toute invention dévolue à Sa Majesté en application de la présente loi et tout brevet délivré à cet égard, sont attribués au ministre compétent, lequel peut les transférer à tout autre ministre ou à tout organisme de la Couronne doté de la personnalité morale.

Administration and control of inventions

9. (1) The administration and control of any invention vested in Her Majesty by this Act and any patent issued with respect to the invention are vested in the appropriate minister, and the appropriate minister may transfer such administration and control to any other minister or to any corporate agency of Her Majesty.

Valorisation et exploitation

(2) Le ministre compétent, ou l'autre ministre ou organisme visé au paragraphe (1), peut valoriser et exploiter l'invention et, pour le compte de Sa Majesté, conclure toute convention utile à cette fin.

Development and exploitation

(2) The appropriate minister or other minister or agency referred to in subsection (1) may develop and exploit any invention under the administration and control of such minister or agency, as the case may be, and may on behalf of Her Majesty enter into any agreement with any person for such purpose.

Pouvoir des organismes de la Couronne

(3) Nonobstant toute disposition de sa charte ou loi constitutive, l'organisme visé au paragraphe (1) est habilité à recevoir, détenir, valoriser et exploiter l'invention ou le brevet et, à leur égard, exercer tous pouvoirs d'administration et de contrôle ainsi que, d'une façon générale, appliquer les dispositions de la présente loi.

Authority of Crown agencies

(3) Notwithstanding anything in its charter or Act of incorporation, an agency to which the administration and control of any invention or patent is transferred under this section has the capacity and power to receive, hold, administer, control, develop and exploit the invention or patent and generally to carry out the provisions of this Act with respect thereto.

Administration des recettes

(4) L'organisme visé au paragraphe (1) peut conserver les fonds découlant de ses activités d'administration et de contrôle; ces fonds doivent servir aux fins de la présente loi ainsi qu'à la réalisation de la mission pour laquelle l'organisme a été constitué.
S.R.C., ch. P-31, art. 9.

Administration of moneys

(4) Where pursuant to this section the administration and control of any invention or patent has been transferred to a corporate agency of Her Majesty, any money received by the corporate agency in the course of the administration and control of the invention or patent may be retained by that corporate agency, and shall be used for the purposes of this Act and the objects and purposes for which the agency was established.
R.S.C., c. P-31, s. 9.

RÉCOMPENSES

Récompenses

10. Sous réserve des règlements, le ministre compétent peut autoriser le paiement, à un fonctionnaire qui est l'auteur d'une invention dévolue à Sa Majesté en application de la présente loi, d'une récompense d'un montant soit convenu par le fonctionnaire et le ministre compétent, soit fixé par celui-ci.
S.R.C., ch. P-31, art. 10.

AWARDS

Awards

10. Subject to the regulations, the appropriate minister may authorize the payment of an award to a public servant who makes an invention that is vested in Her Majesty by this Act, in such amount as the appropriate minister and the public servant may agree on or as the appropriate minister determines.
R.S.C., c. P-31, s. 10.

INFRACTIONS ET PEINES

Peines

11. Quiconque contrevient au paragraphe 4(1) ou à l'article 7 commet une infraction et encourt, sur déclaration de culpabilité par procédure sommaire, une amende maximale de cinq cents dollars et un emprisonnement maximal de six mois, ou l'une de ces peines.
S.R.C., ch. P-31, art. 11.

OFFENCE AND PUNISHMENT

Offence and punishment

11. Every person who contravenes subsection 4(1) or section 7 is guilty of an offence and liable on summary conviction to a fine not exceeding five hundred dollars or to imprisonment for a term not exceeding six months or to both.
R.S.C., c. P-31, s. 11.

RÈGLEMENTS

Règlements

12. Le gouverneur en conseil peut prendre des règlements en vue de l'application de la présente loi, notamment pour établir :

a) la procédure à suivre en ce qui concerne :

(i) les demandes de brevets sous le régime de la présente loi,

(ii) la décision quant à la dévolution d'une invention à Sa Majesté en application de la présente loi,

(iii) la saisine, au titre de la présente loi, de la Cour fédérale,

b) les renseignements à fournir dans toute demande de brevet pour une invention dont un fonctionnaire est l'auteur;

c) le montant des récompenses à verser aux termes de la présente loi, leur mode de calcul et de fixation, ainsi que le mode et le moment du paiement.

S.R.C., ch. P-31, art. 12; L.R.C. 1985, ch. 10 (2e suppl.), art. 64.

REGULATIONS

Regulations

12. The Governor in Council may make regulations for carrying out the purposes and provisions of this Act and, without restricting the generality of the foregoing, may make regulations

(*a*) prescribing rules of practice and procedure respecting

(i) applications for patents pursuant to this Act,

(ii) the determination of questions as to whether an invention is vested in Her Majesty by this Act, and

(iii) any appeal or application under this Act to the Federal Court;

(*b*) prescribing the information to be furnished in any application for a patent in respect of an invention made by a public servant; and

(*c*) prescribing the amount of and the method of calculating and determining the awards to be paid under this Act and the manner and time of payment.

R.S.C., c. P-31, s. 12; R.S.C. 1985, c. 10 (2nd Supp.), s. 64.

DISPOSITIONS GÉNÉRALES

Invention relevant de plusieurs ministres

13. (1) À l'égard d'une invention relevant de plusieurs ministres compétents, chacun de ceux-ci peut agir à ce titre dans le cadre de la présente loi.

Inventions conjointes

(2) La présente loi s'applique à l'égard des droits d'un fonctionnaire sur une invention faite conjointement par lui et par un non-fonctionnaire.

S.R.C., ch. P-31, art. 13.

GENERAL

Where two ministers concerned

13. (1) Where there are two or more appropriate ministers with respect to any invention, any one of such appropriate ministers may in relation to that invention act as the appropriate minister under this Act.

Joint inventions

(2) Where an invention is made jointly by a public servant and another person who is not a public servant, this Act applies to the interest of the public servant in the invention.

R.S.C., c. P-31, s. 13.

RÈGLEMENT SUR LES INVENTIONS DES FONCTIONNAIRES

Table des matières

PUBLIC SERVANTS INVENTIONS REGULATIONS

Table of Contents

Règlement sur les inventions des fonctionnaires

C.R.C., ch. 1332

Modifié par DORS/78-822; DORS/93-296.

Loi sur les inventions des fonctionnaires
(L.R.C. 1985, ch. P-32)

RÈGLEMENT CONCERNANT LES INVENTIONS DES FONCTIONNAIRES ÉTABLI EN VERTU DE LA LOI SUR LES INVENTIONS DES FONCTIONNAIRES

Titre abrégé

1. Le présent règlement peut être cité sous le titre : *Règlement sur les inventions des fonctionnaires.*

Rapport d'invention au Ministre

2. Tout fonctionnaire qui est l'auteur d'une invention doit fournir au Ministre compétent, outre les renseignements exigés par ce dernier aux termes de l'alinéa 4(1)*a*) de la *Loi sur les inventions des fonctionnaires*, ci-après appelée la Loi, une déclaration rédigée selon la formule 1 de l'annexe,
a) où il donne les renseignements relatifs aux questions énoncées dans ladite formule; et
b) où il donne les renseignements nécessaires pour déterminer si l'invention est dévolue à Sa Majesté selon la Loi.

3. Aux fins de l'application du paragraphe 5(1) de la Loi, la question de savoir si une invention est dévolue à Sa Majesté par application de la Loi, est réputée avoir été soulevée et soumise au ministre compétent à

Public Servants Inventions Regulations

C.R.C., c. 1332

Amended by SOR/78-822; SOR/93-296.

Public Servants Inventions Act
(R.S.C. 1985, c. P-32)

REGULATIONS RESPECTING PUBLIC SERVANTS INVENTIONS MADE PURSUANT TO THE PUBLIC SERVANTS INVENTIONS ACT

Short Title

1. These Regulations may be cited as the *Public Servants Inventions Regulations.*

Report of Invention to Minister

2. Every public servant who invents an invention shall furnish to the appropriate Minister, in addition to any information required by the appropriate Minister under paragraph 4(1)(*a*) of the *Public Servants Inventions Act*, hereinafter referred to as the Act, a statement, in Form 1 of the schedule,
(*a*) giving information in respect of the matters set out in that form; and
(*b*) setting out such information as may be useful in determining whether the invention is vested in Her Majesty by the Act.

3. A question as to whether an invention is vested in Her Majesty by the Act is, for the purposes of subsection 5(1) of the Act, deemed to have arisen and to have been referred to the appropriate Minister on the date

compter de la date à laquelle le fonctionnaire, auteur de l'invention, fournit audit Ministre ou à un fonctionnaire désigné par lui, une déclaration rédigée selon la formule 1 de l'annexe et remplie selon les prescriptions de l'article 2.

that the public servant who invented the invention furnishes to that Minister, or an officer designated by him, a statement in Form 1 of the schedule completed as required by section 2.

Décision du Ministre

4. (1) Une décision rendue par le Ministre compétent en vertu de l'article 5 de la Loi, relativement à une invention, est réputée aux fins de l'application dudit article, être rendue le jour où un certificat rédigé selon la formule 2 de l'annexe est

a) remis en main propre à l'inventeur; ou

b) reçu par l'inventeur par poste recommandée.

(2) Un certificat visé au paragraphe (1), qui est envoyé à un inventeur par poste recommandée à sa dernière adresse connue est réputé avoir été reçu par lui,

a) si la dernière adresse connue de l'inventeur se trouve au Canada, 3 jours après la date à laquelle le certificat lui a été envoyé; et

b) si la dernière adresse connue de l'inventeur n'est pas au Canada, 7 jours après la date à laquelle le certificat lui a été envoyé.

5. (1) Lorsqu'une demande de brevet d'invention a été déposée au Bureau des brevets et qu'on soulève la question de savoir si l'invention est dévolue ou non à Sa Majesté par application de la Loi, le Ministre compétent doit, lorsqu'il est avisé du dépôt de la demande par le Bureau des brevets, produire au Bureau des brevets un certificat rédigé selon la formule 2 de l'annexe attestant toute décision rendue par lui en vertu de l'article 5 de la Loi, relativement à l'invention.

(2) Un certificat rédigé selon la formule 2 de l'annexe, qui est déposé au Bureau des brevets, constitue une partie de la demande de brevet de l'invention que concerne ledit certificat.

6. Un certificat rédigé selon la formule 2 de l'annexe et censé porter la signature du mi-

Determination by Minister

4. (1) A determination by the appropriate Minister under section 5 of the Act in respect of an invention is, for the purposes of that section, deemed to be made on the day on which a certificate in Form 2 of the schedule is

(*a*) delivered personally to the inventor; or

(*b*) received by the inventor by registered mail.

(2) A certificate described in subsection (1) that is sent by registered mail to an inventor at his latest known address is deemed to have been received by him,

(*a*) if the latest known address of the inventor is in Canada, 3 days after the day on which the certificate was so sent to him; and

(*b*) if the latest known address of the inventor is not in Canada, 7 days after the day on which the certificate was so sent to him.

5. (1) Where an application for a patent for an invention has been filed with the Patent Office and any question arises as to whether or not the invention is vested in Her Majesty by the Act, the appropriate Minister shall, on being informed by the Patent Office of the filing of the application, file with the Patent Office a certificate in Form 2 of the schedule of any determination made by him under section 5 of the Act in respect of the invention.

(2) A certificate in Form 2 of the schedule that is filed with the Patent Office forms part of the application for a patent for the invention to which the certificate relates.

6. A certificate in Form 2 of the schedule purporting to be signed by the appropriate

nistre compétent ou d'une personne autorisée par lui, constitue une preuve admissible sans qu'il soit nécessaire de démontrer que la personne qui l'a signé est le Ministre compétent ou la personne autorisée, ou que la signature est celle dudit Ministre ou de ladite personne.

Minister or person authorized by him is admissible in evidence without any proof that the person so signing is the appropriate Minister or person or of the signature of the Minister or person.

Appels et demandes à la Cour fédérale

7. (1) Sous réserve du paragraphe (2),
a) un appel interjeté en vertu du paragraphe 5(2) de la Loi ou une demande déposée en vertu du paragraphe 5(3) de la Loi doit être engagée de la manière prévue à l'article 48 de la *Loi sur la Cour fédérale* relativement à la façon d'engager une procédure contre la Couronne; et
b) l'article 48 de la *Loi sur la Cour fédérale* et les *Règles de la Cour fédérale* s'appliquent à un appel ou à une demande de ce genre comme s'il s'agissait d'une procédure engagée en vertu de l'article 48 de la *Loi sur la Cour fédérale*.

(2) Dans une procédure engagée en vertu du présent article, les mots «AVIS D'APPEL» ou «DEMANDE», selon le cas, doivent être substitués au mot «DÉCLARATION» là où ce dernier apparaît à l'annexe I de la *Loi sur la Cour fédérale*.

8. Lorsqu'un fonctionnaire dépose une demande de brevet et
a) que le Ministre compétent ou la Cour fédérale du Canada a décidé que l'invention est dévolue à Sa Majesté, ou
b) qu'il est mentionné dans la demande que l'invention est dévolue à Sa Majesté,
le brevet délivré conformément à la demande doit être délivré au nom de Sa Majesté, à moins que le Ministre compétent, conformément à l'article 8 de la Loi, ne renonce aux droits canadiens ou à tous les droits concernant l'invention dévolue à Sa Majesté ou encore, n'abandonne ou ne transfère lesdits droits.

Appeals and Applications to Federal Court

7. (1) Subject to subsection (2),
(*a*) an appeal under subsection 5(2) of the Act or an application under subsection 5(3) of the Act shall be instituted in the manner provided by section 48 of the *Federal Court Act* for instituting a proceeding against the Crown; and
(*b*) section 48 of the *Federal Court Act* and the *Federal Court Rules* are applicable to such an appeal or application as though it were a proceeding instituted under section 48 of the *Federal Court Act*.

(2) In a proceeding instituted under this section, the words "NOTICE OF APPEAL" or "APPLICATION", as the case may be, shall be substituted for the words "STATEMENT OF CLAIM" or "DECLARATION" where they appear in Schedule A of the *Federal Court Act*.

8. Where a public servant files an application for a patent and
(*a*) the appropriate Minister or the Federal Court of Canada has determined that the invention is vested in Her Majesty, or
(*b*) it is stated in the application that the invention is vested in Her Majesty,
the patent issued pursuant to the application shall be issued in the name of Her Majesty unless the appropriate Minister, pursuant to section 8 of the Act, waives, abandons or transfers the Canadian or all rights in respect of the invention vested in Her Majesty.

Abandon ou transfert de droits

9. (1) Lorsqu'une demande de brevet a été déposée au Canada pour une invention dévolue à Sa Majesté par application de la Loi et que le Ministre compétent, conformément à l'article 8 de la Loi, renonce à l'un quelconque des droits de propriété canadienne concernant l'invention ou encore abandonne ou transfère ledit droit, ledit Ministre compétent doit signer un instrument en conséquence et en enregistrer une copie au Bureau des brevets.

(2) L'instrument mentionné au paragraphe (1) doit, s'il y a lieu, être rédigé selon la formule 3 de l'annexe.

10. Tout instrument signé conformément à l'article 8 de la Loi, qui porte atteinte aux droits d'un inventeur doit être remis à ce dernier en main propre ou lui être envoyé par poste recommandée à sa dernière adresse connue.

Formules

11. Une demande de brevet concernant une invention présentée par un fonctionnaire seul ou conjointement avec une autre personne, doit être rédigée selon la formule 4, 5, 6 ou 7 de l'annexe lorsque ladite formule est applicable et dans la mesure où elle l'est.

Notification de la personne autorisée à signer

12. Le Ministre compétent doit tenir le Bureau des Brevets constamment informé du nom et de la fonction de toute personne qui, aux fins du présent règlement, peut signer des documents en son nom.

13. [Abrogé, DORS/93-296, ann.]

Comité des inventions des fonctionnaires

14. (1) Est institué un comité désigné sous le nom de Comité des inventions des fonctionnaires et composé d'un représentant de chacun des organismes suivants :

Waiver, Abandonment or Transfer of Rights

9. (1) Where an application for a patent has been filed in Canada for an invention vested in Her Majesty by the Act and the appropriate Minister, pursuant to section 8 of the Act, waives, abandons or transfers any of the Canadian ownership rights in respect of the invention, the appropriate Minister shall execute an instrument accordingly and register a copy thereof with the Patent Office.

(2) An instrument referred to in subsection (1) shall, where applicable, be in Form 3 of the Schedule.

10. Every instrument executed pursuant to section 8 of the Act that affects the rights of an inventor shall be delivered personally to the inventor or sent to him by registered mail at his latest known address.

Forms

11. An application for a patent for an invention made by a public servant alone or in conjunction with any other person shall be in Form 4, 5, 6 or 7 of the schedule wherever and to the extent that such form is applicable.

Notification of Signing Authority

12. The appropriate Minister shall keep the Patent Office informed at all times of the name and position of every person who, for the purposes of these Regulations, may sign documents on his behalf.

13. [Revoked, SOR/93-296, sch.]

Public Servants Inventions Committee

14. (1) There shall be a committee called the Public Servants Inventions Committee consisting of a representative from each of the following:

a) ministère de la Consommation et des Corporations;
b) ministère de l'Énergie, des Mines et des Ressources;
c) ministère de la Justice;
d) Conseil national de recherches du Canada;
e) Société canadienne des brevets et d'exploitation Limitée;
f) Commission de contrôle de l'énergie atomique;
g) l'Énergie Atomique du Canada, Limitée;
h) conseil du Trésor;
i) ministère de la Défense nationale;
j) ministère des Communications;
k) ministère de l'Environnement;
l) ministère des Approvisionnements et Services; et
m) ministère de l'Industrie et du Commerce.

(*a*) department of Consumer and Corporate Affairs;
(*b*) Department of Energy, Mines and Resources;
(*c*) Department of Justice;
(*d*) National Research Council of Canada;
(*e*) Canadian Patents and Development Limited;
(*f*) Atomic Energy Control Board;
(*g*) Atomic Energy of Canada Limited;
(*h*) Treasury Board;
(*i*) Department of National Defence;
(*j*) Department of Communications;
(*k*) Department of the Environment;
(*l*) Department of Supply and Services; and
(*m*) Department of Industry, Trade and Commerce.

(2) Le Comité des inventions des fonctionnaires doit
a) agir à titre consultatif en ce qui concerne l'exécution de la Loi et du présent règlement;
b) aider, sur demande, tout ministre à déterminer le montant d'une récompense; et
c) agir, sur demande, à titre consultatif auprès des ministères ou départements sur des questions se rapportant au programme général des brevets.

(2) The Public Servants Inventions Committee shall
(*a*) act in an advisory capacity in respect of the administration of the Act and these Regulations;
(*b*) on request, assist any Minister in determining an amount of an award; and
(*c*) on request, act in an advisory capacity to departments on matters pertaining to general patent policy.

(3) Le représentant du ministère de la Consommation et des Corporations doit agir en qualité de président du Comité des inventions des fonctionnaires et le représentant du conseil du Trésor doit agir en qualité de secrétaire dudit Comité.

(3) The representative of the Department of Consumer and Corporate Affairs shall act as the chairman of the Public Servants Inventions Committee and the representative of the Treasury Board shall act as the secretary of the Committee.

ANNEXE
(Art. 2, 3, 4, 5, 6, 9 et 11)

FORMULE 1

RAPPORT D'INVENTION CONFORME À L'ARTICLE 4 DE LA LOI SUR LES INVENTIONS DES FONCTIONNAIRES ET À L'ARTICLE 2 DU RÈGLEMENT SUR LES INVENTIONS DES FONCTIONNAIRES

Partie I

Renseignements à fournir par le fonctionnaire, auteur de l'invention.

1. Nom de l'inventeur (des inventeurs) :

2. Adresse(s) — domicile :
— travail :

3. Nationalité de l'inventeur (des inventeurs) :

4. Ministère ou organisme gouvernemental qui vous emploie :

5. Poste(s) et genre de travail :

6. Nom ou titre proposé pour l'invention :

7. Brève description de votre invention (avec dessins au besoin) sous les rubriques suivantes : (elle peut être présentée sous forme d'appendice) :
a) Quel est le problème ?
b) Quels seraient les moyens de la mettre au point dans l'état des connaissances actuelles ?
c) Lacunes ou inconvénients de l'appareil, du produit ou du procédé actuel.
d) Quelle est votre proposition ?
e) Qu'y a-t-il de nouveau dans votre proposition ?

8. Quelqu'un d'autre a-t-il été mis au courant par publication ou divulgation ? Dans l'affirmative, qui, quand, où et par quels moyens ?

SCHEDULE
(Ss. 2, 3, 4, 5, 6, 9 and 11)

FORM 1

REPORT OF AN INVENTION PURSUANT TO SECTION 4 OF THE PUBLIC SERVANTS INVENTIONS ACT AND SECTION 2 OF THE PUBLIC SERVANTS INVENTIONS REGULATIONS

Part 1

Information to be furnished by public servant inventor.

1. Name(s) of inventor(s):

2. Address(es): residence:
business:

3. Nationality of inventor(s):

4. Department or Government Agency in which you are employed:

5. Position(s) and type of work:

6. Your proposed name or title for the invention:

7. Brief description, and drawings where necessary, of your invention under the following headings: (may be in the form of an appendix):
(*a*) What is the problem?
(*b*) How may it be accomplished according to present knowledge?
(*c*) Limitations or drawbacks of present apparatus, product or process.
(*d*) What is your proposal?
(*e*) What is thought to be novel in your proposal?

8. Has any publication or disclosure to others been made? If so to whom, when and where and by what mode?

9. S'il y a lieu, indiquez des références à des publications ou à des brevets ayant trait à cette question ou à ce sujet.

10. Décrivez les circonstances de l'invention. Est-elle liée à vos fonctions ou à votre emploi ? A-t-elle été rendue possible grâce aux installations, au matériel ou à l'aide financière de la Couronne ?

Lieu .... Date ....

....
Signature

Remarque : Si l'espace est insuffisant, veuillez annexer les feuilles nécessaires.

Partie 2

Renseignements qui doivent être fournis par le chef immédiat ou par un autre fonctionnaire compétent du ministère.

Cette partie de la formule peut être modifiée à la discrétion de chaque ministère

1. L'invention découle-t-elle d'un programme général de recherches ou de travaux relatifs à un appareil, procédé ou sujet particulier ? Dans l'affirmative, donnez les détails.

2. Existe-t-il déjà un contrat d'exécution relatif à l'invention ou y a-t-il un projet à cet égard ?

3. D'autres personnes ou organisations ont-elles collaboré à la mise au point de l'invention ? Dans l'affirmative, indiquez la nature de l'aide fournie et par qui elle l'a été.

4. L'appareil, le produit ou le procédé a-t-il été exécuté ou mis à l'essai ?

5. À votre avis, quelles sont les applications commerciales possibles de l'invention et leur portée ?

9. Can you provide references in published literature or patents relating to the problem or subject? If yes, do so.

10. Describe the circumstances surrounding the making of the invention. Did the invention result from or was it connected with your duties or employment? Was it made with facilities, equipment or financial aid provided by or on behalf of the Crown?

Place .... Date ....

....
Signature

Note: Where spaces are inadequate, attach separate pages.

Part 2

Information to be furnished by immediate supervisor or other appropriate departmental officer.

This part of the form may be varied at the discretion of each department

1. Did the invention arise from a general program of research or from work in relation to a particular piece of equipment, process or problem? If yes, give details.

2. Does a development contract exist in relation to the invention or is one projected?

3. Have other persons or organizations participated in the development? If yes, indicate assistance provided and by whom.

4. Has the apparatus, product or process been made or tested?

5. In your opinion what are the possible commercial applications of the invention and their extent?

6. What are the actual or potential uses of the inventions by the armed forces or other government agencies?

6. Quels sont les usages actuels ou possibles de l'invention par les forces armées ou par d'autres organismes gouvernementaux ?

7. S'il y a lieu, commentez les réponses fournies par l'inventeur.

8. Autres observations.

Lieu .... Date ....

....

Signature et fonction

Remarque : Si l'espace est insuffisant, veuillez annexer les feuilles nécessaires.

7. Comments, if any, on inventor's answers.

8. Other remarks.

Place .... Date ....

....

Signature and position

Note: Where spaces are inadequate, attach separate pages.

FORMULE 2

CERTIFICAT VISANT LA DÉCISION DU MINISTRE COMPÉTENT CONFORME À L'ARTICLE 5 DE LA LOI SUR LES INVENTIONS DES FONCTIONNAIRES ET CONSENTEMENT CONFORME À L'ARTICLE 4 DE LADITE LOI

Omettre les mots entre parenthèses qui ne s'appliquent pas.

Par les présentes et conformément à l'article 5 de la *Loi sur les inventions des fonctionnaires*, le ministre de .... certifie avoir décidé que l'invention suivante
(identifier l'invention en indiquant le titre de l'invention et le numéro du brevet ou le numéro de série de la demande de brevet, s'il y a lieu)
qui a été transmise au ministre par ....
le (date) .... 19 ....., est (n'est pas) dévolue (conjointement) à Sa Majesté du chef du Canada (et ....).

(Conformément à l'alinéa 4*b*) de ladite loi, le ministre consent par les présentes au dépôt d'une demande de brevet relatif à cette invention dans (tous) les pays (suivants) : ....).

Fait le (date) .... 19 ....

....

Ministre de

FORM 2

CERTIFICATE OF DETERMINATION BY APPROPRIATE MINISTER PURSUANT TO SECTION 5 AND CONSENT PURSUANT TO SECTION 4 OF THE PUBLIC SERVANTS INVENTIONS ACT

Omit words in brackets that are not applicable.

This is to certify that, pursuant to section 5 of the *Public Servants Inventions Act*, the Minister of .... has determined that the following invention
(here identify invention by inserting the Title of the Invention and Patent No. or Patent Application Serial No. if any)
which was reported to the Minister by .... on the .... day of .... 19 ....
is (not) (jointly) vested in Her Majesty in right of Canada (and ....).
(Pursuant to paragraph 4(*b*) of the said Act, the Minister hereby consents to the filing of an application for a patent in respect of the invention in (all) (the following) countries:
....).
Dated this ... day of .... 19 ....

....

Minister of

FORMULE 3

ABANDON OU TRANSFERT DE DROITS CONFORME À L'ARTICLE 8 DE LA LOI SUR LES INVENTIONS DES FONCTIONNAIRES ET CONSENTEMENT CONFORME À L'ARTICLE 4 DE LADITE LOI

Omettre les mots entre parenthèses qui ne s'appliquent pas.

Conformément à l'article 8 de la *Loi sur les inventions des fonctionnaires*, le ministre de .... (abandonne) (transfère) en faveur de .... (la totalité des droits) (les droits canadiens suivants) .... (les droits suivants dans les pays suivants) .. .. relatifs à l'invention suivante (identifier l'invention en indiquant le titre de l'invention et le numéro du brevet ou le numéro de série de la demande de brevet, s'il y a lieu) .... , qui a été transmise au ministre le (date) .... 19 .....
(Conformément à l'alinéa 4*b*) de ladite loi, le ministre consent par les présentes au dépôt d'une demande de brevet relatif à l'invention dans (tous) les pays (suivants): ....).

Fait le (date) .... 19 ....

....
Ministre de

FORM 3

WAIVER, ABANDONMENT OR TRANSFER OR RIGHTS PURSUANT TO SECTION 8 AND CONSENT PURSUANT TO SECTION 4 OF THE PUBLIC SERVANTS INVENTIONS ACT

Omit words in brackets that are not applicable

Pursuant to section 8 of the *Public Servants Inventions Act*, the Minister of .... (waives) (abandons) (transfers) to .... (all rights) (the following Canadian rights) .. .. (the following rights in the following countries) .... in the following invention
(here identify the invention by inserting the Title of the Invention and Patent No. or Patent Application Serial No. if any)
which was reported to the Minister on the ... . day of .... 19 .... .
(Pursuant to paragraph 4(*b*) of the said Act, the Minister hereby consents to the filing of an application for a patent in respect of the invention in (all) (the following) countries .. ..).
Dated this .... day of .... 19 ....

....
Minister of

FORMULE 4

PÉTITION DE BREVET PRÉSENTÉE PAR UN (DES) INVENTEUR(S) FONCTIONNAIRE(S). (CETTE FORMULE PEUT AUSSI ÊTRE UTILISÉE LORSQU'UN DES INVENTEURS N'EST PAS FONCTIONNAIRE)

Omettre les mots entre parenthèses qui ne s'appliquent pas.

La pétition de ....
nom du ou des inventeur(s) fonctionnaire(s)
dont l'adresse (les adresses) postale(s)

FORM 4

PETITION FOR A PATENT BY PUBLIC SERVANT INVENTOR(S) (MAY ALSO BE USED WHERE ANY INVENTOR IS NOT A PUBLIC SERVANT)

Omit words in brackets that are not applicable.

The petition of..
name(s) of public servant inventor(s)
whose full post office address(es) (is) (are) .

complète(s) est (sont) ....
....

Fait foi :

(1) Que le(s) pétitionnaire(s) (et ....
....

nom de l'inventeur (des inventeurs)
qui n'est (ne sont) pas fonctionnaire(s)

a (ont) fait l'invention intitulée .... qui est décrite et revendiquée dans le mémoire descriptif joint aux présentes.

(2) Que ladite invention a été faite pendant que le(s) pétitionnaire(s) était (étaient) employé(s) comme fonctionnaire(s), selon la définition qu'en donne la *Loi sur les inventions des fonctionnaires* (au ministère ou département de) .... et que, conformément à l'article 5 de ladite loi, il a été décidé que ladite invention est (n'est pas) dévolue (conjointement) à Sa Majesté du chef du Canada représentée par le ministre de .... (et (et à la (aux) personne(s) nommée(s) au paragraphe (1)).

OU

(2) Que ladite invention a été faite pendant que le(s) pétitionnaire(s) était (étaient) employé(s) comme fonctionnaire(s), selon la définition qu'en donne la *Loi sur les inventions des fonctionnaires* (au ministère ou département de) .... (et) (mais) que, conformément à l'article 3 de ladite loi, le(s) pétitionnaire(s) croit (croient) sincèrement que ladite invention est (n'est pas) dévolue à Sa Majesté du chef du Canada représentée par le ministre de .... (et à la (aux) personne(s) nommée(s) au paragraphe (1)).

(3) Que le(s) pétitionnaire(s) croit (croient) sincèrement que Sa Majesté du chef du Canada, représentée par le ministre de .... (et...)

nom de l'inventeur (des inventeurs) qui n'est (ne sont)
pas fonctionnaire(s)

a (ont) le droit d'obtenir un brevet pour ladite invention, eu égard aux dispositions de la *Loi sur les brevets*.

....
....

Sheweth:

(1) That your petitioner(s) (and ....
....

name(s) of inventor(s) who (is) (are) not
(a) public servant(s)

made the invention entitled .... which is described and claimed in the specification submitted herewith.

(2) That the said invention was made while your petitioner(s) (was) (were) employed as (a) public servant(s) as defined in the *Public Servants Inventions Act* in (the Department of) .... and, pursuant to section 5 of that Act, the said invention has been determined to be (not) (jointly) vested in Her Majesty in right of Canada as represented by the Minister of .... (and the person(s) named in paragraph (1)).

OR

(2) That the said invention was made while your petitioner(s) (was) (were) employed as (a) public servant(s) as defined in the *Public Servants Inventions Act* in (the Department of) ...... (and) (but) in accordance with section 3 of that Act your petitioner(s) verily believe(s) that the said invention is (not) vested in Her Majesty in right of Canada as represented by the Minister of .... (and in the person(s) named in paragraph (1)).

(3) That your petitioner(s) verily believe(s) that Her Majesty in right of Canada as represented by the Minister of .... (and...

name(s) of inventor(s) who (is) (are) not
(a) public servant(s)

....) (is) (are) entitled to a patent for the said invention having regard to the provisions of the *Patent Act*.

OU

(3) Que le(s) pétitionnaire(s) croit (croient) sincèrement qu'il(s) (qu'eux) (que lui) (et ... .)
nom de l'inventeur (des inventeurs) qui n'est (ne sont) pas fonctionnaire(s)
a (ont) le droit d'obtenir un brevet pour ladite invention, eu égard aux dispositions de la *Loi sur les brevets*.

Omettre ce paragraphe s'il n'y a aucune demande de priorité.

(4) Que le(s) pétitionnaire(s) sollicite(nt) l'admissibilité de la présente demande aux droits accordées par l'article 29 de la *Loi sur les brevets*, eu égard à la (aux) demande(s) dont les détails figurent ci-dessous, et déclare(nt) que ladite (lesdites) demande(s) est (sont) la (les) première(s) demande(s) de brevet pour ladite invention déposée par l'inventeur (les inventeurs) ou toute personne qui revendique pour lui (l'un d'eux) dans un pays qui, par traité, convention ou acte législatif procure aux citoyens du Canada des droits analogues.
(Donner ici des détails concernant SEULEMENT la ou les demande(s) sur laquelle ou lesquelles la demande de priorité est fondée.)

Omettre ce paragraphe si tous les demandeurs résident au Canada.

(5) Que le(s) pétitionnaire(s) désigne(nt) par les présentes ....
nom et prénoms
qui réside ou exerce un commerce au Canada à l'adresse suivante ....
adresse postale
comme son (leur) représentant à toutes fins de la *Loi sur les brevets*, y compris la signification de toute procédure prise sous son régime.

(6) Que le(s) pétitionnaire(s) nomme(nt) par les présentes ....
nom de l'agent des brevets
dont l'adresse postale complète est ...., comme son (leur)

OR

(3) That your petitioner(s) verily believe(s) that (he) (they) (and ....)
name(s) of onventor(s) who (is) (are) not (a) public servant(s)
(is) (are) entitled to a patent for the said invention having regard to the provisions of the *Patent Act*.

Omit this paragraph if there is no request for priority.

(4) That your petitioner(s) request(s) that this application be treated as entitled to the rights accorded by section 29 of the *Patent Act* having regard to the application(s) of which particulars are set out below, and represent(s) that the said application(s) (is) (are) the first application(s) for patent for the said invention filed by the inventor(s) or any one claiming under (him) (any of them) in any country that, by treaty, convention or law, affords similar rights to citizens of Canada. (Give particulars here ONLY of the application or applications upon which the claim for priority is based.)

Omit this paragraph if all petitioners reside in Canada.

(5) That your petitioner(s) hereby nominate(s) ....
name in full
who resides or carries on business in Canada at the following address ....
post office address
to be (his) (their) representative for all purposes of the *Patent Act*, including the service of any proceedings taken thereunder.

(6) That your petitioner(s) hereby appoint(s) ....
name of patent agent
whose full post office address is .... to be (his) (their) agent,

agent, avec pleins pouvoirs de révocation et de substitution, chargé de signer la pétition et les dessins, de modifier le mémoire descriptif et les dessins, de poursuivre la demande et de recevoir le brevet accordé par la suite, et qu'il(s) ratifie(nt) par les présentes tout acte accompli par ledit agent concernant ladite demande.

(7) Que le(s) pétitionnaire(s) exprime(nt) le voeu qu'un brevet pour ladite invention puisse être accordé (conjointement) à la (aux) personne(s) qui y a (ont) droit comme il est énoncé au paragraphe (3).

Signé à ...., ...,
Cité ou ville Pays
le (date) .... 19 ....

....
Inventeur(s) fonctionnaire(s)

with full power of revocation and substitution, to sign the petition and drawings, to amend the specification and drawings, to prosecute the application, and to receive the patent granted on the said application, and (ratify) (ratifies) any act done by the said appointee in respect of the said application.

(7) That your petitioner(s) therefore pray(s) that a patent for the said invention may be granted (jointly) to the person(s) entitled thereto as set out in paragraph (3).

Signed at. ....
City or town Country
this .... day of .... 19 ....

....
Public Servant Inventor(s)

FORMULE 5

PÉTITION DE BREVET PRÉSENTÉE PAR UN (DES) INVENTEUR(S) QUI N'EST (NE SONT) PAS FONCTIONNAIRE(S) LORSQU'AU MOINS UN INVENTEUR EST FONCTIONNAIRE

Omettre les mots entre parenthèses qui ne s'appliquent pas.

La pétition de ....
nom du (des) pétitionnaire(s)
dont l'adresse (les adresses) postale(s) complète(s) est (sont) ....
....

Fait foi :

(1) Que le(s) pétitionnaire(s) et ....
....
nom de l'inventeur (des inventeurs) fonctionnaire(s)
a (ont) fait l'invention intitulée ...., qui est décrite et revendiqué dans le mémoire descriptif joint aux présentes.

(2) Que ladite invention a été faite pendant

FORM 5

PETITION FOR A PATENT BY INVENTOR(S) WHO (IS) (ARE) NOT (A) PUBLIC SERVANT(S) WHERE AT LEAST ONE INVENTOR IS A PUBLIC SERVANT

Omit words in brackets that are not applicable.

The petition of ....
name(s) of petitioner(s)
whose full post office address(es) (is) (are) .
....

Sheweth:

(1) That your petitioner(s) and ....
....
name(s) of public servant inventor(s)
made the invention entitled .... which is described and claimed in the specification submitted herewith.

(2) That the said invention was made while

que le(s) inventeur(s) désigné(s) au paragraphe (1) était (étaient) employé(s) comme fonctionnaire(s), selon la définition qu'en donne la *Loi sur les inventions des fonctionnaires*, (au ministère ou département de) .....
....

the inventor(s) named in paragraph (1) (was) (were) employed as (a) public servant(s) as defined in the *Public Servants Inventions Act* in (the Department of) ....

(3) Que le(s) pétitionnaire(s) croit (croient) sincèrement que lui (qu'eux) et, (soit) le(s) inventeur(s) fonctionnaire(s) susnommé(s), (soit) (Sa Majesté du chef du Canada représentée par le ministre de ....) (comme il a été établi conformément à la *Loi sur les inventions des fonctionnaires*) a (ont) le droit d'obtenir un brevet pour ladite invention, eu égard aux dispositions de la *Loi sur les brevets*.

(3) That your petitioner(s) verily believe(s) that (he) (they) and (either) (the above named public servant inventor(s)) (or) (Her Majesty in right of Canada as represented by the Minister of ....) determined pursuant to the *Public Servants Inventions Act*) are entitled to a patent for the invention having regard to the provisions of the *Patent Act*.

Omettre ce paragraphe s'il n'y a aucune demande de priorité.

Omit this paragraph if there is no request for priority.

(4) Que le(s) pétitionnaire(s) sollicite(nt) l'admissibilité de la présente demande aux droits accordés par l'article 29 de la *Loi sur les brevets*, eu égard à la (aux) demande(s) dont les détails figurent ci-dessous, et déclare(nt) que ladite (lesdites) demande(s) est (sont) la (les) première(s) demande(s) de brevet pour ladite invention déposée par l'inventeur (les inventeurs) ou toute personne qui revendique pour lui (l'un d'eux) dans un pays qui, par traité, convention ou acte législatif, procure aux citoyens du Canada des droits analogues. (Donner ici des détails concernant SEULEMENT la ou les demande(s) sur laquelle ou lesquelles la demande de priorité est fondée.)

(4) That your petitioner(s) request(s) that this application be treated as entitled to the rights accorded by section 29 of the *Patent Act* having regard to the application(s) of which particulars are set out below, and represent(s) that the said application(s) (is) (are) the first application(s) for patent for the said invention filed by the inventor(s) or any one claiming under (him) (any of them) in any country that, by treaty, convention or law, affords similar rights to citizens of Canada. (Give particulars here ONLY of the application or applications upon which the claim for priority is based.)

Omettre ce paragraphe si tous les demandeurs résident au Canada.

Omit this paragraph if all petitioners reside in Canada.

(5) Que le(s) pétitionnaire(s) désigne(nt) par les présentes .... ,
nom et prénoms
qui réside ou exerce un commerce au Canada à l'adresse suivante .... , comme son (leur) représentant à toutes fins de la *Loi sur les brevets*, y compris la signification de toute procédure prise sous son régime.

(5) That your petitioner(s) hereby nominate(s) ....
name in full
who resides or carries on business in Canada at the following address .... to be (his) (their) representative for all purposes of the *Patent Act*, including the service of any proceedings taken thereunder.

(6) Que le(s) pétitionnaire(s) nomme(nt) par les présentes ....
nom de l'agent des brevets
dont l'adresse postale complète est .... , comme son (leur) agent, avec pleins pouvoirs de révocation et de substitution, chargé de signer la pétition et les dessins, de modifier le mémoire descriptif et les dessins, de poursuivre la demande et de recevoir le brevet accordé par la suite et qu'il(s) ratifie(nt) par les présentes tout acte accompli par ledit agent concernant ladite demande.

Omettre les mots entre parenthèses qui ne s'appliquent pas.

(7) Que le(s) pétitionnaire(s) exprime(nt) le voeu qu'un brevet pour ladite invention puisse lui (leur) être accordé conjointement avec (soit) (l'inventeur (les inventeurs) susnommé(s)), (soit) (Sa Majesté du chef du Canada représentée par le ministre de ....) (comme il a été établi conformément à la *Loi sur les inventions des fonctionnaires.*)

Signé à .... , ...,
Cité ou ville — Pays
le (date) .... 19 ....

....
Inventeur(s) non fonctionnaire(s)

(6) That your petitioner(s) hereby appoint(s) ....
name of patent agent
whose full post office address is .... to be (his) (their) agent, with full power of revocation and substitution, to sign the petition and drawings, to amend the specification and drawings, to prosecute the application, and to receive the patent granted on the said application and (ratify) (ratifies) any act done by the said appointee in respect of the said application.

Omit words in brackets that are not applicable.

(7) That your petitioner(s) therefore pray(s) that a patent for the invention may be granted jointly to (him) (them) and (either) (the above named public servant inventor(s) (or) (Her Majesty in right of Canada as represented by the Minister of ....) (as determined pursuant to the *Public Servants Inventions Act*).

Signed at ....
City or town — Country
this .... day of .... 19 ....

....
Inventor(s) who (is) (are) not (a) public servant(s)

FORMULE 6

PÉTITION CONJOINTE DE BREVET PRÉSENTÉE PAR UN (DES) INVENTEUR(S) FONCTIONNAIRE(S) ET PAR UNE (DES) PERSONNE(S) QUI N'EST (NE SONT) PAS FONCTIONNAIRE(S)

Omettre les mots entre parenthèses qui ne s'appliquent pas.

La pétition de ....
nom des inventeurs
dont l'adresse postale complète est ....

FORM 6

JOINT PETITION FOR A PATENT BY PUBLIC SERVANT INVENTOR(S) AND PERSON(S) WHO (IS) (ARE) NOT PUBLIC SERVANT(S)

Omit words in brackets that are not applicable.

Petition of ....
names of inventors
whose full post office addresses are ....

Fait foi :

(1) Que les pétitionnaires ont fait l'invention intitulée ...., qui est décrite et revendiquée dans le mémoire descriptif joint aux présentes.

(2) Que ladite invention a été faite pendant que ....
nom de l'inventeur (des inventeurs) fonctionnaire(s)
était (étaient) employé(s) comme fonctionnaire(s) selon la définition qu'en donne la *Loi sur les inventions des fonctionnaires*, (au ministère ou département de) .... et que, conformément à l'article 5 de la Loi, il a été décidé que ladite invention est (n'est pas) (conjointement) dévolue à Sa Majesté du chef du Canada représentée par le ministre de .... (et à ....).
nom de l'inventeur (des inventeurs) qui n'est (ne sont) pas fonctionnaire(s)

OU

(2) Que ladite invention a été faite pendant que ....
nom de l'inventeur (des inventeurs) qui n'est (ne sont) pas fonctionnaire(s)
était (étaient) employé(s) comme fonctionnaire(s), selon la définition qu'en donne la *Loi sur les inventions des fonctionnaire*, (au ministère ou département de) .... (et) (mais) conformément à l'article 3 de ladite loi, le(s) pétitionnaire(s) croit (croient) sincèrement que ladite invention est (n'est pas) dévolue à Sa Majesté du chef du Canada représentée par le ministre de ....
(et ....)
nom de l'inventeur (des inventeurs) qui n'est (ne sont) pas fonctionnaire(s)

(3) Que les pétitionnaires croient sincèrement que Sa Majesté du chef du Canada, représentée par le ministre de ....
et ....
nom de l'inventeur (de inventeurs) qui n'est (ne sont) pas fonctionnaire(s)
ont le droit d'obtenir un brevet pour ladite

Sheweth:

(1) That your petitioners made the invention entitled ....
which is described and claimed in the specification submitted herewith.

(2) That the said invention was made while ....
name(s) of public servant inventor(s)
(was) (were) employed as (a) public servant(s) as defined in the *Public Servants Inventions Act* in (the Department of) .... and, pursuant to section 5 of that Act, the said invention has been determined to be (not) (jointly) vested in Her Majesty in right of Canada as represented by the Minister of. .... (and in ....
name(s) of inventor(s) who (is) (are) not (a) public servant(s)

OR

(2) That the said invention was made while ....
name(s) of public servant inventor(s)
(was) (were) employed as (a) public servant(s) as defined in the *Public Servants Inventions Act* in (the Department of) .... (and) (but) in accordance with section 3 of that Act your petitioner(s) verily believe(s) that the said invention is (not) vested in Her Majesty in right of Canada as represented by the Minister of .... (and ....
name(s) of inventor(s) who (is) (are) not (a) public servant(s)

(3) That your petitioners verily believe that Her Majesty in right of Canada as represented by the Minister of ....
and ....
name(s) of inventor(s) who (is) (are) not (a) public servant(s)
are entitled to a patent for the invention

invention, eu égard aux dispositions de la *Loi sur les brevets.*

OU

(3) Que les pétitionnaires croient sincèrement qu'ils ont le droit d'obtenir un brevet pour ladite invention, eu égard aux dispositions de la *Loi sur les brevets.*

Omettre ce paragraphe s'il n'y a aucune demande de priorité.

(4) Que les pétitionnaires sollicitent l'admissibilité de la présente demande aux droits accordés par l'article 29 de la *Loi sur les brevets*, eu égard à la (aux) demande(s) dont les détails figurent ci-dessus, et déclarent que ladite (lesdites) demande(s) est (sont) la (les) première(s) demande(s) de brevet pour ladite invention déposée par les inventeurs ou toute personne qui revendique pour eux dans un pays qui, par traité, convention ou acte législatif, procure aux citoyens du Canada des droits analogues. (Donner ici des détails concernant la ou les SEULE(S) demande(s) sur laquelle ou lesquelles la demande de priorité est fondée).

Omettre ce paragraphe si tous les demandeurs résident au Canada.

(5) Que les pétitionnaires désignent par les présentes .... ,
nom et prénoms
qui réside ou exerce un commerce au Canada à l'adresse suivante ....
adresse postale complète
comme leur représentant à toutes fins de la *Loi sur les brevets*, y compris la signification de toute procédure prise sous son régime.

(6) Que les pétitionnaires nomment par les présentes .... ,
nom de l'agent des brevets
dont l'adresse postale complète est la suivante .... , comme leur agent, avec pleins pouvoirs de révocation et de substitution, chargé de signer la pétition et les dessins, de modifier le mémoire descriptif et les

having regard to the provisions of the *Patent Act.*

OR

(3) That your petitioners verily believe that they are entitled to a patent for the invention having regard to the provisions of the *Patent Act.*

Omit this paragraph if there is no request for priority.

(4) That your petitioners request that this application be treated as entitled to the rights accorded by section 29 of the *Patent Act* having regard to the application(s) of which particulars are set out below, and represents that the said application(s) (is) (are) the first application(s) for patent for the said invention filed by the inventors or any one claiming under any of them in any country that, by treaty, convention or law, affords similar rights to citizens of Canada. (Give particulars here ONLY of the application or applications upon which the claim for priority is based.)

Omit this paragraph if all petitioners reside in Canada.

(5) That your petitioners hereby nominate ...
....
name in full
who resides or carries on business in Canada at the following address ....
full post office address
to be their representative for all purposes of the *Patent Act*, including the service of any proceedings taken thereunder.

(6) That your petitioners hereby appoint
....
name of patent agent
whose full post office address is ....
to be their agent, with full power of revocation and substitution, to sign the petition and drawings, to amend the specification and drawings, to prosecute the

dessins, de poursuivre la demande et de recevoir le brevet accordé par la suite, et qu'ils ratifient par les présentes tout acte accompli par ledit agent concernant ladite demande.

(7) Que les pétitionnaires expriment le voeu qu'un brevet pour ladite invention puisse être accordé conjointement aux personnes qui y ont droit comme il est énoncé au paragraphe (3).

Signé à ...., ...,
Cité ou ville Pays
le (date) .... 19 ....

....
Inventeur(s) fonctionnaire(s)

....
Inventeur(s) non fonctionnaire(s)

application, and to receive the patent granted on the said application, and ratify any act done by the said appointee in respect of the said application.

(7) That your petitioners therefore pray that a patent may be granted jointly to the persons entitled thereto as set out in paragraph (3).

Signed at ....
City or town Country
this .... day of .... 19 ....

....
Public Servant Inventor(s)

....
Inventor(s) who (is) (are) not (a) public servant(s)

FORMULE 7

PÉTITION DE BREVET PRÉSENTÉE PAR LE MINISTRE COMPÉTENT OU PAR LE MINISTRE COMPÉTENT ET L'INVENTEUR (LES INVENTEURS) QUI N'EST (NE SONT) PAS FONCTIONNAIRE(S), LORSQU'AU MOINS UN DES INVENTEURS EST FONCTIONNAIRE

Omettre les mots entre parenthèses qui ne s'appliquent pas.

La pétition du ministre de .... dont l'adresse postale complète est la suivante .... (et de

....
nom de l'inventeur (des inventeurs) qui n'est (ne sont) pas fonctionnaire(s)

Fait foi :

(1) Que .... dont
nom de l'inventeur (des inventeurs)
l'adresse (les adresses) postale(s) complète(s) est (sont) la (les) suivante(s) .... a (ont) fait l'invention intitulée ...., qui est décrite et revendiquée dans le mémoire descriptif joint aux présentes.

FORM 7

PETITION FOR A PATENT BY APPROPRIATE MINISTER OR BY APPROPRIATE MINISTER AND INVENTOR(S) WHO (IS) (ARE) NOT (A) PUBLIC SERVANT(S) WHERE AT LEAST ONE INVENTOR IS A PUBLIC SERVANT

Omit words in brackets that are not applicable.

The petition of the Minister of .... whose full post office address is .... (and ....).
name(s) of inventor(s) who (is) (are) not (a) public servant(s)

Sheweth:

(1) That .... whose
name(s) of inventor(s)
full post office address(es) (is) (are) .... made the invention entitled.... .... which is described and claimed in the specification submitted herewith.

(2) Que ladite invention a été fait pendant que ....

nom de l'inventeur (des inventeurs) fonctionnaire(s)

était (étaient) employé(s) comme fonctionnaire(s), selon la définition qu'en donne la *Loi sur les inventions des fonctionnaires*, (au ministère ou département de) .... et que, conformément à l'article 5 de ladite loi, il a été décidé que ladite invention soit dévolue à Sa Majesté du chef du Canada représentée par le ministre de .... (et ....

nom de l'inventeur (des inventeurs) qui n'est (ne sont) pas fonctionnaire(s)

(Et que le pétitionnaire est le bénéficiaire de la totalité des droits de ....

nom de l'inventeur (des inventeurs) qui n'est (ne sont) pas fonctionnaire(s)

à l'obtention d'un brevet pour ladite invention.)

(2) That the said invention was made while. ....

name(s) of public servant(s)

(was) (were) employed as (a) public servant(s) as defined in the *Public Servants Inventions Act* in (the Department of) .... and, pursuant to section 5 of that Act, the said invention has been determined to be vested in Her Majesty in right of Canada as represented by the Minister of .... (and ....

name(s) of inventor(s) who (is) (are) not (a) public servant(s)

(And that your petitioner is the assignee of the entire right of ....

name(s) of inventor(s) who (is) (are) not (a) public servant(s)

to obtain a patent for the said invention.)

(3) Que le(s) pétitionnaire(s) croit (croient) que Sa Majesté du chef du Canada, représentée par le ministre de .... (et ....)

nom de l'inventeur (des inventeurs) qui n'est (ne sont) pas fonctionnaire(s)

a (ont) le droit d'obtenir un brevet pour ladite invention, eu égard aux dispositions de la *Loi sur les brevets*.

(3) That your petitioner(s) verily believe(s) that Her Majesty in right of Canada as represented by the Minister of .... (and ....)

name(s) of inventor(s) who (is) (are) not (a) public servant(s)

(is) (are) entitled to a patent for the invention having regard to the provisions of the *Patent Act*.

Omettre ce paragraphe s'il n'y a aucune demande de priorité.

(4) Que le(s) pétitionnaire(s) sollicite(nt) l'admissibilité de la présente demande aux droits accordés par l'article 29 de la *Loi sur les brevets*, eu égard à la (aux) demande(s) dont les détails figurent ci-dessous, et déclare(nt) que ladite (lesdites) demande(s) est (sont) la (les) première(s) demande(s) de brevet pour ladite invention déposée par l'inventeur (les inventeurs) ou toute personne qui revendique pour (lui) (l'un d'eux) dans un pays qui, par traité, convention ou acte législatif, procure aux citoyens du Canada des droits analogues. (Donner ici des détails concernant SEULEMENT la ou les demande(s) sur laquelle ou lesquelles la demande de priorité est fondée.

Omit this paragraph if there is no request for priority.

(4) That your petitioner(s) request(s) that this application be treated as entitled to the rights accorded by section 29 of the *Patent Act* having regard to the application(s) of which particulars are set out below, and represents that the said application(s) (is) (are) the first application(s) for patent for the said invention filed by the inventor(s) or any one claiming under (him) (any of them) in any country that, by treaty, convention or law, affords similar rights to citizens of Canada. (Give particulars here ONLY of the application or applications upon which the claim for priority is based.)

Omettre ce paragraphe si tous les demandeurs résident au Canada.

(5) Que le(s) pétitionnaire(s) désigne(nt) par les présentes .... ,
nom et prénoms
qui réside ou exerce un commerce au Canada à l'adresse suivante .... comme son (leur) représentant à toutes fins de la *Loi sur les brevets*, y compris la signification de toute procédure prise sous son régime.

(6) Que le(s) pétitionnaire(s) nomme(nt) par les présentes ....
nom de l'agent des brevets
dont l'adresse postale complète est .... , comme son (leur) agent avec pleins pouvoirs de révocation et de substitution, chargé de signer la pétition et les dessins, de modifier le mémoire descriptif et les dessins, de poursuivre la demande et de recevoir le brevet accordé par la suite, et qu'il(s) ratifie(nt) par les présentes tout acte accompli par ledit agent concernant ladite demande.

(7) Que le(s) pétitionnaire(s) exprime(nt) le voeu qu'un brevet pour ladite invention soit accordé (conjointement) à Sa Majesté du chef du Canada représentée par le ministre de .... (et ....
nom de l'inventeur (des inventeurs) qui n'est (ne sont) pas fonctionnaire(s)

Signé à .... , ... ,
Cité ou ville Pays

le (date) .... 19 ....

....
Ministre de

....
Inventeur(s) non fonctionnaire(s)

Omit this paragraph if all petitioners reside in Canada.

(5) That your petitioner(s) hereby nominate(s) ....
name in full
who resides or carries on business in Canada at the following address .... to be (his) (their) representative for all purposes of the *Patent Act* including the service of any proceedings taken thereunder.

(6) That your petitioner(s) hereby appoint(s) ....
name of patent agent
whose full post office address is .... to be (his) (their) agent, with full power of revocation and substitution, to sign the petition and drawings, to amend the specification and drawings, to prosecute the application, and to receive the patent granted on the said application, and (ratify) (ratifies) any act done by the said appointee in respect of the said application.

(7) That your petitioner(s) therefore pray(s) that a patent for the invention be granted (jointly) to Her Majesty in right of Canada as represented by the Minister of .... (and ....
name(s) of inventor(s) who (is) (are) not (a) public servant(s)

Signed at ....
City or town Country
this .... day of .... 19 ....

....
Minister of

....
Inventor(s) who (is) (are) not (a) public servant(s)

LOI SUR LA PROTECTION DES OBTENTIONS VÉGÉTALES

Table des matières

PLANT BREEDERS' RIGHTS ACT

Table of Contents

LOI SUR LA PROTECTION DES OBTENTIONS VÉGÉTALES

L.R.C. 1985, ch. P-14.6
[L.C. 1990, ch. 20]

Modifiée par L.C. 1994, ch. 38; 1995, ch. 1; 1997, ch. 6.

Loi concernant la protection des obtentions végétales

TITRE ABRÉGÉ

Titre abrégé

1. *Loi sur la protection des obtentions végétales.*
L.C. 1990, ch. 20, art. 1.

DÉFINITIONS

Définitions

2. (1) Les définitions qui suivent s'appliquent à la présente loi.

«catégorie» ***"category"***
«catégorie» Espèce ou division de celle-ci.

«certificat d'obtention» ***"plant breeder's rights"***
«certificat d'obtention» Le certificat conférant à son titulaire les droits énumérés au paragraphe 5(1).

«certificat temporaire» ***"protective direction"***
«certificat temporaire» Le certificat temporaire visé à l'article 19.

«comité consultatif» ***"advisory committee"***
«comité consultatif» Le comité établi au titre du paragraphe 73(1).

«directeur» ***"Commissioner"***
«directeur» Le directeur du Bureau de la protection des obtentions végétales désigné con-

PLANT BREEDERS' RIGHTS ACT

R.S.C. 1985, c. P-14.6
[S.C. 1990, c. 20]

Amended by S.C. 1994, c. 38; 1995, c. 1; 1997, c. 6.

An Act respecting plant breeders' rights

SHORT TITLE

Short title

1. This Act may be cited as the *Plant Breeders' Rights Act.*
S.C. 1990, c. 20, s. 1.

INTERPRETATION

Definitions

2. (1) In this Act,

"advertise" ***«publicité»***
"advertise", in relation to a plant variety, means to distribute to members of the public or to bring to their notice, in any manner whatever, any written, illustrated, visual or other descriptive material, oral statement, communication, representation or reference with the intention of promoting the sale of any propagating material of the plant variety, encouraging the use thereof or drawing attention to the nature, properties, advantages or uses thereof or to the manner in which or the conditions on which it may be purchased or otherwise acquired;

"advisory committee" ***«comité consultatif»***
"advisory committee" means such advisory committee as may be constituted pursuant to subsection 73(1);

formément au paragraphe 56(2) ou, sauf pour les fonctions ou cas prévus à l'article 56, toute personne bénéficiant de la délégation écrite visée à l'article 58.

«État de l'Union» ***"country of the Union"***

«État de l'Union» Sous réserve de sa désignation à ce titre par règlement en vue de l'exécution de la convention créant l'Union pour la protection des obtentions végétales à laquelle le Canada a adhéré, s'entend de tout pays, d'une colonie, d'un protectorat ou d'un territoire placé sous l'autorité ou la souveraineté d'un autre pays, ou d'un territoire placé sous mandat ou tutelle d'un autre pays.

«mandataire» ***"agent"***

«mandataire» Personne dûment autorisée par un requérant ou un titulaire à agir en son nom dans le cadre de la présente loi et reconnue comme telle par le directeur conformément aux exigences réglementaires.

«matériel de multiplication» ***"propagating material"***

«matériel de multiplication» S'entend, outre du matériel de reproduction ou de multiplication végétative d'une variété végétale, des semences ainsi que des plants entiers ou parties de ceux-ci qui peuvent servir à la multiplication.

«ministre» ***"Minister"***

«ministre» Le ministre de l'Agriculture et de l'Agroalimentaire.

«obtenteur» ***"breeder"***

«obtenteur» Toute personne qui, agissant pour son propre compte, ou dont un agent ou autre préposé dans l'exercice de ses fonctions, crée ou découvre une variété végétale.

«obtention végétale» ***"new variety"***

«obtention végétale» Variété végétale nouvelle conforme aux conditions de l'article 4.

«pays signataire» ***"agreement country"***

«pays signataire» Sous réserve de sa désignation à ce titre par règlement en vue de l'exécution d'un accord bilatéral sur la protection des obtentions végétales conclu entre lui et le Canada, s'entend de tout pays ou des autres entités visées à la définition de «État de l'Union».

«publicité» ***"advertise"***

«publicité» Tout procédé consistant à distribuer ou signaler au public, de quelque façon

"agent" ***«mandataire»***

"agent", in relation to an applicant or a holder of plant breeder's rights, means a person who is duly authorized by the applicant or holder to act, for the purposes of this Act, on behalf of the applicant or holder and to whom as a person so authorized recognition is, consistent with any requirements prescribed therefor, accorded by the Commissioner;

"agreement country" ***«pays signataire»***

"agreement country" means

(a) any country,

(b) any colony, protectorate or territory subject to the authority of another country or under its suzerainty, or

(c) any territory over which another country exercises a mandate or trusteeship,

that is prescribed as an agreement country with a view to the fulfilment of a bilateral agreement concerning the rights of plant breeders made between Canada and that country;

"applicant" ***«requérant»***

"applicant" means a person by or on behalf of whom an application for the grant of plant breeder's rights is made pursuant to section 7;

"breeder" ***«obtenteur»***

"breeder", in respect of a plant variety, means

(a) where any person acting within the scope of the person's duties as an officer, servant or employee of another person originates or discovers the plant variety, that other person, and

(b) where any person not acting as described in paragraph *(a)* originates or discovers the plant variety, that person;

"category" ***«catégorie»***

"category" means a species or any class within a species;

"Commissioner" ***«directeur»***

"Commissioner" means the Commissioner of Plant Breeders' Rights designated pursuant to subsection 56(2) and, except in section 56, includes any person acting under a written authorization given pursuant to section 58;

"country of the Union" ***«État de l'Union»***

"country of the Union" means

(a) any country,

que ce soit, de la documentation notamment écrite, illustrée ou visuelle ou toute déclaration, communication, représentation ou mention visant à stimuler la vente du matériel de multiplication d'une variété végétale, à en favoriser l'usage ou à en faire connaître la nature, les propriétés, les avantages, les usages, ou encore les modalités d'acquisition.

«registre» ***"register"***

«registre» Le registre tenu en application de l'article 63.

«répertoire» ***"index"***

«répertoire» Le répertoire tenu en application de l'article 62.

«représentant légal» ***"legal representative"***

«représentant légal» S'entend, outre de l'exécuteur testamentaire de l'obtenteur d'une variété végétale, de tout cessionnaire ou autre ayant cause devenu titulaire du certificat d'obtention pour la variété végétale.

«requérant» ***"applicant"***

«requérant» La personne qui dépose ou au nom de qui est déposée une demande de certificat d'obtention en conformité avec l'article 7.

«titulaire» ***"holder"***

«titulaire» La personne à laquelle, selon le registre, a été délivré en vertu de l'article 27 un certificat d'obtention, ou la personne qui est inscrite au registre à titre d'ayant cause, notamment de cessionnaire, en ce qui concerne ce certificat.

«variété végétale» ***"plant variety"***

«variété végétale» Tout cultivar, clone, lignée ou hybride d'une catégorie végétale réglementaire susceptible d'être cultivé.

«vente» ***"sell"***

«vente» Sont assimilés à la vente l'acceptation ou l'offre de vente et la publicité, la garde, l'exposition, la transmission, l'expédition, le transport ou la livraison en vue de la vente, ainsi que le fait d'accepter d'échanger ou d'aliéner à titre onéreux.

«violation» ***"infringement"***

«violation» Le fait d'exercer, sans y être autorisé sous le régime de la présente loi, l'un des droits exclusifs conférés par le paragraphe 5(1) au titulaire d'un certificat d'obtention.

(b) any colony, protectorate or territory subject to the authority of another country or under its suzerainty, or

(c) any territory over which another country exercises a mandate or trusteeship,

that is prescribed as a country of the Union with a view to the fulfilment of a convention constituting a Union for protecting new varieties of plants that includes Canada among its members;

"holder" ***«titulaire»***

"holder", in relation to plant breeder's rights, means the person whom the register indicates, with respect to a plant variety, is entitled to the plant breeder's rights respecting that variety by a grant made under section 27 or is an assignee of, or other successor in title to, the rights granted under that section in respect of that variety;

"index" ***«répertoire»***

"index" means the index prepared pursuant to section 62;

"infringement" ***«violation»***

"infringement", in relation to plant breeder's rights, means the doing, without authority under this Act, of anything that the holder of those rights has the exclusive right to do as provided in subsection 5(1);

"legal representative" ***«représentant légal»***

"legal representative", in respect of a breeder of a plant variety, includes the breeder's executor or administrator and any assignee of, or other successor in title to, the rights of the breeder in respect of the plant variety;

"Minister" ***«ministre»***

"Minister" means the Minister of Agriculture and Agri-food;

"new variety" ***«obtention végétale»***

"new variety" means a plant variety that complies with the requirements of section 4;

"plant breeder's rights" ***«certificat d'obtention»***

"plant breeder's rights" means the rights referred to in subsection 5(1);

"plant variety" ***«variété végétale»***

"plant variety" means any cultivar, clone, breeding line or hybrid of a prescribed category of plant that can be cultivated;

"prescribed" ***Version anglaise seulement***

"prescribed" means prescribed by regulation;

"propagating material" ***«matériel de multiplication»***
"propagating material" means any reproductive or vegetative material for propagation, whether by sexual or other means, of a plant variety, and includes seeds for sowing and any whole plant or part thereof that may be used for propagation;
"protective direction" ***«certificat temporaire»***
"protective direction" means a protective direction under section 19;
"register" ***«registre»***
"register" means the register kept pursuant to section 63;
"sell" ***«vente»***
"sell" includes agree to sell, or offer, advertise, keep, expose, transmit, send, convey or deliver for sale, or agree to exchange or to dispose of to any person in any manner for a consideration.

Désignation totale ou partielle

(2) Par dérogation aux autres dispositions de la présente loi, la désignation réglementaire comme État de l'Union ou pays signataire peut se faire pour l'application de tout ou partie de cette loi ou de ses règlements, dans la mesure où le pays en cause y est expressément ou implicitement visé.
L.C. 1990, ch. 20, art. 2; 1994, ch. 38, art. 25; 1997, ch. 6, art. 75.

Prescribing various countries of the Union or agreement countries

(2) Notwithstanding anything in this Act, a country of the Union or an agreement country may be prescribed for all or any of the provisions of this Act or the regulations in so far as those provisions have reference, express or implied, to such a country.
S.C. 1990, c. 20, s. 2; 1994, c. 38, s. 25; 1997, c. 6, s. 75.

SA MAJESTÉ

Application
3. La présente loi lie Sa Majesté du chef du Canada ou d'une province.
L.C. 1990, ch. 20, art. 3.

HER MAJESTY

Act binds Crown
3. This Act is binding on Her Majesty in right of Canada or a province.
S.C. 1990, c. 20, s. 3.

CHAMP D'APPLICATION

Champ d'application
4. (1) Le certificat d'obtention ne peut être délivré au titre de la présente loi que pour les variétés végétales appartenant à des catégories réglementaires et constituant des obtentions végétales selon les modalités du paragraphe 27(1).

APPLICATION

Varieties to which Act applies
4. (1) The varieties of plants in respect of which this Act provides for the granting of plant breeders' rights are restricted to varieties belonging to prescribed categories and found, pursuant to subsection 27(1), to be new varieties.

Obtention végétale

(2) Est appelée «obtention végétale» la variété végétale nouvelle qui réunit les conditions suivantes :

a) elle se distingue nettement, par un ou plusieurs caractères identifiables, de toutes les autres variétés notoirement connues à la date effective de la demande du certificat d'obtention la visant;

b) elle est stable dans ses caractères essentiels, c'est-à-dire qu'elle reste conforme à sa description après des reproductions ou des multiplications successives ou, dans le cas où le requérant a défini un cycle particulier de reproduction ou de multiplication, à la fin de chaque cycle;

c) elle est suffisamment homogène, eu égard aux particularités que présente sa reproduction sexuée ou sa multiplication végétative.

«suffisamment homogène»

(3) Pour l'application de l'alinéa (2)*c*), «suffisamment homogène» s'entend d'une variété dont les variations de caractères, lors de sa reproduction sexuée ou de sa multiplication végétative en quantité considérable, sont prévisibles, susceptibles d'être décrites et commercialement acceptables.
L.C. 1990, ch. 20, art. 4.

OBTENTIONS VÉGÉTALES

Droits protégés

5. (1) Sous réserve des autres dispositions de la présente loi, le titulaire a le droit exclusif :

a) de produire au Canada, en vue de la vente, du matériel de multiplication de la variété protégée, en tant que tel, et de le vendre;

b) de faire du matériel de multiplication de la variété l'emploi répété nécessaire à la production commerciale d'une autre variété végétale;

c) d'utiliser commercialement, comme matériel de multiplication en vue de la production de plantes ornementales ou de fleurs coupées, des plantes ornementales — ou des parties de ces plantes — qui sont normalement com-

New varieties

(2) A plant variety is a new variety if it

(a) is, by reason of one or more identifiable characteristics, clearly distinguishable from all varieties the existence of which is a matter of common knowledge at the effective date of application for the grant of the plant breeder's rights respecting that plant variety;

(b) is stable in its essential characteristics in that after repeated reproduction or propagation or, where the applicant has defined a particular cycle of reproduction or multiplication, at the end of each cycle, remains true to its description; and

(c) is, having regard to the particular features of its sexual reproduction or vegetative propagation, a sufficiently homogeneous variety.

Definition of "sufficiently homogeneous variety"

(3) In paragraph (2)(*c*), "sufficiently homogeneous variety" means such a variety that, in the event of its sexual reproduction or vegetative propagation in substantial quantity, any variations in characteristics of plants so reproduced or propagated are predictable, capable of being described and commercially acceptable.
S.C. 1990, c. 20, s. 4.

PLANT BREEDER'S RIGHTS

Nature of plant breeder's rights

5. (1) Subject to this Act, the holder of the plant breeder's rights respecting a plant variety has the exclusive right

(a) to sell, and produce in Canada for the purpose of selling, propagating material, as such, of the plant variety;

(b) to make repeated use of propagating material of the plant variety in order to produce commercially another plant variety if the repetition is necessary for that purpose;

(c) where it is a plant variety to which ornamental plants or parts thereof normally marketed for purposes other than propagation belong, to use any such plants or parts commercially as propagating material in the pro-

mercialisées à d'autres fins que la multiplication;
d) d'accorder, avec ou sans condition, l'autorisation d'exercer les droits exclusifs énoncés aux alinéas *a)* à *c)*.

duction of ornamental plants or cut flowers; and
(d) to authorize, conditionally or unconditionally, the doing of an act described in paragraphs (*a*) to (*c*).

Restriction
(2) Le droit exclusif de vente mentionné à l'alinéa (1)*a)* ne vise que le matériel de multiplication qui se trouve au Canada; toutefois, en cas d'utilisation au Canada de matériel vendu à l'étranger, l'achat et l'emploi du matériel en question constituent une violation de ce droit exposant l'acheteur à des poursuites.

Exemption
(2) Paragraph (1)(*a*) does not apply in respect of the sale of propagating material that is not in Canada when it is sold but, if any such propagating material the sale of which to any person is exempted from that paragraph by this subsection is used as propagating material in Canada by that person, an infringement of the exclusive right conferred by virtue of that paragraph is constituted by the purchase and subsequent use of the propagating material by that person, who shall be liable to be proceeded against in respect of that infringement.

Précision
(3) L'exercice du droit de vente dans le cadre du paragraphe (1) vaut pour l'acheteur autorisation, non de produire du matériel de multiplication, en tant que tel, en vue de la vente, mais seulement de revendre, sous réserve des conditions posées par le vendeur initial, ce que ce dernier lui a vendu dans l'exercice de son droit exclusif de vente.

Implications
(3) A sale of propagating material in the exercise of any exclusive right conferred by subsection (1) does not imply that the seller authorizes the purchaser to produce, for the purpose of selling, propagating material as such but, subject to any terms or conditions imposed by the seller, the sale implies that the seller authorizes the purchaser to sell anything sold, in that exercise of the exclusive right, to the purchaser.

Redevances
(4) Il demeure entendu que, sans préjudice des droits ou privilèges de la Couronne, toute autorisation accordée au titre de l'alinéa (1)*d)* peut comporter l'obligation de payer des redevances au titulaire même si celui-ci est Sa Majesté du chef du Canada ou d'une province.
L.C. 1990, ch. 20, art. 5.

Royalty
(4) Without limiting the generality of paragraph (1)(*d*) and without prejudice to any rights or privileges of the Crown, where authority is conferred subject to conditions pursuant to that paragraph, whether or not the holder of the plant breeder's rights is Her Majesty in right of Canada or a province, the conditions may include a requirement to pay royalty to the holder.
S.C. 1990, c. 20, s. 5.

Période de validité
6. (1) La période de validité d'un certificat d'obtention est de dix-huit ans; il peut toutefois y être mis fin plus tôt en conformité avec la présente loi. Elle se calcule à compter du jour de la remise du certificat d'obtention.

Term or plant breeder's rights
6. (1) The term of the grant of plant breeder's rights shall, subject to earlier termination pursuant to this Act, be a period of eighteen years, commencing on the day the certificate of registration is issued under paragraph 27(3)(*b*).

Taxe annuelle
(2) Pendant toute la période de validité du certificat, le titulaire verse annuellement la taxe réglementaire au directeur.
L.C. 1990, ch. 20, art. 6.

Payment of annual fee
(2) A holder of plant breeder's rights shall, during the term of the grant of those rights, pay to the Commissioner the prescribed annual fee in respect of those rights.
S.C. 1990, c. 20, s. 6.

DEMANDE DE CERTIFICAT D'OBTENTION

APPLICATIONS FOR PLANT BREEDER'S RIGHTS

Recevabilité des demandes de certificat d'obtention
7. (1) Sont recevables, sous réserve de l'article 8, les demandes de certificat d'obtention présentées par tout obtenteur, ou représentant légal de celui-ci, qui :
a) dans le cas d'une obtention végétale appartenant à une catégorie établie depuis peu par règlement, n'a pas, avant le début de la période réglementaire précédant la date de réception de la demande par le directeur et fixée pour l'application du présent alinéa, vendu l'obtention ou consenti à sa vente au Canada;
b) dans tout autre cas, n'a pas, avant la date effective de la demande, vendu l'obtention ou consenti à sa vente au Canada;
c) sous réserve de toute exemption réglementaire, n'a pas, avant le début de la période mentionnée à l'alinéa *a)* mais fixée par règlement pour l'application du présent alinéa, vendu l'obtention ou consenti à sa vente à l'étranger.

Entitlement to apply for plant breeder's rights
7. (1) Subject to section 8, a breeder of a new variety or a legal representative of the breeder may make an application to the Commissioner for the grant of plant breeder's rights respecting that variety if
(a) in the case of a new variety of a recently prescribed category, neither the breeder nor a legal representative of the breeder sold or concurred in the sale of that variety in Canada before the commencement of such period prior to the date of receipt, by the Commissioner, of the application as is prescribed for the purposes of this paragraph;
(b) in any other case, neither the breeder nor a legal representative of the breeder sold or concurred in the sale of that variety in Canada before the effective date of the application; and
(c) subject to any prescribed exemptions, neither the breeder nor a legal representative of the breeder sold or concurred in the sale of that variety outside Canada before the commencement of such period prior to the date described in paragraph (*a*) as is prescribed for the purposes of this paragraph.

Obtention végétale collective
(2) Dans le cas d'une obtention végétale collective, les personnes habilitées à demander le certificat d'obtention peuvent présenter une demande conjointe, même si l'une d'entre elles s'y refuse ou demeure introuvable malgré des recherches diligentes. De la même façon, lorsque les personnes habilitées sont au nombre de deux seulement, l'une d'elles peut présenter une demande unilatérale.
L.C. 1990, ch. 20, art. 7.

Application where breeder's participation unobtainable for joint application
(2) Where
(a) a new variety is bred by two or more breeders otherwise than independently of each other, and
(b) either or any of the persons entitled to make an application for the grant of the plant breeder's rights respecting that variety refuses to do so or information of the whereabouts of either or any of those persons cannot be obtained through diligent inquiry on

the part of the remainder of them,
the remainder of those persons may make an application for that grant.
S.C. 1990, c. 20, s. 7.

Statut du demandeur

8. Pour présenter une demande de certificat d'obtention il faut être citoyen ou résident du Canada, d'un État de l'Union, ou d'un pays signataire ou encore y avoir son établissement.
L.C. 1990, ch. 20, art. 8.

Required citizenship, residence or location of registered office

8. A person is only eligible to apply for the grant of plant breeder's rights if the person is a citizen of, or is resident or has a registered office in, Canada or a country of the Union or an agreement country.
S.C. 1990, c. 20, s. 8.

Modalités de présentation

9. (1) Les demandes de certificat d'obtention doivent être présentées selon les modalités réglementaires et être accompagnées du montant de taxe réglementaire, des documents et autres éléments réglementaires ainsi que de toute demande particulière formulée éventuellement par le requérant dans le cadre du sous-alinéa 75(1)*k*)(i).

How application to be made

9. (1) An application for the grant of any plant breeder's rights must
(a) be made in the prescribed manner;
(b) be accompanied by the prescribed fee;
(c) be supported by the documents and any other material prescribed; and
(d) include any request referred to in subparagraph 75(1)(*k*)(i) that the applicant makes.

Non-résidents

(2) Les personnes physiques ne résidant pas au Canada ou les personnes morales qui n'y ont pas leur établissement doivent présenter leurs demandes de certificat d'obtention par l'entremise d'un mandataire résidant au Canada.
L.C. 1990, ch. 20, art 9.

Agent required for non-resident applicant

(2) An applicant who, in the case of an individual, is not resident in Canada or that, in the case of a corporation, does not have its registered office in Canada shall submit the application through an agent resident in Canada.
S.C. 1990, c. 20, s. 9.

Date effective et priorité des demandes

10. (1) Sous réserve des paragraphes (2) et 11(1), la date effective des demandes est celle de leur réception par le directeur; lorsqu'une même obtention végétale, mise au point séparément par plusieurs obtenteurs, fait l'objet de plusieurs demandes, la priorité va à la première reçue par le directeur.

Priority and dating of application

10. (1) Subject to subsections (2) and 11(1), the effective date of an application is the date on which the application is received by the Commissioner and, in the case of receipt by the Commissioner of two or more applications respecting a new variety the breeders of which bred it independently of each other, priority shall be given to the application first received by the Commissioner.

Même date

(2) Dans le cas de deux demandes ayant la même date effective, la priorité va à celle qui concerne l'obtenteur qui était le premier en mesure de la présenter ou l'aurait été si les dispositions correspondantes de la présente

Applications of same date

(2) Where the effective dates of applications described in subsection (1) are the same, priority shall be given to the application pertaining to the breeder who was first in a position to apply for the plant breeder's rights respect-

loi avaient alors été en vigueur.
L.C. 1990, ch. 20, art. 10.

ing the new variety or who would have been first in the position to do so if the provision made by or under this Act for so doing had always been in force.
S.C. 1990, c. 20, s. 10.

Demande antérieure dans un autre pays

11. (1) Lorsqu'une demande présentée conformément à l'article 7 est postérieure à une autre demande régulièrement déposée par le même obtenteur, dans un État de l'Union ou un pays signataire, pour la même obtention végétale, la date effective du dépôt est réputée être celle de la demande antérieure et le requérant a en conséquence au Canada un droit de priorité, nonobstant tout fait — usage, publication ou demande relatifs à l'obtention — survenu dans l'intervalle, si :
a) sa demande est présentée, en la forme réglementaire, dans les douze mois suivant la date de dépôt de la première demande;
b) il y revendique le bénéfice de la priorité et acquitte les taxes réglementaires.

Priority based on preceding application in country of Union or agreement country

11. (1) Where an application made under section 7 is preceded by an application made, in the appropriate manner, in a country of the Union or an agreement country, for protection pursuant to the breeding of the same new variety by the same breeder as in the case of the application made under section 7, the date that is the effective date of the application made in that country shall be deemed to be the effective date of the application made under section 7 and the applicant is entitled to priority in Canada accordingly, notwithstanding any intervening use, publication or application respecting the new variety, if
(a) the application is made under section 7 in the prescribed form within twelve months after the date on which the application was made in that country; and
(b) the application made under section 7 includes or is accompanied by a claim respecting the priority and is accompanied by the prescribed fee.

Documents à l'appui

(2) À l'appui de sa revendication du bénéfice de priorité, le requérant doit fournir au directeur, dans les trois mois qui suivent le dépôt de sa demande auprès de celui-ci, une copie — certifiée exacte par les autorités compétentes du pays en cause et accompagnée de sa traduction française ou anglaise lorsqu'elle est libellée dans une autre langue — des documents constituant sa demande antérieure.

Confirmation of claim to priority

(2) A claim respecting priority based on a preceding application made in a country of the Union or an agreement country shall not be allowed unless, within three months after the date on which the claim is submitted to the Commissioner, it is confirmed by filing with the Commissioner a copy, certified as correct by the appropriate authority in that country and accompanied by an English or French translation of the certified copy, if made in any other language, of each document that constituted the preceding application.

Complément à la demande de rang prioritaire

(3) Le requérant prioritaire bénéficie d'un délai réglementaire d'au plus quatre ans après l'expiration du délai visé à l'alinéa

Supporting application given priority

(3) An application given priority under subsection (1) shall be supported by the required material furnished pursuant to this Act and

(1)*a*) pour fournir les documents et le matériel requis par la présente loi et ses règlements pour le dépôt de la demande.

the regulations before the expiration of the prescribed period, not exceeding four years, after the last day of the twelve months within which the application is submitted in accordance with paragraph (1)(*a*).

Pluralité de demandes antérieures

(4) Dans le cas où relativement à la même obtention végétale, un obtenteur a régulièrement déposé, préalablement à la demande qu'il a présentée conformément à l'article 7, plusieurs demandes d'obtention dans différents États de l'Union ou pays signataires, seule la première d'entre elles est prise en considération pour l'application du paragraphe (1).
L.C. 1990, ch. 20, art. 11.

Cases of two or more preceding applications

(4) Where an application made under section 7 is preceded by two or more applications made, in the appropriate manner, in different countries of the Union or agreement countries, for protection pursuant to the breeding of the same new variety by the same breeder as in the case of the application made under section 7, reference in subsection (1) to an application made in any such country shall be construed as reference to whichever of those applications was first made.
S.C. 1990, c. 20, s. 11.

Restriction

12. (1) Seul le requérant remplissant, à l'époque de sa demande antérieure, l'une des conditions fixées à l'article 8 peut revendiquer, au titre de l'alinéa 11(1)*b*), le bénéfice de la priorité.

Priority conditional on residence, etc.

12. (1) No claim referred to in paragraph 11(1)(*b*) shall be based on any preceding application unless it was made by a person who, at the time of the application, was a citizen of, or a person resident or having a registered office in, Canada or a country of the Union or an agreement country.

Appartenance à une catégorie réglementaire

(2) Il n'est pas tenu compte, pour l'application du paragraphe 11(1), des demandes faites alors que la variété végétale en faisant l'objet ne faisait partie d'aucune catégorie réglementaire.
L.C. 1990, ch. 20, art. 12.

When previous application disregarded

(2) For the purposes of subsection 11(1), no account shall be taken of an application that was made in a country outside Canada at a time when the plant variety to which the application relates did not belong to a prescribed category.
S.C. 1990, c. 20, s. 12.

Annulation : demande non prioritaire

13. Une fois le droit de priorité établi, le directeur refuse toute demande non prioritaire ou annule tout certificat d'obtention délivré antérieurement sur la base d'une telle demande; le cas échéant, l'article 36 et le paragraphe 70(3) s'appliquent, compte tenu des adaptations de circonstance, à l'annulation.
L.C. 1990, ch. 20, art. 13.

Priority established over previous grant

13. Where priority for an application is established pursuant to this Act, the Commissioner shall refuse any application against which the priority is established or, if the priority against it is established after granting on it any plant breeder's rights, the Commissioner shall annul the grant and section 36 and paragraph 70(3)(*b*) apply, with such modifications as the circumstances require,

in respect of the annulment.
S.C. 1990, c. 20, s. 13.

DÉNOMINATION DES OBTENTIONS VÉGÉTALES

Désignation
14. (1) Toute obtention végétale faisant l'objet d'une demande de certificat d'obtention est désignée, sous réserve de l'approbation du directeur, par la dénomination que propose le requérant.

Rejet de dénomination
(2) Avant la délivrance du certificat d'obtention, le directeur peut refuser, avec des motifs valables, la dénomination proposée et exiger que le requérant en propose une qui soit acceptable.

Conditions
(3) Pour être acceptable, la dénomination doit satisfaire aux conditions réglementaires et ne pas être susceptible d'induire en erreur ou de prêter à confusion sur les caractères ou la valeur de la variété en cause, sur la variété elle-même, ou sur l'identité de l'obtenteur.

Dénomination internationale
(4) Sous réserve des paragraphes (2), (3) et (5), la dénomination que le directeur approuve doit être la même que celle qui est utilisée dans le certificat d'obtention délivré pour la même obtention végétale par les autorités compétentes d'un État de l'Union ou d'un pays signataire, ou dans la demande qui leur a été présentée en vue d'un tel certificat.

Changement de dénomination
(5) La dénomination approuvée peut toutefois être changée avec l'approbation du directeur dans les circonstances et selon les modalités réglementaires.

DENOMINATIONS OF NEW VARIETIES

Denomination of new varieties
14. (1) A new variety in respect of which an application for the grant of plant breeder's rights is made shall be designated by means of a denomination proposed by the applicant and approved by the Commissioner.

Rejection of proposed denomination
(2) Where a denomination is proposed pursuant to subsection (1), the Commissioner may, during the pendency of the application referred to in that subsection, reject the proposed denomination, if considered unsuitable for any reasonable cause by the Commissioner, and direct the applicant to submit a suitable denomination instead.

Suitable denomination
(3) A denomination, in order to be suitable pursuant to this section, must conform to the prescribed requirements and must not be such as to be likely to mislead or to cause confusion concerning the characteristics, value or identity of the variety in question or the identity of its breeder.

International uniformity of denomination
(4) A denomination that the Commissioner approves for any new variety in respect of which protection has been granted by, or an application for protection has been submitted to, the appropriate authority in a country of the Union or an agreement country must, subject to subsections (2), (3) and (5), be the same as any denomination with reference to which that protection has been granted or that application submitted.

Change of denomination
(5) A denomination approved by the Commissioner pursuant to this section may be changed with the Commissioner's approval in the prescribed circumstances and manner.

Identification

(6) Toute dénomination, approuvée par le directeur, doit être facilement reconnaissable si une marque de commerce, un nom commercial ou telle autre marque est utilisé relativement à celle-ci.
L.C. 1990, ch. 20, art. 14.

Denomination must be recognizable

(6) Where a trade-mark, trade name or other similar indication is used in association with a denomination approved by the Commissioner pursuant to this section, the denomination must be easily recognizable.
S.C. 1990, c. 20, s. 14.

Usage obligatoire

15. La dénomination approuvée par le directeur devient obligatoire, après la délivrance du certificat et même après expiration de celui-ci, pour la vente de matériel de multiplication de l'obtention.
L.C. 1990, ch. 20, art. 15.

Approved denomination to be used exclusively

15. After the grant of the plant breeder's rights respecting any new variety, every person designating the variety for the purposes of the sale of propagating material thereof by that person, whether before or after the expiration of the term of the grant of those rights, shall only use the denomination approved by the Commissioner pursuant to section 14.
S.C. 1990, c. 20, s. 15.

Restriction

16. Les articles 14 ou 15 n'ont pas pour effet de permettre ou d'imposer l'utilisation d'une dénomination à laquelle sont opposables des droits antérieurs à l'utilisation d'une désignation, non plus que l'approbation par le directeur d'une telle utilisation.
L.C. 1990, ch. 20, art. 16.

Prior rights not prejudiced

16. Nothing in section 14 or 15 authorizes or requires any person to use, or the Commissioner to approve any person's use of, a denomination to the prejudice of any prior right of another person to the use of any designation.
S.C. 1990, c. 20, s. 16.

TRAITEMENT DE LA DEMANDE

SUMMARY DISPOSITION OF APPLICATIONS

Rejet de la demande

17. (1) Le directeur peut rejeter toute demande de certificat d'obtention non conforme aux dispositions de la présente loi ou de ses règlements, notamment lorsque la variété en faisant l'objet n'est pas une obtention végétale ou que le requérant n'est pas habilité, aux termes des articles 7 ou 8, à présenter une telle demande.

Rejection of application

17. (1) The Commissioner may reject an application for the grant of plant breeder's rights if any incompatibility with this Act or the regulations appears with regard to the application and, without limiting the generality of the foregoing, the Commissioner may reject an application if it appears

(a) that the variety in respect of which the application is made is not a new variety; or

(b) that the person making the application is not entitled in accordance with section 7 or 8 to do so.

Droit de se faire entendre

(2) Avant de rejeter définitivement une demande de certificat d'obtention, le directeur

Opportunity for representations before application rejected

(2) The Commissioner shall not reject the application of a person for the grant of plant

donne au requérant un avis motivé de son refus et lui accorde la possibilité de présenter ses observations à cet égard.
L.C. 1990, ch. 20, art. 17.

breeder's rights without first giving the person notice of the objections to it and of the grounds for those objections as well as a reasonable opportunity to make representations with respect thereto.
S.C. 1990, c. 20, s. 17.

Modification de la demande

18. Le requérant peut, dans le délai réglementaire — ou postérieurement avec l'autorisation du directeur — compléter ou modifier la description de l'obtention végétale ou sa dénomination proposée conformément à l'article 14.
L.C. 1990, ch. 20, art. 18.

Amendment of application

18. An applicant may, within the period prescribed for so doing, or with leave given by the Commissioner at the applicant's request after the expiration of that period, add to or alter the denomination proposed by that applicant pursuant to section 14 or the description of the new variety for the purposes of the application.
S.C. 1990, c. 20, s. 18.

CERTIFICAT TEMPORAIRE

Certificat temporaire

19. (1) Peut être annexée à la demande de certificat d'obtention une demande de certificat temporaire pour la variété en cause; y est joint le montant de la taxe réglementaire applicable.

Engagement

(2) Toute demande de certificat temporaire comporte l'engagement de ne pas vendre, pendant la période de validité du certificat, le matériel de multiplication de la variété végétale, sauf si la vente est faite soit de bonne foi aux fins de recherche scientifique, soit dans le but de constituer un stock pour revente ultérieure au demandeur en cause ou s'il s'agit d'une transaction touchant la vente des droits reconnus par le certificat d'obtention correspondant.

Délivrance

(3) Le directeur délivre le certificat temporaire, une fois pris l'engagement visé au paragraphe (2). Pendant la période de validité du certificat, tout acte constituant une violation des droits protégés par celui-ci équivaut à une violation des droits qui auraient été protégés par le certificat d'obtention correspondant et est passible de poursuites en vertu du présent article.

PROTECTIVE DIRECTIONS

Protective directions

19. (1) An application for the grant of plant breeder's rights may include an application, accompanied by the fee prescribed in respect thereof, to the Commissioner for a protective direction respecting the plant variety in relation to which the application is made.

Undertaking

(2) Every person applying for a protective direction in accordance with subsection (1) shall undertake not to sell during the subsistence thereof propagating material of the plant variety unless the sale is made in good faith for purposes of scientific research, is part of a transaction involving the sale of the plant breeder's rights or consists of the sale of propagating material for the purpose of accumulating stock for subsequent resale to that person.

Grant of protective direction

(3) Subject to subsection (4), where the undertaking required by subsection (2) is given, the Commissioner shall grant a protective direction to the person giving the undertaking and anything done while the protective direction is in force that, if the plant breeder's rights respecting the plant variety were granted, would constitute an infringement of those rights is actionable pursuant to this section as if it were such an infringement.

Refus de délivrance

(4) Le directeur ne délivre cependant pas le certificat temporaire s'il a des motifs de croire que le demandeur n'est pas habilité à présenter une demande aux termes des articles 7 ou 8.

Refusal of grant

(4) Where the Commissioner has reason to suspect that a person whose application for the grant of plant breeder's rights includes an application for a protective direction is not entitled in accordance with section 7 or 8 to make the application for that grant, the Commissioner shall refuse to grant the protective direction.

Droit de se faire entendre

(5) Le paragraphe 17(2) s'applique, compte tenu des adaptations de circonstance, à la demande de certificat temporaire.
L.C. 1990, ch. 20, art. 19.

Opportunity for representations before refusal

(5) The Commissioner shall not refuse to grant a protective direction to a person without first giving the person notice of the objections to it and of the grounds for those objections as well as a reasonable opportunity to make representations with respect thereto.
S.C. 1990, c. 20, s. 19.

Retrait du certificat

20. (1) Le directeur retire le certificat temporaire à la demande du bénéficiaire, ou s'il est convaincu que ce dernier s'est engagé, à titre gratuit ou onéreux, à ne pas intenter de poursuites fondées sur l'article 19 ou n'a pas respecté l'engagement pris en application du paragraphe 19(2).

Withdrawal of direction

20. (1) The Commissioner may withdraw a protective direction if the person to whom it was granted so requests and, notwithstanding the absence of any such request, the Commissioner shall withdraw a protective direction if the Commissioner is satisfied that

(a) the person to whom it was granted has given an undertaking, whether or not for consideration, not to institute proceedings pursuant to section 19; or

(b) a breach of the undertaking given by the person pursuant to subsection 19(2) has occurred.

Procédure

(2) L'article 36 s'applique, compte tenu des adaptations de circonstance, au retrait d'un certificat temporaire.
L.C. 1990, ch. 20, art. 20.

Procedure

(2) Section 36 applies, with such modifications as the circumstances require, in respect of the withdrawal of a protective direction as that section applies in respect of the revocation of plant breeder's rights.
S.C. 1990, c. 20, s. 20.

Expiration du certificat temporaire

21. Le certificat temporaire expire au plus tard à la délivrance, ou au refus de délivrance, du certificat d'obtention correspondant.
L.C. 1990, ch. 20, art. 21.

Lapse of direction

21. As soon as an application for the grant of plant breeder's rights that includes an application for a protective direction is disposed of, whether by grant or refusal to grant those rights or otherwise, the protective direction lapses if it is in force at the time of that disposal.
S.C. 1990, c. 20, s. 21.

EXAMEN ET RÈGLEMENT DE LA DEMANDE

Opposition

22. (1) Quiconque estime qu'une demande ayant fait l'objet de la publication prévue à l'article 70 devrait être rejetée soit pour l'un des motifs énoncés à l'article 17, soit dans la mesure où y est sollicitée l'une des exemptions visées au sous-alinéa 75(1)*k*)(i) peut, dans le délai réglementaire à partir du jour de la publication, déposer auprès du directeur une opposition motivée accompagnée du paiement des taxes réglementaires. Il y a toutefois dispense de celles-ci dans le cas d'une opposition présentée sous l'autorité du ministre de l'Industrie après avis donné en application du paragraphe 70(2).

Copie de l'opposition

(2) Dans les meilleurs délais après le dépôt, le directeur adresse au demandeur copie de toute opposition qu'il ne rejette pas au titre du paragraphe (3).

Rejet de l'opposition

(3) S'il estime l'opposition non fondée, le directeur accorde à son auteur la possibilité de la justifier; faute d'une justification valable, il la rejette et avise ce dernier en conséquence.

Audition de l'opposant et du requérant

(4) S'il ne rejette pas l'opposition, le directeur accorde à l'opposant et au demandeur la possibilité de présenter leurs observations avant de délivrer ou de refuser le certificat d'obtention.

CONSIDERATION AND DISPOSITION OF APPLICATIONS

Making objection to application for plant breeder's rights

22. (1) A person who considers that an application of which particulars have been published pursuant to section 70 ought to be refused

(*a*) on any ground that constitutes a basis for rejection pursuant to section 17, or

(*b*) in so far as an exemption referred to in subparagraph 75(1)(*k*)(i) is requested in the application, may on payment of the prescribed fee, except in the case of an objection made for the purpose of this subsection under the authority of the Minister of Industry after notice under subsection 70(2), file with the Commissioner, within the prescribed period after the date of publication, an objection specifying that person's reasons for so considering.

Copy of objection to be sent to applicant

(2) As soon as practicable after the filing of an objection pursuant to subsection (1), the Commissioner shall send a copy of the objection to the person in respect of whose application the objection is filed, unless the Commissioner rejects the objection in accordance with subsection (3).

Rejection of objection

(3) Where it appears to the Commissioner that there is good reason for rejecting an objection referred to in subsection (2), the Commissioner shall give the person making the objection a reasonable opportunity to show cause why the objection should not be rejected and, if the person shows the Commissioner no such cause, the Commissioner shall reject the objection and give notice accordingly to the person.

Opportunities for objector and applicant to be heard

(4) Where an objection to an application is filed with the Commissioner and is not rejected in accordance with subsection (3), the Commissioner shall not make or refuse the grant of plant breeder's rights on the applica-

tion until the Commissioner has considered the objection and given the persons making the objection and application a reasonable opportunity to make representations with respect thereto.

Suite donnée à l'opposition
(5) S'il fait droit à l'opposition, le directeur rejette soit la demande de certificat d'obtention, soit la demande d'exemption y afférente.
L.C. 1990, ch. 20, art. 22; 1995, ch. 1, art. 52.

Upholding objection
(5) Where the Commissioner upholds an objection made under this section, the Commissioner shall refuse the application or request therein for exemption accordingly.
S.C. 1990, c. 20, s. 22; 1995, c. 1, s. 52.

Examen de la demande
23. (1) Après la publication visée à l'article 70, le directeur procède à l'examen de la demande, ainsi que des documents ou autres éléments à l'appui, pour déterminer sa conformité avec la présente loi.

Consideration of applications
23. (1) After the publication under section 70 of the particulars of an application, the Commissioner shall, in order to ascertain whether it conforms to this Act, consider the application and all documents and any other material that are submitted to the Commissioner in connection with the application.

Essais et épreuves
(2) Pour établir la qualité d'obtention végétale de la variété végétale objet d'une demande étudiée en application du paragraphe (1), le directeur fait pratiquer, dans les conditions qu'il juge indiquées, les essais et épreuves qu'il estime utiles.

Tests and trials
(2) For the purpose of determining whether the plant variety to which an application under consideration pursuant to subsection (1) relates is a new variety, the Commissioner shall require such tests and trials with the plant variety, under such conditions, as the Commissioner deems necessary or expedient.

Taxes à acquitter
(3) Au titre des essais et des épreuves et sans préjudice des dispositions du paragraphe 9(1), la personne dont la demande est étudiée en application du paragraphe (1) doit, au lieu et à la date fixés par le directeur :
a) acquitter les taxes réglementaires pour l'examen de sa demande;
b) fournir, si le directeur l'estime nécessaire en l'occurrence, tout matériel de multiplication ainsi que toute information sur la variété végétale — sous forme de photographies, de dessins, de documents ou autre — et tout spécimen de celle-ci ou de ses éléments.
L.C. 1990, ch. 20, art. 23.

Fee and materials for tests and trials
(3) The person on whose part material is submitted for consideration pursuant to subsection (1) shall, for the purposes of tests and trials with the plant variety in question, without prejudice to the requirements of subsection 9(1) and at such time and place as the Commissioner directs,
(a) pay the appropriate prescribed examination fee; and
(b) furnish any
(i) propagating materials,
(ii) information, whether by way of photographs, drawings, documentation or otherwise, respecting the plant variety, and
(iii) specimens of the plant variety or of parts of it
that the Commissioner considers necessary for those purposes.
S.C. 1990, c. 20, s. 23.

Acceptation des résultats obtenus à l'étranger

24. (1) À son appréciation, le directeur peut se satisfaire des résultats officiels qu'il obtient éventuellement des autorités compétentes d'un autre pays pour les essais et épreuves visés au paragraphe 23(2), auquel cas il perçoit auprès de la personne visée au paragraphe 23(3) les frais occasionnés par l'obtention de ces résultats.

Acceptance of results of foreign tests and trials

24. (1) Where the Commissioner is able to obtain from an appropriate authority in any country such official results of tests and trials with the plant variety referred to in subsection 23(2) as the Commissioner considers acceptable, the Commissioner may rely on those results and the costs incurred in obtaining them pursuant to this subsection shall be paid to the Commissioner by the person to whom the Commissioner is authorized by subsection 23(3) to give directions for payment of such examination fee as may be payable for the purposes of tests and trials with the plant variety.

Essais et épreuves exécutés à l'étranger

(2) En vue des essais et épreuves à y effectuer sur la variété en cause, le directeur peut transmettre aux autorités compétentes d'un État de l'Union ou d'un pays signataire tous les documents ou éléments fournis soit à l'appui de la demande aux termes du paragraphe 9(1), soit en application du paragraphe 23(3), et accepter les résultats que lui communiquent ensuite ces autorités.

L.C. 1990, ch. 20, art. 24.

Submission to foreign tests and trials

(2) The Commissioner may submit to the appropriate authority in a country of the Union or an agreement country, in order that any necessary tests and trials may be undertaken in that country with the plant variety in question, anything furnished in support, as required by subsection 9(1), of an application or in compliance with subsection 23(3) and the Commissioner may accept such results of any of the tests and trials as are furnished by that authority.

S.C. 1990, c. 20, s. 24.

Restriction

25. Sous réserve des règlements, tant qu'il n'a pas statué sur une opposition déposée en application de l'article 22, le directeur ne peut exercer, à l'égard de la demande en faisant l'objet, les pouvoirs que lui confèrent les articles 23 et 24.

L.C. 1990, ch. 20, art. 25.

Prohibition during pendency of objection

25. Subject to the regulations, where an objection to an application has been filed under section 22, the Commissioner shall not, before disposal of the objection, carry out in respect of the application any functions of the Commissioner under section 23 or 24.

S.C. 1990, c. 20, s. 25.

Désistement

26. (1) À défaut de donner suite, dans le délai réglementaire, à l'avis que lui adresse le directeur après toute mesure prise par ses services au sujet de la demande de certificat d'obtention, le requérant est réputé s'être désisté, notamment s'il y a eu de sa part inobservation du paragraphe 23(3) ou non-paiement des taxes prévues au paragraphe 27(3).

Abandonment of application

26. (1) An application shall be deemed to have been abandoned on failure of the applicant to prosecute the application, whether in default of compliance with subsection 23(3) or of payment of any fee pursuant to subsection 27(3) or otherwise, within the prescribed period after the taking on the part of the Commissioner, with respect to the application, of any action of which the Commissioner gives notice to the applicant.

Réactivation de la demande
(2) Le requérant réputé s'être désisté peut réactiver sa demande, selon le cas :
a) sur paiement des taxes et pendant le délai réglementaires;
b) sur requête présentée au directeur dans le délai ultérieur prévu par règlement et sur paiement des taxes réglementaires, s'il convainc par ailleurs celui-ci qu'il n'était vraiment pas en mesure de donner suite à sa demande.
L.C. 1990, ch. 20, s. 26.

Reinstatement of abandoned application
(2) An application deemed abandoned pursuant to subsection (1) may be reinstated
(a) within the prescribed time and on payment of the prescribed fee; or
(b) on petition presented to the Commissioner within the prescribed time subsequent to the time referred to in paragraph (a) and on payment of the prescribed fee if the petitioner satisfies the Commissioner that the failure to prosecute the application was not reasonably avoidable.
S.C. 1990, c. 20, s. 26.

DÉLIVRANCE DU CERTIFICAT D'OBTENTION

Modalités de délivrance
27. (1) Une fois approuvée la dénomination proposée au titre de l'article 14 et après examen de la demande conformément au paragraphe 23(1), d'une part, et des résultats des essais et des épreuves exécutés sur la variété végétale objet de celle-ci, d'autre part, le directeur délivre au requérant un certificat d'obtention pour cette variété conformément au paragraphe (3), sauf dans les circonstances précisées à l'alinéa (2)*b*), s'il est convaincu que la demande vise une obtention végétale et est par ailleurs conforme à la présente loi.

Rejet
(2) Le directeur rejette la demande si, selon le cas :
a) il n'en vient pas aux conclusions énoncées au paragraphe (1);
b) il a déjà retiré le certificat temporaire, pour non-respect de l'engagement pris en application du paragraphe 19(2), et ne voit aucune raison justifiant la délivrance du certificat d'obtention.

GRANT, REFUSAL AND DISPOSAL OF PLANT BREEDER'S RIGHTS

Grant of plant breeder's rights
27. (1) Where the Commissioner approves a denomination proposed by an applicant pursuant to section 14 and, after consideration of the application in accordance with subsection 23(1) and evaluation of the results of any tests and trials carried out with the plant variety to which the application relates, the Commissioner is satisfied that the application
(a) is made by the applicant with respect to a new variety, and
(b) otherwise conforms to this Act,
the Commissioner shall, except in the circumstances described in paragraph (2)(b), grant plant breeder's rights respecting that new variety to the applicant in accordance with subsection (3).

Refusal
(2) Where the Commissioner
(a) is not satisfied, after consideration of an application and evaluation of results, as described in subsection (1), or
(b) has, pursuant to paragraph 20(1)(*b*), withdrawn a protective direction and finds no reason considered by the Commissioner to be sufficient for nevertheless granting the plant breeder's rights to the applicant to whom the protective direction was granted,
the Commissioner shall refuse the application.

Enregistrement et remise du certificat

(3) Sur paiement des taxes réglementaires dues pour la délivrance du certificat d'obtention, le directeur inscrit au registre les renseignements énumérés à l'article 63 et délivre au requérant le certificat d'obtention.

Registration of grant

(3) The Commissioner shall, on payment of the prescribed fee in respect of the grant under subsection (1) of plant breeder's rights,

(a) enter in the register the particulars required by section 63 in relation to the new variety in respect of which the rights are granted; and

(b) make the grant by issuing a certificate of registration in respect thereof to the applicant.

Droit de se faire entendre

(4) Le paragraphe 17(2) s'applique, compte tenu des adaptations de circonstance, à la demande.

Opportunity for representations before refusal of grant

(4) The Commissioner shall not refuse the application of a person for the grant of plant breeder's rights without first giving the person notice of the objections to it and of the grounds for those objections as well as a reasonable opportunity to make representations with respect thereto.

Perte ou destruction de certificat

(5) Une copie certifiée conforme peut, sur paiement des taxes réglementaires, être délivrée en remplacement de tout certificat d'obtention détruit ou perdu.

L.C. 1990, ch. 20, art. 27.

Destroyed or lost certificates

(5) Where a certificate of registration issued pursuant to paragraph (3)(*b*) is destroyed or lost, a certified copy may be issued in lieu thereof on payment of the prescribed fee.

S.C. 1990, c. 20, s. 27.

Cas de demande collective

28. Le certificat d'obtention délivré par le directeur dans le cas d'une demande collective présentée sous le régime du paragraphe 7(2) doit porter le nom de tous les requérants.

L.C. 1990, ch. 20, art. 28.

Grant to joint applicants

28. Where the Commissioner grants plant breeder's rights to persons constituting a remainder mentioned in subsection 7(2) or to other joint applicants, the grant shall be in the names of all those persons or other joint applicants.

S.C. 1990, c. 20, s. 28.

Effet de la délivrance

29. La délivrance du certificat d'obtention est assujettie aux conditions réglementaires, applicables à la catégorie en cause, qui obligent le titulaire à autoriser, en application de l'alinéa 5(1)*d*), tout acte mentionné aux alinéas 5(1)*a*) à *c*).

L.C. 1990, ch. 20, art. 29.

Automatic licensing

29. The grant of the plant breeder's rights respecting a plant variety is subject to any conditions related to its category that are prescribed for the purpose of requiring the holder of those rights to authorize, pursuant to paragraph 5(1)(*d*), the doing of an act described in paragraphs 5(1)(*a*) to (*c*).

S.C. 1990, c. 20, s. 29.

MAINTIEN DU MATÉRIEL DE MULTIPLICATION

Obligation du titulaire

30. (1) Le titulaire doit :

a) être en mesure de présenter, sur demande et à tout moment, au directeur le matériel de multiplication permettant de reproduire la variété protégée avec ses caractères tels qu'ils ont été définis dans le certificat d'obtention;

b) fournir au directeur, sur demande, les renseignements et mettre gratuitement à sa disposition les moyens que celui-ci estime utiles pour se convaincre qu'il veille au maintien du matériel de multiplication et se conforme aux exigences de l'alinéa *a*).

Inspection

(2) Les moyens mentionnés à l'alinéa (1)*b*) peuvent viser l'inspection à laquelle peut procéder le directeur pour l'application de cet alinéa.

L.C. 1990, ch. 20, art. 30.

MAINTENANCE OF PROPAGATING MATERIAL

Maintenance of propagating material

30. (1) A holder of the plant breeder's rights respecting a plant variety shall

(a) ensure that the holder is in a position, throughout the period of registration of the holder as such, to furnish the Commissioner at the Commissioner's request with such propagating material of that variety as is capable of so producing it that its identifiable characteristics correspond with those taken into account for the purpose of granting those rights; and

(b) provide the Commissioner at the Commissioner's request with such facilities, free of charge, and with such information as the Commissioner deems necessary in order to be satisfied that the holder is causing the propagating material to be maintained and is otherwise complying with paragraph (a).

Inspection

(2) Facilities requested under paragraph (1)(*b*) may include facilities for inspection and the Commissioner has power to undertake the inspection accordingly for the purposes of that paragraph.

S.C. 1990, c. 20, s. 30.

CESSION DU CERTIFICAT

Cession

31. (1) En cas de cession du certificat d'obtention par son titulaire, le directeur doit, dans le délai et selon les modalités réglementaires ou, dans le cas de l'alinéa *b*), celles qu'il fixe :

a) être informé du nom et de l'adresse du cessionnaire;

b) recevoir la preuve réglementaire — ou celle qu'il peut exiger, à défaut ou en sus — de la signification de l'avis de cession à tout attributaire d'une licence octroyée à l'égard de ce certificat en application de l'article 32.

Manquement du cessionnaire

(2) Le cessionnaire qui ne se conforme pas au

ASSIGNMENT OF PLANT BREEDER'S RIGHTS

Assignment of plant breeder's rights

31. (1) The Commissioner shall be, in the prescribed manner and within the prescribed period after the holder of plant breeder's rights has assigned them,

(a) informed of the name and address of the assignee; and

(b) furnished with such proof of service of a notice of the assignment on any person granted any of those rights by licence under section 32 as is prescribed or as the Commissioner, in the absence or in lieu of anything so prescribed or in addition thereto, requires.

Default precluding registration

(2) An assignee who has not complied with

paragraphe (1) ne peut être inscrit au registre en tant que titulaire.

Inopposabilité de la cession

(3) À défaut d'enregistrement, la cession de droits protégés par un certificat d'obtention est inopposable à tout cessionnaire ultérieur à titre onéreux qui n'en était pas informé et qui est dûment enregistré comme titulaire de ces droits.

LICENCE OBLIGATOIRE

Licence obligatoire

32. (1) Sous réserve des autres dispositions du présent article et des règlements et s'il l'estime indiqué, le directeur délivre obligatoirement sur demande une licence pour l'exercice de tout ou partie des droits visés à l'alinéa 5(1)*d*).

Facteurs à considérer

(2) Dans la décision qu'il rend sur une demande de licence obligatoire concernant une variété donnée, ainsi que pour les modalités dont il l'assortit, le directeur tient compte des objectifs suivants : commercialisation à des prix raisonnables, distribution à grande échelle, maintien de la qualité, enfin juste rémunération du titulaire du certificat d'obtention en cause, y compris éventuellement sous forme de redevances.

Clause particulière

(3) La licence obligatoire peut comporter une clause obligeant le titulaire du certificat d'obtention à mettre le matériel de multiplication à la disposition de l'attributaire de la licence.

Modification et révocation de la licence

(4) Le directeur peut modifier ou révoquer la licence obligatoire à la suite des observations que lui présente tout intéressé.

subsection (1) may not be registered as the holder of the plant breeder's rights.

Unregistered assignment void against subsequent assignee

(3) An assignment of plant breeder's rights is void against a subsequent assignee thereof for valuable consideration without notice who is registered as the holder of the rights unless, before the subsequent assignee is so registered, the person to whom that assignment is made is registered as holder of the rights.

COMPULSORY LICENCES

Grant of compulsory licences

32. (1) Subject to this section and the regulations, the Commissioner shall, on application by any person, where the Commissioner considers that it is appropriate to do so, confer on the person in the form of a compulsory licence rights to do any thing that the holder might authorize another person to do pursuant to paragraph 5(1)(*d*).

Objectives on granting compulsory licence

(2) In disposing of an application for, and settling the terms of, a compulsory licence pursuant to this section in relation to any plant variety, the Commissioner shall endeavour to secure that

(a) the plant variety is made available to the public at reasonable prices, is widely distributed and is maintained in quality; and

(b) there is reasonable remuneration, which may include royalty, for the holder of the plant breeder's rights respecting the plant variety.

Provision as regards propagating material

(3) A compulsory licence under this section may include terms requiring the holder of the plant breeder's rights affected by the licence to make propagating material available to the holder of the compulsory licence.

Variation and revocation of licence

(4) The Commissioner may at any time, on representations made by any interested person, extend, limit, vary or revoke a compulsory licence granted pursuant to this section.

Observation : cas de préjudice

(5) Avant d'accepter ou de rejeter une demande de licence obligatoire, d'en fixer les modalités, ou encore de la modifier ou de la révoquer, le directeur doit accorder aux intéressés qui subiront un préjudice de ce fait la possibilité de présenter leurs observations conformément à l'avis qu'il estime utile de leur donner.

Representations by persons adversely affected

(5) The Commissioner shall not dispose of any application for, or settle the terms of, a compulsory licence pursuant to this section or exercise jurisdiction pursuant to subsection (4) without giving interested persons who will be adversely affected by the Commissioner's decision a reasonable opportunity to make representations with respect thereto pursuant to such notice as the Commissioner deems it appropriate to give.

Restriction

(6) Il ne peut être délivré de licence exclusive au titre du présent article.
L.C. 1990, ch. 20, art. 32.

Compulsory licence not to be exclusive

(6) No compulsory licence that is an exclusive licence shall be granted pursuant to this section.
S.C. 1990, c. 20, s. 32.

Non-exclusivité

33. (1) L'octroi d'une licence obligatoire est indépendant du fait que le demandeur ou toute autre personne soit attributaire d'une licence, y compris une licence exclusive délivrée par le titulaire, relative au certificat d'obtention en cause.

Concurrent compulsory and other licences permissible

33. (1) A person applying for a compulsory licence may be granted it pursuant to section 32, whether or not that or any other person has a licence, including an exclusive licence granted by the holder, in relation to the plant breeder's rights that the compulsory licence affects.

Nullité

(2) Est nulle toute stipulation obligeant une personne à ne pas demander une licence obligatoire ou à en demander la délivrance à certaines conditions.
L.C. 1990, ch. 20, art. 33.

No contracting out

(2) An agreement is invalid to the extent that it purports to bind any person not to apply for a compulsory licence or to apply for a grant thereof on any particular terms.
S.C. 1990, c. 20, s. 33.

ANNULATIONS ET RÉVOCATIONS

ANNULMENT AND REVOCATION OF GRANTS

Pouvoir d'annulation

34. Le directeur peut annuler la délivrance de tout certificat d'obtention avant l'expiration de la période de validité prévue au paragraphe 6(1) s'il est convaincu que la variété n'est pas conforme à l'exigence énoncée à l'alinéa 4(2)*a*) ou que les critères énoncés au paragraphe 7(1) n'ont pas été respectés.
L.C. 1990, ch. 20, art. 34.

Annulment of grant

34. The Commissioner may, prior to the end of the term fixed by subsection 6(1) for a grant of plant breeder's rights, annul the grant if the Commissioner is satisfied that the requirements specified in paragraph 4(2)(*a*) or the conditions specified in subsection 7(1) were not fulfilled.
S.C. 1990, c. 20, s. 34.

Pouvoir de révocation

35. (1) Le directeur peut révoquer un certificat d'obtention avant son expiration normale s'il est convaincu que, selon le cas, son titulaire :

a) n'a pas satisfait aux exigences de l'alinéa 30(1)*a*);

b) n'a pas donné suite, dans le délai réglementaire, à une demande qu'il lui a présentée au titre de l'article 30;

c) n'a pas respecté l'engagement qu'il a contracté aux termes du paragraphe 19(2) en tant que requérant;

d) n'a pas acquitté, dans le délai réglementaire, la taxe prévue au paragraphe 6(2);

e) n'a pas exécuté les obligations attachées à une licence obligatoire en application de l'article 32 pour la protection de l'attributaire de celle-ci.

Recours : attributaire d'une licence obligatoire

(2) L'alinéa (1)*e*) n'a pas pour effet de porter atteinte aux autres moyens de réparation dont dispose l'attributaire d'une licence obligatoire.

L.C. 1990, ch. 20, art. 35.

Avis d'intention

36. (1) Le directeur donne au titulaire du certificat d'obtention, ainsi qu'à tout attributaire d'une licence obligatoire ou à quiconque lui semble suffisamment intéressé par ailleurs, un avis motivé de son intention d'annuler la délivrance du certificat ou de le révoquer.

Opposition

(2) Les intéressés peuvent faire opposition auprès du directeur dans le délai réglementaire commençant à la date de l'avis prévu au paragraphe (1) ou dans le délai supplémentaire qu'il accorde.

Revocation of plant breeder's rights

35. (1) The Commissioner may, prior to the end of the term fixed by subsection 6(1) for a grant of any plant breeder's rights, revoke the rights if the Commissioner is satisfied that

(a) their holder has failed to comply with paragraph 30(1)(*a*);

(b) their holder has failed, within the prescribed period, to comply with any request of the Commissioner referred to in section 30;

(c) the applicant for the grant of those rights committed a breach of an undertaking given by the applicant under subsection 19(2);

(d) their holder has failed, within the prescribed period, to pay the fee required under subsection 6(2); or

(e) there has been a failure to meet any obligation imposed by, and for the benefit of the holder of, a compulsory licence affecting any such rights by virtue of section 32.

Licensee's remedies not affected

(2) Nothing in paragraph (1)(*e*) prejudices any remedies lawfully available, apart from subsection (1), to a holder of a compulsory licence.

S.C. 1990, c. 20, s. 35.

Procedure

36. (1) The Commissioner shall, before annulling a grant of plant breeder's rights or revoking those rights, give notice in writing that the Commissioner proposes to annul the grant or revoke the rights and the grounds on which the Commissioner proposes to do so to

(a) the holder of those rights;

(b) any person licensed under section 32 to exercise any of those rights; and

(c) any person who appears to the Commissioner to be otherwise sufficiently interested in any of those rights.

Objection

(2) Within

(a) the prescribed period after the date on which notice is given under subsection (1), or

(*b*) such further period as the Commissioner may allow,

any interested person may file with the Com-

missioner an objection against the intended annulment or revocation to which the notice relates.

Examen des arguments
(3) Le directeur tient compte des observations qui lui sont présentées par tout intéressé avant d'annuler ou de révoquer le certificat d'obtention.

Representations to be taken into account
(3) Where, under subsection (2), an interested person files an objection against any intended annulment or revocation, the Commissioner shall not carry out the intention or otherwise dispose of the objection unless the Commissioner has taken into account any representations made by interested persons with respect to the matters in question.

Droit de se faire entendre

(4) Par l'avis qu'il juge indiqué, le directeur donne aux intéressés la possibilité de faire opposition ou de lui présenter leurs observations, les dispositions du paragraphe (1) continuant toutefois à s'appliquer.
L.C. 1990, ch. 20, art. 36.

Opportunity to object and make representations
(4) Interested persons having objections to file in accordance with subsection (2) or representations to make for the purposes of subsection (3) shall be given a reasonable opportunity to do so pursuant to such notice as the Commissioner deems appropriate, but nothing in this subsection prejudices the requirements of subsection (1).
S.C. 1990, c. 20, s. 36.

Annulation ou révocation
37. Le directeur procède à l'annulation ou à la révocation pour les motifs énoncés dans l'avis, sauf s'il est établi qu'ils ne sont pas fondés ou, dans les cas visés aux alinéas 35(1)*b*) à *e*), s'il estime que d'autres objections valables ont été soulevées.
L.C. 1990, ch. 20, art. 37.

Carrying out annulment or revocation
37. The Commissioner's intention to annul the grant of plant breeder's rights pursuant to section 34 or to revoke them pursuant to section 35 shall be carried out on the grounds set out in the notice referred to in subsection 36(1) unless the grounds are shown to be false or, in the case of grounds specified in paragraphs 35(1)(*b*) to (*e*), any other cause considered by the Commissioner to be sufficient for abandoning that intention is shown.
S.C. 1990, c. 20, s. 37.

RENONCIATION AU CERTIFICAT

SURRENDER OF PLANT BREEDER'S RIGHTS

Renonciation
38. (1) Le titulaire d'un certificat d'obtention peut y renoncer par avis adressé au directeur. S'il y a lieu, il doit aussi faire la preuve, auprès de ce dernier, de l'envoi d'une copie de cet avis à l'attributaire de toute licence obligatoire octroyée en l'espèce.

Surrender of plant breeder's rights
38. (1) The holder of the plant breeder's rights respecting a plant variety may surrender those rights by giving the Commissioner notice to that effect and, in the case of rights affected by a compulsory licence granted under section 32, by satisfying the Commissioner that a copy of the notice has been given to the holder of that licence.

Paiement des taxes
(2) Le titulaire demeure responsable du paiement des taxes afférentes à son certificat pour la période allant jusqu'à la renonciation.
L.C. 1990, ch. 20, art. 38.

Fees due not affected
(2) No surrender of plant breeder's rights shall affect any liability for any fee due and payable in respect of those rights before the surrender.
S.C. 1990, c. 20, s. 38.

MANDATAIRES

AGENTS

Non-résidents
39. (1) Le titulaire qui ne réside pas au Canada ou n'y a pas d'établissement, selon qu'il s'agit d'une personne physique ou d'une personne morale, doit être représenté, pour tout ce qui concerne le certificat, par un mandataire résidant au Canada.

Non-residents
39. (1) Where a holder of plant breeder's rights, in the case of an individual, is not resident in Canada or, in the case of a corporation, does not have its registered office in Canada, the holder shall have an agent in respect of those rights who is resident in Canada.

Défaut
(2) Par dérogation aux autres dispositions de la présente loi, le directeur ou la Cour fédérale peuvent, si le requérant ou le titulaire, selon le cas, commet l'un des manquements suivants et n'y remédie pas dans le délai réglementaire ou tout délai supplémentaire qu'ils allouent, connaître de toute procédure engagée sous le régime de la présente loi sans obligation de signification au requérant ou titulaire :
a) défaut de conformité au paragraphe (1) ou au paragraphe 9(2);
b) défaut de communication par écrit au directeur, à sa demande, des nom et adresse d'un nouveau mandataire ou des corrections à apporter aux nom et adresse du mandataire actuel, selon que :
(i) le mandataire est décédé ou n'est plus reconnu comme tel par le directeur en application de l'article 40,
(ii) il y a eu retour à l'expéditeur d'une lettre destinée au mandataire et envoyée, au tarif ordinaire d'affranchissement postal, à la dernière adresse connue du directeur.

Where agent lacking
(2) Notwithstanding anything in this Act, where an applicant or a holder of plant breeder's rights fails to
(a) comply with subsection 9(2) or subsection (1), or
(b) furnish the Commissioner, in writing, with the name and address of a new agent or with a new and correct address, as the case may require, on notice from the Commissioner that
(i) the agent of the applicant or holder has died or, pursuant to section 40, is refused continued recognition by the Commissioner, or
(ii) a letter sent by ordinary mail to the agent of the applicant or holder at the agent's address of which the Commissioner last had notice has been returned undelivered,
the Commissioner or the Federal Court may, without requirement of service on the applicant or holder, dispose of any proceedings under this Act after the continuance of that failure for the prescribed period or any further period allowed by the Commissioner or the Federal Court, as the case may be.

Autres conséquences
(3) Le paragraphe (2) n'a pas pour effet de soustraire le requérant ou le titulaire aux autres conséquences juridiques auxquelles son manquement peut l'exposer.
L.C. 1990, ch. 20, art. 39.

Other consequences not affected
(3) Nothing in subsection (2) affects any consequences, other than those for which that subsection provides, that the applicant or holder may, at law, suffer as a result of any failure described in paragraph (2)(*a*) or (*b*).
S.C. 1990, c. 20, s. 39.

Refus de reconnaître un mandataire

40. Pour faute grave ou pour tout autre motif prévu par règlement ou qu'il juge suffisant, le directeur peut refuser ou cesser de reconnaître à une personne sa qualité de mandataire du requérant ou du titulaire.
L.C. 1990, ch. 20, art. 40.

Refusal of recognition

40. The Commissioner may, for any gross misconduct or prescribed cause or any other reasonable cause considered by the Commissioner to be sufficient, refuse to recognize, or to continue to recognize, any person as authorized by an applicant or a holder of plant breeder's rights to act in the capacity of agent.
S.C. 1990, c. 20, s. 40.

MOYENS DE RÉPARATION

CIVIL REMEDIES

Violation des droits

41. (1) Quiconque porte atteinte aux droits du titulaire d'un certificat d'obtention est responsable, envers lui et tout ayant droit, du préjudice subi par lui ou cet ayant droit; sauf entente contraire, le titulaire est partie à toute action visant le recouvrement des dommages.

Infringement

41. (1) A person who infringes plant breeder's rights is liable to the holder thereof and to all persons claiming under the holder for all damages that are, by reason of the infringement, sustained by the holder or any of those persons and, unless otherwise expressly provided, the holder shall be made a party to any action for the recovery of those damages.

Réparation

(2) Le tribunal compétent, ou un juge de celui-ci, saisi d'une action en violation des droits d'un titulaire peut, sur demande d'une partie, rendre toute ordonnance ou injonction qu'il estime juste visant le recouvrement de dommages-intérêts ou les procédures en cause, et notamment :

a) restreindre toute utilisation, production ou vente de l'obtention en cause et fixer la peine en cas de contravention;

b) accorder des dommages-intérêts au poursuivant;

c) requérir une inspection ou reddition de comptes;

d) statuer sur la garde, l'aliénation ou l'élimination du matériel et des autres objets ayant donné lieu à la violation.

Relief in the event of infringement

(2) In an action for infringement of plant breeder's rights that is before a court of competent jurisdiction, the court or a judge thereof may make any interim or final order sought by any of the parties and deemed just by the court or judge, including provision for relief by way of injunction and recovery of damages and generally respecting proceedings in the action and, without limiting the generality of the foregoing, may make an order

(a) for restraint of such use, production or sale of the subject-matter of those rights as may constitute such an infringement and for punishment in the event of disobedience of the order for that restraint;

(b) for compensation of an aggrieved person;

(c) for and in respect of inspection or account; and

(d) with respect to the custody or disposition of any offending material, products, wares or articles.

Appel

(3) Les ordonnances et injonctions rendues

Appeals

(3) An appeal lies from any order under sub-

en application du paragraphe (2) sont susceptibles d'appel; dès lors elles sont assujetties aux mêmes règles en matière d'appel que les autres jugements du tribunal en cause.
L.C. 1990, ch. 20, art. 41.

section (2) under the same circumstances and to the same court as from other judgments or orders of the court in which the order is made.
S.C. 1990, c. 20, s. 41.

Juridiction

42. (1) L'action peut être exercée devant la juridiction d'archives, dans la province du lieu de l'acte reproché, qui est compétente selon le montant des dommages-intérêts réclamés et qui tient ses audiences le plus près du lieu de la résidence ou de l'établissement du défendeur.

Jurisdiction of provincial courts

42. (1) An action for infringement of plant breeder's rights may be brought in the court of record that, in the province in which the infringement is alleged to have occurred, has jurisdiction pecuniarily to the amount of the damages claimed and that, in relation to other courts of the province, holds its sittings nearest to the place of residence or place of business of the defendant.

Preuve de compétence

(2) Le tribunal juge la cause et statue sur les frais, l'appropriation de compétence étant en soi une preuve suffisante de juridiction.

Proof of jurisdiction

(2) The court in which an action is brought in accordance with subsection (1) shall decide the action and determine costs, and assumption of jurisdiction by the court is of itself sufficient proof of jurisdiction.

Restriction

(3) Le présent article n'a pas pour effet de restreindre la compétence que l'article 43 confère à la Cour fédérale.
L.C. 1990, ch. 20, art. 42.

Section 43 not impaired

(3) Nothing in this section impairs the jurisdiction of the Federal Court under section 43.
S.C. 1990, c. 20, s. 42.

Compétence de la Cour fédérale

43. (1) La Cour fédérale a compétence pour connaître de toute action ou procédure liée à l'application de la présente loi, à l'exception des poursuites pour infraction à celle-ci.

Jurisdiction of Federal Court

43. (1) The Federal Court has jurisdiction to entertain an action or proceeding, other than the prosecution of an offence, for the enforcement of a provision of this Act or a right or remedy conferred or defined thereby.

Idem

(2) Sous réserve de l'article 44, la Cour fédérale a compétence exclusive en première instance, sur demande du directeur ou de tout intéressé, pour ordonner la suppression au registre, ou la modification, de toute inscription non conforme aux exigences de l'article 63.

Idem

(2) Subject to section 44, the Federal Court has exclusive original jurisdiction, on the application of the Commissioner or of any interested person, to order that any entry in the register be struck out or amended on the ground that, at the date of that application, the entry as it appears on the register does not indicate with accuracy, to the extent of any requirement thereof by virtue of section 63, existing rights of the person appearing to be the registered holder of the plant breeder's rights to which that entry relates.

Annulation par la Cour fédérale

(3) Sous réserve de l'article 44, la Cour fédérale peut, sur demande du procureur général du Canada ou de tout intéressé, annuler un certificat d'obtention dans les cas suivants :
a) la condition énoncée à l'alinéa 4(2)*a*) n'a pas été respectée;
b) les critères énoncés au paragraphe 7(1) n'ont pas été respectés;
c) le titulaire ne s'est pas conformé à l'alinéa 30(1)*a*).

Déclaration

(4) Quiconque a des motifs valables de croire que le titulaire alléguera en l'occurrence une violation de ses droits peut, sous réserve du paragraphe (5), demander à la Cour fédérale de statuer par déclaration sur la question de savoir si la mesure qu'il a prise ou entend prendre constitue effectivement une violation.

Caution

(5) Le demandeur est tenu au versement d'une caution fixée par le tribunal, pour les frais du défendeur. Cette obligation ne s'applique toutefois pas au procureur général du Canada ou d'une province.

Exception

(6) Le défendeur à une action pour violation n'est pas tenu au versement d'une caution s'il cherche à obtenir la déclaration visée au paragraphe (4).
L.C. 1990, ch. 20, art. 43.

Restriction

44. Ne peuvent se prévaloir des recours prévus aux paragraphes 43(2) ou (3) les personnes qui reçoivent avis d'une décision du directeur ou qui peuvent demander l'examen prévu par l'alinéa 75(1)*m*) et qui sont habilitées à interjeter appel contre l'une ou l'autre de ces décisions.
L.C. 1990, ch. 20, art. 44.

Invalidation by Federal Court

(3) Subject to section 44, plant breeder's rights may, at the instance of the Attorney General of Canada or an interested person, be declared invalid by the Federal Court, but only on the following grounds:
(a) a requirement specified in paragraph 4(2)(*a*) was not fulfilled;
(b) a condition specified in paragraph 7(1)(*a*), (*b*) or (*c*) was not fulfilled; or
(c) the holder has not complied with paragraph 30(1)(*a*).

Declaration

(4) A person who has reasonable cause to believe that any thing done or proposed to be done by that person might be alleged by the holder of plant breeder's rights to constitute an infringement of those rights may, subject to subsection (5), bring an action in the Federal Court against the holder for a declaration that the thing so done or proposed to be done does not or would not constitute an infringement.

Proceedings not to be taken without giving security

(5) A plaintiff, except the Attorney General of Canada or the attorney general of a province, in an action referred to in subsection (4) shall, before proceeding therein, give security for the costs of the holder in such sum as the Court may direct.

Defendant not required to give security

(6) A defendant in an action for infringement of plant breeder's rights is not required to give any security for the purpose of obtaining a declaration under subsection (4).
S.C. 1990, c. 20, s. 43.

Restriction

44. No person who has actual notice of a decision given by the Commissioner and a right to its review pursuant to any regulations made under paragraph 75(1)(*m*) or a right of appeal from that decision or any decision given on its review is entitled to institute any proceeding under subsection 43(2) or (3) calling into question the decision given by the Commissioner or on the review.
S.C. 1990, c. 20, s. 44.

Recours

45. (1) Toute personne autorisée à exercer les droits prévus à l'alinéa 5(1)*d*) ainsi que le détenteur d'une licence visant l'exercice de certains de ces droits peuvent, sous réserve d'un accord en ce sens avec le titulaire :
a) requérir ce dernier d'intenter une action pour violation de ses droits;
b) à défaut par le titulaire de donner suite à leur requête dans le délai réglementaire, y procéder eux-mêmes comme s'ils étaient le titulaire, en nommant ce dernier défendeur.
L.C. 1990, ch. 20, art. 45.

Absence de frais pour le titulaire
(2) Dans le cas visé à l'alinéa (1)*b*), le titulaire ne peut supporter les frais que s'il est partie à l'instance.

Défense
46. Le défendeur dans une action en violation des droits d'un titulaire ne peut opposer que les motifs d'annulation suivants :
a) la condition énoncée à l'alinéa 4(2)*a*) n'a pas été respectée;
b) les critères énoncés au paragraphe 7(1) n'ont pas été respectés;
c) le titulaire ne s'est pas conformé à l'alinéa 30(1)*a*).
L.C. 1990, ch. 20, art. 46.

Recevabilité des certificats étrangers

47. Le certificat d'obtention censé délivré par l'autorité compétente d'un État de l'Union ou d'un pays signataire et censé signé par cette autorité ou en son nom, ainsi que toute copie certifiée conforme, est admissible en preuve devant le tribunal saisi du litige sur les droits de l'obtenteur sans qu'il soit nécessaire de prouver l'authenticité de la signature qui y est apposée ou la qualité officielle du signataire.
L.C. 1990, ch. 20, art. 47.

Holder may be required to take proceedings

45. (1) A person authorized pursuant to paragraph 5(1)(*d*) or licensed to exercise plant breeder's rights may, subject to any agreement between the holder of the rights and that person,
(a) call on the holder to take proceedings for infringement of the rights; and
(b) where the holder refuses or neglects to take proceedings within the prescribed period after being called on under paragraph (*a*) to do so, institute in the name of that person, making the holder a defendant, proceedings for infringement as if that person were the holder.
S.C. 1990, c. 20, s. 45.

Holder not liable for costs
(2) A holder who is made a defendant pursuant to paragraph (1)(*b*) is not liable for any costs unless the holder takes part in the proceedings.

Defence
46. A defendant in an action for infringement of plant breeder's rights may plead as a matter of defence any of the following grounds but no others, in relation to the invalidity of the plant breeder's rights:
(a) that a requirement specified in paragraph 4(2)(*a*) was not fulfilled;
(b) that a condition specified in paragraph 7(1)(*a*), (*b*) or (*c*) was not fulfilled; or
(c) that the holder has not complied with paragraph 30(1)(*a*).
S.C. 1990, c. 20, s. 46.

Admissibility of certificates given outside Canada

47. In an action or proceeding respecting plant breeder's rights that is authorized to be had or taken before a court in Canada pursuant to this Act, a document purporting to be a certificate of the grant of protection of a plant variety by the appropriate authority in a country of the Union or an agreement country or to be a certified copy of an official document relating to any such protection, if the certificate respecting the grant or copy purports to be signed by the proper officer of the

government of the country, is admissible in evidence without proof of the signature or official character of the person appearing to have signed the document.
S.C. 1990, c. 20, s. 47.

Frais du directeur

48. Le tribunal fixe les frais du directeur, mais celui-ci ne peut être tenu de supporter ceux des autres parties.
I.C. 1990, ch. 20, art. 48.

Commissioner's costs

48. The costs of the Commissioner in proceedings before any court under this Act are in the discretion of the court but the Commissioner shall not be ordered to pay the costs of any other of the parties.
S.C. 1990, c. 20, s. 48.

Dépôt au Bureau d'un jugement d'annulation

49. (1) Le certificat d'une décision de la Cour fédérale ou de la Cour suprême du Canada annulant un certificat d'obtention est, à la demande de quiconque en fait la production pour dépôt au Bureau, consigné au regard du certificat d'obtention.

Recording judicial invalidation

49. (1) A certificate of a decision of the Federal Court or the Supreme Court of Canada holding plant breeder's rights to be invalid shall, at the instance of the person filing it to make it of record in the Plant Breeders' Rights Office, be noted in relation to those rights in the register.

Dépôt au Bureau d'un jugement d'annulation

49. (1) Le certificat d'une décision de la Cour fédérale, de la Cour d'appel fédérale ou de la Cour suprême du Canada annulant un certificat d'obtention est, à la demande de quiconque en fait la production pour dépôt au Bureau, consigné au regard du certificat d'obtention.
L.C. 2002, ch. 8, art. 158.

Recording judicial invalidation

49. (1) A certificate of a decision of the Federal Court, the Federal Court of Appeal or the Supreme Court of Canada holding plant breeder's rights to be invalid shall, at the instance of the person filing it to make it of record in the Plant Breeders' Rights Office, be noted in relation to those rights in the register.
S.C. 2002, c. 8, s. 158.

Appel du refus ou de l'annulation

(2) Appel peut être interjeté de la décision d'un tribunal annulant ou refusant d'annuler un certificat d'obtention auprès de la juridiction d'appel compétente.
L.C. 1990, ch. 20, art. 49.

Appeal from decision re validity

(2) A decision holding or refusing to hold plant breeder's rights invalid is subject to appeal to any court having appellate jurisdiction in other cases decided by the court by which that decision was made.
S.C. 1990, c. 20, s. 49.

Appel à la Cour fédérale

50. (1) Appel peut être interjeté auprès de la Cour fédérale de la décision rendue au titre de l'examen réglementaire prévu par l'alinéa 75(1)*m)* ainsi que des décisions du directeur non assujetties à un tel examen et portant sur :
a) une demande de certificat d'obtention, une

Appeal to Federal Court

50. (1) An appeal lies to the Federal Court from a decision on review under any regulations made pursuant to paragraph 75(1)(*m*) or from a decision of the Commissioner, other than a decision subject to review under any such regulations, where the decision on re-

opposition visée à l'article 22 ou une requête présentée en application de l'alinéa 26(2)*b*);
b) une des questions suivantes :
(i) la nécessité d'annuler, au titre de l'article 13, un certificat d'obtention,
(ii) le refus d'octroyer un certificat temporaire,
(iii) le retrait du certificat d'obtention au titre du paragraphe 20(1);
c) la fixation des modalités prévues au paragraphe 32(2) ou de la rémunération ou sur tout aspect touchant le prononcé d'une décision relativement à une demande de licence obligatoire;
d) la modification d'un certificat temporaire, notamment le prolongement de sa durée, sa révocation ou son assujettissement à des restrictions;
e) l'annulation ou la révocation d'un certificat d'obtention au titre de l'article 37 ou la prise d'une mesure visée au paragraphe 66(3);
f) le refus de reconnaître un mandataire au titre de l'article 40.

view is given in respect of, or the Commissioner's decision is, a decision
(a) disposing of an application for the grant of plant breeder's rights, an objection filed under section 22 or a petition presented under paragraph 26(2)(*b*);
(b) determining whether or not
(i) annulment of the grant of plant breeder's rights is required by section 13,
(ii) the grant of a protective direction is to be refused, or
(iii) any condition described in paragraph 20(1)(*a*) or (*b*) is fulfilled;
(c) settling terms referred to in subsection 32(2) or determining remuneration or any other matter in disposing of an application for a compulsory licence;
(d) determining whether or not to extend, limit, vary or revoke such a licence or determining the extent or manner of any such extension, limitation or variation;
(e) determining whether or not to carry out any intention referred to in section 37 or subsection 66(3); or
(f) exercising any authority conferred on the Commissioner by section 40.

Délai d'appel

(2) L'appel doit être interjeté dans les deux mois suivant la date du prononcé de la décision en cause ou dans le délai supplémentaire que la Cour fédérale accorde avant ou après l'expiration du premier délai.

L.C. 1990, ch. 20, art. 50.

Limitation

(2) An appeal under subsection (1) shall be brought within two months after the date on which the decision is made or within such further time as the Federal Court may allow, either before or after the expiration of the two months.

S.C. 1990, c. 20, s. 50.

Transmission des documents à la Cour fédérale

51. (1) Sous réserve du paragraphe 67(4), en cas de saisine de la Cour fédérale en application de la présente loi, le directeur lui transmet, sur demande d'une partie et sur acquittement des taxes réglementaires, les dossiers et documents afférents déposés au Bureau.

Transmission of documents to Federal Court

51. (1) Subject to subsection 67(4), where any appeal or other proceedings have been instituted in the Federal Court under any provision of this Act, the Commissioner shall, at the request of any party to the proceedings and on payment of the prescribed fee, transmit to the Court all records and documents on file in the Plant Breeders' Rights Office that relate to the matters in question in the proceedings.

Idem

(2) Aux fins du paragraphe (1), le directeur peut transmettre à la Cour fédérale soit une

Idem

(2) Transmission to the Federal Court by the Commissioner of certificates of entries, certi-

copie certifiée conforme du dossier et des documents en cause ou des extraits voulus, soit une attestation quant à leur contenu et admissibles en vertu des paragraphes 60(2) ou 64(2) ou de l'article 65.
L.C. 1990, ch. 20, art. 51.

fied copies or certified extracts made under the authority of the Commissioner and admissible pursuant to subsection 60(2) or 64(2) or section 65, to the extent that the contents of those records or documents are composed of the entries or shown in the copies or extracts, satisfies the requirements of subsection (1).
S.C. 1990, c. 20, s. 51.

Production des jugements

52. Le greffe de la Cour fédérale transmet au directeur une copie certifiée de tout jugement ou ordonnance rendu par cette cour ou par la Cour suprême du Canada en matière d'obtentions faisant l'objet d'un certificat ou d'une demande de certificat.
L.C. 1990, ch. 20, art. 52.

Judgments to be filed

52. A certified copy of every judgment or order made by the Federal Court or the Supreme Court of Canada in relation to any plant breeder's rights that are recorded or to be recorded on the register or for which an application is pending shall be filed with the Commissioner by an officer of the registry of the Federal Court.
S.C. 1990, c. 20, s. 52.

INFRACTIONS ET PEINES

Protection des renseignements

53. (1) Commet une infraction quiconque révèle sciemment un renseignement recueilli dans l'exercice des fonctions que lui confère la présente loi et concernant soit une variété objet d'une demande de certificat d'obtention, soit la situation d'affaires d'un requérant, sauf si, selon le cas :

a) le destinataire en est le ministre, le comité consultatif, le directeur ou toute autre personne agissant dans l'exercice de ses fonctions en vertu de la présente loi ou agissant à titre officiel en vue de l'exécution de celle-ci;

b) la présente loi l'exige ou la communication s'effectue en vertu d'un pouvoir légitimement exercé dans le cadre d'une procédure judiciaire.

OFFENCES

Secrecy

53. (1) Every person commits an offence who wilfully discloses any information with regard to any variety in respect of which an application for plant breeder's rights is made or with regard to the business affairs of the applicant that was acquired by that person in performing any functions under this Act except where the information is disclosed

(a) to the Minister, the advisory committee or the Commissioner or to any other person for the purposes of the performance by that other person of any functions pursuant to this Act or of any duties in an official capacity for enforcement of this Act; or

(b) in compliance with any requirements imposed by or under this Act or by virtue of any power lawfully exercised in the course or for the purposes of any judicial proceedings.

Infractions : dénomination et vente

(2) Commet une infraction quiconque sciemment :

a) contrevient à l'article 15;

b) désigne, en vue de le vendre, du matériel de multiplication sous une dénomination :

Offences respecting denominations and sales

(2) Every person commits an offence who

(a) wilfully contravenes section 15;

(b) for the purposes of selling any propagating material for propagation or multiplication, wilfully designates the material by reference to

(i) différente de celle sous laquelle il est inscrit au registre pour la variété végétale à laquelle il se rapporte,
(ii) correspondant dans le registre à une variété végétale à laquelle il ne se rapporte pas,
(iii) assez proche d'une dénomination inscrite au registre pour induire en erreur;
c) présente, en vue de le vendre, du matériel de multiplication comme étant du matériel de multiplication d'une variété végétale protégée par un certificat d'obtention ou faisant l'objet d'une demande d'un tel certificat ou du matériel de multiplication provenant d'une telle variété.

(i) a denomination different from any denomination registered in respect of the plant variety of which the material is propagating material,
(ii) a denomination registered in respect of a plant variety of which the material is not propagating material, or
(iii) a denomination corresponding so closely to a registered denomination as to mislead; or
(c) knowingly, for the purpose of selling any propagating material for propagation or multiplication, represents falsely that the material is propagating material of, or is derived from, a plant variety in respect of which plant breeder's rights are held or have been applied for.

Idem

(3) Commet une infraction quiconque, dans le cadre de l'application de la présente loi et en connaissance de cause :
a) fait de fausses déclarations;
b) porte ou fait porter une fausse inscription dans un registre ou dossier;
c) contrefait, dans le fond ou la forme, un document quelconque ou sa copie ou voit à sa contrefaçon;
d) produit ou offre de produire un document contenant de faux renseignements.

Falsification in relation to administration

(3) Every person commits an offence who, in relation to the administration of this Act, knowingly
(a) makes any false representation;
(b) makes or causes to be made any false entry in the register or any record;
(c) makes or causes to be made any false document or any alteration, false in a material respect, in the form of a copy of any document; or
(d) produces or tenders any document containing false information.

Peines : personne physique

(4) La personne physique reconnue coupable d'une infraction prévue au paragraphe (1), (2) ou (3) encourt, sur déclaration de culpabilité :
a) par procédure sommaire, une amende maximale de cinq mille dollars;
b) par mise en accusation, une amende maximale de quinze mille dollars et un emprisonnement maximal de trois ans, dans le cas du paragraphe (1) ou (2), et de cinq ans, dans le cas du paragraphe (3), ou l'une de ces peines.

Punishment of individuals

(4) An individual who commits an offence under subsection (1), (2) or (3)
(a) is liable on summary conviction to a fine of not more than five thousand dollars; or
(b) is liable on conviction on indictment to a fine of not more than fifteen thousand dollars or to imprisonment for a term not exceeding three years, in the case of an offence under subsection (1) or (2), or five years, in the case of an offence under subsection (3), or to both.

Peines : personne morale

(5) La personne morale reconnue coupable d'une infraction prévue au paragraphe (1), (2) ou (3) encourt, sur déclaration de culpabilité :
a) par procédure sommaire, une amende

Punishment of corporations

(5) A corporation that commits an offence under subsection (1), (2) or (3)
(a) is liable on summary conviction to a fine of not more than twenty-five thousand dollars; or

maximale de vingt-cinq mille dollars;
b) par mise en accusation, une amende dont le montant est laissé à la discrétion du tribunal.

(b) is liable on conviction on indictment to a fine the amount of which is in the discretion of the court.

«déclaration»
(6) Pour l'application du présent article, «déclaration» s'entend de tout mode tacite ou implicite d'expression.

Definition of "representation"
(6) In this section, "representation" includes any manner of express or implied representation, by whatever means it is made.

Prescription
(7) Les poursuites visant une infraction à la présente loi ou aux règlements punissable sur déclaration de culpabilité par procédure sommaire se prescrivent par deux ans à compter de la date à laquelle le ministre a eu connaissance des éléments constitutifs de l'infraction.

Limitation period
(7) A prosecution for a summary conviction offence under this Act may be instituted at any time within two years after the time the subject-matter of the prosecution becomes known to the Minister.

Certificat du ministre
(8) Le certificat censé délivré par le ministre et attestant la date à laquelle ces éléments sont venus à sa connaissance est admis en preuve sans qu'il soit nécessaire de prouver l'authenticité de la signature qui y est apposée ou la qualité officielle du signataire; sauf preuve contraire, il fait foi de son contenu.
L.C. 1990, ch. 20, art. 53; 1997, ch. 6, art. 76.

Minister's certificate
(8) A document purporting to have been issued by the Minister, certifying the day on which the subject-matter of any prosecution became known to the Minister, is admissible in evidence without proof of the signature or official character of the person appearing to have signed the document and is evidence of the matters asserted in it.
S.C. 1990, c. 20, s. 53; 1997, c. 6, s. 76.

Certificat de l'examinateur
54. Le certificat censé signé par l'agent nommé ou désigné comme examinateur en chef du Bureau, où il est déclaré que celui-ci a étudié telle substance ou tel produit et où sont donnés ses résultats, est admissible en preuve dans les poursuites engagées pour infraction à la présente loi sans qu'il soit nécessaire de prouver l'authenticité de la signature qui y est apposée ou la qualité officielle du signataire; sauf preuve contraire, le certificat fait foi de son contenu.
L.C. 1990, ch. 20, art. 54.

Certificate of examiner as proof
54. A certificate purporting to be signed by an officer of the Plant Breeders' Rights Office who is appointed or designated a principal examiner, stating that a substance or a sample submitted to that examiner by any other officer of that Office has been examined by that examiner and stating the result of the examination is admissible in evidence in any prosecution for an offence under this Act without proof of the signature or official character of the person appearing to have signed the certificate and, in the absence of evidence to the contrary, is proof of the statements contained in the certificate.
S.C. 1990, c. 20, s. 54.

BUREAU DE LA PROTECTION DES OBTENTIONS VÉGÉTALES

55. [Abrogé, L.C. 1997, ch. 6, art. 77.]

PLANT BREEDERS' RIGHTS OFFICE

55. [Repealed, S.C. 1997, c. 6, s. 77.]

Bureau de la protection des obtentions végétales

56. (1) Le Bureau de la protection des obtentions végétales — appelé le « Bureau » dans la présente loi — fait partie de l'Agence canadienne d'inspection des aliments constituée aux termes de la *Loi sur l'Agence canadienne d'inspection des aliments.*

Directeur du Bureau

(2) Le président de l'Agence canadienne d'inspection des aliments désigne le directeur du Bureau.

Pouvoir de nomination

(3) Le président de l'Agence canadienne d'inspection des aliments nomme les employés du Bureau.

Fonctions du directeur

(4) Sous réserve de l'article 58, le directeur reçoit les demandes de certificat d'obtention ainsi que les taxes, documents ou pièces y afférents et prend les mesures voulues pour la délivrance du certificat et l'exercice des attributions que lui confèrent la présente loi et ses règlements. Il a la garde du registre, des autres documents et du matériel appartenant au Bureau.

Absence

(5) En cas d'absence ou d'empêchement du directeur du Bureau ou de vacance de son poste, le président de l'Agence canadienne d'inspection des aliments peut désigner un autre fonctionnaire pour assumer la direction. L.C. 1990, ch. 20, art. 56; 1997, ch. 6, art. 78.

Interdiction

57. Il est interdit à tout membre du personnel du Bureau de faire, pendant qu'il y exerce ses fonctions, de même qu'au cours de l'année qui suit leur cessation, une demande de

Plant Breeders' Rights Office

56. (1) The Plant Breeders' Rights Office is part of the Canadian Food Inspection Agency established by the *Canadian Food Inspection Agency Act.*

Commissioner

(2) The President of the Canadian Food Inspection Agency shall designate a Commissioner of Plant Breeders' Rights.

Employees

(3) The President of the Canadian Food Inspection Agency has the authority to appoint the employees of the Plant Breeders' Rights Office.

Functions of Commissioner

(4) Subject to section 58, the Commissioner shall receive all applications, fees, papers, documents and materials submitted for plant breeders' rights, shall do all things necessary for the granting of plant breeders' rights and for the exercise of all other powers conferred, and the discharge of all other duties imposed, on the Commissioner by or pursuant to this Act or the regulations and shall have the charge and custody of the register, books, records, papers and other things belonging to the Plant Breeders' Rights Office.

Absence, etc., of Commissioner

(5) Where the Commissioner is absent or unable to act or the office of Commissioner is vacant, such other officer as may be designated by the President of the Canadian Food Inspection Agency shall, in the capacity of Acting Commissioner, exercise the powers and perform the duties of the Commissioner. S.C. 1990, c. 20, s. 56; 1997, c. 6, s. 78.

Officers and employees not to acquire plant breeder's rights

57. A person who has been appointed as an officer or employee of the Plant Breeders' Rights Office may not, during the period for which the person holds the appointment and

certificat d'obtention ou d'acquérir directement ou indirectement, sauf par voie de succession testamentaire ou *ab intestat*, des droits à la délivrance d'un tel certificat.
L.C. 1990, ch. 20, art. 57.

Délégation de pouvoir

58. (1) Le directeur peut, par écrit, déléguer à tout autre membre du personnel qu'il juge apte tout ou partie des pouvoirs et fonctions qui lui sont attribués par la présente loi ou par toute autre loi et assortir cette délégation, générale ou spécifique, de certaines instructions ou conditions.

Présomption

(2) Jusqu'à preuve du contraire, l'action exercée en vertu de la délégation est présumée être conforme à celle-ci.
L.C. 1990, ch. 20, art. 58.

Assistance extérieure ou spéciale

59. (1) Pour l'exécution et l'évaluation des essais et épreuves visés à l'article 23, le directeur peut :

a) engager des spécialistes qui ne sont pas employés par l'Agence canadienne d'inspection des aliments et leur verser les honoraires correspondants, selon le barème fixé par le ministre, avec l'agrément du Conseil du Trésor;

b) constituer, avec de tels spécialistes ou du personnel régulier, des comités chargés de procéder aux examens voulus et de le conseiller quant au choix et aux résultats de ces examens.

for one year thereafter, apply for the grant of any plant breeder's rights or acquire directly or indirectly, except under a will or on an intestacy, any right or interest in any such grant.
S.C. 1990, c. 20, s. 57.

Delegation

58. (1) The Commissioner may in writing authorize, either generally or particularly, such officers or employees of the Plant Breeders' Rights Office as the Commissioner deems fit to exercise and perform, subject to any general or special directions given or conditions attached by the Commissioner, all or any of the powers conferred and duties imposed on the Commissioner by or pursuant to this or any other Act.

Presumption of authority

(2) Every person purporting to act pursuant to any authorization under this section shall, in the absence of evidence to the contrary, be presumed to be acting in accordance with the terms of the authorization.
S.C. 1990, c. 20, s. 58.

Engagement of services

59. (1) The Commissioner

(a) for the purposes of carrying out and evaluating the results of tests and trials referred to in section 23, may engage the services of persons other than employees of the Canadian Food Inspection Agency and pay to those persons fees in accordance with a scale determined by the Minister, with the approval of the Treasury Board, in respect of their services; and

(b) may constitute panels of persons, composed of employees of the Agency or persons appointed or engaged pursuant to paragraph *(a)*, which have the function of conducting examinations for purposes described in that paragraph and of advising the Commissioner as to

(i) the examinations necessary or expedient for those purposes, and

(ii) the results of those examinations.

Pouvoir discrétionnaire
(2) Le paragraphe (1) n'a pas pour effet de porter atteinte à l'exercice du pouvoir discrétionnaire du directeur en l'espèce.
L.C. 1990, ch. 20, art. 59; 1997, ch. 6, art. 79.

Discretion unaffected
(2) Nothing in subsection (1) prejudices any discretion exercisable by the Commissioner.
S.C. 1990, c. 20, s. 59; 1997, c. 6, s. 79.

Sceau du Bureau
60. (1) Pour l'application de la présente loi, le directeur fait graver un sceau dont il doit revêtir chaque certificat d'obtention qu'il délivre en application du paragraphe 27(3); le sceau peut être également apposé sur les autres documents délivrés.

Seal of office
60. (1) The Commissioner shall cause a seal to be made for the purposes of this Act and each certificate issued pursuant to paragraph 27(3)(*b*) to be sealed with that seal and may cause any other instrument or copy of any document issuing from the Plant Breeders' Rights Office to be so sealed.

Preuve du sceau
(2) Les tribunaux, juges et autres personnes admettent d'office le sceau du Bureau et en admettent les empreintes en preuve. Il en va de même, sans autre justification et sans production des originaux, pour toutes les copies ou extraits certifiés, sous le sceau, être des copies ou extraits conformes de documents déposés au Bureau.
L.C. 1990, ch. 20, art. 60.

Notice of seal and other documents
(2) Every court, judge and person shall take notice of the seal of the Plant Breeders' Rights Office and shall admit impressions of the seal in evidence without proof thereof and shall take notice of and admit in evidence, without further proof and without production of the originals, all copies or extracts certified under the seal to be copies of or extracts from documents on file in that Office.
S.C. 1990, c. 20, s. 60.

Prorogation de délai
61. Tout délai qui expire un jour où le Bureau est fermé est réputé expirer le jour ouvrable suivant.
L.C. 1990, ch. 20, art. 61.

Time limit extended
61. Where any time limit or period of limitation specified by or under this Act expires on a day when the Plant Breeders' Rights Office is closed for business, that time limit or period of limitation shall be deemed to be extended to the next day when that Office is open for business.
S.C. 1990, c. 20, s. 61.

ARCHIVES

Répertoire
62. Le directeur peut établir un répertoire des noms et des descriptions, notamment quant à leurs caractères distinctifs identifiables, des variétés végétales de chaque catégorie réglementaire dont il constate qu'elles sont notoirement connues.
L.C. 1990, ch. 20, art. 62.

RECORDS

Index
62. The Commissioner may prepare an index of names, together with descriptions comprising particulars of distinguishing identifiable characteristics, of such plant varieties in each of the prescribed categories as are ascertainable by the Commissioner to exist as a matter of fact within common knowledge.
S.C. 1990, c. 20, s. 62.

Registre

63. Le directeur tient un registre des certificats d'obtention dans lequel il consigne, sous réserve du paiement des taxes et droits d'inscription prévus par la présente loi, les renseignements suivants :

a) la catégorie réglementaire de l'obtention végétale;

b) sa dénomination ainsi que toute modification de celle-ci conforme au paragraphe 14(5);

c) les nom, prénom et adresse de l'obtenteur;

d) les nom et adresse de la personne qui, sur la base de la conviction qu'il a acquise en conformité avec les modalités prévues par la présente loi, devrait être enregistrée en tant que titulaire du certificat d'obtention;

e) la date de prise d'effet du certificat d'obtention;

f) la date et les motifs de résiliation ou d'invalidation du certificat d'obtention;

g) le cas échéant, la mention du fait que le certificat d'obtention fait l'objet d'une licence obligatoire délivrée conformément à l'article 32;

h) les détails réglementaires devant figurer au registre relativement à chaque demande de certificat d'obtention, ainsi qu'à son abandon ou retrait éventuel, et, le cas échéant, la mention du fait qu'un certificat temporaire a été délivré;

i) les autres renseignements réglementaires, sous réserve des autres dispositions de la présente loi et de ses règlements, qu'il juge utiles d'y consigner.

L.C. 1990, ch. 20, art. 63.

Register

63. The Commissioner shall keep a register of plant breeders' rights and, subject to the payment of any fee or charge required by or under this Act to be paid in the case of any entry in the register, the Commissioner shall enter in it

(a) the prescribed category to which each new variety belongs;

(b) the denomination of the variety, and any change thereof approved pursuant to subsection 14(5);

(c) the full name and address of the breeder of that variety;

(d) the name and address of the person whom the Commissioner is satisfied, in the manner provided by or under this Act, ought to be registered as the holder of the plant breeder's rights respecting that variety;

(e) the date of the grant of plant breeder's rights respecting that variety;

(f) the date of, and the reason for, any termination or invalidation of plant breeder's rights;

(g) if plant breeder's rights are the subject of a compulsory licence under section 32, a statement to that effect;

(h) the prescribed particulars of each application for the grant of plant breeder's rights and of any abandonment or withdrawal of the application and, where a protective direction is granted, a statement to that effect; and

(i) the prescribed particulars, subject to the provisions of this Act and the regulations, that are considered by the Commissioner to be appropriate for entry in the register.

S.C. 1990, c. 20, s. 63.

Preuve

64. (1) Le registre fait foi des inscriptions qui y sont portées en application de la présente loi.

Extraits certifiés conformes

(2) Les documents censés constituer des extraits du registre et être certifiés conformes par le directeur font foi de leur contenu sans autre preuve.

L.C. 1990, ch. 20, art. 64.

Evidence of registered matters

64. (1) The register is evidence of all matters entered in it as directed or authorized by this Act.

Certified copy or extract

(2) A document purporting to be a copy of any entry in, or an extract of any contents of, the register and to be certified by the Commissioner to be a true copy or extract is evidence of the entry or contents without further proof or production of the register.

S.C. 1990, c. 20, s. 64.

Certificat du directeur

65. Fait foi de son contenu le certificat censé établi par le directeur pour constater qu'une inscription au registre a été faite ou non ou qu'une mesure autorisée par la présente loi a été prise ou non.
L.C. 1990, ch. 20, art. 65.

Certificate of Commissioner

65. A certificate purporting to be made by the Commissioner to the effect that an entry has or has not been made in the register or that any other thing authorized by or under this Act to be done in the course of the administration of this Act has or has not been done is evidence of the matters specified in that certificate.
S.C. 1990, c. 20, s. 65.

Corrections

66. (1) Sous réserve du paragraphe (2), le directeur peut autoriser, aux conditions qu'il estime indiquées :
a) la correction de toute erreur d'écriture ou de traduction dans le texte d'un certificat d'obtention, d'une demande de délivrance d'un tel certificat ou encore de tout document afférent à cette demande, ainsi que dans toute inscription au registre ou au répertoire;
b) la modification de tout document appartenant au Bureau pour lequel la présente loi ne prévoit pas expressément la procédure de modification;
c) la ratification ou la correction de toute irrégularité dans une procédure de sa compétence.

Rectification of errors

66. (1) Subject to subsection (2), the Commissioner may, on such terms, if any, as the Commissioner deems proper, authorize
(a) the correction of any clerical error or error in translation appearing in a certificate of registration issued pursuant to paragraph 27(3)(*b*), in an application for plant breeder's rights, in any document filed for the purposes of such an application or in the register or index;
(b) the amendment of any document that belongs to the Plant Breeders' Rights Office and in respect of which no express provision for its amendment is made in this Act; and
(c) the condonation or correction of any procedural irregularity in any proceedings subject to the authority of the Commissioner.

Restrictions

(2) Le directeur ne procède, de son propre chef ou sur demande écrite, à l'une des mesures visées au paragraphe (1) que si elle favorise la bonne application de la présente loi et ne porte pas atteinte à l'intérêt de la justice.

When rectification permissible

(2) Any power conferred by subsection (1) may, of the Commissioner's own motion or on request in writing, be exercised if, but only if, that exercise of the power is in the interests of the due administration of this Act and is not prejudicial to the interests of justice.

Avis et observations

(3) Avant d'exercer l'un des pouvoirs prévus au paragraphe (1), le directeur notifie son intention aux personnes qui lui semblent être concernées et leur donne la possibilité de présenter leurs observations.
L.C. 1990, ch. 20, art. 66.

Opportunities for representations by interested persons

(3) The Commissioner, if intending to exercise any power pursuant to subsection (1), shall give notice of the intention to each person appearing to the Commissioner to have an interest in the matter and shall not carry out the intention without first giving that person a reasonable opportunity to make representations with respect thereto.
S.C. 1990, c. 20, s. 66.

Conservation des documents

67. (1) Sous réserve du paragraphe (3), les demandes de certificat d'obtention et les documents afférents sont conservés pendant les périodes fixées par règlement.

Preservation of documents

67. (1) An application for the grant of plant breeder's rights and other documents filed with the Commissioner in connection with any such rights shall, subject to subsection (3), be preserved for the prescribed periods.

Consultation

(2) Sous réserve du paragraphe (4) et sur paiement des taxes réglementaires, les documents suivants peuvent être consultés au Bureau pendant les heures ouvrables :

a) le registre;

b) le répertoire;

c) parmi les documents visés au paragraphe (1), ceux qui sont réglementaires et ceux que le directeur estime pouvoir mettre à la disposition du public.

Le directeur remet à tout intéressé, à sa demande et sur paiement des taxes réglementaires, des copies des documents ou des extraits du registre ou du répertoire.

Inspection by public, copies and certificates

(2) Subject to subsection (4),

(a) the register,

(b) the index, and

(c) any documents referred to in subsection (1) that are prescribed for the purposes of this subsection or that may properly, in the opinion of the Commissioner, be open for inspection by the public,

shall be open for inspection, on payment of the prescribed fees, during business hours at the Plant Breeders' Rights Office and the Commissioner shall, on request and on payment of the prescribed fee, furnish any person with a copy of, or certificate with regard to, an entry in the register or index or with a copy of any such document.

Retour des documents

(3) Après le retrait d'une demande de certificat d'obtention, le directeur retourne au requérant, à l'adresse inscrite sur la demande, les documents et éléments afférents à celle-ci. Si toutefois cela s'avère impossible au cours de la période que prévoient les règlements pour le faire, le directeur les détruit.

Withdrawn application papers to be returned

(3) Where an application for plant breeder's rights has been withdrawn, the Commissioner shall return to the applicant at the address indicated in the application all the papers and other material submitted in connection with the application but, to any extent to which it is impracticable for the Commissioner to do so, and on the expiration of the prescribed period for so doing, the Commissioner shall destroy the material.

Restriction

(4) Le directeur ne peut publier les demandes de certificat d'obtention ou les documents et éléments afférents, ni en permettre la consultation publique, avant la publication prévue à l'article 70, sauf avec le consentement du requérant ou sur ordonnance rendue par un tribunal dans le cadre d'une affaire dont il est saisi.

L.C. 1990, ch. 20, art. 67.

Restriction on publication

(4) An application for plant breeder's rights and any document or instrument that accompanies it shall not, except with the consent of the applicant or by order of a court for the purposes of proceedings before it, be published by the Commissioner or be open to public inspection at any time before particulars of the application are published in the *Canada Gazette* pursuant to section 70.

S.C. 1990, c. 20, s. 67.

Signification

68. (1) La remise ou la transmission de tout avis ou autre document prescrit par la présente loi s'effectue :

a) par signification à personne;

b) par courrier recommandé à l'adresse donnée par l'intéressé ou, en l'absence de cette indication, à son adresse habituelle ou à sa dernière adresse connue au Canada;

c) de toute autre manière prévue par règlement.

Service of notices, etc.

68. (1) A notice or other document required to be given or transmitted to any person pursuant to this Act may be given or transmitted

(a) by delivering it to the person;

(b) by sending it by registered mail addressed to the person at any place pursuant to notice thereof given by the person or, if no such notice is given, at the person's usual or latest known address in Canada; or

(c) in any other manner prescribed.

Date de la remise

(2) Dans le cas visé à l'alinéa (1)*b*), la remise ou la transmission est, jusqu'à preuve du contraire, réputée faite à la date qui serait celle de la livraison dans le cours normal de la poste.

L.C. 1990, ch. 20, art. 68.

Deemed delivery

(2) Where any notice or other document is sent by registered mail pursuant to subsection (1), it shall, in the absence of evidence to the contrary, be deemed to be given or transmitted at the time at which the registered letter containing it would be delivered in the ordinary course of post.

S.C. 1990, c. 20, s. 68.

Vice de forme dans les avis

69. Un vice de forme dans un avis remplissant par ailleurs sa finalité de notification n'invalide pas les mesures administratives en découlant. Il ne peut de plus servir à fonder une opposition à des poursuites judiciaires relatives à l'objet de l'avis.

L.C. 1990, ch. 20, art. 69.

Defect not to invalidate notices

69. A defect in a notice given pursuant to this Act, if the notice is such as to intelligibly and substantially effect the required notification, shall not render unlawful any administrative action executed in respect of the matter to which the notice relates and shall not be a ground for exception to any legal proceeding that may be taken in respect of that matter.

S.C. 1990, c. 20, s. 69.

PUBLICATION

Publication dans la *Gazette du Canada*

70. (1) Le directeur fait publier dans la *Gazette du Canada* les renseignements réglementaires suivants :

a) ceux qui figurent dans les demandes de certificat d'obtention, en autant qu'elles n'ont pas été rejetées au titre de l'article 17;

b) ceux qui figurent dans les demandes particulières jointes à celles-ci en application du paragraphe 9(1), en autant qu'elles n'ont pas été rejetées au titre de l'article 17;

c) ceux qui concernent les demandes de certificat temporaire;

d) ceux qui concernent la délivrance ou le retrait de tels certificats;

PUBLICATION

Matters to be published

70. (1) The Commissioner shall cause to be published in the *Canada Gazette* such particulars of the following as are prescribed:

(a) every application that is not rejected pursuant to section 17;

(b) every request included pursuant to subsection 9(1) in an application that is not rejected pursuant to section 17;

(c) every application for a protective direction;

(d) every grant or withdrawal of a protective direction;

(e) every grant or refusal to grant plant breeder's rights;

e) ceux relatifs à la délivrance ou au rejet du certificat d'obtention;
f) ceux relatifs aux cessions qui sont portées à sa connaissance;
g) ceux relatifs aux demandes de licence obligatoire;
h) ceux relatifs à la délivrance ou au rejet de toute licence obligatoire, ainsi qu'à toute mesure prise à leur égard au titre du paragraphe 32(4);
i) ceux relatifs à toute renonciation.

Avis au ministère de l'Industrie

(2) Au moment de la publication des renseignements visés à l'alinéa (1)*b*), le directeur donne avis de la demande au ministère de l'Industrie.

Autre publication

(3) Le directeur fait en outre publier dans la *Gazette du Canada* tous renseignements qu'il juge utile de porter à la connaissance du public et les avis de tout refus de délivrer un certificat temporaire et de toute annulation, ou révocation effectuée en application des articles 34 ou 35.
L.C. 1990, ch. 20, art. 70; 1995, ch. 1, art. 53.

(*f*) every assignment of plant breeder's rights of which the Commissioner is informed;
(*g*) every application for a compulsory licence;
(*h*) every grant or refusal to grant a compulsory licence and every thing done under subsection 32(4) with respect to a compulsory licence; and
(*i*) every surrender of plant breeder's rights.

Notice to Department of Industry

(2) The Commissioner shall, on causing particulars of a request referred to in paragraph (1)(*b*) to be published, give notice of the request to the Department of Industry.

Matters to be published

(3) In addition to the matters referred to in subsection (1), the Commissioner shall cause to be published in the *Canada Gazette*
(*a*) such other matters as the Commissioner considers appropriate for public information; and
(*b*) a notice of every refusal to grant a protective direction and of every annulment under section 34 or revocation under section 35.
S.C. 1990, c. 20, s. 70; 1995, c. 1, s. 53.

Publication d'un bulletin des variétés végétales

71. (1) Si le volume de l'information à faire paraître dans la *Gazette du Canada* justifie une publication distincte, le directeur peut faire publier périodiquement, dans le Bulletin des variétés végétales, les renseignements qu'il estime indiqués, sous réserve des règlements pris en application de l'alinéa 75(1)*g*).

Avis

(2) Le directeur donne un avis préalable d'au moins vingt-huit jours, dans la *Gazette du Canada*, de son intention de faire publier le bulletin.

Provision for publication of Plant Varieties Journal

71. (1) Where the volume of matters to be published in the *Canada Gazette* pursuant to section 70 is such as to warrant their inclusion wholly or partly in a separate journal, the Commissioner may cause to be published periodically a journal, to be called the Plant Varieties Journal, containing such of those matters as the Commissioner, subject to any regulations made pursuant to paragraph 75(1)(*g*), considers expedient.

Notice of intention to publish Journal

(2) The Commissioner shall, by publication in the *Canada Gazette*, at least twenty-eight days before commencing the issue of the Plant Varieties Journal, give notice of intention to do so.

Cessation

(3) Lorsque la publication du bulletin ne se justifie plus aux termes du paragraphe (1), le directeur y met fin après un avis préalable d'au moins vingt-huit jours.

Cessation of publication of Journal

(3) If at any time the volume of matters for the publication of which the Plant Varieties Journal is available ceases to be such as described in subsection (1), the Commissioner may cause the issuing of the Plant Varieties Journal to cease but, at least twenty-eight days before doing so, the Commissioner shall, by publication in that Journal, give notice of intention to do so.

Effet de la publication dans le bulletin

(4) Pour l'application de la présente loi, mais non pour celle des paragraphes (2) et 75(2), la publication dans le bulletin vaut publication dans la *Gazette du Canada* et toute mention de celle-ci, dans la présente loi, doit être interprétée en conséquence.
L.C. 1990, ch. 20, art. 71.

Publication in Journal to be deemed publication in *Canada Gazette*

(4) For the purposes of this Act other than of subsections (2) and 75(2), publication in the Plant Varieties Journal pursuant to this Act shall be deemed to be publication in the *Canada Gazette* and references in this Act to the *Canada Gazette* shall be construed accordingly.
S.C. 1990, c. 20, s. 71.

Irrecevabilité de l'argument d'ignorance

72. (1) Nul ne peut arguer, dans le cadre d'une procédure, de son ignorance d'éléments utiles à l'appréciation, au regard de la présente loi, de l'existence d'un droit ou d'une obligation ou de la régularité d'un acte, si ces éléments ont déjà fait l'objet d'une publication ou d'un avis dans la *Gazette du Canada*.

Ignorance no defence in the event of publication

72. (1) Where in any civil, criminal or other proceedings a person's knowledge or notice, at any time, of any matter is relevant for the purpose of determining any question whether, pursuant to this Act, liability has been incurred, any right has been acquired or any thing has been duly done, the person shall, for that purpose, be deemed to have had the relevant knowledge or notice at that time if, prior thereto, the matter or notice thereof is published in the *Canada Gazette*.

Preuve de la connaissance

(2) Il est entendu que, pour l'appréciation visée au paragraphe (1), la connaissance des éléments en cause par l'intéressé peut être établie par tout moyen de droit.
L.C. 1990, ch. 20, art. 72.

Knowledge or notice otherwise attributable, unaffected

(2) Nothing in subsection (1) prevents any question referred to therein from being determined on the ground that the person had the relevant knowledge or notice, if lawfully attributable to the person, apart from that subsection.
S.C. 1990, c. 20, s. 72.

COMITÉ CONSULTATIF

Constitution

73. (1) Le ministre constitue, aux conditions qu'il estime indiquées, un comité consultatif.

Composition

(2) Le comité est composé de membres que le ministre choisit parmi les représentants des groupes ou organismes d'obtenteurs, de marchands ou producteurs de semence, d'agriculteurs, des horticulteurs et de tout autre intéressé qu'il estime indiqué.

Mission

(3) Le comité a pour mission d'assister le directeur en vue de l'application de la présente loi notamment sur les points suivants :

a) la mise en oeuvre de la loi pour telle ou telle catégorie;

b) les obligations préalables applicables à chaque catégorie, y compris celles visant les licences;

c) l'interprétation à donner, pour l'application de l'article 32, aux termes «prix raisonnables», «distribution à grande échelle» et «juste rémunération».

Indemnités

(4) Les membres ne reçoivent aucune rémunération; néanmoins, ils ont droit aux frais de déplacement et autres entraînés par l'accomplissement de leurs fonctions, pour l'exercice de leurs fonctions hors du lieu de leur résidence habituelle.

L.C. 1990, ch. 20, art. 73.

Recommandations du comité

74. La présente loi et ses règlements n'ont pas pour effet de rendre obligatoires les recommandations du comité consultatif.

L.C. 1990, ch. 20, art. 74.

ADVISORY COMMITTEE

Constitution

73. (1) The Minister shall constitute an advisory committee on any terms and conditions determined by the Minister.

Composition

(2) The advisory committee shall be composed of persons appointed by the Minister from among representatives of organizations of breeders of plant varieties, dealers in seeds, growers of seeds, farmers, horticulturists and of any other interested persons considered appropriate by the Minister.

Function

(3) The function of the advisory committee is to assist the Commissioner in the application of this Act, including

(a) the manner in which the Act is to be applied in respect of each category;

(b) the requirements applicable in respect of each category, including those requirements relating to licensing; and

(c) the interpretation of the expressions "reasonable prices", "widely distributed" and "reasonable remuneration" for the purposes of section 32.

Remuneration

(4) No terms or conditions determined under subsection (1) shall provide for any remuneration to be payable to any of the persons acting on the advisory committee, but those persons may be paid any reasonable travel and living expenses incurred by them when engaged on the business of the committee while absent from their ordinary places of residence.

S.C. 1990, c. 20, s. 73.

Committee's advice not binding

74. Nothing in this Act or the regulations shall be construed to impose any obligation to conform to the advice of the advisory committee.

S.C. 1990, c. 20, s. 74.

RÈGLEMENTS

Règlements

75. (1) Le gouverneur en conseil peut, par règlement, prendre les mesures nécessaires à l'application de la présente loi et, notamment:

a) fixer les taxes ou droits exigibles pour les services fournis par le directeur ou son délégué;

b) raccourcir les délais prévus par la présente loi ou les proroger, même après leur expiration;

c) définir, pour l'application de la présente loi, les expressions «commercialement acceptable», «description», «désignation», «caractère identifiable», «catégorie établie depuis peu par règlement», «distribution à grande échelle», «prix raisonnable» et «observations»;

d) exiger la publication, dans le *Journal des marques de commerce*, de renseignements relatifs aux propositions, approbations ou changements de dénomination et, par dérogation au paragraphe 73(1), la recommandation préalable du comité consultatif pour l'exercice de fonctions du ministre ou du directeur;

e) établir les principes à appliquer par le directeur pour accorder ou refuser une licence obligatoire et notamment pour tenir compte des objectifs énumérés au paragraphe 32(2);

f) mettre à exécution une convention ou un accord dans le but de favoriser la reconnaissance réglementaire d'un pays comme État de l'Union ou comme pays signataire et, par dérogation aux autres dispositions de la présente loi, apporter aux droits ou avantages prévus par la présente loi toute modification, même restrictive, de nature à favoriser la réciprocité entre ce pays et le Canada;

g) déterminer l'information à publier en application du paragraphe 71(1);

h) fixer les attributions des personnes employées par l'Agence canadienne d'inspection des aliments ou désignées par le président de celle-ci pour assurer ou contrôler l'application de la présente loi et des personnes visées au paragraphe 59(1);

i) régir l'organisation et le fonctionnement — notamment quant aux heures d'ouverture et à

REGULATIONS

Regulations

75. (1) The Governor in Council may make regulations for carrying out the purposes and provisions of this Act and, without limiting the generality of the foregoing, may make regulations

(a) determining the nature of any charges that a person may be required to pay in respect of any services provided in the execution of any functions by or under the authority of the Commissioner;

(b) limiting, extending or providing for the extension, whether before or after the expiration, of the period for doing anything pursuant to this Act;

(c) defining the meanings of the words and expressions "commercially acceptable", "description", "designation", "identifiable characteristics", "recently prescribed category", "representations", "reasonably priced" and "widely distributed" for the purposes of this Act;

(d) requiring

(i) the publication in the *Trade Marks Journal* of prescribed particulars respecting proposals, approvals and changes of denominations pursuant to section 14, and

(ii) notwithstanding anything in subsection 73(1), the advisory committee's advice as a prerequisite for the execution of any functions by the Minister or the Commissioner;

(e) establishing principles to be observed by the Commissioner in disposing of applications for compulsory licences and, particularly, in complying with subsection 32(2);

(f) giving effect to the terms of

(i) any convention with a view to the fulfilment of which any country is prescribed as a country of the Union, and

(ii) any agreement with a view to the fulfilment of which any country is prescribed as an agreement country,

and, notwithstanding anything in this Act, qualifying or curtailing any rights, protection or other benefits under this Act to any extent conducive to reciprocity between Canada and any such country;

(g) distinguishing the kind of matters to be

la charge de travail — du Bureau et des comités établis en vertu de l'alinéa 59(1)*b*);

j) déterminer les méthodes, la procédure et les conditions — ainsi que leur caractère obligatoire ou facultatif — à appliquer ou à respecter, selon le cas, par le directeur, ou en son nom, pour toute mesure ou décision relevant de son autorité;

k) prévoir :

(i) la délivrance, à la demande du requérant, de certificats d'obtention, pour des obtentions végétales d'une catégorie végétale donnée, comportant une exemption — révocable par le directeur — à la licence obligatoire prévue par l'article 32 ou aux conditions visées à l'article 29, ou aux deux,

(ii) pour la délivrance mentionnée à l'article 29 ou au sous-alinéa (i), les modalités des conditions visées à cet article et des exemptions, ou de leur révocation, au titre de ce sous-alinéa,

(iii) l'application de l'alinéa 35(1)*e*) à toute obligation résultant de l'une de ces conditions, comme s'il s'agissait d'une obligation découlant de l'octroi d'une licence obligatoire, et élargir en conséquence la portée du paragraphe 35(1) et des articles 36 et 37;

l) prévoir :

(i) la forme des documents à tenir ou à fournir en application de la présente loi, notamment le registre, le répertoire, les demandes de certificats d'obtention, ainsi que les renseignements à y porter,

(ii) les moyens, facteurs ou critères, canadiens ou étrangers, à utiliser pour établir, pour l'application de l'alinéa 4(2)*a*) ou de l'article 62, si une variété végétale est ou non notoirement connue,

(iii) les taxes à acquitter pour les services fournis par le Bureau de la protection de obtentions végétales,

(iv) les modalités d'acquittement des taxes ou droits réglementaires, notamment ceux mentionnés à l'alinéa *a*),

(v) les circonstances permettant un remboursement total ou partiel des taxes ou droits mentionnés au sous-alinéa (iv),

(vi) les facteurs permettant au directeur de révoquer l'exemption mentionnée au sous-alinéa *k*)(i);

published in any of the ways contemplated by subsection 71 (1);

(h) assigning powers or duties to persons employed by the Canadian Food Inspection Agency or designated by the President of the Agency to administer or enforce this Act or appointed or engaged pursuant to subsection 59(1);

(i) providing for the organization, including fixing the times of operation and closure, of the Plant Breeders' Rights Office, panels constituted under paragraph 59(1)(*b*) and the business thereof;

(j) specifying or defining methods, procedural requirements or conditions that shall be observed or may, at the discretion of the Commissioner, be adopted or imposed for the purpose or in the course of instituting, proceeding on, dealing with or disposing of any applications, objections, requests, representations, examinations, tests, trials or matters involving investigation or requiring determination by or under the authority of the Commissioner;

(k) providing

(i) in relation to any category of plant, for any of the grants of plant breeder's rights respecting new varieties of that category to be made, at the applicant's request, on terms allowing an exemption, revocable by the Commissioner, from compulsory licensing under section 32 or from the requirements of any conditions described in section 29 or from both,

(ii) for the inclusion, in the terms of a grant referred to in section 29 or subparagraph (i), of any terms in, on or subject to which any conditions described in that section shall be imposed or complied with or any exemption may, pursuant to that subparagraph, be allowed or revoked, and

(iii) for paragraph 35(1)(*e*) to apply to any obligations under any of those conditions as that paragraph applies to an obligation under the terms of a compulsory licence, and for the extended application of subsection 35(1) and sections 36 and 37 accordingly;

(l) prescribing

(i) matters to be entered in, and the forms of, the register, the index, applications for plant breeders' rights and any other record, instru-

m) prévoir l'examen de toute affaire mettant en jeu une décision prise par le directeur en application de la présente loi;
n) prendre toute mesure d'ordre réglementaire prévue par la présente loi.

ment or document to be kept, made or used pursuant to or for the purposes of this Act,
(ii) all or any of the means by which or the factors or criteria by reference to which, whether they are found in Canada or elsewhere, common knowledge or the absence thereof may or shall be or ought not to be regarded as established for the purposes of paragraph 4(2)(*a*) or section 62,
(iii) the fees payable by a person in respect of any facilities afforded by the Plant Breeders' Rights Office,
(iv) the time at or within which and the manner in which any charge, the nature of which is determined under paragraph (*a*), or any prescribed fee shall be paid,
(v) the circumstances in which any charge or fee referred to in subparagraph (iv) may or shall be refunded in whole or in part, and
(vi) matters in respect of which the Commissioner is to be satisfied before an exemption referred to in subparagraph (*k*)(i) may be revoked;
(m) respecting the procedure for review of cases involving decisions given by the Commissioner pursuant to any provision of this Act; and
(n) prescribing any matter required or authorized by this Act to be prescribed.

Publication préalable des règlements

(2) Sous réserve du paragraphe (3), les projets de règlement d'application de la présente loi sont publiés dans la *Gazette du Canada*, les intéressés se voyant accorder la possibilité de présenter leurs observations à cet égard.

Publication of proposed regulations

(2) Subject to subsection (3), a copy of each regulation that the Governor in Council proposes to make pursuant to this Act shall be published in the *Canada Gazette* and a reasonable opportunity shall be given to interested persons to make representations with respect thereto.

Exceptions

(3) Ne sont toutefois pas visés les projets de règlement :
a) déjà publiés dans les conditions prévues au paragraphe (2), même s'ils ont été modifiés à la suite d'observations présentées conformément à ce paragraphe;
b) qui n'apportent pas de modification notable à la réglementation en vigueur.
L.C. 1990, ch. 20, art. 75; 1997, ch. 6, art. 80.

Exemptions

(3) Subsection (2) does not apply in respect of a proposed regulation that
(a) has been published pursuant to that subsection, whether or not it has been amended as a result of representations made pursuant to that subsection; or
(b) makes no material substantive change in an existing regulation.
S.C. 1990, c. 20, s. 75; 1997, c. 6, s. 80.

LOI SUR LES SEMENCES

Restrictions découlant de la *Loi sur les semences*

76. (1) La présente loi n'a pas pour effet de déroger à la *Loi sur les semences* ou ses règlements en ce qui concerne le pouvoir :
a) de vendre, d'importer ou d'exporter une semence, ou d'en faire la publicité;
b) d'utiliser, pour une semence, un nom, une marque ou une étiquette.

«semence»

(2) Au paragraphe (1), «semence» s'entend au sens de l'article 2 de la *Loi sur les semences*.
L.C. 1990, ch. 20, art. 76.

EXAMEN DE LA LOI

Rapport d'application

77. (1) À l'expiration de la dixième année suivant l'entrée en vigueur de la présente loi, le ministre établit dans les meilleurs délais un rapport sur l'application de celle-ci au cours de cette période et le fait déposer devant chaque chambre du Parlement dans les quinze premiers jours de séance de celle-ci suivant son achèvement.

Contenu

(2) Le rapport doit indiquer, avec détails à l'appui, si, selon le cas, l'application de la présente loi :
a) a eu pour résultat :
(i) de stimuler les investissements en matière de sélection de variétés végétales pouvant faire l'objet de la protection conférée par les certificats d'obtention,
(ii) d'améliorer les moyens permettant d'obtenir des variétés végétales étrangères au profit de l'agriculture au Canada,
(iii) d'assurer la protection à l'étranger, sur le plan commercial, des variétés végétales canadiennes,
(iv) d'améliorer des variétés végétales, dans l'intérêt du public et plus particulièrement

SEEDS ACT

***Seeds Act* unaffected**

76. (1) Nothing provided or granted by or under this Act shall be construed as conferring authority for
(a) any seed to be sold, imported, exported or advertised, or
(b) any name, mark or label to be applied in connection with any seed,
contrary to the *Seeds Act* or any regulations thereunder.

Definition of "seed"

(2) In subsection (1), "seed" has the meaning assigned to that expression by section 2 of the *Seeds Act*.
S.C. 1990, c. 20, s. 76.

REVIEW OF ACT

Report

77. (1) As soon as practicable after the expiration of the period of ten years beginning on the day of the coming into force of this Act, the Minister shall prepare a report with respect to the administration of this Act during the period and shall cause a copy of the report to be laid before each House of Parliament on any of the first fifteen days on which that House is sitting after it is completed.

Contents of report

(2) The report prepared pursuant to subsection (1) shall indicate whether the operation of this Act
(a) results in
(i) the stimulation of investment in businesses involving the breeding of plant varieties in respect of which protection afforded by plant breeders' rights is applicable,
(ii) any improvement in facilities to obtain foreign varieties of plants in the interests of agriculture in Canada,
(iii) protection abroad, for commercial purposes, of Canadian plant varieties,
(iv) improvement of plant varieties to the public benefit, and particularly, to the benefit of farmers and nurserymen, and

des agriculteurs et des horticulteurs,
(v) de favoriser de toute autre manière l'intérêt public;
b) a permis d'atteindre seulement certains des résultats mentionnés à l'alinéa *a*);
c) a permis d'atteindre tout ou partie de ces résultats, tout en étant défavorable, à certains égards, à l'intérêt public;
d) n'est pas favorable à l'intérêt public, parce qu'elle n'a permis d'atteindre aucun de ces résultats.
L.C. 1990, ch. 20, art. 77.

(v) any other public advantage,
(b) has some but not all of the results described in paragraph (*a*),
(c) has all or any of those results but is, in any respect, not in the public interest, or
(d) is, in the total absence of those results, not in the public interest,
as the case may be, and particulars of anything so indicated shall be furnished in the report.
S.C. 1990, c. 20, s. 77.

Rapport annuel

78. Le ministre établit chaque année un rapport sur l'application de la présente loi au cours de la précédente année civile et le dépose devant le Parlement dans les quinze premiers jours de séance de l'une ou l'autre chambre suivant son achèvement.
L.C. 1990, ch. 20, art. 78.

Annual report

78. The Minister shall each year prepare a report with respect to the administration of this Act during the preceding calendar year and shall lay it before Parliament on any of the first fifteen days that either House of Parliament is sitting after he completes it.
S.C. 1990, c. 20, s. 78.

MODIFICATIONS CORRÉLATIVES

79 à **81.** [Modifications.]

CONSEQUENTIAL AMENDMENTS

79 to **81.** [Amendments.]

ENTRÉE EN VIGUEUR

Entrée en vigueur

***82.** La présente loi entre en vigueur à la date fixée par décret du gouverneur en conseil.
L.C. 1990, ch. 20, art. 82.

*[Note : Loi en vigueur le 1er août 1990, *voir* TR/90-99.]

COMING INTO FORCE

Coming into force

***82.** This Act comes into force on a day to be fixed by order of the Governor in Council.
S.C. 1990, c. 20, s. 82.

*[Note: Act in force August 1, 1990, *see* SI/90-99.]

RÈGLEMENT SUR LA PROTECTION DES OBTENTIONS VÉGÉTALES

Table des matières

PLANT BREEDERS' RIGHTS REGULATIONS

Table of Contents

Règlement sur la protection des obtentions végétales

DORS/91-594

Modifié par DORS/93-87; DORS/94-750; DORS/98-582.

Loi sur la protection des obtentions végétales
(L.R.C. 1985, ch. P-14.6)

RÈGLEMENT CONCERNANT LA PROTECTION DES OBTENTIONS VEGÉTALES

Titre abrégé

1. *Règlement sur la protection des obtentions végétales.*

Définitions

2. (1) Les définitions qui suivent s'appliquent à la Loi et au présent règlement.

«caractère identifiable» Caractère propre à une variété végétale qui peut être inclus dans une description et qui permet de distinguer nettement cette variété de toutes les autres de sa catégorie. *(identifiable characteristics)*

« catégorie établie depuis peu par règlement » Pour la période de 12 mois débutant à la date d'entrée en vigueur de la présente définition, catégorie visée à l'article 40 de l'annexe I. *(recently prescribed category)*

«description» Énoncé faisant état des caractères d'une variété végétale et visant à établir la qualité d'obtention végétale de cette variété. *(description)*

«observations» S'entend des observations faites par écrit. *(representations)*

Plant Breeders' Rights Regulations

SOR/91-594

Amended by SOR/93-87; SOR/94-750; SOR/98-582.

Plant Breeders' Rights Act
(R.S.C. 1985, c. P-14.6)

REGULATIONS RESPECTING PLANT BREEDERS' RIGHTS

Short Title

1. These Regulations may be cited as the *Plant Breeders' Rights Regulations.*

Interpretation

2. (1) For the purposes of the Act and these Regulations,

"description" means a narrative that defines the characteristics of a plant variety for the purpose of demonstrating that the variety in question is a new variety; *(description)*

"identifiable characteristics" means characteristics of a plant variety that may be included in a description and that, when so included, permit a clear distinction to be made between that variety and all other varieties in its category; (*caractère identifiable*)

"recently prescribed category" means, for a period of not more than 12 months beginning on the day on which this definition comes into force, a category referred to in item 40 of Schedule I; *(catégorie établie depuis peu par règlement)*

"representations" means representations in writing. *(observations)*

(2) Pour l'application du présent règlement, «Loi» s'entend de la *Loi sur la protection des obtentions végétales. (Act)*
DORS/94-750, art. 1(A); DORS/98-582, art. 1.

Application

3. Le présent règlement s'applique aux variétés végétales appartenant à l'une des catégories visées à l'annexe I.

États de l'Union

4. Est désigné État de l'Union tout État qui a adhéré à la *Convention internationale pour la protection des obtentions végétales* du 2 décembre 1961, y compris ses modifications successives publiées dans la *Gazette du Canada*.
DORS/94-750, art. 2.

Variété végétale notoirement connue

5. Pour l'application de l'alinéa 4(2)*a*) de la Loi, l'un ou l'autre des critères suivants est utilisé pour établir qu'une variété végétale est notoirement connue :
a) elle est déjà cultivée ou exploitée à des fins commerciales;
b) elle est décrite dans une publication accessible au public.

Délais ou périodes

6. Dans le cas d'une obtention végétale appartenant à une catégorie établie depuis peu par règlement, en ce qui a trait aux exigences concernant la vente ou le consentement à la vente au Canada, la période visée à l'alinéa 7(1)*a*) de la Loi débute le 1er août 1990 et se termine à la date de réception par le directeur de la demande de certificat d'obtention concernant cette obtention générale.
DORS/94-750, art. 3.

7. (1) Dans le cas d'une obtention végétale appartenant à une catégorie établie depuis peu par règlement, en ce qui a trait aux exi-

(2) In these Regulations, "Act" means the *Plant Breeders' Rights Act. (Loi)*
SOR/94-750, s. 1(E); SOR/98-582, s. 1.

Application

3. These Regulations apply to any plant variety belonging to a category set out in Schedule I.

Country of the Union

4. Any country that has ratified the *International Convention for the Protection of New Varieties of Plants* of December 2, 1961, and any revisions thereto, as published in the *Canada Gazette*, is prescribed to be a country of the Union.
SOR/94-750, s. 2.

Criteria Relating to Common Knowledge

5. For the purposes of paragraph 4(2)(*a*) of the Act, the following criteria shall be considered when determining that the existence of a plant variety is a matter of common knowledge, namely,
(a) whether the variety is already being cultivated or exploited for commercial purposes; or
(b) whether the variety is described in a publication that is accessible to the public.

Prescribed Periods

6. In the case of a new variety of a recently prescribed category, with respect to the requirements concerning the sale or the concurrence in a sale in Canada, the period referred to in paragraph 7(1)*a*) of the Act shall commence on August 1, 1990 and terminate on the date of receipt by the Commissioner of the application for the grant of plant breeders' rights respecting that variety.
SOR/94-750, s. 3.

7. (1) In the case of a new variety of a recently prescribed category, with respect to the requirements concerning a sale or the

gences concernant la vente ou le consentement à la vente à l'étranger, la période visée à l'alinéa 7(1)*c*) de la Loi débute :
a) le 1er août 1984 et se termine à la date de réception par le directeur de la demande de certificat d'obtention visant l'obtention végétale appartenant à une catégorie de plantes ligneuses figurant à l'annexe I, y compris leurs porte-greffes;
b) le 1er août 1986 et se termine à la date de réception par le directeur de la demande de certificat d'obtention visant l'obtention végétale, pour toute autre catégorie visée à l'annexe I.

concurrence in a sale outside Canada, the period referred to in paragraph 7(1)(*c*) of the Act shall commence
(*a*) on August 1, 1984 and terminate on the date of receipt by the Commissioner of the application for the grant of plant breeders' rights respecting the new variety of woody plants, including their rootstocks; and
(*b*) on August 1, 1986 and terminate on the date of receipt by the Commissioner of the application for the grant of plant breeders' rights respecting the new variety, for any other category.

(2) Dans le cas d'une obtention végétale appartenant à une catégorie visée à l'annexe I, autre qu'une catégorie élablie depuis peu par règlement, en ce qui a trait aux exigences concernant la vente ou le consentement à la vente à l'étranger, la période visée à l'alinéa 7(1)*c*) de la Loi commence au plus tôt :
a) soit six ans avant la date de réception par le directeur de la demande de certificat d'obtention visant l'obtention végétale appartenant à une catégorie de plantes ligneuses figurant à l'annexe I, y compris leurs porte-greffes;
b) soit quatre ans avant la date de réception par le directeur de la demande de certificat d'obtention visant l'obtention végétale, pour toute autre catégorie visée à l'annexe I.
DORS/93-87, art. 1; DORS/94-750, art. 4; DORS/98-582, art. 2

(2) In the case of a new variety of a category set out in Schedule I, other than a recently prescribed category, with respect to the requirements concerning a sale or the concurrence in a sale outside Canada, the period referred to in paragraph 7(1)(*c*) of the Act shall commence
(*a*) not more than six years before the date of receipt by the Commissioner of the application for the grant of plant breeders' rights respecting the new variety of woody plants, including their rootstocks; and
(*b*) not more than four years before the date of receipt by the Commissioner of the application for the grant of plant breeders' rights respecting the new variety, for any other category.
SOR/93-87, s. 1; SOR/94-750, s. 4; SOR/98-582, s. 2.

8. L'opposition faite en vertu du paragraphe 22(1) de la Loi à l'égard d'une demande de certificat d'obtention est déposée par écrit dans les six mois suivant la date de publication de la demande.

8. An objection made under subsection 22(1) of the Act in respect of an application for the grant of plant breeders' rights shall be filed by submitting a written statement within a period of six months after the date of publication of the application.

9. Le requérant est réputé s'être désisté de sa demande de cerlificat d'obtention, en vertu du paragraphe 26(1) de la Loi, six mois après la date de l'avis du directeur des mesures prises par ses services.

9. The applicant is deemed to have abandoned an application for the grant of plant breeders' rights, pursuant to subsection 26(1) of the Act, six months after the date of notice of any action by the Commissioner.

10. Le requérant réputé s'être désisté de sa demande selon le paragraphe 26(1) de la Loi peut, en vertu de l'alinéa 26(2)*a*) de la Loi,

10. Pursuant to paragraph 26(2)(*a*) of the Act, the applicant who is deemed to have abandoned his application pursuant to sub-

réactiver sa demande dans les 30 jours suivant la date à laquelle il est réputé s'en être désisté.

section 26(1) of the Act may have the application reinstated within 30 days after the date on which the application was deemed abandoned.

11. La requête visée à l'alinéa 26(2)*b*) de la Loi est présentée dans les 90 jours suivant l'expiration du délai prévu à l'article 10.
DORS/93-87, art. 2.

11. The petition referred to in paragraph 26(2)(*b*) of the Act shall be presented within 90 days after the end of the period set out in section 10.
SOR/93-87, s. 2.

12. Le cessionnaire doit se conformer aux exigences du paragraphe 31(1) de la Loi et de l'article 26 du présent règlement dans les 30 jours suivant la date de cession du certificat d'obtention.
DORS/94-750, art. 5.

12. An assignee shall comply with the requirements of subsection 31(1) of the Act and section 26 of the Regulations within 30 days after the date of the assignment of the plant breeders' rights.
SOR/94-750, s. 5.

13. Le titulaire du certificat d'obtention doit donner suite à la demande du directeur, aux fins de l'alinéa 35(1)*b*) de la Loi, dans les 60 jours suivant la date de réception de la demande.

13. A holder of plant breeder's rights shall comply with the Commissioner's request, for the purposes of paragraph 35(1)(*b*) of the Act, within 60 days after the date or receipt or the request.

14. L'opposition faite en vertu du paragraphe 36(2) de la Loi est déposée par écrit dans les 60 jours suivant la date de l'avis du directeur.

14. An objection made pursuant to paragraph 36(2)(*a*) of the Act shall be filed by submitting a written statement to the Commissioner, within 60 days after the date on which notice is given by the Commissioner.

15. Le requérant ou le titulaire du certificat d'obtention doit remédier à tout manquement visé au paragraphe 39(2) de la Loi dans les 30 jours suivant la date de l'avis du directeur portant sur le manquement.

15. An applicant or a holder of plant breeder's rights shall correct any failure described in subsection 39(2) of the Act within 30 days after the date of the notice from the Commissioner relating to the failure.

16. Pour l'application de l'alinéa 45(1)*b*) de la Loi, le titulaire du certificat d'obtention est tenu de donner suite à la requête dans les 15 jours suivant la date de celle-ci.

16. For the purposes of paragraph 45(1)(*b*) of the Act, the holder of plant breeder's rights shall take proceedings after being called on to do so within 15 days after the date on which the holder is so called.

17. Pour l'application du paragraphe 67(1) de la Loi, la période de conservation des documents est, selon le cas, la période de validité du certificat d'obtention ou la période de six mois suivant la date à laquelle le requérant est réputé s'être désisté de sa demande de certificat d'obtention en application du paragraphe 26(1) de la Loi.
DORS/94-750, art. 6(F).

17. For the purposes of subsection 67(1) of the Act, the period for which documents shall be preserved is a period equal to the term of the grant of plant breeder's rights or a period of six months after the date on which an application for plant breeder's rights has been deemed to have been abandoned pursuant to subsection 26(1) of the Act, as the case may be.
SOR/94-750, s. 6(F).

18. Pour l'application du paragraphe 67(3) de la Loi, les documents et éléments afférents à la demande de certificat d'obtention sont retournés au requérant dans les 30 jours suivant la date de retrait de la demande.

18. For the purposes of subsection 67(3) of the Act, all papers and other material submitted in connection with the application for the grant of plant breeders' rights shall be returned to the applicant within 30 days after the date of withdrawal of the application.

18.1 Toute opposition à l'égard d'un changement de dénomination publié dans la *Gazette du Canada* en vertu de l'alinéa 70(3)*a*) de la Loi est déposée par écrit auprès du directeur dans les six mois suivant la date de publication du changement de dénomination. DORS/94-750, art. 7.

18.1 Any objection to a change of denomination published in the *Canada Gazette* pursuant to paragraph 70(3)(*a*) of the Act shall be filed by submitting a written statement with the Commissioner within a period of six months after the date of publication of the change of denomination.
SOR/94-750, s. 7.

Demande de certificat d'obtention

19. (1) La demande de certificat d'obtention est présentée au directeur et contient les renseignements suivants :
a) les nom et adresse du requérant;
b) les nom et adresse de l'obtenteur, s'il n'est pas le requérant;
c) les nom et adresse de tout mandataire ou représentant légal, s'il y a lieu;
d) le nom botanique et le nom courant de la variété végétale;
e) la dénomination proposée;
f) une mention indiquant si une demande de certificat temporaire est annexée;
g) la description de la variété végétale;
h) une déclaration portant que la variété végétale est stable et qu'elle est suffisamment homogène au sens du paragraphe 4(3) de la Loi;
i) le mode de création de la variété végétale;
j) dans le cas où une demande de certificat d'obtention visant la variété végétale a été présentée ou un tel certificat accordé dans un pays autre que le Canada, le nom du pays;
k) une mention indiquant si le bénéfice de priorité est revendiqué en raison d'une demande antérieure déposée par le requérant dans un État de l'Union ou un pays signataire;
l) dans le cas où l'obtenteur ou son représentant légal a vendu la variété végétale ou a consenti à sa vente au Canada ou à l'étranger, la date de la vente;

Application for Plant Breeders' Rights

19. (1) An application for the grant of plant breeder's rights shall be made to the Commissioner and contain the following information:
(a) the name and address of the applicant;
(b) the name and address of the breeder, if different from the applicant;
(c) the name and address of any agent or legal representative, where applicable;
(d) the botanical and common names of the plant variety:
(e) the proposed denomination;
(f) whether an application for a protective direction is included;
(g) a description of the plant variety;
(h) a statement that the plant variety is a sufficiently homogeneous variety within the meaning of subsection 4(3) of the Act and is stable;
(i) the manner in which the plant variety was originated;
(j) where an application for plant breeders' rights respecting the plant variety has been made or granted in any country other than Canada, the name of the country;
(k) whether priority is being claimed as a result of a preceding application made by the applicant in a country of the Union or an agreement country;
(l) where the breeder or a legal representative of the breeder sold or concurred in the sale of the plant variety within or outside Canada, the date of the sale;

m) le cas échéant, une demande d'exemption de licence obligatoire;
n) la manière d'assurer le maintien du matériel de multiplication.

(2) Le requérant joint à sa demande de certificat d'obtention un échantillon de référence qui est représentatif du matériel de multiplication viable de la variété végétale faisant l'objet de la demande.

20. La demande de certificat d'obtention est accompagnée :
a) des résultats d'épreuves et d'essais comparatifs qui visent à établir la qualité d'obtention végétale de la variété végétale;
b) de photographies et d'une description détaillée de la variété végétale qui démontrent que celle-ci est nettement distinguable selon l'alinéa 4(2)*a*) de la Loi.

21. La demande de certificat d'obtention qui est présentée par une personne autre que l'obtenteur est accompagnée d'une preuve établissant qu'elle est le mandataire ou le représentant légal de l'obtenteur.
DORS/94-750, art. 8(A).

Dénomination des obtentions végétales

22. En cas de refus, en vertu du paragraphe 14(2) de la Loi, de la dénomination d'une obtention végétale qu'il a proposée, le requérant en propose une autre par écrit au directeur.

23. (1) La demande de changement de dénomination est présentée au directeur par écrit.

(2) Le directeur peut approuver un changement de dénomination aux termes du paragraphe 14(5) de la Loi dans l'un ou l'autre des cas suivants :
a) en raison d'une erreur, la dénomination qu'a approuvée le directeur n'est pas celle que le titulaire avait proposée;
b) des renseignements additionnels qui justifient un changement de dénomination de-

(m) where applicable, any request for exemption from compulsory licencing; and
(n) the manner in which the propagating material will be maintained.

(2) In an application referred to in subsection (1), the applicant shall include a representative reference sample of viable propagating material of the plant variety that is the subject of the application.

20. An application referred to in subsection 19(1) shall be supported by
(a) the results of comparative tests and trials to demonstrate that the plant variety is a new variety; and
(b) photographs and a detailed description of the plant variety that illustrate that the plant variety is clearly distinguishable pursuant to paragraph 4(2)(*a*) of the Act.

21. Where an application referred to in subsection 19(1) is made by a person other than a breeder, the application shall be accompanied by evidence that establishes that the person is the agent or legal representative of the breeder.
SOR/94-750, s. 8(E).

Denominations of New Varieties

22. Where the Commissioner rejects a proposed denomination pursuant to subsection 14(2) of the Act, an applicant shall submit another proposed denomination in writing to the Commissioner.

23. (1) A request for a change of denomination shall be submitted to the Commissioner in writing.

(2) The Commissioner may approve a change of denomination pursuant to subsection 14(5) of the Act in the following circumstances, namely,
(a) where the denomination approved by the Commissioner is not, owing to error, the denomination proposed by the holder;
(b) where additional information that becomes available after the grant of plant

viennent accessibles après la délivrance du certificat d'obtention;
c) un avis d'opposition est déposé conformément au paragraphe 25(2).
DORS/94-750, art. 9.

breeders' rights justifies a change of denomination; or
(c) where an objection has been filed pursuant to subsection 25(2).
SOR/94-750, s. 9.

24. Tout changement de dénomination prend effet à la date où il est approuvé par le directeur.

24. A change of denomination comes into effect on the date on which it is approved by the Commissioner.

25. [Abrogé, DORS/94-750, art. 10.]

25. [Repealed, SOR/94-750, s. 10.]

Cession du certificat d'obtention

26. En cas de cession du certificat d'obtention par son titulaire, le cessionnaire, pour l'application du paragraphe 31(1) de la Loi, communique par écrit au directeur les renseignements suivants :
a) les nom et adresse du titulaire précédent;
b) la catégorie et la dénomination de la variété végétale visée par la cession;
c) le numéro du certificat d'obtention;
d) la lettre de cession, signée par le tilulaire et le cessionnaire, chacun devant un témoin;
e) la date de prise d'effet de la cession.
DORS/94-750, art. 11.

Assignment of Plant Breeders' Rights

26. Where the holder of plant breeders' rights assigns the rights, an assignee shall, for the purposes of subsection 31(1) of the Act, provide the Commissioner in writing with the following particulars:
(a) the name and address of the previous holder;
(b) the category and denomination of the plant variety to which the assignment applies;
(c) the plant breeder's rights certificate number;
(d) a letter of assignment signed by both the holder and the assignee, each in the presence of a witness; and
(e) the effective date of the assignment.
SOR/94-750, s. 11.

Licence obligatoire

27. (1) La demande de licence obligatoire est :
a) présentée par écrit;
b) précise la variété végétale et la catégorie visées par la demande;
c) indique les motifs de la demande.

(2) Les intéressés qui subiront un préjudice à la suite de la décision du directeur de délivrer une licence obligatoire peuvent lui présenter leurs observations dans les 60 jours suivant la date où l'avis mentionné au paragraphe 32(5) de la Loi est donné.
DORS/94-750, art. 12(F).

Compulsory Licences

27. (1) An application for a compulsory licence shall
(a) be in writing;
(b) identify the plant variety and category for which the application is made; and
(c) state the reasons for the application.

(2) Any interested person who will be adversely affected by the Commissioner's decision to grant a compulsory licence may make representations to the Commissioner within 60 days after the date on which notice is given pursuant to subsection 32(5) of the Act.
SOR/94-750, s. 12(F).

28. Lorsque le requérant fait une demande d'exemption de licence obligatoire, visée à

28. Where the applicant makes the request referred to in paragraph 19(1)(*m*), the Com-

l'alinéa 19(1)*m*), le directeur peut accorder une exemption de licence obligatoire afin de donner au requérant suffisamment de temps pour multiplier et distribuer le matériel de propagation de sa variété végétale.

Taxes et droits

29. Les taxes ou droits exigibles aux fins de la Loi et du présent règlement sont ceux prévus à l'annexe II; ils sont versés au directeur en dollars canadiens.

30. (1) La taxe annuelle prévue à l'article 10 de l'annexe II est payable au plus tard à la date anniversaire de la délivrance du certificat d'obtention et ce, chaque année jusqu'à l'expiration de la période de validité du certificat.

(2) Pour l'application de l'alinéa 35(1)*d*) de la Loi, le certificat d'obtention peut être révoqué dans le cas où la taxe visée au paragraphe (1) n'est pas acquittée dans les 60 jours suivant la date anniversaire.
DORS/94-750, art. 13.

missioner may grant an exemption from compulsory licensing to allow the applicant sufficient time to multiply and distribute propagating material of the plant variety.

Fees and Charges

29. The fees and charges payable for the purposes of the Act and these Regulations are as set out in Schedule II and are payable, in Canadian dollars, to the Commissioner.

30. (1) The annual fee set out in item 10 of Schedule II is payable on or before the date of the anniversary of the granting of plant breeder's rights every year for the term of the grant of the rights.

(2) For the purposes of paragraph 35(1)(*d*) of the Act, failure to pay the fee referred to in subsection (1) within 60 days after the anniversary date may result in a revocation of the plant breeders' rights.
SOR/94-750, s. 13.

ANNEXE I
(Articles 3, 6 et 7)

CATÉGORIES

Article	Colonne I Nom courant	Colonne II Nom botanique
1.	colza	*Brassica campestris* L. et *Brassica napus* L.
2.	chrysanthème	*Chrysanthemus* spp.
3.	soja	*Glycine max* L. Merrill
4.	rosier	*Rosa* spp.
5.	pomme de terre	*Solantum tuberosum* L.
6.	blé	*Triticum* spp.
7.	avoine	*Avena* spp.
8.	oeillet	*Dianthus* spp.
9.	poinsettia	*Euphorbia pulcherrima Wild* ex. Keotzsch

SCHEDULE I
(Sections 3, 6 and 7)

CATEGORIES

Item	Column I Common Name	Column II Botanical Name
1.	Rape	*Brassica campestris* L. et *Brassica napus* L.
2.	Chrysanthemum	*Chrysanthemus* spp.
3.	Soybean	*Glycine max* L. Merrill
4.	Rose	*Rosa* spp.
5.	Potato	*Solantum tuberosum* L.
6.	Wheat	*Triticum* spp.
7.	Oats	*Avena* spp.
8.	Dianthus	*Dianthus* spp.
9.	Poinsettia	*Euphorbia pulcherrima Wild* ex. Keotzsch

Article	Colonne I Nom courant	Colonne II Nom botanique	Item	Column I Common Name	Column II Botanical Name
10.	fraisier	*Fregaria* L.	10.	Strawberry	*Fregaria* L.
11.	orge	*Hordeum vulgare* L. sensu lato	11.	Barley	*Hordeum vulgare* L. sensu lato
12.	lin	*Linum usitatissimum* L.	12.	Flax	*Linum usitatissimum* L.
13.	pommier	*Malus* Mill	13.	Apple	*Malus* Mill
14.	luzerne	*Medicago sativa* L. sensu lato	14.	Alfalfa	*Medicago sativa* L. sensu lato
15.	haricot	*Phaseolus vulgaris* L. & *Phaseolus coccineus* L.	15.	Bean	*Phaseolus vulgaris* L. & *Phaseolus coccineus* L.
16.	pois	*Pisum sativum* L. sensu lato	16.	peas	*Pisum sativum* L. sensu lato
17.	potentille	*Potentilla* spp.	17.	potentilla	*Potentilla* spp.
18.	cerisier	Toutes les espèces de cerises de *Prunus* spp.	18.	Cherry	All species of cherries of the *Prunus* spp.
19.	poirier	*Pyrus* spp.	19.	Pear	*Pyrus* spp.
20.	violette africaine	*Saintpaulia* spp.	20.	African violet	*Saintpaulia* spp.
21.	if	*Taxus* spp.	21.	Yew	*Taxus* spp.
22.	vigne	*Vitis* L.	22.	Grapevine	*Vitis* L.
23.	maïs	*Zea mays* L.	23.	Corn	*Zea mays* L.
24.	érable	*Acer* spp.	24.	Maple	*Acer* spp.
25.	bégonia	*Begonia* spp.	25.	Begonia	*Begonia* spp.
26.	moutarde	*Brassica carinata* A. Braun, *Brassica juncea* (L.) Czern et Coss., *Brassica nigra* (L.) W. Koch & *Sinapis alba* L.	26.	Mustard	*Brassica carinata* A. Braun, *Brassica juncea* (L.) Czern et Coss., *Brassica nigra* (L.) W. Koch & *Sinapis alba* L.
27.	clématite	*Clematis* spp.	27.	Clematis	*Clematis* spp.
28.	fétuque rouge traçante	*Festuca rubra* L.	28.	Creeping red fescue	*Festuca rubra* L.
29.	impatiente	*Impatiens* spp.	29.	Impatiens	*Impatiens* spp.
30.	lentille	*Lens culinaris* Medikus	30.	Lentil	*Lens culinaris* Medikus
31.	pélargonium	*Pelargonium* spp.	31.	Pelargonium	*Pelargonium* spp.
32.	fléole	*Phleum pratense* L. & *Phleum bertolinii* DC.	32.	Timothy	*Phleum pratense* L. & *Phleum bertolonii* DC.
33.	pâturin du Kentucky	*Poa pratensis* L.	33.	Kentucky bluegrass	*Poa pratensis* L.
34.	pêcher	*Prunus persica* (L.) Batsch	34.	Peach	*Prunus persica* (L.) Batsch

Article	Colonne I Nom courant	Colonne II Nom botanique
35.	prunier	Toutes les espèces de pruniers de *Prunus* spp.
36.	framboisier	*Rubus idaeus* L.
37.	spirée	*Spiraea* spp.
38.	bleuet	Toutes espèces de bleuets de *Vaccinium* spp.
39.	viome	*Viburnum* spp.
40.	Toute autre catégorie du règne végétal, à l'exception des algues, des bactéries et des champignons	

DORS/93-87, art. 3; DORS/94-750, art. 14 à 19; DORS/98-582, art. 3

ANNEXE II
(Article 29 et paragraphe 30(1))

Article	Colonne I Service	Colonne II Taxe ou droit
1.	Dépôt d'une demande de certificat d'obtention selon le paragraphe 9(1) de la Loi	250 $
2.	Dépôt d'une demande de certificat temporaire selon le paragraphe 19(1) de la Loi	50 $
3.	Revendication du bénéfice de priorité, selon l'alinéa 11(1)*b*) de la Loi, fondée sur une demande antérieure déposée dans un État de l'Union ou un pays signataire	50 $
4.	Examen de la demande de certificat d'obtention selon le paragraphe 23(1) et l'alinéa 75(1)*a*) de la Loi *	750 $
5.	Enregistrement du certificat d'obtention selon le paragraphe 27(3) de la Loi	500 $
6.	Dépôt d'une opposition à une demande de certificat d'obtention selon le paragraphe 22(1) de la Loi	200 $
7.	Traitement d'une demande de changement de la dénomination approuvée, présentée par le titulaire du certificat d'obtention, selon le paragraphe 14(5) et l'alinéa 75(1)*a*) de la Loi	100 $

Item	Column I Common Name	Column II Botanical Name
35.	Plum	All species of plums of the *Prunus* spp.
36.	Raspberry	*Rubus idaeus* L.
37.	Spirea	*Spiraea* spp.
38.	Blueberry	All species of blueberries of the *Vaccinium* spp.
39.	Viburnum	*Vibunum* spp.
40.	All other categories of the plant kingdom, except algae, bacteria and fungi	

SOR/93-87, s. 3; SOR/94-750, ss. 14 to 19; SOR/98-582, s. 3.

SCHEDULE II
(Section 29 and subsection 30(1))

Item	Column I Service	Column II Fees or Charges
1.	Filing, pursuant to subsection 9(1) of the Act, of an application for plant breeder's rights	$250
2.	Filing, pursuant to subsection 19(1) of the Act, of an application for a protective direction	$50
3.	Claim, pursuant to paragraph 11(1)(*b*) of the Act, respecting priority based on a preceding application made in a country of the Union or an agreement country	$50
4.	Examination pursuant to subsection 23(1) and paragraph 75(1)(*a*) of the Act, of an application for grant of plant breeder's rights *	$750
5.	Registration of grant of plant breeder's rights pursuant to subsection 27(3) of the Act	$500
6.	Filing, pursuant to subsection 22(1) of the Act, an objection to an application for plant breeder's rights	$200
7.	Processing of request for change of an approved denomination by the holder of the plant breeder's rights pursuant to subsection 14(5) and paragraph 75(1)(*a*) of the Act	$100

Article	Colonne I Service	Colonne II Taxe ou droit
8.	Réactivation d'une demande de certificat d'obtention selon l'alinéa 26(2)*a*) de la Loi, après désistement réputé	100 $
9.	Réactivation, sur requête, d'une demande de certificat d'obtention selon l'alinéa 26(2)*b*) de la Loi, après désistement réputé	200 $
10.	Taxe annuelle selon le paragraphe 6(2) de la Loi	300 $
11.	Traitement d'une demande de licence obligatoire, selon le paragraphe 32(1) et l'alinéa 75(1)*a*) de la Loi	250 $
12.	Délivrance d'une copie certifiée conforme du certificat d'obtention détruit ou perdu, selon le paragraphe 27(5) de la Loi	50 $
13.	Consultation, au Bureau de la protection des obtentions végétales, du registre et du répertoire visés au paragraphe 67(2) de la Loi, y compris les documents que le directeur estime pouvoir mettre à la disposition du public	5 $
14.	Copies de documents ou d'extraits du registre ou du répertoire visés au paragraphe 67(2) de la Loi, y compris les documents que le directeur estime pouvoir mettre à la disposition du public, obtenues du Bureau de la protection des obtentions végétales	0.50 $ la page
15.	Fourniture de publication selon l'alinéa 75(1)*a*) de la Loi	prix coûtant

DORS/94-750, art. 20.

Item	Column I Service	Column II Fees or Charges
8.	Reinstatement of an abandoned application for plant breeder's rights pursuant to paragraph 26(2)(*a*) of the Act	$100
9.	Reinstatement of an abandoned application for plant breeder's rights on petition pursuant to paragraph 26(2)(*b*) of the Act	$200
10.	Annual fee, pursuant to subsection 6(2) of the Act	$300
11.	Processing of application for compulsory licence, pursuant to subsection 32(1) and paragraph 75(1)(*a*) of the Act	$250
12.	Issuance, pursuant to subsection 27(5) of the Act, of certified copy of lost or destroyed certificate of grant of plant breeder's rights	$50
13.	Public inspection of the register and the index referred to in subsection 67(2) of the Act, including any document that, in the opinion of the Commissioner, should, at the Plant Breeder's Rights Office	$5
14.	Copies of documents or certificates with regard to an entry in the register or index referred to in subsection 67(2) of the Act, including any documents that, in the opinion of the Commissioner, should be open for public inspection and obtained from the Plant Breeder's Office	$0.50 /page
15.	Providing copies or publication, pursuant to paragraph 75(1)(*a*) of the Act	at cost

SOR/94-750, s. 20.

LOI SUR LES MARQUES DE COMMERCE

Table des matières

TRADE-MARKS ACT

Table of Contents

LOI SUR LES MARQUES DE COMMERCE

L.R.C. 1985, ch. T-13

Modifiée par L.C. 1990, ch. 14; ch. 20; 1992, ch. 1; 1993, ch. 15; ch. 44; 1994, ch. 47; 1995, ch. 1; 1996, ch. 8; 1999, ch. 31; 2001, ch. 27; 2002, ch. 8.

Loi concernant les marques de commerce et la concurrence déloyale

TITRE ABRÉGÉ

Titre abrégé

1. *Loi sur les marques de commerce.*
S.R.C., ch. T-10, art. 1.

DÉFINITIONS ET INTERPRÉTATION

Définitions

2. Les définitions qui suivent s'appliquent à la présente loi.

«Accord sur l'OMC» *"WTO Agreement"*

«Accord sur l'OMC» S'entend de l'Accord au sens du paragraphe 2(1) de la *Loi de mise en oeuvre de l'Accord sur l'Organisation mondiale du commerce.*

«compagnies connexes» *"related companies"*

«compagnies connexes» Compagnies qui sont membres d'un groupe de deux ou plusieurs compagnies dont l'une, directement ou indirectement, a la propriété ou le contrôle d'une majorité des actions émises, à droit de vote, des autres compagnies.

«Convention» *"Convention"*

«Convention» La Convention d'Union de Paris, intervenue le 20 mars 1883, et toutes ses modifications et révisions, adoptées indé-

TRADE-MARKS ACT

R.S.C. 1985, c. T-13

Amended by S.C. 1990, c. 14; c. 20; 1992, c. 1; 1993, c. 15; c. 44; 1994, c. 47; 1995, c. 1; 1996, c. 8; 1999, c. 31; 2001, c. 27; 2002, c. 8.

An Act relating to trade-marks and unfair competition

SHORT TITLE

Short title

1. This Act may be cited as the *Trade-marks Act.*
R.S.C., c. T-10, s. 1.

INTERPRETATION

Definitions

2. In this Act,

"certification mark" *«marque de certification»*

"certification mark" means a mark that is used for the purpose of distinguishing or so as to distinguish wares or services that are of a defined standard with respect to

(a) the character or quality of the wares or services,

(b) the working conditions under which the wares have been produced or the services performed,

(c) the class of persons by whom the wares have been produced or the services performed, or

(d) the area within which the wares have been produced or the services performed,

from wares or services that are not of that defined standard;

pendamment de la date du 1er juillet 1954, auxquelles le Canada est partie.

«créant de la confusion» ***"confusing"***

«créant de la confusion» Relativement à une marque de commerce ou un nom commercial, s'entend au sens de l'article 6.

«distinctive» ***"distinctive"***

«distinctive» Relativement à une marque de commerce, celle qui distingue véritablement les marchandises ou services en liaison avec lesquels elle est employée par son propriétaire, des marchandises ou services d'autres propriétaires, ou qui est adaptée à les distinguer ainsi.

«emploi» ou «usage» ***"use"***

«emploi» ou «usage» À l'égard d'une marque de commerce, tout emploi qui, selon l'article 4, est réputé un emploi en liaison avec des marchandises ou services.

«indication géographique» ***"geographical indication"***

«indication géographique» Désignation d'un vin ou spiritueux par la dénomination de son lieu d'origine — territoire d'un membre de l'OMC, ou région ou localité de ce territoire — dans les cas où sa réputation ou une autre de ses qualités ou caractéristiques peuvent être essentiellement attribuées à cette origine géographique; cette désignation doit être protégée par le droit applicable à ce membre, sauf si le lieu d'origine est le Canada.

«indication géographique protégée» ***"protected geographical indication"***

«indication géographique protégée» Indication géographique figurant sur la liste prévue au paragraphe 11.12(1).

«marchandises» ***"wares"***

«marchandises» Sont assimilées aux marchandises les publications imprimées.

«marque de certification» ***"certification mark"***

«marque de certification» Marque employée pour distinguer, ou de façon à distinguer, les marchandises ou services qui sont d'une norme définie par rapport à ceux qui ne le sont pas, en ce qui concerne :

a) soit la nature ou qualité des marchandises ou services;

b) soit les conditions de travail dans lesquelles les marchandises ont été produites ou les services exécutés;

"confusing" ***«créant de la confusion»***

"confusing", when applied as an adjective to a trade-mark or trade-name, means a trade-mark or trade-name the use of which would cause confusion in the manner and circumstances described in section 6;

"Convention" ***«Convention»***

"Convention" means the Convention of the Union of Paris made on March 20, 1883 and any amendments and revisions thereof made before or after July 1, 1954 to which Canada is party;

"country of origin" ***«pays d'origine»***

"country of origin" means

(a) the country of the Union in which the applicant for registration of a trade-mark had at the date of the application a real and effective industrial or commercial establishment, or

(b) if the applicant for registration of a trade-mark did not at the date of the application have in a country of the Union an establishment as described in paragraph (*a*), the country of the Union where he on that date had his domicile, or

(c) if the applicant for registration of a trade-mark did not at the date of the application have in a country of the Union an establishment as described in paragraph (*a*) or a domicile as described in paragraph (*b*), the country of the Union of which he was on that date a citizen or national;

"country of the Union" ***«pays de l'Union»***

"country of the Union" means

(*a*) any country that is a member of the Union for the Protection of Industrial Property constituted under the Convention, or

(*b*) any WTO Member;

"distinctive" ***«distinctive»***

"distinctive", in relation to a trade-mark, means a trade-mark that actually distinguishes the wares or services in association with which it is used by its owner from the wares or services of others or is adapted so to distinguish them;

"distinguishing guise" ***«signe distinctif»***

"distinguishing guise" means

(a) a shaping of wares or their containers, or

(b) a mode of wrapping or packaging wares the appearance of which is used by a person for the purpose of distinguishing or so as to

c) soit la catégorie de personnes qui a produit les marchandises ou exécuté les services;
d) soit la région à l'intérieur de laquelle les marchandises ont été produites ou les services exécutés.

«marque de commerce» ***"trade-mark"***
«marque de commerce» Selon le cas :
a) marque employée par une personne pour distinguer, ou de façon à distinguer, les marchandises fabriquées, vendues, données à bail ou louées ou les services loués ou exécutés, par elle, des marchandises fabriquées, vendues, données à bail ou louées ou des services loués ou exécutés, par d'autres;
b) marque de certification;
c) signe distinctif;
d) marque de commerce projetée.

«marque de commerce déposée» ***"registered trade-mark"***
«marque de commerce déposée» Marque de commerce qui se trouve au registre.

«marque de commerce projetée» ***"proposed trade-mark"***
«marque de commerce projetée» Marque qu'une personne projette d'employer pour distinguer, ou de façon à distinguer, les marchandises fabriquées, vendues, données à bail ou louées ou les services loués ou exécutés, par elle, des marchandises fabriquées, vendues, données à bail ou louées ou des services loués ou exécutés, par d'autres.

«membre de l'OMC» ***"WTO Member"***
«membre de l'OMC» Membre de l'Organisation mondiale du commerce instituée par l'article I de l'Accord sur l'OMC.

«nom commercial» ***"trade-name"***
«nom commercial» Nom sous lequel une entreprise est exercée, qu'il s'agisse ou non d'une personne morale, d'une société de personnes ou d'un particulier.

«paquet» ou «colis» ***"package"***
«paquet» ou «colis» Est assimilé à un paquet ou colis tout contenant ou récipient ordinairement lié à des produits lors du transfert de la propriété ou de la possession des marchandises dans la pratique du commerce.

«pays de l'Union» ***"country of the Union"***
«pays de l'Union» Tout pays qui est membre de l'Union pour la protection de la propriété industrielle, constituée en vertu de la Convention, ou tout membre de l'OMC.

distinguish wares or services manufactured, sold, leased, hired or performed by him from those manufactured, sold, leased, hired or performed by others;

"geographical indication" ***«indication géographique»***
"geographical indication" means, in respect of a wine or spirit, an indication that
(*a*) identifies the wine or spirit as originating in the territory of a WTO Member, or a region or locality of that territory, where a quality, reputation or other characteristic of the wine or spirit is essentially attributable to its geographical origin, and
(*b*) except in the case of an indication identifying a wine or spirit originating in Canada, is protected by the laws applicable to that WTO member;

"owner" ***«propriétaire»***
"owner", in relation to a certification mark, means the person by whom the defined standard has been established;

"package" ***«paquet»* ou *«colis»***
"package" includes any container or holder ordinarily associated with wares at the time of the transfer of the property in or possession of the wares in the course of trade;

"person" ***«personne»***
"person" includes any lawful trade union and any lawful association engaged in trade or business or the promotion thereof, and the administrative authority of any country, state, province, municipality or other organized administrative area;

"person interested" ***«personne intéressée»***
"person interested" includes any person who is affected or reasonably apprehends that he may be affected by any entry in the register, or by any act or omission or contemplated act or omission under or contrary to this Act, and includes the Attorney General of Canada;

"prescribed" ***«prescrit»***
"prescribed" means prescribed by or under the regulations;

"proposed trade-mark" ***«marque de commerce projetée»***
"proposed trade-mark" means a mark that is proposed to be used by a person for the purpose of distinguishing or so as to distinguish wares or services manufactured, sold, leased, hired or performed by him from those manu-

«pays d'origine» *"country of origin"*
«pays d'origine»
a) Le pays de l'Union où l'auteur d'une demande d'enregistrement d'une marque de commerce avait, à la date de la demande, un établissement industriel ou commercial réel et effectif;
b) si l'auteur de la demande, à la date de la demande, n'avait aucun établissement décrit à l'alinéa *a)* dans un pays de l'Union, le pays de celle-ci où il avait son domicile à la date en question;
c) si l'auteur de la demande, à la date de la demande, n'avait aucun établissement décrit à l'alinéa *a)* ni aucun domicile décrit à l'alinéa *b)* dans un pays de l'Union, le pays de celle-ci dont il était alors citoyen ou ressortissant.

«personne» *"person"*
«personne» Sont assimilés à une personne tout syndicat ouvrier légitime et toute association légitime se livrant à un commerce ou à une entreprise, ou au développement de ce commerce ou de cette entreprise, ainsi que l'autorité administrative de tout pays ou État, de toute province, municipalité ou autre région administrative organisée.

«personne intéressée» *"person interested"*
«personne intéressée» Sont assimilés à une personne intéressée le procureur général du Canada et quiconque est atteint ou a des motifs valables d'appréhender qu'il sera atteint par une inscription dans le registre, ou par tout acte ou omission, ou tout acte ou omission projeté, sous le régime ou à l'encontre de la présente loi.

«prescrit» *"prescribed"*
«prescrit» Prescrit par les règlements ou sous leur régime.

«propriétaire» *"owner"*
«propriétaire» Relativement à une marque de certification, la personne qui a établi la norme définie.

«registraire» *"Registrar"*
«registraire» Le registraire des marques de commerce nommé en vertu de l'article 63.

«registre» *"register"*
«registre» Le registre tenu selon l'article 26.

factured, sold, leased, hired or performed by others;

"protected geographical indication" *«indication géographique protégée»*
"protected geographical indication" means a geographical indication that is on the list kept pursuant to subsection 11.12(1);

"register" *«registre»*
"register" means the register kept under section 26;

"registered trade-mark" *«marque de commerce déposée»*
"registered trade-mark" means a trade-mark that is on the register;

"registered user" [Repealed, S.C. 1993, c. 15, s. 57.]

"Registrar" *«registraire»*
"Registrar" means the Registrar of Trademarks appointed under section 63;

"related companies" *«compagnies connexes»*
"related companies" means companies that are members of a group of two or more companies one of which, directly or indirectly, owns or controls a majority of the issued voting stock of the others;

"representative for service" *«représentant pour signification»*
"representative for service" means the person or firm named under paragraph 30(*g*), subsection 38(3), paragraph 41(1)(*a*) or subsection 42(1);

"trade-mark" *«marque de commerce»*
"trade-mark" means
(a) a mark that is used by a person for the purpose of distinguishing or so as to distinguish wares or services manufactured, sold, leased, hired or performed by him from those manufactured, sold, leased, hired or performed by others,
(b) a certification mark,
(c) a distinguishing guise, or
(d) a proposed trade-mark;

"trade-name" *«nom commercial»*
"trade-name" means the name under which any business is carried on, whether or not it is the name of a corporation, a partnership or an individual;

«représentant pour signification» ***"representative for service"***
«représentant pour signification» La personne ou firme nommée en vertu de l'alinéa 30*g*), du paragraphe 38(3), de l'alinéa 41(1)*a*) ou du paragraphe 42(1).
«signe distinctif» ***"distinguishing guise"***
«signe distinctif» Selon le cas :
a) façonnement de marchandises ou de leurs contenants;
b) mode d'envelopper ou empaqueter des marchandises,
dont la présentation est employée par une personne afin de distinguer, ou de façon à distinguer, les marchandises fabriquées, vendues, données à bail ou louées ou les services loués ou exécutés, par elle, des marchandises fabriquées, vendues, données à bail ou louées ou des services loués ou exécutés, par d'autres.
«usager inscrit» [Abrogée, L.C. 1993, ch. 15, art. 57.]
L.R.C., 1985, ch. T-13, art. 2; L.C. 1993, ch. 15, art. 57; 1994, ch. 47, art. 190(1) et (2).

"use" ***«emploi»*** **ou** ***«usage»***
"use", in relation to a trade-mark, means any use that by section 4 is deemed to be a use in association with wares or services;
"wares" ***«marchandises»***
"wares" includes printed publications.
"WTO Agreement" ***«Accord sur l'OMC»***
"WTO Agreement" has the meaning given to the word "Agreement" by subsection 2(1) of the *World Trade Organization Agreement Implementation Act*;
"WTO Member" ***«membre de l'OMC»***
"WTO Member" means a Member of the World Trade Organization established by Article I of the WTO Agreement.
R.S.C., 1985 c. T-13, s. 2; S.C. 1993, c. 15, s. 57; 1994, c. 47, s. 190(1) and (2).

Quand une marque de commerce est réputée adoptée

3. Une marque de commerce est réputée avoir été adoptée par une personne, lorsque cette personne ou son prédécesseur en titre a commencé à l'employer au Canada ou à l'y faire connaître, ou, si la personne ou le prédécesseur en question ne l'avait pas antérieurement ainsi employée ou fait connaître, lorsque l'un d'eux a produit une demande d'enregistrement de cette marque au Canada.
S.R.C., ch. T-10, art. 3.

When deemed to be adopted

3. A trade-mark is deemed to have been adopted by a person when that person or his predecessor in title commenced to use it in Canada or to make it known in Canada or, if that person or his predecessor had not previously so used it or made it known, when that person or his predecessor filed an application for its registration in Canada.
R.S.C., c. T-10, s. 3.

Quand une marque de commerce est réputée employée

4. (1) Une marque de commerce est réputée employée en liaison avec des marchandises si, lors du transfert de la propriété ou de la possession de ces marchandises, dans la pratique normale du commerce, elle est apposée sur les marchandises mêmes ou sur les colis dans lesquels ces marchandises sont distribuées, ou si elle est, de toute autre manière, liée aux marchandises à tel point qu'avis de liaison est alors donné à la personne à qui la propriété ou possession est transférée.

When deemed to be used

4. (1) A trade-mark is deemed to be used in association with wares if, at the time of the transfer of the property in or possession of the wares, in the normal course of trade, it is marked on the wares themselves or on the packages in which they are distributed or it is in any other manner so associated with the wares that notice of the association is then given to the person to whom the property or possession is transferred.

Idem

(2) Une marque de commerce est réputée employée en liaison avec des services si elle est employée ou montrée dans l'exécution ou l'annonce de ces services.

Idem

(2) A trade-mark is deemed to be used in association with services if it is used or displayed in the performance or advertising of those services.

Emploi pour exportation

(3) Une marque de commerce mise au Canada sur des marchandises ou sur les colis qui les contiennent est réputée, quand ces marchandises sont exportées du Canada, être employée dans ce pays en liaison avec ces marchandises.
S.R.C., ch. T-10, art. 4.

Use by export

(3) A trade-mark that is marked in Canada on wares or on the packages in which they are contained is, when the wares are exported from Canada, deemed to be used in Canada in association with those wares.
R.S.C., c. T-10, s. 4.

Quand une marque de commerce est réputée révélée

5. Une personne est réputée faire connaître une marque de commerce au Canada seulement si elle l'emploie dans un pays de l'Union, autre que le Canada, en liaison avec des marchandises ou services, si, selon le cas:

a) ces marchandises sont distribuées en liaison avec cette marque au Canada;

b) ces marchandises ou services sont annoncés en liaison avec cette marque :

(i) soit dans toute publication imprimée et mise en circulation au Canada dans la pratique ordinaire du commerce parmi les marchands ou usagers éventuels de ces marchandises ou services,

(ii) soit dans des émissions de radio ordinairement captées au Canada par des marchands ou usagers éventuels de ces marchandises ou services,

et si la marque est bien connue au Canada par suite de cette distribution ou annonce.
S.R.C., ch. T-10, art. 5.

When deemed to be made known

5. A trade-mark is deemed to be made known in Canada by a person only if it is used by that person in a country of the Union, other than Canada, in association with wares or services, and

(a) the wares are distributed in association with it in Canada, or

(b) the wares or services are advertised in association with it in

(i) any printed publication circulated in Canada in the ordinary course of commerce among potential dealers in or users of the wares or services, or

(ii) radio broadcasts ordinarily received in Canada by potential dealers in or users of the wares or services,

and it has become well known in Canada by reason of the distribution or advertising.
R.S.C., c. T-10, s. 5.

Quand une marque ou un nom crée de la confusion

6. (1) Pour l'application de la présente loi, une marque de commerce ou un nom commercial crée de la confusion avec une autre marque de commerce ou un autre nom commercial si l'emploi de la marque de commerce ou du nom commercial en premier lieu mentionnés cause de la confusion avec la marque de commerce ou le nom commercial en dernier lieu mentionnés, de la manière et dans les circonstances décrites au présent article.

When mark or name confusing

6. (1) For the purposes of this Act, a trade-mark or trade-name is confusing with another trade-mark or trade-name if the use of the first mentioned trade-mark or trade-name would cause confusion with the last mentioned trade-mark or trade-name in the manner and circumstances described in this section.

Idem

(2) L'emploi d'une marque de commerce crée de la confusion avec une autre marque de commerce lorsque l'emploi des deux marques de commerce dans la même région serait susceptible de faire conclure que les marchandises liées à ces marques de commerce sont fabriquées, vendues, données à bail ou louées, ou que les services liés à ces marques sont loués ou exécutés, par la même personne, que ces marchandises ou ces services soient ou non de la même catégorie générale.

Idem

(3) L'emploi d'une marque de commerce crée de la confusion avec un nom commercial, lorsque l'emploi des deux dans la même région serait susceptible de faire conclure que les marchandises liées à cette marque et les marchandises liées à l'entreprise poursuivie sous ce nom sont fabriquées, vendues, données à bail ou louées, ou que les services liés à cette marque et les services liés à l'entreprise poursuivie sous ce nom sont loués ou exécutés, par la même personne, que ces marchandises ou services soient ou non de la même catégorie générale.

Idem

(4) L'emploi d'un nom commercial crée de la confusion avec une marque de commerce, lorsque l'emploi des deux dans la même région serait susceptible de faire conclure que les marchandises liées à l'entreprise poursuivie sous ce nom et les marchandises liées à cette marque sont fabriquées, vendues, données à bail ou louées, ou que les services liés à l'entreprise poursuivie sous ce nom et les services liés à cette marque sont loués ou exécutés, par la même personne, que ces marchandises ou services soient ou non de la même catégorie générale.

Éléments d'appréciation

(5) En décidant si des marques de commerce ou des noms commerciaux créent de la confusion, le tribunal ou le registraire, selon le cas, tient compte de toutes les circonstances de l'espèce, y compris :

Idem

(2) The use of a trade-mark causes confusion with another trade-mark if the use of both trade-marks in the same area would be likely to lead to the inference that the wares or services associated with those trade-marks are manufactured, sold, leased, hired or performed by the same person, whether or not the wares or services are of the same general class.

Idem

(3) The use of a trade-mark causes confusion with a trade-name if the use of both the trade-mark and trade-name in the same area would be likely to lead to the inference that the wares or services associated with the trade-mark and those associated with the business carried on under the trade-name are manufactured, sold, leased, hired or performed by the same person, whether or not the wares or services are of the same general class.

Idem

(4) The use of a trade-name causes confusion with a trade-mark if the use of both the trade-name and trade-mark in the same area would be likely to lead to the inference that the wares or services associated with the business carried on under the trade-name and those associated with the trade-mark are manufactured, sold, leased, hired or performed by the same person, whether or not the wares or services are of the same general class.

What to be considered

(5) In determining whether trade-marks or trade-names are confusing, the court or the Registrar, as the case may be, shall have regard to all the surrounding circumstances including

a) le caractère distinctif inhérent des marques de commerce ou noms commerciaux, et la mesure dans laquelle ils sont devenus connus;
b) la période pendant laquelle les marques de commerce ou noms commerciaux ont été en usage;
c) le genre de marchandises, services ou entreprises;
d) la nature du commerce;
e) le degré de ressemblance entre les marques de commerce ou les noms commerciaux dans la présentation ou le son, ou dans les idées qu'ils suggèrent.
S.R.C., ch. T-10, art. 6.

(a) the inherent distinctiveness of the trade-marks or trade-names and the extent to which they have become known;
(b) the length of time the trade-marks or trade-names have been in use;
(c) the nature of the wares, services or business;
(d) the nature of the trade; and
(e) the degree of resemblance between the trade-marks or trade-names in appearance or sound or in the ideas suggested by them.
R.S.C., c. T-10, s. 6.

CONCURRENCE DÉLOYALE ET MARQUES INTERDITES

Interdictions

7. Nul ne peut :
a) faire une déclaration fausse ou trompeuse tendant à discréditer l'entreprise, les marchandises ou les services d'un concurrent;
b) appeler l'attention du public sur ses marchandises, ses services ou son entreprise de manière à causer ou à vraisemblablement causer de la confusion au Canada, lorsqu'il a commencé à y appeler ainsi l'attention, entre ses marchandises, ses services ou son entreprise et ceux d'un autre;
c) faire passer d'autres marchandises ou services pour ceux qui sont commandés ou demandés;
d) utiliser, en liaison avec des marchandises ou services, une désignation qui est fausse sous un rapport essentiel et de nature à tromper le public en ce qui regarde :
(i) soit leurs caractéristiques, leur qualité, quantité ou composition,
(ii) soit leur origine géographique,
(iii) soit leur mode de fabrication, de production ou d'exécution;
e) faire un autre acte ou adopter une autre méthode d'affaires contraire aux honnêtes usages industriels ou commerciaux ayant cours au Canada.
S.R.C., ch. T-10, art. 7.

UNFAIR COMPETITION AND PROHIBITED MARKS

Prohibitions

7. No person shall
(a) make a false or misleading statement tending to discredit the business, wares or services of a competitor;
(b) direct public attention to his wares, services or business in such a way as to cause or be likely to cause confusion in Canada, at the time he commenced so to direct attention to them, between his wares, services or business and the wares, services or business of another;
(c) pass off other wares or services as and for those ordered or requested;
(d) make use, in association with wares or services, of any description that is false in a material respect and likely to mislead the public as to
(i) the character, quality, quantity or composition,
(ii) the geographical origin, or
(iii) the mode of the manufacture, production or performance
of the wares or services; or
(e) do any other act or adopt any other business practice contrary to honest industrial or commercial usage in Canada.
R.S.C., c. T-10, s. 7.

Garantie de l'emploi licite

8. Quiconque, dans la pratique du commerce, transfère la propriété ou la possession de marchandises portant une marque de commerce ou un nom commercial, ou de colis portant une telle marque ou un tel nom, est censé, à moins d'avoir, par écrit, expressément déclaré le contraire avant le transfert, garantir à la personne à qui la propriété ou la possession est transférée que cette marque de commerce ou ce nom commercial a été et peut être licitement employé à l'égard de ces marchandises.
S.R.C., ch. T-10, art. 8.

Warranty of lawful use

8. Every person who in the course of trade transfers the property in or the possession of any wares bearing, or in packages bearing, any trade-mark or trade-name shall, unless before the transfer he otherwise expressly states in writing, be deemed to warrant, to the person to whom the property or possession is transferred, that the trade-mark or trade-name has been and may be lawfully used in connection with the wares.
R.S.C., c. T-10, s. 8.

Marques interdites

9. (1) Nul ne peut adopter à l'égard d'une entreprise, comme marque de commerce ou autrement, une marque composée de ce qui suit, ou dont la ressemblance est telle qu'on pourrait vraisemblablement la confondre avec ce qui suit :

a) les armoiries, l'écusson ou le drapeau de Sa Majesté;

b) les armoiries ou l'écusson d'un membre de la famille royale;

c) le drapeau, les armoiries ou l'écusson de Son Excellence le gouverneur général;

d) un mot ou symbole susceptible de porter à croire que les marchandises ou services en liaison avec lesquels il est employé ont reçu l'approbation royale, vice-royale ou gouvernementale, ou sont produits, vendus ou exécutés sous le patronage ou sur l'autorité royale, vice-royale ou gouvernementale;

e) les armoiries, l'écusson ou le drapeau adoptés et employés à toute époque par le Canada ou par une province ou municipalité au Canada, à l'égard desquels le registraire, sur la demande du gouvernement du Canada ou de la province ou municipalité intéressée, a notifié au public leur adoption et leur emploi;

f) l'emblème de la Croix-Rouge sur fond blanc, formé en transposant les couleurs fédérales de la Suisse et retenu par la Convention de Genève pour la protection des victimes de guerre de 1949 comme emblème et signe distinctif du service médical des forces armées, et utilisé par la Société de la Croix-

Prohibited marks

9. (1) No person shall adopt in connection with a business, as a trade-mark or otherwise, any mark consisting of, or so nearly resembling as to be likely to be mistaken for,

(a) the Royal Arms, Crest or Standard;

(b) the arms or crest of any member of the Royal Family;

(c) the standard, arms or crest of His Excellency the Governor General;

(d) any word or symbol likely to lead to the belief that the wares or services in association with which it is used have received, or are produced, sold or performed under, royal, vice-regal or governmental patronage, approval or authority;

(e) the arms, crest or flag adopted and used at any time by Canada or by any province or municipal corporation in Canada in respect of which the Registrar has, at the request of the Government of Canada or of the province or municipal corporation concerned, given public notice of its adoption and use;

(f) the emblem of the Red Cross on a white ground, formed by reversing the federal colours of Switzerland and retained by the Geneva Convention for the Protection of War Victims of 1949 as the emblem and distinctive sign of the Medical Service of armed forces and used by the Canadian Red Cross Society, or the expression "Red Cross" or "Geneva Cross";

(g) the emblem of the Red Crescent on a white ground adopted for the same purpose as specified in paragraph *(f)* by a number of

Rouge Canadienne, ou l'expression «Croix-Rouge» ou «Croix de Genève»;
g) l'emblème du Croissant rouge sur fond blanc adopté aux mêmes fins que celles mentionnés à l'alinéa *f*) par un certain nombre de pays musulmans;
h) le signe équivalent des Lion et Soleil rouges employés par l'Iran aux mêmes fins que celles mentionnées à l'alinéa *f*);
*h.*1) le signe distinctif international de la protection civile — triangle équilatéral bleu sur fond orange — visé au paragraphe 4 de l'article 66 de l'annexe V de la *Loi sur les conventions de Genève*;
i) les drapeaux territoriaux ou civiques ou les armoiries, écussons ou emblèmes nationaux, territoriaux ou civiques, d'un pays de l'Union, qui figurent sur une liste communiquée conformément à l'article 6ter de la Convention ou en vertu des obligations prévues à l'Accord sur les aspects des droits de propriété intellectuelle qui touchent au commerce figurant à l'annexe 1C de l'Accord sur l'OMC et découlant de cet article, pourvu que la communication ait fait l'objet d'un avis public du registraire;
*i.*1) tout signe ou poinçon officiel de contrôle et garantie qui a été adopté par un pays de l'Union, qui figure sur une liste communiquée conformément à l'article 6ter de la Convention ou en vertu des obligations prévues à l'Accord sur les aspects des droits de propriété intellectuelle qui touchent au commerce figurant à l'annexe 1C de l'Accord sur l'OMC et découlant de cet article, pourvu que la communication ait fait l'objet d'un avis public du registraire;
*i.*2) tout drapeau national d'un pays de l'Union;
*i.*3) les armoiries, les drapeaux ou autres emblèmes d'une organisation intergouvernementale internationale ainsi que son sigle, qui figurent sur une liste communiquée conformément à l'article 6ter de la Convention ou en vertu des obligations prévues à l'Accord sur les aspects des droits de propriété intellectuelle qui touchent au commerce figurant à l'annexe 1C de l'Accord sur l'OMC et découlant de cet article, pourvu que la communication ait fait l'objet d'un avis public du registraire;

Moslem countries;
(h) the equivalent sign of the Red Lion and Sun used by Iran for the same purpose as specified in paragraph *(f)*;
*(h.*1) the international distinctive sign of civil defence (equilateral blue triangle on an orange ground) referred to in Article 66, paragraph 4 of Schedule V to the *Geneva Conventions Act*;
(*i*) any territorial or civic flag or any national, territorial or civic arms, crest or emblem, of a country of the Union, if the flag, arms, crest or emblem is on a list communicated under article 6ter of the Convention or pursuant to the obligations under the Agreement on Trade-related Aspects of Intellectual Property Rights set out in Annex 1C to the WTO Agreement stemming from that article, and the Registrar gives public notice of the communication;
(*i.*1) any official sign or hallmark indicating control or warranty adopted by a country of the Union, if the sign or hallmark is on a list communicated under article 6ter of the Convention or pursuant to the obligations under the Agreement on Trade-related Aspects of Intellectual Property Rights set out in Annex 1C to the WTO Agreement stemming from that article, and the Registrar gives public notice of the communication;
(*i.*2) any national flag of a country of the Union;
(*i.*3) any armorial bearing, flag or other emblem, or any abbreviation of the name, of an international intergovernmental organization, if the armorial bearing, flag, emblem or abbreviation is on a list communicated under article 6ter of the Convention or pursuant to the obligations under the Agreement on Trade-related Aspects of Intellectual Property Rights set out in Annex 1C to the WTO Agreement stemming from that article, and the Registrar gives public notice of the communication;
(j) any scandalous, obscene or immoral word or device;
(k) any matter that may falsely suggest a connection with any living individual;
(l) the portrait or signature of any individual who is living or has died within the preceding thirty years;

j) une devise ou un mot scandaleux, obscène ou immoral;
k) toute matière qui peut faussement suggérer un rapport avec un particulier vivant;
l) le portrait ou la signature d'un particulier vivant ou qui est décédé dans les trente années précédentes;
m) les mots «Nations Unies», ou le sceau ou l'emblème officiel des Nations Unies;
n) tout insigne, écusson, marque ou emblème :
(i) adopté ou employé par l'une des forces de Sa Majesté telles que les définit la *Loi sur la défense nationale*,
(ii) d'une université,
(iii) adopté et employé par une autorité publique au Canada comme marque officielle pour des marchandises ou services,
à l'égard duquel le registraire, sur la demande de Sa Majesté ou de l'université ou autorité publique, selon le cas, a donné un avis public d'adoption et emploi;
*n.*1) les armoiries octroyées, enregistrées ou agréées pour l'emploi par un récipiendaire au titre des pouvoirs de prérogative de Sa Majesté exercés par le gouverneur général relativement à celles-ci, à la condition que le registraire ait, à la demande du gouverneur général, donné un avis public en ce sens;
o) le nom «Gendarmerie royale du Canada» ou «G.R.C.», ou toute autre combinaison de lettres se rattachant à la Gendarmerie royale du Canada, ou toute représentation illustrée d'un membre de ce corps en uniforme.

(*m*) the words "United Nations" or the official seal or emblem of the United Nations;
(*n*) any badge, crest, emblem or mark
(i) adopted or used by any of Her Majesty's Forces as defined in the *National Defence Act*,
(ii) of any university, or
(iii) adopted and used by any public authority, in Canada as an official mark for wares or services,
in respect of which the Registrar has, at the request of Her Majesty or of the university or public authority, as the case may be, given public notice of its adoption and use; or
(*n*.1) any armorial bearings granted, recorded or approved for use by a recipient pursuant to the prerogative powers of Her Majesty as exercised by the Governor General in respect of the granting of armorial bearings, if the Registrar has, at the request of the Governor General, given public notice of the grant, recording or approval; or
(*o*) the name "Royal Canadian Mounted Police" or "R.C.M.P." or any other combination of letters relating to the Royal Canadian Mounted Police, or any pictorial representation of a uniformed member thereof.

Exception

(2) Le présent article n'a pour effet d'empêcher l'adoption, l'emploi ou l'enregistrement, comme marque de commerce ou autrement, quant à une entreprise, d'une marque :
a) visée au paragraphe (1), à la condition qu'ait été obtenu, selon le cas, le consentement de Sa Majesté ou de telle autre personne, société, autorité ou organisation que le présent article est censé avoir voulu protéger;
b) composée de ce qui suit, ou dont la ressemblance est telle qu'on pourrait vraisemblablement la confondre avec ce qui suit :
(i) tout signe ou poinçon visé à l'alinéa (1)*i.*1), sauf à l'égard de marchandises identiques ou de marchandises semblables à celles

Excepted uses

(2) Nothing in this section prevents the adoption, use or registration as a trade-mark or otherwise, in connection with a business, of any mark
(*a*) described in subsection (1) with the consent of Her Majesty or such other person, society, authority or organization as may be considered to have been intended to be protected by this section; or
(*b*) consisting of, or so nearly resembling as to be likely to be mistaken for
(i) an official sign or hallmark mentioned in paragraph (1)(*i*.1), except in respect of wares that are the same or similar to the wares in respect of which the official sign or hallmark

à l'égard desquelles ce signe ou poinçon a été adopté;
(ii) les armoiries, drapeaux, emblèmes et sigles visés à l'alinéa (1)*i*.3), sauf si l'emploi de la marque est susceptible d'induire en erreur le public quant au lien qu'il y aurait entre l'utilisateur de la marque et l'organisation visée à cet alinéa.
L.R.C. 1985, ch. T-13, art. 9; L.C. 1990, ch. 14, art. 8; 1993, ch. 15, art. 58; 1994, ch. 47, art. 191(1) et (2); 1999, ch. 31, art. 209(F).

has been adopted, or
(ii) an armorial bearing, flag, emblem or abbreviation mentioned in paragraph (1)(*i*.3), unless the use of the mark is likely to mislead the public as to a connection between the user and the organization.
R.S.C. 1985, c. T-13, s. 9; S.C. 1990, c. 14, s. 8; 1993, c. 15, s. 58; 1994, c. 47, s. 191(1) and (2); 1999, c. 31, s. 209(F).

Autres interdictions

10. Si une marque, en raison d'une pratique commerciale ordinaire et authentique, devient reconnue au Canada comme désignant le genre, la qualité, la quantité, la destination, la valeur, le lieu d'origine ou la date de production de marchandises ou services, nul ne peut l'adopter comme marque de commerce en liaison avec ces marchandises ou services ou autres de la même catégorie générale, ou l'employer d'une manière susceptible d'induire en erreur, et nul ne peut ainsi adopter ou employer une marque dont la ressemblance avec la marque en question est telle qu'on pourrait vraisemblablement les confondre.
S.R.C., ch. T-10, art. 10.

Further prohibitions

10. Where any mark has by ordinary and *bona fide* commercial usage become recognized in Canada as designating the kind, quality, quantity, destination, value, place of origin or date of production of any wares or services, no person shall adopt it as a trade-mark in association with such wares or services or others of the same general class or use it in a way likely to mislead, nor shall any person so adopt or so use any mark so nearly resembling that mark as to be likely to be mistaken therefor.
R.S.C., c. T-10, s. 10.

Idem

10.1 Dans les cas où une dénomination est, au titre de la *Loi sur la protection des obtentions végétales*, à utiliser pour désigner une variété végétale, nul ne peut adopter la dénomination comme marque de commerce relativement à cette variété ou à une variété de la même espèce, ni l'utiliser d'une manière susceptible d'induire en erreur, ni adopter, ou utiliser ainsi, une marque dont la ressemblance avec la dénomination est telle qu'on pourrait vraisemblablement les confondre.
L.C. 1990, ch. 20, art. 79.

Further prohibitions

10.1 Where a denomination must, under the *Plant Breeders' Rights Act*, be used to designate a plant variety, no person shall adopt it as a trade-mark in association with the plant variety or another plant variety of the same species or use it in a way likely to mislead, nor shall any person so adopt or so use any mark so nearly resembling that denomination as to be likely to be mistaken therefor.
S.C. 1990, c. 20, s. 79.

Autres interdictions

11. Nul ne peut employer relativement à une entreprise, comme marque de commerce ou autrement, une marque adoptée contrairement à l'article 9 ou 10 de la présente loi ou contrairement à l'article 13 ou 14 de la *Loi*

Further prohibitions

11. No person shall use in connection with a business, as a trade-mark or otherwise, any mark adopted contrary to section 9 or 10 of this Act or section 13 or 14 of the *Unfair Competition Act*, chapter 274 of the Revised

sur la concurrence déloyale, chapitre 274 des Statuts revisés du Canada de 1952.
S.R.C., ch. T-10, art. 11.

Statutes of Canada, 1952.
R.S.C., c. T-10, s. 11.

Idem

11.1 Nul ne peut utiliser en relation avec une entreprise une dénomination adoptée contrairement à l'article 10.1.
L.C. 1990, ch. 20, art. 80.

Further prohibitions

11.1 No person shall use in connection with a business, as a trade-mark or otherwise, any denomination adopted contrary to section 10.1.
S.C. 1990, c. 20, s. 80.

Définitions

11.11 Les définitions qui suivent s'appliquent aux articles 11.12 à 11.2.

«autorité compétente» ***"responsible authority"***

«autorité compétente» Dans le cas d'un vin ou spiritueux, la personne, firme ou autre entité qui, de l'avis du ministre, a, du fait d'intérêts commerciaux ou de son statut étatique, des connaissances et des liens suffisants à leur égard pour être partie à la procédure d'opposition visée au paragraphe 11.13(1).

«ministre» ***"Minister"***

«ministre»Le membre du Conseil privé de la Reine pour le Canada chargé par le gouverneur en conseil de l'application des articles 11.12 à 11.2.
L.C. 1994, ch. 47, art. 192.

Definitions

11.11 In sections 11.12 to 11.2,

"Minister" ***«ministre»***

"Minister" means the member of the Queen's Privy Council for Canada designated as the Minister for the purposes of sections 11.12 to 11.2;

"responsible authority" ***«autorité compétante»***

"responsible authority" means, in relation to a wine or spirit, the person, firm or other entity that, in the opinion of the Minister, is, by reason of state or commercial interest, sufficiently connected with and knowledgeable of that wine or spirit to be a party to any proceedings in respect of an objection filed under subsection 11.13(1).
S.C. 1994, c. 47, s. 192.

Liste

11.12 (1) La liste des indications géographiques est tenue sous la surveillance du registraire.

List

11.12 (1) There shall be kept under the supervision of the Registrar a list of geographical indications.

Énoncé d'intention du ministre

(2) Le registraire inscrit sur la liste les indications à l'égard desquelles, le ministre ayant fait publier dans la *Gazette du Canada* un énoncé d'intention donnant les renseignements visés au paragraphe (3) :

a) aucune déclaration d'opposition n'a été déposée ni signifiée à l'autorité compétente dans le délai imparti par le paragraphe 11.13(1);

b) la déclaration d'opposition, bien que présentée et signifiée, a été retirée — ou réputée l'avoir été en vertu du paragraphe 11.13(6) —, rejetée dans le cadre du paragraphe 11.13(7) ou, en cas d'appel, a été rejetée par un jugement définitif sur la question.

Statement of Minister

(2) Where a statement by the Minister, setting out in respect of an indication the information mentioned in subsection (3), is published in the *Canada Gazette* and

(*a*) a statement of objection has not been filed and served on the responsible authority in accordance with subsection 11.13(1) and the time for the filing of the statement of objection has expired, or

(*b*) a statement of objection has been so filed and served, but it has been withdrawn or deemed under subsection 11.13(6) to have been withdrawn or it has been rejected pursuant to subsection 11.13(7) or, if an appeal is taken, it is rejected pursuant to the final judg-

ment given in the appeal,
the Registrar shall enter the indication on the list of geographical indications kept pursuant to subsection (1).

Renseignements

(3) Les renseignements suivants concernant l'indication doivent figurer dans l'énoncé d'intention visé au paragraphe (2) :

a) l'intention du ministre de faire inscrire l'indication sur la liste des indications géographiques;

b) la nature — vin ou spiritueux — du produit visé par l'indication;

c) le lieu d'origine — territoire, ou région ou localité de celui-ci — du vin ou spiritueux;

d) le nom de l'autorité compétente à l'égard du vin ou spiritueux et l'adresse de son siège ou de son établissement au Canada le cas échéant ou, à défaut, les nom et adresse au Canada d'une personne ou firme à qui des documents peuvent être remis ou des actes de procédure signifiés pour valoir remise ou signification à l'autorité compétente elle-même;

e) la réputation ou l'autre qualité ou caractéristique du vin ou spiritueux qui, de l'avis du ministre, justifie de faire de l'indication, une indication géographique.

Information

(3) For the purposes of subsection (2), the statement by the Minister must set out the following information in respect of an indication:

(*a*) that the Minister proposes that the indication be entered on the list of geographical indications kept pursuant to subsection (1);

(*b*) that the indication identifies a wine or that the indication identifies a spirit;

(*c*) the territory, or the region or locality of a territory, in which the wine or spirit is identified as originating;

(*d*) the name of the responsible authority in relation to the wine or spirit and the address of the responsible authority's principal office or place of business in Canada, if any, and if the responsible authority has no office or place of business in Canada, the name and address in Canada of a person or firm on whom service of any document or proceedings in respect of an objection may be given or served with the same effect as if they had been given to or served on the responsible authority itself; and

(*e*) the quality, reputation or other characteristic of the wine or spirit that, in the opinion of the Minister, qualifies that indication as a geographical indication.

Suppression d'indications

(4) Le registraire supprime de la liste toute inscription relative à une indication sur publication par le ministre, dans la *Gazette du Canada*, d'un énoncé d'intention à cette fin.
L.C. 1994, ch. 47, art. 192.

Removal from list

(4) The Registrar shall remove an indication from the list of geographical indications kept pursuant to subsection (1) on the publication in the *Canada Gazette* of a statement by the Minister that the indication is to be removed.
S.C. 1994, c. 47, s. 192.

Déclaration d'opposition

11.13 (1) Toute personne intéressée peut, dans les trois mois suivant la publication dans la *Gazette du Canada* de l'énoncé prévu au paragraphe 11.12(2), et sur paiement du droit prescrit, produire au bureau du registraire et signifier à l'autorité compétente, de la manière prescrite, une déclaration d'opposition.

Statement of objection

11.13 (1) Within three months after the publication in the *Canada Gazette* of a statement referred to in subsection 11.12(2), any person interested may, on payment of the prescribed fee, file with the Registrar, and serve on the responsible authority in the prescribed manner, a statement of objection.

Motif

(2) Le seul motif qui peut être invoqué à l'appui de l'opposition est le fait que l'indication n'est pas une indication géographique.

Ground

(2) A statement of objection may be based only on the ground that the indication is not a geographical indication.

Teneur

(3) La déclaration d'opposition indique :

a) le motif de l'opposition, avec détails suffisants pour permettre à l'autorité compétente d'y répondre;

b) l'adresse du siège ou de l'établissement de l'opposant au Canada, le cas échéant, ou, à défaut, l'adresse de son siège ou de son établissement à l'étranger et les nom et adresse, au Canada, d'une personne ou firme à qui tout document concernant l'opposition peut être signifié pour valoir signification à l'opposant lui-même.

Content

(3) A statement of objection shall set out

(*a*) the ground of objection in sufficient detail to enable the responsible authority to reply thereto; and

(*b*) the address of the objector's principal office or place of business in Canada, if any, and if the objector has no office or place of business in Canada, the address of the principal office or place of business abroad and the name and address in Canada of a person or firm on whom service of any document in respect of the objection may be made with the same effect as if it had been served on the objector.

Contre-déclaration

(4) L'autorité compétente peut, dans les trois mois suivant la date à laquelle la déclaration d'opposition lui a été signifiée, produire auprès du registraire et signifier à l'opposant, de la manière prescrite, une contre-déclaration; à défaut par elle de ce faire, l'indication n'est pas inscrite sur la liste.

Counter statement

(4) Within three months after a statement of objection has been served on the responsible authority, the responsible authority may file a counter statement with the Registrar and serve a copy on the objector in the prescribed manner, and if the responsible authority does not so file and serve a counter statement, the indication shall not be entered on the list of geographical indications.

Preuve et audition

(5) Il est fourni, de la manière prescrite, à l'opposant et à l'autorité compétente l'occasion de présenter la preuve sur laquelle ils s'appuient et de se faire entendre par le registraire, sauf dans les cas suivants :

a) l'autorité compétente ne produit ni ne signifie la contre-déclaration visée au paragraphe (4) ou, dans les circonstances prescrites, elle omet de présenter des éléments de preuve ou une déclaration énonçant son désir de ne pas le faire;

b) l'opposition est retirée, ou réputée retirée, au titre du paragraphe (6).

Evidence and hearing

(5) Both the objector and the responsible authority shall be given an opportunity, in the manner prescribed, to submit evidence and to make representations to the Registrar unless

(*a*) the responsible authority does not file and serve a counter statement in accordance with subsection (4) or if, in the prescribed circumstances, the responsible authority does not submit evidence or a statement that the responsible authority does not wish to submit evidence; or

(*b*) the objection is withdrawn or deemed under subsection (6) to have been withdrawn.

Retrait de l'opposition

(6) Si, dans les circonstances prescrites, l'opposant omet de présenter des éléments de

Withdrawal of objection

(6) The objection shall be deemed to have been withdrawn if, in the prescribed circum-

preuve ou une déclaration énonçant son désir de ne pas le faire, l'opposition est réputée retirée.

stances, the objector does not submit evidence or a statement that the objector does not wish to submit evidence.

Décision

(7) Après avoir examiné la preuve et les observations des parties, le registraire décide que l'indication n'est pas une indication géographique ou rejette l'opposition et notifie aux parties sa décision motivée.
L.C. 1994, ch. 47, art. 192.

Decision

(7) After considering the evidence and representations of the objector and the responsible authority, the Registrar shall decide that the indication is not a geographical indication or reject the objection, and notify the parties of the decision and the reasons for the decision.
S.C. 1994, c. 47, s. 192.

Interdiction d'adoption : vins

11.14 (1) Nul ne peut adopter à l'égard d'une entreprise, comme marque de commerce ou autrement :
a) une indication géographique protégée désignant un vin pour un vin dont le lieu d'origine ne se trouve pas sur le territoire visé par l'indication géographique protégée;
b) la traduction, en quelque langue que ce soit, de l'indication géographique relative à ce vin.

Prohibited adoption of indication for wines

11.14 (1) No person shall adopt in connection with a business, as a trade-mark or otherwise,
(*a*) a protected geographical indication identifying a wine in respect of a wine not originating in the territory indicated by the protected geographical indication; or
(*b*) a translation in any language of the geographical indication in respect of that wine.

Interdiction d'usage

(2) Nul ne peut utiliser à l'égard d'une entreprise, comme marque de commerce ou autrement :
a) une indication géographique protégée désignant un vin pour un vin dont le lieu d'origine ne se trouve pas sur le territoire visé par l'indication géographique protégée ou adoptée en contravention avec le paragraphe (1);
b) la traduction, en quelque langue que ce soit, de l'indication géographique relative à ce vin.
L.C. 1994, ch. 47, art. 192.

Prohibited use

(2) No person shall use in connection with a business, as a trade-mark or otherwise,
(*a*) a protected geographical indication identifying a wine in respect of a wine not originating in the territory indicated by the protected geographical indication or adopted contrary to subsection (1); or
(*b*) a translation in any language of the geographical indication in respect of that wine.
S.C. 1994, c. 47, s. 192.

Interdiction d'adoption : spiritueux

11.15 (1) Nul ne peut adopter à l'égard d'une entreprise, comme marque de commerce ou autrement :
a) une indication géographique protégée désignant un spiritueux pour un spiritueux dont le lieu d'origine ne se trouve pas sur le territoire visé par l'indication géographique protégée;
b) la traduction, en quelque langue que ce

Prohibited adoption of indication for spirits

11.15 (1) No person shall adopt in connection with a business, as a trade-mark or otherwise,
(*a*) a protected geographical indication identifying a spirit in respect of a spirit not originating in the territory indicated by the protected geographical indication; or
(*b*) a translation in any language of the geographical indication in respect of that spirit.

soit, de l'indication géographique relative à ce spiritueux.

Interdiction d'usage

(2) Nul ne peut utiliser à l'égard d'une entreprise, comme marque de commerce ou autrement :

a) une indication géographique protégée désignant un spiritueux pour un spiritueux dont le lieu d'origine ne se trouve pas sur le territoire visé par l'indication géographique protégée ou adoptée en contravention avec le paragraphe (1);

b) la traduction, en quelque langue que ce soit, de l'indication géographique relative à ce spiritueux.

L.C. 1994, ch. 47, art. 192.

Prohibited use

(2) No person shall use in connection with a business, as a trade-mark or otherwise,

(*a*) a protected geographical indication identifying a spirit in respect of a spirit not originating in the territory indicated by the protected geographical indication or adopted contrary to subsection (1); or

(*b*) a translation in any language of the geographical indication in respect of that spirit.

S.C. 1994, c. 47, s. 192.

Exception — usage de son propre nom

11.16 (1) Les articles 11.14 et 11.15 n'ont pas pour effet d'empêcher quiconque d'utiliser, dans la pratique du commerce, son nom ou celui de son prédécesseur en titre, sauf si cette utilisation est faite de façon à induire le public en erreur.

Exception for personal names

11.16 (1) Sections 11.14 and 11.15 do not prevent a person from using, in the course of trade, that person's name or the name of the person's predecessor-in-title, except where the name is used in such a manner as to mislead the public.

Exception — publicité comparative

(2) Sous réserve du paragraphe (3), les articles 11.14 et 11.15 n'ont pas pour effet d'empêcher quiconque d'utiliser une indication géographique protégée pour la publicité comparative relative à un vin ou à un spiritueux.

Exception for comparative advertising

(2) Subject to subsection (3), sections 11.14 and 11.15 do not prevent a person from using a protected geographical indication in comparative advertising in respect of a wine or spirit.

Non-application de l'exception à l'emballage

(3) Le paragraphe (2) ne s'applique pas à la publicité comparative figurant sur les étiquettes ou l'emballage relatifs à un vin ou spiritueux.

L.C. 1994, ch. 47, art. 192.

Exception not applicable to packaging

(3) Subsection (2) does not apply to comparative advertising on labels or packaging associated with a wine or spirit.

S.C. 1994, c. 47, s. 192.

Usage continu

11.17 (1) Les articles 11.14 et 11.15 ne s'appliquent pas à l'usage continu et similaire, par un Canadien, d'une indication géographique protégée qu'il a utilisée à l'égard d'une entreprise ou activité commerciale pour des marchandises ou services et de manière continue :

Continued use

11.17 (1) Where a Canadian has used a protected geographical indication in a continuous manner in relation to any business or commercial activity in respect of goods or services

(*a*) in good faith before April 15, 1994, or

(*b*) for at least ten years before that date,

a) soit de bonne foi avant le 15 avril 1994;
b) soit pendant au moins dix ans avant cette date.

Définition de «Canadiens»
(2) Sont considérés comme des Canadiens, pour l'application du présent article :
a) les citoyens canadiens;
b) les résidents permanents, au sens de la *Loi sur l'immigration*, qui n'ont pas résidé habituellement au Canada pour plus d'un an après la date à laquelle ils sont devenus admissibles à la demande de citoyenneté canadienne;
b) les résidents permanents au sens du paragraphe 2(1) de la *Loi sur l'immigration et la protection des réfugiés* qui n'ont pas résidé habituellement au Canada pour plus d'un an après la date à laquelle ils sont devenus admissibles à la demande de citoyenneté canadienne;
L.C. 2001, ch. 27, art. 271.
c) les entités qui exploitent une entreprise au Canada.
L.C. 1994, ch. 47, art. 192.

Exception — non-usage
11.18 (1) Les articles 11.14 et 11.15 et les alinéas 12(1)*g*) et *h*) n'ont pas pour effet d'empêcher l'adoption, l'utilisation ou l'enregistrement à l'égard d'une entreprise, comme marque de commerce ou autrement, d'une indication géographique désignant un vin ou spiritueux et qui a cessé d'être protégée par le droit applicable au membre de l'OMC en faveur duquel l'indication est protégée, ou est tombée en désuétude chez ce membre.

Exception — nom usuel
(2) Les articles 11.14 et 11.15 et les alinéas 12(1)*g*) et *h*) n'ont pas pour effet d'empêcher l'adoption, l'utilisation ou l'enregistrement à l'égard d'une entreprise, comme marque de commerce ou autrement, d'une indication géographique désignant un vin ou spiritueux et qui est identique :
a) soit au terme usuel employé dans le langage courant au Canada comme nom commun du vin ou spiritueux;

section 11.14 or 11.15, as the case may be, does not apply to any continued or similar use by that Canadian.

Definition of "Canadian"
(2) For the purposes of this section, "Canadian" includes
(*a*) a Canadian citizen;
(*b*) a permanent resident within the meaning of the *Immigration Act* who has been ordinarily resident in Canada for not more than one year after the time at which the permanent resident first became eligible to apply for Canadian citizenship; and
(*b*) a permanent resident within the meaning of subsection 2(1) of the *Immigration and Refugee Protection Act* who has been ordinarily resident in Canada for not more than one year after the time at which the permanent resident first became eligible to apply for Canadian citizenship; and
S.C. 2001, c. 27, s. 271.
(*c*) an entity that carries on business in Canada.
S.C. 1994, c. 47, s. 192.

Exception for disuse
11.18 (1) Notwithstanding sections 11.14 and 11.15 and paragraphs 12(1)(*g*) and (*h*), nothing in any of those provisions prevents the adoption, use or registration as a trade-mark or otherwise, in connection with a business, of a protected geographical indication identifying a wine or spirit if the indication has ceased to be protected by the laws applicable to the WTO Member for which the indication is protected, or has fallen into disuse in that Member.

Exceptions for customary names
(2) Notwithstanding sections 11.14 and 11.15 and paragraphs 12(1)(*g*) and (*h*), nothing in any of those provisions prevents the adoption, use or registration as a trade-mark or otherwise, in connection with a business, of an indication in respect of a wine or spirit
(*a*) that is identical with a term customary in common language in Canada as the common name for the wine or spirit, as the case may be; or

b) soit au nom usuel d'une variété de cépage existant au Canada à la date d'entrée en vigueur de l'Accord.

(*b*) that is identical with a customary name of a grape variety existing in Canada on or before the day on which the Agreement comes into force.

Exception — noms génériques des vins

(3) Les articles 11.14 et 11.15 et les alinéas 12(1)*g*) et *h*) n'ont pas pour effet d'empêcher l'adoption, l'utilisation ou l'enregistrement à l'égard d'une entreprise, comme marque de commerce ou autrement, des indications suivantes, pour ce qui est des vins :
a) Champagne;
b) Port;
c) Porto;
d) Sherry;
e) Chablis;
f) Burgundy;
g) Bourgogne;
h) Rhine;
i) Rhin;
j) Sauterne;
k) Sauternes;
l) Claret;
m) Bordeaux;
n) Chianti;
o) Madeira;
p) Malaga;
q) Marsala;
r) Medoc;
s) Médoc;
t) Moselle;
u) Mosel;
v) Tokay.

Exception for generic names for wines

(3) Notwithstanding sections 11.14 and 11.15 and paragraphs 12(1)(*g*) and (*h*), nothing in any of those provisions prevents the adoption, use or registration as a trade-mark or otherwise, in connection with a business, of the following indications in respect of wines:
(*a*) Champagne;
(*b*) Port;
(*c*) Porto;
(*d*) Sherry;
(*e*) Chablis;
(*f*) Burgundy;
(*g*) Bourgogne;
(*h*) Rhine;
(*i*) Rhin;
(*j*) Sauterne;
(*k*) Sauternes;
(*l*) Claret;
(*m*) Bordeaux;
(*n*) Chianti;
(*o*) Madeira;
(*p*) Malaga;
(*q*) Marsala;
(*r*) Medoc;
(*s*) Médoc;
(*t*) Moselle;
(*u*) Mosel; and
(*v*) Tokay.

Exception — noms génériques des spiritueux

(4) Les articles 11.14 et 11.15 et les alinéas 12(1)*g*) et *h*) n'ont pas pour effet d'empêcher l'adoption, l'utilisation ou l'enregistrement à l'égard d'une entreprise, comme marque de commerce ou autrement, des indications suivantes, pour ce qui est des spiritueux :
a) Grappa;
b) Marc;
c) Ouzo;
d) Sambuca;
e) Geneva Gin;
f) Genièvre;
g) Hollands Gin;

Exception for generic names for spirits

(4) Notwithstanding sections 11.14 and 11.15 and paragraphs 12(1)(*g*) and (*h*), nothing in any of those provisions prevents the adoption, use or registration as a trade-mark or otherwise, in connection with a business, of the following indications in respect of spirits:
(*a*) Grappa;
(*b*) Marc;
(*c*) Ouzo;
(*d*) Sambuca;
(*e*) Geneva Gin;
(*f*) Genièvre;
(*g*) Hollands Gin;

h) London Gin;
i) Schnapps;
j) Malt Whiskey;
k) Eau-de-vie;
l) Bitters;
m) Anisette;
n) Curacao;
o) Curaçao.

Pouvoirs du gouverneur en conseil
(5) Le gouverneur en conseil peut, par décret, modifier les paragraphes (3) ou (4) par l'adjonction ou la suppression d'indications désignant un vin ou un spiritueux, selon le cas.
L.C. 1994, ch. 47, art. 192.

Défaut d'agir
11.19 (1) Les articles 11.14 et 11.15 ne s'appliquent pas à l'adoption ou à l'utilisation par une personne d'une marque de commerce si aucune procédure n'est engagée pour faire respecter ces dispositions à l'égard de cette adoption ou de cet usage dans les cinq ans suivant la date à laquelle l'usage de la marque par cette personne ou son prédécesseur en titre a été généralement connu ou la marque de commerce a été enregistrée par cette personne au Canada, sauf s'il est établi que cette personne ou son prédécesseur en titre a adopté ou commencé à utiliser la marque tout en sachant que l'adoption ou l'usage étaient contraires à ces articles.

Idem
(2) Dans le cas de procédures concernant une marque de commerce déposée et engagées après l'expiration des cinq ans suivant le premier en date du jour de l'enregistrement de la marque de commerce au Canada et du jour où l'usage de la marque de commerce par la personne qui a demandé l'enregistrement ou son prédécesseur en titre a été généralement connu au Canada, l'enregistrement ne peut être radié, modifié ou tenu pour invalide du fait des alinéas 12(1)*g*) ou *h*) que s'il est établi que la personne qui a demandé l'enregistrement l'a fait tout en sachant que la marque était en tout ou en partie une indication géographique protégée.
L.C. 1994, ch. 47, art. 192.

(*h*) London Gin;
(*i*) Schnapps;
(*j*) Malt Whiskey;
(*k*) Eau-de-vie;
(*l*) Bitters;
(*m*) Anisette;
(*n*) Curacao; and
(*o*) Curaçao.

Governor in Council amendment
(5) The Governor in Council may, by order, amend subsection (3) or (4) by adding thereto or deleting therefrom an indication in respect of a wine or spirit, as the case may be.
S.C. 1994, c. 47, s. 192.

Exception for failure to take proceedings
11.19 (1) Sections 11.14 and 11.15 do not apply to the adoption or use of a trade-mark by a person if no proceedings are taken to enforce those sections in respect of that person's use or adoption of the trade-mark within five years after use of the trade-mark by that person or that person's predecessor-in-title has become generally known in Canada or the trade-mark has been registered by that person in Canada, unless it is established that that person or that person's predecessor-in-title first used or adopted the trade-mark with knowledge that such use or adoption was contrary to section 11.14 or 11.15, as the case may be.

Idem
(2) In proceedings respecting a registered trade-mark commenced after the expiration of five years from the earlier of the date of registration of the trade-mark in Canada and the date on which use of the trade-mark by the person who filed the application for registration of the trade-mark or that person's predecessor-in-title has become generally known in Canada, the registration shall not be expunged or amended or held invalid on the basis of paragraph 12(1)(*g*) or (*h*) unless it is established that the person who filed the application for registration of the trade-mark did so with knowledge that the trade-mark was is whole or in part a protected geographical indication.
S.C. 1994, c. 47, s. 192.

Disposition transitoire

11.2 Les articles 11.14 et 11.15 et les alinéas 12(1)*g*) et *h*) n'ont pas pour effet d'empêcher l'adoption, l'utilisation ou l'enregistrement, comme marque de commerce ou autrement, d'une indication géographique protégée par une personne qui, de bonne foi, avant la date d'entrée en vigueur du présent article :

a) soit a produit une demande conformément à l'article 30 en vue de l'enregistrement d'une marque de commerce qui est identique ou semblable à l'indication géographique relative à un vin ou spiritueux protégé par le droit applicable à un membre de l'OMC, ou a obtenu cet enregistrement;

b) soit a acquis le droit à une marque de commerce par l'usage.

Dans les cas où la protection est postérieure à cette date, c'est la date à laquelle commence la protection relative au vin ou spiritueux selon le droit applicable au membre qui est prise en compte.

L.C. 1994, ch. 47, art. 192.

Transitional

11.2 Notwithstanding sections 11.14 and 11.15 and paragraphs 12(1)(*g*) and (*h*), where a person has in good faith

(*a*) filed an application in accordance with section 30 for, or secured the registration of, a trade-mark that is identical with or similar to the geographical indication in respect of a wine or spirit protected by the laws applicable to a WTO Member, or

(*b*) acquired rights to a trade-mark in respect of such a wine or spirit through use,

before the later of the date on which this section comes into force and the date on which protection in respect of the wine or spirit by the laws applicable to the Member commences, nothing in any of those provisions prevents the adoption, use or registration of that trade-mark by that person.

S.C. 1994, c. 47, s. 192.

MARQUES DE COMMERCE ENREGISTRABLES

9-10

Marque de commerce enregistrable

12. (1) Sous réserve de l'article 13, une marque de commerce est enregistrable sauf dans l'un ou l'autre des cas suivants :

a) elle est constituée d'un mot n'étant principalement que le nom ou le nom de famille d'un particulier vivant ou qui est décédé dans les trente années précédentes;

b) qu'elle soit sous forme graphique, écrite ou sonore, elle donne une description claire ou donne une description fausse et trompeuse, en langue française ou anglaise, de la nature ou de la qualité des marchandises ou services en liaison avec lesquels elle est employée, ou à l'égard desquels on projette de l'employer, ou des conditions de leur production, ou des personnes qui les produisent, ou du lieu d'origine de ces marchandises ou services;

c) elle est constituée du nom, dans une langue, de l'une des marchandises ou de l'un des services à l'égard desquels elle est employée, ou à l'égard desquels on projette de l'em-

REGISTRABLE TRADE-MARKS

When trade-mark registrable

12. (1) Subject to section 13, a trade-mark is registrable if it is not

(a) a word that is primarily merely the name or the surname of an individual who is living or has died within the preceding thirty years;

(b) whether depicted, written or sounded, either clearly descriptive or deceptively misdescriptive in the English or French language of the character or quality of the wares or services in association with which it is used or proposed to be used or of the conditions of or the persons employed in their production or of their place of origin;

(c) the name in any language of any of the wares or services in connection with which it is used or proposed to be used;

(d) confusing with a registered trade-mark;

(e) a mark of which the adoption is prohibited by section 9 or 10;

(f) a denomination the adoption of which is prohibited by section 10.1;

(*g*) in whole or in part a protected geographi-

ployer;
d) elle crée de la confusion avec une marque de commerce déposée;
e) elle est une marque dont l'article 9 ou 10 interdit l'adoption;
f) elle est une dénomination dont l'article 10.1 interdit l'adoption;
g) elle est constituée, en tout ou en partie, d'une indication géographique protégée et elle doit être enregistrée en liaison avec un vin dont le lieu d'origine ne se trouve pas sur le territoire visé par l'indication;
h) elle est constituée, en tout ou en partie, d'une indication géographique protégée et elle doit être enregistrée en liaison avec un spiritueux dont le lieu d'origine ne se trouve pas sur le territoire visé par l'indication.

cal indication, where the trade-mark is to be registered in association with a wine not originating in a territory indicated by the geographical indication; and
(*h*) in whole or in part a protected geographical indication, where the trade-mark is to be registered in association with a spirit not originating in a territory indicated by the geographical indication.

Idem (14)

(2) Une marque de commerce qui n'est pas enregistrable en raison de l'alinéa (1)*a*) ou *b*) peut être enregistrée si elle a été employée au Canada par le requérant ou son prédécesseur en titre de façon à être devenue distinctive à la date de la production d'une demande d'enregistrement la concernant.
L.R.C. 1985, ch. T-13, art. 12; L.C. 1990, ch. 20, art. 81; 1993, ch. 15, art. 59; 1994, ch. 47, art. 193.

Idem

(2) A trade-mark that is not registrable by reason of paragraph (1)(*a*) or (*b*) is registrable if it has been so used in Canada by the applicant or his predecessor in title as to have become distinctive at the date of filing an application for its registration.
R.S.C. 1985, c. T-13, s. 12; S.C. 1990, c. 20, s. 81; S.C. 1993, c. 15, s. 59; 1994, c. 47, s. 193.

Signes distinctifs enregistrables

13. (1) Un signe distinctif n'est enregistrable que si, à la fois :
a) le signe a été employé au Canada par le requérant ou son prédécesseur en titre de façon à être devenu distinctif à la date de la production d'une demande d'enregistrement le concernant;
b) l'emploi exclusif, par le requérant, de ce signe distinctif en liaison avec les marchandises ou services avec lesquels il a été employé n'a pas vraisemblablement pour effet de restreindre de façon déraisonnable le développement d'un art ou d'une industrie.

When distinguishing guises registrable

13. (1) A distinguishing guise is registrable only if
(*a*) it has been so used in Canada by the applicant or his predecessor in title as to have become distinctive at the date of filing an application for its registration; and
(*b*) the exclusive use by the applicant of the distinguishing guise in association with the wares or services with which it has been used is not likely unreasonably to limit the development of any art or industry.

Effet de l'enregistrement

(2) Aucun enregistrement d'un signe distinctif ne gêne l'emploi de toute particularité utilitaire incorporée dans le signe distinctif.

Effect of registration

(2) No registration of a distinguishing guise interferes with the use of any utilitarian feature embodied in the distinguishing guise.

Aucune restriction à l'art ou à l'industrie

(3) L'enregistrement d'un signe distinctif peut être radié par la Cour fédérale, sur demande de toute personne intéressée, si le tribunal décide que l'enregistrement est vraisemblablement devenu de nature à restreindre d'une façon déraisonnable le développement d'un art ou d'une industrie.
S.R.C., ch. T-10, art. 13; ch. 10 (2e suppl.), art. 64.

Not to limit art or industry

(3) The registration of a distinguishing guise may be expunged by the Federal Court on the application of any interested person if the Court decides that the registration has become likely unreasonably to limit the development of any art or industry.
R.S.C., c. T-10, s. 13; c. 10 (2nd Supp.), s. 64.

Enregistrement de marques déposées à l'étranger

14. (1) Nonobstant l'article 12, une marque de commerce que le requérant ou son prédécesseur en titre a fait dûment déposer dans son pays d'origine, ou pour son pays d'origine, est enregistrable si, au Canada, selon le cas :

a) elle ne crée pas de confusion avec une marque de commerce déposée;

b) elle n'est pas dépourvue de caractère distinctif, eu égard aux circonstances, y compris la durée de l'emploi qui en a été fait dans tout pays;

c) elle n'est pas contraire à la moralité ou à l'ordre public, ni de nature à tromper le public;

d) son adoption comme marque de commerce n'est pas interdite par l'article 9 ou 10.

Registration of marks registered abroad

14. (1) Notwithstanding section 12, a trade-mark that the applicant or the applicant's predecessor in title has caused to be duly registered in or for the country of origin of the applicant is registrable if, in Canada,

(a) it is not confusing with a registered trade-mark;

(b) it is not without distinctive character, having regard to all the circumstances of the case including the length of time during which it has been used in any country;

(c) it is not contrary to morality or public order or of such a nature as to deceive the public; or

(d) it is not a trade-mark of which the adoption is prohibited by section 9 or 10.

Assimilation à marques déposées à l'étranger

(2) Une marque de commerce qui diffère de la marque de commerce déposée dans le pays d'origine seulement par des éléments qui ne changent pas son caractère distinctif ou qui ne touchent pas à son identité dans la forme sous laquelle elle est déposée au pays d'origine, est considérée, pour l'application du paragraphe (1), comme la marque de commerce ainsi déposée.
S.R.C., ch. T-10, art. 14; L.C. 1994, ch. 47, art. 194.

Trade-marks regarded as registered abroad

(2) A trade-mark that differs from the trade-mark registered in the country of origin only by elements that do not alter its distinctive character or affect its identity in the form under which it is registered in the country of origin shall be regarded for the purpose of subsection (1) as the trade-mark so registered.
R.S.C., c. T-10, s. 14; S.C. 1994, c. 47, s. 194.

Enregistrement de marques créant de la confusion

15. (1) Nonobstant l'article 12 ou 14, les marques de commerce créant de la confusion sont enregistrables si le requérant est le pro-

Registration of confusing marks

15. (1) Notwithstanding section 12 or 14, confusing trade-marks are registrable if the applicant is the owner of all such trade-

priétaire de toutes ces marques, appelées «marques de commerce liées».

marks, which shall be known as associated trademarks.

Inscription

(2) Lors de l'enregistrement de toute marque de commerce liée à une autre marque de commerce déposée, une mention de l'enregistrement de chaque marque de commerce est faite dans l'inscription d'enregistrement de l'autre marque de commerce.

Record

(2) On the registration of any trade-mark associated with any other registered trademark, a note of the registration of each trademark shall be made on the record of registration of the other trade-mark.

Modification

(3) Aucune modification du registre consignant un changement dans la propriété ou le nom ou l'adresse du propriétaire de l'une d'un groupe de marques de commerce liées ne peut être apportée, à moins que le registraire ne soit convaincu que le même changement s'est produit à l'égard de toutes les marques de commerce de ce groupe, et que les inscriptions correspondantes sont faites à la même époque en ce qui regarde toutes ces marques de commerce.
S.R.C., ch. T-10, art. 15.

Amendment

(3) No amendment of the register recording any change in the ownership or in the name or address of the owner of any one of a group of associated trade-marks shall be made unless the Registrar is satisfied that the same change has occurred with respect to all the trademarks in the group, and corresponding entries are made contemporaneously with respect to all those trade-marks.
R.S.C., c. T-10, s. 15.

PERSONNES ADMISES À L'ENREGISTREMENT DES MARQUES DE COMMERCE

PERSONS ENTITLED TO REGISTRATION OF TRADE-MARKS

Enregistrement des marques employées ou révélées au Canada

16. (1) Tout requérant qui a produit une demande selon l'article 30 en vue de l'enregistrement d'une marque de commerce qui est enregistrable et que le requérant ou son prédécesseur en titre a employée ou fait connaître au Canada en liaison avec des marchandises ou services, a droit, sous réserve de l'article 38, d'en obtenir l'enregistrement à l'égard de ces marchandises ou services, à moins que, à la date où le requérant ou son prédécesseur en titre l'a en premier lieu ainsi employée ou révélée, elle n'ait créé de la confusion :

a) soit avec une marque de commerce antérieurement employée ou révélée au Canada par une autre personne;

b) soit avec une marque de commerce à l'égard de laquelle une demande d'enregistrement avait été antérieurement produite au Canada par une autre personne;

Registration of marks used or made known in Canada

16. (1) Any applicant who has filed an application in accordance with section 30 for registration of a trade-mark that is registrable and that he or his predecessor in title has used in Canada or made known in Canada in association with wares or services is entitled, subject to section 38, to secure its registration in respect of those wares or services, unless at the date on which he or his predecessor in title first so used it or made it known it was confusing with

(a) a trade-mark that had been previously used in Canada or made known in Canada by any other person;

(b) a trade-mark in respect of which an application for registration had been previously filed in Canada by any other person; or

(c) a trade-name that had been previously used in Canada by any other person.

c) soit avec un nom commercial qui avait été antérieurement employé au Canada par une autre personne.

Marques déposées et employées dans un autre pays

(2) Tout requérant qui a produit une demande selon l'article 30 en vue de l'enregistrement d'une marque de commerce qui est enregistrable et que le requérant ou son prédécesseur en titre a dûment déposée dans son pays d'origine, ou pour son pays d'origine, et qu'il a employée en liaison avec des marchandises ou services, a droit, sous réserve de l'article 38, d'en obtenir l'enregistrement à l'égard des marchandises ou services en liaison avec lesquels elle est déposée dans ce pays et a été employée, à moins que, à la date de la production de la demande, en conformité avec l'article 30, elle n'ait créé de la confusion :
a) soit avec une marque de commerce antérieurement employée ou révélée au Canada par une autre personne;
b) soit avec une marque de commerce à l'égard de laquelle une demande d'enregistrement a été antérieurement produite au Canada par une autre personne;
c) soit avec un nom commercial antérieurement employé au Canada par une autre personne.

Marks registered and used abroad

(2) Any applicant who has filed an application in accordance with section 30 for registration of a trade-mark that is registrable and that the applicant or the applicant's predecessor in title has duly registered in or for the country of origin of the applicant and has used in association with wares or services is entitled, subject to section 38, to secure its registration in respect of the wares or services in association with which it is registered in that country and has been used, unless at the date of filing of the application in accordance with section 30 it was confusing with
(a) a trade-mark that had been previously used in Canada or made known in Canada by any other person;
(b) a trade-mark in respect of which an application for registration had been previously filed in Canada by any other person; or
(c) a trade-name that had been previously used in Canada by any other person.

Marques projetées

(3) Tout requérant qui a produit une demande selon l'article 30 en vue de l'enregistrement d'une marque de commerce projetée et enregistrable, a droit, sous réserve des articles 38 et 40, d'en obtenir l'enregistrement à l'égard des marchandises ou services spécifiés dans la demande, à moins que, à la date de production de la demande, elle n'ait créé de la confusion :
a) soit avec une marque de commerce antérieurement employée ou révélée au Canada par une autre personne;
b) soit avec une marque de commerce à l'égard de laquelle une demande d'enregistrement a été antérieurement produite au Canada par une autre personne;
c) soit avec un nom commercial antérieurement employé au Canada par une autre personne.

Proposed marks

(3) Any applicant who has filed an application in accordance with section 30 for registration of a proposed trade-mark that is registrable is entitled, subject to sections 38 and 40, to secure its registration in respect of the wares or services specified in the application, unless at the date of filing of the application it was confusing with
(a) a trade-mark that had been previously used in Canada or made known in Canada by any other person;
(b) a trade-mark in respect of which an application for registration had been previously filed in Canada by any other person; or
(c) a trade-name that had been previously used in Canada by any other person.

Si une demande relative à une marque créant de la confusion est pendante

(4) Le droit, pour un requérant, d'obtenir l'enregistrement d'une marque de commerce enregistrable n'est pas atteint par la production antérieure d'une demande d'enregistrement d'une marque de commerce créant de la confusion, par une autre personne, à moins que la demande d'enregistrement de la marque de commerce créant de la confusion n'ait été pendante à la date de l'annonce de la demande du requérant selon l'article 37.

Where application for confusing mark pending

(4) The right of an applicant to secure registration of a registrable trade-mark is not affected by the previous filing of an application for registration of a confusing trade-mark by another person, unless the application for registration of the confusing trade-mark was pending at the date of advertisement of the applicant's application in accordance with section 37.

Emploi ou révélation antérieur

(5) Le droit, pour un requérant, d'obtenir l'enregistrement d'une marque de commerce enregistrable n'est pas atteint par l'emploi antérieur ou la révélation antérieure d'une marque de commerce ou d'un nom commercial créant de la confusion, par une autre personne, si cette marque de commerce ou ce nom commercial créant de la confusion a été abandonné à la date de l'annonce de la demande du requérant selon l'article 37.
S.R.C., ch. T-10, art. 16; L.C. 1994, ch. 47, art. 195.

Previous use or making known

(5) The right of an applicant to secure registration of a registrable trade-mark is not affected by the previous use or making known of a confusing trade-mark or trade-name by another person, if the confusing trade-mark or trade-name was abandoned at the date of advertisement of the applicant's application in accordance with section 37.
R.S.C., c. T-10, s. 16; S.C. 1994, c. 47, s. 195.

VALIDITÉ ET EFFET DE L'ENREGISTREMENT

Effet de l'enregistrement relativement à l'emploi antérieur, etc.

17. (1) Aucune demande d'enregistrement d'une marque de commerce qui a été annoncée selon l'article 37 ne peut être refusée, et aucun enregistrement d'une marque de commerce ne peut être radié, modifié ou tenu pour invalide, du fait qu'une personne autre que l'auteur de la demande d'enregistrement ou son prédécesseur en titre a antérieurement employé ou révélé une marque de commerce ou un nom commercial créant de la confusion, sauf à la demande de cette autre personne ou de son successeur en titre, et il incombe à cette autre personne ou à son successeur d'établir qu'il n'avait pas abandonné cette marque de commerce ou ce nom commercial créant de la confusion, à la date de l'annonce de la demande du requérant.

VALIDITY AND EFFECT OF REGISTRATION

Effect of registration in relation to previous use, etc.

17. (1) No application for registration of a trade-mark that has been advertised in accordance with section 37 shall be refused and no registration of a trade-mark shall be expunged or amended or held invalid on the ground of any previous use or making known of a confusing trade-mark or trade-name by a person other than the applicant for that registration or his predecessor in title, except at the instance of that other person or his successor in title, and the burden lies on that other person or his successor to establish that he had not abandoned the confusing trade-mark or trade-name at the date of advertisement of the applicant's application.

Quand l'enregistrement est incontestable
(2) Dans des procédures ouvertes après l'expiration de cinq ans à compter de la date d'enregistrement d'une marque de commerce ou à compter du 1er juillet 1954, en prenant la date qui est postérieure à l'autre, aucun enregistrement ne peut être radié, modifié ou jugé invalide du fait de l'utilisation ou révélation antérieure mentionnée au paragraphe (1), à moins qu'il ne soit établi que la personne qui a adopté au Canada la marque de commerce déposée l'a fait alors qu'elle était au courant de cette utilisation ou révélation antérieure.
S.R.C., ch. T-10, art. 17.

When registration incontestable
(2) In proceedings commenced after the expiration of five years from the date of registration of a trade-mark or from July 1, 1954, whichever is the later, no registration shall be expunged or amended or held invalid on the ground of the previous use or making known referred to in subsection (1), unless it is established that the person who adopted the registered trade-mark in Canada did so with knowledge of that previous use or making known.
R.S.C., c. T-10, s. 17.

Quand l'enregistrement est invalide
18. (1) L'enregistrement d'une marque de commerce est invalide dans les cas suivants :
a) la marque de commerce n'était pas enregistrable à la date de l'enregistrement;
b) la marque de commerce n'est pas distinctive à l'époque où sont entamées les procédures contestant la validité de l'enregistrement;
c) la marque de commerce a été abandonnée.
Sous réserve de l'article 17, l'enregistrement est invalide si l'auteur de la demande n'était pas la personne ayant droit de l'obtenir.

When registration invalid
18. (1) The registration of a trade-mark is invalid if
(a) the trade-mark was not registrable at the date of registration,
(b) the trade-mark is not distinctive at the time proceedings bringing the validity of the registration into question are commenced, or
(c) the trade-mark has been abandoned,
and subject to section 17, it is invalid if the applicant for registration was not the person entitled to secure the registration.

Exception
(2) Nul enregistrement d'une marque de commerce qui était employée au Canada par l'inscrivant ou son prédécesseur en titre, au point d'être devenue distinctive à la date d'enregistrement, ne peut être considéré comme invalide pour la seule raison que la preuve de ce caractère distinctif n'a pas été soumise à l'autorité ou au tribunal compétent avant l'octroi de cet enregistrement.
S.R.C., ch. T-10, art. 18.

Exception
(2) No registration of a trade-mark that had been so used in Canada by the registrant or his predecessor in title as to have become distinctive at the date of registration shall be held invalid merely on the ground that evidence of the distinctiveness was not submitted to the competent authority or tribunal before the grant of the registration.
R.S.C., c. T-10, s. 18.

Droits conférés par l'enregistrement
19. Sous réserve des articles 21, 32 et 67, l'enregistrement d'une marque de commerce à l'égard de marchandises ou services, sauf si son invalidité est démontrée, donne au propriétaire le droit exclusif à l'emploi de celle-ci, dans tout le Canada, en ce qui concerne ces marchandises ou services.
L.R.C. 1985, ch. T-13, art. 19; L.C. 1993, ch. 15, art. 60.

Rights conferred by registration
19. Subject to sections 21, 32 and 67, the registration of a trade-mark in respect of any wares or services, unless shown to be invalid, gives to the owner of the trade-mark the exclusive right to the use throughout Canada of the trade-mark in respect of those wares or services.
L.R.C. 1985, c. T-13, s. 19; S.C. 1993, c. 15, s. 60.

Violation

20. (1) Le droit du propriétaire d'une marque de commerce déposée à l'emploi exclusif de cette dernière est réputé être violé par une personne non admise à l'employer selon la présente loi et qui vend, distribue ou annonce des marchandises ou services en liaison avec une marque de commerce ou un nom commercial créant de la confusion. Toutefois, aucun enregistrement d'une marque de commerce ne peut empêcher une personne :

a) d'utiliser de bonne foi son nom personnel comme nom commercial;

b) d'employer de bonne foi, autrement qu'à titre de marque de commerce :

(i) soit le nom géographique de son siège d'affaires,

(ii) soit toute description exacte du genre ou de la qualité de ses marchandises ou services,

d'une manière non susceptible d'entraîner la diminution de la valeur de l'achalandage attaché à la marque de commerce.

Exception

(2) L'enregistrement d'une marque de commerce n'a pas pour effet d'empêcher une personne d'utiliser les indications mentionnées au paragraphe 11.18(3) en liaison avec un vin ou les indications mentionnées au paragraphe 11.18(4) en liaison avec un spiritueux.

S.R.C., ch. T-10, art. 20; L.C. 1994, ch. 47, art. 196.

Emploi simultané de marques créant de la confusion

21. (1) Si, dans des procédures relatives à une marque de commerce déposée dont l'enregistrement est protégé aux termes du paragraphe 17(2), il est démontré à la Cour fédérale que l'une des parties aux procédures, autre que le propriétaire inscrit de la marque de commerce, avait de bonne foi employé au Canada une marque de commerce ou un nom commercial créant de la confusion, avant la date de la production de la demande en vue de cet enregistrement, et si le tribunal considère qu'il n'est pas contraire à l'intérêt public que l'emploi continu de la marque de commerce ou du nom commercial créant de la confusion soit permis dans une région territoriale définie si-

Infringement

20. (1) The right of the owner of a registered trade-mark to its exclusive use shall be deemed to be infringed by a person not entitled to its use under this Act who sells, distributes or advertises wares or services in association with a confusing trade-mark or trade-name, but no registration of a trade-mark prevents a person from making

(a) any *bona fide* use of his personal name as a trade-name, or

(b) any *bona fide* use, other than as a trade-mark,

(i) of the geographical name of his place of business, or

(ii) of any accurate description of the character or quality of his wares or services,

in such a manner as is not likely to have the effect of depreciating the value of the goodwill attaching to the trade-mark.

Exception

(2) No registration of a trade-mark prevents a person from making any use of any of the indications mentioned in subsection 11.18(3) in association with a wine or any of the indications mentioned in subsection 11.18(4) in association with a spirit.

R.S.C., c. T-10, s. 20; S.C. 1994, c. 47, s. 196.

Concurrent use of confusing marks

21. (1) Where, in any proceedings respecting a registered trade-mark the registration of which is entitled to the protection of subsection 17(2), it is made to appear to the Federal Court that one of the parties to the proceedings, other than the registered owner of the trade-mark, had in good faith used a confusing trade-mark or trade-name in Canada before the date of filing of the application for that registration, and the Court considers that it is not contrary to the public interest that the continued use of the confusing trade-mark or trade-name should be permitted in a defined territorial area concurrently with the use of the registered trade-mark, the Court may,

multanément avec l'emploi de la marque de commerce déposée, il peut, sous réserve des conditions qu'il estime justes, ordonner que cette autre partie puisse continuer à employer la marque de commerce ou le nom commercial créant de la confusion, dans cette région, avec une distinction suffisante et spécifiée d'avec la marque de commerce déposée.

subject to such terms as it deems just, order that the other party may continue to use the confusing trade-mark or trade-name within that area with an adequate specified distinction from the registered trade-mark.

Inscription de l'ordonnance

(2) Les droits conférés par une ordonnance rendue aux termes du paragraphe (1) ne prennent effet que si, dans les trois mois qui suivent la date de l'ordonnance, cette autre partie demande au registraire de l'inscrire au registre, en ce qui regarde l'enregistrement de la marque de commerce déposée.
S.R.C., ch. T-10, art. 21; ch. 10 (2e suppl.), art. 64.

Registration of order

(2) The rights conferred by an order made under subsection (1) take effect only if, within three months from its date, the other party makes application to the Registrar to enter it on the register in connection with the registration of the registered trade-mark.
R.S.C., c. T-10, s. 21; c. 10 (2nd Supp.), s. 64.

Dépréciation de l'achalandage

22. (1) Nul ne peut employer une marque de commerce déposée par une autre personne d'une manière susceptible d'entraîner la diminution de la valeur de l'achalandage attaché à cette marque de commerce.

Depreciation of goodwill

22. (1) No person shall use a trade-mark registered by another person in a manner that is likely to have the effect of depreciating the value of the goodwill attaching thereto.

Action à cet égard

(2) Dans toute action concernant un emploi contraire au paragraphe (1), le tribunal peut refuser d'ordonner le recouvrement de dommages-intérêts ou de profits, et permettre au défendeur de continuer à vendre toutes marchandises revêtues de cette marque de commerce qui étaient en sa possession ou sous son contrôle lorsque avis lui a été donné que le propriétaire de la marque de commerce déposée se plaignait de cet emploi.
S.R.C., ch. T-10, art. 22.

Action in respect thereof

(2) In any action in respect of a use of a trade-mark contrary to subsection (1), the court may decline to order the recovery of damages or profits and may permit the defendant to continue to sell wares marked with the trade-mark that were in his possession or under his control at the time notice was given to him that the owner of the registered trade-mark complained of the use of the trade-mark.
R.S.C., c. T-10, s. 22.

MARQUES DE CERTIFICATION

CERTIFICATION MARKS

Enregistrement de marques de certification

23. (1) Une marque de certification ne peut être adoptée et déposée que par une personne qui ne se livre pas à la fabrication, la vente, la location à bail ou le louage de marchandises ou à l'exécution de services, tels que ceux pour lesquels la marque de certification est employée.

Registration of certification marks

23. (1) A certification mark may be adopted and registered only by a person who is not engaged in the manufacture, sale, leasing or hiring of wares or the performance of services such as those in association with which the certification mark is used.

Autorisation

(2) Le propriétaire d'une marque de certification peut autoriser d'autres personnes à employer la marque en liaison avec des marchandises ou services qui se conforment à la norme définie, et l'emploi de la marque en conséquence est réputé en être l'emploi par le propriétaire.

Licence

(2) The owner of a certification mark may license others to use the mark in association with wares or services that meet the defined standard, and the use of the mark accordingly shall be deemed to be use thereof by the owner.

Emploi non autorisé

(3) Le propriétaire d'une marque de certification déposée peut empêcher qu'elle soit employée par des personnes non autorisées ou en liaison avec des marchandises ou services à l'égard desquels cette marque est déposée, mais auxquels l'autorisation ne s'étend pas.

Unauthorized use

(3) The owner of a registered certification mark may prevent its use by unlicensed persons or in association with any wares or services in respect of which the mark is registered but to which the licence does not extend.

Un organisme non constitué en personne morale peut intenter une action

(4) Lorsque le propriétaire d'une marque de certification déposée est un organisme non constitué en personne morale, une action ou procédure en vue d'empêcher l'emploi non autorisé de cette marque peut être intentée par tout membre de cet organisme en son propre nom et pour le compte de tous les autres membres.
S.R.C., ch. T-10, art. 23.

Action by unincorporated body

(4) Where the owner of a registered certification mark is an unincorporated body, any action or proceeding to prevent unauthorized use of the mark may be brought by any member of that body on behalf of himself and all other members thereof.
R.S.C., c. T-10, s. 23.

Enregistrement d'une marque de commerce créant de la confusion avec la marque de certification

24. Avec le consentement du propriétaire d'une marque de certification, une marque de commerce créant de la confusion avec la marque de certification peut, si elle présente une différence caractéristique, être déposée par toute autre personne en vue d'indiquer que les marchandises en liaison avec lesquelles elle est employée ont été fabriquées, vendues, données à bail ou louées, et que les services en liaison avec lesquels elle est employée ont été exécutés par elle comme étant une des personnes ayant droit d'employer la marque de certification, mais l'enregistrement de cette marque est radié par le registraire sur le retrait du consentement du propriétaire de la marque de certification, ou sur annulation de l'enregistrement de la marque de certification.
S.R.C., ch. T-10, art. 24.

Registration of trade-mark confusing with certification mark

24. With the consent of the owner of a certification mark, a trade-mark confusing with the certification mark may, if it exhibits an appropriate difference, be registered by some other person to indicate that the wares or services in association with which it is used have been manufactured, sold, leased, hired or performed by him as one of the persons entitled to use the certification mark, but the registration thereof shall be expunged by the Registrar on the withdrawal at any time of the consent of the owner of the certification mark or on the cancellation of the registration of the certification mark.
R.S.C., c. T-10, s. 24.

Marque de certification descriptive

25. Une marque de certification descriptive du lieu d'origine des marchandises ou services et ne créant aucune confusion avec une marque de commerce déposée, est enregistrable si le requérant est l'autorité administrative d'un pays, d'un État, d'une province ou d'une municipalité comprenant la région indiquée par la marque ou en faisant partie, ou est une association commerciale ayant un bureau ou un représentant dans une telle région. Toutefois, le propriétaire d'une marque déposée aux termes du présent article doit en permettre l'emploi en liaison avec toute marchandise produite, ou tout service exécuté, dans la région que désigne la marque.
S.R.C., ch. T-10, art. 25.

Descriptive certification mark

25. A certification mark descriptive of the place of origin of wares or services, and not confusing with any registered trade-mark, is registrable if the applicant is the administrative authority of a country, state, province or municipality including or forming part of the area indicated by the mark, or is a commercial association having an office or representative in that area, but the owner of any mark registered under this section shall permit the use of the mark in association with any wares or services produced or performed in the area of which the mark is descriptive.
R.S.C., c. T-10, s. 25.

REGISTRE DES MARQUES DE COMMERCE

Registre

26. (1) Sont tenus, sous surveillance du registraire :
a) le registre des marques de commerce ainsi que des transferts, désistements, modifications, jugements et ordonnances concernant chaque marque de commerce déposée;
b) le registre des usagers inscrits, qui était prévu par le présent paragraphe, dans sa version antérieure à l'entrée en vigueur de l'article 61 de la *Loi d'actualisation du droit de la propriété intellectuelle*.

Renseignements à indiquer

(2) Le registre prévu à l'alinéa (1)*a)* indique, relativement à chaque marque de commerce déposée :
a) la date de l'enregistrement;
b) un sommaire de la demande d'enregistrement;
c) un sommaire de tous les documents déposés avec la demande ou par la suite et affectant les droits à cette marque de commerce;
d) les détails de chaque renouvellement;
e) les détails de chaque changement de nom et d'adresse;
f) les autres détails dont la présente loi ou les règlements exigent l'inscription.
L.R.C. 1985, ch. T-13, art. 26; L.C. 1993, ch. 15, art. 61.

REGISTER OF TRADE-MARKS

Register

26. (1) There shall be kept under the supervision of the Registrar
(a) a register of trade-marks and of transfers, disclaimers, amendments, judgments and orders relating to each registered trade-mark; and
(b) the register of registered users that was required to be kept under this subsection as it read immediately before section 61 of the *Intellectual Property Law Improvement Act* came into force.

Information to be shown

(2) The register referred to in paragraph (1)*(a)* shall show, with reference to each registered trade-mark, the following:
(a) the date of registration;
(b) a summary of the application for registration;
(c) a summary of all documents deposited with the application or subsequently thereto and affecting the rights to the trade-mark;
(d) particulars of each renewal;
(e) particulars of each change of name and address; and
(f) such other particulars as this Act or the regulations require to be entered thereon.
R.S.C. 1985, c. T-13, s. 26; S.C. 1993, c. 15, s. 61.

Registre prévu par la *Loi sur la concurrence déloyale*

27. (1) Le registre tenu aux termes de la *Loi sur la concurrence déloyale*, chapitre 274 des Statuts revisés du Canada de 1952, fait partie du registre tenu en vertu de la présente loi et, sous réserve du paragraphe 44(2), aucune inscription y paraissant, si elle a été dûment opérée selon la loi en vigueur à l'époque où elle a été faite, n'est sujette à radiation ou à modification pour la seule raison qu'elle pourrait n'avoir pas été dûment opérée en conformité avec la présente loi.

Les marques de commerce déposées avant la *Loi sur la concurrence déloyale*

(2) Les marques de commerce figurant au registre le 1er septembre 1932 sont considérées comme des dessins-marques ou comme des mots servant de marques, selon les définitions qu'en donne la *Loi sur la concurrence déloyale*, chapitre 274 des Statuts revisés du Canada de 1952, aux conditions suivantes :

a) toute marque de commerce consistant seulement en mots ou chiffres ou formée de mots et chiffres, sans indication de forme ou de présentation particulière, est réputée être un mot servant de marque;

b) toute autre marque de commerce consistant seulement en mots ou chiffres ou formée de mots et chiffres est réputée être un mot servant de marque si, à la date de son enregistrement, les mots ou les chiffres ou les mots et chiffres avaient été enregistrables indépendamment de toute forme ou présentation particulière définie, et est aussi réputée être un dessin-marque pour le texte ayant la forme ou présentation particulière définie;

c) toute marque de commerce comprenant des mots ou des chiffres ou les deux en combinaison avec d'autres caractéristiques est réputée :

(i) d'une part, être un dessin-marque possédant les caractéristiques décrites dans la demande à cet égard, mais sans qu'un sens soit attribué aux mots ou chiffres,

(ii) d'autre part, être un mot servant de marque lorsque, à la date de l'enregistrement, elle aurait été enregistrable indépendamment de toute forme ou présentation définie et sans avoir été combinée avec une autre caractéristique, et dans cette mesure;

Register under *Unfair Competition Act*

27. (1) The register kept under the *Unfair Competition Act*, chapter 274 of the Revised Statutes of Canada, 1952, forms part of the register kept under this Act and, subject to subsection 44(2), no entry made therein, if properly made according to the law in force at the time it was made, is subject to be expunged or amended only because it might not properly have been made pursuant to this Act.

Trade-marks registered before *Unfair Competition Act*

(2) Trade-marks on the register on September 1, 1932 shall be treated as design marks or word marks as defined in the *Unfair Competition Act*, chapter 274 of the Revised Statutes of Canada, 1952, according to the following rules:

(a) any trade-mark consisting only of words or numerals or both without any indication of a special form or appearance shall be deemed to be a word mark;

(b) any other trade-mark consisting only of words or numerals or both shall be deemed to be a word mark if at the date of its registration the words or numerals or both would have been registrable independently of any defined special form or appearance and shall also be deemed to be a design mark for reading matter presenting the special form or appearance defined;

(c) any trade-mark including words or numerals or both in combination with other features shall be deemed

(i) to be a design mark having the features described in the application therefor but without any meaning being attributed to the words or numerals, and

(ii) to be a word mark if and so far as it would at the date of registration have been registrable independently of any defined form or appearance and without being combined with any other feature; and

(d) any other trade-mark shall be deemed to be a design mark having the features described in the application therefor.

d) toute autre marque de commerce est réputée être un dessin-marque ayant les caractéristiques décrites dans la demande qui en a été faite.

Les marques de commerce déposées en vertu de la *Loi sur la concurrence déloyale*

(3) Les marques de commerce déposées en vertu de la *Loi sur la concurrence déloyale*, chapitre 274 des Statuts revisés du Canada de 1952, continuent, en conformité avec leur enregistrement, à être traitées comme des dessins-marques ou comme des mots servant de marque, selon les définitions qu'en donne cette loi.
S.R.C., ch. T-10, art. 26.

Trade-marks registered under *Unfair Competition Act*

(3) Trade-marks registered under the *Unfair Competition Act*, chapter 274 of the Revised Statutes of Canada, 1952, shall, in accordance with their registration, continue to be treated as design marks or word marks as defined in that Act.
R.S.C., c. T-10, s. 26.

Index

28. (1) Sont tenus, sous la surveillance du registraire, les index suivants :
a) un index des marques de commerce déposées;
b) un index des marques de commerce pour lesquelles des demandes d'enregistrement sont pendantes;
c) un index des demandes qui ont été abandonnées ou rejetées;
d) un index des noms des propriétaires de marques de commerce déposées;
e) un index des noms des personnes qui demandent l'enregistrement de marques de commerce;
f) une liste des agents de marques de commerce;
g) l'index des noms des usagers inscrits, qui était prévu par le présent paragraphe, dans sa version antérieure à l'entrée en vigueur de l'article 61 de la *Loi d'actualisation du droit de la propriété intellectuelle.*

Indexes

28. (1) There shall be kept under the supervision of the Registrar
(a) an index of registered trade-marks;
(b) an index of trade-marks in respect of which applications for registration are pending;
(c) an index of applications that have been abandoned or refused;
(d) an index of the names of owners of registered trade-marks;
(e) an index of the names of applicants for the registration of trade-marks;
(f) a list of trade-mark agents; and
(g) the index of the names of registered users that was required to be kept under this subsection as it reads immediately before section 61 of the *Intellectual Property Law Improvement Act* comes into force.

Liste des agents de marques de commerce

(2) La liste des agents de marques de commerce comporte les noms des personnes et études habilitées à représenter les intéressés dans la présentation et la poursuite des demandes d'enregistrement des marques de commerce et dans toute affaire devant le Bureau des marques de commerce.
L.R.C. 1985, ch. T-13, art. 28; L.C. 1993, ch. 15, art. 62.

List of trade-mark agents

(2) The list of trade-mark agents shall include the names of all persons and firms entitled to represent applicants in the presentation and prosecution of applications for the registration of a trade-mark or in other business before the Trade-marks Office.
R.S.C. 1985, c. T-13, s. 28; S.C. 1993, c. 15, s. 62.

Inspection

29. (1) Sous réserve du paragraphe (2), les registres, les documents sur lesquels s'appuient les inscriptions y figurant, les demandes, y compris celles qui sont abandonnées, les index, la liste des agents de marques de commerce et la liste des indications géographiques tenue aux termes du paragraphe 11.12(1) sont accessibles à l'inspection publique durant les heures de bureau. Le registraire fournit, sur demande et sur paiement du droit prescrit à cet égard, une copie, certifiée par lui, de toute inscription faite dans les registres, les index ou les listes, ou de l'un de ces documents ou demandes.

Inspection

29. (1) Subject to subsection (2), the registers, the documents on which the entries therein are based, all applications, including those abandoned, the indexes, the list of trade-mark agents and the list of geographical indications kept pursuant to subsection 11.12(1) shall be open to public inspection during business hours, and the Registrar shall, on request and on payment of the prescribed fee, furnish a copy certified by the registrar of any entry in the registers, indexes or lists, or of any of those documents or applications.

Registre des usagers inscrits

(2) La divulgation des documents sur lesquels s'appuient les inscriptions figurant dans le registre prévu à l'alinéa 26(1)*b)* est régie par le paragraphe 50(6) dans sa version antérieure à l'entrée en vigueur de l'article 61 de la *Loi d'actualisation du droit de la propriété intellectuelle*.

L.R.C. 1985, ch. T-13, art. 29; L.C. 1993, ch. 15, art. 63; 1994, ch. 47, art. 197.

Register of registered users

(2) The disclosure of documents on which entries in the register required to be kept under paragraph 26(1)*(b)* are based is subject to the provisions of subsection 50(6), as it reads immediately before section 61 of the *Intellectual Property Law Improvement Act* comes into force.

R.S.C. 1985, c. T-13, s. 29; S.C. 1993, c. 15, s. 63; 1994, c. 47, s. 197.

DEMANDES D'ENREGISTREMENT DE MARQUES DE COMMERCE

Contenu d'une demande

30. Quiconque sollicite l'enregistrement d'une marque de commerce produit au bureau du registraire une demande renfermant :

a) un état, dressé dans les termes ordinaires du commerce, des marchandises ou services spécifiques en liaison avec lesquels la marque a été employée ou sera employée;

b) dans le cas d'une marque de commerce qui a été employée au Canada, la date à compter de laquelle le requérant ou ses prédécesseurs en titre désignés, le cas échéant, ont ainsi employé la marque de commerce en liaison avec chacune des catégories générales de marchandises ou services décrites dans la demande;

c) dans le cas d'une marque de commerce qui n'a pas été employée au Canada mais qui est révélée au Canada, le nom d'un pays de l'Union dans lequel elle a été employée par le

APPLICATIONS FOR REGISTRATION OF TRADE-MARKS

Contents of application

30. An applicant for the registration of a trade-mark shall file with the Registrar an application containing

(a) a statement in ordinary commercial terms of the specific wares or services in association with which the mark has been or is proposed to be used;

(b) in the case of a trade-mark that has been used in Canada, the date from which the applicant or his named predecessors in title, if any, have so used the trade-mark in association with each of the general classes of wares or services described in the application;

(c) in the case of a trade-mark that has not been used in Canada but is made known in Canada, the name of a country of the Union in which it has been used by the applicant or his named predecessors in title, if any, and the date from and the manner in which the appli-

requérant ou ses prédécesseurs en titre désignés, le cas échéant, et la date à compter de laquelle le requérant ou ses prédécesseurs l'ont fait connaître au Canada en liaison avec chacune des catégories générales de marchandises ou services décrites dans la demande, ainsi que la manière dont ils l'ont révélée;

d) dans le cas d'une marque de commerce qui est, dans un autre pays de l'Union, ou pour un autre pays de l'Union, l'objet, de la part du requérant ou de son prédécesseur en titre désigné, d'un enregistrement ou d'une demande d'enregistrement sur quoi le requérant fonde son droit à l'enregistrement, les détails de cette demande ou de cet enregistrement et, si la marque n'a été ni employée ni révélée au Canada, le nom d'un pays où le requérant ou son prédécesseur en titre désigné, le cas échéant, l'a employée en liaison avec chacune des catégories générales de marchandises ou services décrites dans la demande;

e) dans le cas d'une marque de commerce projetée, une déclaration portant que le requérant a l'intention de l'employer, au Canada, lui-même ou par l'entremise d'un licencié, ou lui-même et par l'entreprise d'un licencié;

f) dans le cas d'une marque de certification, les détails de la norme définie que l'emploi de la marque est destiné à indiquer et une déclaration portant que le requérant ne pratique pas la fabrication, la vente, la location à bail ou le louage de marchandises ou ne se livre pas à l'exécution de services, tels que ceux pour lesquels la marque de certification est employée;

g) l'adresse du principal bureau ou siège d'affaires du requérant, au Canada, le cas échéant, et si le requérant n'a ni bureau ni siège d'affaires au Canada, l'adresse de son principal bureau ou siège d'affaires à l'étranger et les nom et adresse, au Canada, d'une personne ou firme à qui tout avis concernant la demande ou l'enregistrement peut être envoyé et à qui toute procédure à l'égard de la demande ou de l'enregistrement peut être signifiée avec le même effet que si elle avait été signifiée au requérant ou à l'inscrivant lui-même;

h) sauf si la demande ne vise que l'enregistre-

cant or named predecessors in title have made it known in Canada in association with each of the general classes of wares or services described in the application;

(d) in the case of a trade-mark that is the subject in or for another country of the Union of a registration or an application for registration by the applicant or the applicant's named predecessor in title on which the applicant bases the applicant's right to registration, particulars of the application or registration and, if the trade-mark has neither been used in Canada nor made known in Canada, the name of a country in which the trade-mark has been used by the applicant or the applicant's named predecessor in title, if any, in association with each of the general classes of wares or services described in the application;

(e) in the case of a proposed trade-mark, a statement that the applicant, by itself or through a licensee, or by itself and through a licensee, intends to use the trade-mark in Canada;

(f) in the case of a certification mark, particulars of the defined standard that the use of the mark is intended to indicate and a statement that the applicant is not engaged in the manufacture, sale, leasing or hiring of wares or the performance of services such as those in association with which the certification mark is used;

(g) the address of the applicant's principal office or place of business in Canada, if any, and if the applicant has no office or place of business in Canada, the address of his principal office or place of business abroad and the name and address in Canada of a person or firm to whom any notice in respect of the application or registration may be sent, and on whom service of any proceedings in respect of the application or registration may be given or served with the same effect as if they had been given to or served on the applicant or registrant himself;

(h) unless the application is for the registration only of a word or words not depicted in a special form, a drawing of the trade-mark and such number of accurate representations of the trade-mark as may be prescribed; and

ment d'un mot ou de mots non décrits en une forme spéciale, un dessin de la marque de commerce, ainsi que le nombre, qui peut être prescrit, de représentations exactes de cette marque;

i) une déclaration portant que le requérant est convaincu qu'il a droit d'employer la marque de commerce au Canada en liaison avec les marchandises ou services décrits dans la demande.

L.R.C. 1985, ch. T-13, art. 30; L.C. 1993, ch. 15, art. 64; 1994, ch. 47, art. 198.

Demandes fondées sur l'enregistrement à l'étranger

31. (1) Un requérant dont le droit à l'enregistrement d'une marque de commerce est fondé sur un enregistrement de cette marque dans un autre pays de l'Union fournit, avant la date de l'annonce de sa demande selon l'article 37, une copie de cet enregistrement, certifiée par le bureau où il a été fait, de même qu'une traduction de cet enregistrement en français ou en anglais, s'il est en une autre langue, et toute autre preuve que le registraire peut requérir afin d'établir pleinement le droit du requérant à l'enregistrement prévu par la présente loi.

Preuve requise en certains cas

(2) Un requérant dont la marque de commerce a été régulièrement enregistrée dans son pays d'origine et qui prétend que cette marque de commerce est enregistrable aux termes de l'alinéa 14(1)*b*), fournit la preuve que le registraire peut requérir par voie d'affidavit ou de déclaration solennelle établissant les circonstances sur lesquelles il s'appuie, y compris la période durant laquelle la marque de commerce a été employée dans un pays.

S.R.C., ch. T-10, art. 30.

Autres renseignements dans certains cas

32. (1) Un requérant, qui prétend que sa marque de commerce est enregistrable en vertu du paragraphe 12(2) ou en vertu de l'article 13, fournit au registraire, par voie d'affidavit ou de déclaration solennelle, une preuve établissant dans quelle mesure et pendant quelle période de temps la marque de

(i) a statement that the applicant is satisfied that he is entitled to use the trade-mark in Canada in association with the wares or services described in the application.

R.S.C. 1985, c. T-13, s. 30; S.C. 1993, c. 15, s. 64; 1994, c. 47, s. 198.

Applications based on registration abroad

31. (1) An applicant whose right to registration of a trade-mark is based on a registration of the trade-mark in another country of the Union shall, before the date of advertisement of his application in accordance with section 37, furnish a copy of the registration certified by the office in which it was made, together with a translation thereof into English or French if it is in any other language, and such other evidence as the Registrar may require to establish fully his right to registration under this Act.

Evidence required in certain cases

(2) An applicant whose trade-mark has been duly registered in his country of origin and who claims that the trade-mark is registrable under paragraph 14(1)(*b*) shall furnish such evidence as the Registrar may require by way of affidavit or statutory declaration establishing the circumstances on which he relies, including the length of time during which the trade-mark has been used in any country.

R.S.C., c. T-10, s. 30.

Further information in certain cases

32. (1) An applicant who claims that his trade-mark is registrable under subsection 12(2) or section 13 shall furnish the Registrar with evidence by way of affidavit or statutory declaration establishing the extent to which and the time during which the trade-mark has been used in Canada and with any other evi-

commerce a été employée au Canada, ainsi que toute autre preuve que le registraire peut exiger à l'appui de cette prétention.

dence that the Registrar may require in support of the claim.

L'enregistrement est restreint

(2) Le registraire restreint, eu égard à la preuve fournie, l'enregistrement aux marchandises ou services en liaison avec lesquels il est démontré que la marque de commerce a été utilisée au point d'être devenue distinctive, et à la région territoriale définie au Canada où, d'après ce qui est démontré, la marque de commerce est ainsi devenue distinctive.
S.R.C., ch. T-10, art. 31.

Registration to be restricted

(2) The Registrar shall, having regard to the evidence adduced, restrict the registration to the wares or services in association with which the trade-mark is shown to have been so used as to have become distinctive and to the defined territorial area in Canada in which the trade-mark is shown to have become distinctive.
R.S.C., c. T-10, s. 31.

Demandes de la part de syndicats ouvriers, etc.

33. Chaque syndicat ouvrier ou chaque association commerciale demandant l'enregistrement d'une marque de commerce peut être requise de fournir une preuve satisfaisante que son existence n'est pas contraire au droit du pays où son bureau principal est situé.
S.R.C., ch. T-10, art. 32.

Applications by trade unions, etc.

33. Every trade union or commercial association that applies for the registration of a trade-mark may be required to furnish satisfactory evidence that its existence is not contrary to the laws of the country in which its headquarters are situated.
R.S.C., c. T-10, s. 32.

La date de demande à l'étranger est réputée être la date de demande au Canada

34. (1) Lorsqu'une demande d'enregistrement d'une marque de commerce a été faite dans un pays de l'Union, ou pour un pays de l'Union, autre que le Canada, et qu'une demande est subséquemment présentée au Canada pour l'enregistrement, aux fins de son emploi en liaison avec le même genre de marchandises ou services, de la même marque de commerce, ou sensiblement la même, par le même requérant ou son successeur en titre, la date de production de la demande dans l'autre pays, ou pour l'autre pays, est réputée être la date de production de la demande au Canada, et le requérant a droit, au Canada, à une priorité correspondante nonobstant tout emploi ou toute révélation faite au Canada, ou toute demande ou tout enregistrement survenu, dans l'intervalle, si les conditions suivantes sont réunies :

a) la demande au Canada, comprenant une déclaration de la date et du pays de l'Union où a été produite, ou pour lequel a été produite, la plus ancienne demande d'enregistre-

Date of application abroad deemed date of application in Canada

34. (1) When an application for the registration of a trade-mark has been made in or for any country of the Union other than Canada and an application is subsequently made in Canada for the registration for use in association with the same kind of wares or services of the same or substantially the same trade-mark by the same applicant or the applicant's successor in title, the date of filing of the application in or for the other country is deemed to be the date of filing of the application in Canada, and the applicant is entitled to priority in Canada accordingly notwithstanding any intervening use in Canada or making known in Canada or any intervening application or registration if

(*a*) the application in Canada, including or accompanied by a declaration setting out the date on which and the country of the Union in or for which the earliest application was filed for the registration of the same or substantially the same trade-mark for use in association with the same kind of wares or services,

ment de la même marque de commerce, ou sensiblement la même, en vue de son emploi en liaison avec le même genre de marchandises ou services, ou accompagnée d'une telle déclaration, est produite dans les six mois à compter de cette date, cette période ne pouvant être prolongée;
b) le requérant ou, lorsque le requérant est un cessionnaire, son prédécesseur en titre par qui une demande antérieure a été produite dans un pays de l'Union, ou pour un pays de l'Union, était à la date de cette demande un citoyen ou ressortissant de ce pays, ou y était domicilié, ou y avait un établissement industriel ou commercial réel et effectif;
c) le requérant, sur demande faite en application des paragraphes (2) ou (3), fournit toute preuve nécessaire pour établir pleinement son droit à la priorité.

is filed within a period of six months after that date, which period shall not be extended;
(*b*) the applicant or, if the applicant is a transferee, the applicant's predecessor in title by whom any earlier application was filed in or for any country of the Union was at the date of the application a citizen or national of or domiciled in that country of had therein a real and effective industrial or commercial establishment; and
(*c*) the applicant furnishes, in accordance with any request under subsections (2) and (3), evidence necessary to establish fully the applicant's right to priority.

Preuve
(2) Le registraire peut requérir cette preuve avant que la demande d'enregistrement ne soit admise aux termes de l'article 39.

Evidence requests
(2) The Registrar may request the evidence before the day on which the application is allowed pursuant to section 39.

Modalités
(3) Le registraire peut, dans sa demande, préciser les modalités, notamment le délai, de transmission de cette preuve.
L.R.C. 1985, ch. T-13, art. 34; L.C. 1992, ch. 1, art. 133; 1993, ch. 15, art. 65; 1994, ch. 47, art. 199.

How and when evidence must be furnished
(3) The Registrar may specify in the request the manner in which the evidence must be furnished and the period within which it must be furnished.
R.S.C. 1985, c. T-13, s. 34; S.C. 1992, c. 1, s. 133; 1993, c. 15, s. 65; 1994, c. 47, s. 199.

Désistement
35. Le registraire peut requérir celui qui demande l'enregistrement d'une marque de commerce de se désister du droit à l'usage exclusif, en dehors de la marque de commerce, de telle partie de la marque qui n'est pas indépendamment enregistrable. Ce désistement ne porte pas préjudice ou atteinte aux droits du requérant, existant alors ou prenant naissance par la suite, dans la matière qui fait l'objet du désistement, ni ne porte préjudice ou atteinte au droit que possède le requérant à l'enregistrement lors d'une demande subséquente si la matière faisant l'objet du désistement est alors devenue distinctive des marchandises ou services du requérant.
S.R.C., ch. T-10, art. 34.

Disclaimer
35. The Registrar may require an applicant for registration of a trade-mark to disclaim the right to the exclusive use apart from the trade-mark of such portion of the trade-mark as is not independently registrable, but the disclaimer does not prejudice or affect the applicant's rights then existing or thereafter arising in the disclaimed matter, nor does the disclaimer prejudice or affect the applicant's right to registration on a subsequent application if the disclaimed matter has then become distinctive of the applicant's wares or services.
R.S.C., c. T-10, s. 34.

Abandon

36. Lorsque, de l'avis du registraire, un requérant fait défaut dans la poursuite d'une demande produite aux termes de la présente loi ou de toute loi concernant les marques de commerce et exécutoire antérieurement au 1er juillet 1954, le registraire peut, après avoir donné au requérant avis de ce défaut, traiter la demande comme ayant été abandonnée, à moins qu'il ne soit remédié au défaut dans le délai que l'avis spécifie.
S.R.C., ch. T-10, art. 35.

Abandonment

36. Where, in the opinion of the Registrar, an applicant is in default in the prosecution of an application filed under this Act or any Act relating to trade-marks in force prior to July 1, 1954, the Registrar may, after giving notice to the applicant of the default, treat the application as abandoned unless the default is remedied within the time specified in the notice.
R.S.C., c. T-10, s. 35.

Demandes rejetées

37. (1) Le registraire rejette une demande d'enregistrement d'une marque de commerce s'il est convaincu que, selon le cas :
a) la demande ne satisfait pas aux exigences de l'article 30;
b) la marque de commerce n'est pas enregistrable;
c) le requérant n'est pas la personne qui a droit à l'enregistrement de la marque de commerce parce que cette marque crée de la confusion avec une autre marque de commerce en vue de l'enregistrement de laquelle une demande est pendante.
Lorsque le registraire n'est pas ainsi convaincu, il fait annoncer la demande de la manière prescrite.

When applications to be refused

37. (1) The Registrar shall refuse an application for the registration of a trade-mark if he is satisfied that
(a) the application does not conform to the requirements of section 30,
(b) the trade-mark is not registrable, or
(c) the applicant is not the person entitled to registration of the trade-mark because it is confusing with another trade-mark for the registration of which an application is pending,
and where the Registrar is not so satisfied, he shall cause the application to be advertised in the manner prescribed.

Avis au requérant

(2) Le registraire ne peut rejeter une demande sans, au préalable, avoir fait connaître au requérant ses objections, avec les motifs pertinents, et lui avoir donné une occasion convenable d'y répondre.

Notice to applicant

(2) The Registrar shall not refuse any application without first notifying the applicant of his objections thereto and his reasons for those objections, and giving the applicant adequate opportunity to answer those objections.

Cas douteux

(3) Lorsque, en raison d'une marque de commerce déposée, le registraire a des doutes sur la question de savoir si la marque de commerce indiquée dans la demande est enregistrable, il notifie, par courrier recommandé, l'annonce de la demande au propriétaire de la marque de commerce déposée.
S.R.C., ch. T-10, art. 36.

Doubtful cases

(3) Where the Registrar, by reason of a registered trade-mark, is in doubt whether the trade-mark claimed in the application is registrable, he shall, by registered letter, notify the owner of the registered trade-mark of the advertisement of the application.
R.S.C., c. T-10, s. 36.

Déclaration d'opposition

38. (1) Toute personne peut, dans le délai de deux mois à compter de l'annonce de la de-

Statement of opposition

38. (1) Within two months after the advertisement of an application for the registration

mande, et sur paiement du droit prescrit, produire au bureau du registraire une déclaration d'opposition.

Motifs
(2) Cette opposition peut être fondée sur l'un des motifs suivants :
a) la demande ne satisfait pas aux exigences de l'article 30;
b) la marque de commerce n'est pas enregistrable;
c) le requérant n'est pas la personne ayant droit à l'enregistrement;
d) la marque de commerce n'est pas distinctive.

Teneur
(3) La déclaration d'opposition indique :
a) les motifs de l'opposition, avec détails suffisants pour permettre au requérant d'y répondre;
b) l'adresse du principal bureau ou siège d'affaires de l'opposant au Canada, le cas échéant, et, si l'opposant n'a ni bureau ni siège d'affaires au Canada, l'adresse de son principal bureau ou siège d'affaires à l'étranger et les nom et adresse, au Canada, d'une personne ou firme à qui tout document concernant l'opposition peut être signifié avec le même effet que s'il était signifié à l'opposant lui-même.

Opposition futile
(4) Si le registraire estime que l'opposition ne soulève pas une question sérieuse pour décision, il la rejette et donne avis de sa décision à l'opposant.

Objection sérieuse
(5) Si le registraire est d'avis que l'opposition soulève une question sérieuse pour décision, il fait parvenir une copie de la déclaration d'opposition au requérant.

Contre-déclaration
(6) Le requérant doit produire auprès du registraire une contre-déclaration et en signifier, dans un délai prescrit après qu'une déclaration d'opposition lui a été envoyée, copie à l'opposant de la manière prescrite.

of a trade-mark, any person may, on payment of the prescribed fee, file a statement of opposition with the Registrar.

Grounds
(2) A statement of opposition may be based on any of the following grounds:
(a) that the application does not conform to the requirements of section 30;
(b) that the trade-mark is not registrable;
(c) that the applicant is not the person entitled to registration of the trade-mark; or
(d) that the trade-mark is not distinctive.

Content
(3) A statement of opposition shall set out
(a) the grounds of opposition in sufficient detail to enable the applicant to reply thereto; and
(b) the address of the opponent's principal office or place of business in Canada, if any, and if the opponent has no office or place of business in Canada, the address of his principal office or place of business abroad and the name and address in Canada of a person or firm on whom service of any document in respect of the opposition may be made with the same effect as if it had been served on the opponent himself.

Frivolous opposition
(4) If the Registrar considers that the opposition does not raise a substantial issue for decision, he shall reject it and shall give notice of his decision to the opponent.

Substantial issue
(5) If the Registrar considers that the opposition raises a substantial issue for decision, he shall forward a copy of the statement of opposition to the applicant.

Counter statement
(6) The applicant shall file a counter statement with the Registrar and serve a copy on the opponent in the prescribed manner and within the prescribed time after a copy of the statement of opposition has been served on the applicant.

Preuve et audition

(7) Il est fourni, de la manière prescrite, à l'opposant et au requérant l'occasion de soumettre la preuve sur laquelle ils s'appuient et de se faire entendre par le registraire, sauf dans les cas suivants :

a) l'opposition est retirée, ou réputée l'être, au titre du paragraphe (7.1);

b) la demande est abandonnée, ou réputée l'être, au titre du paragraphe (7.2).

Evidence and hearing

(7) Both the opponent and the applicant shall be given an opportunity, in the prescribed manner, to submit evidence and to make representations to the Registrar unless

(a) the opposition is withdrawn or deemed under subsection (7.1) to have been withdrawn; or

(b) the application is abandoned or deemed under subsection (7.2) to have been abandoned.

Retrait de l'opposition

(7.1) Si, dans les circonstances prescrites, l'opposant omet de soumettre la preuve visée au paragraphe (7) ou une déclaration énonçant son désir de ne pas le faire, l'opposition est réputée retirée.

Withdrawal of opposition

(7.1) The opposition shall be deemed to have been withdrawn if, in the prescribed circumstances, the opponent does not submit either evidence under subsection (7) or a statement that the opponent does not wish to submit evidence.

Abandon de la demande

(7.2) Si le requérant ne produit ni ne signifie une contre-déclaration dans le délai visé au paragraphe (6) ou si, dans les circonstances prescrites, il omet de soumettre la preuve visée au paragraphe (7) ou une déclaration énonçant son désir de ne pas le faire, la demande est réputée abandonnée.

Abandonment of application

(7.2) The application shall be deemed to have been abandoned if the applicant does not file and serve a counter statement within the time referred to in subsection (6) or if, in the prescribed circumstances, the applicant does not submit either evidence under subsection (7) or a statement that the applicant does not wish to submit evidence.

Décision

(8) Après avoir examiné la preuve et les observations des parties, le registraire repousse la demande ou rejette l'opposition et notifie aux parties sa décision ainsi que ses motifs. L.R.C. 1985, ch. T-13, art. 38; L.C. 1992, ch. 1, art. 134; 1993, ch. 15, art. 66.

Decision

(8) After considering the evidence and representations of the opponent and the applicant, the Registrar shall refuse the application or reject the opposition and notify the parties of the decision and the reasons for the decision. R.S.C. 1985, c. T-13, s. 38; S.C. 1992, c. 1, s. 134; 1993, c. 15, s. 66.

Quand la demande est admise

39. (1) Lorsqu'une demande n'a pas fait l'objet d'une opposition et que le délai prévu pour la production d'une déclaration d'opposition est expiré, ou lorsqu'il y a eu opposition et que celle-ci a été décidée en faveur du requérant, le registraire l'admet ou, en cas d'appel, il se conforme au jugement définitif rendu en l'espèce.

When application to be allowed

39. (1) When an application for the registration of a trade-mark either has not been opposed and the time for the filing of a statement of opposition has expired or it has been opposed and the opposition has been decided in favour of the applicant, the Registrar shall allow the application or, if an appeal is taken, shall act in accordance with the final judgment given in the appeal.

Nulle prorogation de délai

(2) Sous réserve du paragraphe (3), le registraire ne peut proroger le délai accordé pour la production d'une déclaration d'opposition à l'égard d'une demande admise.

Exception

(3) Lorsqu'il a admis une demande sans avoir tenu compte d'une demande de prorogation de délai préalablement déposée, le registraire peut, avant de délivrer un certificat d'enregistrement, retirer l'admission et, conformément à l'article 47, proroger le délai d'opposition.

L.R.C. 1985, ch. T-13, art. 39; L.C. 1993, ch. 15, art. 67.

ENREGISTREMENT DES MARQUES DE COMMERCE

Enregistrement des marques de commerce

40. (1) Lorsqu'une demande d'enregistrement d'une marque de commerce, autre qu'une marque de commerce projetée, est admise, le registraire inscrit la marque de commerce et délivre le certificat de son enregistrement.

Marque de commerce projetée

(2) Lorsqu'une demande d'enregistrement d'une marque de commerce projetée est admise, le registraire en donne avis au requérant. Il enregistre la marque de commerce et délivre un certificat de son enregistrement après avoir reçu une déclaration portant que le requérant, son successeur en titre ou l'entité à qui est octroyée, par le requérant ou avec son autorisation, une licence d'emploi de la marque aux termes de laquelle il contrôle directement ou indirectement les caractéristiques ou la qualité des marchandises et services a commencé à employer la marque de commerce au Canada, en liaison avec les marchandises ou services spécifiés dans la demande.

No extension of time

(2) Subject to subsection (3), the Registrar shall not extend the time for filing a statement of opposition with respect to any application that has been allowed.

Exception

(3) Where the Registrar has allowed an application without considering a previously filed request for an extension of time to file a statement of opposition, the Registrar may withdraw the application from allowance at any time before issuing a certificate of registration and, in accordance with section 47, extend the time for filing a statement of opposition.

R.S.C. 1985, c. T-13, s. 39; S.C. 1993, c. 15, s. 67.

REGISTRATION OF TRADE-MARKS

Registration of trade-marks

40. (1) When an application for registration of a trade-mark, other than a proposed trade-mark, is allowed, the Registrar shall register the trade-mark and issue a certificate of its registration.

Proposed trade-marks

(2) When an application for registration of a proposed trade-mark is allowed, the Registrar shall give notice to the applicant accordingly and shall register the trade-mark and issue a certificate of registration on receipt of a declaration that the use of the trade-mark in Canada, in association with the wares or services specified in the application, has been commenced by

(*a*) the applicant;

(*b*) the applicant's successor in title; or

(*c*) an entity that is licensed by or with the authority of the applicant to use the trade-mark, if the applicant has direct or indirect control of the character or quality of the wares or services.

Abandon de la demande

(3) La demande d'enregistrement d'une marque de commerce projetée est réputée abandonnée si la déclaration mentionnée au paragraphe (2) n'est pas reçue par le registraire dans les six mois qui suivent l'avis donné aux termes du paragraphe (2) ou, si la date en est postérieure, à l'expiration des trois ans qui suivent la production de la demande au Canada.

Forme et effet

(4) L'enregistrement d'une marque de commerce est opéré au nom de l'auteur de la demande ou de son cessionnaire. Il est fait mention, sur le registre, du jour de l'enregistrement, lequel prend effet le même jour.

Non-application de l'article 34

(5) Il n'est pas tenu compte de l'article 34 pour l'application du paragraphe (3).
L.R.C. 1985, ch. T-13, art. 40; L.C. 1993, ch. 15, art. 68; ch. 44, art. 231; 1999, ch. 31, art. 210(F).

MODIFICATION DU REGISTRE

Modifications au registre

41. (1) Le registraire peut, à la demande du propriétaire inscrit d'une marque de commerce présentée de la façon prescrite, apporter au registre l'une des modifications suivantes :

a) la correction de toute erreur ou l'inscription de tout changement dans les nom, adresse ou désignation du propriétaire inscrit ou de son représentant pour signification au Canada;

b) l'annulation de l'enregistrement de la marque de commerce;

c) la modification de l'état déclaratif des marchandises ou services à l'égard desquels la marque de commerce est déposée;

d) la modification des détails de la norme définie que l'emploi d'une marque de certification est destiné à indiquer;

e) l'inscription d'un désistement qui, d'aucune façon, n'étend les droits conférés par l'enregistrement existant de la marque de commerce.

Abandonment of application

(3) An application for registration of a proposed trade-mark shall be deemed to be abandoned if the Registrar has not received the declaration referred to in subsection (2) before the later of

(a) six months after the notice by the Registrar referred to in subsection (2), and

(b) three years after the date of filing of the application in Canada.

Form and effect

(4) Registration of a trade-mark shall be made in the name of the applicant therefor or his transferee, and the day on which registration is made shall be entered on the register, and the registration takes effect on that day.

Section 34 does not apply

(5) For the purposes of subsection (3), section 34 does not apply in determining when an application for registration is filed.
R.S.C. 1985, c. T-13, s. 40; S.C. 1993, c. 15, s. 68; c. 44, s. 231; 1999, c. 31, s. 210(F).

AMENDMENT OF THE REGISTER

Amendments to register

41. (1) The Registrar may, on application by the registered owner of a trade-mark made in the prescribed manner, make any of the following amendments to the register:

(a) correct any error or enter any change in the name, address or description of the registered owner or of his representative for service in Canada;

(b) cancel the registration of the trademark;

(c) amend the statement of the wares or services in respect of which the trade-mark is registered;

(d) amend the particulars of the defined standard that the use of a certification mark is intended to indicate; or

(e) enter a disclaimer that does not in any way extend the rights given by the existing registration of the trade-mark.

Conditions

(2) Une demande d'étendre l'état déclaratif des marchandises ou services à l'égard desquels une marque de commerce est déposée a l'effet d'une demande d'enregistrement d'une marque de commerce à l'égard des marchandises ou services spécifiés dans la requête de modification.
S.R.C., ch. T-10, art. 40.

Conditions

(2) An application to extend the statement of wares or services in respect of which a trade-mark is registered has the effect of an application for registration of the trade-mark in respect of the wares or services specified in the application for amendment.
R.S.C., c. T-10, s. 40.

Représentant pour signification

42. (1) Le propriétaire inscrit d'une marque de commerce qui n'a ni bureau ni siège d'affaires au Canada nomme un autre représentant pour signification en remplacement du dernier représentant inscrit ou fournit une adresse nouvelle et exacte du dernier représentant inscrit, sur avis du registraire que le dernier représentant inscrit est décédé ou qu'une lettre qui lui a été envoyée, par courrier ordinaire, à la dernière adresse inscrite a été retournée par suite de non-livraison.

Representative for service

42. (1) The registered owner of a trademark who has no office or place of business in Canada shall name another representative for service in place of the latest recorded representative or supply a new and correct address of the latest recorded representative on notice from the Registrar that the latest recorded representative has died or that a letter addressed to him at the latest recorded address and sent by ordinary mail has been returned undelivered.

Changement d'adresse

(2) Lorsque, après l'expédition de l'avis par le registraire, aucune nouvelle nomination n'est faite ou qu'aucune adresse nouvelle et exacte n'est fournie par le propriétaire inscrit dans les trois mois, le registraire ou la Cour fédérale peut statuer sur toutes procédures aux termes de la présente loi sans exiger la signification, au propriétaire inscrit, de toute pièce s'y rapportant.
S.R.C., ch. T-10, art. 41; ch. 10 (2e suppl.), art. 64.

Change of address

(2) When, after the dispatch of the notice referred to in subsection (1) by the Registrar, no new nomination is made or no new and correct address is supplied by the registered owner within three months, the Registrar or the Federal Court may dispose of any proceedings under this Act without requiring service on the registered owner of any process therein.
R.S.C., c. T-10, s. 41; c. 10 (2nd Supp.), s. 64.

Représentations supplémentaires

43. Le propriétaire inscrit d'une marque de commerce en fournit les représentations supplémentaires que le registraire peut exiger par avis et, s'il omet de se conformer à un tel avis, le registraire peut, par un autre avis, fixer un délai raisonnable après lequel, si les représentations ne sont pas fournies, il pourra radier l'inscription de la marque de commerce.
S.R.C., ch. T-10, art. 42.

Additional representations

43. The registered owner of any trade-mark shall furnish such additional representations thereof as the Registrar may by notice demand and, if he fails to comply with that notice, the Registrar may by a further notice, fix a reasonable time after which, if the representations are not furnished, he may expunge the registration of the trade-mark.
R.S.C., c. T-10, s. 42.

Demande de renseignements

44. (1) Le registraire peut, et doit sur demande d'une personne qui verse le droit prescrit, enjoindre, par avis écrit, au propriétaire inscrit de toute marque de commerce figurant au registre le 1er juillet 1954 de lui fournir, dans les trois mois suivant la date de l'avis, les renseignements qui seraient requis à l'occasion d'une demande d'enregistrement d'une telle marque de commerce, faite à la date de cet avis.

Modification de l'inscription

(2) Le registraire peut modifier l'enregistrement en conformité avec les renseignements qui lui sont fournis selon le paragraphe (1).

Lorsque les renseignements ne sont pas fournis

(3) Lorsque les renseignements ne sont pas fournis, le registraire fixe, au moyen d'un nouvel avis, un délai raisonnable après lequel, si les renseignements ne sont pas fournis, il pourra radier l'enregistrement de la marque de commerce.

S.R.C., ch. T-10, art. 43.

Le registraire peut exiger une preuve d'emploi

45. (1) Le registraire peut, et doit sur demande écrite présentée après trois années à compter de la date de l'enregistrement d'une marque de commerce, par une personne qui verse les droits prescrits, à moins qu'il ne voie une raison valable à l'effet contraire, donner au propriétaire inscrit un avis lui enjoignant de fournir, dans les trois mois, un affidavit ou une déclaration solennelle indiquant, à l'égard de chacune des marchandises ou de chacun des services que spécifie l'enregistrement, si la marque de commerce a été employée au Canada à un moment quelconque au cours des trois ans précédant la date de l'avis et, dans la négative, la date où elle a été ainsi employée en dernier lieu et la raison de son défaut d'emploi depuis cette date.

Forme de la preuve

(2) Le registraire ne peut recevoir aucune preuve autre que cet affidavit ou cette décla-

Notice for information

44. (1) The Registrar may at any time, and shall at the request of any person who pays the prescribed fee, by notice in writing require the registered owner of any trade-mark that was on the register on July 1, 1954 to furnish him within three months from the date of the notice with the information that would be required on an application for the registration of the trade-mark made at the date of the notice.

Amendments to register

(2) The Registrar may amend the registration of the trade-mark in accordance with the information furnished to him under subsection (1).

Failure to give information

(3) Where the information required by subsection (1) is not furnished, the Registrar shall by a further notice fix a reasonable time after which, if the information is not furnished, he may expunge the registration of the trade-mark.

R.S.C., c. T-10, s. 43.

Registrar may request evidence of user

45. (1) The Registrar may at any time and, at the written request made after three years from the date of the registration of a trade-mark by any person who pays the prescribed fee shall, unless the Registrar sees good reason to the contrary, give notice to the registered owner of the trade-mark requiring the registered owner to furnish within three months an affidavit or a statutory declaration showing, with respect to each of the wares or services specified in the registration, whether the trade-mark was in use in Canada at any time during the three year period immediately preceding the date of the notice and, if not, the date when it was last so in use and the reason for the absence of such use since that date.

Form of evidence

(2) The Registrar shall not receive any evidence other than the affidavit or statutory

ration solennelle, mais il peut entendre des représentations faites par le propriétaire inscrit de la marque de commerce ou pour celui-ci ou par la personne à la demande de qui l'avis a été donné ou pour celle-ci.

declaration, but may hear representations made by or on behalf of the registered owner of the trade-mark or by or on behalf of the person at whose request the notice was given.

Effet du non-usage

(3) Lorsqu'il apparaît au registraire, en raison de la preuve qui lui est fournie ou du défaut de fournir une telle preuve, que la marque de commerce, soit à l'égard de la totalité des marchandises ou services spécifiés dans l'enregistrement, soit à l'égard de l'une de ces marchandises ou de l'un de ces services, n'a été employée au Canada à aucun moment au cours des trois ans précédant la date de l'avis et que le défaut d'emploi n'a pas été attribuable à des circonstances spéciales qui le justifient, l'enregistrement de cette marque de commerce est susceptible de radiation ou de modification en conséquence.

Effect of non-use

(3) Where, by reason of the evidence furnished to the Registrar or the failure to furnish any evidence, it appears to the Registrar that a trade-mark, either with respect to all of the wares or services specified in the registration or with respect to any of those wares or services, was not used in Canada at any time during the three year period immediately preceding the date of the notice and that the absence of use has not been due to special circumstances that excuse the absence of use, the registration of the trade-mark is liable to be expunged or amended accordingly.

Avis au propriétaire

(4) Lorsque le registraire décide ou non de radier ou de modifier l'enregistrement de la marque de commerce, il notifie sa décision, avec les motifs pertinents, au propriétaire inscrit de la marque de commerce et à la personne à la demande de qui l'avis visé au paragraphe (1) a été donné.

Notice to owner

(4) When the Registrar reaches a decision whether or not the registration of a trade-mark ought to be expunged or amended, he shall give notice of his decision with the reasons therefor to the registered owner of the trade-mark and to the person at whose request the notice referred to in subsection (1) was given.

Mesures à prendre par le registraire

(5) Le registraire agit en conformité avec sa décision si aucun appel n'en est interjeté dans le délai prévu par la présente loi ou, si un appel est interjeté, il agit en conformité avec le jugement définitif rendu dans cet appel. L.R.C. 1985, ch. T-13, art 45; L.C. 1993, ch. 44, art. 232; 1994, ch. 47, art. 200(1) et (2).

Action by Registrar

(5) The Registrar shall act in accordance with his decision if no appeal therefrom is taken within the time limited by this Act or, if an appeal is taken, shall act in accordance with the final judgment given in the appeal. R.S.C. 1985, c. T-13, s. 45; S.C. 1993, c. 44, s. 232; 1994, c. 47, s. 200(1) and (2).

RENOUVELLEMENT DES ENREGISTREMENTS

RENEWAL OF REGISTRATIONS

Renouvellement

46. (1) L'enregistrement d'une marque de commerce figurant au registre en vertu de la présente loi est sujet à renouvellement au cours des quinze années à compter de la date de cet enregistrement ou du dernier renouvellement.

Renewal

46. (1) The registration of a trade-mark that is on the register by virtue of this Act is subject to renewal within a period of fifteen years from the day of the registration or last renewal.

Avis ordonnant un renouvellement

(2) Lorsque l'enregistrement d'une marque de commerce a figuré au registre sans renouvellement pendant la période spécifiée au paragraphe (1) le registraire envoie au propriétaire inscrit et à son représentant pour signification, le cas échéant, un avis portant que si, dans les six mois qui suivent la date de cet avis, le droit prescrit de renouvellement n'est pas versé, l'enregistrement sera radié.

Notice to renew

(2) If the registration of a trade-mark has been on the register without renewal for the period specified in subsection (1), the Registrar shall send a notice to the registered owner and to the registered owner's representative for service, if any, stating that if within six months after the date of the notice the prescribed renewal fee is not paid, the registration will be expunged.

[**Disposition transitoire**

Lorsqu'un avis pris en application du paragraphe 46(2) de la *Loi sur les marques de commerce* a été envoyé au propriétaire inscrit avant l'entrée en vigueur du paragraphe (1) (28 février 1992), il est disposé du renouvellement de l'enregistrement d'une marque de commerce comme si le paragraphe (1) n'était pas entré en vigueur.]

[**Transitional provision**

Where a notice was sent under subsection 46(2) of the said Act before the coming into force of subsection (1) (February 28, 1992), the renewal of the registration of the trade-mark shall be dealt with and disposed of as if subsection (1) had not come into force.]

Non-renouvellement

(3) Si, dans la période de six mois que spécifie l'avis et qui ne peut être prorogée, le droit prescrit de renouvellement n'est pas versé, le registraire radie l'enregistrement.

Failure to renew

(3) If within the period of six months specified in the notice, which period shall not be extended, the prescribed renewal fee is not paid, the Registrar shall expunge the registration.

Date d'entrée en vigueur du renouvellement

(4) Lorsque le droit prescrit pour un renouvellement de l'enregistrement d'une marque de commerce en vertu du présent article est acquitté dans le délai fixé, le renouvellement prend effet le lendemain de l'expiration de la période définie au paragraphe (1).
L.R.C. 1985, ch. T-13, art. 46; L.C. 1992, ch. 1, art. 135.

Effective date of renewal

(4) When the prescribed fee for a renewal of any trade-mark registration under this section is paid within the time limited for the payment thereof, the renewal takes effect as of the day next following the expiration of the period specified in subsection (1).
R.S.C. 1985, c. T-13, s. 46; S.C. 1992, c. 1, s. 135.

PROLONGATION DE DÉLAI

Prorogations

47. (1) Si, dans un cas donné, le registraire est convaincu que les circonstances justifient une prolongation du délai fixé par la présente loi ou prescrit par les règlements pour l'accomplissement d'un acte, il peut, sauf disposition contraire de la présente loi, prolonger le délai après l'avis aux autres personnes et selon les termes qu'il lui est loisible d'ordonner.

EXTENSIONS OF TIME

Extensions of time

47. (1) If, in any case, the Registrar is satisfied that the circumstances justify an extension of the time fixed by this Act or prescribed by the regulations for the doing of any act, he may, except as in this Act otherwise provided, extend the time after such notice to other persons and on such terms as he may direct.

Conditions

(2) Une prorogation demandée après l'expiration de pareil délai ou du délai prolongé par le registraire en vertu du paragraphe (1) ne peut être accordée que si le droit prescrit est acquitté et si le registraire est convaincu que l'omission d'accomplir l'acte ou de demander la prorogation dans ce délai ou au cours de cette prorogation n'était pas raisonnablement évitable.
S.R.C., ch. T-10, art. 46.

Conditions

(2) An extension applied for after the expiration of the time fixed for the doing of an act or the time extended by the Registrar under subsection (1) shall not be granted unless the prescribed fee is paid and the Registrar is satisfied that the failure to do the act or apply for the extension within that time or the extended time was not reasonably avoidable.
R.S.C., c. T-10, s. 46.

TRANSFERT

TRANSFER

Une marque de commerce est transférable

48. (1) Une marque de commerce, déposée ou non, est transférable et est réputée avoir toujours été transférable, soit à l'égard de l'achalandage de l'entreprise, soit isolément, et soit à l'égard de la totalité, soit à l'égard de quelques-uns des services ou marchandises en liaison avec lesquels elle a été employée.

Trade-mark transferable

48. (1) A trade-mark, whether registered or unregistered, is transferable, and deemed always to have been transferable, either in connection with or separately from the goodwill of the business and in respect of either all or some of the wares or services in association with which it has been used.

Dans le cas de deux ou plusieurs personnes intéressées

(2) Le paragraphe (1) n'a pas pour effet d'empêcher qu'une marque de commerce soit considérée comme n'étant pas distinctive si, par suite de son transfert, il subsistait des droits, chez deux ou plusieurs personnes, à l'emploi de marques de commerce créant de la confusion et si ces droits ont été exercés par ces personnes.

Where two or more persons interested

(2) Nothing in subsection (1) prevents a trade-mark from being held not to be distinctive if as a result of a transfer thereof there subsisted rights in two or more persons to the use of confusing trade-marks and the rights were exercised by those persons.

Inscription du transfert

(3) Le registraire inscrit le transfert de toute marque de commerce déposée, une fois que lui ont été fournis une preuve du transfert qu'il juge satisfaisante et les renseignements qu'exigerait l'alinéa 30*g*) dans une demande, par le cessionnaire, d'enregistrer cette marque de commerce.
S.R.C., ch. T-10, art. 47.

Registration of transfer

(3) The Registrar shall register the transfer of any registered trade-mark on being furnished with evidence satisfactory to him of the transfer and the information that would be required by paragraph 30(*g*) in an application by the transferee to register the trade-mark.
R.S.C., c. T-10, s. 47.

CHANGEMENT APPORTÉ AUX FINS DE L'EMPLOI D'UNE MARQUE

CHANGE OF PURPOSE IN USE OF MARK

Autres fins

49. Si une personne emploie une marque comme marque de commerce à l'une des fins

Change of purpose

49. If a mark is used by a person as a trade-mark for any of the purposes or in any of the

ou de l'une des manières mentionnées à la définition de «marque de certification», ou de «marque de commerce» à l'article 2, la marque ne peut être considérée comme invalide pour le seul motif que cette personne ou un prédécesseur en titre l'emploie ou l'a employée à une autre de ces fins ou d'une autre de ces manières.
S.R.C., ch. T-10, art. 48.

manners mentioned in the definition "certification mark" or "trade-mark" in section 2, it shall not be held invalid merely on the ground that the person or a predecessor in title uses it or has used it for any other of those purposes or in any other of those manners.
R.S.C., c. T-10, s. 48.

LICENCES

Licence d'emploi d'une marque de commerce

50. (1) Pour l'application de la présente loi, si une licence d'emploi d'une marque de commerce est octroyée, pour un pays, à une entité par le propriétaire de la marque, ou avec son autorisation, et que celui-ci, aux termes de la licence, contrôle, directement ou indirectement, les caractéristiques ou la qualité des marchandises et services, l'emploi, la publicité ou l'exposition de la marque, dans ce pays, par cette entité comme marque de commerce, nom commercial — ou partie de ceux-ci — ou autrement ont le même effet et sont réputés avoir toujours eu le même effet que s'il s'agissait de ceux du propriétaire.

Idem

(2) Pour l'application de la présente loi, dans la mesure où un avis public a été donné quant à l'identité du propriétaire et au fait que l'emploi d'une marque de commerce fait l'objet d'une licence, cet emploi est réputé, sauf preuve contraire, avoir fait l'objet d'une licence du propriétaire, et le contrôle des caractéristiques ou de la qualité des marchandises et services est réputé, sauf preuve contraire, être celui du propriétaire.

Action par le propriétaire

(3) Sous réserve de tout accord encore valide entre lui et le propriétaire d'une marque de commerce, le licencié peut requérir le propriétaire d'intenter des procédures pour usurpation de la marque et, si celui-ci refuse ou néglige de la faire dans les deux mois suivant cette réquisition, il peut intenter ces procédu-

LICENCES

Licence to use trade-mark

50. (1) For the purposes of this Act, if an entity is licensed by or with the authority of the owner of a trade-mark to use the trade-mark in a country and the owner has, under the licence, direct or indirect control of the character or quality of the wares or services, then the use, advertisement or display of the trade-mark in that country as or in a trade-mark, trade-name or otherwise by that entity has, and is deemed always to have had, the same effect as such a use, advertisement or display of the trade-mark in that country by the owner.

Idem

(2) For the purposes of this Act, to the extent that public notice is given of the fact that the use of a trade-mark is a licensed use and of the identity of the owner, it shall be presumed, unless the contrary is proven, that the use is licensed by the owner of the trade-mark and the character or quality of the wares or services is under the control of the owner.

Owner may be required to take proceedings

(3) Subject to any agreement subsisting between an owner of a trade-mark and a licensee of the trade-mark, the licensee may call on the owner to take proceedings for infringement thereof, and, if the owner refuses or neglects to do so within two months after being so called on, the licensee may institute

res en son propre nom comme s'il était propriétaire, faisant du propriétaire un défendeur.
L.R.C. 1985, ch. T-13, art. 50; L.C. 1993, ch. 15, art. 69; 1999, ch. 31, art. 211(F).

proceedings for infringement in the licensee's own name as if the licensee were the owner, making the owner a defendant.
R.S.C. 1985, c. T-13, s. 50; S.C. 1993, c. 15, s. 69; 1999, c. 31, s. 211(F).

Utilisation d'une marque de commerce par des compagnies connexes

51. (1) Lorsqu'une compagnie et le propriétaire d'une marque de commerce qui est employée au Canada par ce propriétaire en liaison avec une préparation pharmaceutique sont des compagnies connexes, l'emploi par cette compagnie soit de cette marque de commerce, soit d'une autre marque de commerce qui crée de la confusion avec cette marque de commerce, en liaison avec une préparation pharmaceutique qui, au moment de cet emploi ou par la suite :
a) d'une part, est acquise par une personne, directement ou indirectement, de la compagnie;
b) d'autre part, est vendue, distribuée ou dont la mise en vente est annoncée, au Canada, dans un emballage portant le nom de la compagnie ainsi que le nom de cette personne en tant que distributeur de cette préparation pharmaceutique,
a, pour l'application de la présente loi, le même effet que l'emploi, par le propriétaire, de cette marque de commerce ou de l'autre marque de commerce qui crée de la confusion avec cette marque de commerce, selon le cas.

Use of trade-mark by related companies

51. (1) Where a company and the owner of a trade-mark that is used in Canada by that owner in association with a pharmaceutical preparation are related companies, the use by the company of the trade-mark, or a trade-mark confusing therewith, in association with a pharmaceutical preparation that at the time of that use or at any time thereafter,
(a) is acquired by a person directly or indirectly from the company, and
(b) is sold, distributed or advertised for sale in Canada in a package bearing the name of the company and the name of that person as the distributor thereof,
has the same effect, for all purposes of this Act, as a use of the trade-mark or the confusing trade-mark, as the case may be, by that owner.

Cas où la composition est différente

(2) Le paragraphe (1) ne s'applique pas à l'emploi d'une marque de commerce, ou d'une marque de commerce créant de la confusion, par une compagnie mentionnée à ce paragraphe, en liaison avec une préparation pharmaceutique, après le moment, le cas échéant, où le ministre de la Santé déclare, par avis publié dans la *Gazette du Canada*, que la composition de cette préparation pharmaceutique diffère suffisamment de celle de la préparation pharmaceutique en liaison avec laquelle la marque de commerce est employée au Canada par le propriétaire mentionné au paragraphe (1) pour qu'il soit probable qu'il en résulte un risque pour la santé.

Where difference in composition

(2) Subsection (1) does not apply to any use of a trade-mark or a confusing trade-mark by a company referred to in that subsection in association with a pharmaceutical preparation after such time, if any, as that pharmaceutical preparation is declared by the Minister of Health, by notice published in the *Canada Gazette*, to be sufficiently different in its composition from the pharmaceutical preparation in association with which the trademark is used in Canada by the owner referred to in subsection (1) as to be likely to result in a hazard to health.

Définition de «préparation pharmaceutique»

(3) Au présent article, «préparation pharmaceutique» s'entend notamment :

a) de toute substance ou de tout mélange de substances fabriqué, vendu ou représenté comme pouvant être employé :

(i) soit au diagnostic, au traitement, à l'atténuation ou à la prévention d'une maladie, d'un désordre, d'un état physique anormal, ou de leurs symptômes chez l'homme ou les animaux,

(ii) soit en vue de restaurer, corriger ou modifier les fonctions organiques chez l'homme ou les animaux;

b) de toute substance destinée à être employée dans la préparation ou la production d'une substance ou d'un mélange de substances décrits à l'alinéa *a*).

La présente définition exclut une substance ou un mélange de substances semblable ou identique à ceux que les règlements d'application de la *Loi sur les aliments et drogues* qualifient de spécialités pharmaceutiques.

S.R.C., ch. T-10, art. 50; S.C. 1974-75-76, ch. 43, art. 2; L.C. 1996, ch. 8, art. 32.

Definition of "pharmaceutical preparation"

(3) In this section, "pharmaceutical preparation" includes

(a) any substance or mixture of substances manufactured, sold or represented for use in

(i) the diagnosis, treatment, mitigation or prevention of a disease, disorder or abnormal physical state, or the symptoms thereof, in humans or animals, or

(ii) restoring, correcting or modifying organic functions in humans or animals, and

(b) any substance to be used in the preparation or production of any substance or mixture of substances described in paragraph (*a*),

but does not include any such substance or mixture of substances that is the same or substantially the same as a substance or mixture of substances that is a proprietary medicine within the meaning from time to time assigned to that expression by regulations made pursuant to the *Food and Drugs Act*.

R.S.C., c. T-10, s. 50; S.C. 1974-75-76, c. 43, s. 2; 1996, c. 8, s. 32.

PROCÉDURES JUDICIAIRES

Définitions

52. Les définitions qui suivent s'appliquent aux articles 53 à 53.3.

«dédouanement» ***"release"***

«dédouanement» S'entend au sens de la *Loi sur les douanes*.

«droits» ***"duties"***

«droits» S'entend au sens de la *Loi sur les douanes*.

«ministre» ***"Minister"***

«ministre» Le ministre du Revenu national.

«tribunal» ***"court"***

«tribunal» La Cour fédérale ou la cour supérieure d'une province.

L.R.C. 1985, ch. T-13, art. 52; L.C. 1993, ch. 44, art. 234.

LEGAL PROCEEDINGS

Definitions

52. In sections 53 to 53.3,

"court" ***«tribunal»***

"court" means the Federal Court or the superior court of a province;

"duties" ***«droits»***

"duties" has the same meaning as in the *Customs Act*;

"Minister" ***«ministre»***

"Minister" means the Minister of National Revenue;

"release" ***«dédouanement»***

"release" has the same meaning as in the *Customs Act*.

R.S.C. 1985, c. T-13, s. 52; S.C. 1993, c. 44, s. 234.

Rétention provisoire de marchandises faisant l'objet de contraventions

53. (1) S'il est convaincu, sur demande de toute personne intéressée, qu'une marque de

Proceedings for interim custody

53. (1) Where a court is satisfied, on application of any interested person, that any reg-

commerce déposée ou un nom commercial a été appliqué à des marchandises importées au Canada ou qui sont sur le point d'être distribuées au Canada de telle façon que la distribution de ces marchandises serait contraire à la présente loi, ou qu'une indication de lieu d'origine a été illégalement appliquée à des marchandises, le tribunal peut rendre une ordonnance décrétant la rétention provisoire des marchandises, en attendant un prononcé final sur la légalité de leur importation ou distribution, dans une action intentée dans le délai prescrit par l'ordonnance.

istered trade-mark or any trade-name has been applied to any wares that have been imported into Canada or are about to be distributed in Canada in such a manner that the distribution of the wares would be contrary to this Act, or that any indication of a place of origin has been unlawfully applied to any wares, the court may make an order for the interim custody of the wares, pending a final determination of the legality of their importation or distribution in an action commenced within such time as is prescribed by the order.

Garantie
(2) Avant de rendre une ordonnance sous le régime du paragraphe (1), le tribunal peut exiger du demandeur qu'il fournisse une garantie, au montant fixé par le tribunal, destinée à répondre de tous dommages que le propriétaire, l'importateur ou le consignataire des marchandises peut subir en raison de l'ordonnance, et couvrant tout montant susceptible de devenir imputable aux marchandises pendant qu'elles demeurent sous rétention selon l'ordonnance.

Security
(2) Before making an order under subsection (1), the court may require the applicant to furnish security, in an amount fixed by the court, to answer any damages that may by reason of the order be sustained by the owner, importer or consignee of the wares and for any amount that may become chargeable against the wares while they remain in custody under the order.

Privilège pour charges
(3) Lorsque, aux termes du jugement dans une action intentée aux termes du présent article déterminant de façon définitive la légalité de l'importation ou de la distribution des marchandises, l'importation ou la distribution en est interdite soit absolument, soit de façon conditionnelle, un privilège couvrant des charges contre ces marchandises ayant pris naissance avant la date d'une ordonnance rendue sous le régime du présent article n'a d'effet que dans la mesure compatible avec l'exécution du jugement.

Lien for charges
(3) Where, by judgment in any action under this section finally determining the legality of the importation or distribution of the wares, their importation or distribution is forbidden, either absolutely or on condition, any lien for charges against them that arose prior to the date of an order made under this section has effect only so far as may be consistent with the due execution of the judgment.

Importations interdites
(4) Lorsque, au cours de l'action, le tribunal trouve que cette importation est contraire à la présente loi, ou que cette distribution serait contraire à la présente loi, il peut rendre une ordonnance prohibant l'importation future de marchandises auxquelles a été appliquée cette marque de commerce, ce nom commercial ou cette indication de lieu d'origine.

Prohibition of imports
(4) Where in any action under this section the court finds that the importation is or the distribution would be contrary to this Act, it may make an order prohibiting the future importation of wares to which the trade-mark, trade-name or indication of origin has been applied.

Demandes
(5) La demande prévue au paragraphe (1) peut être faite dans une action ou autrement, et soit sur avis, soit *ex parte*.

How application made
(5) An application referred to in subsection (1) may be made in an action or otherwise, and either on notice or *ex parte*.

Restriction
(6) Dans le cas où une procédure peut-être engagée en vertu de l'article 53.1 pour la détention de marchandises par le ministre, il n'est pas possible d'intenter l'action prévue au paragraphe (1) pour la rétention provisoire par le Ministre.
L.R.C. 1985, ch. T-13, art. 53; L.C. 1993, ch. 44, art. 234.

Limitation
(6) No proceedings may be taken under subsection (1) for the interim custody of wares by the Minister if proceedings for the detention of the wares by the Minister may be taken under section 53.1.
R.S.C. 1985, c. T-13, s. 53; S.C. 1993, c. 44, s. 234.

Ordonnance visant le ministre
53.1 (1) S'il est convaincu, sur demande du propriétaire d'une marque de commerce, que des marchandises auxquelles a été appliquée une marque de commerce sont sur le point d'être importées au Canada ou ont été importées au Canada sans être dédouanées et que la distribution de ces marchandises serait contraire à la présente loi, le tribunal peut :
a) ordonner au ministre de prendre, sur la foi de renseignements que celui-ci a valablement exigés du demandeur, toutes mesures raisonnables pour détenir les marchandises;
b) ordonner au ministre d'aviser sans délai le demandeur et le propriétaire ou l'importateur des marchandises de leur détention en mentionnant ses motifs;
c) prévoir, dans l'ordonnance, toute autre mesure qu'il juge indiquée.

Proceedings for detention by Minister
53.1 (1) Where a court is satisfied, on application by the owner of a registered trade-mark, that any wares to which the trade-mark has been applied are about to be imported into Canada or have been imported into Canada but have not yet been released, and that the distribution of the wares in Canada would be contrary to this Act, the court may make an order
(*a*) directing the Minister to take reasonable measures, on the basis of information reasonably required by the Minister and provided by the applicant, to detain the wares;
(*b*) directing the Minister to notify the applicant and the owner or importer of the wares, forthwith after detaining them, of the detention and the rerasons therefor; and
(*c*) providing for such other matters as the court considers appropriate.

Demande
(2) La demande est faite dans une action ou toute autre procédure, sur avis adressé au ministre et, pour toute autre personne, soit sur avis, soit *ex parte*.

How application made
(2) An application referred to in subsection (1) may be made in an action or otherwise, and either on notice or *ex parte*, except that it must always be made on notice to the Minister.

Garantie
(3) Avant de rendre l'ordonnance, le tribunal peut obliger le demandeur à fournir une garantie, d'un montant déterminé par le tribunal, en vue de couvrir les droits, les frais de transport et d'entreposage, et autres ainsi que les dommages que peut subir, du fait de l'or-

Court may require security
(3) Before making an order under subsection (1), the court may require the applicant to furnish security, in an amount fixed by the court,
(*a*) to cover duties, storage and handling charges, and any other amount that may become chargeable against the wares; and

donnance, le propriétaire, l'importateur ou le consignataire des marchandises.

(*b*) to answer any damages that may by reason of the order be sustained by the owner, importer or consignee of the wares.

Demande d'instructions

(4) Le ministre peut s'adresser au tribunal pour obtenir des instructions quant à l'application de l'ordonnance.

Application for directions

(4) The Minister may apply to the court for directions in implementing an order made under subsection (1).

Permission du ministre d'inspecter

(5) Le ministre peut donner au demandeur ou à l'importateur la possibilité d'inspecter les marchandises en détention afin de justifier ou de réfuter les prétentions du demandeur.

Minister may allow inspection

(5) The Minister may give the applicant or importer of the detained wares an opportunity to inspect them for the purpose of substantiating or refuting, as the case may be, the applicant's claim.

Obligations du demandeur

(6) Sauf disposition contraire d'une ordonnance rendue en vertu du paragraphe (1) et sous réserve de la *Loi sur les douanes* ou de toute autre loi fédérale prohibant, contrôlant ou réglementant les importations ou les exportations, le ministre dédouane les marchandises, sans autre avis au demandeur, si, dans les deux semaines qui suivent la notification prévue à l'alinéa (1)*b*), il n'a pas été avisé qu'une action a été engagée pour que le tribunal se prononce sur la légalité de l'importation ou de la distribution des marchandises.

Where applicant fails to commence an action

(6) Unless an order made under subsection (1) provides otherwise, the Minister shall, subject to the *Customs Act* and to any other Act of Parliament that prohibits, controls or regulates the importation or exportation of goods, release the wares without further notice to the applicant if, two weeks after the applicant has been notified under paragraph (1)(*b*), the Minister has not been notified that an action has been commenced for a final determination by the court of the legality of the importation or distribution of the wares.

Destruction ou restitution des marchandises

(7) Lorsque, au cours d'une action intentée sous le régime du présent article, il conclut que l'importation est, ou que la distribution serait, contraire à la présente loi, le tribunal peut rendre toute ordonnance qu'il juge indiquée, notamment quant à leur destruction ou à leur restitution au demandeur en toute propriété.
L.C. 1993, ch. 44, art. 234.

Where court finds in plaintiff's favour

(7) Where, in an action commenced under this section, the court finds that the importation is or the distribution would be countrary to this Act, the court may make any order that it considers appropriate in the circumstances, including an order that the wares be destroyed or exported, or that they be delivered up to the plaintiff as the plaintiff's property absolutely.
S.C. 1993, c. 44, s. 234.

Pouvoir du tribunal d'accorder une réparation

53.2 Lorsqu'il est convaincu, sur demande de toute personne intéressée, qu'un acte a été accompli contrairement à la présente loi, le tribunal peut rendre les ordonnances qu'il juge indiquées, notamment pour réparation

Power of court to grant relief

53.2 Where a court is satisfied, on application of any interested person, that any act has been done contrary to this Act, the court may make any order that it considers appropriate in the circumstances, including an order pro-

par voie d'injonction ou par recouvrement de dommages-intérêts ou de profits, pour l'imposition de dommages punitifs, ou encore pour la disposition par destruction, exportation ou autrement des marchandises, colis, étiquettes et matériel publicitaire contrevenant à la présente loi et de toutes matrices employées à leur égard.
L.C. 1993, ch. 44, art. 234.

viding for relief by way of injunction and the recovery of damages or profits and for the destruction, exportation or other disposition of any offending wares, packages, labels and advertising material and of any dies used in connection therewith.
S.C. 1993, c. 44, s. 234.

Réexportation des marchandises

53.3 Dans les procédures engagées en vertu des articles 53.1 ou 53.2, le tribunal ne peut, en vertu de ces articles, sauf dans des circonstances exceptionnelles, rendre une ordonnance prévoyant l'exportation en l'état de marchandises s'il conclut :

a) d'une part, que les marchandises, portant une marque de commerce déposée, ont été importées de telle façon que leur distribution au Canada serait contraire à la présente loi;

b) d'autre part, que la marque a été appliquée sans le consentement du propriétaire et avec l'intention de la contrefaire ou de l'imiter, ou de tromper le public et de le porter à croire que les marchandises ont été fabriquées avec le consentement du propriétaire.

L.C. 1993, ch. 44, art. 234.

Re-exportation of wares

53.3 Where in any proceeding under section 53.1 or 53.2 the court finds

(*a*) that wares bearing a registered trade-mark have been imported into Canada in such manner that the distribution of the wares in Canada would be contrary to this Act, and

(*b*) that the registered trade-mark has, without the consent of the owner, been applied to those wares with the intent of counterfeiting or imitating the trade-mark, or of deceiving the public and inducing them to believe that the wares were made with the consent of the owner,

the court may not, other than in exceptional circumstances, make an order under that section requiring or permitting the wares to be exported in an unaltered state.

S.C. 1993, c. 44, s. 234.

Preuve

54. (1) La preuve d'un document, ou d'un extrait d'un document, en la garde officielle du registraire peut être fournie par la production d'une copie du document ou de l'extrait, donnée comme étant certifiée conforme par le registraire.

Evidence

54. (1) Evidence of any document in the official custody of the Registrar or of any extract therefrom may be given by the production of a copy thereof purporting to be certified to be true by the Registrar.

Idem

(2) Une copie de toute inscription dans le registre, donnée comme étant certifiée conforme par le registraire, fait foi des faits y énoncés.

Idem

(2) A copy of any entry in the register purporting to be certified to be true by the Registrar is evidence of the facts set out therein.

Idem

(3) Une copie de l'inscription de l'enregistrement d'une marque de commerce, donnée comme étant certifiée conforme par le registraire, fait foi des faits y énoncés et de ce que la personne y nommée comme proprié-

Idem

(3) A copy of the record of the registration of a trade-mark purporting to be certified to be true by the Registrar is evidence of the facts set out therein and that the person named therein as owner is the registered owner of

taire est le propriétaire inscrit de cette marque de commerce aux fins et dans la région territoriale qui y sont indiquées.

the trademark for the purposes and within the territorial area therein defined.

Idem

(4) Une copie d'une inscription faite ou de documents produits sous l'autorité de toute loi relative aux marques de commerce jusqu'ici en vigueur, certifiée en vertu d'une telle loi, est admissible en preuve et a la même force probante qu'une copie certifiée par le registraire aux termes de la présente loi, ainsi qu'il est prévu au présent article.
S.R.C., ch. T-10, art. 54.

Idem

(4) A copy of any entry made or documents filed under the authority of any Act in force before July 1, 1954 relating to trade-marks, certified under the authority of that Act, is admissible in evidence and has the same probative force as a copy certified by the Registrar under this Act as provided in this section.
R.S.C., c. T-10, s. 54.

Juridiction de la Cour fédérale

55. La Cour fédérale peut connaître de toute action ou procédure en vue de l'application de la présente loi ou d'un droit ou recours conféré ou défini par celle-ci.
S.R.C., ch. T-10, art. 55; ch. 10 (2e suppl.), art. 64.

Jurisdiction of Federal Court

55. The Federal Court has jurisdiction to entertain any action or proceeding for the enforcement of any of the provisions of this Act or of any right or remedy conferred or defined thereby.
R.S.C., c. T-10, s. 55; c. 10 (2nd Supp.), s. 64.

Appel

56. (1) Appel de toute décision rendue par le registraire, sous le régime de la présente loi, peut être interjeté à la Cour fédérale dans les deux mois qui suivent la date où le registraire a expédié l'avis de la décision ou dans tel délai supplémentaire accordé par le tribunal, soit avant, soit après l'expiration des deux mois.

Appeal

56. (1) An appeal lies to the Federal Court from any decision of the Registrar under this Act within two months from the date on which notice of the decision was dispatched by the Registrar or within such further time as the Court may allow, either before or after the expiration of the two months.

Procédure

(2) L'appel est interjeté au moyen d'un avis d'appel produit au bureau du registraire et à la Cour fédérale.

Procedure

(2) An appeal under subsection (1) shall be made by way of notice of appeal filed with the Registrar and in the Federal Court.

Avis au propriétaire

(3) L'appelant envoie, dans le délai établi ou accordé par le paragraphe (1), par courrier recommandé, une copie de l'avis au propriétaire inscrit de toute marque de commerce que le registraire a mentionnée dans la décision sur laquelle porte la plainte et à toute autre personne qui avait droit à un avis de cette décision.

Notice to owner

(3) The appellant shall, within the time limited or allowed by subsection (1), send a copy of the notice by registered mail to the registered owner of any trade-mark that has been referred to by the Registrar in the decision complained of and to every other person who was entitled to notice of the decision.

Avis public

(4) Le tribunal peut ordonner qu'un avis public de l'audition de l'appel et des matières en

Public notice

(4) The Federal Court may direct that public notice of the hearing of an appeal under sub-

litige dans cet appel soit donné de la manière qu'il juge opportune.

section (1) and of the matters at issue therein be given in such manner as it deems proper.

Preuve additionnelle

(5) Lors de l'appel, il peut être apporté une preuve en plus de celle qui a été fournie devant le registraire, et le tribunal peut exercer toute discrétion dont le registraire est investi.
S.R.C., ch. T-10, art. 56; ch. 10 (2e suppl.), art. 64.

Additional evidence

(5) On an appeal under subsection (1), evidence in addition to that adduced before the Registrar may be adduced and the Federal Court may exercise any discretion vested in the Registrar.
R.S.C., c. T-10, s. 56; c. 10 (2nd Supp.), s. 64.

Juridiction exclusive de la Cour fédérale

57. (1) La Cour fédérale a une compétence initiale exclusive, sur demande du registraire ou de toute personne intéressée, pour ordonner qu'une inscription dans le registre soit biffée ou modifiée, parce que, à la date de cette demande, l'inscription figurant au registre n'exprime ou ne définit pas exactement les droits existants de la personne paraissant être le propriétaire inscrit de la marque.

Exclusive jurisdiction of Federal Court

57. (1) The Federal Court has exclusive original jurisdiction, on the application of the Registrar or of any person interested, to order that any entry in the register be struck out or amended on the ground that at the date of the application the entry as it appears on the register does not accurately express or define the existing rights of the person appearing to be the registered owner of the mark.

Restriction

(2) Personne n'a le droit d'intenter, en vertu du présent article, des procédures mettant en question une décision rendue par le registraire, de laquelle cette personne avait reçu un avis formel et dont elle avait le droit d'interjeter appel.
S.R.C., ch. T-10, art. 57; ch. 10 (2e suppl.), art. 64.

Restriction

(2) No person is entitled to institute under this section any proceeding calling into question any decision given by the Registrar of which that person had express notice and from which he had a right to appeal.
R.S.C., c. T-10, s. 57; c. 10 (2nd Supp.), s. 64.

Comment sont intentées les procédures

58. Une demande prévue à l'article 57 est faite par la production d'un avis de requête, par une demande reconventionnelle dans une action pour usurpation de la marque de commerce ou par un exposé de réclamation dans une action demandant un redressement additionnel en vertu de la présente loi.
S.R.C., ch. T-10, art. 58.

How proceedings instituted

58. An application under section 57 shall be made either by the filing of an originating notice of motion, by counter-claim in an action for the infringement of the trade-mark, or by statement of claim in an action claiming additional relief under this Act.
R.S.C., c. T-10, s. 58.

L'avis indique les motifs

59. (1) Lorsqu'un appel est porté sous le régime de l'article 56 par la production d'un avis d'appel, ou qu'une demande est faite selon l'article 57 par la production d'un avis de requête, l'avis indique tous les détails des motifs sur lesquels la demande de redressement est fondée.

Notice to set out grounds

59. (1) Where an appeal is taken under section 56 by the filing of a notice of appeal, or an application is made under section 57 by the filing of an originating notice of motion, the notice shall set out full particulars of the grounds on which relief is sought.

Réplique

(2) Toute personne à qui a été signifiée une copie de cet avis, et qui entend contester l'appel ou la demande, selon le cas, produit et signifie, dans le délai prescrit ou tel nouveau délai accordé par le tribunal, une réplique indiquant tous les détails des motifs sur lesquels elle se fonde.

Reply

(2) Any person on whom a copy of the notice described in subsection (1) has been served and who intends to contest the appeal or application, as the case may be, shall file and serve within the prescribed time or such further time as the court may allow a reply setting out full particulars of the grounds on which he relies.

Audition

(3) Les procédures sont entendues et décidées par voie sommaire sur une preuve produite par affidavit, à moins que le tribunal n'en ordonne autrement, auquel cas il peut prescrire que toute procédure permise par ses règles et sa pratique soit rendue disponible aux parties, y compris l'introduction d'une preuve orale d'une façon générale ou à l'égard d'une ou de plusieurs questions spécifiées dans l'ordonnance.
S.R.C., ch. T-10, art. 59.

Hearing

(3) The proceedings on an appeal or application shall be heard and determined summarily on evidence adduced by affidavit unless the court otherwise directs, in which event it may order that any procedure permitted by its rules and practice be made available to the parties, including the introduction of oral evidence generally or in respect of one or more issues specified in the order.
R.S.C., c. T-10, s. 59.

Le registraire transmet les documents

60. (1) Sous réserve du paragraphe (2), lorsqu'un appel ou une demande a été présenté à la Cour fédérale en vertu de l'une des dispositions de la présente loi, le registraire transmet à ce tribunal, à la requête de toute partie à ces procédures et sur paiement du droit prescrit, tous les documents versés aux archives de son bureau quant aux questions en jeu dans ces procédures ou des copies de ces documents par lui certifiées.

Registrar to transmit documents

60. (1) Subject to subsection (2), when any appeal or application has been made to the Federal Court under any of the provisions of this Act, the Registrar shall, at the request of any of the parties to the proceedings and on the payment of the prescribed fees, transmit to the Court all documents on file in the Registrar's office relating to the matters in question in those proceedings, or copies of those documents certified by the Registrar.

Registre des usagers inscrits

(2) La divulgation des documents sur lesquels s'appuient les inscriptions figurant dans le registre prévu à l'alinéa 26(1)*b*) est régie par le paragraphe 50(6) de la *Loi sur les marques de commerce*, dans sa version antérieure à l'entrée en vigueur de l'article 69 de la *Loi d'actualisation du droit de la propriété intellectuelle*.
L.R.C. 1985, ch. T-13, art. 60; ch. 10 (2e suppl.), art. 64; L.C. 1993, ch. 44, art. 238(4).

Register of registered users

(2) The transmission of documents on which entries in the register required to be kept under paragraph 26(1)(*b*) are based is subject to the provisions of subsection 50(6) of the *Trade-marks Act*, as it read immediately before section 69 of the *Intellectual Property Law Improvement Act* came into force.
R.S.C. 1985, c. T-13, s. 60; c. 10 (2nd Supp.), s. 64; S.C. 1993, c. 44, s. 238(4).

Production des jugements

61. Un fonctionnaire du greffe de la Cour fédérale produit au registraire une copie certi-

Judgments to be filed

61. An officer of the Registry of the Federal Court shall file with the Registrar a certified

fiée de tout jugement ou de toute ordonnance rendue par la Cour fédérale ou par la Cour suprême du Canada relativement à une marque de commerce figurant au registre.
S.R.C., ch. T-10, art. 61; ch. 10 (2e suppl.), art. 65.

copy of every judgment or order made by the Federal Court or by the Supreme Court of Canada relating to any trade-mark on the register.
R.S.C., c. T-10, s. 61; c. 10 (2nd Supp.), s. 65.

Production des jugements
61. Un fonctionnaire du greffe de la Cour fédérale produit au registraire une copie certifiée de tout jugement ou de toute ordonnance de la Cour fédérale, de la Cour d'appel fédérale ou de la Cour suprême du Canada relativement à une marque de commerce figurant au registre.
L.C. 2002, ch. 8, art. 177.

Judgments to be filed
61. An officer of the Registry of the Federal Court shall file with the Registrar a certified copy of every judgment or order made by the Federal Court, the Federal Court of Appeal or the Supreme Court of Canada relating to any trade-mark on the register.
S.C. 2002, c. 8, s. 177.

DISPOSITIONS GÉNÉRALES

Application
62. Le ministre de l'Industrie est responsable de l'application de la présente loi.
L.R.C. 1985 , ch. T-13, art. 62; L.C. 1992, ch. 1, art. 145, ann. VIII, n° 30, (F); 1995, ch. 1, art. 62(1).

Registraire
63. (1) Le gouverneur en conseil nomme un registraire des marques de commerce; celuici occupe son poste à titre amovible, touche le traitement annuel que détermine le gouverneur en conseil et est responsable envers le sous-ministre de l'Industrie.

Registraire suppléant
(2) En cas d'absence ou d'empêchement du registraire ou de vacance de son poste, ses fonctions sont remplies et ses pouvoirs exercés en qualité de registraire suppléant par tel autre fonctionnaire que désigne le ministre de l'Industrie.

Adjoints
(3) Le registraire peut, après consultation avec le ministre, déléguer à toute personne qu'il estime compétente les pouvoirs et fonctions que lui confère la présente loi, sauf le pouvoir de déléguer prévu au présent paragraphe.

GENERAL

Administration
62. This Act shall be administered by the Minister of Industry.
R.S.C. 1985, c. T-10, s. 63; 1995, c. 1, s. 62(1).

Registrar
63. (1) There shall be a Registrar of Trademarks, appointed by the Governor in Council, to hold office during pleasure, who shall be paid such annual salary as the Governor in Council determines and shall be responsible to the Deputy Minister of Industry.

Acting registrar
(2) When the Registrar is absent or unable to act or when the office of Registrar is vacant, his powers shall be exercised and his duties and functions performed in the capacity of acting registrar by such other officer as may be designated by the Minister of Industry.

Assistants
(3) The Registrar may, after consultation with the Minister, delegate to any person he deems qualified any of his powers, duties and functions under this Act, except the power to delegate under this subsection.

Appel

(4) Il peut être interjeté appel d'une décision rendue en vertu de la présente loi par une personne autorisée conformément au paragraphe (3) de la même façon et aux mêmes conditions que d'une décision du registraire rendue en vertu de la présente loi.

L.R.C. 1985, ch. T-13, art. 63; S.C. 1984, ch. 40, art. 70; L.C. 1992, ch. 1, art. 145, ann. VIII, n° 30, (F); 1995, ch. 1, art. 62(1), 62(2).

Appeal

(4) Any decision under this Act of a person authorized to make the decision pursuant to subsection (3) may be appealed in the like manner and subject to the like conditions as a decision of the Registrar under this Act.

R.S.C. 1985, c. T-10, s. 63; S.C. 1984, c. 40, s. 70; S.C. 1992, c. 1, s. 145, Sched. VIII, item 30(F); 1995, c. 1, s. 62(1), 62(2).

Publication des enregistrements

64. Le registraire fait publier périodiquement les détails des enregistrements opérés et prolongés en exécution de la présente loi. Dans cette publication, il indique les détails des décisions qu'il a rendues et qui sont destinées à servir de précédents pour la décision de questions similaires surgissant par la suite.

S.R.C., ch. T-10, art. 64.

Publication of registrations

64. The Registrar shall cause to be published periodically particulars of the registrations made and extended from time to time under this Act, and shall in such publication give particulars of any rulings made by him that are intended to serve as precedents for the determination of similar questions thereafter arising.

R.S.C., c. T-10, s. 64.

Règlements

65. Le gouverneur en conseil peut prendre des règlements d'application de la présente loi, notamment :

a) sur la forme du registre et des index à tenir en conformité avec la présente loi, et des inscriptions à y faire;

b) sur la forme des demandes au registraire;

c) sur l'enregistrement des transferts, autorisations, désistements ou autres documents relatifs à toute marque de commerce;

*c.*1) sur la façon de tenir la liste des agents de marques de commerce ainsi que sur l'inscription ou le retrait des noms de ceux-ci et les conditions à remplir pour l'inscription et le maintien de leurs noms;

d) sur la forme et le contenu des certificats d'enregistrement;

*d.*1) sur les modalités de forme et de procédure applicables aux demandes à adresser au ministre — au sens de l'article 11.11 — pour la publication de l'énoncé d'intention visé au paragraphe 11.12(2);

e) sur le versement de droits au registraire et le montant de ces droits.

L.R.C. 1985, ch. T-13, art. 65; L.C. 1993, ch. 15, art. 70; 1994, ch. 47, art. 201.

Regulations

65. The Governor in Council may make regulations for carrying into effect the purposes and provisions of this Act and, in particular, may make regulations with respect to the following matters:

(a) the form of the register and of the indexes to be maintained pursuant to this Act, and of the entries to be made therein;

(b) the form of applications to the Registrar;

(c) the registration of transfers, licences, disclaimers, judgments or other documents relating to any trade-mark;

*(c.*1) the maintenance of the list of trade-mark agents and the entry and removal of the names of persons and firms on the list, including the qualifications that must be met and the conditions that must be fulfilled to have a name entered on the list and to maintain the name on the list;

(d) the form and contents of certificates of registration;

*(d.*1) the procedure by and form in which an application may be made to the Minister, as defined in section 11.11, requesting the Minister to publish a statement referred to in subsection 11.12(2); and

(e) the payment of fees to the Registrar and

the amount thereof.
R.S.C. 1985, c. T-13, s. 65; S.C. 1993, c. 15, s. 70; 1994, c. 47, s. 201.

Le délai est réputé prorogé

66. (1) Lorsqu'un délai spécifié en vertu de la présente loi ou en conformité avec celle-ci expire un jour où le bureau du registraire des marques de commerce est fermé au public, ce délai est réputé prorogé jusqu'au jour de réouverture du bureau, inclusivement.

Time limit deemed extended

66. (1) Where any time limit or period of limitation specified under or pursuant to this Act expires on a day when the Office of the Registrar of Trade-marks is closed for business, the time limit or period of limitation shall be deemed to be extended to the next day when the Office is open for business.

Jours de fermeture du bureau au public

(2) Le bureau du registraire des marques de commerce est fermé au public le samedi et les jours fériés ainsi que les autres jours où la fermeture en est décidée par arrêté du ministre.

When Trade-marks Office closed for business

(2) The Office of the Registrar of Trademarks shall be closed for business on Saturdays and holidays and on such other days as the Minister by order declares that it shall be closed for business.

Publication

(3) Chaque arrêté pris par le ministre en vertu du paragraphe (2) est publié dans le *Journal des marques de commerce* dès que possible après qu'il a été pris.
S.R.C., ch. T-10, art. 66.

Publication

(3) Every order made by the Minister under subsection (2) shall be published in the *Trademarks Journal* as soon as possible after the making thereof.
R.S.C., c. T-10, s. 66.

TERRE-NEUVE

Enregistrement d'une marque de commerce — Terre-Neuve

67. (1) L'enregistrement d'une marque de commerce sous le régime des lois de Terre-Neuve, dans leur version du 31 mars 1949, a le même effet que si Terre-Neuve n'était pas devenue une province du Canada, les droits et privilèges en découlant pouvant continuer d'y être exercés.

NEWFOUNDLAND

Registration of trade-mark before April 1, 1949

67. (1) The registration of a trade-mark under the laws of Newfoundland before April 1, 1949 has the same force and effect in the Province of Newfoundland as if Newfoundland had not become part of Canada, and all rights and privileges acquired under or by virtue of those laws may continue to be exercised or enjoyed in the Province of Newfoundland as if Newfoundland had not become part of Canada.

Demande d'enregistrement en suspens le 1er avril 1949

(2) Les lois de Terre-Neuve, dans leur version du 31 mars 1949, continuent de régir les demandes d'enregistrement de marques de commerce alors en suspens. Les marques de commerce enregistrées en conséquence sont

Application for trade-marks pending April 1, 1949

(2) The laws of Newfoundland as they existed immediately before April 1, 1949 continue to apply in respect of applications for the registration of trade-marks under the laws of Newfoundland pending at the time and any

réputées, pour l'application du présent article, l'avoir été aux termes de ces lois.
L.C. 1993, ch. 15, art. 71

trade-marks registered under those applications shall, for the purposes of this section, be deemed to have been registered under the laws of Newfoundland before April 1, 1949.
S.C. 1993, c. 15, s. 71.

Emploi d'une marque de commerce — Terre-Neuve

68. Pour l'application de la présente loi, l'emploi ou la révélation d'une marque de commerce ou l'emploi d'un nom commercial, à Terre-Neuve, avant le 1er avril 1949, n'est pas censé constituer un emploi ou une révélation de cette marque ou un emploi de ce nom, avant cette date, au Canada.
L.C. 1993, ch. 15, art. 72.

Use of trade-mark or trade-name before April 1, 1949

68. For the purposes of this Act, the use or marking known of a trade-mark or the use of a trade-name in Newfoundland before April 1, 1949 shall not be deemed to be a use or marking known of such trade-mark or a use of such trade-name in Canada before that date.
S.C. 1993, c. 15, s. 72.

DISPOSITION TRANSITOIRE

Demande d'enregistrement

69. Une demande d'enregistrement d'une marque de commerce qui a été produite avant l'entrée en vigueur du présent article ne peut être rejetée en raison de l'application du paragraphe 50(1).
L.C. 1993, ch. 15, art. 72.

TRANSITIONAL PROVISIONS

Prior applications for registration

69. An application for the registration of a trade-mark filed before this section comes into force shall not be refused by reason only that subsection 50(1) deems the use, advertisement or display of the trade-mark by a licensed entity always to have had the same effect as a use, advertisement or display of the trade-mark by the owner.
S.C. 1993, c. 15, s. 72.

FORMULES SUGGÉRÉES SUR LES MARQUES DE COMMERCE

(Source : Office de la propriété intellectuelle du Canada)

Notez que l'OPIC ne fournit pas de formules; les requérants doivent donc suivre le format approprié et produire leurs propres formules; l'utilisation de ces formules n'est pas obligatoire. Le registraire acceptera cependant des formules différentes pourvu que tous les renseignements requis selon les circonstances, soit par la *Loi sur les marques de commerce* ou le Règlement, soient inscrits. Pour plus de renseignements, le lecteur peut consulter le site Internet suivant : <http://strategis.ic.gc.ca>.

DÉCLARATION RELATIVE À L'EMPLOI

Demande n° : ______________

Marque de commerce : ____

Je soussigné _____________________ de ___________________________ dans la province de _____________________ déclare ce qui suit :

1. QUE JE suis ____ *(titre de la personne)* ________________________ de ___________________________ *(le requérant)*

2. QUE, depuis la production de la demande n° _________ pour l'enregistrement de la marque y revendiquée, le requérant lui-même ou par l'entremise d'un licencié, ou lui-même et par l'entremise d'un licencié a commencé à employer au Canada la marque de commerce qui fait l'objet de la demande en liaison avec *(indiquer ici les marchandises employés et/ou les services exécutés)* :

____

____

____

FAIT À __________________ ce _____ jour de ____________ 20 ____.

____

(Signature de la personne)

FORMULE 1

DEMANDE D'ENREGISTREMENT D'UNE MARQUE DE COMMERCE EMPLOYÉE AU CANADA

Au registraire des marques de commerce, Ottawa (Canada).

1. Le Requérant, *a)*.........., qui a un principal bureau ou siège d'affaires dont l'adresse postale complète est.........., demande l'enregistrement selon les dispositions de la *Loi sur les marques de commerce*, de la marque de commerce identifée ci-dessous.

2. La marque de commerce

Voir (b) (i) et (ii)

Omettre ce paragraphe, s'il n'y a aucun désistement.

3. Le requérant se désiste du droit à l'usage exclusif de *c)*.........., en dehors de la marque de commerce.

Omettre ce paragraphe, si l'enregistrement n'est demandé qu'à l'égard de services.

4. La marque de commerce a été employée au Canada par le requérant (*ou* son ou ses prédécesseurs en titre *d)*..........) en liaison avec toutes les marchandises spécifiques énumérées ci-après, et le requérant demande l'enregistrement à l'égard de ces marchandises. La marque de commerce a été ainsi employée au Canada en liaison avec la catégorie générale de marchandises comprenant les marchandises spécifiques suivantes *e)*..........depuis *f)*..........et en liaison avec la catégorie générale de marchandises comprenant les marchandises spécifiques suivantes *g)*..........depuis *h)*..........*j)*.

Omettre ce paragraphe, si l'enregistrement n'est demandé qu'à l'égard de marchandises.

5. La marque de commerce *k)* a été employée au Canada par le requérant (*ou* son ou ses prédécesseurs en titre *d)*..........) en liaison avec tous les services spécifiques énumérés ci-après, et le requérant demande l'enregistrement à l'égard de ces serives. La marque de commerce a été ainsi employée au Canada en liaison avec la catégorie générale de services comprenant les services spécifiques suivants *e)*..........depuis *f)*..........et en liaison avec la catégorie générale de services comprenant les services spécifiques suivants *g)*..........depuis *h)*..........*j)*.

Omettre ce paragraphe, si l'adresse indiquée au paragraphe 1 est une adresse au Canada ou si le requérant n'a ni bureau ni siège d'affaires au Canada.

6. L'adresse du principal bureau ou siège d'affaires du requérant au Canada est.........

Omettre ce paragraphe, si l'adresse au Canada du requérant est indiquée au paragraphe 1 ou 6 et si le requérant ne désire pas nommer un représentant spécial pour signification.

7. Le requérant nomme *l)*.........dont l'adressse postale complète au Canada est........, comme la personne (*ou* firme) à qui peut être envoyé tout avis concernant la demande ou l'inscription, et à qui peuvent être délivrées ou signifiées toutes procédures relatives à la demande ou à l'inscription, avec le même effet que si elles avaient été délivrées ou signifiées au requérant ou à l'inscrivant.

N'insérer ce paragraphe que si le bénéfice de l'art. 14 de la Loi est invoqué en raison d'un enregistrement dans ou pour le pays d'origine.

8. La marque de commerce a été dûment inscrité par le requérant (*ou* le prédécesseur en titre du requérant nommé dans cette inscription *m)*) dans ou pour *n)*........., pays d'origine du requérant (*ou* dudit prédécesseur *m)*). L'enregistrement a été fait dans *o)*.........le .... sous le n° ....et le requérant réclame le bénéfice de l'article 14 de la Loi, sur la base de cette inscription.

N'insérer ce paragraphe que si on invoque la priorité résultant de la Convention, aux termes de l'art. 34 de la Loi.

9. Le requérant réclame la priorité prévue à l'article 34 de la Loi pour le motif qu'une demande d'enregistrement de la même marque de commerce, ou sensiblement la même, a été produite dans ou pour *(q)*.........par le requérant (*ou* le prédécesseur en titre du requérant, nommé dans ladite demande *p)*). La demande a été produite dans *r)*.........le *s)*........., sous le n° *t)*.........et cette demande était la plus ancienne qui ait été produite dans ou pour tout pays de l'Union, autre que le Canada, par le requérant ou tout prédécesseur en titre du requérant en vue de l'enregistrement de la même marque de commerce, ou sensiblement la même, à employer en liaison avec la même catégorie de marchandises (*ou* de services) que celles (*ou* ceux) qui sont indiquées (*ou* indiqués) ci-dessus. À la date de cette demande, le requérant (*ou* le prédécesseur en titre susdit) *u)*..........., pays susmentionné.

10. Le requérant est convaincu qu'il a le droit d'employer la marque de commerce au Canada en liaison avec les *v)*.........dont la description est donnée ci-dessus.

Indications concernant la formule 1.

a) (i) Dans le cas d'une corporation, donner le nom au complet.

(ii) Dans le cas d'un particulier, donner le nom de famille et au moins un prénom. Si le particulier fait des affaires sous un nom autre que le sien propre, faire suivre son nom des mots « faisant affaires sous le nom de », puis donner le nom sous lequel il fait des opérations.

(iii) Dans le cas d'une société, donner le nom sous lequel la société fait des opérations.

b) (i) Si la marque de commerce est un mot ou des mots non décrits en une forme spéciale, insérer le mot « est » suivi du mot ou des mots en **majuscules**.

(ii) Si la marque de commerce est un dessin, insérer la mention « apparaît dans le dessin ci-joint » et joindre le dessin (voir la règle 27) à la formule.

c) Le paragraphe 3 est nécessaire dans le seul cas où une partie de la marque de commerce n'est pas indépendamment enregistrable et où il y a désistement, soit volontaire, soit sur les instructions du registraire, du droit à l'emploi exclusif de cette partie en dehors de la marque de commerce. En pareil cas, la partie visée par le désistement doit être ici identifiée.

d) Insérer ces mots dans le seul cas où la marque de commerce a été employée au Canada par un prédécesseur du requérant en liaison avec l'une quelconque des marchandises spécifiques énumérées plus loin dans ce paragraphe (conformément aux notes *e)* et *g)*). En l'occurrence, nommer le prédécesseur qui a commencé à employer la marque de commerce en liaison avec l'une quelconque des marchandises spécifiques énumérées, et nommer aussi tous prédécesseurs intervenants jusqu'au requérant.

e) Si toutes les marchandes spécifiques en liaison avec lesquelles la marque de commerce a été employée au Canada, et à l'égard desquelles l'enregistrement est demandé, entrent dans une seule catégorie générale, en donner ici une énumération complète. Si ces marchandises entrent dans plus d'une catégorie générale, énumérer ici seulement celles qui tombent dans une catégorie générale unique. Les marchandises doivent être décrites en termes ordinaires du commerce.

f) Donner la date à laquelle le requérant ou un prédécesseur a effectivement commencé a employer la marque de commerce au Canada en liaison avec l'une quelconque des marchandises énumérées selon la note *e)*.

g) Énumérer ici les marchandises spécifiques, en liaison avec lesquelles la marque de commerce a été employée au Canada et à l'égard desquelles l'enregistrement est demandé, entrant dans une catégorie générale différente de celle qui comprend les marchandises énumérées en conformité de la note *e)*.

h) Donner la date à laquelle le requérant ou un prédecesseur a effectivement commencé à employer la marque de commerce au Canada en liaison avec l'une quelconque des marchandises énumérées selon la note *g)*.

j) Si la marque de commerce a été employée au Canada en liaison avec des marchandises spécifiques entrant dans d'autres catégories générales différentes, répéter ici les mots

> « et en liaison avec la catégorie générale de marchandises comprenant les marchandises spécifiques suivantes .... depuis.......... »

autant de fois que c'est nécessaire, en énumérant dans chaque cas les marchandises spécifiques tombant dans une catégorie générale différente de celles qui comprennent les marchandises précédemment énumérées, et en donnant, dans chaque cas, la date à laquelle le requérant ou un prédécesseur a effectivement commencé à employer la marque de commerce au Canada en liaison avec l'une quelconque de ces marchandises.

k) Pour ce paragraphe, lire les notes *d)* à *j)* en substituant « services » à « marchandises ».

l) Donner le nom d'une personne ou firme au Canada nommée comme représentant pour signification du réquérant.

m) Omettre ces mots si la marque de commerce a été enregistrée dans ou pour le pays d'origine par le requérant.

n) Nommer le pays d'origine (voir définition de « pays d'origine » à l'article 2 de la Loi) du requérant ou d'un prédécesseur dans lequel ou pour lequel la marque de commerce est enregistrée.

o) Nommer le pays ou le bureau où la marque de commerce est déposée et donner la date d'enregistrement.

p) Omettre ces mots dans le cas où la demande, sur laquelle repose la réclamation de priorité, a été faite par le requérant.

q) Nommer le pays de l'Union (voir définition de « pays de l'Union » à l'article 2 de la Loi) dans lequel ou pour lequel la première demande d'enregistrement de la marque de commerce a été produite et dont le requérant ou un prédécesseur était alors un citoyen ou ressortissant ou dans lequel il avait alors son domicile ou une entreprise réelle.

r) Nommer le pays ou le bureau où la demande d'enregistrement a été produite.

s) Donner la date de production de la demande.

t) Donner le numéro de la demande, s'il est alors connu. Autrement, ce numéro devra être fourni plus tard.

u) Insérer ici celle des mentions suivantes qui s'applique : « était un citoyen du », « était un ressortissant du », « était domicilié dans le » ou « avait un établissement industriel ou commercial réel et effectif dans le ».

v) Insérer celle des expressions « marchandises », « services » ou « marchandises et services » qui s'applique.

FORMULE 1

DEMANDE D'ENREGISTREMENT D'UNE MARQUE DE COMMERCE EMPLOYÉE AU CANADA
(Simplifiée)

Au registraire des marques de commerce, Hull (Canada)

Le (La) requérant(e), ______________________________
dont l'adresse postale complète du bureau principal ou du siège d'affaires est ____
____
demande par les présentes l'enregistrement de la marque de commerce identifiée ci-dessous, conformÉment aux dispositions de la *Loi sur les marques de commerce.*

La marque de commerce consiste dans le ou les mots (ou apparaît dans le dessin annexé).
____

La marque de commerce a été employée au Canada par le (la) requérant(e) en liaison avec toutes les marchandises spécifiques énumérées ci-après, et le (la) requérant(e) demande l'enregistrement à l'égard de ces marchandises. La marque de commerce a été ainsi employée au Canada en liaison avec la catégorie générale de marchandises comprenant les marchandises spécifiques suivantes ______________________
depuis ______________________________________
et en liaison avec la catégorie générale de marchandises comprenant les marchandises spécifiques suivantes ______________________
depuis ______________________________________.

La marque de commerce a été employée au Canada par le (la) requérant(e) en liaison avec tous les services spécifiques énumérés ci-après, et le (la) requérant(e) demande l'enregistrement à l'égard de ces services. La marque de commerce a été ainsi employée au Canada en liaison avec la catégorie générale de services comprenant ______________________
depuis ______________________ et en liaison avec la catégorie de services comprenant les services spécifiques suivants______________________ depuis ______________________.

Le (La) requérant(e) est convaincu(e) qu'il (elle) a le droit d'employer la marque de commerce au Canada en liaison avec ______________________
______________________ dont la description est donnée ci-dessus.

FORMULE 2

DEMANDE D'ENREGISTREMENT D'UNE MARQUE DE COMMERCE RÉVÉLÉE AU CANADA

Au registraire des marques de commerce,
Hull (Québec).

1. Identique au paragraphe 1 de la formule 1.

2. Identique au paragraphe 2 de la formule 1.

3. Identique au paragraphe 3 de la formule 1.

Omettre ce paragraphe, si l'enregistrement n'est demandé qu'à l'égard de services.

4. Le requérant (et son ou ses prédécesseurs en titre *a)*..........) a (ont) révélé la marque de commerce au Canada en liaison avec toutes les marchandises spécifiques énumérées ci-après du fait qu'il (ils) a (ont) employé la marque de commerce en liaison avec ces marchandises dans *b)*..........et du fait de *c)*.......... En raison de cette distribution (*ou* annonce) la marque de commerce est devenue bien connue au Canada. La marque de commerce a été ainsi révélée au Canada en liaison avec la catégorie générale de marchandises comprenant les marchandises spécifiques suivantes *d)*.......... depuis *e)*.......... et en liaison avec la catégorie générale de marchandises comprenant les marchandises spécifiques suivantes *f)*.......... depuis *g)*.......... *h)*. Le requérant demande l'enregistrement de la marque de commerce à l'égard des marchandises spécifiques susdites.

Omettre ce paragraphe, si l'enregistrement n'est demandé qu'à l'égard de marchandises.

5. Le *j)* requérant (et son ou ses prédécesseurs en titre *a)*..........) a (ont) révélé la marque de commerce au Canada en liaison avec tous les services spécifiques énumérés ci-après du fait qu'il (ils) a (ont) employé la marque de commerce en liaison avec ces services dans *b)*..........et du fait de *k)*.......... En raison de cette annonce, la marque de commerce est devenue bien connue au Canada. La marque de commerce a été ainsi révélée au Canada en liaison avec la catégorie générale de services comprenant les services spécifiques suivants *d)*..........depuis *e)*..........et en liaison avec la catégorie générale de services comprenant les services spécifiques suivants *f)*..........depuis *g)*..........*h)*. Le requérant demande l'enregistrement de la marque de commerce à l'égard des services spécifiques susdits.

6. Identique au paragraphe 6 de la formule 1.

7. Identique au paragraphe 7 de la formule 1.

8. Identique au paragraphe 8 de la formule 1.

9. Identique au paragraphe 9 de la formule 1.

10. Identique au paragraphe 10 de la formule 1.

Indications concernant la formule 2.

a) Insérer ces mots dans le seul cas où la marque de commerce a été révélée au Canada par un prédécesseur du requérant en liaison avec l'une quelconque des marchandises spécifiques énumérées plus bas dans ce paragraphe (conformément aux notes *d)* et *f)*). Dans ce cas, nommer le prédécesseur qui, le premier, a révélé la marque de commerce au Canada en liaison avec l'une quelconque des marchandises spécifiques énumérées, et nommer aussi tous prédécesseurs intervenant jusqu'au requérant.

b) Nommer un pays de l'Union où la marque de commerce a été employée en liaison avec toutes les marchandises spécifiques énumérées plus bas dans ce paragraphe (en conformité des notes *d)* et *f)*). Il n'est pas nécessaire de nommer plus d'un pays de l'Union, à moins que la marque de commerce n'ait été employée dans un pays de l'Union en liaison avec quelques-unes seulement des marchandises spécifiques en question et dans un autre pays de l'Union uniquement en liaison avec d'autres marchandises spécifiques en question.

c) Insérer celle ou celles des mentions suivantes qui s'appliquent :

« la distribution de ces marchandises en liaison avec la marque de commerce au Canada. »

« l'annonce de ces marchandises en liaison avec la marque de commerce dans des publications imprimées, mises en circulation au Canada dans la pratique ordinaire parmi les marchands ou usagers éventuels de ces marchandises. »

« l'annonce de ces marchandises en liaison avec la marque de commerce dans des émissions de radio ou de télévision ordinairement captées au Canada par des marchands ou usagers éventuels de ces marchandises. »

d) Si toutes les marchandises spécifiques en liaison avec lesquelles la marque de commerce est devenue bien connue au Canada (voir article 5 de la Loi) et à l'égard desquelles l'enregistrement est demandé, entrent dans une seule catégorie générale, en donner ici une énumération complète. Si ces marchandises tombent dans plus d'une catégorie générale, énumérer ici celles seulement qui entrent dans une catégorie générale unique. Les marchandises doivent être décrites en termes ordinaires du commerce.

e) Donner la date à laquelle la marque de commerce est pour la première fois devenue bien connue au Canada en liaison avec l'une quelconque des marchandises énumérées selon la note *d)* du fait de la distribution ou de l'annonce dont il est fait mention (voir note *c)*).

f) Énumérer ici les marchandises spécifiques, en liaison avec lesquelles la marque de commerce a été révélée au Canada et à l'égard des-

quelles l'enregistrement est demandé, entrant dans une catégorie générale différente de celle qui comprend les marchandises énumérées en conformité de la note *d)*.

g) Donner la date à laquelle la marque de commerce est pour la première fois devenue bien connue au Canada en liaison avec l'une quelconque des marchandises énumérées selon la note *f)* du fait de la distribution ou de l'annonce dont il est fait mention (voir note *c)*).

h) Si la marque de commerce est devenue bien connue au Canada en liaison avec des marchandises spécifiques tombant dans d'autres catégories générales différentes, répéter ici les mots

« et en liaison avec la catégorie générale de marchandises comprenant les marchandises spécifiques suivantes.............. depuis.......... »

autant de fois que c'est nécessaire, en énumérant dans chaque cas les marchandises spécifiques entrant dans une catégorie générale différente de celles qui comprennent les marchandises précédemment énumérées, et en donnant, dans chaque cas, la date à laquelle la marque de commerce est pour la première fois devenue bien connue au Canada en liaison avec l'une quelconque de ces marchandises.

j) Pour ce paragraphe, lire les notes *a)*, *b)* et *d)* à *h)* en substituant « services » à « marchandises ».

k) Insérer celle ou celles des mentions suivantes qui s'appliquent :

« l'annonce de ces services en liaison avec la marque de commerce dans des publications imprimées, mises en circulation au Canada dans la pratique ordinaire parmi les marchands ou les usagers éventuels de ces services. »

« l'annonce de ces services en liaison avec la marque de commerce dans des émissions de radio ou de télévision ordinairement captées au Canada par des marchands ou usagers éventuels de ces services. »

FORMULE 3

DEMANDE D'ENREGISTREMENT D'UNE MARQUE DE COMMERCE DÉPOSÉE ET EMPLOYÉE HORS DU CANADA

Au registraire des marques de commerce,
Hull (Québec).

1. Identique au paragraphe 1 de la formule 1.

2. Identique au paragraphe 2 de la formule 1.

3. Identique au paragraphe 3 de la formule 1.

Omettre les paragraphes 4 et 4A, si l'enregistrement n'est demandé qu'à l'égard de services.

4. La marque de commerce a été dûment déposée par le requérant (*ou* le prédécesseur en titre du requérant nommé dans cet enregistrement *a)*) dans ou pour *b)*.........pays d'origine du requérant (*ou* dudit prédécesseur *a)*). L'enregistrement a été fait dans *c)*.........sous le n° .... en liaison avec *d)*.........*e)*. Le requérant (*ou* ledit prédécesseur du requérant) a employé la marque de commerce en liaison avec *f)*.........dans *g)*........., et le requérant demande l'enregistrement de la marque de commerce à l'égard des marchandises en liaison avec lesquelles elle a été déposée et employée ainsi qu'il est dit ci-dessus.

Lorsque l'enregistrement est demandé à l'égard de marchandises, utiliser le paragraphe 4 si la marque de commerce est déjà déposée dans ou pour le pays d'origine, mais utilisier le paragraphe 4A si la demande dans ou pour ce pays est encore en instance.

4A. Une demande d'enregistrement de la marque de commerce a été produite par le requérant (*ou* le prédécesseur en titre du requérant, nommé dans ladite demande *h)* dans ou pour *j)*........., pays d'origine du requérant (*ou* dudit prédécesseur *h)*). La demande a été produite dans *k)*.........le ....sous le n°.........en liaison *l)*.........*m)*. Le requérant (*ou* ledit prédécesseur du requérant) a employé la marque de commerce en liaison avec *f)*........., dans *g)*........., et le requérant demande l'enregistrement de la marque de commerce, dès son enregistrement dans le pays d'origine, à l'égard des marchandises en liaison avec lesquelles la marque de commerce a été employée ainsi qu'il est dit ci-dessus et qui sont visées par cet enregistrement dans le pays d'origine.

Omettre les paragraphes 5 et 5A, si l'enregistrement n'est demandé qu'à l'égard de marchandises.

5. La *n)* marque de commerce a été dûment déposée par le requérant (*ou* le prédécesseur en titre du requérant nommé dans cet enregistrement *a)*) dans ou pour *b)*........., pays d'origine du requérant (*ou* dudit prédécesseur *a)*). L'enregistrement a été fait dans *c)*.........le ....sous le n° ....en liaison avec *d)*.........*e)*. Le requérant (*ou* ledit prédécesseur du requérant) a employé la marque de commerce en liaison avec *f)*........., dans *g)*........., et le requérant demande l'enregistrement de la marque de commerce à l'égard des services en liaison avec lesquels elle a été enregistrée et employée comme il est dit ci-dessus.

Lorsque l'enregistrement est demandé à l'égard de services, utiliser le paragraphe 5 si la marque de commerce est déjà déposée dans ou pour le pays d'origine, mais utiliser le paragraphe 5A si la demande dans ou pour ce pays est encore en instance.

5A. Une *o)* demande d'enregistrement de la marque de commerce a été produite par le requérant (*ou* le prédécesseur en titre du requérant, nommé dans ladite demande *h)*) dans ou pour *j)*........., pays d'origine du requérant (*ou* dudit prédécesseur *h)*. La demande a été produite dans *k)*.........le.........sous le n° ....en liaison avec *l)*.........*m)*. Le requérant (*ou* ledit prédécesseur du requérant) a employé la marque de commerce en liaison avec *b)*........., dans *g)*........., et le requérant demande l'enregistrement de la marque de commerce, dès son enregistrement dans le pays d'origine, à l'égard des services en liaison avec lesquels la marque de commerce a été employée comme il est susdit et qui sont visés par cet enregistrement dans le pays d'origine.

6. Identique au paragraphe 6 de la formule 1.

7. Identique au paragraphe 7 de la formule 1.

N'insérer ce paragraphe que si on réclame le bénéfice de l'art. 14 de la Loi en raison de l'enregistrement dans ou pour le pays d'origine identifié au par. 4 ou 5.

8. Le requérant réclame le bénéfice de l'article 14 de la Loi, sur la base de l'enregistrement de la marque de commerce dans ou pour *p)*.......... mentionnée ci-dessus.

9. Identique au paragraphe 9 de la formule 1.

10. Identique au paragraphe 10 de la formule 1.

Indications concernant la formule 3.

a) Omettre ces mots si la marque de commerce a été déposée dans ou pour le pays d'origine par le requérant.

b) Nommer le pays d'origine (voir définition de « pays d'origine » à l'article 2 de la Loi) du requérant ou d'un prédécesseur, dans lequel ou pour lequel la marque de commerce est déposée.

c) Nommer le pays ou le bureau où la marque de commerce est déposée et donner la date d'enregistrement.

d) Énoncer l'état déclaratif des marchandises ainsi qu'il apparaît dans l'enregistrement hors du Canada, dans la mesure où cet état déclaratif s'étend à des marchandises en liaison avec lesquelles la marque de commerce a été véritablement employée dans quelque pays.

e) Si toutes les marchandises en liaison avec lesquelles la marque de commerce a été employée et à l'égard desquelles l'enregistrement est demandé ne sont pas visées dans un enregistrement unique dans ou pour le pays d'origine, continuer avec les mots « et le » et la matière qui suit *c)* dans la première phrase du paragraphe 4 de la formule. Répéter pour chaque enregistrement additionnel dont il est fait mention.

f) Énumérer toutes les marchandises spécifiques en liaison avec lesquelles la marque de commerce a été réellement employée et à l'égard desquelles l'enregistrement est demandé, dans la mesure où elles sont visées par l'enregistrement (les enregistrements) (ou la demande ou les demandes) dans ou pour le pays d'origine. Les marchandises doivent être ici décrites dans les termes servant à les désigner ordinairement et commercialement dans les affaires, et ces termes peuvent différer de ceux qui ont été employés pour l'enregistrement (les enregistrements) (ou la demande (ou les demandes)) dans ou pour le pays d'origine.

g) Donner le nom d'un pays où la marque de commerce a été employée en liaison avec les marchandises spécifiques énumérées selon la note *f)*. Si la marque de commerce n'a pas été employée dans un même

pays en liaison avec toutes les marchandises spécifiques énumérées, mais l'a été dans un pays en liaison avec certaines de ces marchandises et dans un autre en liaison avec d'autres, donner les noms des deux pays (ou plus) en question.

h) Omettre ces mots si la demande dans ou pour le pays d'origine a été faite par le requérant lui-même.

j) Nommer le pays d'origine (voir définition de « pays d'origine » à l'article 2 de la Loi) du requérant ou d'un prédécesseur, dans lequel ou pour lequel la demande d'enregistrement de la marque de commerce a été produite.

k) Nommer le pays ou le bureau où la demande d'enregistrement a été produite et donner la date de production de la demande dans le pays d'origine spécifié.

l) Énoncer l'état déclaratif des marchandises ainsi qu'il apparaît dans la demande hors du Canada, dans la mesure où cet état déclaratif s'étend à des marchandises en liaison avec lesquelles la marque de commerce a été véritablement employée dans quelque pays.

m) Si toutes les marchandises en liaison avec lesquelles la marque de commerce a été employée et à l'égard desquelles l'enregistrement est demandé, ne sont pas visées par une demande unique dans ou pour le pays d'origine, continuer avec les mots « et le » et la matière qui suit *k)* dans la première phrase du paragraphe 4A de la formule. Répéter pour chaque demande additionnelle dont il est fait mention.

n) Pour ce paragraphe, lire les notes *a)* à *g)* en substituant « services » à « marchandises ».

o) Pour ce paragraphe, lire les notes *f)* à *m)* en substituant « services » à « marchandises ».

p) Donner le nom du pays d'origine nommé au paragraphe 4 ou 5.

FORMULE 4

DEMANDE D'ENREGISTREMENT D'UNE MARQUE DE COMMERCE PROJETÉE

Au registraire des marques de commerce,
Ottawa (Canada).

1. Identique au paragraphe 1 de la formule 1.

2. Identique au paragraphe 2 de la formule 1.

3. Identique au paragraphe 3 de la formule 1.

Omettre le paragraphe 4, si l'enregistrement n'est demandé qu'à l'égard de services.

4. Le requérant lui-même ou par l'entremise d'un licencié, ou lui-même et par l'entremise d'un licencié, a l'intention d'employeur la marque de commerce au Canada en liaison avec *a)*.........et demande l'enregistrement de la marque de commerce à l'égard de ces marchandises.

Omettre le paragraphe 5, si l'enregistrement n'est demandé qu'à l'égard de marchandises.

5. Le requérant lui-même ou par l'entremise d'un licencié, ou lui-même et par l'entremise d'un licencié, a l'intention d'employer la marque de commerce au Canada en liaison avec *b)*.........et demande l'enregistrement de la marque de commerce à l'égard de ces services.

6. Identique au paragraphe 6 de la formule 1.

7. Identique au paragraphe 7 de la formule 1.

8. Identique au paragraphe 10 de la formule 1.

Indications concernant la formule 4.

a) Énuméer toutes les marchandises spécifiques en liaison avec lesquelles le requérant lui-même ou par l'entremise d'un licencié, ou lui-même et par l'entremise d'un licencié, a l'intention d'employer la marque de commerce au Canada et à l'égard desquelles l'enregistrement est demandé. Les marchandises doivent être décrites en termes ordinaires du commerce.

b) Énumérer tous les services spécifiques en liaison avec lesquels le requérant lui-même ou par l'entremise d'un licencié, ou lui-même et par l'entremise d'un licencié, a l'intention d'employer la marque de commerce au Canada et à l'égard desquels l'enregistrement est demandé. Les services doivent être décrits en termes ordinaires du commerce.

FORMULE 4

DEMANDE D'ENREGISTREMENT D'UNE MARQUE DE COMMERCE PROJETÉE
(Simplifiée)

Au registraire des marques de commerce,
Hull (Canada)

Le (La) requérant(e), ______________________ dont l'adresse postale complète du bureau principal ou du siège d'affaires est ____________

____

demande par les présentes l'enregistrement de la marque de commerce identifiée ci-dessous, conformément aux dispositions de la *Loi sur les marques de commerce.*

La marque de commerce consiste dans le ou les mots (ou apparaît dans le dessin annexé).

____

Le (La) requérant(e), par lui-même ou par l'entremise d'un licencié ou par lui-même et par l'entremise d'un licencié, a l'intention d'employer la marque de commerce au Canada en liaison avec ____________________
____
et demande l'enregistrement de la marque de commerce à l'égard de ces marchandises.

Le (La) requérant(e), par lui-même ou par l'entremise d'un licencié ou par lui-même et par l'entremise d'un licencié, a l'intention d'employer la marque de commerce au Canada en liaison avec ____________________
____
et demande l'enregistrement de la marque de commerce à l'égard de ces services.

Le (La) requérant(e) est convaincu(e) qu'il (elle) a le droit d'employer la marque de commerce au Canada en liaison avec ____________________
____
dont la description est donnée ci-dessus.

FORMULE 5

DEMANDE D'ENREGISTREMENT D'UNE MARQUE DE CERTIFICATION EMPLOYÉE AU CANADA

Au registraire des marques de commerce,
Hull (Québec).

1. Identique au paragraphe 1 de la formule 1, en substituant « marque de commerce » pour « marque de certification ».

2. Identique au paragraphe 2 de la formule 1, en substituant « marque de commerce » pour « marque de certification ».

3. Identique au paragraphe 3 de la formule 1, en substituant « marque de commerce » pour « marque de certification ».

4. Le requérant ne se livre pas à la fabrication, à la vente, à la location par bail ou au louage de marchandises ni à l'exécution de services, tels que ceux en liaison avec lesquels la marque de certification est employée.

Omettre ce paragraphe, si l'enregistrement n'est demandé qu'à l'égard de services.

5. Le requérant (*ou* son (ses) prédécesseurs(s) en titre *a)*..........) a (ont) accordé une (des) autorisations(s) d'employer la marque de certification en liaison avec toutes les marchandises spécifiques énumérées ci-après qui sont conformes à la norme définie ci-dessous, et la marque de certification a été employée en conséquence par la (les) personne(s) autorisée(s) au Canada en liaison avec ces marchandises. La marque de certification a été employée au Canada comme il est dit ci-dessus en liaison avec la catégorie générale de marchandises comprenant les marchandises spécifiques suivantes *b)*.........depuis *c)*.........., et en liaison avec la catégorie générale de marchandises comprenant les marchandises spécifiques suivantes

d).........depuis *e)*.........*f)*. Le requérant demande l'enregistrement à l'égard des marchandises spécifiques susmentionnées.

Omettre ce paragraphe, si l'enregistrement n'est demandé qu'à l'égard de services.

6. L'emploi de la marque de certification est destiné à indiquer que les marchandises spécifiques énumérées ci-dessus, en liaison avec lesquelles elle est employée, sont conformes à la norme qui suit :

g)

Omettre ce paragraphe, si l'enregistrement n'est demandé qu'à l'égard de marchandises.

7. Le requérant *h)* (*ou* son (ses) prédécesseur(s) en titre *a)*..........) a (ont) accordé une autorisation (*ou* des autorisations) d'employer la marque de certification en liaison avec tous les services spécifiques énumérés ci-après qui sont conformes à la norme définie, et la marque de certification a été employée en conséquence par la (les) personne(s) autorisée(s) au Canada en liaison avec ces services. La marque de certification a été employée au Canada comme il est dit ci-dessus en liaison avec la catégorie générale de services comprenant les services spécifiques suivants *b)*.......... depuis *c)*.........., et en liaison avec la catégorie générale de services comprenant les services spécifiques suivants *d)*.......... depuis *e)*..........*f)*. Le requérant demande l'enregistrement à l'égard des services spécifiques susmentionnées.

Omettre ce paragraphe, si l'enregistrement n'est demandé qu'à l'égard de marchandises.

8. L'emploi de la marque de certification est destiné à indiquer que les services en liaison avec lesquelles elle est employée sont conformes à la norme définie qui suit :

j)

9. Identique au paragraphe 6 de la formule 1.

10. Identique au paragraphe 7 de la formule 1.

11. Identique au paragraphe 8 de la formule 1, en substituant « marque de commerce » pour « marque de certification ».

12. Identique au paragraphe 9 de la formule 1, en substituant « marque de commerce » pour « marque de certification ».

13. Le requérant est convaincu qu'il a le droit d'employer la marque de certification au Canada par l'intermédiaire de la (des) personne(s) qu'il a autorisée(s) en liaison avec les *k)*......... dont la description est donnée ci-dessus.

Indications concernant la formule 5.

a) Insérer ces mots dans le seul cas où l'emploi de la marque de certification en liaison avec l'une quelconque des marchandises spécifiques énumérées ci-après dans ce paragraphe (conformément aux notes *b)* et *d)*) a d'abord été autorisé par un prédécesseur en titre du requérant. En pareil cas, nommer le prédécesseur qui, le premier, a

autorisé l'emploi de la marque de certification en liaison avec l'une quelconque des marchandises spécifiques énumérées, et nommer aussi tous prédécesseurs intervenants jusqu'au requérant.

b) Si toutes les marchandises spécifiques en liaison avec lesquelles la marque de certification a été employée au Canada par la personne autorisée (les personnes autorisées), et à l'égard desquelles l'enregistrement est demandé, tombent dans une seule catégorie générale, en donner ici une énumération complète. Si ces marchandises entrent dans plus d'une catégorie générale, énumérer ici seulement celles qui tombent dans une seule catégorie générale. Les marchandises doivent être décrites en termes ordinaires du commerce.

c) Donner la date à laquelle la personne autorisée par le requérant ou un prédécesseur a effectivement commencé à employer la marque de certification au Canada en liaison avec l'une quelconque des marchandises énumérées selon note *b)*.

d) Énumérer ici les marchandises spécifiques, en liaison avec lesquelles la marque de certification a été employée au Canada par la personne autorisée (les personnes autorisées), et à l'égard desquelles l'enregistrement est demandé, entrant dans une catégorie générale différente de celle qui comprend les marchandises énumérées en conformité de la note *b)*.

e) Donner la date à laquelle une personne autorisée par le requérant ou un prédécesseur a effectivement commencé à employer la marque de certification au Canada en liaison avec l'une quelconque des marchandises énumérées selon la note *d)*.

f) Si la marque de certification a été employée au Canada en liaison avec des marchandises spécifiques tombant dans d'autres catégories générales différentes, répéter ici les mots

> « et en liaison avec la catégorie générale de marchandises comprenant les marchandises spécifiques suivantes............... depuis............ »

autant de fois que c'est nécessaire, en énumérant dans chaque cas, les marchandises spécifiques entrant dans une catégorie générale différente de celles qui comprennent les marchandises précédemment énumérées, et en donnant, dans chaque cas, la date à laquelle une personne autorisée par le requérant ou un prédécesseur a effectivement commencé à employer la marque de certification au Canada en liaison avec l'une quelconque de ces marchandises.

g) Énoncer ici les détails de la norme définie (voir définition de « marque de certification » à l'article 2 de la Loi) que l'emploi de la marque de certification en liaison avec les marchandises spécifiques énumérées dans le paragraphe 5 est destiné à indiquer.

h) Pour ce paragraphe, lire les notes *a)* à *f)* en substituant « services » à « marchandises ».

j) Énoncer ici les détails de la norme définie que l'emploi de la marque de certification en liaison avec les services spécifiques énumérés au paragraphe 7 est destiné à indiquer.

k) Insérer celle des expressions « marchandises », « services » ou « marchandises et services » qui s'applique.

FORMULE 6

DEMANDE DE MODIFICATION D'UN ENREGISTREMENT AUTREMENT QUE POUR ÉTENDRE L'ÉTAT DÉCLARATIF DES MARCHANDISES OU SERVICES

Au registraire des marques de commerce,
Hull (Québec).

1. *a)*.........., propriétaire inscrit de la marque de commerce déposée sous le n° .... le *b)*.........., demande en conformité des dispositions de la *Loi sur les marques de commerce*, que la (les) modification(s) suivante(s) soit (soient) apportée(s) au registre à l'égard de cette marque de commerce :

c)

Indications concernant la formule 6.

a) Insérer le nom du propriétaire inscrit tel qu'il figure au registre, à moins que la demande n'en soit une visant à faire changer ce nom ou à y faire corriger une erreur. En pareil cas, insérer ici le nom tel qu'il apparaîtra après le changement ou la correction.

b) Donner la date d'enregistrement.

c) Énoncer ici la modification ou les modifications désirées dans la mesure où elle est (elles sont) autorisée(s) par le paragraphe 41(1) de la Loi. Si la modification désirée vise ou comprend une extension de l'état déclaratif des marchandises, il faut employer la formule 7 plutôt que celle-ci.

FORMULE 7

DEMANDE DE MODIFICATION D'UN ENREGISTREMENT EN VUE DE L'EXTENSION DE L'ÉTAT DÉCLARATIF DES MARCHANDISES OU SERVICES

(Voir note générale)

Au registraire des marques de commerce,
Hull (Québec).

1. *a)*.........., propriétaire inscrit de la marque de commerce déposée sous le n°.........., le *b)*.........., demande en conformité des dispositions de

la *Loi sur les marques de commerce*, que la modification suivante soit apportée au registre à l'égard de cette marque de commerce :

Omettre si l'extension n'est demandée qu'à l'égard de services.

Étendre l'état déclaratif des marchandises à l'égard desquelles la marque de commerce est déposée de façon à inclure *c)*..........

Omettre si l'extension n'est demandée qu'à l'égard de marchandises.

Étendre l'état déclaratif des services à l'égard desquels la marque de commerce est déposée de façon à inclure *d)*..........

e)

Omettre ce paragraphe, si l'extension n'est demandée qu'à l'égard de services.

2. La marque de commerce a été employée au Canada par le requérant (*ou* son (ses) prédécesseur(s) en titre *f)*..........) en liaison avec toutes les marchandises spécifiques énumérées ci-dessus. La marque de de commerce a été ainsi employée au Canada en liaison avec la catégorie générale de marchandises comprenant les marchandises spécifiques suivantes *g)*........depuis *h)*..........et en liaison avec la catégorie générale de marchandises comprenant les marchandises spécifiques suivantes *j)*............ depuis *k)*..........*l)*.

Omettre ce paragraphe, si l'extension n'est demandée qu'à l'égard de marchandises.

3. La marque de commerce *m)* a été employée au Canada par le requérant (*ou* son (ses) prédécesseur(s) en titre *f)*..........) en liaison avec tous les services spécifiques énumérés ci-dessus. La marque de commerce a été ainsi employée au Canada en liaison avec la catégorie générale de services comprenant les services spécifiques suivants *g)*..........depuis *h)*.........., et en liaison avec la catégorie générale de services comprenant les services spécifiques suivants *j)*..........depuis *k)*..........*l)*.

4. Le requérant est convaincu qu'il a le droit d'employer la marque de commerce au Canada en liaison avec les *n)*..........dont la description est donnée ci-dessus.

Indications concernant la formule 7.

Note générale : La formule 7 a été rédigée pour subvenir aux cas où la marque de commerce a été employée au Canada en liaison avec les marchandises ou services auxquels doit s'étendre l'état déclaratif des marchandises ou services. Dans les autres cas, les paragraphes 2 et 3 de la formule devront être modifiés. À cette fin, lorsque la demande est fondée sur la révélation au Canada, les paragraphes 4 et 5 de la formule 2 peuvent être adaptés; lorsque la demande est fondée sur l'enregistrement et l'emploi hors du Canada, les paragraphes 4, 4A, 5 et 5A de la formule 3 peuvent être adaptés; et lorsque la demande est fondée sur un emploi projeté, les paragraphes 4 et 5 de la formule 4 peuvent être adaptés.

a) Insérer le nom du propriétaire inscrit.

b) Insérer la date d'enregistrement.

c) Énumérer les marchandises spécifiques auxquelles l'état déclaratif des marchandises, dans l'enregistrement, doit s'étendre. Les marchandises doivent être décrites en termes ordinaires du commerce.

d) Énumérer les services spécifiques auxquels l'état déclaratif des services, dans l'enregistrement, doit s'étendre. Les services doivent être décrits en termes ordinaires du commerce.

e) Toutes autres modifications désirées, autorisées par le paragraphe 41(1) de la Loi, par exemple le retranchement de certaines marchandises ou services de l'état déclaratif des marchandises ou services dans l'enregistrement, devraient être ici énoncées.

f) Insérer ces mots dans le seul cas où la marque de commerce a été employée au Canada par un prédécesseur du requérant en liaison avec l'une quelconque des marchandises spécifiques énumérées ci-dessus selon la note *c)*. En pareil cas, nommer le prédécesseur qui a commencé à employer la marque de commerce en liaison avec l'une quelconque des marchandises spécifiques énumérées et nommer aussi tous prédécesseurs intervenants jusqu'au requérant.

g) Si toutes les marchandises spécifiques énumérées ci-dessus en conformité de la note *c)* tombent dans une seule catégorie générale, en donner ici de nouveau une énumération complète. Si ces marchandises entrent dans plus d'une catégorie générale, énumérer ici celles seulement qui tombent dans une catégorie générale unique.

h) Donner la date à laquelle le requérant ou un prédécesseur a effectivement commencé à employer la marque de commerce au Canada en liaison avec l'une quelconque les marchandises énumérées selon la note *g)*.

j) Indiquer ici les marchandises spécifiques énumérées ci-dessus en conformité de la note *c)* mais tombant dans une catégorie générale différente de celle qui comprend les marchandises énumérées en conformité de la note *g)*.

k) Donner la date à laquelle le requérant ou un prédécesseur a effectivement commencé à employer la marque de commerce au Canada en liaison avec l'une quelconque des marchandises énumérées selon la note *j)*.

l) Si les marchandises spécifiques énumérées ci-dessus en conformité de la note *c)* comprennent des marchandises tombant dans d'autres catégories générales différentes, répéter ici les mots

> « et en liaison avec la catégorie générale de marchandises comprenant les marchandises spécifiques suivantes............ depuis............ »

autant de fois que c'est nécessaire, en énumérant, dans chaque cas, les marchandises spécifiques entrant dans une catégorie générale différente de celles qui comprennent les marchandises précédemment énumérées dans ce paragraphe et en donnant, dans chaque cas, la date à laquelle le requérant ou un prédécesseur a effectivement commencé à employer la marque de commerce au Canada en liaison avec l'une quelconque de ces marchandises.

m) Pour ce paragraphe, lire les notes *f)* à *l)* en substituant « services » à « marchandises », et en remplaçant par un renvoi à la note *d)* le renvoi à la note *c)* dans les notes *f)*, *g)*, *j)* et *l)*.

n) Insérer celle des expressions « marchandises », « services », ou « marchandises et services » qui s'applique.

FORMULE 8

DÉCLARATION D'OPPOSITION À UNE DEMANDE D'ENREGISTREMENT D'UNE MARQUE DE COMMERCE

Au registraire des marques de commerce,
Hull (Québec).

Relativement à une opposition par .... à la demande n° ....

1. L'opposant *a)*.........., qui a un principal bureau ou siège d'affaires dont l'adresse postale complète est.........., donne avis d'opposition à l'enregistrement projeté de la marque de commerce qu'annonce, sous le numéro ci-dessus indiqué, l'édition du ....du Journal des marques de commerce. Les motifs d'opposition sont les suivants :

b)

Omettre ce paragraphe, si l'adresse indiquée au paragraphe 1 est une adresse au Canada ou si l'opposant n'a aucun bureau ni siège d'affaires au Canada.

2. L'adresse du principal bureau ou siège d'affaires, au Canada, de l'opposant est..........

Omettre ce paragraphe, si une adresse, au Canada, est donnée pour l'opposant au paragraphe 1 ou 2 et si l'opposant ne désire pas nommer un représentant spécial pour signification.

3. L'opposant nomme *c)*.........., dont l'adresse postale complète au Canada est.........., comme la personne (*ou* firme) à qui tout document concernant l'opposition peut être signifié avec le même effet que s'il avait été signifié à l'opposant.

Indications concernant la formule 8.

a) (i) Dans le cas d'une corporation, donner le nom au complet.

(ii) Dans le cas d'un particulier, donner le nom de famille et au moins un prénom. Si le particulier fait des affaires sous un nom autre que le sien propre, faire suivre son nom des mots « faisant affaires sous le nom de », puis donner le nom sous lequel il fait des opérations.

(iii) Dans le cas d'une société, donner le nom sous lequel la société fait des opérations.

b) Donner chacun des motifs d'opposition sur lesquels s'appuie l'opposant (voir le paragraphe 38(2) de la Loi), avec des détails suffisants pour permettre au requérant de préparer une contre-déclaration.

c) Donner le nom de la personne ou firme au Canada nommée comme agent pour signification de l'opposant.

FORMULE 9

CONTRE-DÉCLARATION À UNE OPPOSITION

Au registraire des marques de commerce,
Hull (Québec).

Relativement à une opposition par .... à la demande n° ....

1. Le requérant sollicitant l'enregistrement de la marque de commerce susmentionnée donne avis qu'il invoque à l'appui de sa demande les motifs suivants :

a)

2. Le requérant admet les allégations suivantes dans la déclaration d'opposition :

Indications concernant la formule 9.

a) Donner chacun des motifs sur lesquels se fonde le requérant, avec des détails suffisants pour faire connaître la nature de sa cause.

SUGGESTED TRADE-MARKS FORMS

(Source: Canadian Intellectual Property Office)

Note that CIPO does not supply forms; therefore the applicants must follow the appropriate format and prepare their own form; the use of the following forms is not mandatory. The registrar will accept different formats as long as all required information pursuant to the *Trade-marks Act* or Regulations is provided. For more information, we suggest that the reader visit the following Web site: <http://strategis.ic.gc.ca>.

DECLARATION OF USE

Application No.:______________

Trade-mark:____

I,______________________________of______________________________in the Province of_______________________________________ hereby declare:

1. THAT I am the_______________________ *(officer's title)* ______________________of ________________________________ *(Applicant)*

2. THAT since the filling of application serial No.____________ for registration of the trade-mark claimed therein, the applicant, by itself or through a licensee, or by itself and through a licensee, has commenced the use in Canada of the trade-mark claimed in the said application in association with the *(enter the wares used and/or the services performed here)*:

____

____

____

EXECUTED at ____________________ this ______day of _______________, 20_____.

____

(Officer's signature)

FORM 1

APPLICATION FOR REGISTRATION OF A TRADE-MARK IN USE IN CANADA

To : The Registrar of Trade-marks
Ottawa, Canada

1. The applicant, *(a)*..........the full post office address of whose principal office or place of business is..........applies for the registration, in accordance with the provisions of the *Trade-marks Act*, of the trade-mark identified below.

2. The trade-mark is

refer to (b) (i) and (ii)

Omit this par. if there is no disclaimer.

3. The applicant disclaims the right to the exclusise use of *(c)*..........apart from the trade-mark.

Omit this par. if reg'n. is requested only in respect of services.

4. The trade-mark has been used in Canada by the applicant (*or* his predecessor(s) in title *(d)*..........) in association with all the specific wares listed hereafter, and the applicant requests registration in respect of such wares. The trade-mark has been so used in Canada in association with the general class of wares comprising the following specific wares *(e)*.......... since *(f)*..........and in association with the general class of wares comprising the following specific wares *(g)*..........since *(h)*..........*(j)*.

Omit this par. if reg'n. is requested only in respect of wares.

5. The trade-mark *(k)* has been used in Canada by the applicant (*or* his predecessor(s) in title *(d)*..........in association with all the specific services listed hereafter, and the applicant requests registration in respect of such services. The trade-mark has been so used in Canada in association with the general class of services comprising the following specific services *(e)*.......... since *(f)*.......... and in association with the general class of services comprising the following specific services *(g)*.......... since *(h)*..........*(j)*.

Omit this par. if the address in par. 1 is a Canadian address or the applicant has no office or place of business in Canada.

6. The address of the applicant's principal office of place of business in Canada is..........

Omit this par. if a Canadian address of the applicant is given in par. 1 or par. 6 and the applicant does not wish to appoint a special representative for service.

7. The applicant appoints *(l)*.........., whose full post office address in Canada is..........as the person (*or* firm) to whom any notice in respect of the application or registration may be sent, and upon whom service of any proceedings in respect of the application or registration may be given or served with the same effect as if they had been given to or served upon the applicant or registrant.

Insert this par. only where the benefit of sec. 14 of the Act is claimed on the basis of a reg'n. in or for the country of origin.

8. The trade-mark has been duly registered by the applicant (*or* the applicant's predecessor in title named in such registration *(m)*) in or for *(n)*.........., the country of origin of the applicant (*or* the said predecessor *(m)*). The registration was made in *(o)*.......... on .... Under No ...., and the applicant claims the benefit of section 14 of the Act on the basis of such registration.

Insert this par. only where Convention priority is claimed under sec. 34 of the Act.

9. The applicant claims priority under section 34 of the Act on the ground that an application for registration of the same or substantially the same trade-mark was filed in or for *(q)*..........by the applicant (*or* the applicant's predecessor in title named in the said application *(p)*). The application was filed in *(r)*.......... on *(s)*.......... under No. *(t)*.......... and such application was the earliest application filed in any country of the Union other than Canada by the applicant or any predecessor in title of the applicant for the registration of the same or substantially the same trade-mark for use in association with the same kind of wares (*or* services) as those set out above. At the date of such application the applicant (*or* the predecessor in title aforesaid) *(u)*..........the country aforesaid.

10. The applicant is satisfied that he is entitled to use the trade-mark in Canada in association with the *(v)*.......... described above.

Instructions for Form 1.

(a) (i) In the case of a corporation, give full name.

(ii) In the case of an individual, give the surname and at least on given name. If the individual trades under a name other than the individual's own name, follow the individual's name by the words "trading as" and then give the trading name.

(iii) In the case of a partnership, give the name under which the partnership trades.

(b) (i) If the trade-mark is a word or words not depicted in a special form, set out the word or words in **capital letters**.

(ii) If the trade-mark is a design, insert the phrase "shown in the accompanying drawing" and annex the drawing (see rule 27) to the form.

(c) Paragraph 3 is necessary only where some portion of the trade-mark is not independently registrable and the right to its exclusive use apart from the trade-mark is disclaimed either voluntarily or at the direction of the Registrar. In such case the portion disclaimed must be identified here.

(d) Insert this phrase only if the trade-mark has been used in Canada by a predecessor of the applicant in association with any of the specific wares listed below in this paragraph (in accordance with notes *(e)*

and *(g)*). If so, name the predecessor who began to use the trade-mark in association with any of the specific wares listed, and name also any intervening predecessor down to the applicant.

(e) If all the specific wares in association with which the trade-mark has been used in Canada, and in respect of which registration is requested, fall into a single general class, list them all here. If such wares fall into more than one general class, list here only those falling into one general class. The wares must be described in ordinary commercial terms.

(f) Give the earliest date when the applicant or a predecessor began to use the trade-mark in Canada in association with any of the wares listed in accordance with note *(e)*.

(g) List here the specifie wares in accordance with which the trade-mark has been used in Canada, and in respect of which registration is requested, which fall into a different general class from that comprising the wares listed in accordance with note *(e)*.

(h) Give the earliest date when the applicant or a predecessor began to use the trade-mark in Canada in association with any of the wares listed in accordance with note *(g)*.

(j) If the trade-mark has been used in Canada in association with specific wares falling into further different general classes, repeat here the words

> "and in association with the general class of wares comprising the following specific wares..........since.........."

as often as necessary, listing in each case the specific wares falling into a different general class from those comprising the wares previously listed, and giving in each case the earliest date when the applicant or a predecessor began to use the trade-mark in Canada in association with any of such wares.

(k) In completing this paragraph, notes *(d)* to *(j)* should be read with the substitution of "services" for "wares".

(l) Give the name of a person or firm in Canada appointed as the applicant's representative for service.

(m) Omit this phrase if the trade-mark was registered in or for the country of origin by the applicant.

(n) Name the country of origin (see def. "country of origin" in sec. 2 of the Act) of the applicant or a predecessor in or for which the trade-mark is registered.

(o) Name the country or the Office where the trade-mark is registered and give the date of registration.

(p) Omit this phrase if the application on which the priority claim is based was made by the applicant.

(q) Name the Union country (see definition of "country of the Union" in Section 2 of the Act), in or for which the first application for registration of the trade-mark was filed and where the applicant or a predecessor was then a citizen or national or domiciled or had a real business.

(r) Name the country or Office where the application for registration was filed.

(s) Give the date of filing of the application.

(t) Give the number of the application if available. Otherwise it will have to be supplied later.

(u) Insert here one of the following statements as applicable: "was a citizen of", "was a national of", "was domiciled in", or "had a real and effective industrial or commercial establishment in".

(v) Insert "wares", "services" or "wares and services" as applicable.

FORMAT 1

APPLICATION FOR REGISTRATION OF A TRADE-MARK IN USE IN CANADA
(Simplified)

To: The Registrar of Trade-marks,
Hull, Canada.

The applicant __________________________ whose full post office address of its principal office or place of business is __________________

____

applies for the registration, in accordance with the provisions of the *Trade-marks Act,* of the trade-mark identified below.

The trade-mark is the word(s) (or is shown in the attached drawing)

____

The trade-mark has been used by the applicant in association with all the specific wares listed hereafter, and the applicant requests registration in respect of such wares. The trade-mark has been so used in Canada in association with the general class of wares comprising the following specific wares ____
and in association with the general class of wares comprising the following specific wares ____ since
____.

The trade-mark has been used in Canada by the applicant in association with all the specific services listed hereafter, and the applicant requests registration in respect of such services. The trade-mark has been so used in Canada in association with the general class of services comprising the following specific services ______________________________
____
____
since ______________________________ and in association with the general class of services comprising the following specific services ______________________________ since ______________________________.

The applicant is satisfied that he or she is entitled to use the trade-mark in Canada in association with the ______________________ described above.

FORM 2

APPLICATION FOR REGISTRATION OF A TRADE-MARK MADE KNOWN IN CANADA

To : The Registrar of Trade-marks
Hull, Quebec.

1. Same as par. 1 of Form 1.

2. Same as par. 2 of Form.1.

3. Same as par. 3 of Form 1.

Omit this par. if reg'n. is requested only in respect of services.

4. The applicant (and his predecessor(s) in title *(a)*.........) has (have) made the trade-mark known in Canada in association with all the specific wares listed hereafter by reason of having used the trade-mark in association with such wares in *(b)*..........and by reason of *(c)*.......... By reason of such distribution (*or* advertising) the trade-mark has become well known in Canada. The trade-mark has been so made known in Canada in association with the general class of wares comprising the following specific wares *(d)*.........since *(e)*..........and in association with the general class of wares comprising the following specific wares *(f)*..........since *(g)*..........*(h)*. The applicant requests registration of the trade-mark in respect of the specific wares aforesaid.

Omit this par. if reg'n. is requested only in respect of wares.

5. The *(j)* applicant (and his predecessor(s) in title *(a)*..........) has (have) made the trade-mark known in Canada in association with all the specific services listed hereafter by reason of having used the trade-mark in association with such services in *(b)*..........and by reason of *(k)*......... By reason of such advertising the trade-mark has become well known in Canada. The trade-mark has been so made known in Canada in association with the general class of services comprising the following specific services *(d)*......... since *(e)*......... and in association with the general class of

services comprising the following specific services *(f)*.......... since *(g)*.......... *(h)*. The applicant requests registration of the trade-mark in respect of the specific services aforesaid.

6. Same as par. 6 of Form 1.

7. Same as par.7 of Form 1.

8. Same as par. 8 of Form 1.

9. Same as par. 9 of Form 1.

10. Same as par. 10 of Form 1.

Instructions for Form 2.

(a) Insert this phrase only if the trade-mark has been made known in Canada by a predecessor of the applicant in association with any of the specific wares listed below in this paragraph (in accordance with notes *(d)* and *(f)*). If so, name the predecessor who first made the trade-mark known in Canada in association with any of the specific wares listed, and name also any intervening predecessors down to the applicant.

(b) Name a Union country in which the trade-mark has been used in association with all the specific wares listed below in this paragraph (in accordance with notes *(d)* and *(f)*). It is unnecessary to name more than one Union country unless the trade-mark has been used in one Union country in association with only some of the specific wares in question and in another Union country in association with only other specific wares in question.

(c) Insert one or more of the following phrases as applicable:

"the distribution of such wares in association with the trade-mark in Canada."

"the advertising of such wares in association with the trade-mark in printed publications circulated in Canada in the ordinary course among potential dealers in or users of such wares."

"the advertising of such wares in association with the trade-mark in radio or television broadeasts ordinarily received in Canada by potential dealers in or users of such wares."

(d) If all the specific wares in association with which the trade-mark has become well known in Canada (see sec. 5 of the Act) and in respect of which registration is requested, fall into a single general class, list them all here. If such wares fall into more than one general class, list here only those falling into one general class. The wares must be described in ordinary commercial terms.

(e) Give the date when the trade-mark first became well known in Canada in association with any of the wares listed in accordance with note *(d)* by reason of the distribution or advertising referred to (see note *(c)*).

(f) List here the specific wares in association with which the trade-mark has been made known in Canada and in respect of which registration is requested, which fall into a different general class from that comprising the wares listed in accordance with note *(d)*.

(g) Give the date when the trade-mark first became well known in Canada in association with any of the wares listed in accordance with note *(f)* by reason of the distribution or advertising referred to (see note *(c)*).

(h) If the trade-mark has become well known in Canada in association with specific wares falling into further different general classes, repeat here the words

> "and in association with the general class of wares comprising the following specific wares..........since.........."

as often as necessary, listing in each case the specific wares falling into a different general class from those comprising the wares previously listed and giving in each case the date when the trade-mark first became well known in Canada in association with any of such wares.

(j) In completing this paragraph, notes *(a)*, *(b)* and *(d)* to *(h)* should be read with the substitution of "services" for "wares".

(k) Insert one or more of the following as applicable :

"the advertising of such services in association with the trade-mark in printed publications circulated in Canada in the ordinary course among potential dealers in or users of such services."

"the advertising of such services in association with the trade-mark in radio or television broadcasts ordinarily received in Canada by potential dealers in or users of such services."

FORM 3

APPLICATION FOR REGISTRATION OF A TRADE-MARK REGISTERED AND USED ABROAD

To : The Registrar of Trade-marks
Hull, Quebec.

1. Same as par. 1 of Form 1.

2. Same as par. 2 of Form 1.

3. Same as par. 3 of Form 1.

Omit pars. 4 and 4A where reg'n. is requested only in respect of services.

4. The trade-mark has been duly registered by the applicant (*or* the applicant's predecessor in title named in such registration *(a)* in or for *(b)*..........the country of origin of the applicant (*or* the said predecessor *(a)*). The registration was made in *(c)*..........under No. .... in association with *(d)*..........*(e)*. The applicant (*or* the applicant's said predecessor) has used the trade-mark in association with *(f)*..........in *(g)*.........., and the applicant requests registration of the trade-mark in respect of the wares in association with which it has been registered and used as aforesaid.

Where reg'n. is requested in respect of wares, use par. 4 if the trade-mark is already reg'd. in or for the country or origin, but use par. 4A if the appl'n. in or for that country is still pending.

4A. An application to register the trade-mark has been filed by the applicant (*or* the said predecessor in title named in the said application *(h)*) in or for *(j)*.............., the country of origin of the applicant (*or* the said predecessor *(h)*). The application was filed in *(k)*..........on..........under No. .... in association with *(l)*..........*(m)*. The applicant (*or* the applicant's said predecessor) has used the trade-mark in association with *(f)*.........., in *(g)*.........., and the applicant requests registration of the trade-mark, upon its registration in the country of origin, in respect of the wares in association with which the trade-mark has been used as aforesaid and which are covered by such registration in the country of origin.

Omit pars. 5 and 5A where reg'n. is requested only in respect of wares.

5. The *(n)* trade-mark has been duly registered by the applicant (*or* the applicant's predecessor in title named in such registration *(a)*) in or for *(b)*..........the country of origin of the applicant (*or* the said predecessor *(a)*). The registration was made in *(c)*..........on..........under No..........in association with *(d)*..........*(e)*. The applicant (*or* the applicant's said predecessor) has used the trade-mark in association with *(f)*.........., in *(g)*..............., and the applicant requests registration of the trade-mark in respect of the services in association with which it has been registered and used as aforesaid.

Where reg'n. is requested in respect of services, use par. 5 if the trade-mark is already reg'd. in or for the country of origin, but use par. 5A if the appl'n. in or for that country is still pending.

5A. An *(o)* application to register the trade-mark has been filed by the applicant (*or* the applicant's predecessor in title named in the said application *(h)*) in or for *(j)*.............., the country of origin of the applicant (*or* the said predecessor *(h)*). The application was filed in *(k)*.......... on.......... under No. .... in association with *(l)*.......... *(m)*. The applicant (*or* the applicant's said predecessor) has used the trade-mark in association with *(f)*.........., in *(g)*.........., and the applicant requests registration of the trade-mark, upon its registration in the country of origin, in respect of the services in association with which the trade-mark has been used as aforesaid and which are covered by such registration in the country of origin.

6. Same as par. 6 of Form 1.

7. Same as par. 7 of Form 1.

Insert this par. only where the benefit of sec. 14 of the Act is claimed on the basis of the reg'n. in or for the country of origin identified in par. 4 or par. 5.

8. The applicant claims the benefit of section 14 of the Act on the basis of the registration of the trade-mark in or for *(p)*......... referred to above.

9. Same as par. 9 of Form 1.

10. Same as par. 10 of Form 1.

Instructions for Form 3.

(a) Omit this phrase if the trade-mark was registered in or for the country of origin by the applicant.

(b) Name the country of origin (see def. "country of origin" in sec. 2 of the Act) of the applicant or a predecessor in or for which the trade-mark is registered.

(c) Name the country or the Office where the trade-mark is registered and give the date of registration.

(d) Set out the statement of wares as it appears in the registration abroad, so for as this statement extends to wares in association with which the trade-mark has actually been used in some country.

(e) If all the wares in association with which the trade-mark has been used and in respect of which registration is requested are not covered in a single registration in or for the country of origin, then continue with the words "and on" and with the matter which follows *(c)* in the first sentence of paragraph 4 of the form. Repeat for each additional registration referred to.

(f) List all the specific wares in association with which the trade-mark has been actually used and in respect of which registration is requested, so far as they are covered by the registration(s) (or application(s)) in or for the country of origin. The wares must be described here in the terms in which they are ordinarily and commercially described in the trade or business, wich terms may differ from those used in the registration(s) (or application(s)) in or for the country of origin.

(g) Give the name of a country in which the trade-mark has been used in association with the specific wares listed in accordance with note *(f)*. If the trade-mark has not been used in a single country in association with all the specific wares listed, but has been used in one country in association with some of the wares and in another country in association with others of the wares, give the names of the two (or more) countries in question.

(h) Omit this phrase if the application in or for the country of origin was made by the applicant himself.

(j) Name the country of origin (see def. "country of origin" in sec. 2 of the Act) of the applicant or a predecessor in or for which the application to register the trade-mark has been filed.

(k) Name the country or the Office where the application for registration was filed and give the date of filing of the application.

(l) Set out the statement of wares as it appears in the application abroad, so far as this statement extends to wares in association with which the trade-mark has actually been used in some country.

(m) If all the wares in association with which the trade-mark has been used and in respect of which registration is requested are not covered in a single application in or for the country of origin, then continue with the words "and on" and with the matter which follows *(k)* in the first sentence of paragraph 4A of the form. Repeat for each additional application referred to.

(n) In completing this paragraph, notes *(a)* to *(g)* should be read with the substitution of "services" for "wares".

(o) In completing this paragraph, notes *(f)* to *(m)* should be read with the substitution of "services" for "wares".

(p) Give the name of the country of origin named in paragraph 4 or 5.

FORM 4

APPLICATION FOR REGISTRATION OF A PROPOSED TRADE-MARK

To : The Registrar of Trade-marks
Ottawa, Canada

1. Same as par. 1 of Form No. 1.

2. Same as par. 2 of Form No. 1.

3. Same as par. 3 of Form No. 1.

Omit par. 4 if reg'n. is requested only in respect of services.

4. The applicant by itself or through a licensee, or by itself and through a licensee, intends to use the trade-mark in Canada in association with *(a)*.......... and requests registration of the trade-mark in respect of such wares.

Omit par. 5 if reg'n. is requested only in respect of wares.

5. The applicant by itself or through a licensee, or by itself and through a licensee, intends to use the trade-mark in Canada in association with *(b)*.......... and requests registration of trade-mark in respect of such services.

6. Same as par. 6 of Form No. 1.

7. Same as par. 7 of Form No. 1.

8. Same as par. 10 of Form No. 1.

Instructions for Form 4.

(a) List all the specific wares in association with which the applicant by itself of through a licensee, or by itself and through a licensee, intends to use the trade-mark in Canada, and in respect of which registration is requested. The wares must be described in ordinary commercial terms.

(b) List all the specific services in association with which the applicant by itself or through a licensee, or by itself and through a licensee, intends to use the trade-mark in Canada and in respect of which registration is requested. The services must be described in ordinary commercial terms.

FORMAT 4

APPLICATION FOR REGISTRATION OF A PROPOSED TRADE-MARK
(Simplified)

To: The Registrar of Trade-marks,
Hull, Canada.

The applicant ______________________________
whose full post office address of its principal office or place of business is
____
applies for the registration, in accordance with the provisions of the *Trade-marks Act,* of the trade-mark identified below.

The trade-mark is the word(s) (or is shown in the attached drawing)
____
______________________________.

The applicant, by himself/herself or through a licensee, or by himself/herself and through a licensee, intends to use the trade-mark in Canada in association with ______________________ and requests registration of the trade-mark in respect of such wares.

The applicant, by himself/herself or through a licensee, or by himself/herself and through a licensee, intends to use the trade-mark in Canada in association with ______________________ and requests registration of the trade-mark in respect of such services.

The applicant is satisfied that he or she is entitled to use the trade-mark in Canada in association with the ______________________ described above.

FORM 5

APPLICATION FOR REGISTRATION OF A CERTIFICATION MARK USED IN CANADA

To : The Registrar of Trade-marks
Hull, Quebec.

1. Same as par. 1 of Form 1, changing "trade-mark" to "certification mark".

2. Same as par. 2 of Form 1, changing "trade-mark" to "certification mark".

3. Same as par. 3 of Form 1, changing "trade-mark" to "certification mark".

4. The applicant is not engaged in the manufacture, sale, leasing or hiring of wares or the performance of services such as those in association with which the certification mark is used.

Omit this par. if reg'n. is requested only in respect of services.

5. The applicant (*or* his predecessors(s) in title *(a)*..........) has (have) granted a licence(s) to use the certification mark in association with all the specific wares listed hereafer that meet the defined standard set out below, and the certification mark has been used by the licensee(s) in Canada accordingly in association with such wares. The certification mark has been used in Canada as aforesaid in association with the general class of wares comprising the following specific wares *(b)*..........since *(c)*..........and in association with the general class of wares comprising the following specific wares *(d)*..........since *(e)*..........*(f)*. The applicant requests registration in respect of the specific wares aforesaid.

Omit this par. if reg'n. is requested only in respect of services.

6. The use of the certification mark is intended to indicate that the specific wares listed above in association with which it is used are of the following defined standard:

(g)

Omit this par. If reg'n. is requested only in respect of wares.

7. The applicant *(h)* (*or* his predecessor(s) in title *(a)*..........) has (have) granted a licence (*or* licences) to use the certification mark in association with all the specific services listed hereafter that meet the defined standard, and the certification mark has been used by the licensee(s) in Canada accordingly in association with such services. The certification mark has been used in Canada as aforesaid in association with the general class of services comprising the following specific services *(b)* .... since *(c)* ...., and in association with the general class of services comprising the following specific services *(d)* .... since *(e)* ..... *(f)*. The applicant requests registration in respect of the specific services aforesaid.

Omit this par. if reg'n. is requested only in respect of wares.

8. The use of the certification mark is intended to indicate that the services in association with which it is used are of the following defined stardard:

(j)

9. Same as par. 6 of Form 1.

10. Same as par. 7 of Form 1.

11. Same as par. 8 of Form 1, changing "trade-mark" to "certification mark".

12. same as par. 9 of Form 1, changing "trade-mark" to "certification mark".

13. The applicant is satisfied that he is entitled to use the certification mark in Canada through his licensee(s) in association with the *(k)* .... described above.

Instructions for Form 5.

(a) Insert this phrase only if the certification mark in association with any of the specific wares listed below in this paragraph (in accordance with notes *(b)* and *(d)*) was first licensed by a predecessor in title of the applicant. If so, name the predecessor who first licended the use of the certification mark in association with any of the specific wares listed and name also any intervening predecessors down to the applicant.

(b) If all the specific wares in association with which the certification mark has been used in Canada by the licensee(s), and in respect of which registration is requested, fall into a single general class, list them all here. If such wares fall into more than one general class, list here only those falling into one general class. The wares must be described in ordinary commercial terms.

(c) Give the earliest date when a licensee of the applicant or of a predecessor began to use the certification mark in Canada in association with any of the wares listed in accordance with note *(b)*.

(d) List here the specific wares in association with which the certification mark has been used in Canada by the licensee(s), and in respect of which registration is requested, which fall into a different general class from that comprising the wares listed in accordance with note *(b)*.

(e) Give the earliest date when a licensee of the applicant or a predessor began to use the certification mark in Canada in association with any of the wares listed in accordance with note *(d)*.

(f) If the certification mark has been used in Canada in association with specific wares falling into further different general classes, repeat here the words

"and in association with the general class of wares comprising the following specific wares .... since ...."

as often as necessary, listing in each case the specific wares falling into a different general class from those comprising the wares previously listed, and giving in each case the earliest date when a licensee of the applicant or of a predecessor began to use the certification mark in Canada in association with any of such wares.

(g) Set out here particulars of the defined standard (see def. "certification mark" in sec. 2 of the Act) which the use of the certifiction mark in association with the specific wares listed in paragraph 5 is intended to indicate.

(h) In completing this paragraph, notes *(a)* to *(f)* should be read with the substitution of "services" for "wares".

(j) Set out here particulars of the defined standard which the use of the certification mark in association with the specific services listed in paragraph 7 is intended to indicate.

(k) Insert "wares", "services" or "wares and services" as applicable.

FORM 6

APPLICATION FOR AMENDMENT OF A REGISTRATION OTHERWISE THAN TO EXTEND THE STATEMENT OF WARES OR SERVICES

To : The Registrar of Trade-marks
Hull, Quebec

1. *(a)* ...., the registered owner of the trade-mark registered under No. ...... on *(b)* .... applies, in accordance with the *Trade-marks Act*, to have the following amendment(s) made to the register in respect of such trade-mark:

(c)

Instructions for Form 6.

(a) Insert the name of the registered owner as it appears on the register unless the application is one for an amendment to change that name or correct an error in it. In such case, insert here the name as it will appear after the change or correction.

(b) Give the date of the registration.

(c) Set out here the amendment or the amendments, desired so far as authorized by subsection 41(1) of the Act. If the desired amendment is or includes an extension of the statement of wares, Form 7 rather than this form must be used.

FORM 7

APPLICATION FOR AMENDMENT OF A REGISTRATION TO EXTEND THE STATEMENT OF WARES OR SERVICES

(See General Notes)

To: The Registrar of Trade-marks
Hull, Québec

1. *(a)* ...., the registered owner of the trade-mark registered under No. ..... on *(b)* ..... applies, in accordance with the provisions of the *Trade-marks Act*, to have the following amendment made to the register in respect of such trade-mark:

Omit if extension is requested only in respect of services.

Extend the statement of wares in respect of which the trade-mark is registered to include *(c)* ....

Omit if extension is requested only in respect of wares.

Extend the statement of services in respect of which the trade-mark is registered to include *(d)* ....

(e)

Omit this par. if extension is requested only in respect of services.

2. The trade-mark has been used in Canada by the applicant (*or* his predecessor(s) in title *(f)* ....) in association with all the specific wares listed above. The trade-mark has been so used in Canada in association with the general class of wares comprising the following specific wares *(g)* .... since *(h)* ...., and in association with the general class of wares comprising the following specific wares *(j)* .... since *(k)* .... *(l)*.

Omit this par. if extension is requested only in respect of wares.

3. The trade-mark *(m)* has been used in Canada by the applicant (*or* his predecessor(s) in title *(f)* ....) in association with all the specific services listed above. The trade-mark has been so used in Canada in association with the general class of services comprising the following specific services *(g)* .... since *(h)* ...., and in association with the general class of services comprising the following specific services *(j)* .... since *(k)* .... *(l)*.

4. The applicant is satisfied that he is entitled to use the trade-mark in Canada in association with the *(n)* .... described above.

Instructions for Form 7.

General Note : Form 7 has been drafted to cover the case where the trade-mark has been used in Canada in association with the wares or services to which the statement of wares or services is to be extended. In other cases paragraphs 2 and 3 of the form will require modification. For this purpose, where the application is based on making known in Canada, paragraphs 4 and 5 of Forrm 2 may be adapted; where the application is based on registration and use abroad, paragraphs 4, 4A, 5 and 5A of Form 3 may be adapted; and where the application is based on a proposed use, paragraphs 4 and 5 of Form 4 may be adapted.

(a) Insert the name of the registered owner.

(b) Insert the date of registration.

(c) List the specific wares to which the statement of wares in the registration is to be exended. The wares must be described in ordinary commercial terms.

(d) List the specific services to which the statement of services in the registration is to be extended. The services must be described in ordinary commercial terms.

(e) Any other desired amendments authorized by subsection 41(1) of the Act, *e.g.* the cancellation of certain wares or services from the statement of wares or services in the registration, should be set out here.

(f) Insert this phrase only if the trade-mark has been used in Canada by a predecessor of the applicant in association with any of the specific wares listed above in accordance with note *(c)*. If so, name the predecessor who began to use the trade-mark in association with any of the specific wares listed and name also any intervening predecessor down to the applicant.

(g) If all the specific wares listed above in accordance with note *(c)* fall into a single general class, list them all again here. If such wares fall into more than one general class, list here only those falling into one general class.

(h) Give the earliest date when the applicant or a predecessor began to use the trade-mark in Canada in association with any of the wares listed in accordance with note *(g)*.

(j) List here any of the specific wares which have been listed above in accordance with note *(c)* but fall into a different general class from that comprising the wares listed in accordance with note *(g)*.

(k) Give the earliest date when the applicant or a predecessor began to use the trade-mark in Canada in association with any of the wares listed in accordance with note *(j)*.

(l) If the specific wares listed above in accordance with note *(c)* include wares falling into further different general classes, repeat here the words

"and in association with the general class of wares comprising the following specific wares .... since ...."

as often as necessary, listing in each case the specific wares falling into a different general class from those comprising the wares previously listed in this paragraph and giving in each case the earliest date when the applicant or a predecessor began to use the trade-mark in Canada in association with any such wares.

(m) In completing this paragraph, notes *(f)* to *(l)* should be read with the substitution of "services" for "wares" and with a reference in the case of notes *(f)*, *(g)*, *(j)* and *(l)*, to note *(d)* instead of note *(c)*.

(n) Insert "wares", "services" or "wares and services" as applicable.

FORM 8

STATEMENT OF OPPOSITION TO AN APPLICATION FOR REGISTRATION OF A TRADE-MARK

To: The Registrar of Trade-marks
Hull, Quebec

In the Matter of an Opposition by .... to application No. ......

1. The opponent *(a)* .... the full post office address of whose principal office or place of business is .... gives notice of opposition to the proposed registration of the trade-mark advertised under the above number in the issue of the Trade-marks Journal dated .... The grounds of opposition are as follows:

(b)

Omit this par. if the address in par. 1 is a Canadian address or if the opponent has no office or place of business in Canada.

2. The address of the opponent's principal office or place of business in Canada is ....

Omit this par. if a Canadian address is given for the opponent in par. 1 or par. 2 and the opponent does not wish to appoint a special representative for service.

3. The opponent appoints *(c)* ...., whose full post office address in Canada is ....
as the person (*or* firm) upon whom service of any document in respect of the opposition may be made with the same effect as if it had been served upon the opponent.

Instructions for Form 8.

(a) (i) In the case of a corporation, give full name.

(ii) In the case of an individual, give the surname and at least one given name. If the individual trades under a name other than the individual's own name, follow the individual's name by the words "trading as" and then give the trading name.

(iii) In the case of a partnership, give the name under which the partnership trades.

(b) Give each of the grounds of opposition relied upon by the opponent (see subsection 38(2) of the Act) in sufficient detail to enable the applicant to prepare a counter statement.

(c) Give the name of the person or firm in Canada appointed as opponent's agent for service.

FORM 9

COUNTER STATEMENT TO OPPOSITION

To: The Registrar of Trade-marks
Hull, Quebec

In the Matter of an Opposition by .... to application No. ......

1. The applicant for registration of the above trade-mark, gives notice that the following are the grounds on which he relies as supporting the application.

(a)

2. The applicant admits the following allegations in the sattement of opposition:

Instructions for Form 9.

(a) Give each of the grounds relied upon by the applicant in sufficient detail to disclose the nature of his case.

Règlement sur les marques de commerce

C.R.C., ch. 1559

Loi sur les marques de commerce
(L.R.C. 1985, ch. T-13)

[Abrogé, DORS/96-195.]

Trade Marks Regulations

C.R.C., c. 1559

Trade-marks Act
(R.S.C. 1985, c. T-13)

[Repealed, SOR/96-195.]

RÈGLEMENT SUR LES MARQUES DE COMMERCE (1996)

Table des matières

TRADE-MARKS REGULATIONS (1996)

Table of Contents

Règlement sur les marques de commerce (1996)

DORS/96-195

Modifié par DORS/99-292.

Loi sur les marques de commerce
(L.R.C. 1985, ch. T-13)

RÈGLEMENT CONCERNANT LES MARQUES DE COMMERCE

Titre abrégé

1. *Règlement sur les marques de commerce (1996).*

Définitions

2. Les définitions qui suivent s'appliquent au présent règlement.
« agent de marques de commerce » Personne dont le nom paraît sur la liste des agents de marques de commerce visée à l'article 21. (*trade-mark agent*)
« Journal » Le *Journal des marques de commerce* visé au paragraphe 66(3) de la Loi. (*Journal*)
« Loi » La *Loi sur les marques de commerce*. (*Act*)
« requérant » La personne qui produit une demande d'enregistrement d'une marque de commerce conformément à l'article 30 de la Loi ou qui est le dernier cessionnaire reconnu en vertu de l'article 48. (*applicant*)

Correspondance

3. (1) La correspondance à l'intention du registraire ou du bureau du registraire des marques de commerce est adressée au « Registraire des marques de commerce ».

Trade-marks Regulations (1996)

SOR/96-195

Amended by SOR/99-292.

Trade-marks Act
(R.S.C. 1985, c. T-13)

REGULATIONS RESPECTING TRADE-MARKS

Short Title

1. These Regulations may be cited as the *Trade-marks Regulations (1996).*

Interpretation

2. The following definitions apply in these Regulations.
"Act" means the *Trade-marks Act*. (*Loi*)
"applicant" means a person who files an application for the registration of trade-mark, pursuant to section 30 of the Act, or who is the last transferee of an application for the registration of a trade-mark recognized under section 48. (*requérant*)
"Journal" means the *Trade-marks Journal* referred to in subsection 66(3) of the Act. (*Journal*)
"trade-mark agent" means a person whose name is entered on the list of trade-mark agents referred to in section 21. (*agent de marques de commerce*)

Correspondence

3. (1) Correspondence intended for the Registrar or the Office of the Registrar of Trade-marks shall be addressed to the "Registrar of Trade-marks".

(2) La correspondance adressée au registraire peut être livrée matériellement au bureau du registraire des marques de commerce pendant les heures normales d'ouverture et est réputée avoir été reçue par le registraire le jour de la livraison.

(2) Correspondence addressed to the Registrar may be physically delivered to the Office of the Registrar of Trade-marks during ordinary business hours of the Office and shall be considered to be received by the Registrar on the day of the delivery.

(3) Pour l'application du paragraphe (2), la correspondance adressée au registraire qui est livrée matériellement au bureau du registraire des marques de commerce en dehors des heures normales d'ouverture est réputée avoir été livrée au bureau pendant les heures normales d'ouverture le jour de la réouverture.

(3) For the purposes of subsection (2), where correspondence addressed to the Registrar is physically delivered to the Office of the Registrar of Trade-marks outside of its ordinary business hours, it shall be considered to have been delivered to the Office during ordinary business hours on the day when the Office is next open for business.

(4) La correspondance adressée au registraire peut être livrée matériellement à tout établissement désigné par lui dans le Journal pour recevoir, pendant les heures normales d'ouverture, livraison de cette correspondance. Les présomptions suivantes s'y appliquent dès lors :
a) si elle est livrée à l'établissement un jour où le bureau du registraire des marques de commerce est ouvert au public, elle est réputée avoir été reçue par le registraire le jour de la livraison;
b) si elle est livrée à l'établissement un jour où le bureau du registraire des marques de commerce est fermé au public, elle est réputée avoir été reçue par le registraire le jour de la réouverture.

(4) Correspondence addressed to the Registrar may be physically delivered to an establishment that is designated by the Registrar in the Journal as an establishment to which correspondence addressed to the Registrar may be delivered, during ordinary business hours of that establishment, and
(a) where the delivery is made to the establishment on a day that the Office of the Registrar of Trade-marks is open for business, the correspondence shall be considered to be received by the Registrar on that day; and
(b) where the delivery is made to the establishment on a day that the Office of the Registrar of Trade-marks is closed for business, the correspondence shall be considered to be received by the Registrar on the day when the Office is next open for business.

(5) Pour l'application du paragraphe (4), si la correspondance adressée au registraire est livrée matériellement à un établissement en dehors des heures normales d'ouverture, elle est réputée avoir été livrée à cet établissement pendant les heures normales d'ouverture le jour de la réouverture.

(5) For the purposes of subsection (4), where correspondence addressed to the Registrar is physically delivered to an establishment outside of ordinary business hours of the establishment, it shall be considered to have been delivered to that establishment during ordinary business hours on the day when the establishment is next open for business.

(6) La correspondance adressée au registraire peut lui être communiquée à toute heure par tout mode de transmission électronique ou autre qu'il précise dans le Journal.

(6) Correspondence addressed to the Registrar may be sent at any time by electronic or other means of transmission specified in the Journal.

(7) Pour l'application du paragraphe (6), si, d'après l'heure locale du lieu où est situé le bureau du registraire des marques de commerce, la correspondance est livrée un jour où le bureau est ouvert au public, elle est réputée avoir été reçue par le registraire le jour de la livraison.

(7) For the purposes of subsection (6), where, according to the local time of the place where the Office of the Registrar of Trade-marks is located, the correspondence is delivered on a day when the Office is open for business, it shall be considered to be received by the Registrar on that day.

(8) Pour l'application du paragraphe (6), si, d'après l'heure locale du lieu où est situé le bureau du registraire des marques de commerce, la correspondance est livrée un jour où le bureau est fermé au public, elle est réputée avoir été reçue par le registraire le jour de la réouverture.

(8) For the purposes of subsection (6), where, according to the local time of the place where the Office of the Registrar of Trade-marks is located, the correspondence is delivered on a day when the Office is closed for business, it shall be considered to be received by the Registrar on the day when the Office is next open for business.

(9) Le paragraphe (6) ne s'applique pas aux documents suivants :
a) la preuve présentée aux termes du paragraphe 11.13(5) de la Loi;
b) la preuve présentée aux termes du paragraphe 38(7) de la Loi;
c) l'affidavit ou la déclaration solennelle fourni conformément au paragraphe 45(1) de la Loi.
DORS/99-292, art. 1.

(9) Subsection (6) does not apply to the following:
(a) evidence submitted pursuant to subsection 11.13(5) of the Act;
(b) evidence submitted pursuant to subsection 38(7) of the Act; and
(c) an affidavit or a statutory declaration furnished pursuant to subsection 45(1) of the Act.
SOR/99-292, s. 1.

4. (1) Toute communication portant sur une marque de commerce est présentée par écrit, mais le registraire peut aussi tenir compte des communications orales.

4. (1) Communication in respect of a trade-mark shall be in writing, but the Registrar may also consider oral communications.

(2) Le registraire peut demander qu'une communication orale soit confirmée par écrit.

(2) The Registrar may request that an oral communication be confirmed in writing.

5. (1) Sous réserve du paragraphe (2), chaque communication adressée au registraire ne concerne qu'une seule demande d'enregistrement d'une marque de commerce ou une seule marque de commerce déposée.

5. (1) Subject to subsection (2), each communication addressed to the Registrar shall deal with only one application for the registration of a trade-mark or one registered trade-mark.

(2) Le paragraphe (1) ne s'applique pas à :
a) un changement dans les nom ou adresse du requérant demandant l'enregistrement de plus d'une marque de commerce;
b) un changement dans les nom ou adresse du propriétaire inscrit de plus d'une marque de commerce déposée;
c) une demande en vue d'annuler un enregistrement;

(2) Subsection (1) does not apply in respect of
(a) a change in the name or address of an applicant for the registration of more than one trade-mark;
(b) a change in the name or address of a registered owner of more than one registered trade-mark;
(c) an application to cancel a registration;

d) un transfert ou tout autre document touchant les droits à une demande d'enregistrement d'une marque de commerce ou les droits à une marque de commerce déposée;
e) la nomination d'un représentant pour signification ou un changement dans les nom et adresse de celui-ci.

(d) a transfer or other document affecting the rights to an application for the registration of a trade-mark or the rights to a registered trade-mark; and
(e) an appointment of a representative for service or a change in the name and address of a representative for service.

6. (1) Chaque adresse à fournir conformément à la Loi ou au présent règlement est une adresse postale complète qui comprend, entre autres, les numéro et nom de rue, le cas échéant, et le code postal.

6. (1) Any address required to be furnished pursuant to the Act or these Regulations shall be a complete mailing address and shall include the street name and number, where one exists, and the postal code.

(2) S'il n'a pas été avisé d'un changement d'adresse, le registraire n'est pas responsable de la correspondance non reçue par le requérant, le propriétaire inscrit, l'agent de marques de commerce ou le représentant pour signification.

(2) Where the Registrar has not been notified of a change of address, the Registrar is not responsible for any correspondence not received by an applicant, registered owner, trade-mark agent or representative for service.

7. (1) La correspondance relative à une demande d'enregistrement d'une marque de commerce indique :
a) le nom du requérant;
b) le numéro de la demande, si un numéro a été attribué;
c) la marque de commerce.

7. (1) Correspondence in respect of an application for the registration of a trade-mark shall include
(a) the name of the applicant;
(b) the application number, if one has been assigned; and
(c) the trade-mark.

(2) La correspondance relative à une marque de commerce déposée indique :
a) le numéro d'enregistrement;
b) le numéro de la demande;
c) la marque de commerce.

(2) Correspondence in respect of a registered trade-mark shall include
(a) the registration number;
(b) the application number; and
(c) the trade-mark.

8. (1) Sous réserve des paragraphes (2) et (4), la correspondance relative à la poursuite d'une demande d'enregistrement d'une marque de commerce est échangée avec le requérant.

8. (1) Subject to subsections (2) and (4), correspondence relating to the prosecution of an application for the registration of a trade-mark shall be with the applicant.

(2) Sous réserve du paragraphe (3) et des articles 9 et 11, la correspondance est échangée avec l'agent de marques de commerce si celui-ci est autorisé à agir au nom du requérant du fait, selon le cas :
a) qu'il a produit la demande au bureau à titre d'agent de marques de commerce du requérant;
b) qu'il est nommé agent de marques de com-

(2) Subject to subsection (3) and sections 9 and 11, correspondence referred to in subsection (1) shall be with a trade-mark agent, where the trade-mark agent has been authorized to act on behalf of the applicant in one of the following ways:
(a) the trade-mark agent filed the application with the Registrar as the agent of the applicant;

merce du requérant dans la demande ou tout document l'accompagnant;
c) qu'il est nommé agent de marques de commerce du requérant après la production de la demande.

(b) the trade-mark agent is appointed as the agent of the applicant in the application or an accompanying document; or
(c) the trade-mark agent is appointed as the agent of the applicant after the application is filed.

(3) Lorsque l'agent de marques de commerce visé au paragraphe (2) nomme un autre agent de marques de commerce en qualité d'agent de marques de commerce associé ou suppléant, la correspondance est alors échangée avec cet autre agent de marques de commerce.

(3) Where a trade-mark agent referred to in subsection (2) appoints another trade-mark agent as associate or substitute agent, correspondence shall be with the associate or substitute agent.

(4) Lorsqu'une personne demande la reconnaissance du transfert d'une demande en vertu de l'article 48, la correspondance concernant la demande de reconnaissance est aussi échangée avec celle-ci.

(4) Where a person requests recognition of a transfer of an application pursuant to section 48, correspondence in respect of the recognition of the transfer shall also be with the person who requests that recognition.

9. (1) Lorsque l'agent de marques de commerce ne réside pas au Canada, il nomme un agent de marques de commerce associé résidant au Canada.

9. (1) Where a trade-mark agent is not a resident of Canada, the agent shall appoint an associate agent who is a resident of Canada.

(2) Si un agent de marques de commerce associé n'est pas nommé dans le cas visé au paragraphe (1), le registraire échange toute nouvelle correspondance avec le requérant.

(2) Where an associate trade-mark agent is not appointed pursuant to subsection (1), the Registrar shall correspond with the applicant.

10. Les articles 8 et 9 s'appliquent, avec les adaptations nécessaires, aux parties aux oppositions.

10. Sections 8 and 9 apply, with such modifications as are necessary, to parties to oppositions.

11. (1) Il n'est pas obligatoire que la nomination de l'agent de marques de commerce soit faite par écrit; le registraire peut toutefois exiger que l'agent de marques de commerce produise une autorisation écrite émanant de la personne ou de la firme qu'il prétend représenter lorsque les circonstances visées aux alinéas 8(2)*a)* à *c)* n'existent pas ou que la nomination n'est pas clairement établie.

11. (1) The appointment of a trade-mark agent need not be made in writing, but the Registrar may require the agent to file a written authorization from the person or firm that that agent claims to represent, where the circumstances described in any of paragraphs 8(2)*(a)* to *(c)* have not occurred or the appointment has not been clearly established.

(2) Si l'agent de marques de commerce omet de produire l'autorisation exigée, le registraire peut en aviser la personne ou la firme visée au paragraphe (1) et, sous réserve de l'article 8, il échange toute nouvelle correspondance avec celle-ci jusqu'à la production de l'autorisation écrite.

(2) Where a trade-mark agent fails to file an authorization required pursuant to subsection (1), the Registrar may notify the person or firm that the agent claims to represent, and shall, subject to section 8, continue to correspond with the person or firm notified until the written authorization is filed.

Dispositions générales

12. Les droits indiqués à l'annexe sont payables au receveur général et le paiement y afférent est envoyé au registraire.

13. Sauf disposition contraire du présent règlement, tous les documents produits au bureau du registraire des marques de commerce le sont sur du papier blanc, d'un seul côté de la feuille, dont les dimensions ne sont pas inférieures à 8 pouces sur 11 pouces ou 21 cm sur 28 cm ni supérieures à 8 1/2 pouces sur 14 pouces ou 22 cm sur 35 cm, les marges de gauche et supérieure étant d'au moins 1 pouce ou 2,5 cm.

14. (1) Les demandes d'enregistrement d'une marque de commerce renferment les renseignements visés à l'article 30 de la Loi et sont présentées clairement et lisiblement, de la manière indiquée par le registraire dans le Journal et sur le formulaire approprié qu'il y fait publier, ou sous toute autre forme permettant de fournir les mêmes renseignements.

(2) Tout document destiné au registraire concernant l'enregistrement d'une marque de commerce ou une marque de commerce déposée est présenté clairement et lisiblement, de la manière indiquée par le registraire dans le Journal et sur le formulaire approprié qu'il y fait publier, ou sous toute autre forme permettant de fournir les mêmes renseignements.

Journal

15. Le registraire publie chaque semaine le Journal, qui contient notamment :
a) les annonces faites en vertu du paragraphe 37(1) de la Loi;
b) les détails des enregistrements de marque de commerce opérés ou prolongés aux termes de la Loi;
c) les détails des décisions du registraire qui doivent être publiées aux termes de l'article 64 de la Loi;
d) les avis publics exigés par le paragraphe 9(1) de la Loi;

General

12. The fees set out in the schedule are payable to the Receiver General and shall be forwarded to the Registrar.

13. Except as otherwise provided in these Regulations, all documents filed with the Office of the Registrar of Trade-marks shall be on white paper that measures at least 8 inches by 11 inches, or 21 cm X 28 cm, but not more than 8 1/2 inches by 14 inches, or 22 cm X 35 cm, on one side only, with left and upper margins of at least 1 inch or 2,5 cm.

14. (1) An application for the registration of a trade-mark shall contain the information required by section 30 of the Act, and shall be presented clearly and legibly, in the manner specified by the Registrar in the Journal and on the appropriate form published by the Registrar in the Journal, or in any other form that allows for the furnishing of the same information.

(2) Any document to be submitted to the Registrar relating to the registration of a trade-mark or a registered trade-mark shall be presented clearly and legibly, in the manner specified by the Registrar in the Journal and on the appropriate form published by the Registrar in the Journal, or in any other form that allows for the furnishing of the same information.

Journal

15. The Registrar shall publish, on a weekly basis, the Journal, which shall include
(a) every advertisement made pursuant to subsection 37(1) of the Act;
(b) the particulars of every registration of a trade-mark made or extended pursuant to the Act;
(c) the particulars of the Registrar's rulings required to be published pursuant to section 64 of the Act;
(d) every public notice required pursuant to subsection 9(1) of the Act; and

e) chaque arrêté pris par le ministre en vertu du paragraphe 66(2) de la Loi.

(*e*) every order made by the Minister pursuant to subsection 66(2) of the Act.

16. L'annonce d'une demande publiée en application du paragraphe 37(1) de la Loi contient les renseignements suivants :
a) la marque de commerce en cause;
b) une mention de tout désistement;
c) les nom et adresse du requérant et, le cas échéant, du représentant pour signification;
d) le numéro de la demande;
e) la date de production de la demande et, le cas échéant, la date de priorité réclamée en vertu de l'article 34 de la Loi;
f) un sommaire des renseignements fournis par le requérant selon les alinéas 30*a)* à *d)* et *g)* de la Loi;
g) si la demande vise une marque de commerce projetée, une marque de certification ou un signe distinctif, une mention à cet effet;
h) si le paragraphe 12(2) ou l'article 14 de la Loi est invoqué, une mention à cet effet;
i) le cas échéant, les détails de la restriction territoriale imposée en vertu du paragraphe 32(2) de la Loi;
j) le cas échéant, les détails de la traduction ou translittération fournie au registraire en vertu des alinéas 29*a)* ou *b)*.

16. Every advertisement of an application published pursuant to subsection 37(1) of the Act shall set out
(*a*) the trade-mark claimed;
(*b*) a note of any disclaimer;
(*c*) the name and address of the applicant and the representative for service, if any;
(*d*) the application number;
(*e*) the date of filing of the application and the date of priority claimed pursuant to section 34 of the Act, if any;
(*f*) a summary of the information filed by the applicant pursuant to paragraphs 30(*a*) to (*d*) and (*g*) of the Act;
(*g*) in the case of an application for a proposed trade-mark, a certification mark or a distinguishing guise, a note to that effect;
(*h*) where the benefit of subsection 12(2) or section 14 of the Act is claimed, a note to that effect;
(*i*) the particulars of any territorial restriction applicable pursuant to subsection 32(2) of the Act; and
(*j*) the particulars of any translation or transliteration furnished to the Registrar in accordance with paragraph 29(*a*) or (*b*).

17. Les détails publiés dans le Journal au sujet de l'enregistrement d'une marque de commerce opéré ou prolongé aux termes de la Loi comprennent :
a) le numéro et la date de l'enregistrement;
b) le nom du propriétaire inscrit;
c) le numéro de la demande;
d) le numéro et la date de parution du Journal où la demande a été annoncée.

17. The particulars published in the Journal of a registration of a trade-mark made or extended pursuant to the Act shall include
(*a*) the number and date of the registration;
(*b*) the name of the registered owner;
(*c*) the application number; and
(*d*) the issue number and date of the issue of the Journal in which the application was advertised.

Admissibilité à l'examen

Eligibility for Examination

18. Sous réserve du paragraphe 20(2), une personne est admissible à l'examen d'aptitude concernant la législation et la pratique relatives aux marques de commerce si, avant le 1er octobre de l'année où elle compte se présenter à l'examen, elle réside au Canada et, selon le cas :
a) est un avocat habile à exercer dans une

18. Subject to subsection 20(2), a person is eligible to sit for a qualifying examination relating to trade-mark law and practice if, before October 1 of the year in which the person proposes to sit for the examination, the person resides in Canada and
(*a*) is a barrister or solicitor entitled to practise as such in a province, or a notary entitled

province ou un notaire habile à exercer dans la province de Québec;

b) a travaillé au Canada pendant au moins 24 mois dans le domaine de la législation et de la pratique canadiennes relatives aux marques de commerce, y compris la préparation et la poursuite des demandes d'enregistrement de marques de commerce.

to practise as such in the Province of Quebec; or

(b) has worked in Canada in the area of Canadian trade-mark law and practice, including the preparation and prosecution of applications for the registration of trade-marks, for a period of not less than 24 months.

Commission d'examen

19. Les membres d'une commission d'examen sont nommés par le registraire, et au moins deux de ces membres sont des agents de marques de commerce nommés par l'Institut canadien des brevets et marques.

Examining Board

19. The members of an examining board shall be appointed by the Registrar and at least two members of the board shall be trade-mark agents nominated by the Patent and Trademark Institute of Canada.

Examen d'aptitude

20. (1) La commission d'examen :

a) prépare l'examen d'aptitude concernant la législation et la pratique relatives aux marques de commerce;

b) fixe la date de l'examen;

c) tient l'examen chaque année au mois d'octobre.

(2) Le registraire donne avis, dans le Journal, de la date du prochain examen et y indique que les personnes désirant se présenter à l'examen doivent :

a) dans le délai indiqué dans l'avis, informer par écrit le registraire de leur intention et lui remettre un affidavit ou une déclaration solennelle attestant leur expérience, leurs fonctions et leurs responsabilités dans le domaine de la législation et de la pratique relatives aux marques de commerce;

b) payer le droit prévu à l'article 20 de l'annexe.

(3) Le registraire désigne un ou plusieurs endroits pour la tenue de l'examen et en informe, par courrier recommandé, au moins quatre semaines avant la date de celui-ci, les personnes qui se sont conformées aux exigences du paragraphe (2).

Qualifying Examination

20. (1) The examining board shall

(a) set the qualifying examination relating to trade-mark law and practice;

(b) set the date for the qualifying examination; and

(c) conduct the qualifying examination during the month of October in each year.

(2) The Registrar shall give notice in the Journal of the date of the next qualifying examination and shall state in the notice that any person who proposes to sit for the examination shall

(a) within the time specified in the notice, notify the Registrar in writing and submit to the Registrar an affidavit or statutory declaration setting out the person's experience, duties and responsibilities in the area of trade-mark law and practice; and

(b) pay the fee set out in item 20 of the schedule.

(3) The Registrar shall designate the place or places where the qualifying examination is to be held and shall, by registered mail, at least four weeks before the day fixed for the examination, notify any person who has complied with the requirements of subsection (2).

Inscription des agents de marques de commerce

21. Le registraire, sur demande écrite et sur paiement du droit prévu à l'article 19 de l'annexe, inscrit sur la liste des agents de marques de commerce le nom des personnes suivantes :

a) tout résident du Canada qui a réussi à l'examen d'aptitude concernant la législation et la pratique canadiennes relatives aux marques de commerce, y compris la préparation et la poursuite des demandes d'enregistrement de marques de commerce;

b) tout résident du Canada qui est un avocat habile à exercer dans une province ou qui est un notaire habile à exercer dans la province de Québec, et qui, selon le cas :

(i) a réussi l'examen d'aptitude concernant la législation et la pratique relatives aux marques de commerce,

(ii) a travaillé pendant au moins 24 mois dans le domaine de la législation des marques de commerce, y compris la préparation et la poursuite des demandes d'enregistrement de marques de commerce, et a remis au registraire un affidavit ou une déclaration solennelle à cet effet;

c) tout résident d'un autre pays qui est autorisé à pratiquer devant le bureau des marques de commerce de ce pays;

d) toute firme dont le nom d'au moins un membre est inscrit sur la liste à titre d'agent de marques de commerce.

Listing of Trade-mark Agents

21. The Registrar shall, on written request and payment of the fee set out in item 19 of the schedule, enter on a list of trade-mark agents the name of

(a) any resident of Canada who has passed the qualifying examination relating to Canadian trade-mark law and practice, including the preparation and prosecution of applications for registration of trade-marks;

(b) any resident of Canada who is a barrister or solicitor entitled to practise as such in a province, or a notary entitled to practise as such in the Province of Quebec, who has

(i) passed the qualifying examination relating to trade-mark law and practice, or

(ii) worked in the area of trade-mark law, including the preparation and prosecution of applications for registration of trade-marks, for a period of not less than 24 months and who has submitted an affidavit or statutory declaration to that effect to the Registrar;

(c) a resident of any other country who is entitled to practise before the trade-marks office of that country; and

(d) any firm having the name of at least one of its members entered on the list as a trade-mark agent.

Renouvellement

22. (1) Au cours de la période commençant le 1er janvier et se terminant le 31 mars de chaque année :

a) le résident du Canada dont le nom figure sur la liste des agents de marques de commerce paie le droit prévu à l'article 21 de l'annexe pour le maintien de son nom sur la liste;

b) le résident d'un autre pays dont le nom figure sur cette liste produit, pour le maintien de son nom sur celle-ci, une déclaration signée par lui qui précise son pays de résidence et indique qu'il est en règle auprès du bureau

Renewal

22. (1) During the period beginning on January 1 and ending on March 31 of each year,

(a) a resident of Canada whose name is entered on the list of trade-mark agents shall, in order to maintain the resident's name on the list, pay the fee set out in item 21 of the schedule;

(b) a resident of any other country whose name is entered on the list of trade-mark agents shall, in order to maintain the resident's name on the list, file a statement signed by the agent setting out the agent's

des marques de commerce de ce pays;
c) la firme dont le nom d'au moins un membre figure sur cette liste produit, pour le maintien de son nom sur celle-ci, une déclaration signée par un membre nommé sur celle-ci et indiquant tous ses membres dont le nom figure sur la liste.

country of residence and declaring that the agent is in good standing before the trade-mark office of that country; and
(c) a firm having the name of at least one of its members entered on the list of trade-mark agents shall, in order to maintain the firm's name on the list, file a statement signed by one of its members whose name is on the list, indicating all of its members whose names are on the list.

(2) Lorsque l'agent de marques de commerce ne se conforme pas à l'exigence applicable mentionnée au paragraphe (1), le registraire lui envoie un avis écrit lui enjoignant de prendre l'une des mesures suivantes dans les trois mois suivant la date de l'avis :
a) produire la déclaration exigée aux alinéas (1)*b)* ou *c)*, selon le cas;
b) payer le droit prévu à l'article 21 de l'annexe.

(2) Where a trade-mark agent fails to comply with the applicable requirement set out in subsection (1), the Registrar shall send a written notice to the trade-mark agent requiring that, within three months after the date of the notice, the trade-mark agent shall file
(a) the statement required by paragraph (1)*(b)* or *(c)*, as applicable; or
(b) the fee set out in item 21 of the schedule.

(3) Lorsque l'agent de marques de commerce ne prend pas les mesures indiquées dans l'avis mentionné au paragraphe (2), le registraire radie son nom de la liste des agents de marques de commerce.

(3) Where a trade-mark agent fails to comply with a notice referred to in subsection (2), the Registrar shall remove the name of the agent from the list of trade-mark agents.

23. (1) Le nom de l'agent de marques de commerce qui a été radié de la liste conformément au paragraphe 22(3) peut y être rétabli si celui-ci présente une demande au registraire dans l'année suivant la date de la radiation et prend l'une des mesures suivantes :
a) il produit la déclaration exigée aux alinéas 22(1)*b)* ou *c)*, selon le cas;
b) il paie les droits prévus aux articles 21 et 22 de l'annexe.

23. (1) The name of a trade-mark agent that has been removed from the list of trade-mark agents pursuant to subsection 22(3) may be reinstated if the agent applies to the Registrar within one year after the date of the removal of the agent's name from the list, and
(a) files the statement required by paragraph 22(1)*(b)* or *(c)*, as applicable; or
(b) pays the fees set out in items 21 and 22 of the schedule.

(2) Le nom de la firme peut demeurer sur la liste si, à la fois :
a) le nom d'au moins un de ses membres y figure;
b) la déclaration exigée à l'alinéa 22(1)*c)* est produite.

(2) A firm is entitled to have its name remain on the list of trade-mark agents where
(a) the name of at least one of its members is on the list; and
(b) the statement required by paragraph 22(1)*(c)* is filed.

Demande d'enregistrement

Application for Registration

24. Une demande distincte est produite pour l'enregistrement de chaque marque de

24. A separate application shall be filed for the registration of each trade-mark, but a

commerce; toutefois, une seule demande suffit lorsque la marque de commerce qui en fait l'objet est ou sera employée ou révélée en liaison avec à la fois des marchandises et des services.

25. Sous réserve de l'article 34 de la Loi, la date de production de la demande d'enregistrement d'une marque de commerce est la date à laquelle les pièces suivantes sont livrées au registraire :
a) une demande renfermant les renseignements suivants :
(i) le nom et l'adresse du requérant,
(ii) les marchandises ou services en liaison avec lesquels la marque de commerce a été ou sera employée ou a été révélée,
(iii) dans le cas d'une marque de commerce autre qu'une marque de commerce projetée :
(A) soit la date à laquelle la marque de commerce a été employée ou révélée pour la première fois au Canada,
(B) soit le nom d'un pays où la marque de commerce a été employée, ainsi que des renseignements sur l'enregistrement ou la demande d'enregistrement dans un pays de l'Union ou pour un pays de l'Union sur lesquels le droit à l'enregistrement est fondé;
b) le paiement du droit payable pour la demande, prévu à l'article 1 de l'annexe;
c) un dessin de la marque de commerce, sauf s'il s'agit d'un mot ou de mots non décrits en une forme spéciale.
DORS/99-292, art. 2.

26. (1) L'alinéa 25*a)* s'applique à une demande visant à étendre l'état déclaratif des marchandises ou services à l'égard desquels une marque de commerce est déposée.

(2) La demande visée au paragraphe (1) est accompagnée du paiement du droit payable, prévu à l'article 3 de l'annexe.

27. (1) Lorsque le dessin d'une marque de commerce est exigé par l'alinéa 30*h)* de la Loi, il est en noir et blanc, mesure au plus 2 3/4 pouces sur 2 3/4 pouces ou 7 cm sur 7 cm, n'inclut pas de matière qui ne fait pas partie de la marque de commerce, et peut être

single application is sufficient where the trade-mark is used, made known or proposed to be used in association with both wares and services.

25. Subject to section 34 of the Act, the date of filing of an application for the registration of a trade-mark is the date on which the following are delivered to the Registrar:
(a) an application setting out the following information, namely,
(i) the name and address of the applicant,
(ii) the wares or services in association with which the trade-mark is proposed to be used, or has been used or made known, and
(iii) in the case of a trade-mark other than a proposed trade-mark,
(A) the date of first use or making known of the trade-mark in Canada, or
(B) the name of a country in which the trade-mark has been used and information respecting the registration or application for registration in or for a country of the Union on which the right to registration is based;
(b) the application fee set out in item 1 of the schedule; and
(c) a drawing of the trade-mark, unless the trade-mark consists solely of a word or words not depicted in a special form.
SOR/99-292, s. 2.

26. (1) Paragraph 25*(a)* applies in respect of an application to extend the statement of wares or services in respect of which a trade-mark is registered.

(2) The application referred to in subsection (1) shall be accompanied by the fee set out in item 3 of the schedule.

27. (1) Where a drawing of a trade-mark is required by paragraph 30*(h)* of the Act, the drawing shall be in black and white, no larger than 2 3/4 inches by 2 3/4 inches or 7 cm X 7 cm, and shall not include any matter that is not part of the trade-mark, and may be on pa-

sur une feuille qui satisfait aux exigences de l'article 13.

(2) Le registraire peut exiger que le requérant produise un nouveau dessin si le dessin au dossier ne se prête pas à la reproduction dans le Journal.

28. (1) Lorsque le requérant revendique une couleur comme caractéristique de la marque de commerce, la couleur est décrite.

(2) Si la description prévue au paragraphe (1) n'est pas claire, le registraire peut exiger que le requérant produise un dessin ligné qui représente les couleurs conformément au tableau suivant :

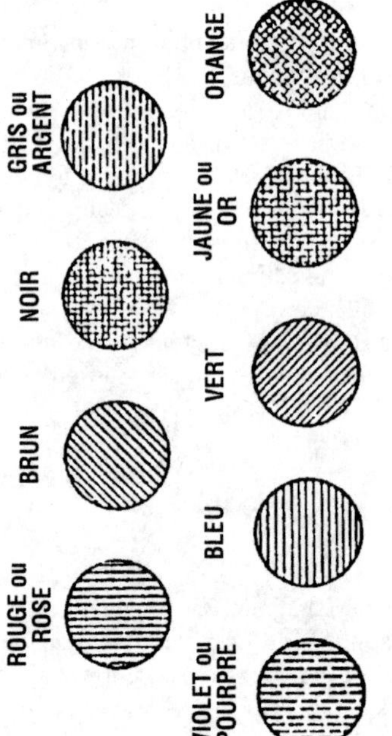

29. Le registraire peut exiger que le requérant demandant l'enregistrement d'une marque de commerce lui fournisse les éléments suivants, le cas échéant :
a) une traduction en français ou en anglais de tous les mots en une autre langue qui en font partie;
b) lorsque la marque de commerce se compose de caractères autres que latins ou de

per that satisfies the requirements of section 13.

(2) Where the drawing of the trade-mark on file is not suitable for reproduction in the Journal, the Registrar may require an applicant to file a new drawing.

28. (1) Where the applicant claims a colour as a feature of the trade-mark, the colour shall be described.

(2) Where the description referred to in subsection (1) is not clear, the Registrar may require the applicant to file a drawing lined for colour in accordance with the following colour chart:

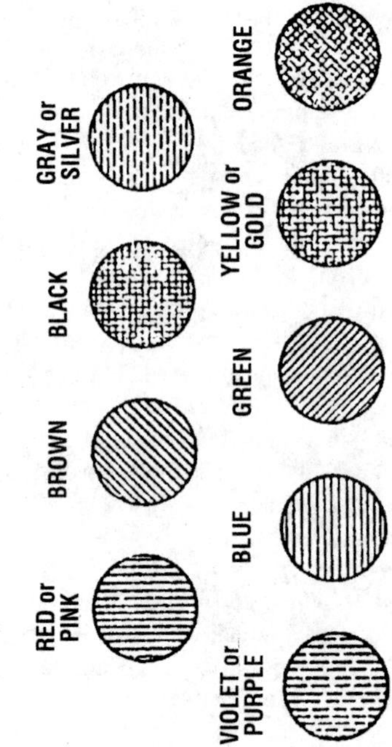

29. The Registrar may require an applicant for the registration of a trade-mark to furnish to the Registrar, as applicable,
(a) a translation into English or French of any words in any other language contained in the trade-mark;
(b) where the trade-mark contains matter expressed in characters other than Latin characters or in numerals other than Arabic or Ro-

chiffres autres qu'arabes ou romains, une translittération de ces caractères en caractères latins ou de ces chiffres en chiffres arabes;
c) un spécimen de la marque de commerce telle qu'elle est employée.

man numerals, a transliteration of the matter in Latin characters and Arabic numerals; and
(c) a specimen of the trade-mark as used.

Modification des demandes d'enregistrement

Amendment of Application for Registration

30. Sauf dans les cas prévus aux articles 31 et 32, la demande d'enregistrement d'une marque de commerce peut être modifiée avant ou après l'annonce faite en vertu du paragraphe 37(1) de la Loi.

30. Except as provided in sections 31 and 32, an application for the registration of a trade-mark may be amended either before or after the application is advertised pursuant to subsection 37(1) of the Act.

31. La modification d'une demande d'enregistrement d'une marque de commerce n'est pas permise si elle vise l'un des objectifs suivants :
a) changer l'identité du requérant, sauf après reconnaissance du transfert par le registraire;
b) modifier la marque de commerce, sauf à certains égards qui n'en changent pas le caractère distinctif ni n'influent sur son identité;
c) changer pour une date antérieure la date de premier emploi ou de révélation, au Canada, de la marque de commerce, sauf s'il est prouvé que les faits justifient le changement;
d) changer une demande n'alléguant pas que la marque de commerce a été employée ou a été révélée au Canada avant la production de la demande en une demande qui contient l'une ou l'autre de ces allégations;
e) modifier l'état déclaratif des marchandises ou services pour étendre la portée de celui qui figurait dans la demande au moment du dépôt effectué conformément à l'article 30 de la Loi.

31. No application for the registration of a trade-mark may be amended where the amendment would change
(a) the identity of the applicant, except after recognition of a transfer by the Registrar;
(b) the trade-mark, except in respects that do not alter its distinctive character or affect its identity;
(c) the date of first use or making known in Canada of the trade-mark to an earlier date, except where the evidence proves that the change is justified by the facts;
(d) the application from one not alleging use or making known of the trade-mark in Canada before the filing of the application to one alleging such use or making known; or
(e) the statement of wares or services so as to be broader than the statement of wares or services contained in the application at the time the application was filed pursuant to section 30 of the Act.

32. La modification d'une demande d'enregistrement d'une marque de commerce n'est pas permise après l'annonce de la demande dans le Journal, si elle vise, selon le cas :
a) à modifier la marque de commerce, à quelque égard que ce soit;
b) à changer la date de premier emploi ou de révélation, au Canada, de la marque de commerce;
c) à modifier la demande qui allègue que la

32. No application for the registration of a trade-mark may be amended, after it has been advertised in the Journal, to change
(a) the trade-mark in any manner whatsoever;
(b) the date of first use or making known in Canada of the trade-mark;
(c) the application from one alleging use or making known to one for a proposed trade-mark;

marque de commerce a été employée ou révélée en une demande alléguant qu'il s'agit d'une marque de commerce projetée;
d) à modifier la demande n'alléguant pas que la marque a été employée et enregistrée dans un pays de l'Union ou pour un pays de l'Union en une demande alléguant ce fait;
e) à modifier l'état déclaratif des marchandises ou services pour étendre la portée de celui qui figurait dans la demande au moment de l'annonce.
DORS/99-292, art. 3(F).

(d) the application from one that does not allege that the trade-mark has been used and registered in or for a country of the Union to one that does so allege; or
(e) the statement of wares or services so as to be broader than the statement of wares or services contained in the application at the time of advertisement.
SOR/99-292, s. 3(F).

33. (1) Le registraire peut corriger toute erreur d'écriture qui s'est glissée dans un document aux archives si, selon le cas :
a) il découvre lui-même l'erreur;
b) le requérant, le propriétaire inscrit ou l'agent de marques de commerce de l'un ou de l'autre demande la correction.

33. (1) The Registrar may correct a clerical error in any instrument of record where
(a) the clerical error is discovered by the Registrar; or
(b) a request for correction is made by an applicant, registered owner or trade-mark agent of the applicant or registered owner.

(2) Lors de la découverte d'une erreur d'écriture visée au paragraphe (1) qui n'est pas la sienne, le registraire :
a) dans le cas visé à l'alinéa (1)*a)*, exige du requérant ou du propriétaire inscrit le droit prévu à l'article 5 de l'annexe pour la modification du registre et apporte la correction sur paiement;
b) dans le cas visé à l'alinéa (1)*b)*, apporte la correction sur paiement du droit prévu à l'article 5 de l'annexe.

(2) Where, pursuant to subsection (1), the Registrar discovers a clerical error that was not committed by the Registrar, the Registrar shall
(a) in the case referred to in paragraph (1)*(a)*, charge to the applicant or the registered owner the fee set out in item 5 of the schedule for an amendment to the register and make the correction on receipt of payment; and
(b) in the case referred to in paragraph (1)*(b)*, make the correction on receipt of the fee set out in item 5 of the schedule.

Annonce des demandes d'enregistrement

Advertisement of Application for Registration

34. Lorsque le registraire n'est pas convaincu que la demande d'enregistrement d'une marque de commerce doive être rejetée en application du paragraphe 37(1) de la Loi, il fait annoncer les détails de la demande dans le Journal.

34. Where the Registrar is not satisfied that an application for registration of a trade-mark should be refused pursuant to subsection 37(1) of the Act, the Registrar shall advertise the particulars of the application in the Journal.

Opposition

Opposition

35. Une personne qui correspond avec le registraire relativement à une opposition indique clairement que sa correspondance a trait à cette opposition.

35. A person who corresponds with the Registrar in respect of an opposition proceeding shall clearly state that the correspondence relates to the opposition proceeding.

36. Après que le registraire a fait parvenir une copie de la déclaration d'opposition au requérant conformément au paragraphe 38(5) de la Loi, la partie qui correspond avec le registraire fait parvenir à l'autre partie à la procédure une copie de sa correspondance relative à l'opposition, à l'exception des plaidoyers écrits déposés conformément au paragraphe 46(3).

36. After the Registrar has forwarded a copy of a statement of opposition to the applicant in accordance with subsection 38(5) of the Act, a party corresponding with the Registrar shall forward a copy of any correspondence in respect of the opposition, with the exception of a written argument filed pursuant to subsection 46(3), to the other party in the opposition proceeding.

37. (1) Toute déclaration ou autre pièce dont la signification est exigée dans les procédures d'opposition sous le régime de l'article 38 de la Loi ou du présent règlement peut être signifiée à la partie en cause ou à son agent de marques de commerce ou son représentant pour signification, soit à personne, soit par courrier recommandé, à l'adresse au Canada indiquée dans la déclaration d'opposition ou la demande.

37. (1) Any statement or other material required to be served in an opposition proceeding pursuant to section 38 of the Act or to these Regulations may be served on the party or the party's trade-mark agent or representative for service either personally or by registered mail at the address in Canada set out in the statement of opposition or the application.

(2) Lorsque la signification se fait par courrier recommandé, elle est réputée effectuée à la date de mise à la poste.

(2) When service is effected by registered mail, it is deemed to be effected on the date that it is mailed.

38. La déclaration d'opposition est produite en double exemplaire au bureau du registraire.

38. A statement of opposition shall be filed with the Registrar in duplicate.

39. Dans le délai d'un mois suivant la date où une copie de la déclaration d'opposition a été envoyée au requérant conformément au paragraphe 38(5) de la Loi, celui-ci produit au bureau du registraire une contre-déclaration et en signifie copie à l'opposant.

39. Within one month after a copy of a statement of opposition has been forwarded to an applicant pursuant to subsection 38(5) of the Act, the applicant shall file a counter statement with the Registrar and serve a copy of the counter statement on the opponent.

40. La modification d'une déclaration d'opposition ou d'une contre-déclaration n'est admise qu'avec la permission du registraire aux conditions qu'il estime indiquées.

40. No amendment to a statement of opposition or counter statement shall be allowed except with leave of the Registrar and on such terms as the Registrar determines to be appropriate.

41. (1) Dans le délai d'un mois suivant la signification de la contre-déclaration, l'opposant :

a) soumet au registraire, par voie d'affidavit ou de déclaration solennelle ou conformément à l'article 54 de la Loi, la preuve sur laquelle il s'appuie ou une déclaration énonçant son désir de ne pas le faire;

41. (1) Within one month after the service of the counter statement, the opponent shall

(a) submit to the Registrar, by way of affidavit or statutory declaration, or in accordance with section 54 of the Act, the evidence that the opponent is relying on to support the opposition, or a statement that the opponent does not wish to submit evidence; and

b) s'il soumet cette preuve, en signifie copie au requérant, sinon lui signifie copie de la déclaration.

(b) serve the applicant, where evidence is submitted, with a copy of the evidence or, where the opponent does not wish to submit evidence, with a copy of a statement that the opponent does not wish to submit evidence.

(2) Pour l'application du paragraphe 38(7.1) de la Loi, l'opposition est réputée retirée si, dans le délai visé au paragraphe (1), l'opposant omet de soumettre la preuve visée au paragraphe 38(7) de la Loi ou une déclaration énonçant son désir de ne pas le faire.

(2) Where the opponent does not submit either the evidence under subsection 38(7) of the Act or a statement that the opponent does not wish to submit evidence, within the time set out in subsection (1), the opposition shall be deemed to have been withdrawn for the purposes of subsection 38(7.1) of the Act.

42. (1) Dans le délai d'un mois suivant la signification de la preuve de l'opposant ou de la déclaration visée à l'alinéa 41(1)*a)*, le requérant :
a) soumet au registraire la preuve, par voie d'affidavit ou de déclaration solennelle ou conformément à l'article 54 de la Loi, sur laquelle il s'appuie, ou une déclaration énonçant son désir de ne pas le faire;
b) s'il soumet cette preuve, en signifie copie à l'opposant, sinon lui signifie copie de la déclaration.

42. (1) Within one month after service of the opponent's evidence or statement referred to in paragraph 41(1)*(a)*, the applicant shall
(a) submit to the Registrar by way of affidavit or statutory declaration, or in accordance with section 54 of the Act, the evidence that the applicant is relying on to support the application, or a statement that the applicant does not wish to submit evidence; and
(b) serve the opponent, where evidence is submitted, with a copy of the evidence or, where the applicant does not wish to submit evidence, with a copy of a statement that the applicant does not wish to submit evidence.

(2) Pour l'application du paragraphe 38(7.2) de la Loi, la demande est réputée abandonnée si, dans le délai visé au paragraphe (1), le requérant omet de soumettre la preuve visée au paragraphe 38(7) de la Loi ou une déclaration énonçant son désir de ne pas le faire.

(2) Where the applicant does not submit either the evidence under subsection 38(7) of the Act or a statement that the applicant does not wish to submit evidence, within the time set out in subsection (1), the application shall be deemed to have been abandoned for the purposes of subsection 38(7.2) of the Act.

43. Dans le délai d'un mois suivant la signification à l'opposant de la preuve du requérant mentionnée à l'article 42, l'opposant :
a) peut soumettre au registraire, par voie d'affidavit ou de déclaration solennelle ou conformément à l'article 54 de la Loi, une preuve se limitant strictement aux matières servant de réponse;
b) s'il soumet cette preuve, en signifie copie au requérant.

43. Within one month after service on the opponent of the applicant's evidence referred to in section 42, the opponent
(a) may submit to the Registrar, by way of affidavit or statutory declaration, or in accordance with section 54 of the Act, evidence strictly confined to matters in reply; and
(b) shall, where submitting the evidence referred to in paragraph *(a)*, serve the applicant with a copy of the evidence.

44. (1) Aucune autre preuve ne peut être produite par les parties, sauf avec la permis-

44. (1) No further evidence shall be adduced by any party except with leave of the

sion du registraire aux conditions qu'il juge indiquées.

(2) Avant de donner un avis aux termes du paragraphe 46(1), le registraire peut, à la demande d'une partie et aux conditions qu'il fixe, ordonner le contre-interrogatoire sous serment de l'auteur de tout affidavit ou déclaration solennelle produit au bureau du registraire à titre de preuve dans l'opposition.

(3) Le contre-interrogatoire ordonné en vertu du paragraphe (2) se tient aux date, heure et lieu et devant la personne dont ont convenu les parties ou, faute d'accord entre celles-ci, qu'a désignés le registraire.

(4) La transcription du contre-interrogatoire et les pièces connexes, ainsi que tout document ou matériel que s'est engagée à fournir la partie pour le compte de laquelle l'auteur de l'affidavit ou de la déclaration solennelle subit le contre-interrogatoire, sont produits au bureau du registraire par la partie qui procède au contre-interrogatoire, dans le délai fixé par le registraire.

(5) Si l'auteur de l'affidavit ou de la déclaration solennelle refuse ou omet de se présenter au contre-interrogatoire, son affidavit ou sa déclaration solennelle ne fait pas partie de la preuve et est retourné à la partie qui l'a produit.

45. (1) Les pièces afférentes à un affidavit ou à une déclaration solennelle produites dans une opposition sont déposées avec l'affidavit ou la déclaration.

(2) Sous réserve du paragraphe (3), tous les documents produits dans une opposition sont accessibles pour inspection publique au bureau du registraire des marques de commerce.

(3) Les plaidoyers écrits ne sont accessibles pour inspection publique qu'après avoir été expédiés par le registraire conformément au paragraphe 46(3).

Registrar and on such terms as the Registrar determines to be appropriate.

(2) Before giving notice in accordance with subsection 46(1), the Registrar may, on the application of any party and on such terms as the Registrar may direct, order the cross-examination under oath of any affiant or declarant on an affidavit or declaration that has been filed with the Registrar and is being relied on as evidence in the opposition.

(3) A cross-examination ordered pursuant to subsection (2) shall be held at a time, date and place and before a person agreed to by the parties or, in the absence of an agreement, as designated by the Registrar.

(4) A transcript of the cross-examination and exhibits to the cross-examination, and any documents or material undertaken to be submitted by the party whose affiant or declarant is being cross-examined, shall be filed with the Registrar by the party conducting the cross-examination, within the time fixed by the Registrar.

(5) If an affiant or declarant declines or fails to attend for cross-examination, the affidavit or declaration shall not be part of the evidence and shall be returned to the party who filed it.

45. (1) Every exhibit to an affidavit or declaration filed in an opposition shall be filed with the affidavit or declaration.

(2) Subject to subsection (3), all materials filed in an opposition shall be open to public inspection at the Office of the Registrar of Trade-marks.

(3) Written arguments shall not be open to public inspection until after they have been forwarded by the Registrar in accordance with subsection 46(3).

(4) Une copie, une photographie ou un échantillon de toute pièce mentionnée au paragraphe (1) est signifiée à l'autre partie, à moins que le registraire n'en ordonne autrement.

(4) A copy, photograph or sample of an exhibit referred to in subsection (1) shall be served on the other party unless the Registrar directs otherwise.

46. (1) Au plus tôt 14 jours après la production de la preuve, le registraire avise par écrit les parties qu'elles peuvent, dans le mois suivant la date de l'avis, produire à son bureau des plaidoyers écrits.

46. (1) Not less than 14 days after completion of the evidence, the Registrar shall give the parties written notice that they may, within one month after the date of the notice, file written arguments with the Registrar.

(2) Un plaidoyer écrit ne peut être produit après l'expiration du délai d'un mois prévu au paragraphe (1) qu'avec la permission du registraire.

(2) No written argument shall be filed after the expiration of the period of one month referred to in subsection (1), except with leave of the Registrar.

(3) Les plaidoyers écrits, le cas échéant, sont produits en double exemplaire; après leur production par les deux parties ou après l'expiration du délai prévu à cette fin, le registraire expédie :
a) une copie des plaidoyers à chacune des autres parties;
b) un avis à chaque partie l'informant de la possibilité de demander une audience.

(3) Written arguments, if any, shall be filed in duplicate and, after the written arguments of both parties have been filed or the period for filing written arguments has expired, the Registrar shall forward
(a) a copy of any written argument filed to every other party; and
(b) a notice to each party that a hearing may be requested.

(4) Toute partie qui désire être entendue par le registraire lui envoie un avis écrit dans le délai d'un mois suivant la date de l'avis du registraire visé à l'alinéa (3)*b)*. Sur réception de l'avis, le registraire envoie aux parties un avis écrit indiquant les date, heure et lieu de l'audience.

(4) A party wishing to be heard by the Registrar shall give the Registrar written notice within one month after the date of the Registrar's notice referred to in paragraph (3)*(b)* and, on receipt of a notice from the party, the Registrar shall send the parties a written notice setting out the time, date and location of the hearing.

47. Lorsque, dans une procédure d'opposition, une prorogation de délai est accordée à une partie, le registraire peut par la suite accorder à l'autre partie une prorogation raisonnable de délai pour prendre des mesures subséquentes.

47. Where in an opposition proceeding any extension of time is granted to a party, the Registrar may thereafter grant a reasonable extension of time to the other party for the taking of any subsequent step.

Transfert

Transfer

48. Le registraire reconnaît le transfert d'une demande d'enregistrement d'une marque de commerce sur réception d'une demande écrite à cet effet, s'il lui est fourni avec la demande :
a) la preuve du transfert;

48. The Registrar shall recognize a transfer of an application for registration of a trademark on receipt of a written request for recognition together with
(a) evidence of the transfer; and
(b) the information required by paragraph

b) les mêmes renseignements que ceux exigés par l'alinéa 30*g)* de la Loi dans le cas d'une demande initiale.

30*(g)* of the Act in the case of a first application.

49. (1) Lorsque, par suite du transfert d'une marque de commerce qui fait l'objet d'une demande d'enregistrement, la marque devient la propriété d'une personne pour être employée en liaison avec certains des services ou marchandises indiqués dans la demande et d'une autre personne pour être employée en liaison avec d'autres de ces services ou marchandises et que le registraire reconnaît le transfert, chacune de ces personnes produit une modification de la demande restreinte aux services ou marchandises pour l'emploi desquels elle est propriétaire de la marque de commerce.

49. (1) Where, as a result of a transfer of a trade-mark that is the subject of an application for registration, the trade-mark becomes the property of one person for use in association with some of the wares or services specified in the application and of another person for use in association with other such wares or services, and the Registrar recognizes the transfer, each person shall file an amendment of that application restricted to those wares and services for use in respect of which the person owns the trade-mark.

(2) La modification mentionnée au paragraphe (1) représente une continuation de la demande aux fins du maintien de l'avantage de la date de production de la demande; toutefois, elle est traitée comme une demande distincte dans les procédures subséquentes.

(2) Each amendment referred to in subsection (1) is a continuation of the application for the purpose of preserving the benefit of the date of filing of the application, but shall otherwise be treated in subsequent proceedings as a separate application.

50. Lorsque, par suite du transfert, une marque de commerce déposée devient la propriété d'une personne pour être employée en liaison avec certains des services ou marchandises indiqués dans l'enregistrement et d'une autre personne pour être employée en liaison avec d'autres de ces services ou marchandises et que le transfert est inscrit par le registraire, chacune de ces personnes :

a) pour l'application de la Loi, est réputée être un propriétaire inscrit distinct de la marque de commerce pour emploi en liaison avec les services et marchandises à l'égard desquels elle a acquis ou retenu le droit de propriété de la marque;

b) pour l'application des articles 43 à 46 de la Loi, est réputée avoir un enregistrement distinct de la marque de commerce.

50. Where, as a result of a transfer, a registered trade-mark becomes the property of one person for use in association with some of the wares or services specified in the registration, and of another person for use in association with other such wares or services, and the transfer is registered by the Registrar, each person

(a) for the purposes of the Act, is deemed to be a separate registered owner of the trade-mark for use in association with the wares and services in respect of which the person has acquired or retained ownership of the trade-mark; and

(b) for the purposes of sections 43 to 46 of the Act, is deemed to have a separate registration of the trade-mark.

Registre

Register

51. Le sommaire de la demande d'enregistrement visé à l'alinéa 26(2)*b)* de la Loi comprend les renseignements applicables qui suivent :

51. A summary of an application for registration referred to in paragraph 26(2)*(b)* of the Act shall include the following information, where applicable:

a) le nom et l'adresse du propriétaire inscrit au moment de l'enregistrement de la marque de commerce;
b) la marque de commerce et tout désistement y afférent;
c) les marchandises et services à l'égard desquels l'enregistrement de la marque de commerce a été demandé et, dans le cas d'une marque de commerce projetée, à l'égard desquels la déclaration d'emploi au Canada, exigée par le paragraphe 40(2) de la Loi, a été produite;
d) le numéro de la demande d'enregistrement;
e) la date de production de la demande et, dans le cas où une priorité est réclamée, la date de priorité de la production de la demande;
f) la ou les dates du premier emploi de la marque de commerce au Canada;
g) la ou les dates de première révélation de la marque de commerce au Canada;
h) le pays d'origine du requérant ou de son prédécesseur en titre et le nom d'un pays autre que le Canada où la marque de commerce a été employée.

(a) the name and address of the registered owner at the time of registration of the trade-mark;
(b) the trade-mark and any disclaimer with respect to that trade-mark;
(c) the wares and services in respect of which registration of the trade-mark has been requested and, in the case of a proposed trade-mark, in respect of which the declaration of use of the trade-mark in Canada required by subsection 40(2) of the Act has been filed;
(d) the number of the application for registration;
(e) the date of filing of the application and, where priority is claimed, the date of the priority filing of the application;
(f) the date or dates of first use of the trade-mark in Canada;
(g) the date or dates of first making known of the trade-mark in Canada; and
(h) the country of origin of the applicant or the applicant's predecessor in title and the name of a country other than Canada in which the trade-mark has been used.

52. Conformément à l'alinéa 26(2)*f)* de la Loi, le registre indique à l'égard de chaque marque de commerce déposée les détails applicables qui suivent :
a) la zone territoriale à laquelle s'étend l'enregistrement;
b) le numéro d'enregistrement;
c) les numéros d'enregistrement respectifs des marques de commerce liées;
d) le nom et l'adresse du premier propriétaire inscrit;
e) le nom et l'adresse du représentant pour signification du dernier propriétaire inscrit;
f) une mention indiquant si la marque de commerce a été reconnue comme étant enregistrable en vertu du paragraphe 12(2) ou des articles 13 ou 14 de la Loi;
g) le numéro et la date de tout enregistrement à l'étranger, sur lequel l'enregistrement est fondé, et le pays dans lequel ou pour lequel l'enregistrement a été effectué;
h) la date de production de toute déclaration d'emploi.
DORS/99-292, art. 4.

52. The register, pursuant to paragraph 26(2)*(f)* of the Act, shall indicate, in respect of each registered trade-mark, the following particulars, where applicable:
(a) the territorial area to which the registration extends;
(b) the registration number;
(c) the registration number of each associated trade-mark;
(d) the name and address of the original registered owner;
(e) the name and address of the representative for service of the current registered owner;
(f) a notation disclosing whether registrability has been recognized pursuant to subsection 12(2) or section 13 or 14 of the Act;
(g) the number and date of any registration abroad on which the registration is based and the country in or for which the registration was made; and
(h) the date of filing any declaration of use.
SOR/99-292, s. 4.

Procédures d'opposition en vertu de l'article 11.13 de la Loi

53. (1) Toute déclaration ou autre pièce dont la signification est exigée dans une procédure d'opposition sous le régime de l'article 11.13 de la Loi ou du présent règlement peut être signifiée à la partie en cause ou à son agent de marques de commerce ou son représentant pour signification, soit à personne, soit par courrier recommandé, à l'adresse au Canada indiquée dans la déclaration d'opposition ou l'énoncé d'intention du ministre visé au paragraphe 11.12(2) de la Loi.

(2) Lorsque la signification se fait par courrier recommandé, elle est réputée effectuée à la date de mise à la poste.

54. La modification d'une déclaration d'opposition ou d'une contre-déclaration n'est admise qu'avec la permission du registraire aux conditions qu'il estime indiquées.

55. (1) Pour l'application du paragraphe 11.13(5) de la Loi, dans le délai d'un mois suivant la signification de la contre-déclaration, l'opposant :
a) peut présenter au registraire, par voie d'affidavit ou de déclaration solennelle, la preuve sur laquelle il s'appuie ou une déclaration énonçant son désir de ne pas le faire;
b) s'il présente cette preuve, en signifie copie à l'autorité compétente, sinon lui signifie copie de la déclaration.

(2) Pour l'application du paragraphe 11.13(6) de la Loi, l'opposition est réputée retirée si, dans le délai visé au paragraphe (1), l'opposant omet de présenter la preuve visée au paragraphe 11.13(5) de la Loi ou une déclaration énonçant son désir de ne pas le faire.

56. Dans le délai d'un mois suivant la signification de la preuve de l'opposant ou de la

Objection Proceedings under Section 11.13 of the Act

53. (1) Any statement or other material required to be served in an objection proceeding pursuant to section 11.13 of the Act or to these Regulations may be served on a party or a party's trade-mark agent or representative for service either personally or by registered mail at the address in Canada set out in the statement of objection or the Minister's statement referred to in subsection 11.12(2) of the Act.

(2) When service is effected by registered mail, it is deemed to be effected on the date of mailing.

54. No amendment to a statement of objection or counter statement shall be allowed except with leave of the Registrar on such terms as the Registrar determines to be appropriate.

55. (1) For the application of subsection 11.13(5) of the Act, within one month after the service of the counter statement, the objector
(a) may submit to the Registrar, by way of affidavit or statutory declaration, the evidence that the objector is relying on to support the objection, or a statement that the objector does not wish to submit evidence; and
(b) shall serve the responsible authority, where evidence is submitted, with a copy of the evidence or, where the objector does not wish to submit evidence, with a copy of a statement that the objector does not wish to submit evidence.

(2) Where the objector does not submit either the evidence under subsection 11.13(5) of the Act or a statement that the objector does not wish to submit evidence, within the time set out in subsection (1), the objection shall be deemed to have been withdrawn for the purposes of subsection 11.13(6) of the Act.

56. Within one month after service of the objector's evidence or statement referred to

déclaration visée à l'alinéa 55(1)*a)*, l'autorité compétente :
a) peut présenter au registraire, par voie d'affidavit ou de déclaration solennelle, la preuve sur laquelle elle s'appuie;
b) si elle présente cette preuve, en signifie copie à l'opposant.

in paragraph 55(1)*(a)*, the responsible authority
(a) may submit to the Registrar, by way of affidavit or statutory declaration, the evidence that the responsible authority is relying on; and
(b) shall serve the objector, where evidence is submitted, with a copy of the evidence.

57. Dans le délai d'un mois suivant la signification à l'opposant de la preuve de l'autorité compétente mentionnée à l'alinéa 56*a)*, l'opposant :
a) peut présenter au registraire, par voie d'affidavit ou de déclaration solennelle, une preuve se limitant strictement aux matières servant de réponse;
b) s'il présente cette preuve, en signifie copie à l'autorité compétente.

57. Within one month after service on the objector of the responsible authority's evidence referred to in paragraph 56*(a)*, the objector
(a) may submit to the Registrar, by way of affidavit or statutory declaration, evidence strictly confined to matters in reply; and
(b) where submitting the evidence referred to in paragraph *(a)*, shall serve the responsible authority with a copy of the evidence.

58. (1) Aucune autre preuve ne peut être produite par les parties, sauf avec la permission du registraire aux conditions qu'il juge indiquées.

58. (1) No further evidence shall be adduced by any party except with leave of the Registrar on such terms as the Registrar determines to be appropriate.

(2) Avant de donner un avis aux termes du paragraphe 60(1), le registraire peut, à la demande d'une partie et aux conditions qu'il fixe, ordonner le contre-interrogatoire sous serment de l'auteur de tout affidavit ou déclaration solennelle produit au bureau du registraire à titre de preuve dans la procédure d'opposition.

(2) Before giving notice in accordance with subsection 60(1), the Registrar may, on the application of any party and on such terms as the Registrar may direct, order the cross-examination under oath of any affiant or declarant on an affidavit or statutory declaration that has been filed with the Registrar and is being relied on as evidence in the objection proceeding.

(3) Le contre-interrogatoire ordonné en vertu du paragraphe (2) se tient aux date, heure et lieu et devant la personne dont ont convenu les parties ou, faute d'accord entre celles-ci, qu'a désignés le registraire.

(3) A cross-examination ordered pursuant to subsection (2) shall be held at a time, date and place and before a person agreed to by the parties or, in the absence of an agreement, as designated by the Registrar.

(4) La transcription du contre-interrogatoire et les pièces connexes, ainsi que tout document ou matériel que s'est engagée à fournir la partie pour le compte de laquelle l'auteur de l'affidavit ou de la déclaration solennelle subit le contre-interrogatoire, sont produits au bureau du registraire par la partie qui procède au contre-interrogatoire, dans le délai fixé par le registraire.

(4) A transcript of the cross-examination and exhibits to the cross-examination, and any documents or material undertaken to be submitted by the party whose affiant or declarant is being cross-examined, shall be filed with the Registrar by the party conducting the cross-examination, within the time fixed by the Registrar.

(5) Si l'auteur de l'affidavit ou de la déclaration solennelle refuse ou omet de se présenter au contre-interrogatoire, son affidavit ou sa déclaration solennelle ne fait pas partie de la preuve et est retourné à la partie qui l'a produit.

(5) If an affiant or declarant declines or fails to attend for cross-examination, the affidavit or statutory declaration shall not be part of the evidence and shall be returned to the party who filed it.

59. (1) Les pièces afférentes à un affidavit ou à une déclaration solennelle produites dans une procédure d'opposition sont déposées avec l'affidavit ou la déclaration.

59. (1) Every exhibit to an affidavit or statutory declaration filed in an objection proceeding shall be filed with the affidavit or declaration.

(2) Sous réserve du paragraphe (3), tous les documents produits dans une procédure d'opposition sont accessibles pour inspection publique au bureau du registraire des marques de commerce.

(2) Subject to subsection (3), all materials filed in an objection proceeding shall be open to public inspection at the Office of the Registrar of Trade-marks.

(3) Les plaidoyers écrits ne sont accessibles pour inspection publique qu'après avoir été expédiés par le registraire conformément au paragraphe 60(3).

(3) Written arguments shall not be open to public inspection until after they have been forwarded by the Registrar in accordance with subsection 60(3).

(4) Une copie, une photographie ou un échantillon de toute pièce mentionnée au paragraphe (1) est signifiée à l'autre partie, à moins que le registraire n'en ordonne autrement.

(4) A copy, photograph or sample of an exhibit referred to in subsection (1) shall be served on the other party unless the Registrar directs otherwise.

60. (1) Au plus tôt 14 jours après la production de la preuve, le registraire avise par écrit les parties qu'elles peuvent, dans le mois suivant la date de l'avis, produire à son bureau des plaidoyers écrits.

60. (1) Not less than 14 days after completion of the evidence, the Registrar shall give the parties written notice that they may, within one month after the date of the notice, file written arguments with the Registrar.

(2) Un plaidoyer écrit ne peut être produit après l'expiration du délai d'un mois prévu au paragraphe (1) qu'avec la permission du registraire.

(2) No written argument shall be filed after the expiration of the period of one month referred to in subsection (1), except with leave of the Registrar.

(3) Les plaidoyers écrits, le cas échéant, sont produits en double exemplaire; après leur production par les deux parties ou après l'expiration du délai prévu à cette fin, le registraire expédie :

a) une copie des plaidoyers à chacune des autres parties;

b) un avis à chaque partie l'informant de la possibilité de demander une audience.

(3) Written arguments, if any, shall be filed in duplicate and, after the written arguments of both parties have been filed or the period for filing written arguments has expired, the Registrar shall forward

(a) a copy of any written argument filed to every other party; and

(b) a notice to each party that a hearing may be requested.

(4) Toute partie qui désire être entendue par le registraire lui envoie un avis écrit dans le dé-

(4) A party wishing to be heard by the Registrar shall give the Registrar written notice

lai d'un mois suivant la date de l'avis du registraire visé à l'alinéa (3)*b*). Sur réception de l'avis, le registraire envoie aux parties un avis écrit indiquant les date, heure et lieu de l'audience.

within one month after the date of the Registrar's notice referred to in paragraph (3)*(b)* and, on receipt of a notice from the party, the Registrar shall send the parties a written notice setting out the time, date and location of the hearing.

61. Lorsque, dans une procédure d'opposition, une prorogation de délai est accordée à une partie, le registraire peut par la suite accorder à l'autre partie une prorogation raisonnable de délai pour prendre des mesures subséquentes.

61. Where in an objection proceeding any extension of time is granted to a party, the Registrar may thereafter grant a reasonable extension of time to the other party for the taking of any subsequent step.

ANNEXE
(Article 12)

TARIF DES DROITS PAYABLES AU REGISTRAIRE

PARTIE I PRODUCTION

1. D'une demande d'enregistrement d'une marque de commerce	150 $
2. D'une déclaration d'opposition visée au paragraphe 38(1) de la Loi	250
3. D'une demande de modification de l'enregistrement d'une marque de commerce en vue d'étendre l'état déclaratif des marchandises ou services à l'égard desquels la marque de commerce est déposée	300
4. D'une demande de modification de l'enregistrement d'une ou de plusieurs marques de commerce en vue de changer l'adresse du propriétaire inscrit ou de son représentant pour signification au Canada	25
5. De toute autre demande de modification du registre ou d'une demande de correction d'une erreur d'écriture qui n'a pas été faite par le registraire : pour chaque marque de commerce visée par la demande	25
6. D'une demande de reconnaissance du transfert d'une ou de plusieurs marques de commerce : pour chaque marque de commerce	50
7. D'une demande de renouvellement de l'enregistrement d'une ou de plusieurs marques de commerce : pour chaque marque de commerce	300
8. D'une demande d'envoi d'un avis visé aux articles 44 ou 45 de la Loi : pour chaque avis	150
9. D'une demande de prorogation du délai fixé pour l'accomplissement d'un acte visé aux paragraphes 47(1) ou (2) de la Loi : pour chaque acte	50
10. De chaque copie certifiée d'un enregistrement visé au paragraphe 31(1) de la Loi	50
11. De la preuve visée à l'alinéa 34(1)*c*) de la Loi	50
12. D'une demande visée aux alinéas 9(1)*n*) ou *n*.1) de la Loi concernant un ou plusieurs insignes, écussons, emblèmes, marques ou armoiries : pour chaque insigne, écusson, emblème, marque ou armoiries	300

SCHEDULE
(Section 12)

TARIFF OF FEES

PART I FILING

1. An application for the registration of a trade-mark	$150
2. A statement of opposition pursuant to subsection 38(1) of the Act	250
3. An application to amend the registration of a trade-mark by extending the statement of wares or services in respect of which the trade-mark is registered	300
4. An application to amend the registration of one or more trade-marks by changing the address of the registered owner or of the registered owner's representative for service in Canada	25
5. Any other application to amend the register, or a request for correction of a clerical error not committed by the Registrar, for each trade-mark	25
6. A request to recognize the transfer of one or more trade-marks, for each trade-mark	50
7. A request to renew the registration of one or more trade-marks, for each trade-mark	300
8. A request to send one or more notices pursuant to section 44 or 45 of the Act, for each notice	150
9. An application for an extension of time pursuant to subsection 47(1) or (2) of the Act for the doing of any one or more acts, for each act	50
10. Each certified copy of a registration referred to in subsection 31(1) of the Act	50
11. Evidence referred to in paragraph 34(1)*(c)* of the Act	50
12. A request pursuant to paragraph 9(1)*(n)* or *(n.1)* of the Act with respect to one or more badges, crests, emblems, marks or armorial bearings, for each badge, crest, emblem, mark or armorial bearing	300
13. A request for the transmission of one or more original files to the Federal Court of Canada, for each file	80
14. A statement of objection pursuant to subsection 11.13(1) of the Act	1,000

13. D'une demande de communications d'un ou de plusieurs dossiers à la Cour fédérale du Canada : pour chaque dossier ... 80

14. D'une déclaration d'opposition visée au paragraphe 11.13(1) de la Loi ... 1000

PARTIE II
ENREGISTREMENT

15. D'une marque de commerce, y compris la délivrance, sans frais supplémentaires, du certificat d'enregistrement correspondant ... 200 $

PART II
REGISTRATION

15. A trade-mark, including, without further fee, the issuance of a certificate of registration of the trade-mark ... $200

PARTIE III
DÉLIVRANCE

16. D'un certificat d'authenticité ... 35 $
pour chaque copie certifiée ... 1

17. De tout autre certificat ... 35
pour chaque copie certifiée ... 1

18. De copies ou d'extraits du registre, ou de copies de certificats ou d'autres documents : pour chaque dossier ou inscription, le plus élevé des montants suivants : ... 2
ou
0,50 $
la feuille

PART III
ISSUANCE

16. A certificate of authenticity ... $35
Plus, for each copy certified ... 1

17. Any other certificate ... 35
Plus, for each copy certified ... 1

18. Copies of or extracts from the register, or copies of certificates or other documents, for each file or entry, the greater of ... 2
or 0.50
per sheet

PARTIE IV
AGENTS DE MARQUES DE COMMERCE

19. Demande d'inscription d'un nom à la liste des agents de marques de commerce ... 300 $

20. Droit d'examen visé à l'alinéa 20(2)*b*) ... 100

21. Droit annuel d'enregistrement visé aux alinéas 22(1)*a*) et 22(2)*b*) ... 300

22. Droit de rétablissement visé à l'alinéa 23(1)*b*) ... 100

PART IV
TRADE-MARK AGENTS

19. On request, to enter a name on the list of trade-mark agents ... $300

20. Examination fee referred to in paragraph 20(2)(*b*) ... 100

21. Annual registration fee referred to in paragraphs 22(1)(*a*) and (2)(*b*) ... 300

22. Reinstatement fee referred to in paragraph 23(1)(*b*) ... 100

LOI SUR LE DROIT D'AUTEUR

Table des matières

COPYRIGHT ACT

Table of Contents

TABLES DE CONCORDANCE

Les deux tables qui suivent présentent les dispositions de la *Loi sur le droit d'auteur* (L.R.C. 1985, ch. C-42) avant et après les modifications apportées par la *Loi modifiant la Loi sur le droit d'auteur* (L.C. 1997, ch. 24)*.

TABLES OF CONCORDANCE

The following tables show the provisions of the *Copyright Act* (R.S.C. 1985, c. C-42) before and after the amendments brought by the *Act to amend the Copyright Act* (S.C. 1997, c. 24)*.

Table A – Avant modifications / Après modifications

Table A–Before amendments / After amendments

Anciennes dispositions ***Old provisions***	**Nouvelles dispositions** ***New provisions***	**Anciennes dispositions** ***Old provisions***	**Nouvelles dispositions** ***New provisions***	**Anciennes dispositions** ***Old provisions***	**Nouvelles dispositions** ***New provisions***
1	1	—	2.3	8	—
2	2	5(1)	5(1)	9(1)	9(1)
2.1(1)	2.1(1)	5(1.01)	5(1.01)	9(2)	9(2)
2.1(2)	2.1(2)	5(1.02)	5(1.02)	10(1)	10(1)
—	2.11	—	5(1.03)	—	10(1.1)
3(1)	3(1)	5(1.1)	5(1.1)	10(2)	10(2)
3(1.1)	3(1.1)	5(1.2)	5(1.2)	11	—
3(1.2), 3(1.3) 3(1.4)	2.4(1)	5(2)	5(2)	11.1	11.1
3(1.41)	2.4(2)	5(2.1)	5(2.1)	12	12
3(1.5)	2.4(3)	5(3)	—	13(1)	13(1)
3(2)	2.5(1)	5(4)	—	13(2)	13(2)
3(3)	2.5(2)	5(5)	—	13(3)	13(3)
3(4)	—	5(6)	—	13(4)	13(4)
—	2.6	5(7)	5(7)	—	13(6)
—	2.7	6	6	—	13(7)
4(1)	2.2(1)	6.1	6.1	14(1)	14(1)
4(1) *in fine*	2.2(2)	6.2	6.2	14(2)	14(2)
4(2)	2.2(3)	7	7(1)	14(3)	13(5)
4(3)	—	—	7(2)	14.01(1)	26(1)
4(4)	2.2(4)	—	7(3)	14.01(1)	26(2)
4(5)	—	—	7(4)	14.01(3)	26(4)

* Les auteurs remercient Mes Laurent Carrière et Hugues G. Richard, rédacteurs en chef de *Canadian Copyright Act – Annotated*, également publié chez Carswell, qui leur ont aimablement permis d'adapter la table de concordance de la *Loi sur le droit d'auteur* qu'ils ont préparée pour leur ouvrage.

* The authors wish to thank Messrs. Laurent Carrière and Hugues G. Richard, Editors-in-Chief of *Canadian Copyright Act–Annotated*, also published by Carswell, who graciously allowed them to adapt the Table of Concordance of the *Copyright Act* they prepared for their work.

Anciennes dispositions *Old provisions*	Nouvelles dispositions *New provisions*
14.01(4)	26(3)
14.01(5)	26(5)
14.01(6)	26(6)
14.01(7)	26(7)
14.1(1)	14.1(1)
14.1(2)	14.1(2)
14.1(3)	14.1(3)
14.1(4)	14.1(4)
14.2(1)	14.2(1)
14.2(2)	14.2(2)
14.2(3)	14.2(3)
—	15(1)
—	15(2)
—	15(3)
—	16
—	17(1)
—	17(2)
—	17(3)
—	17(4)
—	18(1)
—	18(2)
—	18(3)
—	19(1)
—	19(2)
—	19(3)
—	20(1)
—	20(2)
—	20(3)
—	20(4)
—	21(1)
—	21(2)
—	21(3)
—	22(1)
—	22(2)
—	22(3)
—	22(4)
—	23(1)
—	23(2)
—	23(3)
—	23(4)
—	23(5)
—	24
—	25
27(1)	27(1)
27(2)(*a*)	29
27(2)(*a*.1)	29.1
27(2)(*a*.1)	29.2
27(2)(*b*), (*c*), (*e*), (*f*), 28	32.2(1)
27(2)(*g*)	32.2(2)
27(2)(*h*), (*i*), (*j*)	32.1(1)

Anciennes dispositions *Old provisions*	Nouvelles dispositions *New provisions*
27(2)(*k*)	30.5
27(2)(*l*), (*m*)	30.6
27(3)	32.2(3)
27(4)	27(2)
27(5)	27(5)
27(6)	32.1(2)
—	27(3)
—	27(4)
—	27.1(1)
—	27.1(2)
—	27.1(3)
—	27.1(4)
—	27.1(5)
—	27.1(6)
28	28
28.01(1)	31(1)
28.01(2)	31(2)
28.01(3)	31(3)
28.02(1)	—
28.02(2)	—
28.02(3)	—
28.03(1)	32.4(1)
28.03(2)	32.4(2)
28.03(3)	32.4(3)
—	29.3(1)
—	29.3(2)
—	29.4(1)
—	29.4(2)
—	29.4(3)
—	29.5
—	29.6(1)
—	29.6(2)
—	29.7(1)
—	29.7(2)
—	29.7(3)
—	29.8
—	29.9(1)
—	29.9(2)
—	30
—	30.1(1)
—	30.1(2)
—	30.1(3)
—	30.1(4)
—	30.2(1)
—	30.2(2)
—	30.2(3)
—	30.2(4)
—	30.2(5)
—	30.2(5.1)
—	30.2(6)

Anciennes dispositions *Old provisions*	Nouvelles dispositions *New provisions*
—	30.21(1)
—	30.21(2)
—	30.21(3)
—	30.21(4)
—	30.21(5)
—	30.21(6)
—	30.21(7)
—	30.3(1)
—	30.3(2)
—	30.3(3)
—	30.3(4)
—	30.3(5)
—	30.4
—	30.7
—	30.8(1)
—	30.8(2)
—	30.8(3)
—	30.8(4)
—	30.8(5)
—	30.8(6)
—	30.8(7)
—	30.8(8)
—	30.8(9)
—	30.8(10)
—	30.8(11)
—	30.9(1)
—	30.9(2)
—	30.9(3)
—	30.9(4)
—	30.9(5)
—	30.9(6)
—	30.9(7)
—	32(1)
—	32(2)
—	32(3)
—	32.1(3)
—	32.3
—	32.5(1)
—	32.5(2)
—	32.5(3)
29(1)	33(1)
29(2)	33(2)
34(1)	34(1)
34(1.1)	34(2)
34(2)	34(3)
—	34(4)
—	34(5)
—	34(6)
—	34(7)
34(3)	34.1(1)

Anciennes dispositions *Old provisions*	Nouvelles dispositions *New provisions*
34(4)	34.1(2)
35(1)	35(1)
35(2)	35(2)
36(1), (2)	36(1)
—	36(2)
—	36(3)
—	36(4)
37	37
38	38(1)
—	38(2)
—	38(3)
—	38(4)
—	38(5)
—	38.1(1)
—	38.1(2)
—	38.1(3)
—	38.1(4)
—	38.1(5)
—	38.1(6)
—	38.1(7)
—	38.2(1)
—	38.2(2)
—	38.2(3)
39 partie/part	39(1)
39 partie/part	39(2)
—	39.1(1)
—	39.1(2)
40(1)	40(1)
40(2)	40(2)
41	41(1)
—	41(2)
42(1)	42(1)
42(2)	42(2)
42(3)	42(3)
—	42(4)
—	42(5)
43(1)	43(1)
43(2)	43(2)
43.1(1)	—
43.1(2)	—
43.1(3)	—
44	44
44.1(1)	44.1(1)
44.1(2) partie/part	44.1(2)
44.1(2) partie/part	44.1(2.1)
44.1(3)	44.1(3)
44.1(4)	44.1(4)
44.1(5)	44.1(5)
44.1(6)	44.1(6)
44.1(7)	44.1(7)

Anciennes dispositions *Old provisions*	Nouvelles dispositions *New provisions*
44.1(8)	44.1(8)
44.1(9)	44.1(9)
44.1(10)	44.1(10)
—	44.2(1)
—	44.2(2)
—	44.2(3)
—	44.2(4)
—	44.3
44.2 partie/part	44.4
45(1)	—
45(2)	—
45(3)	45(1)
45(4)	45(2)
46	46
47	47
48	48
49	49
50	50
52	52
53(1)	53(1)
53(2)	53(2)
—	53(2.1)
—	53(2.2)
53(3)	53(3)
54(1)	54(1)
54(2)	—
54(3)	54(3)
54(4)	54(4)
54(5)	54(5)
54(6)	54(6)
54(7)	54(7)
55(1)	55(1)
55(2)	56.1
56	55(2)
—	56(1)
—	56(2)
57(1)	57(1)
57(2)	—
57(3)	57(3)
57(4)	57(4)
58(1)	58(1)
58(2)	58(2)
58(3)	58(3)
58(4)	58(4)
59	59
60(1)	60(1)
60(2)	60(2)
60(3)	60(3)
60(4)	60(4)
61	61

Anciennes dispositions *Old provisions*	Nouvelles dispositions *New provisions*
62(1)	62(1)
62(2)	62(2)
63	89
64(1)	64(1)
64(2)	64(2)
64(3)	64(3)
64.1(1)	64.1(1)
64.1(2)	64.1(2)
64.2(1)	64.2(1)
64.2(2)	64.2(2)
64.2(3)	64.2(3)
65	—
66(1)	66(1)
66(2)	66(2)
66(3)	66(3)
66(4)	66(4)
66(5)	66(5)
66(6)	66(6)
66(7)	66(7)
66.1(1)	66.1(1)
66.1(2)	66.1(2)
66.1(3)	66.1(3)
66.2	66.2
66.3(1)	66.3(1)
66.3(2)	66.3(2)
66.4(1)	66.4(1)
66.4(2)	66.4(2)
66.4(3)	66.4(3)
66.5(1)	66.5(1)
66.5(2)	66.5(2)
66.51	66.51
66.52	66.52
66.6(1)	66.6(1)
66.6(2)	66.6(2)
66.6(3)	66.6(3)
66.7(1)	66.7(1)
66.7(2)	66.7(2)
66.7(3)	66.7(3)
66.7(4)	66.7(4)
—	66.71
66.8	66.8
66.9(1)	66.9(1)
66.9(2)	66.9(2)
—	66.91
67(1)	67
67(2)	67.1(1)
67(3)	67.1(2)
67(4)	67.1(3)
67(5)	67.1(4)
67.1(1)	67.1(5)

Anciennes dispositions *Old provisions*	**Nouvelles dispositions** *New provisions*
67.1(2)	68(1)
—	68(2)
67.2(1) partie/part	68(3)
67.2(1) partie/part	68(4)
—	68.1(1)
—	68.1(2)
—	68.1(3)
67.2(1.1)	68.1(4)
67.2(1.2) partie/part	68.1(5)
67.2(2)	68.2(1)
67.2(3)	68.2(2)
67.3	68.2(3)
68	—
69(1)	—
69(2)	69(2)
69(3)	69(3)
69(4)	—
70(1)	—
70(2)	—
70.1	70.1
—	70.11
—	70.12
—	70.13(1)
—	70.13(2)
—	70.14
—	70.15(1)
—	70.15(2)
—	70.16
—	70.17
—	70.18
—	70.19
—	70.191
70.2(1)	70.2(1)
70.2(2)	70.2(2)
70.3(1)	70.3(1)
70.3(2)	70.3(2)
70.4	70.4
70.5(1)	70.5(1)
70.5(2)	70.5(2)
70.5(3)	70.5(3)
70.5(4)	70.5(4)
70.5(5)	70.5(5)
70.6(1)	70.6(1)
70.6(2)	70.6(2)
70.61(1)	71(1)
70.61(2)	71(2)
—	71(3)
70.61(3)	71(4)
70.62(1)	72(1)
70.62(2)	72(2)
70.63(1)	73(1)
70.63(2)	73(2)
70.63(3)	73(3)
70.64(1)	74(1)
70.64(2)	74(2)
70.65	75
70.66(1)	76(1)
—	76(2)
70.66(2)	76(3)
—	76(4)
70.7(1)	77(1)
70.7(2)	77(2)
70.7(3)	77(3)
70.7(4)	77(4)
70.8(1)	78(1)
70.8(2)	78(2)
70.8(3)	78(3)
71 partie/part	91
—	79
—	80(1)
—	80(2)
—	81(1)
—	81(2)
—	82(1)
—	82(2)
—	83(1)
—	83(2)
—	83(3)
—	83(4)
—	83(5)
—	83(6)
—	83(7)
—	83(8)
—	83(9)
—	83(10)
—	83(11)
—	83(12)
—	83(13)
—	83(14)
—	84
—	85(1)
—	85(2)
—	85(3)
—	85(4)
—	86(1)
—	86(2)
—	86(3)
—	87
—	88(1)
—	88(2)
—	88(3)
—	88(4)
—	90
—	92(1)
—	92(2)
Ann./Sched. I	Ann./Sched. I
Ann./Sched. II	—
Ann./Sched. III	—

Table B – Après modifications / Avant modifications

Table B—After amendments / Before amendments

Nouvelles dispositions *New provisions*	Anciennes dispositions *Old provisions*	Nouvelles dispositions *New provisions*	Anciennes dispositions *Old provisions*	Nouvelles dispositions *New provisions*	Anciennes dispositions *Old provisions*
1	1	6.1	6.1	17(4)	—
2	2	6.2	6.2	18(1)	—
2.1(1)	2.1(1)	7(1)	7	18(2)	—
2.1(2)	2.1(2)	7(2)	—	18(3)	—
2.11	—	7(3)	—	19(1)	—
2.2(1)	4(1)	7(4)	—	19(2)	—
2.2(2)	4(1) *in fine*	—	8	19(3)	—
2.2(3)	4(2)	9(1)	9(1)	20(1)	—
2.2(4)	4(4)	9(2)	9(2)	20(2)	—
2.3	—	10(1)	10(1)	20(3)	—
2.4(1)	3(1.2), 3(1.3), 3(1.4)	10(1.1)	—	20(4)	—
2.4(2)	3(1.41)	10(2)	10(2)	21(1)	—
2.4(3)	3(1.5)	—	11	21(2)	—
2.5(1)	3(2)	11.1	11.1	21(3)	—
2.5(2)	3(3)	12	12	22(1)	—
2.6	—	13(1)	13(1)	22(2)	—
2.7	—	13(2)	13(2)	22(3)	—
3(1)	3(1)	13(3)	13(3)	22(4)	—
3(1.1)	3(1.1)	13(4)	13(4)	23(1)	—
—	3(1.2)	13(5)	14(3)	23(2)	—
—	3(1.3)	13(6)	—	23(3)	—
—	3(1.4)	13(7)	—	23(4)	—
—	3(1.41)	14(1)	14(1)	23(5)	—
—	3(1.5)	14(2)	14(2)	24	—
—	3(2)	—	14(3)	25	—
—	3(3)	—	14.01(1)	26(1)	14.01(1)
—	3(4)	—	14.01(2)	26(2)	14.01(1)
—	4(1)	—	14.01(3)	26(3)	14.01(4)
—	4(2)	—	14.01(4)	26(4)	14.01(3)
—	4(3)	—	14.01(5)	26(5)	14.01(5)
—	4(4)	—	14.01(6)	26(6)	14.01(6)
—	4(5)	—	14.01(7)	26(7)	14.01(7)
5(1)	5(1)	14.1(1)	14.1(1)	27(1)	27(1)
5(1.01)	5(1.01)	14.1(2)	14.1(2)	27(2)	27(4)
5(1.02)	5(1.02)	14.1(3)	—	27(3)	—
5(1.03)	—	14.1(4)	14.1(4)	27(4)	—
5(1.1)	5(1.1)	14.2(1)	14.2(1)	27(5)	27(5)
5(1.2)	5(1.2)	14.2(2)	14.2(2)	27.1(1)	—
5(2)	5(2)	14.2(3)	14.2(3)	27.1(2)	—
5(2.1)	5(2.1)	15(1)	—	27.1(3)	—
—	5(3)	15(2)	—	27.1(4)	—
—	5(4)	15(3)	—	27.1(5)	—
—	5(5)	16	—	27.1(6)	—
—	5(6)	17(1)	—	28	28
5(7)	5(7)	17(2)	—	—	28.01(1)
6	6	17(3)	—	—	28.01(2)

Nouvelles dispositions *New provisions*	Anciennes dispositions *Old provisions*
—	28.01(3)
—	28.02(1)
—	28.02(2)
—	28.02(3)
—	28.03(1)
—	28.03(2)
—	28.03(3)
29	27(2)(*a*)
29.1	27(2)(*a*.1)
29.2	27(2)(*a*.1)
29.3(1)	—
29.3(2)	—
29.4(1)	—
29.4(2)	—
29.4(3)	—
29.5	—
29.6(1)	—
29.6(2)	—
29.7(1)	—
29.7(2)	—
29.7(3)	—
29.8	—
29.9(1)	—
29.9(2)	—
30	—
30.1(1)	—
30.1(2)	—
30.1(3)	—
30.1(4)	—
30.2(1)	—
30.2(2)	—
30.2(3)	—
30.2(4)	—
30.2(5)	—
30.2(5.1)	—
30.2(6)	—
30.21(1)	—
30.21(2)	—
30.21(3)	—
30.21(4)	—
30.21(5)	—
30.21(6)	—
30.21(7)	—
30.3(1)	—
30.3(2)	—
30.3(3)	—
30.3(4)	—
30.3(5)	—
30.4	—
30.5	27(2)(*k*)

Nouvelles dispositions *New provisions*	Anciennes dispositions *Old provisions*
30.6	27(2)(*l*), (*m*)
30.7	—
30.8(1)	—
30.8(2)	—
30.8(3)	—
30.8(4)	—
30.8(5)	—
30.8(6)	—
30.8(7)	—
30.8(8)	—
30.8(9)	—
30.8(10)	—
30.8(11)	—
30.9(1)	—
30.9(2)	—
30.9(3)	—
30.9(4)	—
30.9(5)	—
30.9(6)	—
30.9(7)	—
31(1)	28.01(1)
31(2)	28.01(2)
31(3)	28.01(3)
32(1)	—
32(2)	—
32(3)	—
32.1(1)	27(2)(*h*), (*i*), (*j*)
32.1(2)	27(6)
32.1(3)	—
32.2(1)	27(2)(*b*), (*c*), (*e*), (*f*), 28
32.2(2)	27(2)(*g*)
32.2(3)	27(3)
32.3	—
32.4(1)	28.03(1)
32.4(2)	28.03(2)
32.4(3)	28.03(3)
32.5(1)	—
32.5(2)	—
32.5(3)	—
33(1)	29(1)
33(2)	29(2)
34(1)	34(1)
34(2)	34(1.1)
34(3)	34(2)
34(4)	—
34(5)	—
34(6)	—
34(7)	—
34.1(1)	34(3)
34.1(2)	34(4)

Nouvelles dispositions *New provisions*	Anciennes dispositions *Old provisions*
35(1)	35(1)
35(2)	35(2)
36(1)	36(1), (2)
36(2)	—
36(3)	—
36(4)	—
37	37
38(1)	38
38(2)	—
38(3)	—
38(4)	—
38(5)	—
38.1(1)	—
38.1(2)	—
38.1(3)	—
38.1(4)	—
38.1(5)	—
38.1(6)	—
38.1(7)	—
38.2(1)	—
38.2(2)	—
38.2(3)	—
39(1)	39 partie/part
39(2)	39 partie/part
39.1(1)	—
39.1(2)	—
40(1)	40(1)
40(2)	40(2)
41(1)	41
41(2)	—
42(1)	42(1)
42(2)	42(2)
42(3)	42(3)
42(4)	—
42(5)	—
43(1)	43(1)
43(2)	43(2)
—	43.1(1)
—	43.1(2)
—	43.1(3)
44	44
44.1(1)	44.1(1)
44.1(2)	44.1(2) partie/part
44.1(2.1)	44.1(2) partie/part
44.1(3)	44.1(3)
44.1(4)	44.1(4)
44.1(5)	44.1(5)
44.1(6)	44.1(6)
44.1(7)	44.1(7)
44.1(8)	44.1(8)

Nouvelles dispositions *New provisions*	**Anciennes dispositions** *Old provisions*
44.1(9)	44.1(9)
44.1(10)	44.1(10)
44.2(1)	—
44.2(2)	—
44.2(3)	—
44.2(4)	—
44.3	—
44.4	44.2 partie/part
45(1)	45(3)
45(2)	45(4)
46	46
47	47
48	48
49	49
50	50
—	51
52	52
53(1)	53(1)
53(2)	53(2)
53(2.1)	—
53(2.2)	—
53(3)	53(3)
54(1)	54(1)
—	54(2)
54(3)	54(3)
54(4)	54(4)
54(5)	54(5)
54(6)	54(6)
54(7)	54(7)
55(1)	55(1)
55(2)	56
56(1)	—
56(2)	—
56.1	55(2)
57(1)	57(1)
—	57(2)
57(3)	57(3)
57(4)	57(4)
58(1)	58(1)
58(2)	58(2)
58(3)	58(3)
58(4)	58(4)
59	59
60(1)	60(1)
60(2)	60(2)
60(3)	60(3)
60(4)	60(4)
61	61
62(1)	62(1)
62(2)	62(2)
—	63
64(1)	64(1)
64(2)	64(2)
64(3)	64(3)
64.1(1)	64.1(1)
64.1(2)	64.1(2)
64.2(1)	64.2(1)
64.2(2)	64.2(2)
64.2(3)	64.2(3)
—	65
66(1)	66(1)
66(2)	66(2)
66(3)	66(3)
66(4)	66(4)
66(5)	66(5)
66(6)	66(6)
66(7)	66(7)
66.1(1)	66.1(1)
66.1(2)	66.1(2)
66.1(3)	66.1(3)
66.2	66.2
66.3(1)	66.3(1)
66.3(2)	66.3(2)
66.4(1)	66.4(1)
66.4(2)	66.4(2)
66.4(3)	66.4(3)
66.5(1)	66.5(1)
66.5(2)	66.5(2)
66.51	66.51
66.52	66.52
66.6(1)	66.6(1)
66.6(2)	66.6(2)
66.6(3)	66.6(3)
66.7(1)	66.7(1)
66.7(2)	66.7(2)
66.7(3)	66.7(3)
66.7(4)	66.7(4)
66.71	—
66.8	66.8
66.9(1)	66.9(1)
66.9(2)	66.9(2)
66.91	—
67	67(1)
67.1(1)	67(2)
67.1(2)	67(3)
67.1(3)	67(4)
67.1(4)	67(5)
67.1(5)	67.1(1)
—	67.2(1)
—	67.2(1.1)
—	67.2(1.2)
—	67.2(2)
—	67.2(3)
—	67.3
68(1)	67.1(2)
68(2)	—
68(3)	67.2(1) partie/part
68(4)	67.2(1) partie/part
68.1(1)	—
68.1(2)	—
68.1(3)	—
68.1(4)	67.2(1.1)
68.1(5)	67.2(1.2) partie/part
68.2(1)	67.2(2)
68.2(2)	67.2(3)
68.2(3)	67.3
—	69(1)
69(2)	69(2)
69(3)	69(3)
—	69(4)
—	70(1)
—	70(2)
70.1	70.1
70.11	—
70.12	—
70.13(1)	—
70.13(2)	—
70.14	—
70.15(1)	—
70.15(2)	—
70.16	—
70.17	—
70.18	—
70.19	—
70.191	—
70.2(1)	70.2(1)
70.2(2)	70.2(2)
70.3(1)	70.3(1)
70.3(2)	70.3(2)
70.4	70.4
70.5(1	70.5(1)
70.5(2)	70.5(2)
70.5(3)	70.5(3)
70.5(4)	70.5(4)
70.5(5)	70.5(5)
70.6(1)	70.6(1)
70.6(2)	70.6(2)
—	70.61(1)
—	70.61(2)
—	70.61(3)

Nouvelles dispositions *New provisions*	Anciennes dispositions *Old provisions*
—	70.62(1)
—	70.62(2)
—	70.63(1)
—	70.63(2)
—	70.63(3)
—	70.63(4)
—	70.64(1)
—	70.64(2)
—	70.65
—	70.66(1)
—	70.66(2)
—	70.66(3)
—	70.67(1)
—	70.67(2)
—	70.7(1)
—	70.7(2)
—	70.7(3)
—	70.8(1)
—	70.8(2)
—	70.8(3)
—	71
71(1)	70.61(1)
71(2)	70.61(2)
71(3)	—
71(4)	70.61(3)
72(1)	70.62(1)
72(2)	70.62(2)
73(1)	70.63(1)
73(2)	70.63(2)
73(3)	70.63(3)
74(1)	70.64(1)
74(2)	70.64(2)
75	70.65
76(1)	70.66(1)
76(2)	—
76(3)	70.66(2)
76(4)	—
77(1)	70.7(1)
77(2)	70.7(2)
77(3)	70.7(3)
77(4)	70.7(4)
78(1)	70.8(1)
78(2)	70.8(2)
78(3)	70.8(3)
79	—
80(1)	—
80(2)	—
81(1)	—
81(2)	—
82(1)	—
82(2)	—
83(1)	—
83(2)	—
83(3)	—
83(4)	—
83(5)	—
83(6)	—
83(7)	—
83(8)	—
83(9)	—
83(10)	—
83(11)	—
83(12)	—
83(13)	—
83(14)	—
84	—
85(1)	—
85(2)	—
85(3)	—
85(4)	—
86(1)	—
86(2)	—
86(3)	—
87	—
88(1)	—
88(2)	—
88(3)	—
88(4)	—
89	63
90	—
91	71 partie/part
92(1)	—
92(2)	—
Ann./Sched. I	Ann./Sched. I
—	Ann./Sched. II
—	Ann./Sched. III

LOI SUR LE DROIT D'AUTEUR

L.R.C. 1985, ch. C-42

Modifiée par L.R.C. 1985, ch. 10 (1er suppl.); ch. 1 (3e suppl.); ch. 41 (3e suppl.); ch. 10 (4e suppl.); L.C. 1988, ch. 65; 1990, ch. 37; 1992, ch. 1; 1993, ch. 15; ch. 23; ch. 44; 1994, ch. 47; 1995, ch. 1; 1997, ch. 24; ch. 36; 1999, ch. 2; ch. 17; ch. 31; 2001, ch. 27; 2002, ch. 8.

Loi concernant le droit d'auteur

TITRE ABRÉGÉ

Titre abrégé
1. *Loi sur le droit d'auteur.*
S.R.C., ch. C-30, art. 1.

DÉFINITIONS

Définitions
2. Les définitions qui suivent s'appliquent à la présente loi,
«accessible sur le marché» ***"commercially available"***
«accessible sur le marché» S'entend, en ce qui concerne une oeuvre ou de tout autre objet du droit d'auteur
a) qu'il est possible de se procurer, au Canada, à un prix et dans un délai raisonnables, et de trouver moyennant des efforts raisonnables;
b) pour lequel il est possible d'obtenir, à un prix et dans un délai raisonnables et moyennant des efforts raisonnables, une licence octroyée par une société de gestion pour la reproduction, l'exécution en public ou la communication au public par télécommunication, selon le cas.

COPYRIGHT ACT

R.S.C. 1985, c. C-42

Amended by R.S.C.1985, c. 10 (1st Supp.); c. 1 (3rd Supp.); c. 41 (3rd Supp.); c. 10 (4th Supp.); S.C. 1988, c. 65; 1990, c. 37; 1992, c. 1; 1993, c. 15; c. 23; c. 44; 1994, c. 47; 1995, c.1; 1997, c. 24; c. 36; 1999, c. 2; c. 17; c. 31; 2001, c. 27; 2002, c. 8.

An Act respecting copyright

SHORT TITLE

Short title
1. This Act may be cited as the *Copyright Act.*
R.S.C., c. C-30, s. 1.

INTERPRETATION

Definitions
2. In this Act,
"architectural work of art" [Repealed, S.C. 1993, c. 44, s. 53(1)];
"architectural work" ***«oeuvre architecturale»***
"architectural work" means any building or structure or any model of a building or structure;
"artistic work" ***«oeuvre artistique»***
"artistic work" includes paintings, drawings, maps, charts, plans, photographs, engravings, sculptures, works of artistic craftsmanship, architectural works, and compilations of artistic works;
"Berne Convention country" ***«pays partie à la Convention»***
"Berne Convention country" means a country that is a party to the Convention for the

«appareil récepteur» [Abrogée, L.C. 1993, ch. 44, art. 79.]

«artiste-interprète» ***French version only***

«artiste-interprète» Tout artiste-interprète ou exécutant.

« bibliothèque, musée ou service d'archives » ***"library, archive or museum"***

«bibliothèque, musée ou service d'archives» S'entend :

a) d'un établissement doté ou non de la personnalité morale qui :

(i) d'une part, n'est pas constitué ou administré pour réaliser des profits, ni ne fait partie d'un organisme constitué ou administré pour réaliser des profits, ni n'est administré ou contrôlé directement ou indirectement par un tel organisme,

(ii) d'autre part, rassemble et gère des collections de documents ou d'objets qui sont accessibles au public ou aux chercheurs;

b) de tout autre établissement à but non lucratif visé par règlement.

«Commission» ***"Board"***

«Commission» La Commission du droit d'auteur constituée au titre du paragraphe 66(1).

«compilation» ***"compilation"***

«compilation» Les oeuvres résultant du choix ou de l'arrangement de tout ou partie d'oeuvres littéraires, dramatiques, musicales ou artistiques ou de données.

«conférence» ***"lecture"***

«conférence» Sont assimilés à une conférence les allocutions, discours et sermons.

«contrefaçon» ***"infringing"***

«contrefaçon»

a) À l'égard d'une oeuvre sur laquelle existe un droit d'auteur, toute reproduction, y compris l'imitation déguisée, qui a été faite contrairement à la présente loi ou qui a fait l'objet d'un acte contraire à la présente loi;

b) à l'égard d'une prestation sur laquelle existe un droit d'auteur, toute fixation ou reproduction de celle-ci qui a été faite contrairement à la présente loi ou qui a fait l'objet d'un acte contraire à la présente loi;

c) à l'égard d'un enregistrement sonore sur lequel existe un droit d'auteur, toute reproduction de celle-ci qui a été faite contrairement à la présente loi ou qui a fait l'objet d'un

Protection of Literary and Artistic Works concluded at Berne on September 9, 1886, or any one of its revisions, including the Paris Act of 1971;

"Board" ***«Commission»***

"Board" means the Copyright Board established by subsection 66(1);

"book" ***«livre»***

"book" means a volume or a part or division of a volume, in printed form, but does not include

(a) a pamphlet,

(b) a newspaper, review, magazine or other periodical,

(c) a map, chart, plan or sheet music where the map, chart, plan or sheet music is separately published, and

(d) an instruction or repair manual that accompanies a product or that is supplied as an accessory to a service;

"broadcaster" ***«radiodiffuseur»***

"broadcaster" means a body that, in the course of operating a broadcasting undertaking, broadcasts a communication signal in accordance with the law of the country in which the broadcasting undertaking is carried on, but excludes a body whose primary activity in relation to communication signals is their retransmission;

"choreographic work" ***«oeuvre chorégraphique»***

"choreographic work" includes any work of choreography, whether or not it has any story line;

"cinematographic work" ***«oeuvre cinématographique»***

"cinematographic work" includes any work expressed by any process analogous to cinematography, whether or not accompanied by a soundtrack;

"collective society" ***«société de gestion»***

"collective society" means a society, association or corporation that carries on the business of collective administration of copyright or of the remuneration right conferred by section 19 or 81 for the benefit of those who, by assignment, grant of licence, appointment of it as their agent or otherwise, authorize it to act on their behalf in relation to that collective administration, and

acte contraire à la présente loi;

d) à l'égard d'un signal de communication sur lequel existe un droit d'auteur, toute fixation ou reproduction de la fixation qui a été faite contrairement à la présente loi ou qui a fait l'objet d'un acte contraire à la présente loi.

La présente définition exclut la reproduction — autre que celle visée par l'alinéa 27(2)*e*) et l'article 27.1 — faite avec le consentement du titulaire du droit d'auteur dans le pays de production.

«débit» [Abrogée, L.C. 1997, ch. 24, art. 1.]

«déficience perceptuelle» ***"perceptual disability"***

«déficience perceptuelle» Déficience qui empêche la lecture ou l'écoute d'une oeuvre littéraire, dramatique, musicale ou artistique sur le support original ou la rend difficile, en raison notamment :

a) de la privation en tout ou en grande partie du sens de l'ouïe ou de la vue ou de l'incapacité d'orienter le regard;

b) de l'incapacité de tenir ou de manipuler un livre;

c) d'une insuffisance relative à la compréhension.

«distributeur exclusif» ***"exclusive distributor"***

«distributeur exclusif» S'entend, en ce qui concerne un livre, de toute personne qui remplit les conditions suivantes :

a) le titulaire du droit d'auteur sur le livre au Canada ou le titulaire d'une licence exclusive au Canada s'y rapportant lui a accordé, avant ou après l'entrée en vigueur de la présente définition, par écrit, la qualité d'unique distributeur pour tout ou partie du Canada ou d'unique distributeur pour un secteur du marché pour tout ou partie du Canada;

b) elle répond aux critères fixés par règlement pris en vertu de l'article 2.6.

Il est entendu qu'une personne ne peut être distributeur exclusif au sens de la présente définition si aucun règlement n'est pris en vertu de l'article 2.6.

«droit d'auteur» ***"copyright"***

«droit d'auteur» S'entend du droit visé :

a) dans le cas d'une oeuvre, à l'article 3;

b) dans le cas d'une prestation, aux articles 15 et 26;

(a) operates a licensing scheme, applicable in relation to a repertoire of works, performer's performances, sound recordings or communication signals of more than one author, performer, sound recording maker or broadcaster, pursuant to which the society, association or corporation sets out classes of uses that it agrees to authorize under this Act, and the royalties and terms and conditions on which it agrees to authorize those classes of uses, or

(b) carries on the business of collecting and distributing royalties or levies payable pursuant to this Act;

"collective work" ***«recueil»***

"collective work" means

(*a*) an encyclopaedia, dictionary, yearbook or similar work,

(*b*) a newspaper, review, magazine or similar periodical, and

(*c*) any work written in distinct parts by different authors, or in which works or parts of works of different authors are incorporated;

"commercially available" ***« accessible sur le marché »***

"commercially available" means, in relation to a work or other subject-matter,

(*a*) available on the Canadian market within a reasonable time and for a reasonable price and may be located with reasonable effort, or

(*b*) for which a licence to reproduce, perform in public or communicate to the public by telecommunication is available from a collective society within a reasonable time and for a reasonable price and may be located with reasonable effort;

"communication signal" ***«signal de communication»***

"communication signal" means radio waves transmitted through space without any artificial guide, for reception by the public;

"compilation" ***«compilation»***

"compilation" means

(*a*) a work resulting from the selection or arrangement of literary, dramatic, musical or artistic works or of parts thereof, or

(*b*) a work resulting from the selection or arrangement of data;

"computer program" ***«programme d'ordinateur»***

"computer program" means a set of instruc-

c) dans le cas d'un enregistrement sonore, à l'article 18;
d) dans le cas d'un signal de communication, à l'article 21.

«droits moraux» ***"moral rights"***
«droits moraux» Les droits visés au paragraphe 14.1(1).

«enregistrement sonore» ***"sound recording"***
«enregistrement sonore» Enregistrement constitué de sons provenant ou non de l'exécution d'une oeuvre et fixés sur un support matériel quelconque; est exclue de la présente définition la bande sonore d'une oeuvre cinématographique lorsqu'elle accompagne celle-ci.

«établissement d'enseignement» ***"educational institution"***
«établissement d'enseignement» :
a) Établissement sans but lucratif agréé aux termes des lois fédérales ou provinciales pour dispenser de l'enseignement aux niveaux préscolaire, élémentaire, secondaire ou postsecondaire, ou reconnu comme tel;
b) établissement sans but lucratif placé sous l'autorité d'un conseil scolaire régi par une loi provinciale et qui dispense des cours d'éducation ou de formation permanente, technique ou professionnelle;
c) ministère ou organisme, quel que soit l'ordre de gouvernement, ou entité sans but lucratif qui exerce une autorité sur l'enseignement et la formation visés aux alinéas *a)* et *b)*;
d) tout autre établissement sans but lucratif visé par règlement.

«gravure» ***"engravings"***
«gravure» Sont assimilées à une gravure les gravures à l'eau-forte, les lithographies, les gravures sur bois, les estampes et autres oeuvres similaires, à l'exclusion des photographies.

«livre» ***"book"***
«livre» Tout volume ou toute partie ou division d'un volume présentés sous forme imprimée, à l'exclusion :
a) des brochures;
b) des journaux, revues, magazines et autres périodiques;
c) des feuilles de musique, cartes, graphiques ou plans, s'ils sont publiés séparément;

tions or statements, expressed, fixed, embodied or stored in any manner, that is to be used directly or indirectly in a computer in order to bring about a specific result;

"copyright" ***«droit d'auteur»***
"copyright" means the rights described in
(a) section 3, in the case of a work,
(b) sections 15 and 26, in the case of a performer's performance,
(c) section 18, in the case of a sound recording, or
(d) section 21, in the case of a communication signal;

"country" ***«pays»***
"country" includes any territory;

"defendant" ***Version anglaise seulement***
"defendant" includes a respondent to an application;
"delivery" [Repealed, S.C. 1997, c. 24, s. 1];

"dramatic work" ***«oeuvre dramatique»***
"dramatic work" includes
(a) any piece for recitation, choreographic work or mime, the scenic arrangement or acting form of which is fixed in writing or otherwise,
(b) any cinematographic work, and
(c) any compilation of dramatic works;

"educational institution" ***«établissement d'enseignement»***
"educational institution" means
(a) a non-profit institution licensed or recognized by or under an Act of Parliament or the legislature of a province to provide preschool, elementary, secondary or post-secondary education,
(b) a non-profit institution that is directed or controlled by a board of education regulated by or under an Act of the legislature of a province and that provides continuing, professional or vocational education or training,
(c) a department or agency of any order of government, or any non-profit body, that controls or supervises education or training referred to in paragraph *(a)* or *(b)*, or
(d) any other non-profit institution prescribed by regulation;

"engravings" ***«gravure»***
"engravings" includes etchings, lithographs, woodcuts, prints and other similar works, not being photographs;

d) des manuels d'instruction ou d'entretien qui accompagnent un produit ou sont fournis avec des services.

«locaux» ***"premises"***

«locaux» S'il s'agit d'un établissement d'enseignement, lieux où celui-ci dispense l'enseignement ou la formation visés à la définition de ce terme ou exerce son autorité sur eux.

«membre de l'OMC» ***"WTO Member"***

«membre de l'OMC» Membre de l'Organisation mondiale du commerce au sens du paragraphe 2(1) de la *Loi de mise en oeuvre de l'Accord sur l'Organisation mondiale du commerce.*

«ministre» ***"Minister"***

«ministre» Sauf à l'article 44.1, le ministre de l'Industrie.

«oeuvre» ***"work"***

«oeuvre» Est assimilé à une oeuvre le titre de l'oeuvre lorsque celui-ci est original et distinctif.

«oeuvre architecturale» ***"architectural work"***

«oeuvre architecturale» Tout bâtiment ou édifice ou tout modèle ou maquette de bâtiment ou d'édifice.

«oeuvre artistique» ***"artistic work"***

«oeuvre artistique» Sont compris parmi les oeuvres artistiques les peintures, dessins, sculptures, oeuvres architecturales, gravures ou photographies, les oeuvres artistiques dues à des artisans ainsi que les graphiques, cartes, plans et compilations d'oeuvres artistiques.

«oeuvre chorégraphique» ***"choreographic work"***

«oeuvre chorégraphique» S'entend de toute chorégraphie, que l'oeuvre ait ou non un sujet.

«oeuvre cinématographique» ***"cinematographic work"***

« oeuvre cinématographique » Y est assimilée toute oeuvre exprimée par un procédé analogue à la cinématographie, qu'elle soit accompagnée ou non d'une bande sonore.

«oeuvre créée en collaboration» ***"work of joint authorship"***

«oeuvre créée en collaboration» Oeuvre exécutée par la collaboration de deux ou plu-

"every original literary, dramatic, musical and artistic work" ***«toute oeuvre littéraire, dramatique, musicale ou artistique originale»***

"every original literary, dramatic, musical and artistic work" includes every original production in the literary, scientific or artistic domain, whatever may be the mode or form of its expression, such as compilations, books, pamphlets and other writings, lectures, dramatic or dramatico-musical works, musical works, translations, illustrations, sketches and plastic works relative to geography, topography, architecture or science;

"exclusive distributor" ***«distributeur exclusif»***

"exclusive distributor" means, in relation to a book, a person who

(a) has, before or after the coming into force of this definition, been appointed in writing, by the owner or exclusive licensee of the copyright in the book in Canada, as

(i) the only distributor of the book in Canada or any part of Canada, or

(ii) the only distributor of the book in Canada or any part of Canada in respect of a particular sector of the market, and

(b) meets the criteria established by regulations made under section 2.6,

and, for greater certainty, if there are no regulations made under section 2.6, then no person qualifies under this definition as an "exclusive distributor";

"Her Majesty's Realms and Territories" [Repealed, S.C. 1997, c. 24, s. 1];

"infringing" ***«contrefaçon»***

"infringing" means

(a) when applied to a copy of a work in which copyright subsists, any copy, including any colourable imitation, made or imported in contravention of this Act, or

(b) when applied to a fixation of a performer's performance in respect of which a performer's right subsists, or to a reproduction of such a fixation, any fixation or reproduction made or imported in contravention of this Act;

"infringing" ***«contrefaçon»***

"infringing"means

(a) in relation to a work in which copyright

sieurs auteurs, et dans laquelle la part créée par l'un n'est pas distincte de celle créée par l'autre ou les autres.

«oeuvre d'art architecturale» [Abrogée, L.C. 1993, ch. 44, art. 53(1).]

«œuvre de sculpture» [Abrogée, L.C. 1997, ch. 24, art. 1.]

«oeuvre dramatique» ***"dramatic work"***

«oeuvre dramatique» Y sont assimilées les pièces pouvant être récitées, les oeuvres chorégraphiques ou les pantomimes dont l'arrangement scénique ou la mise en scène est fixé par écrit ou autrement, les oeuvres cinématographiques et les compilations d'oeuvres dramatiques.

«oeuvre littéraire» ***"literary work"***

«oeuvre littéraire» Y sont assimilés les tableaux, les programmes d'ordinateur et les compilations d'oeuvres littéraires.

«oeuvre musicale» ***"musical work"***

«oeuvre musicale» Toute oeuvre ou toute composition musicale — avec ou sans paroles — et toute compilation de celles-ci.

«pays» ***"country"***

«pays» S'entend notamment d'un territoire.

«pays partie à la Convention de Berne» ***"Berne Convention country"***

«pays partie à la Convention de Berne» Pays partie à la Convention pour la protection des oeuvres littéraires et artistiques, conclue à Berne le 9 septembre 1886, ou à l'une de ses versions révisées, notamment celle de l'Acte de Paris de 1971.

«pays partie à la Convention de Rome» ***"Rome Convention country"***

«pays partie à la Convention de Rome» Pays partie à la Convention internationale sur la protection des artistes interprètes ou exécutants, des producteurs d'enregistrements sonores et des organismes de radiodiffusion, conclue à Rome le 26 octobre 1961.

«pays partie à la Convention universelle» ***"UCC country"***

«pays partie à la Convention universelle» Pays partie à la Convention universelle sur le droit d'auteur, adoptée à Genève (Suisse) le 6 septembre 1952, ou dans sa version révisée à Paris (France) le 24 juillet 1971.

«pays signataire» ***"treaty country"***

«pays signataire» Pays partie à la Convention

subsists, any copy, including any colourable imitation, made or dealt with in contravention of this Act,

(*b*) in relation to a performer's performance in respect of which copyright subsists, any fixation or copy of a fixation of it made or dealt with in contravention of this Act,

(*c*) in relation to a sound recording in respect of which copyright subsists, any copy of it made or dealt with in contravention of this Act, or

(*d*) in relation to a communication signal in respect of which copyright subsists, any fixation or copy of a fixation of it made or dealt with in contravention of this Act.

The definition includes a copy that is imported in the circumstances set out in paragraph 27(2)(*e*) and section 27.1 but does not otherwise include a copy made with the consent of the owner of the copyright in the country where the copy was made;

"lecture" ***«conférence»***

"lecture" includes address, speech and sermon;

"legal representatives" ***«représentants légaux»***

"legal representatives" includes heirs, executors, administrators, successors and assigns, or agents or attorneys who are thereunto duly authorized in writing;

"library, archive or museum" ***«bibliothèque, musée ou service d'archive»***

"library, archive or museum" means

(*a*) an institution, whether or not incorporated, that is not established or conducted for profit or that does not form a part of, or is not administered or directly or indirectly controlled by, a body that is established or conducted for profit, in which is held and maintained a collection of documents and other materials that is open to the public or to researchers, or

(*b*) any other non-profit institution prescribed by regulation;

"literary work" ***«oeuvre littéraire»***

"literary work" includes tables, computer programs, and compilations of literary works;

"maker" ***«producteur»***

"maker", in relation to

(*a*) a cinematograph, or

de Berne ou à la Convention universelle ou membre de l'OMC.

«photographie» ***"photograph"***

«photographie» Y sont assimilées les photolithographies et toute oeuvre exprimée par un procédé analogue à la photographie.

«planche» ***"plate"***

«planche» Sont assimilés à une planche toute planche stéréotypée ou autre, pierre, matrice, transposition et épreuve négative, et tout moule ou cliché, destinés à l'impression ou à la reproduction d'exemplaires d'une oeuvre, ainsi que toute matrice ou autre pièce destinées à la fabrication ou à la reproduction d'enregistrements sonores, de prestations ou de signaux de communication, selon le cas.

«prestation» ***"performer's performance"***

«prestation» Selon le cas, que l'oeuvre soit encore protégée ou non et qu'elle soit déjà fixée sous une forme matérielle quelconque ou non :

a) l'exécution ou la représentation d'une oeuvre artistique, dramatique ou musicale par un artiste-interprète;

b) la récitation ou la lecture d'une oeuvre littéraire par celui-ci;

c) une improvisation dramatique, musicale ou littéraire par celui-ci, inspirée ou non d'une oeuvre préexistante.

«producteur» ***"maker"***

«producteur» La personne qui effectue les opérations nécessaires à la confection d'une oeuvre cinématographique, ou à la première fixation de sons dans le cas d'un enregistrement sonore.

«programme d'ordinateur» ***"computer program"***

«programme d'ordinateur» Ensemble d'instructions ou d'énoncés destiné, quelle que soit la façon dont ils sont exprimés, fixés, incorporés ou emmagasinés, à être utilisé directement ou indirectement dans un ordinateur en vue d'un résultat particulier.

«radiodiffuseur» ***"broadcaster"***

« radiodiffuseur » Organisme qui, dans le cadre de l'exploitation d'une entreprise de radiodiffusion, émet un signal de communication en conformité avec les lois du pays où il exploite cette entreprise; est exclu de la présente définition l'organisme dont l'activité

(*b*) a record, perforated roll or other contrivance by means of which sounds may be mechanically reproduced,

means the person by whom the arrangement necessary for the making of the cinematograph or contrivance are undetaken;

"maker" ***«producteur»***

"maker"means

(*a*) in relation to a cinematographic work, the person by whom the arrangements necessary for the making of the work are undertaken, or

(*b*) in relation to a sound recording, the person by whom the arrangements necessary for the first fixation of the sounds are undertaken;

"Minister" ***«ministre»***

"Minister", except in section 44.1, means the Minister of Industry;

"moral rights" ***«droits moraux»***

"moral rights" means the rights described in subsection 14.1(1);

"musical work" ***«oeuvre musicale»***

"musical work" means any work of music or musical composition, with or without words, and includes any compilation thereof;

"perceptual disability" ***«déficience perceptuelle»***

"perceptual disability" means a disability that prevents or inhibits a person from reading or hearing a literary, musical, dramatic or artistic work in its original format, and includes such a disability resulting from

(a) severe or total impairment of sight or hearing or the inability to focus or move one's eyes,

(b) the inability to hold or manipulate a book, or

(c) an impairment relating to comprehension;

"performance" ***«représentation» ou «exécution»***

"performance" means any acoustic or visual representation of a work, performer's performance, sound recording or communication signal, including a representation made by means of any mechanical instrument, radio receiving set or television receiving set;

"performer's performance" ***«prestation»***

"performer's performance" means any of the following when done by a performer:

(*a*) a performance of an artistic work, dra-

principale, liée au signal de communication, est la retransmission de celui-ci.

«recueil» ***"collective work"***

«recueil»

a) Les encyclopédies, dictionnaires, annuaires ou oeuvres analogues;

b) les journaux, revues, magazines ou autres publications périodiques;

c) toute oeuvre composée, en parties distinctes, par différents auteurs ou dans laquelle sont incorporées des oeuvres ou parties d'oeuvres d'auteurs différents.

«représentants légaux» ***"legal representatives"***

«représentants légaux» Sont compris parmi les représentants légaux les héritiers, exécuteurs testamentaires, administrateurs, successeurs et ayants droit, ou les agents ou fondés de pouvoir régulièrement constitués par mandat écrit.

«représentation» ou «exécution» ***"performance"***

«représentation» ou «exécution» Toute exécution sonore ou toute représentation visuelle d'une oeuvre, d'une prestation, d'un enregistrement sonore ou d'un signal de communication, selon le cas, y compris l'exécution ou la représentation à l'aide d'un instrument mécanique, d'un appareil récepteur de radio ou d'un appareil récepteur de télévision.

«royaumes et territoires de Sa Majesté» [Abrogée, L.C. 1997, ch. 24, art. 1.]

«sculpture» ***"sculpture"***

«sculpture» Y sont assimilés les moules et les modèles.

«signal de communication» ***"communication signal"***

«signal de communication» Ondes radioélectriques diffusées dans l'espace sans guide artificiel, aux fins de réception par le public.

«société de gestion» ***"collective society"***

«société de gestion » Association, société ou personne morale autorisée — notamment par voie de cession, licence ou mandat — à se livrer à la gestion collective du droit d'auteur ou du droit à rémunération conféré par les articles 19 ou 81 pour l'exercice des activités suivantes :

a) l'administration d'un système d'octroi de licences portant sur un répertoire d'oeuvres,

matic work or mucical work, whether or not the work was previously fixed in any material form, and whether or not the work's term of copyright protection under this Act has expired,

(*b*) a recitation or reading of a literary work, whether or not the work's term of copyright protection under this Act has expired, or

(*c*) an improvisation of a dramatic work, musical work or literary work, whether or not the improvised work is based on a pre-existing work;

"photograph" ***«photographie»***

"photograph" includes photo-lithograph and any work expressed by any process analogous to photography;

"plaintiff" ***Version anglaise seulement***

"plaintiff" includes an applicant;

"plate" «planche»

"plate" includes

(*a*) any stereotype or other plate, stone, block, mould, matrix, transfer or negative used or intended to be used for printing or reproducing copies of any work, and

(*b*) any matrix or other appliance used or intended to be used for making or reproducing sound recordings, performer's performances or communication signals;

"premises" ***«locaux»***

"premises" means, in relation to an educational institution, a place where education or training referred to in the definition "educational institution" is provided, controlled or supervised by the educational institution;

"receiving device" [Repealed, S.C. 1993, c. 44, s. 79];

"Rome Convention country" ***«pays partie à la Convention de Rome»***

"Rome Convention country" means a country that is a party to the International Convention for the Protection of Performers, Producers or Phonograms and Broadcasting Organisations, done at Rome on October 26, 1961;

"sculpture" ***«sculpture»***

"sculpture" includes a cast or model;

"sound recording" ***«enregistrement sonore»***

"sound recording" means a recording, fixed in any material form, consisting of sounds, whether or not a performance of a work, but

de prestations, d'enregistrements sonores ou de signaux de communication de plusieurs auteurs, artistes-interprètes, producteurs d'enregistrements sonores ou radiodiffuseurs et en vertu duquel elle établit les catégories d'utilisation qu'elle autorise au titre de la présente loi ainsi que les redevances et modalités afférentes;

b) la perception et la répartition des redevances payables aux termes de la présente loi.

«télécommunication» ***"telecommunication"***

«télécommunication» vise toute transmission de signes, signaux, écrits, images, sons ou renseignements de toute nature par fil, radio, procédé visuel ou optique, ou autre système électromagnétique.

«toute oeuvre littéraire, dramatique, musicale ou artistique originale» ***"every original literary, dramatic, musical and artistic work"***

«toute oeuvre littéraire, dramatique, musicale ou artistique originale» S'entend de toute production originale du domaine littéraire, scientifique ou artistique quels qu'en soit le mode ou la forme d'expression, tels les compilations, livres, brochures et autres écrits, les conférences, les oeuvres dramatiques ou dramatico-musicales, les oeuvres musicales, les traductions, les illustrations, les croquis et les ouvrages plastiques relatifs à la géographie, à la topographie, à l'architecture ou aux sciences.

L.R.C. 1985, ch. C-42, art. 2; ch. 10 (4e suppl.), art. 1; L.C. 1988, ch. 65, art. 61; 1992, ch. 1, art. 145, ann. VIII, n° 9 (F); 1993, ch. 23, art. 1; ch. 44, art. 53; 1994, ch. 47, art. 56; 1995, ch. 1 art. 62; 1997, ch. 24, art. 1.

excludes any soundtrack of a cinematographic work where it accompanies the cinematographic work;

"telecommunication" ***«télécommunication»***

"telecommunication" means any transmission of signs, signals, writing, images or sounds or intelligence of any nature by wire, radio, visual, optical or other electromagnetic system;

"treaty country" ***«pays signataire»***

"treaty country" means a Berne Convention country, UCC country or WTO Member;

"UCC country" ***«pays partie à la Convention universelle»***

"UCC country" means a country that is a party to the Universal Copyright Convention, adopted on September 6, 1952 in Geneva, Switzerland, or to that Convention as revised in Paris, France on July 24, 1971;

"work" ***«oeuvre»***

"work" includes the title thereof when such title is original and distinctive;

"work of joint authorship" ***«oeuvre créée en collaboration»***

"work of joint authorship" means a work produced by the collaboration of two or more authors in which the contribution of one author is not distinct from the contribution of the other author or authors;

"work of sculpture" [Repealed, S.C. 1997, c. 24, s. 1];

"WTO Member" ***«membre de l'OMC»***

"WTO Member" means a Member of the World Trade Organization as defined in subsection 2(1) of the *World Trade Organization Agreement Implementation Act*.

R.S.C. 1985, c. C-42, s. 2; c. 10 (4th Supp.), s. 1; S.C. 1988, c. 65, s. 61; 1992, c. 1, s. 145, Sched. VIII, Item 9 (F); 1993, c. 23, s. 1; 1993, c. 44, s. 53; 1994, c. 47, s. 56; 1995, c. 1, s. 62; 1997, c. 24, s. 1.

Compilations

2.1 (1) La compilation d'oeuvres de catégories diverses est réputée constituer une compilation de la catégorie représentant la partie la plus importante.

Compilations

2.1 (1) A compilation containing two or more of the categories of literary, dramatic, musical or artistic works shall be deemed to be a compilation of the category making up the most substantial part of the compilation.

Idem
(2) L'incorporation d'une oeuvre dans une compilation ne modifie pas la protection conférée par la présente loi à l'oeuvre au titre du droit d'auteur ou des droits moraux.
L.C. 1993, ch. 44, art. 54.

Idem
(2) The mere fact that a work is included in a compilation does not increase, decrease or otherwise affect the protection conferred by this Act in respect of the copyright in the work or the moral rights in respect of the work.
S.C. 1993, c. 44, s. 54.

Définition de «producteur»
2.11 Il est entendu que pour l'application de l'article 19 et de la définition de «producteur admissible» à l'article 79, les opérations nécessaires visées à la définition de «producteur» à l'article 2 s'entendent des opérations liées à la conclusion des contrats avec les artistes-interprètes, au financement et aux services techniques nécessaires à la première fixation de sons dans le cas d'un enregistrement sonore.
L.C. 1997, ch. 24, art. 2.

Definition of "maker"
2.11 For greater certainty, the arrangements referred to in paragraph (*b*) of the definition "maker" in section 2, as that term is used in section 19 and in the definition "eligible maker" in section 79, include arrangements for entering into contracts with performers, financial arrangements and technical arrangements required for the first fixation of the sounds for a sound recording.
S.C. 1997, c. 24, s. 2.

Définition de «publication»
2.2 (1) Pour l'application de la présente loi, «publication» s'entend :
a) à l'égard d'une oeuvre, de la mise à la disposition du public d'exemplaires de l'oeuvre, de l'édification d'une oeuvre architecturale ou de l'incorporation d'une oeuvre artistique à celle-ci;
b) à l'égard d'un enregistrement sonore, de la mise à la disposition du public d'exemplaires de celui-ci.
Sont exclues de la publication la représentation ou l'exécution en public d'une oeuvre littéraire, dramatique ou musicale ou d'un enregistrement sonore, leur communication au public par télécommunication ou l'exposition en public d'une oeuvre artistique.

Definition of "publication"
2.2 (1) For the purposes of this Act, "publication" means
(a) in relation to works,
(i) making copies of a work available to the public,
(ii) the construction of an architectural work, and
(iii) the incorporation of an artistic work into an architectural work, and
(b) in relation to sound recordings, making copies of a sound recording available to the public,
but does not include
(c) the performance in public, or the communication to the public by telecommunication, of a literary, dramatic, musical or artistic work or a sound recording, or
(d) the exhibition in public of an artistic work.

Édition de photographies et de gravures
(2) Pour l'application du paragraphe (1), l'édition de photographies et de gravures de sculptures et d'oeuvres architecturales n'est pas réputée être une publication de ces oeuvres.

Issue of photographs and engravings
(2) For the purpose of subsection (1), the issue of photographs and engravings of sculptures and architectural works is not deemed to be publication of those works.

Absence de consentement du titulaire du droit d'auteur

(3) Pour l'application de la présente loi — sauf relativement à la violation du droit d'auteur —, une oeuvre ou un autre objet du droit d'auteur n'est pas réputé publié, représenté en public ou communiqué au public par télécommunication si le consentement du titulaire du droit d'auteur n'a pas été obtenu.

Oeuvre non publiée

(4) Quand, dans le cas d'une oeuvre non publiée, la création de l'oeuvre s'étend sur une période considérable, les conditions de la présente loi conférant le droit d'auteur sont réputées observées si l'auteur, pendant une partie importante de cette période, était sujet, citoyen ou résident habituel d'un pays visé par la présente loi.

L.C. 1997, ch. 24, art. 2.

Télécommunication

2.3 Quiconque communique au public par télécommunication une oeuvre ou un autre objet du droit d'auteur ne les exécute ni ne les représente en public de ce fait, ni n'est réputé, du seul fait de cette communication, autoriser une telle exécution ou représentation en public.

L.C. 1997, ch. 24, art. 2.

Communication au public par télécommunication

2.4 (1) Les règles qui suivent s'appliquent dans les cas de communication au public par télécommunication :

a) font partie du public les personnes qui occupent les locaux d'un même immeuble d'habitation, tel un appartement ou une chambre d'hôtel, et la communication qui leur est exclusivement destinée est une communication au public;

b) n'effectue pas une communication au public la personne qui ne fait que fournir à un tiers les moyens de télécommunication nécessaires pour que celui-ci l'effectue;

c) toute transmission par une personne par télécommunication, communiquée au public par une autre — sauf le retransmetteur d'un

Where no consent of copyright owner

(3) For the purposes of this Act, other than in respect of infringement of copyright, a work or other subject-matter is not deemed to be published or performed in public or communicated to the public by telecommunication if that act is done without the consent of the owner of the copyright.

Unpublished works

(4) Where, in the case of an unpublished work, the making of the work is extended over a considerable period, the conditions of this Act conferring copyright are deemed to have been complied with if the author was, during any substantial part of that period, a subject or citizen of, or a person ordinarily resident in, a country to which this Act extends.

S.C. 1997, c. 24, s. 2.

Telecommunication

2.3 A person who communicates a work or other subject-matter to the public by telecommunication does not by that act alone perform it in public, nor by that act alone is deemed to authorize its performance in public.

S.C. 1997, c. 24, s. 2.

Communication to the public by telecommunication

2.4 (1) For the purposes of communication to the public by telecommunication,

(a) persons who occupy apartments, hotel rooms or dwelling units situated in the same building are part of the public, and a communication intended to be received exclusively by such persons is a communication to the public;

(b) a person whose only act in respect of the communication of a work or other subject-matter to the public consists of providing the means of telecommunication necessary for another person to so communicate the work or other subject-matter does not communicate that work or other subject-matter to the public; and

signal, au sens du paragraphe 31(1) — constitue une communication unique au public, ces personnes étant en l'occurrence solidaires, dès lors qu'elle s'effectue par suite de l'exploitation même d'un réseau au sens de la *Loi sur la radiodiffusion* ou d'une entreprise de programmation.

(c) where a person, as part of
(i) a network, within the meaning of the *Broadcasting Act*, whose operations result in the communication of works or other subject-matter to the public, or
(ii) any programming undertaking whose operations result in the communication of works or other subject-matter to the public,
transmits by telecommunication a work or other subject-matter that is communicated to the public by another person who is not a retransmitter of a signal within the meaning of subsection 31(1), the transmission and communication of that work or other subject-matter by those persons constitute a single communication to the public for which those persons are jointly and severally liable.

Règlement
(2) Le gouverneur en conseil peut, par règlement, définir «entreprise de programmation» pour l'application de l'alinéa (1)*c)*.

Regulations
(2) The Governor in Council may make regulations defining "programming undertaking" for the purpose of paragraph (1)*(c)*.

Restriction
(3) La retransmission d'un signal à un retransmetteur visé par l'article 31 n'est pas visée par les alinéas (1)*c)* et 3(1)*f)*.
L.C. 1997, ch. 24, art. 2.

Exception
(3) A work is not communicated in the manner described in paragraph (1)*(c)* or 3(1)*(f)* where a signal carrying the work is retransmitted to a person who is a retransmitter to whom section 31 applies.
S.C. 1997, c. 24, s. 2.

Location
2.5 (1) Pour l'application des alinéas 3(1)*h)* et *i)*, 15(1)*c)* et 18(1)*c)*, équivaut à une location l'accord — quelle qu'en soit la forme et compte tenu des circonstances — qui en a la nature et qui est conclu avec l'intention de faire un gain dans le cadre des activités générales du loueur de programme d'ordinateur ou d'enregistrement sonore, selon le cas.

What constitutes rental
2.5 (1) For the purposes of paragraphs 3(1)*(h)* and *(i)*, 15(1)*(c)* and 18(1)*(c)*, an arrangement, whatever its form, constitutes a rental of a computer program or sound recording if, and only if,
(a) it is in substance a rental, having regard to all the circumstances; and
(b) it is entered into with motive of gain in relation to the overall operations of the person who rents out the computer program or sound recording, as the case may be.

Intention du loueur
(2) Il n'y a toutefois pas intention de faire un gain lorsque le loueur n'a que l'intention de recouvrer les coûts — frais généraux compris — afférents à la location.
L.C. 1997, ch. 24, art. 2.

Motive of gain
(2) For the purpose of paragraph (1)*(b)*, a person who rents out a computer program or sound recording with the intention of recovering no more than the costs, including overhead, associated with the rental operations

does not by that act alone have a motive of gain in relation to the rental operations.
S.C. 1997, c. 24, s. 2.

Distributeur exclusif

2.6 Le gouverneur en conseil peut, par règlement, fixer les critères de distribution pour l'application de la définition de «distributeur exclusif» figurant à l'article 2.
L.C. 1997, ch. 24, art. 2.

Exclusive distributor

2.6 The Governor in Council may make regulations establishing distribution criteria for the purpose of paragraph *(b)* of the definition "exclusive distributor" in section 2.
S.C. 1997, c. 24, s. 2.

Licence exclusive

2.7 Pour l'application de la présente loi, une licence exclusive est l'autorisation accordée au licencié d'accomplir un acte visé par un droit d'auteur de façon exclusive, qu'elle soit accordée par le titulaire du droit d'auteur ou par une personne déjà titulaire d'une licence exclusive; l'exclusion vise tous les titulaires.
L.C. 1997, ch. 24, art. 2.

Exclusive licence

2.7 For the purposes of this Act, an exclusive licence is an authorization to do any act that is subject to copyright to the exclusion of all others including the copyright owner, whether the authorization is granted by the owner or an exclusive licensee claiming under the owner.
S.C. 1997, c. 24, s. 2.

PARTIE I
DROIT D'AUTEUR ET DROITS MORAUX SUR LES OEUVRES

DROIT D'AUTEUR

Droit d'auteur sur l'oeuvre

3. (1) Le droit d'auteur sur l'oeuvre comporte le droit exclusif de produire ou reproduire la totalité ou une partie importante de l'oeuvre, sous une forme matérielle quelconque, d'en exécuter ou d'en représenter la totalité ou une partie importante en public et, si l'oeuvre n'est pas publiée, d'en publier la totalité ou une partie importante; ce droit comporte, en outre, le droit exclusif :

a) de produire, reproduire, représenter ou publier une traduction de l'oeuvre;

b) s'il s'agit d'une oeuvre dramatique, de la transformer en un roman ou en une autre oeuvre non dramatique;

c) s'il s'agit d'un roman ou d'une autre oeuvre non dramatique, ou d'une oeuvre artistique, de transformer cette oeuvre en une oeuvre dramatique, par voie de représentation publique ou autrement;

d) s'il s'agit d'une oeuvre littéraire, dramatique ou musicale, d'en faire un enregistrement sonore, film cinématographique ou autre sup-

PART I
COPYRIGHT AND MORAL RIGHTS IN WORKS

COPYRIGHT

Copyright in works

3. (1) For the purposes of this Act, "copyright", in relation to a work, means the sole right to produce or reproduce the work or any substantial part thereof in any material form whatever, to perform the work or any substantial part thereof in public or, if the work is unpublished, to publish the work or any substantial part thereof, and includes the sole right

(*a*) to produce, reproduce, perform or publish any translation of the work,

(*b*) in the case of a dramatic work, to convert it into a novel or other non-dramatic work,

(*c*) in the case of a novel or other non-dramatic work, or of an artistic work, to convert it into a dramatic work, by way of performance in public or otherwise,

(*d*) in the case of a literary, dramatic or musical work, to make any sound recording, cinematograph film or other contrivance by means of which the work may be mechanically reproduced or performed,

port, à l'aide desquels l'oeuvre peut être reproduite, représentée ou exécutée mécaniquement;

e) s'il s'agit d'une oeuvre littéraire, dramatique, musicale ou artistique, de reproduire, d'adapter et de présenter publiquement l'oeuvre en tant qu'oeuvre cinématographique;

f) de communiquer au public, par télécommunication, une oeuvre littéraire, dramatique, musicale ou artistique;

g) de présenter au public lors d'une exposition, à des fins autres que la vente ou la location, une oeuvre artistique — autre qu'une carte géographique ou marine, un plan ou un graphique — créée après le 7 juin 1988;

h) de louer un programme d'ordinateur qui peut être reproduit dans le cadre normal de son utilisation, sauf la reproduction effectuée pendant son exécution avec un ordinateur ou autre machine ou appareil;

i) s'il s'agit d'une oeuvre musicale, d'en louer tout enregistrement sonore.

Est inclus dans la présente définition le droit exclusif d'autoriser ces actes.

(*e*) in the case of any literary, dramatic, musical or artistic work, to reproduce, adapt and publicly present the work as a cinematographic work,

(*f*) in the case of any literary, dramatic, musical or artistic work, to communicate the work to the public by telecommunication,

(*g*) to present at a public exhibition, for a purpose other than sale or hire, an artistic work created after June 7, 1988, other than a map, chart or plan,

(*h*) in the case of a computer program that can be reproduced in the ordinary course of its use, other than by a reproduction during its execution in conjunction with a machine, device or computer, to rent out the computer program, and

(*i*) in the case of a musical work, to rent out a sound recording in which the work is embodied,

and to authorize any such acts.

Fixation

(1.1) Dans le cadre d'une communication effectuée au titre de l'alinéa (1)*f*), une oeuvre est fixée même si sa fixation se fait au moment de sa communication.

Simultaneous fixing

(1.1) A work that is communicated in the manner described in paragraph (1)(*f*) is fixed even if it is fixed simultaneously with its communication.

(1.2) à (4) [Abrogés, L.C. 1997, ch. 24, art. 3.]

L.R.C., 1985, ch. C-42, art. 3; ch. 10 (4e suppl.), art. 2; L.C. 1988, ch. 65, art. 62; 1993, ch. 23, art. 2; ch. 44, art. 55; 1997, ch. 24, art. 3.

(1.2) to (4) [Repealed, S.C. 1997, c. 24, s. 3.]

R.S.C. 1985, c. C-42, s. 3; c. 10 (4th Supp.), s. 2; S.C. 1988, c. 65, s. 62; 1993, c. 23, s. 2; c. 44, s. 55; 1997, c. 24, s. 3.

4. [Abrogé, L.C. 1997, ch. 24, art. 4.]

4. [Repealed, S.C. 1997, c. 24, s. 4.]

ŒUVRES SUSCEPTIBLES DE FAIRE L'OBJET D'UN DROIT D'AUTEUR

WORKS IN WHICH COPYRIGHT MAY SUBSIST

Conditions d'obtention du droit d'auteur

5. (1) Sous réserve des autres dispositions de la présente loi, le droit d'auteur existe au Canada, pendant la durée mentionnée ci-après, sur toute oeuvre littéraire, dramatique, musicale ou artistique originale si l'une des conditions suivantes est réalisée :

Conditions for subsistence of copyright

5. (1) Subject to this Act, copyright shall subsist in Canada, for the term hereinafter mentioned, in every original literary, dramatic, musical and artistic work if any one of the following conditions is met:

a) pour toute oeuvre publiée ou non, y compris une oeuvre cinématographique, l'auteur était, à la date de sa création, citoyen, sujet ou résident habituel d'un pays signataire;
b) dans le cas d'une oeuvre cinématographique — publiée ou non —, à la date de sa création, le producteur était citoyen, sujet ou résident habituel d'un pays signataire ou avait son siège social dans un tel pays;
c) s'il s'agit d'une oeuvre publiée, y compris une oeuvre cinématographique, selon le cas :
(i) la mise à la disposition du public d'exemplaires de l'oeuvre en quantité suffisante pour satisfaire la demande raisonnable du public, compte tenu de la nature de l'oeuvre, a eu lieu pour la première fois dans un pays signataire,
(ii) l'édification d'une oeuvre architecturale ou l'incorporation d'une oeuvre artistique à celle-ci, a eu lieu pour la première fois dans un pays signataire.

(a) in the case of any work, whether published or unpublished, including a cinematographic work, the author was, at the date of the making of the work, a citizen or subject of, or a person ordinarily resident in, a treaty country;
(b) in the case of a cinematographic work, whether published or unpublished, the maker, at the date of the making of the cinematographic work,
(i) if a corporation, had its headquarters in a treaty country, or
(ii) if a natural person, was a citizen or subject of, or a person ordinarily resident in, a treaty country; or
(c) in the case of a published work, including a cinematographic work,
(i) in relation to subparagraph 2.2(1)*(a)*(i), the first publication in such a quantity as to satisfy the reasonable demands of the public, having regard to the nature of the work, occurred in a treaty country, or
(ii) in relation to subparagraph 2.2(1)*(a)*(ii) or (iii), the first publication occurred in a treaty country.

Présomption

(1.01) Pour l'application du paragraphe (1), le pays qui devient un pays partie à la Convention de Berne ou un membre de l'OMC après la date de création ou de publication de l'oeuvre est réputé avoir adhéré à la convention ou être devenu membre de l'OMC, selon le cas, à compter de cette date, sous réserve du paragraphe (1.02) et de l'article 33.

Protection for older works

(1.01) For the purposes of subsection (1), a country that becomes a Berne Convention country or a WTO Member after the date of the making or publication of a work shall, as of becoming a Berne Convention country or WTO Member, as the case may be, be deemed to have been a Berne Convention country or WTO Member at the date of the making or publication of the work, subject to subsection (1.02) and section 33.

Réserve

(1.02) Le paragraphe (1.01) ne confère aucun droit à la protection d'une oeuvre au Canada lorsque la durée de protection accordée par le pays visé a expiré avant que celui-ci ne devienne un pays partie à la Convention de Berne ou un membre de l'OMC, selon le cas.

Limitation

(1.02) Subsection (1.01) does not confer copyright protection in Canada on a work whose term of copyright protection in the country referred to in that subsection had expired before that country became a Berne Convention country or WTO Member, as the case may be.

Application des paragraphes (1.01) et (1.02)

(1.03) Les paragraphes (1.01) et (1.02) s'appliquent et sont réputés avoir été applicables,

Application of subsections (1.01) and (1.02)

(1.03) Subsections (1.01) and (1.02) apply, and are deemed to have applied, regardless of

que le pays en question soit devenu un pays partie à la Convention de Berne ou membre de l'OMC avant ou après leur entrée en vigueur.

whether the country in question became a Berne Convention country or a WTO Member before or after the coming into force of those subsections.

Première publication

(1.1) Est réputée avoir été publiée pour la première fois dans un pays signataire l'oeuvre qui y est publiée dans les trente jours qui suivent sa première publication dans un autre pays.

First publication

(1.1) The first publication described in subparagraph (1)*(c)*(i) or (ii) is deemed to have occurred in a treaty country notwithstanding that it in fact occurred previously elsewhere, if the interval between those two publications did not exceed thirty days.

Idem

(1.2) Le droit d'auteur n'existe au Canada qu'en application du paragraphe (1), sauf dans la mesure où la protection garantie par la présente loi est étendue, conformément aux prescriptions qui suivent, à des pays étrangers auxquels la présente loi ne s'applique pas.

Idem

(1.2) Copyright shall not subsist in Canada otherwise than as provided by subsection (1), except in so far as the protection conferred by this Act is extended as hereinafter provided to foreign countries to which this Act does not extend.

Étendue du droit d'auteur à d'autres pays

(2) Si le ministre certifie par avis, publié dans la *Gazette du Canada*, qu'un pays autre qu'un pays signataire accorde ou s'est engagé à accorder, par traité, convention, contrat ou loi, aux citoyens du Canada les avantages du droit d'auteur aux conditions sensiblement les mêmes qu'à ses propres citoyens, ou une protection de droit d'auteur réellement équivalente à celle que garantit la présente loi, ce pays est traité, pour l'objet des droits conférés par la présente loi, comme s'il était un pays tombant sous l'application de la présente loi; et il est loisible au ministre de délivrer ce certificat, bien que les recours pour assurer l'exercice du droit d'auteur, ou les restrictions sur l'importation d'exemplaires des oeuvres, aux termes de la loi de ce pays, diffèrent de ceux que prévoit la présente loi.

Minister may extend copyright to other countries

(2) Where the Minister certifies by notice, published in the *Canada Gazette*, that any country that is not a treaty country grants or has undertaken to grant, either by treaty, convention, agreement or law, to citizens of Canada, the benefit of copyright on substantially the same basis as to its own citizens or copyright protection substantially equal to that conferred by this Act, the country shall, for the purpose of the rights conferred by this Act, be treated as if it were a country to which this Act extends, and the Minister may give a certificate, notwithstanding that the remedies for enforcing the rights, or the restrictions on the importation of copies of works, under the law of such country, differ from those in this Act.

(2.1) [Remplacé, L.C. 1994, ch. 47, art. 57.]

(2.1) [Replaced, S.C. 1994, c. 47, s. 57.]

(3) à (6) [Abrogés, L.C. 1997, ch. 24, art. 5.]

(3) to (6) [Repealed, S.C. 1997, c. 24, s. 5.]

Protection du certificat

(7) Il est entendu que le fait, pour le pays visé, de devenir un pays signataire ne modifie en rien la protection conférée par l'avis publié

Reciprocity protection preserved

(7) For greater certainty, the protection to which a work is entitled by virtue of a notice published under subsection (2), or under that

conformément au paragraphe (2), en son état actuel ou en tout état antérieur à l'entrée en vigueur du présent paragraphe.
L.R.C. 1985, ch. C-42, art. 5; L.C. 1993, ch. 15, art. 2; ch. 44, art. 57; 1994, ch. 47, art. 57; 1997, ch. 24, art. 5; 2001, ch. 34, art. 34.

subsection as it read at any time before the coming into force of this subsection, is not affected by reason only of the country in question becoming a treaty country.
R.S.C. 1995, c. C-42, s. 5; S.C. 1993, c. 15, s. 2; c. 44, s. 57; 1994, c. 47, s. 57; 1997, c. 24, s. 5; 2001, c. 34, s. 34.

DURÉE DU DROIT D'AUTEUR

Durée du droit d'auteur

6. Sauf disposition contraire expresse de la présente loi, le droit d'auteur subsiste pendant la vie de l'auteur, puis jusqu'à la fin de la cinquantième année suivant celle de son décès.
S.R.C., ch. C-30, art. 5; L.C. 1993, ch. 44, art. 58.

Oeuvres anonymes et pseudonymes

6.1 Sous réserve de l'article 6.2, lorsque l'identité de l'auteur d'une oeuvre n'est pas connue, le droit d'auteur subsiste jusqu'à celle de ces deux dates qui survient en premier :
a) soit la fin de la cinquantième année suivant celle de la première publication de l'oeuvre;
b) soit la fin de la soixante-quinzième année suivant celle de la création de l'oeuvre.
Toutefois, lorsque, durant cette période, l'identité de l'auteur devient généralement connue, c'est l'article 6 qui s'applique.
L.C. 1993, ch. 44, art. 58.

Oeuvres anonymes et pseudonymes de collaboration

6.2 Lorsque l'identité des coauteurs d'une oeuvre créée en collaboration n'est pas connue, le droit d'auteur subsiste jusqu'à celle de ces deux dates qui survient en premier :
a) soit la fin de la cinquantième année suivant celle de la première publication de l'oeuvre;
b) soit la fin de la soixante-quinzième année suivant celle de la création de l'oeuvre.
Toutefois, lorsque, durant cette période, l'identité de un ou plusieurs des coauteurs devient généralement connue, le droit

TERM OF COPYRIGHT

Term of copyright

6. The term for which copyright shall subsist shall, except as otherwise expressly provided by this Act, be the life of the author, the remainder of the calendar year in which the author dies, and a period of fifty years following the end of that calendar year.
R.S.C., c. C-30, s. 5; S.C. 1993, c. 44, s. 58.

Anonymous and pseudonymous works

6.1 Except as provided in section 6.2, where the identity of the author of a work is unknown, copyright in the work shall subsist for whichever of the following terms ends earlier:
(*a*) a term consisting of the remainder of the calendar year of the first publication of the work and a period of fifty years following the end of that calendar year, and
(*b*) a term consisting of the remainder of the calendar year of the making of the work and a period of seventy-five years following the end of that calendar year,
but where, during that term, the author's identity becomes commonly known, the term provided in section 6 applies.
S.C. 1993, c. 44, s. 58.

Anonymous and pseudonymous works of joint authorship

6.2 Where the identity of all the authors of a work of joint authorship is unknown, copyright in the work shall subsist for whichever of the following terms ends earlier:
(*a*) a term consisting of the remainder of the calendar year of the first publication of the work and a period of fifty years following the end of that calendar year, and
(*b*) a term consisting of the remainder of the calendar year of the making of the work and a period of seventy-five years following the

d'auteur subsiste pendant la vie du dernier survivant de ces auteurs, puis jusqu'à la fin de la cinquantième année suivant celle de son décès.
L.C. 1993, ch. 44, art. 58.

end of that calendar year,
but where, during that term, the identity of one or more of the authors becomes commonly known, copyright shall subsist for the life of whichever of those authors dies last, the remainder of the calendar year in which the author dies, and a period of fifty years following the end of that calendar year.
S.C. 1993, c. 44, s. 58.

Durée du droit d'auteur sur les oeuvres posthumes

7. (1) Sous réserve du paragraphe (2), lorsqu'une oeuvre littéraire, dramatique ou musicale, ou une gravure, qui est encore protégée à la date de la mort de l'auteur ou, dans le cas des oeuvres créées en collaboration, à la date de la mort de l'auteur qui décède le dernier n'a pas été publiée ni, en ce qui concerne une conférence ou une oeuvre dramatique ou musicale, exécutée ou représentée en public ou communiquée au public par télécommunication avant cette date, le droit d'auteur subsiste jusqu'à sa publication, ou jusqu'à son exécution ou sa représentation en public ou sa communication au public par télécommunication, selon l'événement qui se produit en premier lieu, puis jusqu'à la fin de la cinquantième année suivant celle de cette publication ou de cette exécution ou représentation en public ou communication au public par télécommunication.

Term of copyright in posthumous works

7. (1) Subject to subsection (2), in the case of a literary, dramatic or musical work, or an engraving, in which copyright subsists at the date of the death of the author or, in the case of a work of joint authorship, at or immediately before the date of the death of the author who dies last, but which has not been published or, in the case of a lecture or a dramatic or musical work, been performed in public or communicated to the public by telecommunication, before that date, copyright shall subsist until publication, or performance in public or communication to the public by telecommunication, whichever may first happen, for the remainder of the calendar year of the publication or of the performance in public or communication to the public by telecommunication, as the case may be, and for a period of fifty years following the end of that calendar year.

Application du paragraphe (1)

(2) Le paragraphe (1) ne s'applique que dans les cas où l'oeuvre a été publiée, ou exécutée ou représentée en public ou communiquée au public par télécommunication, selon le cas, avant l'entrée en vigueur du présent article.

Application of subsection (1)

(2) Subsection (1) applies only where the work in question was published or performed in public or communicated to the public by telecommunication, as the case may be, before the coming into force of this section.

Disposition transitoire

(3) L'oeuvre, qu'elle soit ou non publiée, ou exécutée ou représentée en public ou communiquée au public par télécommunication après la date d'entrée en vigueur du présent article, continue d'être protégée par le droit d'auteur jusqu'à la fin de l'année de l'entrée en vigueur de cet article et pour une période de cinquante ans par la suite, dans le cas où :
a) elle n'a pas été publiée, ou exécutée ou re-

Transitional provision

(3) Where
(a) a work has not, at the coming into force of this section, been published or performed in public or communicated to the public by telecommunication,
(b) subsection (1) would apply to that work if it had been published or performed in public or communicated to the public by telecommunication before the coming into force of

présentée en public ou communiquée au public par télécommunication à l'entrée en vigueur du présent article;
b) le paragraphe (1) s'y appliquerait si elle l'avait été;
c) le décès mentionné au paragraphe (1) est survenu au cours des cinquante années précédant l'entrée en vigueur du présent article.

this section, and
(c) the relevant death referred to in subsection (1) occurred during the period of fifty years immediately before the coming into force of this section,
copyright shall subsist in the work for the remainder of the calendar year in which this section comes into force and for a period of fifty years following the end of that calendar year, whether or not the work is published or performed in public or communicated to the public by telecommunication after the coming into force of this section.

Disposition transitoire

(4) L'oeuvre, qu'elle soit ou non publiée, ou exécutée ou représentée en public ou communiquée au public par télécommunication après la date d'entrée en vigueur du présent article, continue d'être protégée par le droit d'auteur jusqu'à la fin de l'année de l'entrée en vigueur de cet article et pour une période de cinq ans par la suite, dans le cas où :
a) elle n'a pas été publiée, ou exécutée ou représentée en public ou communiquée au public par télécommunication à l'entrée en vigueur du présent article;
b) le paragraphe (1) s'y appliquerait si elle l'avait été;
c) le décès mentionné au paragraphe (1) est survenu plus de cinquante ans avant l'entrée en vigueur du présent article.
L.R.C. 1985, ch. C-42, art. 7; L.C. 1993, ch. 44, art. 58; 1997, ch. 24, art. 6.

Transitional provision

(4) Where
(a) a work has not, at the coming into force of this section, been published or performed in public or communicated to the public by telecommunication,
(b) subsection (1) would apply to that work if it had been published or performed in public or communicated to the public by telecommunication before the coming into force of this section, and
(c) the relevant death referred to in subsection (1) occurred more than fifty years before the coming into force of this section,
copyright shall subsist in the work for the remainder of the calendar year in which this section comes into force and for a period of five years following the end of that calendar year, whether or not the work is published or performed in public or communicated to the public by telecommunication after the coming into force of this section.
R.S.C. 1985, c. C-42, s. 7; S.C. 1993, c. 44, s. 58; 1997, c. 24, s. 6.

8. [Abrogé, L.C. 1993, ch. 44, art. 59.]

8. [Repealed, S.C. 1993, c. 44, s. 59.]

Oeuvres créées en collaboration

9. (1) Sous réserve de l'article 6.2, lorqu'il s'agit d'une oeuvre créée en collaboration, le droit d'auteur subsiste pendant la vie du dernier survivant des coauteurs, puis jusqu'à la fin de la cinquantième année suivant celle de son décès. Toute mention dans la présente loi de la période qui suit l'expiration d'un nombre spécifié d'années après la mort de

Cases of joint authorship

9. (1) In the case of a work of joint authorship, except as provided in section 6.2, copyright shall subsist during the life of the author who dies last, for the remainder of the calendar year of that author's death, and for a period of fifty years following the end of that calendar year, and references in this Act to the period after the expiration of any specified

l'auteur doit s'interpréter comme une mention de la période qui suit l'expiration d'un nombre égal d'années après l'année du décès du dernier survivant des coauteurs.

number of years from the end of the calendar year of the death of the author shall be construed as references to the period after the expiration of the like number of years from the end of the calendar year of the death of the author who dies last.

Auteurs étrangers

(2) Les auteurs ressortissants d'un pays — autre qu'un pays partie à l'Accord de libre-échange nord-américain — qui accorde une durée de protection plus courte que celle qui est indiquée au paragraphe (1) ne sont pas admis à réclamer une plus longue durée de protection au Canada.

L.R.C. 1985, ch. C-42, art. 9; L.C. 1993, ch. 44, art. 60.

Nationals of other countries

(2) Authors who are nationals of any country, other than a country that is a party to the North American Free Trade Agreement, that grants a term of protection shorter than that mentioned in subsection (1) are not entitled to claim a longer term of protection in Canada.

R.S.C. 1985, c. C-42, s. 9; S.C. 1993, c. 44, art. 60.

Durée du droit d'auteur sur les photographes : cas particuliers

10. (1) Dans les cas où le propriétaire visé au paragraphe (2) est une personne morale, le droit d'auteur sur la photographie subsiste jusqu'à la fin de la cinquantième année suivant celle de la confection du cliché initial ou de la planche dont la photographie a été directement ou indirectement tirée, ou de l'original lorsqu'il n'y a pas de cliché ou de planche.

Term of copyright in photographs

10. (1) Where the owner referred to in subsection (2) is a corporation, the term of which copyright subsists in a photograph shall be the remainder of the year of the making of the initial negative or plate from which the photograph was derived or, if there is no negative or plate, of the initial photograph, plus a period of fifty years.

Majorité des actions détenues par l'auteur

(1.1) Toutefois, l'article 6 s'applique dans les cas où le propriétaire est une personne morale dont la majorité des actions avec droit de vote sont détenues par une personne physique qui, sauf pour le paragraphe (2), aurait été considérée l'auteur de la photographie.

Where author majority shareholder

(1.1) Where the owner is a corporation, the majority of the voting shares of which are owned by a natural person who would have qualified as the author of the photograph except for subsection (2), the term of copyright is the term set out in section 6.

Auteur de la photographie

(2) Le propriétaire, au moment de la confection du cliché initial ou de la planche ou, lorsqu'il n'y a pas de cliché ou de planche, de l'original est considéré comme l'auteur de la photographie, et si ce propriétaire est une personne morale, celle-ci est réputée, pour l'application de la présente loi, être un résident habituel d'un pays signataire, si elle y a fondé un établissement commercial.

L.R.C. 1985, ch. C-42, art. 10; L.C. 1993, ch. 44, art. 60(1); 1994, ch. 47, art. 69(F); 1997, ch. 24, art. 7.

Author of photograph

(2) The person who

(*a*) was the owner of the initial negative or other plate at the time when that negative or other plate was made, or

(*b*) was the owner of the initial photograph at the time when that photograph was made, where there was no negative or other plate,

is deemed to be the author of the photograph and, where that owner is a body corporate, the body corporate is deemed for the purposes of this Act to be ordinarily resident in a treaty country if it has established a place of

business therein.
R.S.C. 1985, c. C-42, s. 10; S.C. 1993, c. 44, s. 60(1); 1994, c. 47, s. 69(F); 1997, c. 24, s. 7.

11. [Abrogé, L.C. 1997, ch. 24, art. 8.]

11. [Repealed, S.C. 1997, c. 24, s. 8.]

Oeuvre cinématographique

11.1 Sauf dans le cas d'oeuvres cinématographiques auxquelles les dispositifs de la mise en scène ou les combinaisons des incidents représentés donnent un caractère dramatique, le droit d'auteur sur une oeuvre cinématographique ou une compilation d'oeuvres cinématographiques subsiste :
a) soit jusqu'à la fin de la cinquantième année suivant celle de sa première publication;
b) soit jusqu'à la fin de la cinquantième année suivant celle de sa création, dans le cas où elle n'a pas été publiée avant la fin de cette période.
L.C. 1993, ch. 44, art. 60; 1997, ch. 24, art. 9.

Cinematographic works

11.1 Except for cinematographic works in which the arrangement or acting form or the combination of incidents represented give the work a dramatic character, copyright in a cinematographic work or a compilation of cinematographic works shall subsist
(a) for the remainder of the calendar year of the first publication of the cinematographic work or of the compilation, and for a period of fifty years following the end of that calendar year; or
(b) if the cinematographic work or compilation is not published before the expiration of fifty years following the end of the calendar year of its making, for the remainder of that calendar year and for a period of fifty years following the end of that calendar year.
S.C. 1993, c. 44, s. 60; 1997, c. 24, s. 9.

Quand le droit d'auteur appartient à Sa Majesté

12. Sous réserve de tous les droits ou privilèges de la Couronne, le droit d'auteur sur les oeuvres préparées ou publiées par l'entremise, sous la direction ou sous la surveillance de Sa Majesté ou d'un ministère du gouvernement, appartient, sauf stipulation conclue avec l'auteur, à Sa Majesté et, dans ce cas, il subsiste jusqu'à la fin de la cinquantième année suivant celle de la première publication de l'oeuvre.
L.R.C. 1985, ch. C-42, art. 12; L.C. 1993, ch. 44, art. 60.

Where copyright belongs to Her Majesty

12. Without prejudice to any rights or privileges of the Crown, where any work is, or has been, prepared or published by or under the direction or control of Her Majesty or any government department, the copyright in the work shall, subject to any agreement with the author, belong to Her Majesty and in that case shall continue for the remainder of the calendar year of the first publication of the work and for a period of fifty years following the end of that calendar year.
R.S.C. 1985, c. C-42, s. 12; S.C. 1993, c. 44, s. 60.

POSSESSION DU DROIT D'AUTEUR

OWNERSHIP OF COPYRIGHT

Possession du droit d'auteur

13. (1) Sous réserve des autres dispositions de la présente loi, l'auteur d'une oeuvre est le premier titulaire du droit d'auteur sur cette oeuvre.

Ownership of copyright

13. (1) Subject to this Act, the author of a work shall be the first owner of the copyright therein.

Gravure, photographie ou portrait

(2) Lorsqu'il s'agit d'une gravure, d'une photographie ou d'un portrait et que la planche ou autre production originale a été commandée par une tierce personne et confectionnée contre rémunération et la rémunération a été payée en vertu de cette commande, celui qui a donné la commande est, à moins de stipulation contraire, le premier titulaire du droit d'auteur.

Engraving, photograph or portrait

(2) Where, in the case of an engraving, photograph or portrait, the plate or other original was ordered by some other person and was made for valuable consideration, and the consideration was paid, in pursuance of that order, in the absence of any agreement to the contrary, the person by whom the plate or other original was ordered shall be the first owner of the copyright.

Oeuvre exécutée dans l'exercice d'un emploi

(3) Lorsque l'auteur est employé par une autre personne en vertu d'un contrat de louage de service ou d'apprentissage, et que l'oeuvre est exécutée dans l'exercice de cet emploi, l'employeur est, à moins de stipulation contraire, le premier titulaire du droit d'auteur; mais lorsque l'œuvre est un article ou une autre contribution, à un journal, à une revue ou à un périodique du même genre, l'auteur, en l'absence de convention contraire, est réputé posséder le droit d'interdire la publication de cette oeuvre ailleurs que dans un journal, une revue ou un périodique semblable.

Work made in the course of employment

(3) Where the author of a work was in the employment of some other person under a contract of service or apprenticeship and the work was made in the course of his employment by that person, the person by whom the author was employed shall, in the absence of any agreement to the contrary, be the first owner of the copyright, but where the work is an article or other contribution to a newspaper, magazine or similar periodical, there shall, in the absence of any agreement to the contrary, be deemed to be reserved to the author a right to restrain the publication of the work, otherwise than as part of a newspaper, magazine or similar periodical.

Cession et licences

(4) Le titulaire du droit d'auteur sur une oeuvre peut céder ce droit, en totalité ou en partie, d'une façon générale ou avec des restrictions relatives au territoire, au support matériel, au secteur du marché ou à la portée de la cession, pour la durée complète ou partielle de la protection; il peut également concéder, par une licence, un intérêt quelconque dans ce droit; mais la cession ou la concession n'est valable que si elle est rédigée par écrit et signée par le titulaire du droit qui en fait l'objet, ou par son agent dûment autorisé.

Assignments and licences

(4) The owner of the copyright in any work may assign the right, either wholly or partially, and either generally or subject to limitations relating to territory, medium or sector of the market or other limitations relating to the scope of the assignment, and either for the whole term of the copyright or for any other part thereof, and may grant any interest in the right by licence, but no assignment or grant is valid unless it is in writing signed by the owner of the right in respect of which the assignment or grant is made, or by the owner's duly authorized agent.

Possession dans le cas de cession partielle

(5) Lorsque, en vertu d'une cession partielle du droit d'auteur, le cessionnaire est investi d'un droit quelconque compris dans le droit d'auteur, sont traités comme titulaires du droit d'auteur, pour l'application de la pré-

Ownership in case of partial assignment

(5) Where, under any partial assignment of copyright, the assignee becomes entitled to any right comprised in copyright, the assignee, with respect to the rights so assigned, and the assignor, with respect to the rights not

sente loi, le cessionnaire, en ce qui concerne les droits cédés, et le cédant, en ce qui concerne les droits non cédés, les dispositions de la présente loi recevant leur application en conséquence.

assigned, shall be treated for the purposes of this Act as the owner of the copyright, and this Act has effect accordingly.

Cession d'un droit de recours

(6) Il est entendu que la cession du droit d'action pour violation du droit d'auteur est réputée avoir toujours pu se faire en relation avec la cession du droit d'auteur ou la concession par licence de l'intérêt dans celui-ci.

Assignment of right of action

(6) For greater certainty, it is deemed always to have been the law that a right of action for infringement of copyright may be assigned in association with the assignment of the copyright or the grant of an interest in the copyright by licence.

Licence exclusive

(7) Il est entendu que la concession d'une licence exclusive sur un droit d'auteur est réputée toujours avoir valu concession par licence d'un intérêt dans ce droit d'auteur.
S.R.C., ch. C-30, art. 12; L.C. 1997, ch. 24, art. 10.

Exclusive licence

(7) For greater certainty, it is deemed always to have been the law that a grant of an exclusive licence in a copyright constitutes the grant of an interest in the copyright by licence.
R.S.C., c. C-30, s. 12; S.C. 1997, c. 24, s. 10.

Limitation dans le cas où l'auteur est le premier possesseur du droit d'auteur

14. (1) Lorsque l'auteur d'une oeuvre est le premier titulaire du droit d'auteur sur cette oeuvre, aucune cession du droit d'auteur ni aucune concession d'un intérêt dans ce droit, faite par lui — autrement que par testament — après le 4 juin 1921, n'a l'effet d'investir le cessionnaire ou le concessionnaire d'un droit quelconque, à l'égard du droit d'auteur sur l'oeuvre, pendant plus de vingt-cinq ans à compter de la mort de l'auteur; la réversibilité du droit d'auteur, en expectative à la fin de cette période, est dévolue, à la mort de l'auteur, nonobstant tout arrangement contraire, à ses représentants légaux comme faisant partie de ses biens; toute stipulation conclue par lui concernant la disposition d'un tel droit de réversibilité est nulle.

Limitation where author is first owner of copyright

14. (1) Where the author of a work is the first owner of the copyright therein, no assignment of the copyright and no grant of any interest therein, made by him, otherwise than by will, after June 4, 1921, is operative to vest in the assignee or grantee any rights with respect to the copyright in the work beyond the expiration of twenty-five years from the death of the author, and the reversionary interest in the copyright expectant on the termination of that period shall, on the death of the author, notwithstanding any agreement to the contrary, devolve on his legal representatives as part of the estate of the author, and any agreement entered into by the author as to the disposition of such reversionary interest is void.

Restriction

(2) Le paragraphe (1) ne doit pas s'interpréter comme s'appliquant à la cession du droit d'auteur sur un recueil ou à une licence de publier une oeuvre, en totalité ou en partie, à titre de contribution à un recueil.

Restriction

(2) Nothing in subsection (1) shall be construed as applying to the assignment of the copyright in a collective work or a licence to publish a work or part of a work as part of a collective work.

(3) [Abrogé, L.C. 1997, ch. 24, art. 11.]

(3) [Repealed, S.C. 1997, c. 24, s. 11.]

(4) [Abrogé, L.R.C. 1985, ch. 10 (4e suppl.), art. 3.]
L.R.C. 1985, ch. C-42, art. 14; ch. 10 (4e suppl.), art. 3; L.C. 1997, ch. 24, art. 11.

14.01 [Abrogé, L.C. 1997, ch. 24, art. 12.]

DROITS MORAUX

Droits moraux

14.1 (1) L'auteur d'une oeuvre a le droit, sous réserve de l'article 28.2, à l'intégrité de l'oeuvre et, à l'égard de tout acte mentionné à l'article 3, le droit, compte tenu des usages raisonnables, d'en revendiquer, même sous pseudonyme, la création, ainsi que le droit à l'anonymat.

Incessibilité

(2) Les droits moraux sont incessibles; ils sont toutefois susceptibles de renonciation, en tout ou en partie.

Portée de la cession

(3) La cession du droit d'auteur n'emporte pas renonciation automatique aux droits moraux.

Effet de la renonciation

(4) La renonciation au bénéfice du titulaire du droit d'auteur ou du détenteur d'une licence peut, à moins d'une stipulation contraire, être invoquée par quiconque est autorisé par l'un ou l'autre à utiliser l'oeuvre.
L.R.C. 1985, ch. 10 (4e suppl.), art. 4.

Durée

14.2 (1) Les droits moraux sur une oeuvre ont la même durée que le droit d'auteur sur celle-ci.

Décès

(2) Au décès de l'auteur, les droits moraux sont dévolus à son légataire ou, à défaut de disposition testamentaire expresse, soit au légataire du droit d'auteur, soit, en l'absence d'un tel légataire, aux héritiers de l'auteur.

(4) [Repealed, R.S.C. 1985, c. 10 (4th Supp.), s. 3.]
R.S.C. 1985, c. C-42, s. 14; c. 10 (4th Supp.), s. 3; S.C. 1997, c. 24, s. 11.

14.01 [Repealed, S.C. 1997, c. 24, s. 12.]

MORAL RIGHTS

Moral rights

14.1 (1) The author of a work has, subject to section 28.2, the right to the integrity of the work and, in connection with an act mentioned in section 3, the right, where reasonable in the circumstances, to be associated with the work as its author by name or under a pseudonym and the right to remain anonymous.

No assignment of moral rights

(2) Moral rights may not be assigned but may be waived in whole or in part.

No waiver by assignment

(3) An assignment of copyright in a work does not by that act alone constitute a waiver of any moral rights.

Effect of waiver

(4) Where a waiver of any moral right is made in favour of an owner or a licensee of copyright, it may be invoked by any person authorized by the owner or licensee to use the work, unless there is an indication to the contrary in the waiver.
R.S.C. 1985, c. 10 (4th Supp.), s. 4.

Term

14.2 (1) Moral rights in respect of a work subsist for the same term as the copyright in the work.

Succession

(2) The moral rights in respect of a work pass, on the death of its author, to
(*a*) the person to whom those rights are specifically bequeathed;
(*b*) where there is no specific bequest of those moral rights and the author dies testate in respect of the copyright in the work, the person

to whom that copyright is bequeathed; or
(*c*) where there is no person described in paragraph (*a*) or (*b*), the person entitled to any other property in respect of which the author dies intestate.

Dévolutions subséquentes

(3) Le paragraphe (2) s'applique, avec les adaptations nécessaires, à toute dévolution subséquente.
L.R.C. 1985, ch. 10 (4e suppl.), art. 4; L.C. 1997, ch. 24, art. 13.

Subsequent succession

(3) Subsection (2) applies, with such modifications as the circumstances require, on the death of any person who holds moral rights.
R.S.C. 1985, c. 10 (4th Supp.), s. 4; S.C. 1997, c. 24, s. 13.

PARTIE II
DROIT D'AUTEUR SUR LES PRESTATIONS, ENREGISTREMENTS SONORES OU SIGNAUX DE COMMUNICATION

DROITS DE L'ARTISTE-INTERPRÈTE

Droit d'auteur sur la prestation

15. (1) Sous réserve du paragraphe (2), l'artiste-interprète a un droit d'auteur qui comporte le droit exclusif, à l'égard de sa prestation ou de toute partie importante de celle-ci :
a) si elle n'est pas déjà fixée :
(i) de la communiquer au public par télécommunication,
(ii) de l'exécuter en public lorsqu'elle est ainsi communiquée autrement que par signal de communication,
(iii) de la fixer sur un support matériel quelconque;
b) d'en reproduire :
(i) toute fixation faite sans son autorisation,
(ii) lorsqu'il en a autorisé la fixation, toute reproduction de celle-ci faite à des fins autres que celles visées par cette autorisation,
(iii) lorsqu'une fixation est permise en vertu des parties III ou VIII, toute reproduction de celle-ci faite à des fins autres que celles prévues par ces parties;
c) d'en louer l'enregistrement sonore.
Il a aussi le droit d'autoriser ces actes.

PART II
COPYRIGHT IN PERFORMER'S PERFORMANCES, SOUND RECORDINGS AND COMMUNICATION SIGNALS

PERFORMERS' RIGHTS

Copyright in performer's performance

15. (1) Subject to subsection (2), a performer has a copyright in the performer's performance, consisting of the sole right to do the following in relation to the performer's performance or any substantial part thereof:
(a) if it is not fixed,
(i) to communicate it to the public by telecommunication,
(ii) to perform it in public, where it is communicated to the public by telecommunication otherwise than by communication signal, and
(iii) to fix it in any material form,
(b) if it is fixed,
(i) to reproduce any fixation that was made without the performer's authorization,
(ii) where the performer authorized a fixation, to reproduce any reproduction of that fixation, if the reproduction being reproduced was made for a purpose other than that for which the performer's authorization was given, and
(iii) where a fixation was permitted under Part III or VIII, to reproduce any reproduction of that fixation, if the reproduction being reproduced was made for a purpose other than one permitted under Part III or VIII, and
(c) to rent out a sound recording of it,
and to authorize any such acts.

Conditions

(2) La prestation visée au paragraphe (1) doit être, selon le cas :

a) exécutée au Canada ou dans un pays partie à la Convention de Rome;

b) fixée au moyen d'un enregistrement sonore dont le producteur, lors de la première fixation, soit est citoyen canadien ou résident permanent du Canada au sens de la *Loi sur l'immigration* ou citoyen ou résident permanent d'un pays partie à la Convention de Rome, soit, s'il s'agit d'une personne morale, a son siège social au Canada ou dans un tel pays, ou fixée au moyen d'un enregistrement sonore publié pour la première fois au Canada ou dans un pays partie à la Convention de Rome en quantité suffisante pour satisfaire la demande raisonnable du public;

b) fixée au moyen d'un enregistrement sonore dont le producteur, lors de la première fixation, soit est un citoyen canadien ou un résident permanent au sens du paragraphe 2(1) de la *Loi sur l'immigration et la protection des réfugiés* ou un citoyen ou un résident permanent d'un pays partie à la Convention de Rome, soit, s'il s'agit d'une personne morale, a son siège social au Canada ou dans un tel pays, ou fixée au moyen d'un enregistrement sonore publié pour la première fois au Canada ou dans un pays partie à la Convention de Rome en quantité suffisante pour satisfaire la demande raisonnable du public;
L.C. 2001, ch. 27, art. 235.

c) transmise en direct par signal de communication émis à partir du Canada ou d'un pays partie à la Convention de Rome par un radiodiffuseur dont le siège social est situé dans le pays d'émission.

Conditions

(2) Subsection (1) applies only if the performer's performance

(a) takes place in Canada or in a Rome Convention country;

(b) is fixed in

(i) a sound recording whose maker, at the time of the first fixation,

(A) if a natural person, was a Canadian citizen or permanent resident of Canada within the meaning of the *Immigration Act*, or a citizen or permanent resident of a Rome Convention country, or

(A) if a natural person, was a Canadian citizen or permanent resident within the meaning of subsection 2(1) of the *Immigration and Refugee Protection Act*, or a citizen or permanent resident of a Rome Convention country, or
S.C. 2001, c. 27, s. 235.

(B) if a corporation, had its headquarters in Canada or in a Rome Convention country, or

(ii) a sound recording whose first publication in such a quantity as to satisfy the reasonable demands of the public occurred in Canada or in a Rome Convention country; or

(c) is transmitted at the time of the performer's performance by a communication signal broadcast from Canada or a Rome Convention country by a broadcaster that has its headquarters in the country of broadcast.

Première publication

(3) Est réputé avoir été publié pour la première fois dans un pays visé à l'alinéa (2)*b)* l'enregistrement sonore qui y est publié dans les trente jours qui suivent sa première publication dans un autre pays.
L.R.C. 1985, ch. C-42, art. 15; L.C. 1993, ch. 44, art. 61; 1997, ch. 24, art. 14.

Publication

(3) The first publication is deemed to have occurred in a country referred to in paragraph (2)*(b)* notwithstanding that it in fact occurred previously elsewhere, if the interval between those two publications does not exceed thirty days.
R.S.C. 1985, c. C-42, s. 15; S.C. 1993, c. 44, s. 61; 1997, c. 24, s. 14.

Modalités contractuelles

16. L'article 15 n'a pas pour effet d'empêcher l'artiste-interprète de prévoir, par contrat, les modalités d'utilisation de sa prestation aux fins de radiodiffusion, de fixation ou de retransmission.

L.R.C. 1985, ch. C-42, art. 16; L.C. 1994, ch. 44, art. 59; 1997, ch. 24, art. 14.

Contractual arrangements

16. Nothing in section 15 prevents the performer from entering into a contract governing the use of the performer's performance for the purpose of broadcasting, fixation or retransmission.

R.S.C. 1985, c. C-42, s. 16; S.C. 1994, c. 47, s. 59; 1997, c. 24, s. 14.

Oeuvre cinématographique

17. (1) Dès lors qu'il autorise l'incorporation de sa prestation dans une oeuvre cinématographique, l'artiste-interprète ne peut plus exercer, à l'égard de la prestation ainsi incorporée, le droit d'auteur visé au paragraphe 15(1).

Cinematographic works

17. (1) Where the performer authorizes the embodiment of the performer's performance in a cinematographic work, the performer may no longer exercise, in relation to the performance where embodied in that cinematographic work, the copyright referred to in subsection 15(1).

Droit à rémunération

(2) Lorsqu'une telle incorporation fait l'objet d'un contrat qui prévoit un droit à rémunération pour la reproduction, l'exécution en public ou la communication au public par télécommunication de l'oeuvre cinématographique, l'artiste-interprète peut revendiquer ce droit auprès de l'autre partie contractante ou de tout cessionnaire du contrat ou auprès de toute autre personne qui est titulaire du droit d'auteur en ce qui touche la reproduction, l'exécution en public ou la communication au public par télécommunication de l'oeuvre et qui, de fait, reproduit ou exécute en public l'oeuvre ou la communique au public par télécommunication; cette partie contractante ou ce cessionnaire et ce titulaire du droit d'auteur sont solidairement responsables envers l'artiste-interprète du paiement de la rémunération afférente au droit d'auteur visé.

Right to remuneration

(2) Where there is an agreement governing the embodiment referred to in subsection (1) and that agreement provides for a right to remuneration for the reproduction, performance in public or communication to the public by telecommunication of the cinematographic work, the performer may enforce that right against

(a) the other party to the agreement or, if that party assigns the agreement, the assignee, and

(b) any other person who

(i) owns the copyright in the cinematographic work governing the reproduction of the cinematographic work, its performance in public or its communication to the public by telecommunication, and

(ii) reproduces the cinematographic work, performs it in public or communicates it to the public by telecommunication,

and persons referred to in paragraphs *(a)* and *(b)* are jointly and severably liable to the performer in respect of the remuneration relating to that copyright.

Application du paragraphe (2)

(3) Le paragraphe (2) s'applique si la prestation de l'artiste-interprète est incorporée dans une oeuvre cinématographique qui est une production définie par règlement.

Application of subsection (2)

(3) Subsection (2) applies only if the performer's performance is embodied in a prescribed cinematographic work.

Exception

(4) Sur demande d'un pays partie à l'Accord de libre-échange nord-américain, le ministre peut, en publiant une déclaration dans la *Gazette du Canada*, accorder, aux conditions qu'il peut préciser dans cette déclaration, les avantages conférés par le présent article aux artistes-interprètes — ressortissants de ce pays ou d'un autre pays partie à l'Accord, ou citoyens canadiens ou résidents permanents du Canada au sens de la *Loi sur l'immigration* — dont les prestations sont incorporées dans des oeuvres cinématographiques qui sont des productions non visées par le paragraphe (3).

Exception

(4) If so requested by a country that is a party to the North American Free Trade Agreement, the Minister may, by a statement published in the *Canada Gazette*, grant the benefits conferred by this section, subject to any terms and conditions specified in the statement, to performers who are nationals of that country or another country that is a party to the Agreement or are Canadian citizens or permanent residents within the meaning of the *Immigration Act* and whose performer's performances are embodied in works other than the prescribed cinematographic works referred to in subsection (3).

Exception

(4) Sur demande d'un pays partie à l'Accord de libre-échange nord-américain, le ministre peut, en publiant une déclaration dans la *Gazette du Canada*, accorder, aux conditions qu'il peut préciser dans cette déclaration, les avantages conférés par le présent article aux artistes-interprètes — ressortissants de ce pays ou d'un autre pays partie à l'Accord, ou citoyens canadiens ou résidents permanents au sens du paragraphe 2(1) de la *Loi sur l'immigration et la protection des réfugiés* — dont les prestations sont incorporées dans des oeuvres cinématographiques qui sont des productions non visées par le paragraphe (3).
L.C. 2001, ch. 27, art. 236.

L.R.C. 1985, ch. C-42, art. 17; L.C. 1994, ch. 47, art. 59; 1997, ch. 24, art. 14.

Exception

(4) If so requested by a country that is a party to the North American Free Trade Agreement, the Minister may, by a statement published in the *Canada Gazette*, grant the benefits conferred by this section, subject to any terms and conditions specified in the statement, to performers who are nationals of that country or another country that is a party to the Agreement or are Canadian citizens or permanent residents within the meaning of subsection 2(1) of the *Immigration and Refugee Protection Act* and whose performer's performances are embodied in works other than the prescribed cinematographic works referred to in subsection (3).
S.C. 2001, c. 27, s. 236.

R.S.C. 1985, c. C-42, s. 17; S.C. 1994, c. 47, s. 59; 1997, c. 24, s. 14.

DROITS DU PRODUCTEUR D'ENREGISTREMENT SONORE

Droit d'auteur sur l'enregistrement sonore

18. (1) Sous réserve du paragraphe (2), le producteur d'un enregistrement sonore a un droit d'auteur qui comporte le droit exclusif, à l'égard de la totalité de toute partie importante de l'enregistrement sonore :
a) de le publier pour la première fois;
b) de le reproduire sur un support matériel quelconque;
c) de le louer.
Il a aussi le droit d'autoriser ces actes.

RIGHTS OF SOUND RECORDING MAKERS

Copyright in sound recordings

18. (1) Subject to subsection (2), the maker of a sound recording has a copyright in the sound recording, consisting of the sole right to do the following in relation to the sound recording or any substantial part thereof:
(a) to publish it for the first time,
(b) to reproduce it in any material form, and
(c) to rent it out,
and to authorize any such acts.

Conditions

(2) Le paragraphe (1) s'applique uniquement lorsque, selon le cas :

a) le producteur, lors de la première fixation, soit est citoyen canadien ou résident permanent du Canada au sens de la *Loi sur l'immigration* ou citoyen ou résident permanent d'un pays partie à la Convention de Berne ou à la Convention de Rome ou membre de l'OMC, soit, s'il s'agit d'une personne morale, a son siège social au Canada ou dans un tel pays, ou, si la première fixation s'étend sur une période considérable, en a été citoyen ou résident permanent ou y a eu son siège social pendant une partie importante de cette période;

a) le producteur, lors de la première fixation, soit est un citoyen canadien ou un résident permanent au sens du paragraphe 2(1) de la *Loi sur l'immigration et la protection des réfugiés* ou un citoyen ou un résident permanent d'un pays partie à la Convention de Berne ou à la Convention de Rome ou membre de l'OMC, soit, s'il s'agit d'une personne morale, a son siège social au Canada ou dans un tel pays, ou, si la première fixation s'étend sur une période considérable, en a été un citoyen ou un résident permanent ou y a eu son siège social pendant une partie importante de cette période;

L.C. 2001, ch. 27, art. 237.

b) l'enregistrement sonore est publié pour la première fois en quantité suffisante pour satisfaire la demande raisonnable du public dans tout pays visé à l'alinéa *a)*.

Conditions for copyright

(2) Subsection (1) applies only if

(a) the maker of the sound recording was a Canadian citizen or permanent resident of Canada within the meaning of the *Immigration Act*, or a citizen or permanent resident of a Berne Convention country, a Rome Convention country or a country that is a WTO Member, or, if a corporation, had its headquarters in one of the foregoing countries,

(a) the maker of the sound recording was a Canadian citizen or permanent resident within the meaning of subsection 2(1) of the *Immigration and Refugee Protection Act*, or a citizen or permanent resident of a Berne Convention country, a Rome Convention country or a country that is a WTO Member, or, if a corporation, had its headquarters in one of the foregoing countries,

S.C. 2001, c. 27, s. 237.

(i) at the date of the first fixation, or

(ii) if that first fixation was extended over a considerable period, during any substantial part of that period; or

(b) the first publication of the sound recording in such a quantity as to satisfy the reasonable demands of the public occurred in any country referred to in paragraph *(a)*.

Publication

(3) Est réputé avoir été publié pour la première fois dans tout pays visé à l'alinéa (2)*a)* l'enregistrement sonore qui y est publié dans les trente jours qui suivent sa première publication dans un autre pays.

L.R.C. 1985, ch. C-42, art. 18; ch. 10 (4e suppl.), art. 17(F); L.C. 1994, ch. 47, art. 59; 1997, ch. 24, art. 14.

Publication

(3) The first publication is deemed to have occurred in a country referred to in paragraph (2)*(a)* notwithstanding that it in fact occurred previously elsewhere, if the interval between those two publications does not exceed thirty days.

R.S.C. 1985, c. C-42, s. 18; c. 10 (4th Supp.), s. 17(F); S.C. 1994, c. 47, s. 59; 1997, c. 24, s. 14.

DISPOSITIONS COMMUNES AUX ARTISTES-INTERPRÈTES ET AUX PRODUCTEURS D'ENREGISTREMENTS SONORES

Droit à rémunération

19. (1) Sous réserve de l'article 20, l'artiste-interprète et le producteur ont chacun droit à une rémunération équitable pour l'exécution en public ou la communication au public par télécommunication — à l'exclusion de toute retransmission — de l'enregistrement sonore publié.

Redevances

(2) En vue de cette rémunération, quiconque exécute en public ou communique au public par télécommunication l'enregistrement sonore publié doit verser des redevances :

a) dans le cas de l'enregistrement sonore d'une oeuvre musicale, à la société de gestion chargée, en vertu de la partie VII, de les percevoir;

b) dans le cas de l'enregistrement sonore d'une oeuvre littéraire ou d'une oeuvre dramatique, soit au producteur, soit à l'artiste-interprète.

Partage des redevances

(3) Les redevances versées en application de l'alinéa (2)*a)* ou *b)*, selon le cas, sont partagées par moitié entre le producteur et l'artiste-interprète.

L.R.C. 1985, ch. C-42, art. 19; L.C. 1994; ch. 47, art. 59; 1997, ch. 24, art. 14.

Conditions

20. (1) Le droit à rémunération conféré par l'article 19 ne peut être exercé que si, selon le cas :

a) le producteur, à la date de la première fixation, soit est citoyen canadien ou résident permanent du Canada au sens de la *Loi sur l'immigration* ou citoyen ou résident permanent d'un pays partie à la Convention de Rome, soit, s'il s'agit d'une personne morale, a son siège social au Canada ou dans un tel pays;

a) le producteur, à la date de la première fixation, soit est un citoyen canadien ou un rési-

PROVISIONS APPLICABLE TO BOTH PERFORMERS AND SOUND RECORDING MAKERS

Right to remuneration

19. (1) Where a sound recording has been published, the performer and maker are entitled, subject to section 20, to be paid equitable remuneration for its performance in public or its communication to the public by telecommunication, except for any retransmission.

Royalties

(2) For the purpose of providing the remuneration mentioned in subsection (1), a person who performs a published sound recording in public or communicates it to the public by telecommunication is liable to pay royalties

(a) in the case of a sound recording of a musical work, to the collective society authorized under Part VII to collect them; or

(b) in the case of a sound recording of a literary work or dramatic work, to either the maker of the sound recording or the performer.

Division of royalties

(3) The royalties, once paid pursuant to paragraph (2)*(a)* or *(b)*, shall be divided so that

(a) the performer or performers receive in aggregate fifty per cent; and

(b) the maker or makers receive in aggregate fifty per cent.

R.S.C. 1985, c. C-42, s. 19; S.C. 1994, c. 47, s. 59; 1997, c. 24, s. 14.

Conditions

20. (1) The right to remuneration conferred by section 19 applies only if

(a) the maker was, at the date of the first fixation, a Canadian citizen or permanent resident of Canada within the meaning of the *Immigration Act*, or a citizen or permanent resident of a Rome Convention country, or, if a corporation, had its headquarters in one of the foregoing countries; or

(a) the maker was, at the date of the first fixation, a Canadian citizen or permanent resident within the meaning of subsection 2(1) of

dent permanent au sens du paragraphe 2(1) de la *Loi sur l'immigration et la protection des réfugiés* ou un citoyen ou un résident permanent d'un pays partie à la Convention de Rome, soit, s'il s'agit d'une personne morale, a son siège social au Canada ou dans un tel pays;
L.C. 2001, ch. 27, art. 238.

b) toutes les fixations réalisées en vue de la confection de l'enregistrement sonore ont eu lieu au Canada ou dans un pays partie à la Convention de Rome.

the *Immigration and Refugee Protection Act*, or a citizen or permanent resident of a Rome Convention country, or, if a corporation, had its headquarters in one of the foregoing countries; or
S.C. 2001, c. 27, s. 238.

(b) all the fixations done for the sound recording occurred in Canada or in a Rome Convention country.

Exception

(2) Toutefois, s'il est d'avis qu'un pays partie à la Convention de Rome n'accorde pas de droit à rémunération semblable, en ce qui concerne l'étendue et la durée, à celui prévu à l'article 19, pour l'exécution en public ou la communication au public d'un enregistrement sonore dont le producteur, lors de la première fixation, soit est citoyen canadien ou résident permanent du Canada au sens de la *Loi sur l'immigration*, soit, s'il s'agit d'une personne morale, a son siège social au Canada, le ministre peut, en publiant une déclaration dans la *Gazette du Canada*, limiter l'étendue et la durée de la protection qui sera accordée dans le cas des enregistrements sonores dont la première fixation est effectuée par un producteur citoyen ou résident permanent de ce pays ou, s'il s'agit d'une personne morale, ayant son siège social dans ce pays.

Exception

(2) Notwithstanding subsection (1), if the Minister is of the opinion that a Rome Convention country does not grant a right to remuneration, similar in scope and duration to that provided by section 19, for the performance in public or the communication to the public of a sound recording whose maker, at the date of its first fixation, was a Canadian citizen or permanent resident of Canada within the meaning of the *Immigration Act* or, if a corporation, had its headquarters in Canada, the Minister may, by a statement published in the *Canada Gazette*, limit the scope and duration of the protection for sound recordings whose first fixation is done by a maker who is a citizen or permanent resident of that country or, if a corporation, has its headquarters in that country.

Exception

(2) Toutefois, s'il est d'avis qu'un pays partie à la Convention de Rome n'accorde pas de droit à rémunération semblable, en ce qui concerne l'étendue et la durée, à celui prévu à l'article 19, pour l'exécution en public ou la communication au public d'un enregistrement sonore dont le producteur, lors de la première fixation, soit est un citoyen canadien ou un résident permanent au sens du paragraphe 2(1) de la *Loi sur l'immigration et la protection des réfugiés*, soit, s'il s'agit d'une personne morale, a son siège social au Canada, le ministre peut, en publiant une déclaration dans la *Gazette du Canada*, limiter

Exception

(2) Notwithstanding subsection (1), if the Minister is of the opinion that a Rome Convention country does not grant a right to remuneration, similar in scope and duration to that provided by section 19, for the performance in public or the communication to the public of a sound recording whose maker, at the date of its first fixation, was a Canadian citizen or permanent resident within the meaning of subsection 2(1) of the *Immigration and Refugee Protection Act* or, if a corporation, had its headquarters in Canada, the Minister may, by a statement published in the *Canada Gazette*, limit the scope and duration

l'étendue et la durée de la protection qui sera accordée dans le cas des enregistrements sonores dont la première fixation est effectuée par un producteur citoyen ou résident permanent de ce pays ou, s'il s'agit d'une personne morale, ayant son siège social dans ce pays.
L.C. 2001, ch. 27, art. 238.

of the protection for sound recordings whose first fixation is done by a maker who is a citizen or permanent resident of that country or, if a corporation, has its headquarters in that country.
S.C. 2001, c. 27, s. 238.

Exception
(3) Sur demande d'un pays partie à l'Accord de libre-échange nord-américain, le ministre peut, en publiant une déclaration dans la *Gazette du Canada*, accorder les avantages conférés par l'article 19 aux artistes-interprètes ou producteurs ressortissants de ce pays dont les enregistrements sonores sont constitués d'oeuvres dramatiques ou littéraires.

Exception
(3) If so requested by a country that is a party to the North American Free Trade Agreement, the Minister may, by a statement published in the *Canada Gazette*, grant the right to remuneration conferred by section 19 to performers or makers who are nationals of that country and whose sound recordings embody dramatic or literary works.

Application de l'article 19
(4) En cas de déclaration publiée en vertu du paragraphe (3), l'article 19 s'applique :
a) aux ressortissants du pays visé dans la déclaration comme si ceux-ci étaient citoyens du Canada ou, s'il s'agit de personnes morales, avaient leur siège social au Canada;
b) comme si les fixations réalisées en vue de la confection de leurs enregistrements sonores avaient été réalisées au Canada.
L.R.C. 1985, ch. C-42, art. 20; L.C. 1994, ch. 47, art. 59; 1997, ch. 24, art. 14.

Application of section 19
(4) Where a statement is published under subsection (3), section 19 applies
(a) in respect of nationals of a country mentioned in that statement, as if they were citizens of Canada or, in the case of corporations, had their headquarters in Canada; and
(b) as if the fixations made for the purpose of their sound recordings had been made in Canada.
R.S.C. 1985, c. C-42, s. 20; S.C. 1994, c. 47, s. 59; 1997, c. 24, s. 14.

DROITS DES RADIODIFFUSEURS

Droit d'auteur sur le signal de communication
21. (1) Sous réserve du paragraphe (2), le radiodiffuseur a un droit d'auteur qui comporte le droit exclusif, à l'égard du signal de communication qu'il émet ou de toute partie importante de celui-ci :
a) de le fixer;
b) d'en reproduire toute fixation faite sans son autorisation;
c) d'autoriser un autre radiodiffuseur à le retransmettre au public simultanément à son émission;
d) d'exécuter en public un signal de communication télévisuel en un lieu accessible au public moyennant droit d'entrée.

RIGHTS OF BROADCASTERS

Copyright in communication signals

21. (1) Subject to subsection (2), a broadcaster has a copyright in the communication signals that it broadcasts, consisting of the sole right to do the following in relation to the communication signal or any substantial part thereof:
(a) to fix it,
(b) to reproduce any fixation of it that was made without the broadcaster's consent,
(c) to authorize another broadcaster to retransmit it to the public simultaneously with its broadcast, and
(d) in the case of a television communication signal, to perform it in a place open to the

Il a aussi le droit d'autoriser les actes visés aux alinéas *a), b)* et *d).*

public on payment of an entrance fee, and to authorize any act described in paragraph *(a), (b)* or *(d)*.

Conditions

(2) Pour l'application du paragraphe (1), le radiodiffuseur doit, au moment de l'émission, avoir son siège social au Canada ou dans un pays partie à la Convention de Rome ou membre de l'OMC, et émettre le signal de communication à partir de ce pays.

Conditions for copyright

(2) Subsection (1) applies only if the broadcaster

(a) at the time of the broadcast, had its headquarters in Canada, in a country that is a WTO Member or in a Rome Convention country; and

(b) broadcasts the communication signal from that country.

Exception

(3) Toutefois, lorsqu'il est d'avis que le pays partie à la Convention de Rome ou membre de l'OMC où se situe le siège social du radiodiffuseur ne prévoit pas le droit prévu à l'alinéa (1)*d)*, le ministre peut, en publiant une déclaration dans la *Gazette du Canada*, établir que ce radiodiffuseur ne peut bénéficier d'un tel droit.

L.R.C. 1985, ch. C-42, art. 21; L.C. 1994, ch. 47, art. 59; 1997, ch. 24, art. 14.

Exception

(3) Notwithstanding subsection (2), if the Minister is of the opinion that a Rome Convention country or a country that is a WTO Member does not grant the right mentioned in paragraph (1)*(d)*, the Minister may, by a statement published in the *Canada Gazette*, declare that broadcasters that have their headquarters in that country are not entitled to that right.

R.S.C. 1985, c. C-42, s. 21; S.C. 1994, c. 47, s. 59; 1997, c. 24, s. 14.

RÉCIPROCITÉ

Réciprocité

22. (1) Lorsqu'il est d'avis qu'un pays, autre qu'un pays partie à la Convention de Rome, accorde ou s'est engagé à accorder, par traité, convention, contrat ou loi, aux artistes-interprètes et aux producteurs d'enregistrements sonores, ou aux radiodiffuseurs, citoyens canadiens ou résidents permanents du Canada au sens de la *Loi sur l'immigration* ou, s'il s'agit de personnes morales, ayant leur siège social au Canada, essentiellement les mêmes avantages que ceux conférés par la présente partie, le ministre peut, en publiant une déclaration dans la *Gazette du Canada*, à la fois :

22. (1) Lorsqu'il est d'avis qu'un pays, autre qu'un pays partie à la Convention de Rome, accorde ou s'est engagé à accorder, par traité, convention, contrat ou loi, aux artistes-interprètes et aux producteurs d'enregistrements sonores, ou aux radiodiffuseurs,

RECIPROCITY

Reciprocity

22. (1) Where the Minister is of the opinion that a country other than a Rome Convention country grants or has undertaken to grant

(a) to performers and to makers of sound recordings, or

(b) to broadcasters

that are Canadian citizens or permanent residents of Canada within the meaning of the *Immigration Act* or, if corporations, have their headquarters in Canada, as the case may be, whether by treaty, convention, agreement or law, benefits substantially equivalent to those conferred by this Part, the Minister may, by a statement published in the *Canada Gazette*,

that are Canadian citizens or permanent residents within the meaning of subsection 2(1) of the *Immigration and Refugee Protection Act* or, if corporations, have their headquarters in Canada, as the case may be, whether by treaty, convention, agreement or law, ben-

qui sont des citoyens canadiens ou des résidents permanents au sens du paragraphe 2(1) de la *Loi sur l'immigration et la protection des réfugiés* ou, s'il s'agit de personnes morales, ayant leur siège social au Canada, essentiellement les mêmes avantages que ceux conférés par la présente partie, le ministre peut, en publiant une déclaration dans la *Gazette du Canada*, à la fois :
L.C. 2001, ch. 27, art. 239.
a) accorder les avantages conférés par la présente partie respectivement aux artistes-interprètes et aux producteurs d'enregistrements sonores, ou aux radiodiffuseurs, sujets, citoyens ou résidents permanents de ce pays ou, s'il s'agit de personnes morales, ayant leur siège social dans ce pays;
b) énoncer que ce pays est traité, à l'égard de ces avantages, comme s'il était un pays visé par l'application de la présente partie.

efits substantially equivalent to those conferred by this Part, the Minister may, by a statement published in the *Canada Gazette*,
S.C. 2001, c. 27, s. 239.
(c) grant the benefits conferred by this Part
(i) to performers and to makers of sound recordings, or
(ii) to broadcasters
as the case may be, that are citizens, subjects or permanent residents of or, if corporations, have their headquarters in that country, and
(d) declare that that country shall, as regards those benefits, be treated as if it were a country to which this Part extends.

Réciprocité

(2) Lorsqu'il est d'avis qu'un pays, autre qu'un pays partie à la Convention de Rome, n'accorde pas ni ne s'est engagé à accorder, par traité, convention, contrat ou loi, aux artistes-interprètes et aux producteurs d'enregistrements sonores, ou aux radiodiffuseurs, citoyens canadiens ou résidents permanents du Canada au sens de la *Loi sur l'immigration* ou, s'il s'agit de personnes morales, ayant leur siège social au Canada, essentiellement les mêmes avantages que ceux conférés par la présente partie, le ministre peut, en publiant une déclaration dans la *Gazette du Canada*, à la fois :
a) accorder les avantages conférés par la présente partie aux artistes-interprètes, producteurs d'enregistrements sonores ou radiodiffuseurs sujets, citoyens ou résidents permanents de ce pays ou, s'il s'agit de personnes morales, ayant leur siège social dans ce pays, dans la mesure où ces avantages y sont accordés aux artistes-interprètes, producteurs ou radiodiffuseurs citoyens canadiens ou résidents permanents du Canada au sens de la *Loi sur l'immigration* ou, s'il s'agit de personnes morales, ayant leur siège social au Canada;

Reciprocity

(2) Where the Minister is of opinion that a country other than a Rome Convention country neither grants nor has undertaken to grant
(a) to performers, and to makers of sound recordings, or
(b) to broadcasters
that are Canadian citizens or permanent residents of Canada within the meaning of the *Immigration Act* or, if corporations, have their headquarters in Canada, as the case may be, whether by treaty, convention, agreement or law, benefits substantially equivalent to those conferred by this Part, the Minister may, by a statement published in the *Canada Gazette*,
(c) grant the benefits conferred by this Part to performers, makers of sound recordings or broadcasters that are citizens, subjects or permanent residents of or, if corporations, have their headquarters in that country, as the case may be, to the extent that that country grants those benefits to performers, makers of sound recordings or broadcasters that are Canadian citizens or permanent residents of Canada within the meaning of the *Immigration Act* or, if corporations, have their headquarters in Canada, and

(2) Lorsqu'il est d'avis qu'un pays, autre qu'un pays partie à la Convention de Rome, n'accorde pas ni ne s'est engagé à accorder, par traité, convention, contrat ou loi, aux artistes-interprètes et aux producteurs d'enregistrements sonores, ou aux radiodiffuseurs, qui sont des citoyens canadiens ou des résidents permanents au sens du paragraphe 2(1) de la *Loi sur l'immigration et la protection des réfugiés*, ou, s'il s'agit de personnes morales, ayant leur siège social au Canada, essentiellement les mêmes avantages que ceux conférés par la présente partie, le ministre peut, en publiant une déclaration dans la *Gazette du Canada*, à la fois :
a) accorder les avantages conférés par la présente partie aux artistes-interprètes, producteurs d'enregistrements sonores ou radiodiffuseurs sujets, citoyens ou résidents permanents de ce pays ou, s'il s'agit de personnes morales, ayant leur siège social dans ce pays, dans la mesure où ces avantages y sont accordés aux artistes-interprètes, producteurs ou radiodiffuseurs qui sont des citoyens canadiens ou de tels résidents permanents ou, s'il s'agit de personnes morales, ayant leur siège social au Canada;
L.C. 2001, ch. 27, art. 239.
b) énoncer que ce pays est traité, à l'égard de ces avantages, comme s'il était un pays visé par l'application de la présente partie.

that are Canadian citizens or permanent residents within the meaning of subsection 2(1) of the *Immigration and Refugee Protection Act* or, if corporations, have their headquarters in Canada, as the case may be, whether by treaty, convention, agreement or law, benefits substantially equivalent to those conferred by this Part, the Minister may, by a statement published in the *Canada Gazette*,
(*c*) grant the benefits conferred by this Part to performers, makers of sound recordings or broadcasters that are citizens, subjects or permanent residents of or, if corporations, have their headquarters in that country, as the case may be, to the extent that that country grants that those benefits to performers, makers of sound recordings or broadcasters that are Canadian citizens or permanent residents within the meaning of subsection 2(1) of the *Immigration and Refugee Protection Act* or, if corporations, have their headquarters in Canada, and
S.C. 2001, c. 27, s. 239.
(*d*) declare that that country shall, as regards those benefits, be treated as if it were a country to which this Part extends.

Application
(3) Les dispositions de la présente loi que le ministre précise dans la déclaration s'appliquent :
a) aux artistes-interprètes, producteurs d'enregistrements sonores ou radiodiffuseurs visés par cette déclaration comme s'ils étaient citoyens du Canada ou, s'il s'agit de personnes morales, avaient leur siège social au Canada;
b) au pays visé par la déclaration, comme s'il s'agissait du Canada.

Application of Act
(3) Any provision of this Act that the Minister specifies in a statement referred to in subsection (1) or (2)
(*a*) applies in respect of performers, makers of sound recordings or broadcasters covered by that statement, as if they were citizens of or, if corporations, had their headquarters in Canada; and
(*b*) applies in respect of a country covered by that statement, as if that country were Canada.

Autres dispositions
(4) Les autres dispositions de la présente loi s'appliquent de la manière prévue au paragraphe (3), sous réserve des exceptions que le

Application of Act
(4) Subject to any exceptions that the Minister may specify in a statement referred to in subsection (1) or (2), the other provisions of

ministre peut prévoir dans la déclaration.
L.R.C. 1985, ch. C-42, art. 22; L.C. 1994, ch. 47, art. 59; 1997, ch. 24, art. 14.

this Act also apply in the way described in subsection (3).
R.S.C. 1985, c. C-42, s. 22; S.C. 1994, c. 47, s. 59; 1997, c. 24, s. 14.

DURÉE DES DROITS

Durée des droits

23. (1) Sous réserve des autres dispositions de la présente loi, les droits visés aux articles 15, 18 et 21 expirent à la fin de la cinquantième année suivant celle :
a) dans le cas de la prestation, de sa première fixation au moyen d'un enregistrement sonore ou de son exécution si elle n'est pas ainsi fixée;
b) dans le cas de l'enregistrement sonore, de sa première fixation;
c) dans le cas du signal de communication, de son émission.

Durée du droit à rémunération

(2) Le droit à rémunération de l'artiste-interprète prévu à l'article 19 a une durée identique à celle prévue à l'alinéa (1)*a)* et celui du producteur, une durée identique à celle prévue à l'alinéa (1)*b)*.

Application des paragraphes (1) et (2)

(3) Les paragraphes (1) et (2) s'appliquent même quand la fixation, l'exécution ou l'émission a eu lieu avant la date d'entrée en vigueur de la présente partie.

Pays partie à la Convention de Berne ou à la Convention de Rome ou membre de l'OMC

(4) Lorsque la prestation, l'enregistrement sonore ou le signal de communication répondent respectivement aux conditions énoncées aux articles 15, 18 ou 21, selon le cas, le pays qui devient partie à la Convention de Berne ou à la Convention de Rome ou membre de l'OMC après la date de la fixation, de l'exécution ou de l'émission, selon le cas, est dès lors réputé l'avoir été à cette date.

TERM OF RIGHTS

Term of rights

23. (1) Subject to this Act, the rights conferred by sections 15, 18 and 21 terminate fifty years after the end of the calendar year in which
(a) in the case of a performer's performance,
(i) its first fixation in a sound recording, or
(ii) its performance, if it is not fixed in a sound recording,
occurred;
(b) in the case of a sound recording, the first fixation occurred; or
(c) in the case of a communication signal, it was broadcast.

Term of right to remuneration

(2) The rights to remuneration conferred on performers and makers by section 19 have the same terms, respectively, as those provided by paragraphs (1)*(a)* and *(b)*.

Application of subsections (1) and (2)

(3) Subsections (1) and (2) apply whether the fixation, performance or broadcast occurred before or after the coming into force of this Part.

Berne Convention countries, Rome Convention countries, WTO Members

(4) Where the performer's performance, sound recording or communication signal meets the requirements set out in section 15, 18 or 21, as the case may be, a country that becomes a Berne Convention country, a Rome Convention country or a WTO Member after the date of the fixation, performance or broadcast is, as of becoming a Berne Convention country, Rome Convention country or WTO Member, as the case may be, deemed to have been such at the date of the fixation, performance or broadcast.

Droit de protection expiré

(5) Le paragraphe (4) ne confère aucune protection au Canada lorsque la durée de protection accordée par le pays visé a expiré avant son adhésion à la Convention de Berne, à la Convention de Rome ou à l'OMC, selon le cas.

L.R.C. 1985, ch. C-42, art. 23; L.C. 1994, ch. 47, art. 59; 1997, ch. 24, art. 14.

Where term of protection expired

(5) Subsection (4) does not confer any protection in Canada where the term of protection in the country referred to in that subsection had expired before that country became a Berne Convention country, Rome Convention country or WTO Member, as the case may be.

R.S.C. 1985, c. C-42, s. 23; S.C. 1994, c. 47, s. 59; 1997, c. 24, s. 14.

TITULARITÉ

Titularité

24. Sont respectivement les premiers titulaires du droit d'auteur :

a) sur sa prestation, l'artiste-interprète;

b) sur l'enregistrement sonore, le producteur;

c) sur le signal de communication qu'il émet, le radiodiffuseur.

L.R.C. 1985, ch. C-42, art. 24; L.C. 1994, ch. 47, art. 59; 1997, ch. 24, art. 14.

OWNERSHIP OF COPYRIGHT

Ownership of copyright

24. The first owner of the copyright

(a) in a performer's performance, is the performer;

(b) in a sound recording, is the maker; or

(c) in a communication signal, is the broadcaster that broadcasts it.

R.S.C. 1985, c. C-42, s. 24; S.C. 1994, c. 47, s. 59; 1997, c. 24, s. 14.

Cession

25. Les paragraphes 13(4) à (7) s'appliquent, avec les adaptations nécessaires, aux droits conférés par la présente partie à l'artiste-interprète, au producteur d'enregistrement sonore et au radiodiffuseur.

L.R.C. 1985, ch. C-42, art. 25; L.C. 1993, ch. 44, art. 62; 1994, ch. 47, art. 59; 1997, ch. 24, art. 14.

Assignment of rights

25. Subsections 13(4) to (7) apply, with such modifications as the circumstances require, in respect of the rights conferred by this Part on performers, makers of sound recordings and broadcasters.

R.S.C. 1985, c. C-42, s. 25; S.C. 1993, c. 44, s. 62; 1994, c. 47, s. 59; 1997, c. 24, s. 14.

DROITS DES ARTISTES-INTERPRÈTES — PAYS OMC

Prestation dans un pays membre de l'OMC

26. (1) L'artiste-interprète dont la prestation a lieu après le 31 décembre 1995 dans un pays membre de l'OMC a, à compter de la date de la prestation, un droit d'auteur qui comporte le droit exclusif, à l'égard de sa prestation ou de toute partie importante de celle-ci :

a) si elle n'est pas déjà fixée, de la communiquer au public par télécommunication et de la fixer par enregistrement sonore;

b) si elle est fixée au moyen d'un enregistrement sonore sans son autorisation, de reproduire la totalité ou toute partie importante de

PERFORMERS' RIGHTS — WTO COUNTRIES

Performer's performance in WTO country

26. (1) Where a performer's performance takes place on or after January 1, 1996 in a country that is a WTO Member, the performer has, as of the date of the performer's performance, a copyright in the performer's performance, consisting of the sole right to do the following in relation to the performer's performance or any substantial part thereof:

(a) if it is not fixed, to communicate it to the public by telecommunication and to fix it in a sound recording, and

(b) if it has been fixed in a sound recording without the performer's authorization, to re-

la fixation.
Il a aussi le droit d'autoriser ces actes.

produce the fixation or any substantial part thereof,
and to authorize any such acts.

Adhésion après le 1er janvier 1996

(2) Toutefois, si la prestation a lieu après le 31 décembre 1995 dans un pays qui devient membre de l'OMC après la date de la prestation, l'artiste-interprète a le droit d'auteur visé au paragraphe (1) à compter de la date d'adhésion.

Where country joins WTO after Jan. 1, 1996

(2) Where a performer's performance takes place on or after January 1, 1996 in a country that becomes a WTO Member after the date of the performer's performance, the performer has the copyright described in subsection (1) as of the date the country becomes a WTO Member.

Prestation avant le 1er janvier 1996

(3) L'artiste-interprète dont la prestation a lieu avant le 1er janvier 1996 dans un pays membre de l'OMC a, à compter de cette date, le droit exclusif d'exécuter et d'autoriser l'acte visé à l'alinéa (1)*b)*.

Performer's performances before Jan. 1, 1996

(3) Where a performer's performance takes place before January 1, 1996 in a country that is a WTO Member, the performer has, as of January 1, 1996, the sole right to do and to authorize the act described in paragraph (1)*(b)*.

Adhésion après le 1er janvier 1996

(4) Toutefois, si la prestation a lieu avant le 1er janvier 1996 dans un pays qui devient membre de l'OMC après le 31 décembre 1995, l'artiste-interprète a le droit visé au paragraphe (3) à compter de la date d'adhésion.

Where country joins WTO after Jan. 1, 1996

(4) Where a performer's performance takes place before January 1, 1996 in a country that becomes a WTO Member on or after January 1, 1996, the performer has the right described in subsection (3) as of the date the country becomes a WTO Member.

Durée de protection

(5) Les droits accordés par le présent article subsistent jusqu'à la fin de la cinquantième année suivant celle où la prestation de l'artiste-interprète a eu lieu.

Term of performer's rights

(5) The rights conferred by this section subsist for the remainder of the calendar year in which the performer's performance takes place and a period of fifty years following the end of that calendar year.

Cession

(6) Les paragraphes 13(4) à (7) s'appliquent, avec les adaptations nécessaires, aux droits de l'artiste-interprète conférés par le présent article.

Assignment of rights

(6) Subsections 13(4) to (7) apply, with such modifications as the circumstances require, in respect of a performer's rights conferred by this section.

Réserve

(7) Malgré la cession d'un droit qui lui est conféré par le présent article, l'artiste-interprète peut, tout comme le cessionnaire, empêcher :
a) la reproduction de la totalité ou d'une par-

Limitation

(7) Notwithstanding an assignment of a performer's right conferred by this section, the performer, as well as the assignee, may
(a) prevent the reproduction of
(i) any fixation of the performer's perform-

tie importante de toute fixation de sa prestation faite sans son autorisation ou celle du cessionnaire;

b) lorsque l'importateur sait ou devrait savoir qu'une fixation de la prestation de l'artiste-interprète a été faite sans l'autorisation de celui-ci ou du cessionnaire l'importation d'une telle fixation ou d'une reproduction de celle-ci.

L.R.C. 1985, ch. C-42, art. 26; ch. 10 (4e suppl.), art. 17(F); L.C. 1993, ch. 44, art. 63; 1994, ch. 47, art. 59; 1997, ch. 24, art. 14.

ance, or

(ii) any substantial part of such a fixation, where the fixation was made without the performer's consent or the assignee's consent; and

(b) prevent the importation of any fixation of the performer's performance, or any reproduction of such a fixation, that the importer knows or ought to have known was made without the performer's consent or the assignee's consent.

R.S.C. 1985, c. C-42, s. 26; c. 10 (4th Supp.), s. 17(F); S.C. 1993, c. 44, s. 63; 1994, c. 47, s. 59; 1997, c. 24, s. 14.

PARTIE III
VIOLATION DU DROIT D'AUTEUR ET DES DROITS MORAUX, ET CAS D'EXCEPTION

VIOLATION DU DROIT D'AUTEUR

Règle générale

Règle générale

27. (1) Constitue une violation du droit d'auteur l'accomplissement, sans le consentement du titulaire de ce droit, d'un acte qu'en vertu de la présente loi seul ce titulaire a la faculté d'accomplir.

Violation à une étape ultérieure

(2) Constitue une violation du droit d'auteur l'accomplissement de tout acte ci-après en ce qui a trait à l'exemplaire d'une oeuvre, d'une fixation d'une prestation, d'un enregistrement sonore ou d'une fixation d'un signal de communication alors que la personne qui accomplit l'acte sait ou devrait savoir que la production de l'exemplaire constitue une violation de ce droit, ou en constituerait une si l'exemplaire avait été produit au Canada par la personne qui l'a produit :

a) la vente ou la location;

b) la mise en circulation de façon à porter préjudice au titulaire du droit d'auteur;

c) la mise en circulation, la mise ou l'offre en vente ou en location, ou l'exposition en public, dans un but commercial;

d) la possession en vue de l'un ou l'autre des

PART III
INFRINGEMENT OF COPYRIGHT AND MORAL RIGHTS AND EXCEPTIONS TO INFRINGEMENT

INFRINGEMENT OF COPYRIGHT

General

Infringement generally

27. (1) It is an infringement of copyright for any person to do, without the consent of the owner of the copyright, anything that by this Act only the owner of the copyright has the right to do.

Secondary infringement

(2) It is an infringement of copyright for any person to

(a) sell or rent out,

(b) distribute to such an extent as to affect prejudicially the owner of the copyright,

(c) by way of trade distribute, expose or offer for sale or rental, or exhibit in public,

(d) possess for the purpose of doing anything referred to in paragraphs *(a)* to *(c)*, or

(e) import into Canada for the purpose of doing anything referred to in paragraphs *(a)* to *(c)*,

a copy of a work, sound recording or fixation of a performer's performance or of a communication signal that the person knows or should have known infringes copyright or would infringe copyright if it had been made in Canada by the person who made it.

actes visés aux alinéas *a)* à *c)*;
e) l'importation au Canada en vue de l'un ou l'autre des actes visés aux alinéas *a)* à *c)*.

Précision
(3) Lorsqu'il s'agit de décider si les actes visés aux alinéas (2)*a)* à *d)*, dans les cas où ils se rapportent à un exemplaire importé dans les conditions visées à l'alinéa (2)*e)*, constituent des violations du droit d'auteur, le fait que l'importateur savait ou aurait dû savoir que l'importation de l'exemplaire constituait une violation n'est pas pertinent.

Knowledge of importer
(3) In determining whether there is an infringement under subsection (2) in the case of an activity referred to in any of paragraphs (2)*(a)* to *(d)* in relation to a copy that was imported in the circumstances referred to in paragraph (2)*(e)*, it is irrelevant whether the importer knew or should have known that the importation of the copy infringed copyright.

Planches
(4) Constitue une violation du droit d'auteur la confection d'une planche conçue ou adaptée précisément pour la contrefaçon d'une oeuvre ou de tout autre objet du droit d'auteur, ou le fait de l'avoir en sa possession.

Plates
(4) It is an infringement of copyright for any person to make or possess a plate that has been specifically designed or adapted for the purpose of making infringing copies of a work or other subject-matter.

Représentation dans un but de profit
(5) Constitue une violation du droit d'auteur le fait, dans un but de profit, de permettre l'utilisation d'un théâtre ou d'un autre lieu de divertissement pour l'exécution en public d'une oeuvre ou de tout autre objet du droit d'auteur sans le consentement du titulaire du droit d'auteur, à moins que la personne qui permet cette utilisation n'ait ignoré et n'ait eu aucun motif raisonnable de soupçonner que l'exécution constituerait une violation du droit d'auteur.
L.R.C. 1985, ch. C-42, art. 27; ch. 1 (3e suppl.), art. 13; ch. 10 (4e suppl.), art. 5; L.C. 1993, ch. 44, art. 64; 1997, ch. 24, art. 15.

Public performance for profit
(5) It is an infringement of copyright for any person, for profit, to permit a theatre or other place of entertainment to be used for the performance in public of a work or other subject-matter without the consent of the owner of the copyright unless that person was not aware, and had no reasonable ground for suspecting, that the performance would be an infringement of copyright.
R.S.C. 1985, c. C-42, s. 27; c. 1 (3rd Supp.), s. 13; c. 10 (4th Supp.), s. 5; S.C. 1993, c. 44, s. 64; 1997, c. 24, s. 15.

Importations parallèles de livres

Importation de livres sans le consentement du titulaire du droit d'auteur au Canada
27.1 (1) Sous réserve des règlements pris en application du paragraphe (6), constitue une violation du droit d'auteur sur un livre l'importation d'exemplaires de celui-ci dans les cas où les conditions suivantes sont réunies :
a) la production des exemplaires s'est faite avec le consentement du titulaire du droit d'auteur dans le pays de production, mais

Parallel Importation of Books

Importation of books
27.1 (1) Subject to any regulations made under subsection (6), it is an infringement of copyright in a book for any person to import the book where
(a) copies of the book were made with the consent of the owner of the copyright in the book in the country where the copies were made, but were imported without the consent

leur importation se fait sans le consentement du titulaire du droit d'auteur au Canada;
b) l'importateur sait ou devrait savoir qu'il violerait le droit d'auteur s'il produisait les exemplaires au Canada.

of the owner of the copyright in the book in Canada; and
(b) the person knows or should have known that the book would infringe copyright if it was made in Canada by the importer.

Actes ultérieurs
(2) Sous réserve des règlements pris en application du paragraphe (6), constitue une violation du droit d'auteur sur un livre l'accomplissement de tout acte ci-après en ce qui a trait à des exemplaires visés à l'alinéa (1)*a)* alors que la personne qui accomplit l'acte sait ou devrait savoir que l'importateur aurait violé le droit d'auteur s'il avait produit les exemplaires au Canada :
a) la vente ou la location;
b) la mise en circulation, la mise ou l'offre en vente ou en location, ou l'exposition en public, dans un but commercial;
c) la possession en vue de faire tout acte visé aux alinéas *a)* ou *b)*.

Secondary infringement
(2) Subject to any regulations made under subsection (6), where the circumstances described in paragraph (1)*(a)* exist, it is an infringement of copyright in an imported book for any person who knew or should have known that the book would infringe copyright if it was made in Canada by the importer to
(a) sell or rent out the book;
(b) by way of trade, distribute, expose or offer for sale or rental, or exhibit in public, the book; or
(c) possess the book for the purpose of any of the activities referred to in paragraph *(a)* or *(b)*.

Précision
(3) Les paragraphes (1) et (2) ne s'appliquent que si, d'une part, il y a un distributeur exclusif du livre et, d'autre part, l'importation ou les actes mentionnés au paragraphe (2) se rapportent à la partie du Canada ou au secteur du marché pour lesquels il a cette qualité.

Limitation
(3) Subsections (1) and (2) only apply where there is an exclusive distributor of the book and the acts described in those subsections take place in the part of Canada or in respect of the particular sector of the market for which the person is the exclusive distributor.

Recours
(4) Pour l'exercice des recours prévus à la partie IV relativement à la violation prévue au présent article, le distributeur exclusif est réputé posséder un intérêt concédé par licence sur un droit d'auteur.

Exclusive distributor
(4) An exclusive distributor is deemed, for the purposes of entitlement to any of the remedies under Part IV in relation to an infringement under this section, to derive an interest in the copyright in question by licence.

Avis
(5) Le titulaire du droit d'auteur sur le livre ou le titulaire d'une licence exclusive s'y rapportant ou le distributeur exclusif du livre ne peuvent exercer les recours prévus à la partie IV pour la violation prévue au présent article que si, avant les faits qui donnent lieu au litige, l'importateur ou la personne visée au paragraphe (2) ont été avisés, selon les modalités réglementaires, du fait qu'il y a un distributeur exclusif du livre.

Notice
(5) No exclusive distributor, copyright owner or exclusive licensee is entitled to a remedy under Part IV in relation to an infringement under this section unless, before the infringement occurred, notice has been given within the prescribed time and in the prescribed manner to the person referred to in subsection (1) or (2), as the case may be, that there is an exclusive distributor of the book.

[(1)Pour la période qui commence le 30 juin 1996 et se termine à la date de sanction de L.C. 1997, ch. 24, les règles ci-après s'appliquent à l'exercice par un distributeur exclusif, au sens du paragraphe 62(2), d'un livre, ou par le titulaire du droit d'auteur sur le livre ou le titulaire d'une licence exclusive s'y rapportant, des recours mentionnés dans la Loi sur le droit d'auteur *contre un importateur visé au paragraphe 27.1(1), édicté par l'article 15 de L.C. 1997, ch. 24, ou une personne qui fait l'un ou l'autre des actes visés au paragraphe 27.1(2), édicté par cet article :*
a) avant les faits qui donnent lieu au litige, l'importateur ou cette personne, selon le cas, ont été avisés du fait qu'il y a un distributeur exclusif du livre et que l'article 27.1 est entré ou réputé entré en vigueur le 30 juin 1996;
b) les recours relatifs à une violation du droit d'auteur prévue à l'article 27.1 ne peuvent s'exercer que pour les exemplaires du livre importés pendant cette période et qui sont encore en stock à la date de sanction de L.C. 1997, ch. 24.

(2) Les recours visés au paragraphe (1) ne peuvent, pendant la période mentionnée à ce paragraphe, être exercés contre un établissement d'enseignement, une bibliothèque, un musée ou un service d'archives.

(3) Il est entendu que l'expiration de la période visée au paragraphe 62(2) de L.C. 1997, ch. 24 ne porte pas atteinte au droit du distributeur exclusif de continuer, après cette expiration, les procédures validement intentées avant cette expiration.
L.C. 1997, ch. 24, art. 63.]

Règlement
(6) Le gouverneur en conseil peut par règlement déterminer les conditions et modalités pour l'importation de certaines catégories de livres notamment les soldes d'éditeur, les livres importés exclusivement en vue de l'exportation et ceux qui font l'objet de commandes spéciales.
L.C. 1997, ch. 24, art. 15, 62.

[(1) No exclusive distributor, within the meaning assigned to that expression by subsection 62(2) of S.C. 1997, c. 24, copyright owner or exclusive licensee is entitled to a remedy referred to in the Copyright Act *in relation to an infringement referred to in subsection 27.1(1) or (2), as enacted by section 15 of S.C. 1997, c. 24, during the period beginning on June 30, 1996 and ending on the day on which this Act is assented to, unless*
(a) before the infringement occurred, notice in writing has been given to the person referred to in subsection 27.1(1) or (2), as enacted by section 15 of S.C. 1997, c. 24, as the case may be, that
(i) there is an exclusive distributor of the book in Canada, and
(ii) section 27.1 came into force or was deemed to have come into force on June 30, 1996; and
(b) in the case of an infringement referred to in section 27.1, the remedy is only in relation to a book that was imported during that period and forms part of the inventory of the person referred to in section 27.1 on the day on which S.C. 1997, c. 24 is assented to.

(2) No exclusive distributor, copyright owner or exclusive licensee is entitled to a remedy referred to in subsection (1) against an educational institution, library, archive or museum.

(3) For greater certainty, the expiration of the period referred to in subsection 62(2) of S.C. 1997, c. 24 does no affect the right of an exclusive distributor to continue, after the expiration of that period, legal proceedings validly commenced during that period.
S.C. 1997, c. 24, s. 63.]

Regulations
(6) The Governor in Council may, by regulation, establish terms and conditions for the importation of certain categories of books, including remaindered books, books intended solely for re-export and books imported by special order.
S.C. 1997, c. 24, ss. 15, 62.

28. [Remplacé, L.C. 1997, ch. 24, art. 15.]

28.01 [Renuméroté 31 par L.C. 1997, ch. 24, art. 16.]

28.02 et **28.03** [Abrogés, L.C. 1997, ch. 24, art. 17.]

28. [Replaced, S.C. 1997, c. 24, s. 15.]

28.01 [Renumbered 31 by S.C. 1997, c. 24, s. 16.]

28.02 and **28.03** [Repealed, S.C. 1997, c. 24, s. 17.]

VIOLATION DES DROITS MORAUX

Atteinte aux droits moraux

28.1 Constitue une violation des droits moraux de l'auteur sur son oeuvre tout fait — acte ou omission — non autorisé et contraire à ceux-ci.
L.R.C. 1985, ch. 10 (4e suppl.), art. 6.

Nature du droit à l'intégrité

28.2 (1) Il n'y a violation du droit à l'intégrité que si l'oeuvre est, d'une manière préjudiciable à l'honneur ou à la réputation de l'auteur, déformée, mutilée ou autrement modifiée, ou utilisée en liaison avec un produit, une cause, un service ou une institution.

Présomption de préjudice

(2) Toute déformation, mutilation ou autre modification d'une peinture, d'une sculpture ou d'une gravure est réputée préjudiciable au sens du paragraphe (1).

Non-modification

(3) Pour l'application du présent article, ne constitue pas nécessairement une déformation, mutilation ou autre modification de l'oeuvre un changement de lieu, du cadre de son exposition ou de la structure qui la contient ou toute mesure de restauration ou de conservation prise de bonne foi.
L.R.C. 1985, ch. 10 (4e suppl.), art. 6.

MORAL RIGHTS INFRINGEMENT

Infringement generally

28.1 Any act or omission that is contrary to any of the moral rights of the author of a work is, in the absence of consent by the author, an infringement of the moral rights.
R.S.C. 1985, c. 10 (4th Supp.), s. 6.

Nature of right of integrity

28.2 (1) The author's right to the integrity of a work is infringed only if the work is, to the prejudice of the honour or reputation of the author,

(*a*) distorted, mutilated or otherwise modified; or

(*b*) used in association with a product, service, cause or institution.

Where prejudice deemed

(2) In the case of a painting, sculpture or engraving, the prejudice referred to in subsection (1) shall be deemed to have occurred as a result of any distortion, mutilation or other modification of the work.

When work not distorted, etc.

(3) For the purposes of this section,

(*a*) a change in the location of a work, the physical means by which a work is exposed or the physical structure containing a work, or

(*b*) steps taken in good faith to restore or preserve the work

shall not, by that act alone, constitute a distortion, mutilation or other modification of the work.
R.S.C. 1985, c. 10 (4th Supp.), s. 6.

EXCEPTIONS

Utilisation équitable

Étude privée ou recherche

29. L'utilisation équitable d'une oeuvre ou de tout autre objet du droit d'auteur aux fins d'étude privée ou de recherche ne constitue pas une violation du droit d'auteur.
L.R.C. 1985, ch. C-42, art. 29; ch. 10 (4e suppl.), art. 7; L.C. 1994, ch. 47, art. 61; 1997, ch. 24, art. 18.

Critique et compte rendu

29.1 L'utilisation équitable d'une oeuvre ou de tout autre objet du droit d'auteur aux fins de critique ou de compte rendu ne constitue pas une violation du droit d'auteur à la condition que soient mentionnés :
a) d'une part, la source;
b) d'autre part, si ces renseignements figurent dans la source :
(i) dans le cas d'une oeuvre, le nom de l'auteur,
(ii) dans le cas d'une prestation, le nom de l'artiste-interprète,
(iii) dans le cas d'un enregistrement sonore, le nom du producteur,
(iv) dans le cas d'un signal de communication, le nom du radiodiffuseur.
L.C. 1997, ch. 24, art. 18.

Communications des nouvelles

29.2 L'utilisation équitable d'une oeuvre ou de tout autre objet du droit d'auteur pour la communication de nouvelles ne constitue pas une violation du droit d'auteur à la condition que soient mentionnés :
a) d'une part, la source;
b) d'autre part, si ces renseignements figurent dans la source :
(i) dans le cas d'une oeuvre, le nom de l'auteur,
(ii) dans le cas d'une prestation, le nom de l'artiste-interprète,
(iii) dans le cas d'un enregistrement sonore, le nom du producteur,
(iv) dans le cas d'un signal de communication, le nom du radiodiffuseur.
L.C. 1997, ch. 24, art. 18.

EXCEPTIONS

Fair Dealing

Research or private study

29. Fair dealing for the purpose of research or private study does not infringe copyright.
R.S.C. 1985, c. C-42, s. 29; c. 10 (4th Supp.), s. 7; S.C. 1994, c. 47, s. 61; 1997, c. 24, s. 18.

Criticism or review

29.1 Fair dealing for the purpose of criticism or review does not infringe copyright if the following are mentioned:
(a) the source; and
(b) if given in the source, the name of the
(i) author, in the case of a work,
(ii) performer, in the case of a performer's performance,
(iii) maker, in the case of a sound recording, or
(iv) broadcaster, in the case of a communication signal.
S.C. 1997, c. 24, s. 18.

News reporting

29.2 Fair dealing for the purpose of news reporting does not infringe copyright if the following are mentioned:
(a) the source; and
(b) if given in the source, the name of the
(i) author, in the case of a work,
(ii) performer, in the case of a performer's performance,
(iii) maker, in the case of a sound recording, or
(iv) broadcaster, in the case of a communication signal.
S.C. 1997, c. 24, s. 18.

Actes à but non lucratif

Intention

29.3 (1) Les actes visés aux articles 29.4, 29.5, 30.2 et 30.21 ne doivent pas être accomplis dans l'intention de faire un gain.

Coûts

(2) Les établissements d'enseignement, bibliothèques, musées ou services d'archives, de même que les personnes agissant sous leur autorité sont toutefois réputés ne pas avoir l'intention de faire un gain lorsque, dans l'accomplissement des actes visés aux articles 29.4, 29.5, 30.2 et 30.21, ils ne font que recouvrer les coûts y afférents, frais généraux compris.

L.C. 1997, ch. 24, art. 18.

Établissements d'enseignement

Reproduction d'oeuvres

29.4 (1) Ne constitue pas une violation du droit d'auteur le fait, pour un établissement d'enseignement ou une personne agissant sous l'autorité de celui-ci, à des fins pédagogiques et dans les locaux de l'établissement :

a) de faire une reproduction manuscrite d'une oeuvre sur un tableau, un bloc de conférence ou une autre surface similaire destinée à recevoir des inscriptions manuscrites;

b) de reproduire une oeuvre pour projeter une image de la reproduction au moyen d'un rétroprojecteur ou d'un dispositif similaire.

Questions d'examen

(2) Ne constituent pas des violations du droit d'auteur, si elles sont faites par un établissement d'enseignement ou une personne agissant sous l'autorité de celui-ci dans le cadre d'un examen ou d'un contrôle :

a) la reproduction, la traduction ou l'exécution en public d'une oeuvre ou de tout autre objet du droit d'auteur dans les locaux de l'établissement;

b) la communication par télécommunication d'une oeuvre ou de tout autre objet du droit d'auteur au public se trouvant dans les locaux de l'établissement.

Acts Undertaken without Motive of Gain

Motive of gain

29.3 (1) No action referred to in section 29.4, 29.5, 30.2 or 30.21 may be carried out with motive of gain.

Cost recovery

(2) An educational institution, library, archive or museum, or person acting under its authority does not have a motive of gain where it or the person acting under its authority, does anything referred to in section 29.4, 29.5, 30.2 or 30.21 and recovers no more than the costs, including overhead costs, associated with doing that act.

S.C. 1997, c. 24, s. 18.

Educational Institutions

Reproduction for instruction

29.4 (1) It is not an infringement of copyright for an educational institution or a person acting under its authority

(*a*) to make a manual reproduction of a work onto a dry-erase board, flip chart or other similar surface intended for displaying handwritten material, or

(*b*) to make a copy of a work to be used to project an image of that copy using an overhead projector or similar device

for the purposes of education or training on the premises of an educational institution.

Reproduction for examinations, etc.

(2) It is not an infringement of the copyright for an educational institution or a person acting under its authority to

(*a*) reproduce, translate or perform in public on the premises of the educational institution, or

(*b*) communicate by telecommunication to the public situated on the premises of the educational institution

a work or other subject-matter as required for a test or examination.

Accessibilité sur le marché

(3) Sauf cas de reproduction manuscrite, les exceptions prévues à l'alinéa (1)*b*) et au paragraphe (2) ne s'appliquent pas si l'oeuvre ou l'autre objet du droit d'auteur sont accessibles sur le marché et sont sur un support approprié, aux fins visées par ces dispositions.
L.C. 1997, ch. 24, art. 18.

Where work commercially available

(3) Except in the case of manual reproduction, the exemption from copyright infringement provided by paragraph (1)(*b*) and subsection (2) does not apply if the work or other subject-matter is commercially available in a medium that is appropriate for the purpose referred to in that paragraph or subsection, as the case may be.
S.C. 1997, c. 24, s. 18.

Représentations

29.5 Ne constituent pas des violations du droit d'auteur les actes ci-après, s'ils sont accomplis par un établissement d'enseignement ou une personne agissant sous l'autorité de celui-ci, dans les locaux de celui-ci, à des fins pédagogiques et non en vue d'un profit, devant un auditoire formé principalement d'élèves de l'établissement, d'enseignants agissant sous l'autorité de l'établissement ou d'autres personnes qui sont directement responsables de programmes d'études pour cet établissement :

a) l'exécution en direct et en public d'une oeuvre, principalement par des élèves de l'établissement;

b) l'exécution en public tant de l'enregistrement sonore que de l'oeuvre ou de la prestation qui le constituent;

c) l'exécution en public d'une oeuvre ou de tout autre objet du droit d'auteur lors de leur communication au public par télécommunication.

L.C. 1997, ch. 24, art. 18.

Performances

29.5 It is not an infringement of copyright for an educational institution or a person acting under its authority to do the following acts if they are done on the premises of an educational institution for educational or training purposes and not for profit, before an audience consisting primarily of students of the educational institution, instructors acting under the authority of the educational institution or any person who is directly responsible for setting a curriculum for the educational institution:

(a) the live performance in public, primarily by students of the educational institution, of a work;

(b) the performance in public of a sound recording or of a work or performer's performance that is embodied in a sound recording; and

(c) the performance in public of a work or other subject-matter at the time of its communication to the public by telecommunication.

S.C. 1997, c. 24, s. 18.

Actualités et commentaires

29.6 (1) Sous réserve du paragraphe (2) et de l'article 29.9, les actes ci-après ne constituent pas des violations du droit d'auteur s'ils sont accomplis par un établissement d'enseignement ou une personne agissant sous l'autorité de celui-ci :

a) la reproduction à des fins pédagogiques, en un seul exemplaire, d'émissions d'actualités ou de commentaires d'actualités, à l'exclusion des documentaires, lors de leur communication au public par télécommunication en vue de leur présentation aux élèves de l'établissement;

b) les exécutions en public de l'exemplaire

News and commentary

29.6 (1) Subject to subsection (2) and section 29.9, it is not an infringement of copyright for an educational institution or a person acting under its authority to

(a) make, at the time of its communication to the public by telecommunication, a single copy of a news program or a news commentary program, excluding documentaries, for the purposes of performing the copy for the students of the educational institution for educational or training purposes; and

(b) perform the copy in public, at any time or times within one year after the making of a copy under paragraph *(a)*, before an audience

devant un auditoire formé principalement d'élèves de l'établissement, dans l'année qui suit la reproduction, dans les locaux de l'établissement et à des fins pédagogiques.

consisting primarily of students of the educational institution on its premises for educational or training purposes.
S.C. 1997, c. 24, s. 18(1).

Paiement des redevances ou destruction

(2) L'établissement d'enseignement visé au paragraphe (1) doit :
a) à l'expiration de l'année qui suit la reproduction, soit acquitter les redevances et respecter les modalités fixées sous le régime de la présente loi pour la reproduction, soit détruire l'exemplaire;
b) une fois qu'il a acquitté les redevances visées à l'alinéa *a)*, acquitter les redevances et respecter les modalités fixées sous le régime de la présente loi pour toute exécution en public postérieure à l'année qui suit la reproduction.
L.C. 1997, ch. 24, art. 18.

Royalties for reproduction and performance
(2) The educational institution must
(a) on the expiration of one year after making a copy under paragraph (1)*(a)*, pay the royalties and comply with any terms and conditions fixed under this Act for the making of the copy or destroy the copy; and
(b) where it has paid the royalties referred to in paragraph *(a)*, pay the royalties and comply with any terms and conditions fixed under this Act for any performance in public of the copy after the expiration of that year.
S.C. 1997, c. 24, s. 18.

Reproduction d'émissions
29.7 (1) Sous réserve du paragraphe (2) et de l'article 29.9, les actes ci-après ne constituent pas des violations du droit d'auteur s'ils sont accomplis par un établissement d'enseignement ou une personne agissant sous l'autorité de celui-ci :
a) la reproduction à des fins pédagogiques, en un seul exemplaire, d'une oeuvre ou de tout autre objet du droit d'auteur lors de leur communication au public par télécommunication;
b) la conservation de l'exemplaire pour une période maximale de trente jours afin d'en déterminer la valeur du point de vue pédagogique.

Reproduction of broadcast
29.7 (1) Subject to subsection (2) and section 29.9, it is not an infringement of copyright for an educational institution or a person acting under its authority to
(a) make a single copy of a work or other subject-matter at the time that it is communicated to the public by telecommunication; and
(b) keep the copy for up to thirty days to decide whether to perform the copy for educational or training purposes.

Paiement des redevances ou destruction
(2) L'établissement d'enseignement qui n'a pas détruit l'exemplaire à l'expiration des trente jours viole le droit d'auteur s'il n'acquitte pas les redevances ni ne respecte les modalités fixées sous le régime de la présente loi pour la reproduction.

Royalties for reproduction
(2) An educational institution that has not destroyed the copy by the expiration of the thirty days infringes copyright in the work or other subject-matter unless it pays any royalties, and complies with any terms and conditions, fixed under this Act for the making of the copy.

Exécution en public
(3) L'exécution en public, devant un auditoire formé principalement d'élèves de l'établisse-

Royalties for performance
(3) It is not an infringement of copyright for the educational institution or a person acting

ment, de l'exemplaire dans les locaux de l'établissement et à des fins pédagogiques, par l'établissement ou une personne agissant sous l'autorité de celui-ci, ne constitue pas une violation du droit d'auteur si l'établissement acquitte les redevances et respecte les modalités fixées sous le régime de la présente loi pour l'exécution en public.
L.C. 1997, ch. 24, art. 18.

under its authority to perform the copy in public for educational or training purposes on the premises of the educational institution before an audience consisting primarily of students of the educational institution if the educational institution pays the royalties and complies with any terms and conditions fixed under this Act for the performance in public.
S.C. 1997, c. 24, s. 18.

Réception illicite

29.8 Les exceptions prévues aux articles 29.5 à 29.7 ne s'appliquent pas si la communication au public par télécommunication a été captée par des moyens illicites.
L.C. 1997, ch. 24, art. 18.

Unlawful reception

29.8 The exceptions to infringement of copyright provided for under sections 29.5 to 29.7 do not apply where the communication to the public by telecommunication was received by unlawful means.
S.C. 1997, c. 24, s. 18.

Obligations relatives à l'étiquetage

29.9 (1) L'établissement d'enseignement est tenu de consigner les renseignements prévus par règlement, selon les modalités réglementaires, quant aux reproductions et destructions qu'il fait et aux exécutions en public pour lesquelles des redevances doivent être acquittées sous le régime de la présente loi, et d'étiqueter les exemplaires selon les modalités réglementaires, dans les cas suivants :
a) reproduction d'émissions d'actualités ou de commentaires d'actualités et exécutions, dans le cadre de l'article 29.6;
b) reproduction d'une oeuvre ou de tout autre objet du droit d'auteur lors de sa communication au public par télécommunication et exécution de l'exemplaire, dans le cadre de l'article 29.7.

Records and marking

29.9 (1) Where an educational institution or person acting under its authority
(a) makes a copy of a news program or a news commentary program and performs it pursuant to section 29.6, or
(b) makes a copy of a work or other subject-matter communicated to the public by telecommunication and performs it pursuant to section 29.7,
the educational institution shall keep a record of the information prescribed by regulation in relation to the making of the copy, the destruction of it or any performance in public of it for which royalties are payable under this Act and shall, in addition, mark that copy in the manner prescribed by regulation.

Règlements

(2) La Commission peut, par règlement et avec l'approbation du gouverneur en conseil, préciser :
a) les renseignements relatifs aux reproductions, destructions et exécutions en public visées au paragraphe (1) que doivent consigner les établissements d'enseignement et qui doivent figurer sur les étiquettes;
b) les modalités de consignation de ces renseignements, et d'étiquetage et de destruction des exemplaires;
c) les modalités de transmission de ces ren-

Regulations

(2) The Board may, with the approval of the Governor in Council, make regulations
(a) prescribing the information in relation to the making, destruction, performance and marking of copies that must be kept under subsection (1),
(b) prescribing the manner and form in which records referred to in that subsection must be kept and copies destroyed or marked, and
(c) respecting the sending of information to collective societies referred to in section 71.
S.C. 1997, c. 24, s. 18.

seignements aux sociétés de gestion visées à l'article 71.
L.C. 1997, ch. 24, art. 18.

Recueils

30. La publication de courts extraits d'oeuvres littéraires encore protégées, publiées et non destinées elles-mêmes à l'usage des établissements d'enseignement, dans un recueil qui est composé principalement de matières non protégées, préparé pour être utilisé dans les établissements d'enseignement et désigné comme tel dans le titre et dans les annonces faites par l'éditeur ne constitue pas une violation du droit d'auteur sur ces oeuvres littéraires publiées à condition que :
a) le même éditeur ne publie pas plus de deux passages tirés des oeuvres du même auteur dans l'espace de cinq ans;
b) la source de l'emprunt soit indiquée;
c) le nom de l'auteur, s'il figure dans la source, soit mentionné.
L.R.C. 1985, ch. C-42, art. 30; ch. 10 (4e suppl.), art. 7; L.C. 1997, ch. 24, art. 18.

*[L'article 30 de la même loi, dans sa version édictée par le paragraphe (1) du présent article, ne s'applique pas aux recueils qui y sont visés et qui sont publiés avant son entrée en vigueur. Ceux-ci continuent d'être régis par l'alinéa 27(2)*d*) de la même loi, dans sa version antérieure à l'entrée en vigueur de l'article 15 de la présente loi.*
L.C. 1997, ch. 24, art. 18(2).]

Literary collections

30. The publication in a collection, mainly composed of non-copyright matter, intended for the use of educational institutions, and so described in the title and in any advertisements issued by the publisher, of short passages from published literary works in which copyright subsists and not themselves published for the use of educational institutions, does not infringe copyright in those published literary works if
(*a*) not more than two passages from works by the same author are published by the same publisher within five years;
(*b*) the source from which the passages are taken is acknowledged; and
(*c*) the name of the author, if given in the source, is mentioned.
R.S.C. 1985, c. C-42, s. 30; c. 10 (4th Supp.), s. 7; S.C. 1997, c. 24, s. 18.

[Section 30 of the Act, as enacted by subsection (1) of this section, does not apply in respect of collections referred to in section 30 that are published before the coming into force of section 30. Such collections continue to be governed by paragraph 27(2)(d*) of the Act as it read before the coming into force of section 15 of this Act.*
S.C. 1997, c. 24, s. 18(2).]

Bibliothèques, musées ou services d'archives

Gestion et conservation de collections

30.1 (1) Ne constituent pas des violations du droit d'auteur les cas ci-après de reproduction, par une bibliothèque, un musée ou un service d'archives ou une personne agissant sous l'autorité de ceux-ci, d'une oeuvre ou de tout autre objet du droit d'auteur, publiés ou non, en vue de la gestion ou de la conservation de leurs collections permanentes ou des collections permanentes d'autres bibliothèques, musées ou services d'archives :

Libraries, Archives and Museums

Management and maintenance of collection

30.1 (1) It is not an infringement of copyright for a library, archive or museum or a person acting under the authority of a library, archive or museum to make, for the maintenance or management of its permanent collection or the permanent collection of another library, archive or museum, a copy of a work or other subject-matter, whether published or unpublished, in its permanent collection
(*a*) if the original is rare or unpublished and is

a) reproduction dans les cas où l'original, qui est rare ou non publié, se détériore, s'est abîmé ou a été perdu ou risque de se détériorer, de s'abîmer ou d'être perdu;
b) reproduction, pour consultation sur place, dans les cas où l'original ne peut être regardé, écouté ou manipulé en raison de son état, ou doit être conservé dans des conditions atmosphériques particulières;
c) reproduction sur un autre support, le support original étant désuet ou faisant appel à une technique non disponible;
d) reproduction à des fins internes liées à la tenue de dossier ou au catalogage;
e) reproduction aux fins d'assurance ou d'enquêtes policières;
f) reproduction nécessaire à la restauration.

Existence d'exemplaires sur le marché
(2) Les alinéas (1)*a)* à *c)* ne s'appliquent pas si des exemplaires de l'oeuvre ou de l'autre objet du droit d'auteur sont accessibles sur le marché et sont sur un support et d'une qualité appropriés aux fins visées au paragraphe (1).

Copies intermédiaires
(3) Si, dans les cas visés au paragraphe (1), il est nécessaire de faire des copies intermédiaires, celles-ci doivent être détruites dès qu'elles ne sont plus nécessaires.

Règlements
(4) Le gouverneur en conseil peut, par règlement, préciser la procédure à suivre pour les cas de reproduction visés au paragraphe (1).
L.C. 1997, ch. 24, art. 18; 1999, ch. 31, art. 59(A).

Étude privée ou recherche
30.2 (1) Ne constituent pas des violations du droit d'auteur les actes accomplis par une bibliothèque, un musée ou un service d'archives ou une personne agissant sous l'autorité de ceux-ci pour une personne qui peut elle-même les accomplir dans le cadre des articles 29 et 29.1.

Articles de périodique
(2) Ne constitue pas une violation du droit d'auteur le fait pour une bibliothèque, un

(i) deteriorating, damaged or lost, or
(ii) at risk of deterioration or becoming damaged or lost;
(b) for the purposes of on-site consultation if the original cannot be viewed, handled or listened to because of its condition or because of the atmospheric conditions in which it must be kept;
(c) in an alternative format if the original is currently in an obsolete format or the technology required to use the original is unavailable;
(d) for the purposes of internal record-keeping and cataloguing;
(e) for insurance purposes or police investigations; or
(f) if necessary for restoration.

Limitation
(2) Paragraphs (1)*(a)* to *(c)* do not apply where an appropriate copy is commercially available in a medium and of a quality that is appropriate for the purposes of subsection (1).

Destruction of intermediate copies
(3) If a person must make an intermediate copy in order to make a copy under subsection (1), the person must destroy the intermediate copy as soon as it is no longer needed.

Regulations
(4) The Governor in Council may make regulations with respect to the procedure for making copies under subsection (1).
S.C. 1997, c. 24, s. 18; 1999, c. 31, s. 59(E).

Research or private study
30.2 (1) It is not an infringement of copyright for a library, archive or museum or a person acting under its authority to do anything on behalf of any person that the person may do personally under section 29 or 29.1.

Copies of articles for research, etc.
(2) It is not an infringement of copyright for a library, archive or museum or a person acting

musée ou un service d'archives ou une personne agissant sous l'autorité de ceux-ci, de reproduire par reprographie, à des fins d'étude privée ou de recherche, une oeuvre qui a la forme d'un article — ou qui est contenue dans un article — si, selon le cas :
a) celui-ci a été publié dans une revue savante ou un périodique de nature scientifique ou technique;
b) le journal ou le périodique — autre qu'une revue savante ou le périodique visé à l'alinéa *a*) — dans lequel il paraît a été publié plus d'un an avant la reproduction.

under the authority of a library, archive or museum to make, by reprographic reproduction, for any person requesting to use the copy for research or private study, a copy of a work that is, or that is contained in, an article published in
(*a*) a scholarly, scientific or technical periodical; or
(*b*) a newspaper or periodical, other than a scholarly, scientific or technical periodical, if the newspaper or periodical was published more than one year before the copy is made.

Restrictions
(3) Le paragraphe (2)*b*) ne s'applique pas dans le cas où l'oeuvre est une oeuvre de fiction ou de poésie ou une oeuvre musicale ou dramatique.

Restriction
(3) Paragraph (2)(*b*) does not apply in respect of a work of fiction or poetry or a dramatic or musical work.

Conditions
(4) La copie visée au paragraphe (2) ne peut être fournie que si la personne à qui elle est destinée :
a) convainc la bibliothèque, le musée ou le service d'archives qu'elle ne l'utilisera qu'à des fins d'étude privée ou de recherche;
b) ne reçoit qu'une seule copie de l'oeuvre.

Conditions
(4) A library, archive or museum may make a copy under subsection (2) only on condition that
(a) the person for whom the copy will be made has satisfied the library, archive or museum that the person will not use the copy for a purpose other than research or private study; and
(b) the person is provided with a single copy of the work.

Actes destinés aux usagers d'autres bibliothèques, musées ou services d'archives
(5) Une bibliothèque, un musée ou un service d'archives, ou une personne agissant sous l'autorité de ceux-ci, peuvent, pour ce qui est du matériel imprimé, accomplir pour les usagers d'une autre bibliothèque, d'un autre musée ou d'un autre service d'archives, pourvu que la copie qui leur est remise ne soit pas sous une forme numérique, les actes qu'ils peuvent accomplir, en vertu des paragraphes (1) ou (2), pour leurs propres usagers.

Patrons of other libraries, etc.
(5) A library, archive or museum or a person acting under the authority of a library, archive or museum may do, on behalf of a person who is a patron of another library, archive or museum, anything under subsection (1) or (2) in relation to printed matter that it is authorized by this section to do on behalf of a person who is one of its patrons, but the copy given to the patron must not be in digital form.

Copies intermédiaires
(5.1) Dès qu'une copie est remise au titre du paragraphe (5), toute copie intermédiaire faite en vue de sa réalisation doit être détruite.

Destruction of intermediate copies
(5.1) Where an intermediate copy is made in order to copy a work referred to in subsection (5), once the copy is given to the patron, the intermediate copy must be destroyed.

Règlements

(6) Le gouverneur en conseil peut, par règlement et pour l'application du présent article :

a) définir « journal » et « périodique »;

b) définir ce qui constitue une revue savante ou un périodique de nature scientifique ou technique;

c) préciser les renseignements à obtenir concernant les actes accomplis dans le cadre des paragraphes (1) et (5), ainsi que leur mode de conservation;

d) déterminer la façon dont les conditions visées au paragraphe (4) peuvent être remplies.

L.C. 1997, ch. 24, art. 18.

Regulations

(6) The Governor in Council may, for the purposes of this section, make regulations

(*a*) defining "newspaper" and "periodical";

(*b*) defining scholarly, scientific and technical periodicals;

(*c*) prescribing the information to be recorded about any action taken under subsection (1) or (5) and the manner and form in which the information is to be kept; and

(*d*) prescribing the manner and form in which the conditions set out in subsection (4) are to be met.

S.C. 1997, c. 24, s. 18.

Copie d'une oeuvre déposée dans un service d'archives

30.21 (1) Ne constitue pas une violation du droit d'auteur le fait, pour un service d'archives, de reproduire, en conformité avec le paragraphe (3), une oeuvre non publiée déposée auprès de lui après l'entrée en vigueur du présent article.

Copying works deposited in archive

30.21 (1) It is not an infringement of copyright for an archive to make a copy, in accordance with subsection (3), of an unpublished work that is deposited in the archive after the coming into force of this section.

Avis

(2) Au moment du dépôt, le service d'archives doit toutefois aviser le déposant qu'une reproduction de l'oeuvre pourrait être faite en vertu du présent article.

Notice

(2) When a person deposits a work in an archive, the archive must give the person notice that it may copy the work in accordance with this section.

Autres obligations du service d'archives

(3) Il doit, avant de faire la reproduction, s'assurer que :

a) le titulaire du droit d'auteur ne l'a pas interdite au moment où il déposait l'oeuvre;

b) aucun autre titulaire du droit d'auteur ne l'a par ailleurs interdite;

c) la personne à qui elle est destinée la recevra en un seul exemplaire et ne l'utilisera qu'à des fins d'étude privée ou de recherche.

Conditions for copying of works

(3) The archive may only copy the work if

(*a*) the person who deposited the work, if a copyright owner, does not, at the time the work is deposited, prohibit its copying;

(*b*) copying has not been prohibited by any other owner of copyright in the work, and

(*c*) the archive is satisfied that the person for whom it is made will use the copy only for purposes of research or private study and makes only one copy for that person.

Règlements

(4) Le gouverneur en conseil peut, par règlement, préciser la façon dont le service doit s'acquitter des obligations visées au paragraphe (3).

Regulations

(4) The Governor in Council may prescribe the manner and form in which the conditions in subsection (3) may be met.

Titulaire du droit d'auteur introuvable

(5) Dans le cas où il est tenu d'obtenir l'autorisation du titulaire du droit d'auteur pour

Where copyright owner cannot be found

(5) Where an archive requires the consent of the copyright owner to copy an unpublished

faire la reproduction d'une oeuvre non publiée déposée avant l'entrée en vigueur du présent article, le service d'archives peut, s'il ne réussit pas à trouver le titulaire du droit d'auteur, faire des reproductions en conformité avec le paragraphe (3).

work deposited in the archive before the coming into force of this section but is unable to locate the owner, the archive may copy the work in accordance with subsection (3).

Avis

(6) Le service d'archives doit, conformément aux règlements, tenir un registre des reproductions visées au paragraphe (5) et le mettre à la disposition du public.

Notice

(6) The archive must make a record of any copy made under subsection (5) and keep it available for public inspection, as prescribed.

Oeuvres visées au paragraphe 7(4)

(7) Ne constitue pas une violation du droit d'auteur le fait, pour un service d'archives, de reproduire, en conformité avec le paragraphe (3), les oeuvres visées au paragraphe 7(4) qui sont déposées avant l'entrée en vigueur du présent article.

L.C. 1997, ch. 24, art. 18; 1999, ch. 31, art. 60(A).

Posthumous works

(7) It is not an infringement of copyright for an archive to make a copy, in accordance with subsection (3), of any work to which subsection 7(4) applies if it was in the archive on the date of coming into force of this section.

S.C. 1997, c. 24, s. 18; 1999, c. 31, s. 60(E).

Disposition commune aux établissements d'enseignement, bibliothèques, musées ou services d'archives

Reprographie

30.3 (1) Un établissement d'enseignement, une bibliothèque, un musée ou un service d'archives ne viole pas le droit d'auteur dans le cas où :

a) une oeuvre imprimée est reproduite au moyen d'une machine à reprographier;

b) la machine a été installée dans leurs locaux par eux ou avec leur autorisation à l'usage des enseignants ou élèves ou du personnel des établissements d'enseignement ou des usagers des bibliothèques, musées ou services d'archives;

c) l'avertissement réglementaire a été affiché selon les modalités réglementaires.

Machines Installed in Educational Institutions, Libraries, Archives and Museums

No infringement by educational institution, etc.

30.3 (1) An educational institution or a library, archive or museum does not infringe copyright where

(a) a copy of a work is made using a machine for the making, by reprographic reproduction, of copies of works in printed form;

(b) the machine is installed by or with the approval of the educational institution, library, archive or museum on its premises for use by students, instructors or staff at the educational institution or by persons using the library, archive or museum; and

(c) there is affixed in the prescribed manner and location a notice warning of infringement of copyright.

Application

(2) Le paragraphe (1) ne s'applique que si, selon le cas, en ce qui touche la reprographie :

a) ils ont conclu une entente avec une société

Application

(2) Subsection (1) only applies if, in respect of a reprographic reproduction,

(*a*) the educational institution, library, archive or museum has entered into an agree-

de gestion habilitée par le titulaire du droit d'auteur à octroyer des licences;
b) la Commission a fixé, conformément à l'article 70.2, les redevances et les modalités afférentes à une licence;
c) il existe déjà un tarif pertinent homologué en vertu de l'article 70.15;
d) une société de gestion a déposé, conformément à l'article 70.13, un projet de tarif.

Ordonnance

(3) Toutefois, lorsque l'entente mentionnée à l'alinéa (2)*a*) est en cours de négociation ou que la société de gestion offre de négocier une telle entente, la Commission peut, à la demande de l'une des parties, rendre une ordonnance déclarant que le paragraphe (1) s'applique, pour une période donnée, à l'établissement d'enseignement, à la bibliothèque, au musée ou au service d'archives, selon le cas.

Entente conclue avec le titulaire du droit d'auteur

(4) Si l'établissement d'enseignement, la bibliothèque, le musée ou le service d'archives a conclu une entente relative à la reprographie avec un titulaire du droit d'auteur — autre qu'une société de gestion —, le paragraphe (1) ne s'applique qu'aux oeuvres de ce titulaire visées par cette entente.

Règlements

(5) Le gouverneur en conseil peut, par règlement, préciser l'information que doit contenir l'avertissement et la forme qu'il doit prendre, les dimensions de l'affiche où il doit figurer ainsi que le lieu où doit être installée l'affiche.
L.C. 1997, ch. 24, art. 18.

Bibliothèques, musées ou services d'archives faisant partie d'un établissement d'enseignement

Précision

30.4 Il est entendu que les exceptions prévues aux articles 29.4 à 30.3 et 45 s'appli-

ment with a collective society that is authorized by copyright owners to grant licences on their behalf;
(*b*) the Board has, in accordance with section 70.2, fixed the royalties and related terms and conditions in respect of a licence;
(*c*) a tariff has been approved in accordance with section 70.15; or
(*d*) a collective society has filed a proposed tariff in accordance with section 70.13.

Order

(3) Where a collective society offers to negotiate or has begun to negotiate an agreement referred to in paragraph (2)(*a*), the Board may, at the request of either party, order that the educational institution, library, archive or museum be treated as an institution to which subsection (1) applies, during the period specified in the order.

Agreement with copyright owner

(4) Where an educational institution, library, archive or museum has entered into an agreement with a copyright owner other than a collective society respecting reprographic reproduction, subsection (1) applies only in respect of the works of the copyright owner that are covered by the agreement.

Regulations

(5) The Governor in Council may, for the purposes of paragraph (1)*(c)*, prescribe by regulation the manner of affixing and location of notices and the dimensions, form and contents of notices.
S.C. 1997, c. 24, s. 18.

Libraries, Archives and Museums in Educational Institutions

Application to libraries, etc. within educational institutions

30.4 For greater certainty, the exceptions to infringement of copyright provided for under

quent aux bibliothèques, musées ou services d'archives faisant partie d'un établissement d'enseignement.
L.C. 1997, ch. 24, art. 18.

sections 29.4 to 30.3 and 45 also apply in respect of a library, archive or museum that forms part of an educational institution.
S.C. 1997, c. 24, s. 18.

Archives nationales du Canada

Reproduction

30.5 Les Archives nationales du Canada sont autorisées :
a) à reproduire un enregistrement pour le dépôt prévu à l'article 8 de la *Loi sur les Archives nationales du Canada*;
b) à reproduire, aux fins d'archives, les oeuvres ou autres objets du droit d'auteur communiqués au public par télécommunication par une entreprise de radiodiffusion — au sens du paragraphe 2(1) de la *Loi sur la radiodiffusion* — au moment où se fait cette communication.
L.C. 1997, ch. 24, art. 18.

National Archives of Canada

Copies for archival purposes

30.5 The National Archives of Canada may
(a) make a copy of a recording, as defined in section 8 of the *National Archives Act*, for the purposes of that section; and
(b) at the time that a broadcasting undertaking, within the meaning of subsection 2(1) of the *Broadcasting Act*, communicates a work or other subject-matter to the public by telecommunication, make a copy for archival purposes of the work or other subject-matter that is included in that communication.
S.C. 1997, c. 24, s. 18.

Programmes d'ordinateur

Actes licites

30.6 Ne constituent pas des violations du droit d'auteur :
a) le fait, pour le propriétaire d'un exemplaire — autorisé par le titulaire du droit d'auteur — d'un programme d'ordinateur, de produire une seule copie de l'exemplaire par adaptation, modification ou conversion, ou par traduction en un autre langage informatique s'il établit que la copie est destinée à assurer la compatibilité du programme avec un ordinateur donné, qu'elle ne sert qu'à son propre usage et qu'elle est détruite dès qu'il n'est plus propriétaire de l'exemplaire;
b) le fait, pour le propriétaire d'un exemplaire — autorisé par le titulaire du droit d'auteur — d'un programme d'ordinateur, de produire une seule copie de sauvegarde de l'exemplaire ou de la copie visée à l'alinéa *a)* s'il établit qu'elle est détruite dès qu'il n'est plus propriétaire de l'exemplaire.
L.C. 1997, ch. 24, art. 18.

Computer Programs

Permitted acts

30.6 It is not an infringement of copyright in a computer program for a person who owns a copy of the computer program that is authorized by the owner of the copyright to
(a) make a single reproduction of the copy by adapting, modifying or converting the computer program or translating it into another computer language if the person proves that the reproduced copy is
(i) essential for the compatibility of the computer program with a particular computer,
(ii) solely for the person's own use, and
(iii) destroyed immediately after the person ceases to be the owner of the copy; or
(b) make a single reproduction for backup purposes of the copy or of a reproduced copy referred to in paragraph *(a)* if the person proves that the reproduction for backup purposes is destroyed immediately when the person ceases to be the owner of the copy of the computer program.
S.C. 1997, c. 24, s. 18.

Incorporation incidente

Incorporation incidente

30.7 Ne constituent pas des violations du droit d'auteur, s'ils sont accomplis de façon incidente et non délibérée :
a) l'incorporation d'une oeuvre ou de tout autre objet du droit d'auteur dans une autre oeuvre ou un autre objet du droit d'auteur;
b) un acte quelconque en ce qui a trait à l'oeuvre ou l'autre objet du droit d'auteur ainsi incorporés.
L.C. 1997, ch. 24, art. 18.

Enregistrements éphémères

Enregistrements éphémères : entreprise de programmation

30.8 (1) Ne constitue pas une violation du droit d'auteur le fait, pour une entreprise de programmation de fixer ou de reproduire, en conformité avec les autres dispositions du présent article, une oeuvre — sauf une oeuvre cinématographique — ou une prestation d'une telle oeuvre exécutée en direct, ou un enregistrement sonore exécuté en même temps que cette oeuvre ou cette prestation, pourvu que :
a) l'entreprise ait le droit de les communiquer au public par télécommunication;
b) elle réalise la fixation ou la reproduction par ses propres moyens et pour sa propre diffusion;
c) la fixation ou la reproduction ne soit pas synchronisée avec tout ou partie d'une autre oeuvre ou prestation ou d'un autre enregistrement sonore;
d) la fixation ou la reproduction ne soit pas utilisée dans une annonce qui vise à vendre ou promouvoir, selon le cas, un produit, une cause, un service ou une institution.

Registre

(2) L'entreprise doit inscrire, dans un registre qu'elle tient à jour, la date de la fixation ou de la reproduction et, le cas échéant, celle de la destruction, ainsi que tout autre renseignement visé par règlement concernant la fixation ou la reproduction.

Incidental Inclusion

Incidental use

30.7 It is not an infringement of copyright to incidentally and not deliberately
(*a*) include a work or other subject-matter in another work or other subject-matter; or
(*b*) do any act in relation to a work or other subject-matter that is incidentally and not deliberately included in another work or other subject-matter.
S.C. 1997, c. 24, s. 18.

Ephemeral Recordings

Ephemeral recordings

30.8 (1) It is not an infringement of copyright for a programming undertaking to fix or reproduce in accordance with this section a performer's performance or work, other than a cinematographic work, that is performed live or a sound recording that is performed at the same time as the performer's performance or work, if the undertaking
(*a*) is authorized to communicate the performer's performance, work or sound recording to the public by telecommunication;
(*b*) makes the fixation or the reproduction itself, for its own broadcasts;
(*c*) does not synchronize the fixation or reproduction with all or part of another recording, performer's performance or work; and
(*d*) does not cause the fixation or reproduction to be used in an advertisement intended to sell or promote, as the case may be, a product, service, cause or institution.

Record keeping

(2) The programming undertaking must record the dates of the making and destruction of all fixations and reproductions and any other prescribed information about the fixation or reproduction, and keep the record current.

Inspection
(3) Elle met ce registre à la disposition du titulaire du droit d'auteur ou de son représentant pour inspection dans les vingt-quatre heures qui suivent la réception d'une demande à cet effet.

Right of access by copyright owners
(3) The programming undertaking must make the record referred to in subsection (2) available to owners of copyright in the works, sound recordings or performer's performances, or their representatives, within twenty-four hours after receiving a request.

Destruction
(4) Elle est tenue de détruire la fixation ou la reproduction dans les trente jours de sa réalisation, sauf si elle reçoit l'autorisation à l'effet contraire du titulaire du droit d'auteur ou si elle a fait le dépôt visé au paragraphe (6).

Destruction
(4) The programming undertaking must destroy the fixation or reproduction within thirty days after making it, unless
(*a*) the copyright owner authorizes its retention; or
(*b*) it is deposited in an archive, in accordance with subsection (6).

Autorisation accordée
(5) Lorsque le titulaire du droit d'auteur l'autorise à garder la fixation ou la reproduction au-delà du délai de trente jours, elle doit verser les redevances afférentes, le cas échéant.

Royalties
(5) Where the copyright owner authorizes the fixation or reproduction to be retained after the thirty days, the programming undertaking must pay any applicable royalty.

Dépôt aux archives
(6) Si elle estime que la fixation ou la reproduction réalisée dans les conditions visées au paragraphe (1) présente un caractère documentaire exceptionnel, l'entreprise peut, avec le consentement des archives officielles, la déposer auprès de celles-ci. Le cas échéant, elle avise le titulaire du droit d'auteur du dépôt dans les trente jours qui suivent.

Archive
(6) Where the programming undertaking considers a fixation or reproduction to be of an exceptional documentary character, the undertaking may, with the consent of an official archive, deposit it in the official archive and must notify the copyright owner, within thirty days, of the deposit of the fixation or reproduction.

Définition de «archives officielles»
(7) Au paragraphe (6), «archives officielles» s'entend des Archives nationales du Canada et des établissements qui sont constitués en vertu d'une loi provinciale pour la conservation des archives officielles de la province.

Definition of "official archive"
(7) In subsection (6), "official archive" means the National Archives of Canada or any archive established under the law of a province for the preservation of the official archives of the province.

Non-application
(8) Le présent article ne s'applique pas dans les cas où l'entreprise peut obtenir, par l'intermédiaire d'une société de gestion, une licence l'autorisant à faire une telle fixation ou reproduction.

Application
(8) This section does not apply where a licence is available from a collective society to make the fixation or reproduction of the performer's performance, work or sound recording.

Entreprise de radiodiffusion
(9) Pendant la période visée au paragraphe (4), une entreprise de radiodiffusion au sens

Telecommunications by networks
(9) A broadcasting undertaking, as defined in the *Broadcasting Act*, may make a single re-

de la *Loi sur la radiodiffusion* peut, si elle fait partie d'un réseau désigné par règlement dont fait aussi partie l'entreprise de programmation et pourvu qu'elle remplisse les conditions visées au paragraphe (1), faire une seule reproduction de cette fixation ou reproduction et la communiquer au public par télécommunication.

production of a fixation or reproduction made by a programming undertaking and communicate it to the public by telecommunication, within the period referred to in subsection (4), if the broadcasting undertaking meets the conditions set out in subsection (1) and is part of a prescribed network that includes the programming undertaking.

Application des paragraphes (2) à (6)

(10) Le cas échéant, les paragraphes (2) à (6) s'appliquent, les délais en cause étant calculés à compter de la date de la réalisation de la fixation ou reproduction par l'entreprise de programmation.

Limitations

(10) The reproduction and communication to the public by telecommunication must be made

(*a*) in accordance with subsections (2) to (6); and

(*b*) within thirty days after the day on which the programming undertaking made the fixation or reproduction.

Définition de «entreprise de programmation»

(11) Pour l'application du présent article, «entreprise de programmation» s'entend, selon le cas :

a) au sens de la *Loi sur la radiodiffusion*;

b) d'une telle entreprise qui produit des émissions dans le cadre d'un réseau au sens de cette loi;

c) d'une entreprise de distribution, au sens de la même loi, pour les émissions qu'elle produit elle-même.

Dans tous les cas, elle doit être titulaire d'une licence de radiodiffusion délivrée, en vertu toujours de la même loi, par le Conseil de la radiodiffusion et des télécommunications canadiennes.

L.C. 1997, ch. 24, art. 18.

Definition of "programming undertaking"

(11) In this section, "programming undertaking" means

(*a*) a programming undertaking as defined in subsection 2(1) of the *Broadcasting Act*;

(*b*) a programming undertaking described in paragraph (*a*) that originates programs within a network, as defined in subsection 2(1) of the *Broadcasting Act*; or

(*c*) a distribution undertaking as defined in subsection 2(1) of the *Broadcasting Act*, in respect of the programs that it originates.

The undertaking must hold a broadcasting licence issued by the Canadian Radio-television and Telecommunications Commission under the *Broadcasting Act*.

S.C. 1997, c. 24, s. 18.

Enregistrements éphémères : entreprises de radiodiffusion

30.9 (1) Ne constitue pas une violation du droit d'auteur le fait pour une entreprise de radiodiffusion de reproduire, en conformité avec les autres dispositions du présent article, un enregistrement sonore ou une prestation ou oeuvre fixée au moyen d'un enregistrement sonore aux seules fins de les transposer sur un support en vue de leur radiodiffusion, pourvu que :

a) elle en soit le propriétaire et qu'il s'agisse

Pre-recorded recordings

30.9 (1) It is not an infringement of copyright for a broadcasting undertaking to reproduce in accordance with this section a sound recording, or a performer's performance or work that is embodied in a sound recording, solely for the purpose of transferring it to a format appropriate for broadcasting, if the undertaking

(*a*) owns the copy of the sound recording, performer's performance or work and that

d'exemplaires autorisés par le titulaire du droit d'auteur;

b) elle ait le droit de les communiquer au public par télécommunication;

c) elle réalise la reproduction par ses propres moyens et pour sa propre diffusion;

d) la reproduction ne soit pas synchronisée avec tout ou partie d'une autre oeuvre ou prestation ou d'un autre enregistrement sonore;

e) elle ne soit pas utilisée dans une annonce qui vise à vendre ou promouvoir, selon le cas, un produit, une cause, un service ou une institution.

Registre

(2) L'entreprise doit inscrire, dans un registre qu'elle tient à jour, la date de la reproduction ainsi que, le cas échéant, celle de la destruction, ainsi que tout autre renseignement visé par règlement concernant la reproduction.

Inspection

(3) Elle met ce registre à la disposition du titulaire du droit d'auteur ou de son représentant pour inspection dans les vingt-quatre heures qui suivent la réception d'une demande à cet effet.

Destruction

(4) Elle est tenue — sauf autorisation à l'effet contraire du titulaire du droit d'auteur — de détruire la reproduction dans les trente jours de sa réalisation ou, si elle est antérieure, à la date où l'enregistrement sonore ou la prestation ou oeuvre fixée au moyen d'un enregistrement sonore n'est plus en sa possession.

Autorisation du titulaire

(5) Lorsque le titulaire du droit d'auteur l'autorise à garder la reproduction, elle doit verser les redevances afférentes, le cas échéant.

Non-application

(6) Le présent article ne s'applique pas dans les cas où l'entreprise peut obtenir, par l'in-

copy is authorized by the owner of the copyright;

(*b*) is authorized to communicate the sound recording, performer's performance or work to the public by telecommunication;

(*c*) makes the reproduction itself, for its own broadcasts;

(*d*) does not synchronize the reproduction with all or part of another recording, performer's performance or work; and

(*e*) does not cause the reproduction to be used in an advertisement intended to sell or promote, as the case may be, a product, service, cause or institution.

Record keeping

(2) The broadcasting undertaking must record the dates of the making and destruction of all reproductions and any other prescribed information about the reproduction, and keep the record current.

Right of access by copyright owners

(3) The broadcasting undertaking must make the record referred to in subsection (2) available to owners of copyright in the sound recordings, performer's performances or works, or their representatives, within twenty-four hours after receiving a request.

Destruction

(4) The broadcasting undertaking must destroy the reproduction when it no longer possesses the sound recording or performer's performance or work embodied in the sound recording, or at the latest within thirty days after making the reproduction, unless the copyright owner authorizes the reproduction to be retained.

Royalty

(5) If the copyright owner authorizes the reproduction to be retained, the broadcasting undertaking must pay any applicable royalty.

Application

(6) This section does not apply if a licence is available from a collective society to repro-

termédiaire d'une société de gestion, une licence l'autorisant à faire une telle reproduction.

duce the sound recording, performer's performance or work.

Définition de « entreprise de radiodiffusion »

(7) Pour l'application du présent article, « entreprise de radiodiffusion » s'entend d'une entreprise de radiodiffusion, au sens de la *Loi sur la radiodiffusion*, qui est titulaire d'une licence de radiodiffusion délivrée par le Conseil de la radiodiffusion et des télécommunications canadiennes en vertu de cette loi.
L.C. 1997, ch. 24, art. 18.

Definition of "broadcasting undertaking"

(7) In this section, "broadcasting undertaking" means a broadcasting undertaking as defined in subsection 2(1) of the *Broadcasting Act* that holds a broadcasting licence issued by the Canadian Radio-television and Telecommunications Commission under that Act.
S.C. 1997, c. 24, s. 18.

Retransmission

Définitions

31. (1) Les définitions qui suivent s'appliquent au présent article.

«oeuvre» ***French version only***
«oeuvre» Oeuvre littéraire, dramatique, musicale ou artistique.

«retransmetteur» ***"retransmitter"***
«retransmetteur» Ne vise pas la personne qui utilise les ondes hertziennes pour retransmettre un signal mais dont l'activité n'est pas comparable à celle d'un système de retransmission par fil.

«signal» ***"signal"***
«signal» Tout signal porteur d'une oeuvre transmis à titre gratuit au public par une station terrestre de radio ou de télévision.

Retransmission

Interpretation

31. (1) In this section,

"retransmitter" ***«retransmetteur»***
"retransmitter" does not include a person who uses Hertzian waves to retransmit a signal but does not perform a function comparable to that of a cable retransmission system;

"signal" ***«signal»***
"signal" means a signal that carries a literary, dramatic, musical or artistic work and is transmitted for free reception by the public by a terrestrial radio or terrestrial television station.

Retransmission d'un signal local

(2) Ne constitue pas une violation du droit d'auteur la communication, au public, par télécommunication, d'une oeuvre, lorsqu'elle consiste en la retransmission d'un signal local ou éloigné, selon le cas, celle-ci étant licite en vertu de la *Loi sur la radiodiffusion*, que le signal est retransmis, sauf obligation ou permission légale ou réglementaire, intégralement et simultanément et que, dans le cas de la retransmission d'un signal éloigné, le retransmetteur a acquitté les redevances et respecté les modalités fixées sous le régime de la présente loi.

Retransmission of local signals

(2) It is not an infringement of copyright to communicate to the public by telecommunication any literary, dramatic, musical or artistic work if,

(*a*) the communication is a retransmission of a local or distant signal;

(*b*) the retransmission is lawful under the *Broadcasting Act*;

(*c*) the signal is retransmitted simultaneously and in its entirety, except as otherwise required or permitted by or under the laws of Canada; and

(*d*) in the case of the retransmission of a distant signal, the retransmitter has paid any royalties, and complied with any terms and conditions, fixed under this Act.

Règlement
(3) Le gouverneur en conseil peut, par règlement, définir «signal local» et «signal éloigné».
[Lors de l'entrée en vigueur de L.C. 1997, ch. 24, art. 16, l'article 28.01 est devenu l'article 31.]
L.R.C. 1985, ch. C-42, art. 31; ch. 10 (4e suppl.), art. 7; L.C. 1988, ch. 65, art. 63; 1997, c. 24, art. 16, 52(F).

Regulations
(3) The Governor in Council may make regulations defining "local signal" and "distant signal" for the purposes of this section.
[When S.C. 1997, c. 24, s. 16 came into force, section 28.01 was renumbered as section 31.]
R.S.C. 1985, c. C-42, s. 31; c. 10 (4th Supp.), s. 7; S.C. 1988, c. 65, s. 63; 1997, c. 24, ss. 16, 52(F).

Personnes ayant des déficiences perceptuelles

Persons with Perceptual Disabilities

Production d'un exemplaire sur un autre support
32. (1) Ne constitue pas une violation du droit d'auteur le fait pour une personne agissant à la demande d'une personne ayant une déficience perceptuelle, ou pour un organisme sans but lucratif agissant dans l'intérêt de cette dernière, de se livrer à l'une des activités suivantes :
a) la production d'un exemplaire ou d'un enregistrement sonore d'une oeuvre littéraire, dramatique — sauf cinématographique —, musicale ou artistique sur un support destiné aux personnes ayant une déficience perceptuelle;
b) la traduction, l'adaptation ou la reproduction en langage gestuel d'une oeuvre littéraire ou dramatique — sauf cinématographique — fixée sur un support pouvant servir aux personnes ayant une déficience perceptuelle;
c) l'exécution en public en langage gestuel d'une oeuvre littéraire ou dramatique — sauf cinématographique — ou l'exécution en public d'une telle oeuvre fixée sur un support pouvant servir aux personnes ayant une déficience perceptuelle.

Reproduction in alternate format
32. (1) It is not an infringement of copyright for a person, at the request of a person with a perceptual disability, or for a non-profit organization acting for his or her benefit, to
(*a*) make a copy or sound recording of a literary, musical, artistic or dramatic work, other than a cinematographic work, in a format specially designed for persons with a perceptual disability;
(*b*) translate, adapt or reproduce in sign language a literary or dramatic work, other than a cinematographic work, in a format specially designed for persons with a perceptual disability; or
(*c*) perform in public a literary or dramatic work, other than a cinematographic work, in sign language, either live or in a format specially designed for persons with a perceptual disability.

Exception
(2) Le paragraphe (1) n'a pas pour effet de permettre la production d'un livre imprimé en gros caractères.

Limitation
(2) Subsection (1) does not authorize the making of a large print book.

Existence d'exemplaires sur le marché
(3) Le paragraphe (1) ne s'applique pas si l'oeuvre ou l'enregistrement sonore de l'oeuvre est accessible sur le marché sur un

Limitation
(3) Subsection (1) does not apply where the work or sound recording is commercially available in a format specially designed to

tel support, selon l'alinéa *a)* de la définition « accessible sur le marché ».
L.R.C. 1985, ch. C-42, art. 32; ch. 10 (4e suppl.), art. 7; L.C. 1997, ch. 24, art. 19.

meet the needs to any person referred to in that subsection, within the meaning of paragraph (*a*) of the definition "commercially available".
R.S.C. 1985, c. C-42, s. 32; c. 10 (4th Supp.), s. 7; S.C. 1997, c. 24, s. 19.

Obligations découlant de la loi

Non-violation

32.1 (1) Ne constituent pas des violations du droit d'auteur :

a) la communication de documents effectuée en vertu de la *Loi sur l'accès à l'information* ou la communication de documents du même genre effectuée en vertu d'une loi provinciale d'objet comparable;

b) la communication de renseignements personnels effectuée en vertu de la *Loi sur la protection des renseignements personnels* ou la communication de renseignements du même genre effectuée en vertu d'une loi provinciale d'objet comparable;

c) la reproduction d'un objet visé à l'article 14 de la *Loi sur l'exportation et l'importation de biens culturels* pour dépôt dans un établissement selon les directives données conformément à cet article;

d) la fixation ou la reproduction d'une oeuvre ou de tout autre objet du droit d'auteur destinée à répondre à une exigence de la *Loi sur la radiodiffusion* ou de ses textes d'application.

Restriction s'appliquant aux alinéas (1)*a)* et *b)*

(2) Les alinéas (1)*a)* et *b)* n'autorisent pas les personnes qui reçoivent communication de documents ou renseignements à exercer les droits que la présente loi ne confère qu'au titulaire d'un droit d'auteur.

Restriction s'appliquant à l'alinéa (1)*d)*

(3) Sauf disposition contraire de la *Loi sur la radiodiffusion*, la personne qui a produit la fixation ou la reproduction visée à l'alinéa (1)*d)* doit détruire l'exemplaire à l'expiration de la période de conservation prévue par cette loi ou ses textes d'application.
L.C. 1997, ch. 24, art. 19.

Statutory Obligations

No infringement

32.1 (1) It is not an infringement of copyright for any person

(*a*) to disclose, pursuant to the *Access to Information Act*, a record within the meaning of that Act, or to disclose, pursuant to any like Act of the legislature of a province, like material;

(*b*) to disclose, pursuant to the *Privacy Act*, personal information within the meaning of that Act, or to disclose, pursuant to any like Act of the legislature of a province, like information;

(*c*) to make a copy of an object referred to in section 14 of the *Cultural Property Export and Import Act*, for deposit in an institution pursuant to a direction under that section; and

(*d*) to make a fixation or copy of a work or other subject-matter in order to comply with the *Broadcasting Act* or any rule, regulation or other instrument made under it.

Limitation

(2) Nothing in paragraph (1)*(a)* or *(b)* authorizes a person to whom a record or information is disclosed to do anything that, by this Act, only the owner of the copyright in the record, personal information or like information, as the case may be, has a right to do.

Destruction of fixation or copy

(3) Unless the *Broadcasting Act* otherwise provides, a person who makes a fixation or copy under paragraph (1)*(d)* shall destroy it immediately on the expiration of the period for which it must be kept pursuant to that Act, rule, regulation or other instrument.
S.C. 1997, c. 24, s. 19.

Autres cas de non-violation

Actes licites

32.2 (1) Ne constituent pas des violations du droit d'auteur :

a) l'utilisation, par l'auteur d'une oeuvre artistique, lequel n'est pas titulaire du droit d'auteur sur cette oeuvre, des moules, moulages, esquisses, plans, modèles ou études qu'il a faits en vue de la création de cette oeuvre, à la condition de ne pas en répéter ou imiter par là les grandes lignes;

b) la reproduction dans une peinture, un dessin, une gravure, une photographie ou une oeuvre cinématographique :

(i) d'une oeuvre architecturale, à la condition de ne pas avoir le caractère de dessins ou plans architecturaux,

(ii) d'une sculpture ou d'une oeuvre artistique due à des artisans, ou d'un moule ou modèle de celles-ci, érigées en permanence sur une place publique ou dans un édifice public;

c) la production ou la publication, pour des comptes rendus d'événements d'actualité ou des revues de presse, du compte rendu d'une conférence faite en public, à moins qu'il n'ait été défendu d'en rendre compte par un avis écrit ou imprimé et visiblement affiché, avant et pendant la conférence, à la porte ou près de la porte d'entrée principale de l'édifice où elle a lieu; l'affiche doit encore être posée près du conférencier, sauf lorsqu'il parle dans un édifice servant, à ce moment, à un culte public;

d) la lecture ou récitation en public, par une personne, d'un extrait, de longueur raisonnable, d'une oeuvre publiée;

e) la production ou la publication, pour des comptes rendus d'événements d'actualité ou des revues de presse, du compte rendu d'une allocution de nature politique prononcée lors d'une assemblée publique.

Miscellaneous

Permitted acts

32.2 (1) It is not an infringement of copyright

(a) for an author of an artistic work who is not the owner of the copyright in the work to use any mould, cast, sketch, plan, model or study made by the author for the purpose of the work, if the author does not thereby repeat or imitate the main design of the work;

(b) for any person to reproduce, in a painting, drawing, engraving, photograph or cinematographic work

(i) an architectural work, provided the copy is not in the nature of an architectural drawing or plan, or

(ii) a sculpture or work of artistic craftsmanship or a cast or model of a sculpture or work of artistic craftsmanship, that is permanently situated in a public place or building;

(c) for any person to make or publish, for the purposes of news reporting or news summary, a report of a lecture given in public, unless the report is prohibited by conspicuous written or printed notice affixed before and maintained during the lecture at or about the main entrance of the building in which the lecture is given, and, except while the building is being used for public worship, in a position near the lecturer;

(d) for any person to read or recite in public a reasonable extract from a published work; or

(e) for any person to make or publish, for the purposes of news reporting or news summary, a report of an address of a political nature given at a public meeting.

Actes licites

(2) Ne constituent pas des violations du droit d'auteur les actes ci-après, s'ils sont accomplis sans intention de gain, à une exposition ou foire agricole ou industrielle et agricole, qui reçoit une subvention fédérale, provinciale ou municipale, ou est tenue par ses ad-

Further permitted acts

(2) It is not an infringement of copyright for a person to do any of the following acts without motive of gain at any agricultural or agricultural-industrial exhibition or fair that receives a grant from or is held by its directors under federal, provincial or municipal authority:

eurs en vertu d'une autorisation fé- ovinciale ou municipale :
ution, en direct et en public, d'une nusicale;
b) l'exécution en public tant de l'enregistrement sonore que de l'oeuvre musicale ou de la prestation de l'oeuvre musicale qui le constituent;
c) l'exécution en public du signal de communication porteur :
(i) de l'exécution, en direct et en public, d'une oeuvre musicale,
(ii) tant de l'enregistrement sonore que de l'oeuvre musicale ou de la prestation d'une oeuvre musicale qui le constituent.

(a) the live performance in public of a musical work;
(b) the performance in public of a sound recording embodying a musical work or a performer's performance of a musical work; or
(c) the performance in public of a communication signal carrying
(i) the live performance in public of a musical work, or
(ii) a sound recording embodying a musical work or a performer's performance of a musical work.

Actes licites

(3) Les organisations ou institutions religieuses, les établissements d'enseignement et les organisations charitables ou fraternelles ne sont pas tenus de payer une compensation si les actes suivants sont accomplis dans l'intérêt d'une entreprise religieuse, éducative ou charitable :
a) l'exécution, en direct et en public, d'une oeuvre musicale;
b) l'exécution en public tant de l'enregistrement sonore que de l'oeuvre musicale ou de la prestation de l'oeuvre musicale qui le constituent;
c) l'exécution en public du signal de communication porteur :
(i) de l'exécution, en direct et en public, d'une oeuvre musicale,
(ii) tant de l'enregistrement sonore que de l'oeuvre musicale ou de la prestation d'une oeuvre musicale qui le constituent.
L.C. 1997, ch. 24, art. 19.

Further permitted acts

(3) No religious organization or institution, educational institution and no charitable or fraternal organization shall be held liable to pay any compensation for doing any of the following acts in furtherance of a religious, educational or charitable object:
(a) the live performance in public of a musical work;
(b) the performance in public of a sound recording embodying a musical work or a performer's performance of a musical work; or
(c) the performance in public of a communication signal carrying
(i) the live performance in public of a musical work, or
(ii) a sound recording embodying a musical work or a performer's performance of a musical work.
S.C. 1997, c. 24, s. 19.

INTERPRÉTATION

Précision

32.3 Pour l'application des articles 29 à 32.2, un acte qui ne constitue pas une violation du droit d'auteur ne donne pas lieu au droit à rémunération conféré par l'article 19.
L.C. 1997, ch. 24, art. 19.

INTERPRETATION

No right to equitable remuneration

32.3 For the purposes of sections 29 to 32.2, an act that does not infringe copyright does not give rise to a right to remuneration conferred by section 19.
S.C. 1997, c. 24, s. 19.

INDEMNISATION POUR ACTE ANTÉRIEUR À LA RECONNAISSANCE DU DROIT D'AUTEUR DES ARTISTES-INTERPRÈTES ET DES RADIODIFFUSEURS

Protection de certains droits et intérêts

32.4 (1) Par dérogation à l'article 27, lorsque, avant le 1er janvier 1996 ou, si elle est postérieure, la date où un pays devient membre de l'OMC, une personne a fait des dépenses ou contracté d'autres obligations relatives à l'exécution d'un acte qui, accompli après cette date, violerait le droit d'auteur conféré par l'article 26, le seul fait que ce pays soit devenu membre de l'OMC ne porte pas atteinte aux droits ou intérêts de cette personne, qui, d'une part, sont nés ou résultent de l'exécution de cet acte et, d'autre part, sont appréciables en argent à cette date, sauf dans la mesure prévue par une ordonnance de la Commission rendue en application du paragraphe 78(3).

Indemnisation

(2) Toutefois, les droits ou intérêts protégés en application du paragraphe (1) s'éteignent lorsque le titulaire du droit d'auteur verse à cette personne une indemnité convenue par les deux parties, laquelle, à défaut d'entente, est déterminée par la Commission conformément à l'article 78.

Réserve

(3) Les paragraphes (1) et (2) ne portent pas atteinte aux droits dont dispose l'artiste-interprète en droit ou en equity.
L.C. 1997, ch. 24, art. 19.

Protection de certains droits et intérêts

32.5 (1) Par dérogation à l'article 27, lorsque, avant la date d'entrée en vigueur de la partie II ou, si elle est postérieure, la date où un pays devient partie à la Convention de Rome, une personne a fait des dépenses ou contracté d'autres obligations relatives à l'exécution d'un acte qui, s'il était accompli après cette date, violerait le droit d'auteur conféré par les articles 15 ou 21, le seul fait que la partie II soit entrée en vigueur ou que

COMPENSATION FOR ACTS DONE BEFORE RECOGNITION OF COPYRIGHT OF PERFORMERS AND BROADCASTERS

Certain rights and interests protected

32.4 (1) Notwithstanding section 27, where a person has, before the later of January 1, 1996 and the day on which a country becomes a WTO member, incurred an expenditure or liability in connection with, or in preparation for, the doing of an act that would have infringed copyright under section 26 commencing on the later of those days, had that country been a WTO member, any right or interest of that person that

(a) arises from or in connection with the doing of that act, and

(b) is subsisting and valuable on the later of those days

is not prejudiced or diminished by reason only that that country has become a WTO member, except as provided by an order of the Board made under subsection 78(3).

Compensation

(2) Notwithstanding subsection (1), a person's right or interest that is protected by that subsection terminates if and when the owner of the copyright pays that person such compensation as is agreed to between the parties or, failing agreement, as is determined by the Board in accordance with section 78.

Limitation

(3) Nothing in subsections (1) and (2) affects any right of a performer available in law or equity.
S.C. 1997, c. 24, s. 19.

Certain rights and interests protected

32.5 (1) Notwithstanding section 27, where a person has, before the later of the coming into force of Part II and the day on which a country becomes a Rome Convention country, incurred an expenditure or liability in connection with, or in preparation for, the doing of an act that would have infringed copyright under section 15 or 21 commencing on the later of those days, had Part II been in force or had that country been a Rome Convention country, any right

le pays soit devenu partie à la Convention de Rome ne porte pas atteinte aux droits ou intérêts de cette personne, qui, d'une part, sont nés ou résultent de l'exécution de cet acte et, d'autre part, sont appréciables en argent à cette date, sauf dans la mesure prévue par une ordonnance de la Commission rendue en application du paragraphe 78(3).

or interest of that person that
(*a*) arises from or in connection with the doing of that act, and
(*b*) is subsisting and valuable on the later of those days
is not prejudiced or diminished by reason only that Part II has come into force or that the country has become a Rome Convention country, except as provided by an order of the Board made under subsection 78(3).

Indemnisation
(2) Toutefois, les droits ou intérêts protégés en application du paragraphe (1) s'éteignent lorsque le titulaire du droit d'auteur verse à cette personne une indemnité convenue par les deux parties, laquelle, à défaut d'entente, est déterminée par la Commission conformément à l'article 78.

Compensation
(2) Notwithstanding subsection (1), a person's right or interest that is protected by that subsection terminates if and when the owner of the copyright pays that person such compensation as is agreed to between the parties or, failing agreement, as is determined by the Board in accordance with section 78.

Réserve
(3) Les paragraphes (1) et (2) ne portent pas atteinte aux droits dont dispose l'artiste-interprète en droit ou en equity.
L.C. 1997, ch. 24, art. 19.

Limitation
(3) Nothing in subsections (1) and (2) affects any right of a performer available in law or equity.
S.C. 1997, c. 24, s. 19.

INDEMNISATION POUR ACTE ANTÉRIEUR À LA RECONNAISSANCE DU DROIT D'AUTEUR OU DES DROITS MORAUX

Protection de certains droits et intérêts
33. (1) Par dérogation aux paragraphes 27(1), (2) et (4) et aux articles 27.1, 28.1 et 28.2, lorsque, avant le 1er janvier 1996 ou, si elle est postérieure, la date où un pays devient un pays signataire, une personne a fait des dépenses ou contracté d'autres obligations relatives à l'exécution d'un acte qui, accompli après cette date, violerait le droit d'auteur du titulaire ou les droits moraux de l'auteur, le seul fait que ce pays soit devenu un pays signataire ne porte pas atteinte aux droits ou intérêts de cette personne, qui, d'une part, sont nés ou résultent de l'exécution de cet acte et, d'autre part, sont appréciables en argent à cette date, sauf dans la mesure prévue par une ordonnance de la Commission rendue en application du paragraphe 78(3).

COMPENSATION FOR ACTS DONE BEFORE RECOGNITION OF COPYRIGHT OR MORAL RIGHTS

Certain rights and interests protected
33. (1) Notwithstanding subsections 27(1), (2) and (4) and sections 27.1, 28.1 and 28.2, where a person has, before the later of January 1, 1996 and the day on which a country becomes a treaty country, incurred an expenditure or liability in connection with, or in preparation for, the doing of an act that would have infringed a copyright owner's copyright or an author's moral rights had that country been a treaty country, any right or interest of that person that
(a) arises from or in connection with the doing of that act, and
(b) is subsisting and valuable on the latest of those days
is not prejudiced or diminished by reason only that that country has become a treaty country, except as provided by an order of the Board made under subsection 78(3).

Indemnisation

(2) Toutefois, les droits ou intérêts protégés en application du paragraphe (1) s'éteignent à l'égard du titulaire ou de l'auteur lorsque l'un ou l'autre, selon le cas, verse à cette personne une indemnité convenue par les deux parties, laquelle, à défaut d'entente, est déterminée par la Commission conformément à l'article 78.

L.R.C. 1985, ch. C-42, art. 33; ch. 10 (4e suppl.), art. 7; L.C. 1997, ch. 24, art. 19.

Compensation

(2) Notwithstanding subsection (1), a person's right or interest that is protected by that subsection terminates, as against the copyright owner or author, if and when that copyright owner or author, as the case may be, pays that person such compensation as is agreed to between the parties or, failing agreement, as is determined by the Board in accordance with section 78.

R.S.C. 1985, c. C-42, s. 33; c. 10 (4th Supp.), s. 7; S.C. 1997, c. 24, s. 19.

PARTIE IV
RECOURS

RECOURS CIVILS

Droit d'auteur

34. (1) En cas de violation d'un droit d'auteur, le titulaire du droit est admis, sous réserve des autres dispositions de la présente loi, à exercer tous les recours — en vue notamment d'une injonction, de dommages-intérêts, d'une reddition de compte ou d'une remise — que la loi accorde ou peut accorder pour la violation d'un droit.

Droits moraux

(2) Le tribunal, saisi d'un recours en violation des droits moraux, peut accorder à l'auteur ou au titulaire des droits moraux visé au paragraphe 14.2(2) ou (3), selon le cas, les réparations qu'il pourrait accorder, par voie d'injonction, de dommages-intérêts, de reddition de compte, de remise ou autrement, et que la loi prévoit ou peut prévoir pour la violation d'un droit.

Frais

(3) Les frais de toutes les parties à des procédures relatives à la violation d'un droit prévu par la présente loi sont à la discrétion du tribunal.

Requête ou action

(4) Les procédures suivantes peuvent être engagées ou continuées par une requête ou une action :

PART IV
REMEDIES

CIVIL REMEDIES

Copyright

34. (1) Where copyright has been infringed, the owner of the copyright is, subject to this Act, entitled to all remedies by way of injunction, damages, accounts, delivery up and otherwise that are or may be conferred by law for the infringement of a right.

Moral rights

(2) In any proceedings for an infringement of a moral right of an author, the court may grant to the author or to the person who holds the moral rights by virtue of subsection 14.2(2) or (3), as the case may be, all remedies by way of injunction, damages, accounts, delivery up and otherwise that are or may be conferred by law for the infringement of a right.

Costs

(3) The costs of all parties in any proceedings in respect of the infringement of a right conferred by this Act shall be in the discretion of the court.

Summary proceedings

(4) The following proceedings may be commenced or proceeded with by way of application or action and shall, in the case of an ap-

a) les procédures pour violation du droit d'auteur ou des droits moraux;
b) les procédures visées aux articles 44.1, 44.2 ou 44.4;
c) les procédures relatives aux tarifs homologués par la Commission en vertu des parties VII et VIII ou aux ententes visées à l'article 70.12.
Le tribunal statue sur les requêtes sans délai et suivant une procédure sommaire.

plication, be heard and determined without delay and in a summary way:
(*a*) proceedings for infringement of copyright or moral rights;
(*b*) proceedings taken under section 44.1, 44.2 or 44.4; and
(*c*) proceedings taken in respect of
(i) a tariff certified by the Board under Part VII or VIII, or
(ii) agreements referred to in section 70.12.

Règles applicables

(5) Les requêtes visées au paragraphe (4) sont, en matière civile, régies par les règles de procédure et de pratique du tribunal saisi des requêtes si ces règles ne prévoient pas que les requêtes doivent être jugées sans délai et suivant une procédure sommaire. Le tribunal peut, dans chaque cas, donner les instructions qu'il estime indiquées à cet effet.

Practice and procedure

(5) The rules of practice and procedure, in civil matters, of the court in which proceedings are commenced by way of application apply to those proceedings, but where those rules do not provide for the proceedings to be heard and determined without delay and in a summary way, the court may give such directions as it considers necessary in order to so provide.

Actions

(6) Le tribunal devant lequel les procédures sont engagées par requête peut, s'il l'estime indiqué, ordonner que la requête soit instruite comme s'il s'agissait d'une action.

Actions

(6) The court in which proceedings are instituted by way of application may, where it considers it appropriate, direct that the proceeding be proceeded with as an action.

Définition de «requête»

(7) Au présent article, «requête» s'entend d'une procédure engagée autrement que par un bref ou une déclaration.
L.R.C. 1985, ch. C-42, art. 34; ch. 10 (4e suppl.), art. 8; L.C. 1993, ch. 15, art. 3(A); ch. 44, art. 65; 1994, ch. 47, art. 62; 1997, c. 24, art. 20.

Meaning of "application"

(7) In this section, "application" means a proceeding that is commenced other than by way of a writ or statement of claim.
R.S.C. 1985, c. C-42, s. 34; 1985, c. 10 (4th Supp.), s. 8; S.C. 1993, c. 15, s. 3(E); c. 44, s. 65; 1994, c. 47, s. 62; 1997, c. 24, s. 20.

Présomption de propriété

34.1 (1) Dans toute procédure pour violation du droit d'auteur, si le défendeur conteste l'existence du droit d'auteur ou la qualité du demandeur :
a) l'oeuvre, la prestation, l'enregistrement sonore ou le signal de communication, selon le cas, est, jusqu'à preuve contraire, présumé être protégé par le droit d'auteur;
b) l'auteur, l'artiste-interprète, le producteur ou le radiodiffuseur, selon le cas, est, jusqu'à

Presumptions respecting copyright and ownership

34.1 (1) In any proceedings for infringement of copyright in which the defendant puts in issue either the existence of the copyright or the title of the plaintiff thereto,
(a) copyright shall be presumed, unless the contrary is proved, to subsist in the work, performer's performance, sound recording or communication signal, as the case may be; and
(b) the author, performer, maker or broad-

preuve contraire, réputé être titulaire de ce droit d'auteur.

caster, as the case may be, shall, unless the contrary is proved, be presumed to be the owner of the copyright.

Aucun enregistrement

(2) Dans toute contestation de cette nature, lorsque aucun acte de cession du droit d'auteur ni aucune licence concédant un intérêt dans le droit d'auteur n'a été enregistré sous l'autorité de la présente loi :

a) si un nom paraissant être celui de l'auteur de l'oeuvre, de l'artiste-interprète de la prestation, du producteur de l'enregistrement sonore ou du radiodiffuseur du signal de communication y est imprimé ou autrement indiqué, de la manière habituelle, la personne dont le nom est ainsi imprimé ou indiqué est, jusqu'à preuve contraire, présumée être l'auteur, l'artiste-interprète, le producteur ou le radiodiffuseur;

b) si aucun nom n'est imprimé ou indiqué de cette façon, ou si le nom ainsi imprimé ou indiqué n'est pas le véritable nom de l'auteur, de l'artiste-interprète, du producteur ou du radiodiffuseur, selon le cas, ou le nom sous lequel il est généralement connu, et si un nom paraissant être celui de l'éditeur ou du titulaire du droit d'auteur y est imprimé ou autrement indiqué de la manière habituelle, la personne dont le nom est ainsi imprimé ou indiqué est, jusqu'à preuve contraire, présumée être le titulaire du droit d'auteur en question;

c) si un nom paraissant être celui du producteur d'une oeuvre cinématographique y est indiqué de la manière habituelle, cette personne est présumée, jusqu'à preuve contraire, être le producteur de l'oeuvre.

L.C. 1997, ch. 24, art. 20.

Where no grant registered

(2) Where any matter referred to in subsection (1) is at issue and no assignment of the copyright, or licence granting an interest in the copyright, has been registered under this Act,

(a) if a name purporting to be that of

(i) the author of the work,

(ii) the performer of the performer's performance,

(iii) the maker of the sound recording, or

(iv) the broadcaster of the communication signal

is printed or otherwise indicated thereon in the usual manner, the person whose name is so printed or indicated shall, unless the contrary is proved, be presumed to be the author, performer, maker or broadcaster;

(b) if

(i) no name is so printed or indicated, or if the name so printed or indicated is not the true name of the author, performer, maker or broadcaster or the name by which that person is commonly known, and

(ii) a name purporting to be that of the publisher or owner of the work, performer's performance, sound recording or communication signal is printed or otherwise indicated thereon in the usual manner,

the person whose name is printed or indicated as described in subparagraph (ii) shall, unless the contrary is proved, be presumed to be the owner of the copyright in question; and

(c) if, on a cinematographic work, a name purporting to be that of the maker of the cinematographic work appears in the usual manner, the person so named shall, unless the contrary is proved, be presumed to be the maker of the cinematographic work.

S.C. 1997, c. 24, s. 20.

Violation du droit d'auteur : responsabilité

35. (1) Quiconque viole le droit d'auteur est passible de payer, au titulaire du droit qui a été violé, des dommages-intérêts et, en sus, la

Liability for infringement

35. (1) Where a person infringes copyright, the person is liable to pay such damages to the owner of the copyright as the owner has suf-

proportion, que le tribunal peut juger équitable, des profits qu'il a réalisés en commettant cette violation et qui n'ont pas été pris en compte pour la fixation des dommages-intérêts.

fered due to the infringement and, in addition to those damages, such part of the profits that the infringer has made from the infringement and that were not taken into account in calculating the damages as the court considers just.

Détermination des profits

(2) Dans la détermination des profits, le demandeur n'est tenu d'établir que ceux provenant de la violation et le défendeur doit prouver chaque élément du coût qu'il allègue.
L.R.C. 1985, ch. C-42, art. 35; L.C. 1997, ch. 24, art. 20.

Proof of profits

(2) In proving profits,
(a) the plaintiff shall be required to prove only receipts or revenues derived from the infringement; and
(b) the defendant shall be required to prove every element of cost that the defendant claims.
R.S.C. 1985, c. C-42, s. 35; S.C. 1997, c. 24, s. 20.

Protection des droits distincts

36. (1) Sous réserve des autres dispositions du présent article, le titulaire d'un droit d'auteur, ou quiconque possède un droit, un titre ou un intérêt acquis par cession ou concession consentie par écrit par le titulaire peut, individuellement pour son propre compte, en son propre nom comme partie à une procédure, soutenir et faire valoir les droits qu'il détient, et il peut exercer les recours prévus par la présente loi dans toute l'étendue de son droit, de son titre et de son intérêt.

Protection of separate rights

36. (1) Subject to this section, the owner of any copyright, or any person or persons deriving any right, title or interest by assignment or grant in writing from the owner, may individually for himself or herself, as a party to the proceedings in his or her own name, protect and enforce any right that he or she holds, and, to the extent of that right, title and interest, is entitled to the remedies provided by this Act.

Partie à l'action

(2) Lorsque des procédures sont engagées en vertu du paragraphe (1) par une personne autre que le titulaire du droit d'auteur, ce dernier doit être constitué partie à ces procédures sauf :
a) dans le cas de procédures engagées en vertu des articles 44.1, 44.2 et 44.4;
b) dans le cas de procédures interlocutoires, à moins que le tribunal estime qu'il est dans l'intérêt de la justice de constituer le titulaire du droit d'auteur partie aux procédures;
c) dans tous les autres cas où le tribunal estime que l'intérêt de la justice ne l'exige pas.

Where copyright owner to be made party

(2) Where proceedings referred to in subsection (1) are taken by a person other than the copyright owner, the copyright owner must be made a party to those proceedings, except
(a) in respect of proceedings taken under section 44.1, 44.2 or 44.4;
(b) in respect of interlocutory proceedings unless the court is of the opinion that the interests of justice require the copyright owner to be a party; and
(c) in any other case, if the court is of the opinion that the interests of justice do not require the copyright owner to be a party.

Frais

(3) Le titulaire du droit d'auteur visé au paragraphe (2) n'est pas tenu de payer les frais à moins d'avoir participé aux procédures.

Owner's liability for costs

(3) A copyright owner who is made a party to proceedings pursuant to subsection (2) is not liable for any costs unless the copyright owner takes part in the proceedings.

Répartition des dommages-intérêts

(4) Le tribunal peut, sous réserve d'une entente entre le demandeur et le titulaire du droit d'auteur visé au paragraphe (2), répartir entre eux, de la manière qu'il estime indiquée, les dommages-intérêts et les profits visés au paragraphe 35(1).

L.R.C. 1985, ch. C-42, art. 36; L.C. 1994, ch. 47, art. 63; 1997, ch. 24, art. 20.

Apportionment of damages, profits

(4) Where a copyright owner is made a party to proceedings pursuant to subsection (2), the court, in awarding damages or profits, shall, subject to any agreement between the person who took the proceedings and the copyright owner, apportion the damages or profits referred to in subsection 35(1) between them as the court considers appropriate.

R.S.C. 1985, c. C-42, s. 36; S.C. 1994, c. 47, s. 63; 1997, c. 24, s. 20.

Juridiction concurrente de la Cour fédérale

37. La Cour fédérale, concurremment avec les tribunaux provinciaux, connaît de toute procédure liée à l'application de la présente loi, à l'exclusion des poursuites visées aux articles 42 et 43.

L.R.C. 1985, ch. C-42, art. 37; L.C. 1997, ch. 24, art. 20.

Concurrent jurisdiction of Federal Court

37. The Federal Court has concurrent jurisdiction with provincial courts to hear and determine all proceedings, other than the prosecution of offences under section 42 and 43, for the enforcement of a provision of this Act or of the civil remedies provided by this Act.

R.S.C. 1985, c. C-42, s. 37; S.C. 1997, c. 24, s. 20.

Propriété des planches

38. (1) Sous réserve du paragraphe (2), le titulaire du droit d'auteur peut, comme s'il en était le propriétaire, recouvrer la possession de tous les exemplaires contrefaits d'oeuvres ou de tout autre objet de ce droit d'auteur et de toutes les planches qui ont servi ou sont destinées à servir à la confection de ces exemplaires, ou engager à leur égard des procédures de saisie avant jugement si une loi fédérale ou une loi de la province où sont engagées les procédures le lui permet.

Recovery of possession of copies, plates

38. (1) Subject to subsection (2), the owner of the copyright in a work or other subject-matter may

(a) recover possession of all infringing copies of that work or other subject-matter, and of all plates used or intended to be used for the production of infringing copies, and

(b) take proceedings for seizure of those copies or plates before judgment if, under the law of Canada or of the province in which those proceedings are taken, a person is entitled to take such proceedings,

as if those copies or plates were the property of the copyright owner.

Pouvoirs du tribunal

(2) Un tribunal peut, sur demande de la personne qui avait la possession des exemplaires et planches visés au paragraphe (1), de la personne contre qui des procédures de saisie avant jugement ont été engagées en vertu du paragraphe (1) ou de toute autre personne ayant un intérêt dans ceux-ci, ordonner la destruction de ces exemplaires ou planches ou rendre toute autre ordonnance qu'il estime indiquée.

Powers of court

(2) On application by

(a) a person from whom the copyright owner has recovered possession of copies or plates referred to in subsection (1),

(b) a person against whom proceedings for seizure before judgment of copies or plates referred to in subsection (1) have been taken, or

(c) any other person who has an interest in those copies or plates,

a court may order that those copies or plates

be destroyed, or may make any other order that it considers appropriate in the circumstances.

Autres personnes intéressées

(3) Le tribunal doit, avant de rendre l'ordonnance visée au paragraphe (2), en faire donner préavis aux personnes ayant un intérêt dans les exemplaires ou les planches, sauf s'il estime que l'intérêt de la justice ne l'exige pas.

Notice to interested person

(3) Before making an order under subsection (2), the court shall direct that notice be given to any person who has an interest in the copies or plates in question, unless the court is of the opinion that the interests of justice do not require such notice to be given.

Facteurs

(4) Le tribunal doit, lorsqu'il rend une ordonnance visée au paragraphe (2), tenir compte notamment des facteurs suivants :

a) la proportion que représente l'exemplaire contrefait ou la planche par rapport au support dans lequel ils sont incorporés, de même que leur valeur et leur importance par rapport à ce support;

b) la mesure dans laquelle cet exemplaire ou cette planche peut être extrait de ce support ou en constitue une partie distincte.

Circumstances court to consider

(4) In making an order under subsection (2), the court shall have regard to all the circumstances, including

(a) the proportion, importance and value of the infringing copy or plate, as compared to the substrate or carrier embodying it; and

(b) the extent to which the infringing copy or plate is severable from, or a distinct part of, the substrate or carrier embodying it.

Limite

(5) La présente loi n'a pas pour effet de permettre au titulaire du droit d'auteur de recouvrer des dommages-intérêts en ce qui touche la possession des exemplaires ou des planches visés au paragraphe (1) ou l'usurpation du droit de propriété sur ceux-ci.

L.R.C. 1985, ch. C-42, art. 38; L.C. 1997, ch. 24, art. 20.

Limitation

(5) Nothing in this Act entitles the copyright owner to damages in respect of the possession or conversion of the infringing copies or plates.

R.S.C., 1985, c. C-42, s. 38; S.C. 1997, c. 24, s. 20.

[L'article 38 de la Loi sur le droit d'auteur, *dans sa version antérieure à l'entrée en vigueur du paragraphe (1) de l'article 20, continue de s'appliquer dans le cas des procédures en cours à l'entrée en vigueur de ce paragraphe.*

L.C. 1997, ch. 24, art. 20(2).]

[Section 38 of the Copyright Act, *as it read immediately before the coming into force of subsection (1) of section 20, continues to apply in respect of the proceedings commenced but not concluded before the coming into force of subsection (1) of this section.*

S.C. 1997, c. 24, s. 20(2).]

Dommages-intérêts préétablis

38.1 (1) Sous réserve du présent article, le titulaire du droit d'auteur, en sa qualité de demandeur, peut, avant le jugement ou l'ordonnance qui met fin au litige, choisir de recouvrer, au lieu des dommages-intérêts et des profits visés au paragraphe 35(1), des dom-

Statutory damages

38.1 (1) Subject to this section, a copyright owner may elect, at any time before final judgment is rendered, to recover, instead of damages and profits referred to in subsection 35(1), an award of statutory damages for all infringements involved in the proceedings,

mages-intérêts préétablis dont le montant, d'au moins 500 $ et d'au plus 20 000 $, est déterminé selon ce que le tribunal estime équitable en l'occurrence, pour toutes les violations — relatives à une oeuvre donnée ou à un autre objet donné du droit d'auteur — reprochées en l'instance à un même défendeur ou à plusieurs défendeurs solidairement responsables.

with respect to any one work or other subject-matter, for which any one infringer is liable individually, or for which any two or more infringers are liable jointly and severally, in a sum of not less than $500 or more than $20,000 as the court considers just.

Cas particuliers

(2) Dans les cas où le défendeur convainc le tribunal qu'il ne savait pas et n'avait aucun motif raisonnable de croire qu'il avait violé le droit d'auteur, le tribunal peut réduire le montant des dommages-intérêts préétablis jusqu'à 200 $.

Where defendant unaware of infringement

(2) Where a copyright owner has made an election under subsection (1) and the defendant satisfies the court that the defendant was not aware and had no reasonable grounds to believe that the defendant had infringed copyright, the court may reduce the amount of the award to less than $500, but not less than $200.

Cas particuliers

(3) Dans les cas où plus d'une oeuvre ou d'un autre objet du droit d'auteur sont incorporés dans un même support matériel, le tribunal peut, selon ce qu'il estime équitable en l'occurrence, réduire, à l'égard de chaque oeuvre ou autre objet du droit d'auteur, le montant minimal visé au paragraphe (1) ou (2), selon le cas, s'il est d'avis que même s'il accordait le montant minimal de dommages-intérêts préétablis le montant total de ces dommages-intérêts serait extrêmement disproportionné à la violation.

Special case

(3) Where

(a) there is more than one work or other subject-matter in a single medium, and

(b) the awarding of even the minimum amount referred to in subsection (1) or (2) would result in a total award that, in the court's opinion, is grossly out of proportion to the infringement,

the court may award, with respect to each work or other subject-matter, such lower amount than $500 or $200, as the case may be, as the court considers just.

Société de gestion

(4) Si le défendeur n'a pas payé les redevances applicables en l'espèce, la société de gestion visée à l'article 67 — au lieu de se prévaloir de tout autre recours en vue d'obtenir un redressement pécuniaire prévu par la présente loi — ne peut, aux termes du présent article, que choisir de recouvrer des dommages-intérêts préétablis dont le montant, de trois à dix fois le montant de ces redevances, est déterminé selon ce que le tribunal estime équitable en l'occurrence.

Collective societies

(4) Where the defendant has not paid applicable royalties, a collective society referred to in section 67 may only make an election under this section to recover, in lieu of any other remedy of a monetary nature provided by this Act, an award of statutory damages in a sum of not less than three and not more than ten times the amount of the applicable royalties, as the court considers just.

Facteurs

(5) Lorsqu'il rend une décision relativement aux paragraphes (1) à (4), le tribunal tient

Factors to consider

(5) In exercising its discretion under subsections (1) to (4), the court shall consider all rel-

compte notamment des facteurs suivants :
a) la bonne ou mauvaise foi du défendeur;
b) le comportement des parties avant l'instance et au cours de celle-ci;
c) la nécessité de créer un effet dissuasif à l'égard de violations éventuelles du droit d'auteur en question.

evant factors, including
(a) the good faith or bad faith of the defendant;
(b) the conduct of the parties before and during the proceedings; and
(c) the need to deter other infringements of the copyright in question.

Cas où les dommages-intérêts préétablis ne peuvent être accordés

(6) Ne peuvent être condamnés aux dommages-intérêts préétablis :
a) l'établissement d'enseignement ou la personne agissant sous l'autorité de celui-ci qui a fait les actes visés aux articles 29.6 ou 29.7 sans acquitter les redevances ou sans observer les modalités afférentes fixées sous le régime de la présente loi;
b) l'établissement d'enseignement, la bibliothèque, le musée ou le service d'archives, selon le cas, qui est poursuivi dans les circonstances prévues à l'article 38.2;
c) la personne qui commet la violation visée à l'alinéa 27(2)*e)* ou à l'article 27.1 dans les cas où la reproduction en cause a été faite avec le consentement du titulaire du droit d'auteur dans le pays de production.

No award

(6) No statutory damages may be awarded against
(a) an educational institution or a person acting under its authority that has committed an act referred to in section 29.6 or 29.7 and has not paid any royalties or complied with any terms and conditions fixed under this Act in relation to the commission of the act;
(b) an educational institution, library, archive or museum that is sued in the circumstances referred to in section 38.2; or
(c) a person who infringes copyright under paragraph 27(2)*(e)* or section 27.1, where the copy in question was made with the consent of the copyright owner in the country where the copy was made.

Dommages-intérêts exemplaires

(7) Le choix fait par le demandeur en vertu du paragraphe (1) n'a pas pour effet de supprimer le droit de celui-ci, le cas échéant, à des dommages-intérêts exemplaires ou punitifs.
L.C. 1997, ch. 24, art. 20.

Exemplary or punitive damages not affected

(7) An election under subsection (1) does not affect any right that the copyright owner may have to exemplary or punitive damages.
S.C. 1997, c. 24, s. 20.

[L'article 38.1 de la Loi sur le droit d'auteur, *édicté par le paragraphe (1) de l'article 20, ne s'applique que dans le cas des procédures engagées après la date d'entrée en vigueur de ce paragraphe, et ce uniquement si la violation du droit d'auteur en cause est elle aussi survenue après cette date.*
L.C. 1997, ch. 24, art. 20(3).]

[Section 38.1 of the Copyright Act, *as enacted by subsection (1) of section 20 only applies*
(a) to proceedings commenced after the date of the coming into force of that subsection; and
(b) where the infringement to which those proceedings relate occurred after that date.
S.C. 1997, c. 24, s. 20(3).]

Dommages-intérêts maximaux

38.2 (1) Le titulaire du droit d'auteur sur une oeuvre qui n'a pas habilité une société de gestion à autoriser la reproduction par repro-

Maximum amount that may be recovered

38.2 (1) An owner of copyright in a work who has not authorized a collective society to authorize its reprographic reproduction may

graphie de cette oeuvre, ne peut, dans le cas où il poursuit un établissement d'enseignement, une bibliothèque, un musée ou un service d'archives, selon le cas, pour avoir fait une telle reproduction, recouvrer un montant supérieur à celui qui aurait été payable à la société de gestion si, d'une part, il l'avait ainsi habilitée, et si, d'autre part, la partie poursuivie :
a) soit avait conclu avec une société de gestion une entente concernant la reprographie;
b) soit était assujettie au paiement de redevances pour la reprographie prévu par le tarif homologué en vertu de l'article 70.15.

recover, in proceedings against an educational institution, library, archive or museum that has reproduced the work, a maximum amount equal to the amount of royalties that would have been payable to the society in respect of the reprographic reproduction, if it were authorized, either
(*a*) under any agreement entered into with the collective society; or
(*b*) under a tariff certified by the Board pursuant to section 70.15.

Cas de plusieurs ententes ou tarifs

(2) Si l'entente est conclue séparément avec plusieurs sociétés de gestion ou que les redevances sont payables conformément à différents tarifs homologués relatifs à la reprographie, ou les deux à la fois, le montant que le titulaire du droit d'auteur peut recouvrer ne peut excéder le montant le plus élevé de tous ceux que prévoient les ententes ou les tarifs.

Agreements with more than one collective society

(2) Where agreements respecting reprographic reproduction have been signed with more than one collective society or where more than one tariff applies or where both agreements and tariffs apply, the maximum amount that the copyright owner may recover is the largest amount of the royalties provided for in any of those agreements or tariffs.

Application

(3) Les paragraphes (1) et (2) ne s'appliquent que si, d'une part, les sociétés de gestion peuvent autoriser la reproduction par reprographie de ce genre d'oeuvre ou qu'il existe un tarif homologué à cet égard et si, d'autre part, l'entente ou le tarif traite, dans une certaine mesure, de la nature et de l'étendue de la reproduction.
L.C. 1997, ch. 24, art. 20.

Application

(3) Subsections (1) and (2) apply only where
(*a*) the collective society is entitled to authorize, or the tariff provides for the payment of royalties in respect of, the reprographic reproduction of that category of work; and
(*b*) copying of that general nature and extent is covered by the agreement or tariff.
S.C. 1997, c. 24, s. 20.

Cas où le seul recours est l'injonction

39. (1) Sous réserve du paragraphe (2), dans le cas de procédures engagées pour violation du droit d'auteur, le demandeur ne peut obtenir qu'une injonction à l'égard de cette violation si le défendeur prouve que, au moment de la commettre, il ne savait pas et n'avait aucun motif raisonnable de soupçonner que l'oeuvre ou tout autre objet du droit d'auteur était protégé par la présente loi.

Injunction only remedy when defendant not aware of copyright

39. (1) Subject to subsection (2), in any proceedings for infringement of copyright, the plaintiff is not entitled to any remedy other than an injunction in respect of the infringement if the defendant proves that, at the date of the infringement, the defendant was not aware and had no reasonable ground for suspecting that copyright subsisted in the work or other subject-matter in question.

Exception

(2) Le paragraphe (1) ne s'applique pas si, à la date de la violation, le droit d'auteur était dûment enregistré sous le régime de la présente loi.
L.R.C. 1985, ch. C-42, art. 39; L.C. 1997, ch. 24, art. 20.

Exception where copyright registered

(2) Subsection (1) does not apply if, at the date of the infringement, the copyright was duly registered under this Act.
R.S.C. 1985, c. C-42, s. 39; S.C. 1997, c. 24, s. 20.

Interdiction

39.1 (1) Dans les cas où il accorde une injonction pour violation du droit d'auteur sur une oeuvre ou un autre objet, le tribunal peut en outre interdire au défendeur de violer le droit d'auteur sur d'autres oeuvres ou d'autres objets dont le demandeur est le titulaire ou sur d'autres oeuvres ou d'autres objets dans lesquels il a un intérêt concédé par licence, si le demandeur lui démontre que, en l'absence de cette interdiction, le défendeur violera vraisemblablement le droit d'auteur sur ces autres oeuvres ou ces autres objets.

Wide injunction

39.1 (1) When granting an injunction in respect of an infringement of copyright in a work or other subject-matter, the court may further enjoin the defendant from infringing the copyright in any other work or subject-matter if

(a) the plaintiff is the owner of the copyright or the person to whom an interest in the copyright has been granted by licence; and

(b) the plaintiff satisfies the court that the defendant will likely infringe the copyright in those other works or subject-matter unless enjoined by the court from doing so.

Application de l'injonction

(2) Cette injonction peut viser même les oeuvres ou les autres objets sur lesquels le demandeur n'avait pas de droit d'auteur ou à l'égard desquels il n'était pas titulaire d'une licence lui concédant un intérêt sur un droit d'auteur au moment de l'introduction de l'instance, ou qui n'existaient pas à ce moment.
L.C. 1997, ch. 24, art. 20.

[L'article 39.1 de la Loi sur le droit d'auteur, *édicté par le paragraphe (1) de l'article 20, s'applique aux procédures engagées après la date d'entrée en vigueur de ce paragraphe de même qu'aux procédures en cours à cette date.*
L.C. 1997, ch. 24, art. 20(4).]

Application of injunction

(2) An injunction granted under subsection (1) may extend to works or other subject-matter

(a) in respect of which the plaintiff was not, at the time the proceedings were commenced, the owner of the copyright or the person to whom an interest in the copyright has been granted by licence; or

(b) that did not exist at the time the proceedings were commenced.
S.C. 1997, c. 24, s. 20.

[Section 39.1 of the Copyright Act, *as enacted by subsection (1) of section 20 applies in respect of*

(a) proceedings commenced but not concluded before the coming into force of subsection (1) of this section; and

(b) proceedings commenced after the coming into force of subsection (1) of this section.
S.C. 1997, c. 24, s. 20(4).]

Pas d'injonction en matière d'oeuvres architecturales

40. (1) Lorsque a été commencée la construction d'un bâtiment ou autre édifice qui

No injunction in case of a building

40. (1) Where the construction of a building or other structure that infringes or that, if

constitue, ou constituerait lors de l'achèvement, une violation du droit d'auteur sur une autre oeuvre, le titulaire de ce droit n'a pas qualité pour obtenir une injonction en vue d'empêcher la construction de ce bâtiment ou édifice ou d'en prescrire la démolition.

completed, would infringe the copyright in some other work has been commenced, the owner of the copyright is not entitled to obtain an injunction in respect of the construction of that building or structure or to order its demolition.

Inapplicabilité des articles 38 et 42

(2) Les articles 38 et 42 ne s'appliquent pas aux cas visés au paragraphe (1).
L.R.C. 1985, ch. C-42, art. 40; L.C. 1997, ch. 24, art. 21.

Certain remedies inapplicable

(2) Sections 38 and 42 do not apply in any case in respect of which subsection (1) applies.
R.S.C. 1985, c. C-42, s. 40; S.C. 1997, c. 24, s. 21.

Prescription

41. (1) Sous réserve du paragraphe (2), le tribunal saisi d'un recours en violation ne peut accorder de réparations que si :
a) le demandeur engage des procédures dans les trois ans qui suivent le moment où la violation a eu lieu, s'il avait connaissance de la violation au moment où elle a eu lieu ou s'il est raisonnable de s'attendre à ce qu'il en ait eu connaissance à ce moment;
b) le demandeur engage des procédures dans les trois ans qui suivent le moment où il a pris connaissance de la violation ou le moment où il est raisonnable de s'attendre à ce qu'il en ait pris connaissance, s'il n'en avait pas connaissance au moment où elle a eu lieu ou s'il n'est pas raisonnable de s'attendre à ce qu'il en ait eu connaissance à ce moment.

Limitation period for civil remedies

41. (1) Subject to subsection (2), a court may not award a remedy in relation to an infringement unless
(a) in the case where the plaintiff knew, or could reasonably have been expected to know, of the infringement at the time it occurred, the proceedings for infringement are commenced within three years after the infringement occurred; or
(b) in the case where the plaintiff did not know, and could not reasonably have been expected to know, of the infringement at the time it occurred, the proceedings for infringement are commenced within three years after the time when the plaintiff first knew, or could reasonably have been expected to know, of the infringement.

Restriction

(2) Le tribunal ne fait jouer la prescription visée aux alinéas (1)*a)* ou *b)* qu'à l'égard de la partie qui l'a invoquée.
L.R.C. 1985, ch. C-42, art. 41; ch. 10 (4e suppl.), art. 9; L.C. 1997, ch. 24, art. 22.

[Le paragraphe (1) s'applique aux procédures engagées après la date d'entrée en vigueur du présent article de même qu'aux procédures en cours à cette date.
L.C. 1997, ch. 24, art. 22(2).]

Restriction

(2) The court shall apply the limitation period set out in paragraph (1)*(a)* or *(b)* only in respect of a party who pleads a limitation period.
R.S.C. 1985, c. C-42, s. 41; c. 10 (4th Supp.), s. 9; S.C. 1997, c. 24, s. 22.

[Subsection (1) applies in respect of
(a) proceedings commenced but not concluded before this section comes into force; and
(b) proceedings commenced after this section comes into force.
S.C. 1997, c. 24, s. 22(2).]

RECOURS CRIMINELS

Infractions et peines

42. (1) Commet une infraction quiconque, sciemment :

a) se livre, en vue de la vente ou de la location, à la contrefaçon d'une oeuvre ou d'un autre objet du droit d'auteur protégés;

b) en vend ou en loue, ou commercialement en met ou en offre en vente ou en location un exemplaire contrefait;

c) en met en circulation des exemplaires contrefaits, soit dans un but commercial, soit de façon à porter préjudice au titulaire du droit d'auteur;

d) en expose commercialement en public un exemplaire contrefait;

e) en importe pour la vente ou la location, au Canada, un exemplaire contrefait.

Le contrevenant encourt, sur déclaration de culpabilité par procédure sommaire, une amende maximale de vingt-cinq mille dollars et un emprisonnement maximal de six mois, ou l'une de ces peines, ou, sur déclaration de culpabilité par voie de mise en accusation, une amende maximale d'un million de dollars et un emprisonnement maximal de cinq ans, ou l'une de ces peines.

Possession et infractions découlant d'une action, et peines

(2) Commet une infraction quiconque, sciemment :

a) confectionne ou possède une planche conçue ou adaptée précisément pour la contrefaçon d'une oeuvre ou de tout autre objet du droit d'auteur protégés;

b) fait, dans un but de profit, exécuter ou représenter publiquement une oeuvre ou un autre objet du droit d'auteur protégés sans le consentement du titulaire du droit d'auteur.

Le contrevenant encourt, sur déclaration de culpabilité par procédure sommaire, une amende maximale de vingt-cinq mille dollars et un emprisonnement maximal de six mois, ou l'une de ces peines, ou, sur déclaration de culpabilité par voie de mise en accusation,

CRIMINAL REMEDIES

Offences and punishment

42. (1) Every person who knowingly

(a) makes for sale or rental an infringing copy of a work or other subject-matter in which copyright subsists,

(b) sells or rents out, or by way of trade exposes or offers for sale or rental, an infringing copy of a work or other subject-matter in which copyright subsists,

(c) distributes infringing copies of a work or other subject-matter in which copyright subsists, either for the purpose of trade or to such an extent as to affect prejudicially the owner of the copyright,

(d) by way of trade exhibits in public an infringing copy of a work or other subject-matter in which copyright subsists, or

(e) imports for sale or rental into Canada any infringing copy of a work or other subject-matter in which copyright subsists

is guilty of an offence and liable

(f) on summary conviction, to a fine not exceeding twenty-five thousand dollars or to imprisonment for a term not exceeding six months or to both, or

(g) on conviction on indictment, to a fine not exceeding one million dollars

or to imprisonment for a term not exceeding five years or to both.

Possession and performance offences and punishment

(2) Every person who knowingly

(a) makes or possesses any plate that is specifically designed or adapted for the purpose of making infringing copies of any work or other subject-matter in which copyright subsists, or

(b) for private profit causes to be performed in public, without the consent of the owner of the copyright, any work or other subject-matter in which copyright subsists

is guilty of an offence and liable

(c) on summary conviction, to a fine not exceeding twenty-five thousand dollars or to imprisonment for a term not exceeding six months or to both, or

(d) on conviction on indictment, to a fine not

une amende maximale d'un million de dollars et un emprisonnement maximal de cinq ans, ou l'une de ces peines.

exceeding one million dollars or to imprisonment for a term not exceeding five years or to both.

Le tribunal peut disposer des exemplaires ou planches

(3) Le tribunal devant lequel sont portées de telles poursuites peut, en cas de condamnation, ordonner que tous les exemplaires de l'oeuvre ou d'un autre objet du droit d'auteur ou toutes les planches en la possession du contrefacteur, qu'il estime être des exemplaires contrefaits ou des planches ayant servi principalement à la fabrication d'exemplaires contrefaits, soient détruits ou remis entre les mains du titulaire du droit d'auteur, ou qu'il en soit autrement disposé au gré du tribunal.

Power of court to deal with copies or plates

(3) The court before which any proceedings under this section are taken may, on conviction, order that all copies of the work or other subject-matter that appear to it to be infringing copies, or all plates in the possession of the offender predominantly used for making infringing copies, be destroyed or delivered up to the owner of the copyright or otherwise dealt with as the court may think fit.

Prescription

(4) Les procédures pour déclaration de culpabilité par procédure sommaire visant une infraction prévue au présent article se prescrivent par deux ans à compter de sa perpétration.

Limitation period

(4) Proceedings by summary conviction in respect of an offence under this section may be instituted at any time within, but not later than, two years after the time when the offence was committed.

Livres visés à l'article 27.1

(5) Des poursuites criminelles ne peuvent être engagées en vertu du présent article relativement à l'importation de livres ou à l'accomplissement des actes relatifs à cette importation dans les conditions visées à l'article 27.1.

L.R.C. 1985, ch. C-42, art. 42; ch. 10 (4e suppl.), art. 10; L.C. 1997, ch. 24, art. 24.

Parallel importation of books

(5) No person may be prosecuted under this section for importing a book or dealing with an imported book in the manner described in section 27.1.

R.S.C. 1985, c. C-42, s. 42; c. 10 (4th Supp.), s. 10; S.C. 1997, c. 24, s. 24.

Atteinte au droit d'auteur sur une oeuvre dramatique ou musicale

43. (1) Quiconque, sans le consentement écrit du titulaire du droit d'auteur ou de son représentant légal, sciemment, exécute ou représente, ou fait exécuter ou représenter, en public et dans un but de lucre personnel, et de manière à constituer une exécution ou représentation illicite, la totalité ou une partie d'une oeuvre dramatique, d'un opéra ou d'une composition musicale sur laquelle un droit d'auteur existe au Canada, est coupable d'une infraction et encourt, sur déclaration de culpabilité par procédure sommaire, une

Infringement in case of dramatic, operatic or musical work

43. (1) Any person who, without the written consent of the owner of the copyright or of the legal representative of the owner, knowingly performs or causes to be performed in public and for private profit the whole or any part, constituting an infringement, of any dramatic or operatic work or musical composition in which copyright subsists in Canada is guilty of an offence and liable on summary conviction to a fine not exceeding two hundred and fifty dollars and, in the case of a second or subsequent offence, either to that fine

amende maximale de deux cent cinquante dollars; la récidive est punie de la même amende et d'un emprisonnement maximal de deux mois, ou de l'une de ces peines.

or to imprisonment for a term not exceeding two months or to both.

Altération du titre ou de la signature d'une oeuvre dramatique ou musicale

(2) Quiconque modifie ou fait modifier, retranche ou fait retrancher, le titre ou le nom de l'auteur d'une oeuvre dramatique, d'un opéra ou d'une composition musicale sur laquelle un droit d'auteur existe au Canada, ou opère ou fait opérer dans une telle oeuvre, sans le consentement écrit de l'auteur ou de son représentant légal, un changement, afin que la totalité ou une partie de cette oeuvre puisse être exécutée ou représentée en public, dans un but de lucre personnel, est coupable d'une infraction et encourt, sur déclaration de culpabilité par procédure sommaire, une amende maximale de cinq cents dollars; la récidive est punie de la même amende et d'un emprisonnement maximal de quatre mois, ou de l'une de ces peines.
S.R.C., ch. C-30, art. 26.

Change or suppression of title or author's name

(2) Any person who makes or causes to be made any change in or suppression of the title, or the name of the author, of any dramatic or operatic work or musical composition in which copyright subsists in Canada, or who makes or causes to be made any change in the work or composition itself without the written consent of the author or of his legal representative, in order that the work or composition may be performed in whole or in part in public for private profit, is guilty of an offence and liable on summary conviction to a fine not exceeding five hundred dollars and, in the case of a second or subsequent offence, either to that fine or to imprisonment for a term not exceeding four months or to both.
R.S.C., c. C-30, s. 26.

43.1 [Abrogé, L.C. 1997, ch. 24, art. 25.]

43.1 [Repealed, S.C. 1997, c. 24, s. 25.]

IMPORTATION

Importation de certains exemplaires défendus

44. Les exemplaires, fabriqués hors du Canada, de toute œuvre sur laquelle un droit d'auteur subsiste, qui, s'ils étaient fabriqués au Canada, constitueraient des contrefaçons, et au sujet desquels le titulaire du droit d'auteur a notifié par écrit à l'Agence des douanes et du revenu du Canada son intention d'interdire l'importation au Canada, ne peuvent être ainsi importés, et sont réputés inclus dans le n° tarifaire 9897.00.00 de la liste des dispositions tarifaires de l'annexe du *Tarif des douanes*, et l'article 136 de cette loi s'applique en conséquence.
L.R.C. 1985, ch. C-42, art. 44; ch. 41 (3e suppl.), art. 116; L.C. 1997, c. 36, art. 205; 1999, ch. 17, art. 119.

IMPORTATION

Importation of certain copyright works prohibited

44. Copies made out of Canada of any work in which copyright subsists that if made in Canada would infringe copyright and as to which the owner of the copyright gives notice in writing to the Canada Customs and Revenue Agency that the owner desires that the copies not be so imported into Canada, shall not be so imported and are deemed to be included in tariff item No. 9897.00.00 in the List of Tariff Provisions set out in the schedule to the *Customs Tariff*, and section 136 of that Act applies accordingly.
R.S.C. 1985, c. C-42, s. 44; c. 41 (3rd Supp.), s. 116; S.C. 1997, c. 36, s. 205; 1999, c. 17, s. 119.

Définitions

44.1 (1) Les définitions qui suivent s'appliquent au présent article et aux articles 44.2 et 44.3.

«dédouanement» ***"release"***

«dédouanement» S'entend au sens de la *Loi sur les douanes.*

«droits» ***"duties"***

«droits» S'entend au sens de la *Loi sur les douanes.*

«ministre» ***"Minister"***

«ministre» Le ministre du Revenu national.

«tribunal» ***"court"***

«tribunal» La Cour fédérale ou la cour supérieure d'une province.

Definitions

44.1 (1) In this section and sections 44.2 and 44.3,

"court" ***«tribunal»***

"court" means the Federal Court or the superior court of a province;

"duties" ***«droits»***

"duties" has the same meaning as in the *Customs Act*;

"Minister" ***«ministre»***

"Minister" means the Minister of National Revenue;

"release" ***«dédouanement»***

"release" has the same meaning as in the *Customs Act*;

Pouvoir du tribunal

(2) Le tribunal peut rendre l'ordonnance prévue au paragraphe (3) lorsqu'il est convaincu que les conditions suivantes sont réunies :

a) des exemplaires de l'oeuvre sont importés au Canada — ou sur le point de l'être — sans être dédouanés;

b) leur production s'est faite soit sans le consentement du titulaire du droit d'auteur dans le pays de production, soit ailleurs que dans un pays visé par la présente loi;

c) l'importateur sait ou aurait dû savoir que la production de ces exemplaires aurait violé le droit d'auteur s'il l'avait faite au Canada.

Power of court

(2) A court may make an order described in subsection (3) where the court is satisfied that

(a) copies of the work are about to be imported into Canada, or have been imported into Canada but have not yet been released;

(b) either

(i) copies of the work were made without the consent of the person who then owned the copyright in the country where the copies were made, or

(ii) the copies were made elsewhere than in a country to which this Act extends; and

(c) the copies would infringe copyright if they were made in Canada by the importer and the importer knows or should have known this.

Demandeurs

(2.1) La demande d'ordonnance peut être présentée par le titulaire du droit d'auteur sur l'oeuvre au Canada ou le titulaire d'une licence exclusive au Canada s'y rapportant.

Who may apply

(2.1) A court may make an order described in subsection (3) on application by the owner or exclusive licensee of copyright in a work in Canada.

Ordonnance visant le ministre

(3) Dans le cas du paragraphe (2), le tribunal peut :

a) ordonner au ministre :

(i) de prendre, sur la foi de renseignements que le ministre a valablement exigés du demandeur, toutes mesures raisonnables pour détenir l'oeuvre,

(ii) de notifier sans délai la détention, et les

Order of court

(3) The order referred to in subsection (2) is an order

(*a*) directing the Minister

(i) to take reasonable measures, on the basis of information reasonably required by the Minister and provided by the applicant, to detain the work, and

(ii) to notify the applicant and the importer,

motifs de celle-ci, tant au demandeur qu'à l'importateur;
b) prévoir, dans l'ordonnance, toute autre mesure qu'il juge indiquée.

forthwith after detaining the work, of the detention and the reasons therefor; and
(*b*) providing for such other matters as the court considers appropriate.

Demande
(4) La demande est faite dans une action ou toute autre procédure sur avis adressé au ministre et, pour toute autre personne, soit sur avis, soit *ex parte*.

How application made
(4) An application for an order made under subsection (2) may be made in an action or otherwise, and either on notice or *ex parte*, except that it must always be made on notice to the Minister.

Garantie
(5) Avant de rendre l'ordonnance, le tribunal peut obliger le demandeur à fournir une garantie, d'un montant déterminé par le tribunal, en vue de couvrir les droits, les frais de transport et d'entreposage et autres ainsi que les dommages que peut subir, du fait de l'ordonnance, le propriétaire, l'importateur ou le consignataire de l'oeuvre.

Court may require security
(5) Before making an order under subsection (2), the court may require the applicant to furnish security, in an amount fixed by the court,
(*a*) to cover duties, storage and handling charges, and any other amount that may become chargeable against the work; and
(*b*) to answer any damages that may by reason of the order to be incurred by the owner, importer or consignee of the work.

Demande d'instructions
(6) Le ministre peut s'adresser au tribunal pour obtenir des instructions quant à l'application de l'ordonnance.

Application for directions
(6) The Minister may apply to the court for directions in implementing an order made under subsection (2).

Permission du ministre d'inspecter
(7) Le ministre peut donner au demandeur ou à l'importateur la possibilité d'inspecter l'oeuvre en détention afin de justifier ou de réfuter les prétentions du demandeur.

Minister may allow inspection
(7) The Minister may give the applicant or the importer an opportunity to inspect the detained work for the purpose of substantiating or refuting, as the case may be, the applicant's claim.

Obligation du demandeur

(8) Sauf disposition contraire d'une ordonnance rendue en vertu du paragraphe (2) et sous réserve de la *Loi sur les douanes* ou de toute autre loi fédérale prohibant, contrôlant ou réglementant les importations ou les exportations, le ministre dédouane les exemplaires de l'oeuvre, sans autre avis au demandeur, si celui-ci, dans les deux semaines qui suivent la notification prévue au sous-alinéa (3)*a)*(ii), ne l'a pas avisé qu'il a engagé une procédure pour que le tribunal se prononce sur l'existence des faits visés aux alinéas (2)*b)* et *c)*.

Where applicant fails to commence an action
(8) Unless an order made under subsection (2) provides otherwise, the Minister shall, subject to the *Customs Act* and to any other Act of Parliament that prohibits, controls or regulates the importation or exportation of goods, release the copies of the work without further notice to the applicant if, two weeks after the applicant has been notified under subparagraph (3)*(a)*(ii), the applicant has not notified the Minister that the applicant has commenced a proceeding for a final determination by the court of the issues referred to in paragraphs (2)*(b)* and *(c)*.

Destruction ou restitution de l'oeuvre

(9) Lorsque, au cours d'une procédure engagée sous le régime du présent article, il est convaincu de l'existence des faits visés aux alinéas (2)*b)* et *c)*, le tribunal peut rendre toute ordonnance qu'il juge indiquée, notamment quant à la destruction des exemplaires de l'oeuvre ou à leur remise au demandeur en toute propriété.

Where court finds in plaintiff's favour

(9) Where, in a proceeding commenced under this section, the court finds that the circumstances referred to in paragraphs (2)*(b)* and *(c)* existed, the court may make any order that it considers appropriate in the circumstances, including an order that the copies of the work be destroyed, or that they be delivered up to the plaintiff as the plaintiff's property absolutely.

Autres recours non touchés

(10) Il est entendu que le présent article n'a pas pour effet de porter atteinte aux recours prévus à la présente loi ou toute autre loi fédérale.

L.C. 1993, ch. 44, art. 66; 1997, ch. 24, art. 27.

Other remedies not affected

(10) For greater certainty, nothing in this section affects any remedy available under any other provision of this Act or any other Act of Parliament.

S.C. 1993, c. 44, s. 66; 1997, c. 24, s. 27.

Importation de livres

44.2 (1) Le tribunal peut rendre l'ordonnance prévue au paragraphe 44.1(3) à l'égard d'un livre lorsqu'il est convaincu que les conditions suivantes sont réunies :

a) les exemplaires du livre sont importés au Canada — ou sur le point de l'être — sans être dédouanés;

b) leur production s'est faite avec le consentement du titulaire du droit d'auteur dans le pays de production, mais leur importation s'est faite sans le consentement du titulaire du droit d'auteur au Canada;

c) l'importateur sait ou aurait dû savoir que la production de ces exemplaires aurait violé le droit d'auteur s'il l'avait faite au Canada.

Importation of books

44.2 (1) A court may, subject to this section, make an order described in subsection 44.1(3) in relation to a book where the court is satisfied that

(a) copies of the book are about to be imported into Canada, or have been imported into Canada but have not yet been released;

(b) copies of the book were made with the consent of the owner of the copyright in the book in the country where the copies were made, but were imported without the consent of the owner in Canada of the copyright in the book; and

(c) the copies would infringe copyright if they were made in Canada by the importer and the importer knows or should have known this.

Demandeurs

(2) La demande pour obtenir l'ordonnance visée au paragraphe 44.1(3) peut être présentée par :

a) le titulaire du droit d'auteur sur le livre au Canada;

b) le titulaire d'une licence exclusive au Canada s'y rapportant;

c) le distributeur exclusif du livre.

Who may apply

(2) A court may make an order described in subsection 44.1(3) in relation to a book on application by

(a) the owner of the copyright in the book in Canada;

(b) the exclusive licensee of the copyright in the book in Canada; or

(c) the exclusive distributor of the book.

Précision

(3) Les paragraphes (1) et (2) ne s'appliquent que si, d'une part, il y a un distributeur exclu-

Limitation

(3) Subsections (1) and (2) only apply where there is an exclusive distributor of the book

sif du livre et, d'autre part, l'importation se rapporte à la partie du Canada ou au secteur du marché pour lesquels il a cette qualité.

and the acts described in those subsections take place in the part of Canada or in respect of the particular sector of the market for which the person is the exclusive distributor.

Application de certaines dispositions
(4) Les paragraphes 44.1(3) à (10) s'appliquent, avec les adaptations nécessaires, aux ordonnances rendues en vertu du paragraphe (1).
L.C. 1994, ch. 47, art. 66; 1997, ch. 24, art. 28.

Application of certain provisions
(4) Subsections 44.1(3) to (10) apply, with such modifications as the circumstances require, in respect of an order made under subsection (1).
S.C. 1994, c. 47, s. 66; 1997, c. 24, s. 28.

Restriction
44.3 Le titulaire d'une licence exclusive au Canada se rapportant à un livre et le distributeur exclusif du livre ne peuvent obtenir l'ordonnance visée à l'article 44.2 contre un autre titulaire de licence exclusive au Canada se rapportant au même livre ou un autre distributeur exclusif de celui-ci.
L.C. 1997, ch. 24, art. 28.

Limitation
44.3 No exclusive licensee of the copyright in a book in Canada, and no exclusive distributor of a book, may obtain an order under section 44.2 against another exclusive licensee of the copyright in that book in Canada or against another exclusive distributor of that book.
S.C. 1997, c. 24, s. 28.

Application aux autres objets du droit d'auteur
44.4 L'article 44.1 s'applique, avec les adaptations nécessaires, à la prestation de l'artiste-interprète, à l'enregistrement sonore ou au signal de communication lorsque, dans le cas d'une fixation de ceux-ci ou d'une reproduction d'une telle fixation, les conditions suivantes sont réunies :
a) la fixation ou la reproduction de la fixation est importée au Canada — ou sur le point de l'être — sans être dédouanée;
b) elle a été faite soit sans le consentement du titulaire du droit d'auteur dans le pays de la fixation ou de la reproduction, soit ailleurs que dans un pays visé par la partie II;
c) l'importateur sait ou aurait dû savoir que la fixation ou la reproduction violerait les droits du titulaire du droit d'auteur concerné s'il l'avait faite au Canada.
L.C. 1997, ch. 24, art. 28.

Importation of other subject-matter
44.4 Section 44.1 applies, with such modifications as the circumstances require, in respect of a sound recording, performer's performance or communication signal, where a fixation or a reproduction of a fixation of it
(a) is about to be imported into Canada, or has been imported into Canada but has not yet been released;
(b) either
(i) was made without the consent of the person who then owned the copyright in the sound recording, performer's performance or communication signal, as the case may be, in the country where the fixation or reproduction was made, or
(ii) was made elsewhere than in a country to which Part II extends; and
(c) would infringe the right of the owner of copyright in the sound recording, performer's performance or communication signal if it was made in Canada by the importer and the importer knows or should have known this.
S.C. 1997, c. 24, s. 28.

Importations autorisées

45. (1) Malgré les autres dispositions de la présente loi, il est loisible à toute personne :

a) d'importer pour son propre usage deux exemplaires au plus d'une oeuvre ou d'un autre objet du droit d'auteur produits avec le consentement du titulaire du droit d'auteur dans le pays de production;

b) d'importer, pour l'usage d'un ministère du gouvernement du Canada ou de l'une des provinces, des exemplaires — produits avec le consentement du titulaire du droit d'auteur dans le pays de production — d'une oeuvre ou d'un autre objet du droit d'auteur;

c) en tout temps avant la production au Canada d'exemplaires d'une oeuvre ou d'un autre objet du droit d'auteur, d'importer les exemplaires, sauf ceux d'un livre, — produits avec le consentement du titulaire du droit d'auteur dans le pays de production — requis pour l'usage d'un établissement d'enseignement, d'une bibliothèque, d'un service d'archives ou d'un musée;

d) d'importer au plus un exemplaire d'un livre — produit avec le consentement du titulaire du droit d'auteur dans le pays de production du livre — pour l'usage d'un établissement d'enseignement, d'une bibliothèque, d'un service d'archives ou d'un musée;

e) d'importer des exemplaires de livres d'occasion produits avec le consentement du titulaire du droit d'auteur dans le pays de production, sauf s'il s'agit de livres de nature scientifique, technique ou savante qui sont importés pour servir de manuels scolaires dans un établissement d'enseignement.

Exceptions

45. (1) Notwithstanding anything in this Act, it is lawful for a person

(a) to import for their own use not more than two copies of a work or other subject-matter made with the consent of the owner of the copyright in the country where it was made;

(b) to import for use by a department of the Government of Canada or a province copies of a work or other subject-matter made with the consent of the owner of the copyright in the country where it was made;

(c) at any time before copies of a work or other subject-matter are made in Canada, to import any copies, except copies of a book, made with the consent of the owner of the copyright in the country where the copies were made, that are required for the use of a library, archive, museum or educational institution;

(d) to import, for the use of a library, archive, museum or educational institution, not more than one copy of a book that is made with the consent of the owner of the copyright in the country where the book was made; and

(e) to import copies, made with the consent of the owner of the copyright in the country where they were made, of any used books, except textbooks of a scientific, technical or scholarly nature for use within an educational institution in a course of institution.

Preuve satisfaisante

(2) Un fonctionnaire de la douane peut, à sa discrétion, exiger que toute personne qui cherche à importer un exemplaire d'une oeuvre ou d'un autre objet du droit d'auteur en vertu du présent article lui fournisse la preuve satisfaisante des faits à l'appui de son droit de faire cette importation.

L.R.C. 1985, ch. C-42, art. 45; ch. 41 (3e suppl.), art. 117; L.C. 1993, ch. 44, art. 67; 1994, ch. 47, art. 67; 1997, ch. 24, art. 28, 62.

Satisfactory evidence

(2) An officer of customs may, in the officer's discretion, require a person seeking to import a copy of a work or other subject-matter under this section to produce satisfactory evidence of the facts necessary to establish the person's right to import the copy.

R.S.C. 1985, c. C-42, s. 45; c. 41 (3rd Supp.), s. 117; S.C. 1993, c. 44, s. 67; 1994, c. 47, s. 67; 1997, c. 24, ss. 28, 62.

PARTIE V
ADMINISTRATION

BUREAU DU DROIT D'AUTEUR

Bureau du droit d'auteur

46. Le Bureau du droit d'auteur est attaché au Bureau des brevets.
S.R.C., ch. C-30, art. 29.

Pouvoirs du commissaire et du registraire

47. Sous la direction du ministre, le commissaire aux brevets exerce les pouvoirs que la présente loi lui confère et exécute les fonctions qu'elle lui impose. En cas d'absence ou d'empêchement du commissaire, le registraire des droits d'auteur ou un autre fonctionnaire temporairement nommé par le ministre peut, à titre de commissaire suppléant, exercer ces pouvoirs et exécuter ces fonctions sous la direction du ministre.
S.R.C., ch. C-30, art. 30.

Registraire

48. Est nommé un registraire des droits d'auteur.
S.R.C., ch. C-30, art. 31.

Inscription, certificat et copie

49. Les certificats et copies certifiées conformes d'inscriptions faites dans le registre des droits d'auteur peuvent être signés par le commissaire aux brevets, le registraire des droits d'auteur ou tout autre membre du personnel du Bureau du droit d'auteur.
L.R.C. 1985, ch. C-42, art. 49; L.C. 1992, ch. 1, art. 47; 1993, ch. 15, art. 4.

Autres attributions du registraire

50. Le registraire des droits d'auteur exerce, relativement à l'administration de la présente loi, les autres fonctions que peut lui attribuer le commissaire aux brevets.
S.R.C., ch. C-30, art. 33.

51. [Abrogé, L.C. 1992, ch. 1, art. 48.]

PART V
ADMINISTRATION

COPYRIGHT OFFICE

Copyright office

46. The Copyright Office shall be attached to the Patent Office.
R.S.C., c. C-30, s. 29.

Powers of Commissioner and Registrar

47. The Commissioner of Patents shall exercise the powers conferred and perform the duties imposed on him by this Act under the direction of the Minister, and, in the absence of the Commissioner of Patents or if the Commissioner is unable to act, the Registrar of Copyrights or other officer temporarily appointed by the Minister may, as Acting Commissioner, exercise those powers and perform those duties under the direction of the Minister.
R.S.C., c. C-30, s. 30.

Registrar

48. There shall be a Registrar of Copyrights.
R.S.C., c. C-30, s. 31.

Register of Copyrights, certificates and certified copies

49. The Commissioner of Patents, the Registrar of Copyrights or an officer, clerk or employee of the Copyright Office may sign certificates and certified copies of the Register of Copyrights.
R.S.C. 1985, c. C-42, s. 49; S.C. 1992, c. 1, s. 47; 1993, c. 15, s. 4.

Other duties of Registrar

50. The Registrar of Copyrights shall perform such other duties in connection with the administration of this Act as may be assigned to him by the Commissioner of Patents.
R.S.C., c. C-30, s. 33.

51. [Repealed, S.C. 1992, c. 1, s. 48.]

Direction des affaires et fonctionnaires

52. Sous la direction du ministre, le commissaire aux brevets assure la direction et contrôle la gestion du personnel du Bureau du droit d'auteur, exerce l'administration générale des affaires de ce Bureau et exerce les autres fonctions que lui attribue le gouverneur en conseil.
S.R.C., ch. C-30, art. 35.

Control of business and officials

52. The Commissioner of Patents shall, subject to the Minister, oversee and direct the officers, clerks and employees of the Copyright Office, have general control of the business thereof and perform such other duties as are assigned to him by the Governor in Council.
R.S.C., c. C-30, s. 35.

Preuve

53. (1) Le registre des droits d'auteur, de même que la copie d'inscriptions faites dans ce registre, certifiée conforme par le commissaire aux brevets, le registraire des droits d'auteur ou tout membre du personnel du Bureau du droit d'auteur, fait foi de son contenu.

Register to be evidence

53. (1) The Register of Copyrights is evidence of the particulars entered in it, and a copy of an entry in the Register is evidence of the particulars of the entry if it is certified by the Commissioner of Patents, the Registrar of Copyrights or an officer, clerk or employee of the Copyright Office as a true copy.

Titulaire du droit d'auteur

(2) Le certificat d'enregistrement du droit d'auteur constitue la preuve de l'existence du droit d'auteur et du fait que la personne figurant à l'enregistrement en est le titulaire.

Owner of copyright

(2) A certificate of registration of copyright is evidence that the copyright subsists and that the person registered is the owner of the copyright.

Cessionnaire

(2.1) Le certificat d'enregistrement de la cession d'un droit d'auteur constitue la preuve que le droit qui y est inscrit a été cédé et que le cessionnaire figurant à l'enregistrement en est le titulaire.

Assignee

(2.1) A certificate of registration of an assignment of copyright is evidence that the right recorded on the certificate has been assigned and that the assignee registered is the owner of that right.

Titulaire de licence

(2.2) Le certificat d'enregistrement de la licence accordant un intérêt dans un droit d'auteur constitue la preuve que l'intérêt qui y est inscrit a été concédé par licence et que le titulaire de la licence figurant au certificat d'enregistrement détient cet intérêt.

Licensee

(2.2) A certificate of registration of a licence granting an interest in a copyright is evidence that the interest recorded on the certificate has been granted and that the licensee registered is the holder of that interest.

Admissibilité en preuve

(3) Les copies certifiées conformes et les certificats censés être délivrés selon les paragraphes (1) ou (2) sont admissibles en preuve sans qu'il soit nécessaire de prouver l'authenticité de la signature qui y est apposée ou la qualité officielle du signataire.
L.R.C. 1985, ch. C-42, art. 53; L.C. 1992, ch. 1, art. 49; 1993, ch. 15, art. 5; 1997, ch. 24, art. 30.

Admissibility

(3) A certified copy or certificate appearing to have been issued under this section is admissible in all courts without proof of the signature or official character of the person appearing to have signed it.
R.S.C. 1985, c. C-42, s. 53; S.C. 1992, c. 1, s. 49; 1993, c. 15, s. 5; 1997, c. 24, s. 30.

ENREGISTREMENT

Registre des droits d'auteur

54. (1) Le ministre fait tenir, au Bureau du droit d'auteur, un registre des droits d'auteur pour l'inscription :
a) des noms ou titres des oeuvres ou autres objets du droit d'auteur;
b) des noms et adresses des auteurs, artistes-interprètes, producteurs d'enregistrements sonores, radiodiffuseurs et autres titulaires de droit d'auteur, des cessionnaires de droit d'auteur et des titulaires de licences accordant un intérêt dans un droit d'auteur;
c) de tous autres détails qui peuvent être prévus par règlement.

(2) [Remplacé, L.C. 1997, ch. 24, art. 31.]

Une seule inscription suffit

(3) Dans le cas d'une encyclopédie, d'un journal, revue, magazine ou autre publication périodique, ou d'une oeuvre publiée en une série de tomes ou de volumes, il n'est pas nécessaire de faire une inscription distincte pour chaque numéro ou tome, mais une seule inscription suffit pour l'oeuvre entière.

Index

(4) Sont aussi établis au Bureau du droit d'auteur, pour le registre tenu en vertu du présent article, les index prévus par règlement.

Accès

(5) Le registre et les index doivent être, à toute heure convenable, accessibles au public, qui peut les reproduire en tout ou en partie.

Ancien enregistrement effectif

(6) Tout enregistrement effectué en vertu de la *Loi des droits d'auteur*, chapitre 70 des Statuts revisés du Canada de 1906, a la même valeur et le même effet que s'il était effectué en vertu de la présente loi.

Droit d'auteur existant

(7) Est enregistrable, aux termes de la présente loi, toute oeuvre sur laquelle existait un

REGISTRATION

Register of Copyrights

54. (1) The Minister shall cause to be kept at the Copyright Office a register to be called the Register of Copyrights in which may be entered
(a) the names or titles of works and of other subject-matter in which copyright subsists;
(b) the names and addresses of authors, performers, makers of sound recordings, broadcasters, owners or copyright, assignees of copyright, and persons to whom an interest in copyright has been granted by licence; and
(c) such other particulars as may be prescribed by regulation.

(2) [Replaced, S.C. 1997, c. 24, s. 31.]

Single entry sufficient

(3) In the case of an encyclopaedia, newspaper, review, magazine or other periodical work, or work published in a series of books or parts, it is not necessary to make a separate entry for each number or part, but a single entry for the whole work is sufficient.

Indices

(4) There shall also be kept at the Copyright Office such indices of the Register established under this section as may be prescribed by regulation.

Inspection and extracts

(5) The Register and indices established under this section shall at all reasonable times be open to inspection, and any person is entitled to make copies of or take extracts from the Register.

Former registration effective

(6) Any registration made under the *Copyright Act*, chapter 70 of the Revised Statutes of Canada, 1906, has the same force and effect as if made under this Act.

Subsisting copyright

(7) Any work in which copyright, operative in Canada, subsisted immediately before

droit d'auteur, en vigueur au Canada, immédiatement avant le 1er janvier 1924.
L.R.C. 1985, ch. C-42, art. 54; L.C. 1992, ch. 1, art. 50; 1997, c. 24, art. 31.

January 1, 1924 is registrable under this Act.
R.S.C. 1985, c. C-42, s. 54; S.C. 1992, c. 1, s. 50; 1997, c. 24, s. 31.

Oeuvres

55. (1) La demande d'enregistrement d'un droit d'auteur sur une oeuvre peut être faite par l'auteur, le titulaire ou le cessionnaire du droit d'auteur, ou le titulaire d'une licence accordant un intérêt dans ce droit, ou en leur nom.

Copyright in works

55. (1) Application for the registration of a copyright in a work may be made by or on behalf of the author of the work, the owner of the copyright in the work, an assignee of the copyright, or a person to whom an interest in the copyright has been granted by licence.

Demande d'enregistrement

(2) Elle doit être déposée au Bureau du droit d'auteur avec la taxe dont le montant est fixé par les règlements ou déterminé en conformité avec ceux-ci, et comporter les renseignements suivants :

a) les nom et adresse du titulaire du droit d'auteur;
b) une déclaration précisant que le demandeur est l'auteur, le titulaire ou le cessionnaire de ce droit ou le titulaire d'une licence accordant un intérêt dans celui-ci;
c) la catégorie à laquelle appartient l'oeuvre;
d) le titre de l'oeuvre;
e) le nom de l'auteur et, s'il est décédé, la date de son décès si elle est connue;
f) dans le cas d'une oeuvre publiée, la date et le lieu de la première publication;
g) tout renseignement supplémentaire prévu par règlement.

L.R.C. 1985, ch. C-42, art. 55; L.C. 1997, ch. 24, art. 32.

Application for registration

(2) An application under subsection (1) must be filed with the Copyright Office, be accompanied by the fee prescribed by or determined under the regulations, and contain the following information:

(a) the name and address of the owner of the copyright in the work;
(b) a declaration that the applicant is the author of the work, the owner of the copyright in the work, an assignee of the copyright, or a person to whom an interest in the copyright has been granted by licence;
(c) the category of the work;
(d) the title of the work;
(e) the name of the author and, if the author is dead, the date of the author's death, if known;
(f) in the case of a published work, the date and place of the first publication; and
(g) any additional information prescribed by regulation.

R.S.C. 1985, c. C-42, s. 55; S.C. 1997, c. 24, s. 32.

Autres objets du droit d'auteur

56. (1) La demande d'enregistrement d'un droit d'auteur sur une prestation, un enregistrement sonore ou un signal de communication peut être faite par le titulaire ou le cessionnaire du droit d'auteur, ou le titulaire d'une licence accordant un intérêt dans ce droit, ou en leur nom.

Copyright in subject-matter other than works

56. (1) Application for the registration of a copyright in subject-matter other than a work may be made by or on behalf of the owner of the copyright in the subject-matter, an assignee of the copyright, or a person to whom an interest in the copyright has been granted by licence.

Demande d'enregistrement

(2) Elle doit être déposée au Bureau du droit d'auteur avec la taxe dont le montant est fixé

Application for registration

(2) An application under subsection (1) must be filed with the Copyright Office, be accom-

par les règlements ou déterminé en conformité avec ceux-ci, et comporter les renseignements suivants :

a) les nom et adresse du titulaire du droit d'auteur;

b) une déclaration précisant que le demandeur est le titulaire ou le cessionnaire de ce droit, ou le titulaire d'une licence accordant un intérêt dans celui-ci;

c) l'objet du droit d'auteur;

d) son titre, s'il y a lieu;

e) la date de la première fixation d'une prestation au moyen d'un enregistrement sonore, ou de sa première exécution si elle n'est pas ainsi fixée, la date de la première fixation dans le cas de l'enregistrement sonore et la date de l'émission dans le cas du signal de communication;

f) tout renseignement supplémentaire prévu par règlement.

L.R.C. 1985, ch. C-42, art. 56; L.C. 1993, ch. 15, art. 6; 1997, ch. 24, art. 32.

panied by the fee prescribed by or determined under the regulations, and contain the following information:

(a) the name and address of the owner of the copyright in the subject-matter;

(b) a declaration that the applicant is the owner of the copyright in the subject-matter, an assignee of the copyright, or a person to whom an interest in the copyright has been granted by licence;

(c) whether the subject-matter is a performer's performance, a sound recording or a communication signal;

(d) the title, if any, of the subject-matter;

(e) the date of

(i) in the case of a performer's performance, its first fixation in a sound recording or, if it is not fixed in a sound recording, its first performance,

(ii) in the case of a sound recording, the first fixation, or

(iii) in the case of a communication signal, its broadcast; and

(f) any additional information prescribed by regulation.

R.S.C. 1985, c. C-42, s. 56; S.C. 1993, c. 15, s. 6; 1997, c. 24, s. 32.

Recouvrement

56.1 Tout dommage causé par erreur ou par l'action frauduleuse d'une personne qui prétend pouvoir au nom de l'une des personnes visées aux articles 55 ou 56 faire une demande d'enregistrement peut être recouvré devant un tribunal compétent.

L.C. 1997, ch. 24, art. 32.

Recovery of damages

56.1 Where a person purports to have the authority to apply for the registration of a copyright under section 55 or 56 on behalf of another person, any damage caused by a fraudulent or erroneous assumption of such authority is recoverable in any court of competent jurisdiction.

S.C. 1997, c. 24, s. 32.

Enregistrement d'une cession ou d'une licence

57. (1) Le registraire des droits d'auteur enregistre, sur production du document original ou d'une copie certifiée conforme ou de toute autre preuve qu'il estime satisfaisante et sur paiement de la taxe dont le montant est fixé par les règlements ou déterminé conformément à ceux-ci, l'acte de cession d'un droit d'auteur ou la licence accordant un intérêt dans ce droit.

Registration of assignment or licence

57. (1) The Registrar of Copyrights shall register an assignment of copyright, or a licence granting an interest in a copyright, on being furnished with

(a) the original instrument or a certified copy of it, or other evidence satisfactory to the Registrar of the assignment or licence; and

(b) the fee prescribed by or determined under the regulations.

(2) [Abrogé, L.C. 1992, ch. 1, art. 51.]

Annulation de la cession ou de la concession

(3) Tout acte de cession d'un droit d'auteur ou toute licence concédant un intérêt dans un droit d'auteur doit être déclaré nul à l'encontre de tout cessionnaire du droit d'auteur ou titulaire de l'intérêt concédé qui le devient subséquemment à titre onéreux sans connaissance de l'acte de cession ou licence antérieur, à moins que celui-ci n'ait été enregistré de la manière prévue par la présente loi avant l'enregistrement de l'instrument sur lequel la réclamation est fondée.

Rectification des registres par la Cour

(4) La Cour fédérale peut, sur demande du registraire des droits d'auteur ou de toute personne intéressée, ordonner la rectification d'un enregistrement de droit d'auteur effectué en vertu de la présente loi :

a) soit en y faisant une inscription qui a été omise du registre par erreur;

b) soit en radiant une inscription qui a été faite par erreur ou est restée dans le registre par erreur;

c) soit en corrigeant une erreur ou un défaut dans le registre.

Pareille rectification du registre a effet rétroactif à compter de la date que peut déterminer la Cour.

L.R.C. 1985, ch. C-42, art. 57; L.C. 1992, ch. 1, art. 51; 1993, ch. 15, art. 7; 1997, c. 24, art. 33.

Exécution de la cession ou de la concession

58. (1) Tout acte de cession d'un droit d'auteur ou toute licence concédant un intérêt dans un droit d'auteur peut être exécuté, souscrit ou attesté en tout lieu dans un pays signataire ou dans un pays partie à la Convention de Rome par le cédant, le concédant ou le débiteur hypothécaire, devant un notaire public, un commissaire ou un autre fonctionnaire ou un juge, légalement autorisé à faire prêter serment ou à dresser des actes notariés en ce lieu, qui appose à l'acte sa signature et son sceau officiel ou celui de son tribunal.

(2) [Repealed, S.C. 1992, c. 1, s. 51.]

When assignment or licence is void

(3) Any assignment of copyright, or any licence granting an interest in a copyright, shall be adjudged void against any subsequent assignee or licensee for valuable consideration without actual notice, unless the prior assignment or licence is registered in the manner prescribed by this Act before the registering of the instrument under which the subsequent assignee or licensee claims.

Rectification of Register by the Court

(4) The Federal Court may, on application of the Registrar of Copyrights or of any interested person, order the rectification of the Register of Copyrights by

(*a*) the making of any entry wrongly omitted to be made in the Register,

(*b*) the expunging of any entry wrongly made in or remaining on the Register, or

(*c*) the correction of any error or defect in the Register,

and any rectification of the Register under this subsection shall be retroactive from such date as the Court may order.

R.S.C. 1985, c. C-42, s. 57; S.C. 1992, c. 1, s. 51; 1993, c. 15, s. 7; 1997, c. 24, s. 33.

Execution of instruments

58. (1) Any assignment of copyright, or any licence granting an interest in a copyright, may be executed, subscribed or acknowledged at any place in a treaty country or a Rome Convention country by the assignor, licensor or mortgagor, before any notary public, commissioner or other official or the judge of any court, who is authorized by law to administer oaths or perform notarial acts in that place, and who also subscribes their signature and affixes thereto or impresses thereon their official seal or the seal of the court of which they are such judge.

Exécution de la cession ou de la concession
(2) La même procédure est valable en tout autre pays étranger, l'autorité du notaire public, commissaire ou autre fonctionnaire ou juge de ce pays étranger devant être certifiée par un agent diplomatique ou consulaire du Canada exerçant ses fonctions dans le pays en question.

Execution of instruments
(2) Any assignment of copyright, or any licence granting an interest in a copyright, may be executed, subscribed or acknowledged by the assignor, licensor or mortgagor, in any other foreign country before any notary public, commissioner or other official or the judge of any court of the foreign country, who is authorized to administer oaths or perform notarial acts in that foreign country and whose authority shall be proved by the certificate of a diplomatic or consular officer of Canada performing their functions in that foreign country.

Sceaux constituent une preuve
(3) Un sceau officiel, sceau de tribunal ou certificat d'un agent diplomatique ou consulaire constitue la preuve de l'exécution de l'acte; l'acte portant un tel sceau ou certificat est admissible en preuve dans toute action ou procédure intentée en vertu de la présente loi, sans autre preuve.

Seals to be evidence
(3) The official seal or seal of the court or the certificate of a diplomatic or consular officer is evidence of the execution of the instrument, and the instrument with the seal or certificate affixed or attached thereto is admissible as evidence in any action or proceeding brought under this Act without further proof.

Preuve
(4) Les dispositions énoncées aux paragraphes (1) et (2) sont réputées facultatives seulement, et l'exécution de toute cession d'un droit d'auteur ou de toute concession d'un intérêt dans un droit d'auteur par licence peut, dans tous les cas, être prouvée par les règles de preuve applicables en l'occurrence.
L.R.C. 1985, ch. C-42, art. 58; L.C. 1997, ch. 24, art. 34.

Other testimony
(4) The provisions of subsections (1) and (2) shall be deemed to be permissive only, and the execution of any assignment of copyright, or any licence granting an interest in a copyright, may in any case be proved in accordance with the applicable rules of evidence.
R.S.C. 1985, c. C-42, s. 58; S.C. 1997, c. 24, s. 34.

TAXES

Règlement fixant les taxes
59. Le gouverneur en conseil peut, par règlement :
a) fixer les taxes à acquitter pour tout acte ou service accompli aux termes de la présente loi, ou en préciser le mode de détermination;
b) déterminer les modalités de paiement de celles-ci, notamment le délai.
L.R.C. 1985, ch. C-42, art. 59; L.C. 1993, ch. 15, art. 8.

FEES

Fees regulations
59. The Governor in Council may make regulations
(a) prescribing fees, or the manner of determining fees, to be paid for anything required or authorized to be done in the administration of this Act; and
(b) prescribing the time and manner in which the fees must be paid.
R.S.C. 1985, c. C-42, s. 59; S.C. 1993, c. 15, s. 8.

PARTIE VI
DIVERS

DROITS SUBSTITUÉS

Droits substitués

60. (1) Quiconque jouit, immédiatement avant le 1er janvier 1924, à l'égard d'une oeuvre, d'un droit spécifié dans la colonne I de l'annexe I, ou d'un intérêt dans un droit semblable, bénéficie, à partir de cette date, du droit substitué indiqué dans la colonne II de cette annexe, ou du même intérêt dans le droit substitué, à l'exclusion de tout autre droit ou intérêt; le droit substitué durera aussi longtemps qu'il aurait duré si la présente loi avait été en vigueur au moment où l'oeuvre a été créée et que celle-ci eût été admise au droit d'auteur sous son régime.

Lorsque l'auteur a cédé son droit

(2) Si l'auteur d'une oeuvre sur laquelle un droit mentionné à la colonne I de l'annexe I subsiste le 1er janvier 1924 a, avant cette date, cédé le droit ou concédé un intérêt dans ce droit pour toute la durée de celui-ci, alors, à la date où, n'eût été l'adoption de la présente loi, le droit aurait expiré, le droit substitué conféré par le présent article passe, en l'absence de toute convention expresse, à l'auteur de l'oeuvre et tout intérêt y afférent ayant pris naissance avant le 1er janvier 1924 et subsistant à cette date prend fin; mais la personne qui, immédiatement avant la date où le droit aurait ainsi expiré, était le titulaire du droit ou de l'intérêt est admise, à son choix :

a) sur avis, à recevoir une cession du droit ou la concession d'un intérêt semblable dans ce droit pour la période non expirée de la protection moyennant la considération qui, en l'absence d'une convention, peut être fixée par arbitrage;

b) sans une telle cession ou concession, à continuer de reproduire, d'exécuter ou de représenter l'oeuvre de la même manière qu'avant cette date sous réserve du paiement à l'auteur, si celui-ci l'exige dans les trois ans après la date où le droit aurait ainsi expiré, des redevances qui, en l'absence de conven-

PART VI
MISCELLANEOUS PROVISIONS

SUBSTITUTED RIGHT

Subsistence of substituted right

60. (1) Where any person is immediately before January 1, 1924 entitled to any right in any work that is set out in column I of Schedule I, or to any interest in such a right, he is, as from that date, entitled to the substituted right set out in column II of that Schedule, or to the same interest in the substituted right, and to no other right or interest, and the substituted right shall subsist for the term for which it would have subsisted if this Act had been in force at the date when the work was made, and the work had been one entitled to copyright thereunder.

Where author has assigned the right

(2) Where the author of any work in which any right that is set out in column I of Schedule I subsists on January 1, 1924 has, before that date, assigned the right or granted any interest therein for the whole term of the right, then at the date when, but for the passing of this Act, the right would have expired, the substituted right conferred by this section shall, in the absence of express agreement, pass to the author of the work, and any interest therein created before January 1, 1924 and then subsisting shall determine, but the person who immediately before the date at which the right would have expired was the owner of the right or interest is entitled at his option either

(*a*) on giving such notice as is hereinafter mentioned, to an assignment of the right or the grant of a similar interest therein for the remainder of the term of the right for such consideration as, failing agreement, may be determined by arbitration, or

(*b*) without any assignment or grant, to continue to reproduce or perform the work in like manner as therefore subject to the payment, if demanded by the author within three years after the date at which the right would have expired, of such royalties to the author as, failing agreement, amy be determined by ar-

tion, peuvent être fixées par arbitrage, ou sans paiement de ce genre, si l'oeuvre est incorporée dans un recueil dont le propriétaire est le titulaire du droit ou de l'intérêt.

L'avis prévu à l'alinéa *a)* doit être donné dans un délai d'au plus une année et d'au moins six mois avant la date où le droit aurait ainsi pris fin, et être adressé, par lettre recommandée, à l'auteur; si celui-ci reste introuvable, malgré les diligences raisonnables, l'avis doit être publié dans la *Gazette du Canada.*

Définition de «auteur»

(3) Pour l'application du présent article, sont assimilés à un auteur les représentants légaux d'un auteur décédé.

Oeuvres créées avant l'entrée en vigueur de la présente loi

(4) Sous réserve des autres dispositions de la présente loi, le droit d'auteur sur les oeuvres créées avant le 1er janvier 1924 subsiste uniquement en vertu et en conformité avec les prescriptions du présent article.

L.R.C. 1985, ch. 42, art. 60; ch. 10 (4e suppl.), art. 17(F); L.C. 1997, ch. 24, art. 52(F).

bitration, or, where the work is incorporated in a collective work and the owner of the right or interest is the proprietor of that collective work, without any payment,

and the notice referred to in paragraph (*a*) must be given not more than one year or less than six months before the date at which the right would have expired, and must be sent by registered post to the author, or, if he cannot with reasonable diligence be found, advertised in the *Canada Gazette.*

Definition of "author"

(3) For the purposes of this section, "author" includes the legal representatives of a deceased author.

Works made before this Act in force

(4) Subject to this Act, copyright shall not subsist in any work made before January 1, 1924 otherwise than under and in accordance with the provisions of this section.

R.S.C. 1985, c. C-42, s. 60; c. 10 (4th Supp.), s. 17(F); S.C. 1997, c. 24, s. 52(F).

ERREURS MATÉRIELLES

Les erreurs d'écriture n'entraînent pas l'invalidation

61. Un document d'enregistrement n'est pas invalide en raison d'erreurs d'écriture; elles peuvent être corrigées sous l'autorité du registraire des droits d'auteur.

L.R.C. 1985, ch. C-42, art. 61; L.C. 1992, ch. 1, art. 52; 1993, ch. 15, art. 10.

CLERICAL ERRORS

Clerical errors do not invalidate

61. Clerical errors in any instrument of record in the Copyright Office do not invalidate the instrument, but they may be corrected under the authority of the Registrar of Copyrights.

R.S.C. 1985, c. C-42, s. 61; S.C. 1992, c. 1, s. 52; 1993, c. 15, s. 10.

RÈGLEMENTS

Règlements

62. (1) Le gouverneur en conseil peut, par règlement :

a) prendre toute mesure d'ordre réglementaire prévue par la présente loi;

b) prendre toute autre mesure d'application de la présente loi.

REGULATIONS

Regulations

62. (1) The Governor in Council may make regulations

(*a*) prescribing anything that by this Act is to be prescribed by regulation; and

(*b*) generally for carrying out the purposes and provisions of this Act.

Sauvegarde des droits acquis
(2) Le gouverneur en conseil peut prendre les décrets destinés à changer, révoquer ou modifier tout décret pris en vertu de la présente loi. Toutefois, aucun décret pris en vertu du présent article ne porte atteinte ou préjudice aux droits ou intérêts acquis ou nés au moment de la mise à exécution de ce décret, ces droits et intérêts devant y trouver protection.
L.R.C. 1985, ch. C-42, art. 62; L.C. 1997, ch. 24, art. 37.

Rights saved
(2) The Governor in Council may make orders for altering, revoking or varying any order in council made under this Act, but any order made under this section does not affect prejudicially any rights or interests acquired or accrued at the date when the order comes into operation, and shall provide for the protection of those rights and interests.
R.S.C. 1985, c. C-42, s. 62; S.C. 1997, c. 24, s. 37.

DESSINS INDUSTRIELS ET TOPOGRAPHIES

INDUSTRIAL DESIGNS AND TOPOGRAPHIES

63. [Remplacé, L.C. 1997, ch. 24, art. 38.]

63. [Replaced, S.C. 1997, c. 24, s. 38.]

Définitions
64. (1) Les définitions qui suivent s'appliquent au présent article et à l'article 64.1.
«dessin» ***"design"***
«dessin» Caractéristiques ou combinaison de caractéristiques visuelles d'un objet fini, en ce qui touche la configuration, le motif ou les éléments décoratifs.
«fonction utilitaire» ***"utilitarian function"***
«fonction utilitaire» Fonction d'un objet autre que celle de support d'un produit artistique ou littéraire.
«objet» ***"article"***
«objet» Tout ce qui est réalisé à la main ou à l'aide d'un outil ou d'une machine.
«objet utilitaire» ***"useful article"***
«objet utilitaire» Objet remplissant une fonction utilitaire, y compris tout modèle ou toute maquette de celui-ci.

Interpretation
64. (1) In this section and section 64.1,
"article" ***«objet»***
"article" means any thing that is made by hand, tool or machine;
"design" ***«dessin»***
"design" means features of shape, configuration, pattern or ornament and any combination of those features that, in a finished article, appeal to and are judged solely by the eye;
"useful article" ***«objet utilitaire»***
"useful article" means an article that has a utilitarian function and includes a model of any such article;
"utilitarian function" ***«fonction utilitaire»***
"utilitarian function", in respect of an article, means a function other than merely serving as a substrate or carrier for artistic or literary matter.

Non-violation : cas de certains dessins
(2) Ne constitue pas une violation du droit d'auteur ou des droits moraux sur un dessin appliqué à un objet utilitaire, ou sur une oeuvre artistique dont le dessin est tiré, ni le fait de reproduire ce dessin, ou un dessin qui n'en diffère pas sensiblement, en réalisant l'objet ou toute reproduction graphique ou matérielle de celui-ci, ni le fait d'accomplir avec un objet ainsi réalisé, ou sa reproduction, un acte réservé exclusivement au titulaire du droit, pourvu que l'objet, de par l'autorisation du titulaire — au Canada ou à

Non-infringement re certain designs
(2) Where copyright subsists in a design applied to a useful article or in an artistic work from which the design is derived and, by or under the authority of any person who owns the copyright in Canada or who owns the copyright elsewhere,
(*a*) the article is reproduced in a quantity of more than fifty, or
(*b*) where the article is a plate, engraving or cast, the article is used for producing more than fifty useful articles,
it shall not thereafter be an infringement of

l'étranger — remplisse l'une des conditions suivantes :
a) être reproduit à plus de cinquante exemplaires;
b) s'agissant d'une planche, d'une gravure ou d'un moule, servir à la production de plus de cinquante objets utilitaires.

the copyright or the moral rights for anyone
(*c*) to reproduce the design of the article or a design not differing substantially from the design of the article by
(i) making the article, or
(ii) making a drawing or other reproduction in any material form of the article, or
(*d*) to do with an article, drawing or reproduction that is made as described in paragraph (*c*) anything that the owner of the copyright has the sole right to do with the design or artistic work in which the copyright subsists.

Exception

(3) Le paragraphe (2) ne s'applique pas au droit d'auteur ou aux droits moraux sur une oeuvre artistique dans la mesure où elle est utilisée à l'une ou l'autre des fins suivantes :
a) représentations graphiques ou photographiques appliquées sur un objet;
b) marques de commerce, ou leurs représentations, ou étiquettes;
c) matériel dont le motif est tissé ou tricoté ou utilisable à la pièce ou comme revêtement ou vêtement;
d) oeuvres architecturales qui sont des bâtiments ou des modèles ou maquettes de bâtiments;
e) représentations d'êtres, de lieux ou de scènes réels ou imaginaires pour donner une configuration, un motif ou un élément décoratif à un objet;
f) objets vendus par ensembles, pourvu qu'il n'y ait pas plus de cinquante ensembles;
g) autres oeuvres ou objets désignés par règlement.

Exception

(3) Subsection (2) does not apply in respect of the copyright or the moral rights in an artistic work in so far as the work is used as or for
(*a*) a graphic or photographic representation that is applied to the face of an article;
(*b*) a trade-mark or a representation thereof or a label;
(*c*) material that has a woven or knitted pattern or that is suitable for piece goods or surface coverings or for making wearing apparel;
(d) an architectural work that is a building or a model of a building;
(*e*) a representation of a real or fictitious being, event or place that is applied to an article as a feature of shape, configuration, pattern or ornament;
(*f*) articles that are sold as a set, unless more than fifty sets are made; or
(g) such other work or article as may be prescribed by regulation.

Idem

(4) Les paragraphes (2) et (3) ne s'appliquent qu'aux dessins créés après leur entrée en vigueur. L'article 64 de la présente loi et la *Loi sur les dessins industriels*, dans leur version antérieure à l'entrée en vigueur du présent article, et leurs règles d'application, continuent de s'appliquer aux dessins créés avant celle-ci.
L.R.C. 1985, ch. C-42, art. 64; ch. 10, (4e suppl.), art. 11; L.C. 1993, ch. 44, art. 68; 1997, ch. 24, art. 39.

Idem

(4) Subsections (2) and (3) apply only in respect of designs created after the coming into force of this subsection, and section 64 of this Act and the *Industrial Design Act*, as they read immediately before the coming into force of this subsection, as well as the rules made under them, continue to apply in respect of designs created before that coming into force.
R.S.C. 1985, c. C-42, s. 64; c. 10 (4th Supp.), s. 11; S.C. 1993, c. 44, s. 68; 1997, c. 24, s. 39.

Non-violation : caractéristiques d'objets utilitaires

64.1 (1) Ne constitue pas une violation du droit d'auteur ou des droits moraux sur une oeuvre le fait :

a) de conférer à un objet utilitaire des caractéristiques de celui-ci résultant uniquement de sa fonction utilitaire;

b) de faire, à partir seulement d'un objet utilitaire, une reproduction graphique ou matérielle des caractéristiques de celui-ci qui résultent uniquement de sa fonction utilitaire;

c) d'accomplir, avec un objet visé à l'alinéa *a*) ou avec une reproduction visée à l'alinéa *b*), un acte réservé exclusivement au titulaire du droit;

d) d'utiliser tout principe ou toute méthode de réalisation de l'oeuvre.

Exception

(2) Le paragraphe (1) ne vise pas le droit d'auteur ou, le cas échéant, les droits moraux sur tout enregistrement sonore, film cinématographique ou autre support, à l'aide desquels l'oeuvre peut être reproduite, représentée ou exécutée mécaniquement.

L.R.C. 1985, ch. 10 (4e suppl.), art. 11; L.C. 1997, ch. 24, art. 40.

Application de la loi aux topographies

64.2 (1) La présente loi ne s'applique pas et est réputée ne s'être jamais appliquée aux topographies ou aux schémas, sous quelque forme qu'ils soient, destinés à produire tout ou partie d'une topographie.

Programmes informatiques

(2) Il est entendu que peut constituer une violation du droit d'auteur ou des droits moraux sur une oeuvre l'incorporation de tout programme d'ordinateur dans un circuit intégré ou de toute oeuvre dans un tel programme.

Non-infringement re useful article features

64.1 (1) The following acts do not constitute an infringement of the copyright or moral rights in a work :

(*a*) applying to a useful article features that are dictated solely by a utilitarian function of the article;

(*b*) by reference solely to a useful article, making a drawing or other reproduction in any material form of any features of the article that are dictated solely by a utilitarian function of the article;

(*c*) doing with a useful article having only features described in paragraph (*a*), or with a drawing or reproduction made as described in paragraph (*b*), anything that the owner of the copyright has the sole right to do with the work; and

(*d*) using any method or principle of manufacture or construction.

Exception

(2) Nothing in subsection (1) affects

(*a*) the copyright, or

(*b*) the moral rights, if any,

in any sound recording, cinematograph film or other contrivance by means of which a work may be mechanically reproduced or performed.

R.S.C. 1985, c. 10 (4th Supp.), s. 11; S.C. 1997, c. 24, s. 40.

Application of Act to topographies

64.2 (1) This Act does not apply, and shall be deemed never to have applied, to any topography or to any design, however expressed, that is intended to generate all or part of a topography.

Computer programs

(2) For greater certainty, the incorporation of a computer program into an integrated circuit product or the incorporation of a work into such a computer program may constitute an infringement of the copyright or moral rights in a work.

Définitions de «topographie» et «circuit intégré»
(3) Pour l'application du présent article, «topographie» et «circuit intégré» s'entendent au sens de la *Loi sur les topographies de circuits intégrés*.
L.C. 1990, ch. 37, art. 33.

65. [Abrogé, L.C. 1993, ch. 44, art. 69.]

PARTIE VII
COMMISSION DU DROIT D'AUTEUR ET GESTION COLLECTIVE

COMMISSION DU DROIT D'AUTEUR

Constitution
66. (1) Est constituée la Commission du droit d'auteur, composée d'au plus cinq commissaires, dont le président et le vice-président, nommés par le gouverneur en conseil.

Mandat
(2) Les commissaires sont nommés à temps plein ou à temps partiel.

Président
(3) Le gouverneur en conseil choisit le président parmi les juges, en fonction ou à la retraite, de cour supérieure, de cour de comté ou de cour de district.

Durée du mandat
(4) Les commissaires sont nommés à titre inamovible pour un mandat maximal de cinq ans, sous réserve de la révocation motivée que prononce le gouverneur en conseil.

Nouveau mandat
(5) Les mandats des commissaires sont renouvelables une seule fois.

Interdiction de cumul
(6) Les commissaires ne peuvent, pendant leur mandat, faire partie de la fonction publique au sens de la *Loi sur les relations de travail dans la fonction publique*.

Definitions
(3) In this section, "topography" and "integrated circuit product" have the same meaning as in the *Integrated Circuit Topography Act*.
S.C. 1990, c. 37, s. 33.

65. [Repealed, S.C. 1993, c. 44, s. 69.]

PART VII
COPYRIGHT BOARD AND COLLECTIVE ADMINISTRATION OF COPYRIGHT

COPYRIGHT BOARD

Establishment
66. (1) There is hereby established a Board, to be known as the Copyright Board, consisting of not more than five members, including a chairman and a vice-chairman, to be appointed by the Governor in Council.

Service
(2) The members of the Board shall be appointed to serve either full-time or part-time.

Chairman
(3) The chairman must be a judge, either sitting or retired, of a superior, county or district court.

Tenure
(4) Each member of the Board shall hold office during good behaviour for a term not exceeding five years, but may be removed at any time by the Governor in Council for cause.

Re-appointment
(5) A member of the Board is eligible to be re-appointed once only.

Prohibition
(6) A member of the Board shall not be employed in the Public Service within the meaning of the *Public Service Staff Relations Act* during the member's term of office.

Fonctionnaires

(7) Les commissaires à temps plein autres que le président sont réputés rattachés :

a) à la fonction publique pour l'application de la *Loi sur la pension de la fonction publique*;

b) à l'administration publique fédérale pour l'application des règlements pris sous le régime de l'article 9 de la *Loi sur l'aéronautique*.

L.R.C. 1985, ch. C-42, art. 66; ch. 10 (1er suppl.), art. 1; ch. 10 (4e suppl.), art. 12.

Members deemed public service employees

(7) A full-time member of the Board, other than the chairman, shall be deemed to be employed in

(*a*) the Public Service for the purposes of the *Public Service Superannuation Act*; and

(*b*) the public service of Canada for the purposes of the any regulations made pursuant to section 9 of the *Aeronautics Act*.

R.S.C. 1985, c. C-42, s. 66; c. 10 (1st Supp.), s. 1; c. 10 (4th Supp.) s. 12.

Rôle du président

66.1 (1) Le président assume la direction des travaux de la Commission et, notamment, voit à la répartition des tâches entre les commissaires.

Duties of chairman

66.1 (1) The chairman shall direct the work of the Board and apportion its work among the members of the Board.

Absence et empêchement

(2) En cas d'absence ou d'empêchement du président, ou de vacance de son poste, la présidence est assumée par le vice-président.

Absence or incapacity of chairman

(2) If the chairman is absent or incapacitated or if the office of chairman has all the powers and functions of the chairman during the absence, incapacity or vacancy.

Attributions du vice-président

(3) Le vice-président est le premier dirigeant de la Commission et, à ce titre, il en assure la direction et contrôle la gestion de son personnel.

L.R.C. 1985, ch. 10 (4e suppl.), art. 12.

Duties of vice-chairman

(3) The vice-chairman is the chief executive officer of the Board and has supervision over and direction of the Board and its staff.

R.S.C. 1985, c. 10 (4th Supp.), s. 12.

Rémunération

66.2 Les commissaires reçoivent la rémunération fixée par le gouverneur en conseil et ont droit aux frais de déplacement et autres entraînés par l'accomplissement de leurs fonctions hors du lieu habituel de leur résidence.

L.R.C. 1985, ch. 10 (4e suppl.), art. 12.

Remuneration and expenses

66.2 The members of the Board shall be paid such remuneration as may be fixed by the Governor in Council and are entitled to be paid reasonable travel and living expenses incurred by them in the course of their duties under this Act while absent from their ordinary place of residence.

R.S.C. 1985, c. 10 (4th Supp.), s. 12.

Conflits d'intérêts

66.3 (1) Les commissaires ne peuvent, directement ou indirectement, se livrer à des activités, avoir des intérêts dans une entreprise, ni occuper de charge ou d'emploi qui sont incompatibles avec leurs fonctions.

Conflict of interest prohibited

66.3 (1) A member of the Board shall not, directly or indirectly, engage in any activity, have any interest in a business or accept or engage in any office or employment that is inconsistent with the member's duties.

Suppression du conflit
(2) Le commissaire qui apprend l'existence d'un conflit d'intérêt doit, dans les cent vingt jours, y mettre fin ou se démettre de ses fonctions.
L.R.C. 1985, ch. 10 (4e suppl.), art. 12.

Personnel
66.4 (1) Le personnel nécessaire à l'exercice des activités de la Commission est nommé conformément à la *Loi sur l'emploi dans la fonction publique*.

Présomption
(2) Ce personnel est réputé faire partie de la fonction publique pour l'application de la *Loi sur la pension de la fonction publique*.

Experts
(3) La Commission peut, à titre temporaire, retenir les services d'experts pour l'assister dans l'exercice de ses fonctions et, conformément aux instructions du Conseil du Trésor, fixer et payer leur rémunération et leurs frais.
L.R.C. 1985, ch. 10 (4e suppl.), art. 12.

Prolongation
66.5 (1) Le commissaire dont le mandat est échu peut terminer les affaires dont il est saisi.

Décisions
(2) Les décisions sont prises à la majorité des commissaires, celui qui préside disposant d'une voix prépondérante en cas de partage.
L.R.C. 1985, ch. 10 (4e suppl.), art. 12.

Décisions provisoires
66.51 La Commission peut, sur demande, rendre des décisions provisoires.
L.R.C. 1985, ch. 10 (4e suppl.), art. 12.

Modifications de décisions
66.52 La Commission peut, sur demande, modifier toute décision concernant les rede-

Termination of conflict of interest
(2) Where a member of the Board becomes aware that he is in a conflict of interest contrary to subsection (1), the member shall, within one hundred and twenty days, terminate the conflict or resign.
R.S.C. 1985, c. 10 (4th Supp.), s. 12.

Staff
66.4 (1) Such officers and employees as are necessary for the proper conduct of the work of the Board shall be appointed in accordance with the *Public Service Employment Act.*

Idem
(2) The officers and employees referred to in subsection (1) shall be deemed to be employed in the Public Service for the purposes of the *Public Service Superannuation Act.*

Technical assistance
(3) The Board may engage on a temporary basis the services of persons having technical or specialized knowledge to advise and assist in the performance of its duties and the Board may, in accordance with Treasury Board directives, fix and pay the remuneration and expenses of those persons.
R.S.C. 1985, c. 10 (4th Supp.), s. 12.

Concluding matters after membership expires
66.5 (1) A member of the Board whose term expires may conclude the matters that the member has begun to consider.

Decisions
(2) Matters before the Board shall be decided by a majority of the members of the Board and the presiding member shall have a second vote in the case of a tie.
R.S.C. 1985, c. 10 (4th Supp.), s. 12.

Interim decisions
66.51 The Board may, on application, make an interim decision.
R.S.C. 1985, c. 10 (4th Supp.), s. 12.

Variation of decisions
66.52 A decision of the Board respecting royalties or their related terms and conditions

vances visées au paragraphe 68(3), aux articles 68.1 ou 70.15 ou aux paragraphes 70.2(2), 70.6(1), 73(1) ou 83(8), ainsi que les modalités y afférentes, en cas d'évolution importante, selon son appréciation, des circonstances depuis ces décisions.
L.R.C. 1985, ch. 10 (4e suppl.), art. 12; L.C. 1988, ch. 65, art. 64; 1997, ch. 24, art. 42.

that is made under subsection 68(3), sections 68.1 or 70.15 or subsections 70.2(2), 70.6(1), 73(1) or 83(8) may, on application, be varied by the Board if, in its opinion, there has been a material change in circumstances since the decision was made.
R.S.C.1985, c. 10 (4th Supp.), s. 12; S.C. 1988, c. 65, s. 64; 1997, c. 24, s. 42.

Règlement

66.6 (1) La Commission peut, avec l'approbation du gouverneur en conseil, prendre des règlements régissant :
a) la pratique et la procédure des audiences, ainsi que le quorum;
b) les modalités, y compris les délais, d'établissement des demandes et les avis à donner;
c) l'établissement de formules pour les demandes et les avis;
d) de façon générale, l'exercice de ses activités, la gestion de ses affaires et les fonctions de son personnel.

Regulations

66.6 (1) The Board may, with the approval of the Governor in Council, make regulations governing,
(*a*) the practice and procedure in respect of the Board's hearing, including the number of members of the Board that constitutes a quorum;
(*b*) the time and manner in which applications and notices must be made or given;
(*c*) the establishment of forms for the making or giving of applications and notices; and
(*d*) the carrying out of the work of the Board, the management of its internal affairs and the duties of its officers and employees.

Publication des projets de règlement

(2) Les projets de règlements d'application du paragraphe (1) sont publiés dans la *Gazette du Canada* au moins soixante jours avant la date prévue pour leur entrée en vigueur, les intéressés se voyant accorder la possibilité de présenter à la Commission leurs observations à cet égard.

Publication of proposed regulations

(2) A copy of each regulation that the Board proposes to make under subsection (1) shall be published in the *Canada Gazette* at least sixty days before the proposed effective date thereof and a reasonable opportunity shall be given to interested persons to make representations with respect thereto.

Exception

(3) Ne sont pas visés les projets de règlement déjà publiés dans les conditions prévues au paragraphe (2), même s'ils ont été modifiés à la suite des observations.
L.R.C. 1985, ch. 10 (4e suppl.), art. 12.

Exception

(3) No proposed regulation that has been published pursuant to subsection (2) need again be published under that subsection, whether or not it has been altered as a result of representations made with respect thereto.
R.S.C. 1985, c. 10 (4th Supp.), s. 12.

Attributions générales

66.7 (1) La Commission a, pour la comparution, la prestation de serments, l'assignation et l'interrogatoire des témoins, ainsi que pour la production d'éléments de preuve, l'exécution de ses décisions et toutes autres questions relevant de sa compétence, les attributions d'une cour supérieure d'archives.

General powers, etc.

66.7 (1) The Board has, with respect to the attendance, swearing and examination of witnesses, the production and inspection of documents, the enforcement of its decisions and other matters necessary or proper for the due exercise of its jurisdiction, all such powers, rights and privileges as are vested in a superior court of record.

Assimilation

(2) Les décisions de la Commission peuvent, en vue de leur exécution, être assimilés à des actes de la Cour fédérale ou de toute cour supérieure d'une province; le cas échéant, leur exécution s'effectue selon les mêmes modalités.

Enforcement of decisions

(2) Any decision of the Board may, for the purposes of its enforcement, be made an order of the Federal Court or of any superior court and is enforceable in the same manner as an order thereof.

Assimilation

(2) Les décisions de la Commission peuvent, en vue de leur exécution, être assimilées à des actes de la Cour fédérale ou de toute cour supérieure; le cas échéant, leur exécution s'effectue selon les mêmes modalités.
L.C. 2002, ch. 8, art. 131(F).

Procédure

(3) L'assimilation se fait selon la pratique et la procédure suivies par le tribunal saisi ou par la production au greffe du tribunal d'une copie certifiée conforme de la décision. La décision devient dès lors un acte du tribunal.

Procedure

(3) To make a decision of the Board an order of a court, the usual practice and procedure of the court in such matters may be followed or a certified copy of the decision may be filed with the registrar of the court and thereupon the decision becomes an order of the court.

Décisions modificatives

(4) Les décisions qui modifient les décisions déjà assimilées à des actes d'un tribunal sont réputées modifier ceux-ci et peuvent, selon les mêmes modalités, faire l'objet d'une assimilation.
L.R.C. 1985, ch. 10 (4e suppl.), art. 12.

Effect of variation of decision

(4) Where a decision of the Board that has been made an order of a court is varied by a subsequent decision of the Board, the order of the court shall be deemed to have been varied accordingly and the subsequent decision may, in the same manner, be made an order of the court.
R.S.C. 1985, c. 10 (4th Supp.), s. 12.

Publication d'avis

66.71 La Commission peut en tout temps ordonner l'envoi ou la publication de tout avis qu'elle estime nécessaire, indépendamment de toute autre disposition de la présente loi relative à l'envoi ou à la publication de renseignements ou de documents, ou y procéder elle-même, et ce de la manière et aux conditions qu'elle estime indiquées.
L.C. 1997, ch. 24, art. 43.

Distribution, publication of notices

66.71 Independently of any other provision of this Act relating to the distribution or publication of information or documents by the Board, the Board may at any time cause to be distributed or published, in any manner and on any terms and conditions that it sees fit, any notice that it sees fit to be distributed or published.
S.C. 1997, c. 24, s. 43.

Études

66.8 À la demande du ministre, la Commission effectue toute étude touchant ses attributions.
L.R.C. 1985, ch. 10 (4e suppl.), art. 12.

Studies

66.8 The Board shall conduct such studies with respect to the exercise of its powers as are requested by the Minister.
R.S.C. 1985, c. 10 (4th Supp.), s. 12.

Rapport

66.9 (1) Au plus tard le 31 août, la Commission présente au gouverneur en conseil, par l'intermédiaire du ministre, un rapport annuel de ses activités résumant les demandes qui lui ont été présentées et les conclusions auxquelles elle est arrivée et toute autre question qu'elle estime pertinente.

Dépôt

(2) Le ministre fait déposer le rapport devant chaque chambre du Parlement dans les quinze premiers jours de séance de celle-ci suivant sa réception.
L.R.C. 1985, ch. 10 (4e suppl.), art. 12.

Report

66.9 (1) The Board shall, not later than August 31 in each year, submit to the Governor in Council through the Minister an annual report on the Board's activities for the preceding year describing briefly the applications made to the Board, the Board's decisions and any other matter that the Board considers relevant.

Tabling

(2) The Minister shall cause a copy of each annual report to be laid before each House of Parliament on any of the first fifteen days on which that House is sitting after the Minister receives the report.
R.S.C. 1985, c. 10 (4th Supp.), s. 12.

Règlements

66.91 Le gouverneur en conseil peut, par règlement, donner des instructions sur des questions d'orientation à la Commission et établir les critères de nature générale à suivre par celle-ci, ou à prendre en compte par celle-ci, dans les domaines suivants :
a) la fixation des redevances justes et équitables à verser aux termes de la présente loi;
b) le prononcé des décisions de la Commission dans les cas qui relèvent de la compétence de celle-ci.
L.C. 1997, ch. 24, art. 44.

Regulations

66.91 The Governor in Council may make regulations issuing policy directions to the Board and establishing general criteria to be applied by the Board or to which the Board must have regard
(*a*) in establishing fair and equitable royalties to be paid pursuant to this Act; and
(*b*) in rendering its decisions in any matter within its jurisdiction.
S.C. 1997, c. 24, s. 44.

GESTION COLLECTIVE DU DROIT D'EXÉCUTION ET DE COMMUNICATION

Demandes de renseignements

67. Les sociétés de gestion chargées d'octroyer des licences ou de percevoir des redevances pour l'exécution en public ou la communication au public par télécommunication — à l'exclusion de la communication visée au paragraphe 31(2) — d'oeuvres musicales ou dramatico-musicales, de leurs prestations ou d'enregistrements sonores constitués de ces oeuvres ou prestations, selon le cas, sont tenues de répondre aux demandes de renseignements raisonnables du public concernant le répertoire de telles oeuvres ou prestations ou de tels enregistrements d'exécution courante dans un délai raisonnable.

COLLECTIVE ADMINISTRATION OF PERFORMING RIGHTS AND OF COMMUNICATION RIGHTS

Public access to repertoires

67. Each collective society that carries on
(a) the business of granting licences or collecting royalties for the performance in public of musical works, dramatico-musical works, performer's performances of such works, or sound recordings embodying such works, or
(b) the business of granting licences or collecting royalties for the communication to the public by telecommunication of musical works, dramatico-musical works, performer's performances of such works, or sound recordings embodying such works, other than the communication of musical works or

L.R.C. 1985, ch. C-42, art. 67; ch. 10 (1[er] suppl.), art. 1; ch. 10 (4[e] suppl.), art. 12; L.C. 1993, ch. 23, art. 3; ch. 44, art. 70, 79; 1997, ch. 24, art. 45.

dramatico-musical works in a manner described in subsection 31(2),
must answer within a reasonable time all reasonable requests from the public for information about its repertoire of work, performer's performance or sound recordings, that are in current use.
R.S.C. 1985, c. C-42, s. 67; c. 10 (1st Supp.), s. 1; c. 10 (4th Supp.), s. 12; S.C. 1993, c. 23, s. 3; c. 44, s. 70, 79; 1997, c. 24, s. 45.

Dépôt d'un projet de tarif

67.1 (1) Les sociétés visées à l'article 67 sont tenues de déposer auprès de la Commission, au plus tard le 31 mars précédant la cessation d'effet d'un tarif homologué au titre du paragraphe 68(3), un projet de tarif, dans les deux langues officielles, des redevances à percevoir.

Sociétés non régies par un tarif homologué

(2) Lorsque les sociétés de gestion ne sont pas régies par un tarif homologué au titre du paragraphe 68(3), le dépôt du projet de tarif auprès de la Commission doit s'effectuer au plus tard le 31 mars précédant la date prévue pour sa prise d'effet.

Durée de validité

(3) Le projet de tarif prévoit des périodes d'effet d'une ou de plusieurs années civiles.

Interdiction des recours

(4) Le non-dépôt du projet empêche, sauf autorisation écrite du ministre, l'exercice de quelque recours que ce soit pour violation du droit d'exécution en public ou de communication au public par télécommunication visé à l'article 3 ou pour recouvrement des redevances visées à l'article 19.

Filing of proposed tariffs

67.1 (1) Each collective society referred to in section 67 shall, on or before the March 31 immediately before the date when its last tariff approved pursuant to subsection 68(3) expires, file with the Board a proposed tariff, in both official languages, of all royalties to be collected by the collective society.

Where no previous tariff

(2) A collective society referred to in subsection (1) in respect of which no tariff has been approved pursuant to subsection 68(3) shall file with the Board its proposed tariff, in both official languages, of all royalties to be collected by it, on or before the March 31 immediately before its proposed effective date.

Effective period of tariffs

(3) A proposed tariff must provide that the royalties are to be effective for periods of one or more calendar years.

Prohibition of enforcement

(4) Where a proposed tariff is not filed with respect to the work, performer's performance or sound recording in question, no action may be commenced, without the written consent of the Minister, for

(a) the infringement of the rights, referred to in section 3, to perform in public or to communicate to the public by telecommunication, the work, performer's performance or sound recording; or

(a) the infringement of the rights, referred to in section 3, to perform a work in public or to communicate it to the public by telecommunication; or
S.C. 2001, c. 34, s. 35(E).

(b) the recovery of royalties referred to in section 19.

Publication des projets de tarifs

(5) Dès que possible, la Commission publie dans la *Gazette du Canada* les projets de tarif et donne un avis indiquant que tout utilisateur éventuel intéressé, ou son représentant, peut y faire opposition en déposant auprès d'elle une déclaration en ce sens dans les soixante jours suivant la publication.
L.R.C. 1985, ch. 10 (4e suppl.), art. 12; L.C. 1997, ch. 24, art. 45.

Publication of proposed tariffs

(5) As soon as practicable after the receipt of a proposed tariff filed pursuant to subsection (1), the Board shall publish it in the *Canada Gazette* and shall give notice that, within sixty days after the publication of the tariff, prospective users or their representative may file written objections to the tariff with the Board.
R.S.C. 1985, c. 10 (4th Supp.), s. 12; S.C. 1997, c. 24, s. 45.

67.2 et **67.3** [Remplacés, L.C. 1997, ch. 24, art. 45.]

67.2 and **67.3** [Replaced, S.C. 1997, c. 24, s. 45.]

Examen du projet de tarif

68. (1) La Commission procède dans les meilleurs délais à l'examen des projets de tarif et, le cas échéant, des oppositions; elle peut également faire opposition aux projets. Elle communique à la société de gestion en cause copie des oppositions et aux opposants les réponses éventuelles de celle-ci.

Board to consider proposed tariffs and objections

68. (1) The Board shall, as soon as practicable, consider a proposed tariff and any objections thereto referred to in subsection 67.1(5) or raised by the Board, and
(a) send to the collective society concerned a copy of the objections so as to permit it to reply; and
(b) send to the persons who filed the objections a copy of any reply thereto.

Cas particuliers

(2) Aux fins d'examen des projets de tarif déposés pour l'exécution en public ou la communication au public par télécommunication de prestations d'oeuvres musicales ou d'enregistrements sonores constitués de ces prestations, la Commission :
a) doit veiller à ce que :
(i) les tarifs ne s'appliquent aux prestations et enregistrements sonores que dans les cas visés aux paragraphes 20(1) et (2),
(ii) les tarifs n'aient pas pour effet, en raison d'exigences différentes concernant la langue et le contenu imposées par le cadre de la politique canadienne de radiodiffusion établi à l'article 3 de la *Loi sur la radiodiffusion*, de désavantager sur le plan financier certains utilisateurs assujettis à cette loi,
(iii) le paiement des redevances visées à l'article 19 par les utilisateurs soit fait en un versement unique;

Criteria and factors

(2) In examining a proposed tariff for the performance in public or the communication to the public by telecommunication of performer's performances of musical works, or of sound recordings embodying such performer's performances, the Board
(a) shall ensure that
(i) the tariff applies in respect of performer's performances and sound recordings only in the situations referred to in subsections 20(1) and (2),
(ii) the tariff does not, because of linguistic and content requirements of Canada's broadcasting policy set out in section 3 of the *Broadcasting Act*, place some users that are subject to that Act at a greater financial disadvantage than others, and
(iii) the payment of royalties by users pursuant to section 19 will be made in a single payment;

b) peut tenir compte de tout facteur qu'elle estime indiqué.

(*b*) may take into account any factor that it considers appropriate.

Homologation

(3) Elle homologue les projets de tarif après avoir apporté aux redevances et aux modalités afférentes les modifications qu'elle estime nécessaires compte tenu, le cas échéant, des oppositions visées au paragraphe 67.1(5) et du paragraphe (2).

Certification

(3) The Board shall certify the tariffs as approved, with such alterations to the royalties and to the terms and conditions related thereto as the Board considers necessary, having regard to

(*a*) any objections to the tariffs under subsection 67.1(5); and

(*b*) the matters referred to in subsection (2).

Publication du tarif homologué

(4) Elle publie dès que possible dans la *Gazette du Canada* les tarifs homologués; elle en envoie copie, accompagnée des motifs de sa décision, à chaque société de gestion ayant déposé un projet de tarif et aux opposants.

L.R.C. 1985, ch. C-42, art. 68; ch. 10 (4e suppl.), art. 13; L.C. 1993, ch. 23, art. 5; ch. 44, art. 72; 1997, ch. 24, art. 45.

Publication of approved tariffs

(4) The Board shall

(*a*) publish the approved tariffs in the *Canada Gazette* as soon as practicable; and

(*b*) send a copy of each approved tariff, together with the reasons for the Board's decision, to each collective society that filed a proposed tariff and to any person who filed an objection.

R.S.C. 1985, c. C-42, s. 68; c. 10 (4th Supp.), s. 13; S.C. 1993, c. 25, s. 5; c. 44, s. 72; 1997, c. 24, s. 45.

Tarifs spéciaux et transitoires

68.1 (1) Par dérogation aux tarifs homologués par la Commission conformément au paragraphe 68(3) pour l'exécution en public ou la communication au public par télécommunication de prestations d'oeuvres musicales ou d'enregistrements sonores constitués de ces prestations, les radiodiffuseurs :

a) dans le cas des systèmes de transmission par ondes radioélectriques, à l'exclusion des systèmes communautaires et des systèmes de transmission publics :

(i) ne payent, chaque année, que 100 $ de redevances sur la partie de leurs recettes publicitaires annuelles qui ne dépasse pas 1,25 million de dollars,

(ii) ne payent, sur toute partie de leurs recettes publicitaires qui dépasse 1,25 million de dollars, la première année suivant l'entrée en vigueur du présent article, que trente-trois et un tiers pour cent du tarif homologué, la deuxième année, soixante-six et deux tiers pour cent, et payent cent pour cent la troisième année, ces pourcentages étant calculés

Special and transitional royalty rates

68.1 (1) Notwithstanding the tariffs approved by the Board under subsection 68(3) for the performance in public or the communication to the public by telecommunication of performer's performances of musical works, or of sound recordings embodying such performer's performances,

(*a*) wireless transmission systems, except community systems and public transmission systems, shall pay royalties as follows:

(i) in respect of each year, $100 on the first 1.25 million dollars of annual advertising revenues, and

(ii) on any portion of annual advertising revenues exceeding 1.25 million dollars,

(A) for the first year following the coming into force of this section, thirty-three and one third per cent of the royalties set out in the approved tariff for that year,

(B) for the second year following the coming into force of this section, sixty-six and two thirds per cent of the royalties set out in the approved tariff for that year, and

selon le tarif homologué de l'année en cause;
b) dans le cas des systèmes communautaires, ne payent, chaque année, que 100 $ de redevances;
c) dans le cas des systèmes de transmission publics, ne payent, la première année suivant l'entrée en vigueur du présent article, que trente-trois et un tiers pour cent du tarif homologué, la deuxième année, soixante-six et deux tiers pour cent, et payent cent pour cent la troisième année, ces pourcentages étant calculés selon le tarif homologué de l'année en cause.

(C) for the third year following the coming into force of this section, one hundred per cent of the royalties set out in the approved tariff for that year,
(b) community systems shall pay royalties of $100 in respect of each year; and
(c) public transmission systems shall pay royalties, in respect of each of the first three years following the coming into force of this section, as follows:
(i) for the first year following the coming into force of this section, thirty-three and one third per cent of the royalties set out in the approved tariff for that year,
(ii) for the second year following the coming into force of this section, sixty-six and two thirds per cent of the royalties set out in the approved tariff for that year, and
(iii) for the third year following the coming into force of this section, one hundred per cent of the royalties set out in the approved tariff for that year.

Effet du paiement des redevances
(2) Le paiement des redevances visées au paragraphe (1) libère ces systèmes de toute responsabilité relative aux tarifs homologués.

Effect of paying royalties
(2) The payment of the royalties set out in subsection (1) fully discharges all liabilities of the system in question in respect of the approved tariffs.

Définition de «recettes publicitaires annuelles»
(3) Pour l'application du paragraphe (1), la Commission peut, par règlement, définir «recettes publicitaires ».

Definition of "advertising revenues"
(3) The Board may, by regulation, define "advertising revenues" for the purposes of subsection (1).

Tarifs préférentiels
(4) Lorsqu'elle procède à l'homologation prévue au paragraphe 68(3), la Commission fixe un tarif préférentiel pour les petits systèmes de transmission par fil.

Preferential royalty rates
(4) The Board shall, in certifying a tariff as approved under subsection 68(3), ensure that there is a preferential royalty rate for small cable transmission systems.

Règlements
(5) Le gouverneur en conseil peut, pour l'application du présent article, définir par règlement «petit système de transmission par fil», «système communautaire», «système de transmission par ondes radioélectriques» et «système de transmission public».
L.C. 1997, ch. 24, art. 45.

Regulations
(5) The Governor in Council may make regulations defining "small cable transmission system", "community system", "public transmission system" and "wireless transmission system" for the purposes of this section.
S.C. 1997, c. 24, s. 45.

Portée de l'homologation

68.2 (1) La société de gestion peut, pour la période mentionnée au tarif homologué, percevoir les redevances qui y figurent et, indépendamment de tout autre recours, le cas échéant, en poursuivre le recouvrement en justice.

Effect of fixing royalties

68.2 (1) Without prejudice to any other remedies available to it, a collective society may, for the period specified in its approved tariff, collect the royalties specified in the tariff and, in default of their payment, recover them in a court of competent jurisdiction.

Interdiction des recours

(2) Il ne peut être intenté aucun recours pour violation des droits d'exécution en public ou de communication au public par télécommunication visés à l'article 3 ou pour recouvrement des redevances visées à l'article 19 contre quiconque a payé ou offert de payer les redevances figurant au tarif homologué.

Proceedings barred if royalties tendered or paid

(2) No proceedings may be brought for

(a) the infringement of the right to perform in public or the right to communicate to the public by telecommunication, referred to in section 3, or

(b) the recovery of royalties referred to in section 19

against a person who has paid or offered to pay the royalties specified in an approved tariff.

Maintien des droits

(3) Toute personne visée par un tarif concernant les oeuvres, les prestations ou les enregistrements sonores visés à l'article 67 peut, malgré la cessation d'effet du tarif, les exécuter en public ou les communiquer au public par télécommunication dès lors qu'un projet de tarif a été déposé conformément au paragraphe 67.1(1), et ce jusqu'à l'homologation d'un nouveau tarif. Par ailleurs, la société de gestion intéressée peut percevoir les redevances prévues par le tarif antérieur jusqu'à cette homologation.

L.C. 1997, ch. 24, art. 45.

Continuation of rights

(3) Where a collective society files a proposed tariff in accordance with subsection 67.1(1),

(a) any person entitled to perform in public or communicate to the public by telecommunication those works, performer's performances or sound recordings pursuant to the previous tariff may do so, even though the royalties set out therein have ceased to be in effect, and

(b) the collective society may collect the royalties in accordance with the previous tariff, until the proposed tariff is approved.

S.C. 1997, c. 24, s. 45.

EXÉCUTIONS EN PUBLIC AILLEURS QU'AU THÉÂTRE

69. (1) [Abrogé, L.R.C. 1985, ch. 10 (4e suppl.), art. 14.]

PUBLIC PERFORMANCES IN PLACES OTHER THAN THEATRES

69. (1) [Repealed, R.S.C. 1985, c. 10 (4th Supp.), s. 14.]

Exécutions par radio dans des endroits autre que des théâtres

(2) En ce qui concerne les exécutions publiques au moyen d'un appareil radiophonique récepteur, en tout endroit autre qu'un théâtre servant ordinairement et régulièrement de lieu d'amusement où est exigé un prix d'en-

Radio performances in places other than theatres

(2) In respect of public performances by means of any radio receiving set in any place other than a theatre that is ordinarily and regularly used for entertainments to which an admission charge is made, no royalties shall

trée, aucune redevance n'est exigible du propriétaire ou usager de l'appareil radiophonique récepteur; mais la Commission doit, autant que possible, pourvoir à la perception anticipée, des radio-postes émetteurs des droits appropriés aux conditions nées des dispositions du présent paragraphe, et elle doit en déterminer le montant.

be collectable from the owner or user of the radio receiving set, but the Board shall, in so far as possible, provide for the collection in advance from radio broadcasting stations of royalties appropriate to the conditions produced by the provisions of this subsection and shall fix the amount of the same.

Calcul du montant

(3) En ce faisant, la Commission tient compte de tous frais de recouvrement et autres déboursés épargnés ou pouvant être épargnés par le détenteur concerné du droit d'auteur ou du droit d'exécution, ou par ses mandataires, ou pour eux ou en leur faveur, en conséquence du paragraphe (2).

Expenses to be taken into account

(3) In fixing royalties pursuant to subsection (2), the Board shall take into account all expenses of collection and other outlays, if any, saved or savable by, for or on behalf of the owner of the copyright or performing right concerned or his agents, in consequence of subsection (2).

(4) [Abrogé, L.R.C. 1985), ch. 10 (4e suppl.), art. 14.]

L.R.C. 1985, ch. C-42, art. 69; ch. 10 (4e suppl.), art. 14; L.C. 1993, ch. 44, art. 73; 1997, c. 24, art. 52(F).

(4) [Repealed, R.S.C. 1985, c. 10 (4th Supp.), s. 14.]

R.S.C. 1985, c. C-42, s. 69; c. 10 (4th Supp.), s. 14; S.C. 1993, c. 44, s. 73; 1997, c. 24, s. 52(F).

70. [Abrogé, L.R.C. 1985, ch. 10 (4e suppl.), art. 15.]

70. [Repealed, R.S.C. 1985, c. 10 (4th Supp.), s. 15.]

GESTION COLLECTIVE RELATIVE AUX DROITS VISÉS AUX ARTICLES 3, 15, 18 ET 21

Sociétés de gestion

COLLECTIVE ADMINISTRATION IN RELATION TO RIGHTS UNDER SECTIONS 3, 15, 18 AND 21

Collective Societies

Sociétés de gestion

70.1 Les articles 70.11 à 70.6 s'appliquent dans le cas des sociétés de gestion chargées d'octroyer des licences établissant :

a) à l'égard d'un répertoire d'oeuvres de plusieurs auteurs, les catégories d'utilisation à l'égard desquelles l'accomplissement de tout acte mentionné à l'article 3 est autorisé ainsi que les redevances à verser et les modalités à respecter pour obtenir une licence;

*a.*1) à l'égard d'un répertoire de prestations de plusieurs artistes-interprètes, les catégories d'utilisation à l'égard desquelles l'accomplissement de tout acte mentionné à l'article 15 est autorisé ainsi que les redevances à verser et les modalités à respecter pour obtenir une licence;

Collective societies

70.1 Sections 70.11 to 70.6 apply in respect of a collective society that operates

(a) a licensing scheme, applicable in relation to a repertoire of works of more than one author, pursuant to which the society sets out the classes of uses for which and the royalties and terms and conditions on which it agrees to authorize the doing of an act mentioned in section 3 in respect of those works;

(*a.*1) a licensing scheme, applicable in relation to a repertoire of performer's performances of more than one performer, pursuant to which the society sets out the classes of uses for which and the royalties and terms and conditions on which it agrees to authorize the doing of an act mentioned in section

b) à l'égard d'un répertoire d'enregistrements sonores de plusieurs producteurs d'enregistrements sonores, les catégories d'utilisation à l'égard desquelles l'accomplissement de tout acte mentionné à l'article 18 est autorisé ainsi que les redevances à verser et les modalités à respecter pour obtenir une licence;
c) à l'égard d'un répertoire de signaux de communication de plusieurs radiodiffuseurs, les catégories d'utilisation à l'égard desquelles l'accomplissement de tout acte mentionné à l'article 21 est autorisé ainsi que les redevances à verser et les modalités à respecter pour obtenir une licence.
L.R.C. 1985, ch. 10 (4e suppl.), art. 16; L.C. 1997, ch. 24, art. 46.

15 in respect of those performer's performances;
(b) a licensing scheme, applicable in relation to a repertoire of sound recordings of more than one maker, pursuant to which the society sets out the classes of uses for which and the royalties and terms and conditions on which it agrees to authorize the doing of an act mentioned in section 18 in respect of those sound recordings; or
(c) a licensing scheme, applicable in relation to a repertoire of communication signals of more than one broadcaster, pursuant to which the society sets out the classes of uses for which and the royalties and terms and conditions on which it agrees to authorize the doing of an act mentioned in section 21 in respect of those communication signals.
R.S.C. 1985, c. 10 (4th Supp.), s. 16; S.C. 1977, c. 24, s. 46.

Demandes de renseignements

70.11 Ces sociétés de gestion sont tenues de répondre, dans un délai raisonnable, aux demandes de renseignements raisonnables du public concernant le répertoire de telles oeuvres, de telles prestations, de tels enregistrements sonores ou de tels signaux de communication, selon le cas.
L.C. 1997, ch. 24, art. 46.

Public information

70.11 A collective society referred to in section 70.1 must answer within a reasonable time all reasonable requests from the public for information about its repertoire of works, performer's performances, sound recordings or communication signals.
S.C. 1997, c. 24, s. 46.

Projets de tarif ou ententes

70.12 Les sociétés de gestion peuvent, en vue d'établir par licence les redevances à verser et les modalités à respecter relativement aux catégories d'utilisation :
a) soit déposer auprès de la Commission un projet de tarif;
b) soit conclure des ententes avec les utilisateurs.
L.C. 1997, ch. 24, art. 46.

Tariff or agreement

70.12 A collective society may, for the purpose of setting out by licence the royalties and terms and conditions relating to classes of uses,
(a) file a proposed tariff with the Board; or
(b) enter into agreements with users.
S.C. 1977, c. 24, s. 46.

Projets de tarif

Dépôt d'un projet de tarif

70.13 (1) Les sociétés de gestion peuvent déposer auprès de la Commission, au plus tard le 31 mars précédant la cessation d'effet d'un tarif homologué au titre du paragraphe 70.15(1), un projet de tarif, dans les deux lan-

Tariffs

Filing of proposed tariffs

70.13 (1) Each collective society referred to in section 70.1 may, on or before the March 31 immediately before the date when its last tariff approved pursuant to subsection 70.15(1) expires, file with the Board a pro-

gues officielles, des redevances à percevoir pour l'octroi de licences.

posed tariff, in both official languages, of all royalties to be collected by the collective society for issuing licences.

Sociétés non régies par un tarif homologué
(2) Lorsque les sociétés de gestion ne sont pas régies par un tarif homologué au titre du paragraphe 70.15(1), le dépôt du projet de tarif auprès de la Commission doit s'effectuer au plus tard le 31 mars précédant la date prévue pour sa prise d'effet.
L.C. 1997, ch. 24, art. 46.

Where no previous tariff
(2) A collective society referred to in subsection (1) in respect of which no tariff has been approved pursuant to subsection 70.15(1) shall file with the Board its proposed tariff, in both official languages, of all royalties to be collected by it for issuing licences, on or before the March 31 immediately before its proposed effective date.
S.C. 1977, c. 24, s. 46.

Application de certaines dispositions
70.14 Dans le cas du dépôt, conformément à l'article 70.13, d'un projet de tarif, les paragraphes 67.1(3) et (5) et 68(1) s'appliquent avec les adaptations nécessaires.
L.C. 1997, ch. 24, art. 46.

Application of certain provisions
70.14 Where a proposed tariff is filed under section 70.13, subsections 67.1(3) and (5) and subsection 68(1) apply, with such modifications as the circumstances require.
S.C. 1977, c. 24, s. 46.

Homologation
70.15 (1) La Commission homologue les projets de tarifs après avoir apporté aux redevances et aux modalités afférentes les modifications qu'elle estime nécessaires compte tenu, le cas échéant, des oppositions.

Certification
70.15 (1) The Board shall certify the tariffs as approved, with such alterations to the royalties and to the terms and conditions related thereto as the Board considers necessary, having regard to any objections to the tariffs.

Application de certaines dispositions
(2) Dans le cas d'un tarif homologué, les paragraphes 68(4) et 68.2(1) s'appliquent avec les adaptations nécessaires.
L.C. 1997, ch. 24, art. 46.

Application of certain provisions
(2) Where a tariff is approved under subsection (1), subsections 68(4) and 68.2(1) apply, with such modifications as the circumstances require.
S.C. 1977, c. 24, s. 46.

Publication d'avis
70.16 La Commission doit ordonner l'envoi ou la publication d'un avis à l'intention des personnes visées par le projet de tarif, indépendamment de toute autre disposition de la présente loi relative à l'envoi ou à la publication de renseignements ou de documents, ou y procéder elle-même, et ce de la manière et aux conditions qu'elle estime indiquées.
L.C. 1997, ch. 24, art. 46.

Distribution, publication of notices
70.16 Independently of any other provision of this Act relating to the distribution or publication of information or documents by the Board, the Board shall notify persons affected by a proposed tariff, by
(*a*) distributing or publishing a notice, or
(*b*) directing another person or body to distribute or publish a notice,
in such manner and on such terms and conditions as the Board sees fit.
S.C. 1997, c. 24, s. 46.

Interdiction des recours

70.17 Sous réserve de l'article 70.19, il ne peut être intenté aucun recours pour violation d'un droit prévu aux articles 3, 15, 18 ou 21 contre quiconque a payé ou offert de payer les redevances figurant au tarif homologué.
L.C. 1997, ch. 24, art. 46.

Prohibition of enforcement

70.17 Subject to section 70.19, no proceedings may be brought for the infringement of a right referred to in section 3, 15, 18 or 21, against a person who has paid or offered to pay the royalties specified in an approved tariff.
S.C. 1997, c. 24, s. 46.

Maintien des droits

70.18 Sous réserve de l'article 70.19 et malgré la cessation d'effet du tarif, toute personne autorisée par la société de gestion à accomplir tel des actes visés aux articles 3, 15, 18 ou 21, selon le cas, a le droit, dès lors qu'un projet de tarif est déposé conformément à l'article 70.13, d'accomplir cet acte et ce jusqu'à l'homologation d'un nouveau tarif. Par ailleurs, la société de gestion intéressée peut percevoir les redevances prévues par le tarif antérieur jusqu'à cette homologation.
L.C. 1997, ch. 24, art. 46.

Continuation of rights

70.18 Subject to section 70.19, where a collective society files a proposed tariff in accordance with section 70.13,
(a) any person authorized by the collective society to do an act referred to in section 3, 15, 18 or 21, as the case may be, pursuant to the previous tariff may do so, even though the royalties set out therein have ceased to be in effect, and
(b) the collective society may collect the royalties in accordance with the previous tariff, until the proposed tariff is approved.
S.C. 1997, c. 24, s. 46.

Non-application des articles 70.17 et 70.18

70.19 Les articles 70.17 et 70.18 ne s'appliquent pas aux questions réglées par toute entente visée à l'alinéa 70.12*b)*.
L.C. 1997, ch. 24, art. 46.

Where agreement exists

70.19 If there is an agreement mentioned in paragraph 70.12*(b)*, sections 70.17 and 70.18 do not apply in respect of the matters covered by the agreement.
S.C. 1997, c. 24, s. 46.

Entente

70.191 Le tarif homologué ne s'applique pas en cas de conclusion d'une entente entre une société de gestion et une personne autorisée à accomplir tel des actes visés aux articles 3, 15, 18 ou 21, selon le cas, si cette entente est exécutoire pendant la période d'application du tarif homologué.
L.C. 1997, ch. 24, art. 46.

Agreement

70.191 An approved tariff does not apply where there is an agreement between a collective society and a person authorized to do an act mentioned in section 3, 15, 18 or 21, as the case may be, if the agreement is in effect during the period covered by the approved tariff.
S.C. 1997, c. 24, s. 46.

Fixation des redevances dans des cas particuliers

Fixing of Royalties in Individual Cases

Demande de fixation de redevances

70.2 (1) À défaut d'une entente sur les redevances, ou les modalités afférentes, relatives à une licence autorisant l'intéressé à accomplir tel des actes mentionnés aux articles 3, 15, 18 ou 21, selon le cas, la société de ges-

Application to fix amount of royalty, etc.

70.2 (1) Where a collective society and any person not otherwise authorized to do an act mentioned in section 3, 15, 18 or 21, as the case may be, in respect of the works, sound recordings or communication signals in-

tion ou l'intéressé, ou leurs représentants, peuvent, après en avoir avisé l'autre partie, demander à la Commission de fixer ces redevances ou modalités.

cluded in the collective society's repertoire are unable to agree on the royalties to be paid for the right to do the act or on their related terms and conditions, either of them or a representative of either may, after giving notice to the other, apply to the Board to fix the royalties and their related terms and conditions.

Modalités de la fixation

(2) La Commission peut, selon les modalités, mais pour une période minimale d'un an, qu'elle arrête, fixer les redevances et les modalités afférentes relatives à la licence. Dès que possible après la fixation, elle en communique un double, accompagnée des motifs de sa décision, à la société de gestion et à l'intéressé, ou au représentant de celui-ci.
L.R.C. 1985, ch. 10 (4e suppl.), art. 16; L.C. 1997, ch. 24, art. 46.

Fixing royalties, etc.

(2) The Board may fix the royalties and their related terms and conditions in respect of a licence during such period of not less than one year as the Board may specify and, as soon as practicable after rendering its decision, the Board shall send a copy thereof, together with the reasons therefor, to the collective society and the person concerned or that person's representative.
R.S.C. 1985 c. 10 (4th Supp.), s. 16; S.C. 1997, c. 24, s. 46.

Entente préjudicielle

70.3 (1) Le dépôt auprès de la Commission d'un avis faisant état d'une entente conclue avant la fixation opère dessaisissement.

Agreement

70.3 (1) The Board shall not proceed with an application under section 70.2 where a notice is filed with the Board that an agreement touching the matters in issue has been reached.

Durée de l'entente

(2) L'entente visée au paragraphe (1) vaut, sauf stipulation d'une durée plus longue, pour un an à compter de la date d'expiration de l'entente précédente ou de la période visée au paragraphe 70.2(2).
L.R.C. 1985, ch. 10 (4e suppl.), art. 16.

Idem

(2) An agreement referred to in subsection (1) is effective during the year following the expiration of the previous agreement, if any, or of the last period specified under subsection 70.2(2).
R.S.C. 1985, c. 10 (4th Supp.), s. 16.

Portée de la fixation

70.4 L'intéressé peut, pour la période arrêtée par la Commission, accomplir les actes à l'égard desquels des redevances ont été fixées, moyennant paiement ou offre de paiement de ces redevances et conformément aux modalités afférentes fixées par la Commission et à celles établies par la société de gestion au titre de son système d'octroi de licences. La société de gestion peut, pour la même période, percevoir les redevances ainsi fixées et, indépendamment de tout autre recours, en poursuivre le recouvrement en justice.
L.R.C. 1985, ch. 10 (4e suppl.), art. 16; L.C. 1997, ch. 24, art. 47.

Effect of Board decision

70.4 Where any royalties are fixed for a period pursuant to subsection 70.2(2), the person concerned may, during the period, subject to the related terms and conditions fixed by the Board and to the terms and conditions set out in the scheme and on paying or offering to pay the royalties, do the act with respect to which the royalties and their related terms and conditions are fixed and the collective society may, without prejudice to any other remedies available to it, collect the royalties or, in default of their payment, recover them in a court of competent jurisdiction.
R.S.C. 1985, c. 10 (4th Supp.), s. 16; S.C. 1997, c. 24, s. 47.

Examen des ententes

Définition de « commissaire »

70.5 (1) Pour l'application du présent article et de l'article 70.6, « commissaire » s'entend du commissaire de la concurrence nommé au titre de la *Loi sur la concurrence*.

Dépôt auprès de la Commission

(2) Dans les quinze jours suivant la conclusion d'une entente en vue de l'octroi d'une licence autorisant l'utilisateur à accomplir tel des actes mentionnés aux articles 3, 15, 18 ou 21, selon le cas, la société de gestion ou l'utilisateur peuvent en déposer un double auprès de la Commission.

Précision

(3) L'article 45 de la *Loi sur la concurrence* ne s'applique pas aux redevances et aux modalités afférentes objet de toute entente déposée conformément au paragraphe (2).

Accès

(4) Le commissaire peut avoir accès au double de l'entente.

Demande d'examen

(5) S'il estime qu'une telle entente est contraire à l'intérêt public, le commissaire peut, après avoir avisé les parties, demander à la Commission d'examiner l'entente.

L.R.C. 1985, ch. 10 (4e suppl.), art. 16; L.C. 1997, ch. 24, art. 48; 1999, ch. 2, art. 45, 46.

Examen et fixation

70.6 (1) Dès que possible, la Commission procède à l'examen de la demande et, après avoir donné au commissaire et aux parties la possibilité de faire valoir leurs arguments, elle peut modifier les redevances et les modalités afférentes objet de l'entente, et en fixer de nouvelles; l'article 70.4 s'applique, compte tenu des adaptations nécessaires, à cette fixation.

Examination of Agreements

Definition of "Commissioner"

70.5 (1) For the purposes of this section and section 70.6, "Commissioner" means the Commissioner of Competition appointed under the *Competition Act*.

Filing agreement with the Board

(2) Where a collective society concludes an agreement to grant a licence authorizing a person to do an act mentioned in section 3, 15, 18 or 21, as the case may be, the collective society or the person may file a copy of the agreement with the Board within fifteen days after it is concluded.

Idem

(3) Section 45 of the *Competition Act* does not apply in respect of any royalties or related terms and conditions arising under an agreement filed in accordance with subsection (2).

Access by Director

(4) The Commissioner may have access to the copy of an agreement filed in accordance with subsection (2).

Request for examination

(5) Where the Commissionner considers that an agreement filed in accordance with subsection (2) is contrary to the public interest, the Commissioner may, after advising the parties concerned, request the Board to examine the agreement.

R.S.C. 1985, c. 10 (4th Supp.), s. 16; S.C. 1997, c. 24, s. 48; 1999, c. 2, ss. 45, 46.

Examination and fixing of royalty

70.6 (1) The Board shall, as soon as practicable, consider a request by the Commissioner to examine an agreement and the Board may, after giving the Commissioner and the parties concerned an opportunity to present their arguments, alter the royalties and any related terms and conditions arising under the agreement, in which case section 70.4 applies with such modifications as the circumstances require.

Communication

(2) Dès que possible après la fixation, la Commission en communique un double, accompagné des motifs de sa décision, à la société de gestion, à l'utilisateur et au commissaire.

L.R.C. 1985, ch. 10 (4e suppl.), art. 16; L.C. 1997, ch. 24, art. 49(F); 1999, ch. 2, art. 46.

Idem

(2) As soon as practicable after rendering its decision, the Board shall send a copy thereof, together with the reasons therefor, to the parties concerned and to the Commissioner.

R.S.C. 1985, c. 10 (4th Supp.), s. 16; 1997, c. 24, s. 49(F); 1999, c. 2, s. 46.

70.61 à **70.8** [Remplacés, L.C. 1997, ch. 24, art. 50.]

70.61 to **70.8** [Replaced, S.C. 1997, c. 24, s. 50.]

REDEVANCES POUR LES CAS PARTICULIERS

ROYALTIES IN PARTICULAR CASES

Dépôt d'un projet de tarif

71. (1) Seule une société de gestion qui se livre à la perception des redevances visées aux paragraphes 29.6(2), 29.7(2) ou (3) ou 31(2) peut déposer auprès de la Commission un projet de tarif de ces redevances.

Filing of proposed tariffs

71. (1) Each collective society that carries on the business of collecting royalties referred to in subsection 29.6(2), 29.7(2) or (3) or paragraph 31(2)*(d)* shall file with the Board a proposed tariff, but no other person may file any such tariff.

Délai de dépôt

(2) Le projet de tarif est à déposer, dans les deux langues officielles, au plus tard le 31 mars précédant la cessation d'effet du tarif homologué.

Times for filing

(2) A proposed tariff must be

(a) in both official languages; and

(b) filed on or before the March 31 immediately before the date that the approved tariff ceases to be effective.

Société non régie par un tarif homologué

(3) Lorsqu'elle n'est pas régie par un tarif homologué au titre de l'alinéa 73(1)*d)*, la société de gestion doit déposer son projet de tarif auprès de la Commission au plus tard le 31 mars précédant la date prévue pour sa prise d'effet.

Where no previous tariff

(3) A collective society in respect of which no proposed tariff has been certified pursuant to paragraph 73(1)*(d)* shall file its proposed tariff on or before the March 31 immediately before its proposed effective date.

Durée de validité

(4) Le projet de tarif prévoit des périodes d'effet d'une ou de plusieurs années civiles.

L.R.C. 1985, ch. C-42, art. 71; L.C. 1997, ch. 24, art. 50.

Effective period of tariffs

(4) A proposed tariff must provide that the royalties are to be effective for periods of one or more calendar years.

R.S.C. 1985, c. C-42, s. 71; S.C. 1997, c. 24, s. 50.

Publication du projet de tarif

72. (1) Dès que possible, la Commission publie dans la *Gazette du Canada* le projet de tarif et donne un avis indiquant que les établissements d'enseignement ou les retrans-

Publication of proposed tariffs

72. (1) As soon as practicable after the receipt of a proposed tariff filed pursuant to section 71, the Board shall publish it in the *Canada Gazette* and shall give notice that,

metteurs éventuels, ou leur représentant, peuvent y faire opposition en déposant auprès d'elle une déclaration en ce sens dans les soixante jours suivant la publication.

within sixty days after the publication of the tariff, educational institutions and prospective retransmitters, or their representatives, may file written objections to the tariff with the Board.

Examen du projet de tarif

(2) La Commission procède dans les meilleurs délais à l'examen du projet de tarif et, le cas échéant, des oppositions; elle peut également faire opposition au projet. Elle communique à la société de gestion en cause copie des oppositions et aux opposants les réponses éventuelles de celle-ci.
L.R.C. 1985, ch. C-42, art. 71; L.C. 1997, ch. 24, art. 50; 1999, ch. 31, art. 61.

Board to consider proposed tariffs and objections

(2) The Board shall, as soon as practicable, consider a proposed tariff and any objections thereto referred to in subsection (1) or raised by the Board, and
(a) send to the collective society concerned a copy of the objections so as to permit it to reply; and
(b) send to the persons who filed the objections a copy of any reply thereto.
R.S.C. 1985, c. C-42, s. 71; S.C. 1997, c. 24, s. 50; 1999, c. 31, s. 61.

Mesures à prendre

73. (1) Au terme de son examen, la Commission :
a) établit la formule tarifaire qui permet de déterminer les redevances à payer par les retransmetteurs et les établissements d'enseignement et fixe, à son appréciation, les modalités afférentes aux redevances;
b) détermine la quote-part de chaque société de gestion dans ces redevances;
c) modifie en conséquence chacun des projets de tarif;
d) certifie ceux-ci qui sont dès lors les tarifs homologués applicables à chaque société en cause.

Certification

73. (1) On the conclusion of its consideration of proposed tariffs, the Board shall
(a) establish
(i) a manner of determining the royalties to be paid by educational institutions and retransmitters, and
(ii) such terms and conditions related to those royalties as the Board considers appropriate;
(b) determine the portion of the royalties referred to in paragraph *(a)* that is to be paid to each collective society;
(c) vary the tariffs accordingly; and
(d) certify the tariffs as the approved tariffs, whereupon the tariffs become for the purposes of this Act the approved tariffs.

Précision

(2) Il demeure entendu que ni la formule tarifaire ni la quote-part ne peuvent établir une discrimination entre les titulaires de droit d'auteur fondée sur leur nationalité ou leur résidence.

No discrimination

(2) For greater certainty, the Board, in establishing a manner of determining royalties under paragraph (1)*(a)* or in apportioning them under paragraph (1)*(b)*, may not discriminate between owners of copyright on the ground of their nationality or residence.

Publication

(3) La Commission publie dès que possible dans la *Gazette du Canada* les tarifs homologués; elle en envoie copie, accompagnée des motifs de sa décision, à chaque société de

Publication of approved tariffs

(3) The Board shall publish the approved tariffs in the *Canada Gazette* as soon as practicable and send a copy of each approved tariff, together with the reasons for the Board's de-

gestion ayant déposé un projet de tarif et aux opposants.
L.C. 1997, ch. 24, art. 50; 1999, ch. 31, art. 62.

cision, to each collective society that filed a proposed tariff and to any person who filed an objection.
S.C. 1997, c. 24, s. 50; 1999, c. 31, s. 62.

Cas spéciaux

74. (1) La Commission est tenue de fixer des redevances à un taux préférentiel pour les petits systèmes de retransmission.

Special case

74. (1) The Board shall, in establishing a manner of determining royalties under paragraph 73(1)*(a)*, ensure that there is a preferential rate for small retransmission systems.

Règlement

(2) Le gouverneur en conseil peut, par règlement, définir «petit système de retransmission».
L.C. 1997, ch. 24, art. 50.

Regulations

(2) The Governor in Council may make regulations defining “small retransmission systems” for the purpose of subsection (1).
S.C. 1997, c. 24, s. 50.

Portée de la fixation

75. La société de gestion peut, pour la période mentionnée au tarif homologué, percevoir les redevances qui y figurent et, indépendamment de tout autre recours, le cas échéant, en poursuivre le recouvrement en justice.
L.C. 1997, ch. 24, art. 50.

Effect of fixing royalties

75. Without prejudice to any other remedies available to it, a collective society may, for the period specified in its approved tariff, collect the royalties specified in the tariff and, in default of their payment, recover them in a court of competent jurisdiction.
S.C. 1997, c. 24, s. 50.

Réclamations des non-membres dans les cas de retransmission

76. (1) Tout titulaire d'un droit d'auteur qui n'a pas habilité une société de gestion à agir à son profit peut, si son oeuvre a été communiquée dans le cadre du paragraphe 31(2) alors qu'un tarif homologué s'appliquait en l'occurrence à ce type d'oeuvres, réclamer auprès de la société de gestion désignée, d'office ou sur demande, par la Commission le paiement de ces redevances aux mêmes conditions qu'une personne qui a habilité la société de gestion à cette fin.

Claims by non-members

76. (1) An owner of copyright who does not authorize a collective society to collect, for that person's benefit, royalties referred to in paragraph 31(2)*(d)* is, if the work is communicated to the public by telecommunication during a period when an approved tariff that is applicable to that kind of work is effective, entitled to be paid those royalties by the collective society that is designated by the Board, of its own motion or on application, subject to the same conditions as those to which a person who has so authorized that collective society is subject.

Réclamation des non-membres dans les autres cas

(2) Tout titulaire d'un droit d'auteur qui n'a habilité aucune société de gestion visée au paragraphe 71(1) à agir à son profit pour la perception des redevances prévues aux paragraphes 29.6(2) et 29.7(2) et (3) peut, si ces redevances sont exigibles alors qu'un tarif

Royalties that may be recovered

(2) An owner of copyright who does not authorize a collective society to collect, for that person's benefit, royalties referred to in subsection 29.6(2) or 29.7(2) or (3) is, if such royalties are payable during a period when an approved tariff that is applicable to that kind

homologué s'applique en l'occurrence à ce type d'oeuvres ou d'objets du droit d'auteur, réclamer auprès de la société de gestion désignée, d'office ou sur demande, par la Commission le paiement de ces redevances aux mêmes conditions qu'une personne qui a habilité la société de gestion à cette fin.

of work or other subject-matter is effective, entitled to be paid those royalties by the collective society that is designated by the Board, of its own motion or on application, subject to the same conditions as those to which a person who has so authorized that collective society is subject.

Exclusion des autres recours

(3) Les recours visés aux paragraphes (1) et (2) sont les seuls dont dispose le titulaire pour obtenir le paiement des redevances relatives à la communication, à la reproduction, à la production de l'enregistrement sonore ou à l'exécution en public, selon le cas.

Exclusion of remedies

(3) The entitlement referred to in subsections (1) and (2) is the only remedy of the owner of the copyright for the payment of royalties for the communication, making of the copy or sound recording or performance in public, as the case may be.

Mesures d'application

(4) Pour l'application du présent article, la Commission peut :

a) exiger des sociétés de gestion le dépôt de tout renseignement relatif aux versements des redevances aux personnes qui les ont habilitées à cette fin;

b) fixer par règlement les délais de déchéance pour les réclamations, qui ne sauraient être de moins de douze mois à compter :

(i) dans le cas de l'alinéa 29.6(2)*a)*, de l'expiration de l'année pendant laquelle les redevances n'étaient pas exigibles,

(ii) dans le cas de l'alinéa 29.6(2)*b)*, de l'exécution en public,

(iii) dans le cas du paragraphe 29.7(2), de la reproduction,

(iv) dans le cas du paragraphe 29.7(3), de l'exécution en public,

(v) dans le cas du paragraphe 31(2), de la communication au public par télécommunication.

L.C. 1997, ch. 24, art. 50.

Regulations

(4) The Board may, for the purposes of this section,

(a) require a collective society to file with the Board information relating to payments of royalties collected by it to the persons who have authorized it to collect those royalties; and

(b) by regulation, establish periods of not less than twelve months within which the entitlements referred to in subsections (1) and (2) must be exercised, in the case of royalties referred to in

(i) paragraph 29.6(2)*(a)*, beginning on the expiration of the year during which no royalties are payable under that paragraph,

(ii) paragraph 29.6(2)*(b)*, beginning on the performance in public,

(iii) subsection 29.7(2), beginning on the making of the copy,

(iv) subsection 29.7(3), beginning on the performance in public,

(v) paragraph 31(2)*(d)*, beginning on the communication to the public by telecommunication.

S.C. 1997, c. 24, s. 50.

TITULAIRES INTROUVABLES

Délivrance d'une licence

77. (1) La Commission peut, à la demande de tout intéressé, délivrer une licence autorisant l'accomplissement de tout acte men-

OWNERS WHO CANNOT BE LOCATED

Circumstances in which licence may be issued by Board

77. (1) Where, on application to the Board by a person who wishes to obtain a licence to use

tionné à l'article 3 à l'égard d'une oeuvre publiée ou aux articles 15, 18 ou 21 à l'égard, respectivement, d'une fixation d'une prestation, d'un enregistrement sonore publié ou d'une fixation d'un signal de communication si elle estime que le titulaire du droit d'auteur est introuvable et que l'intéressé a fait son possible, dans les circonstances, pour le retrouver.

(a) a published work,
(b) a fixation of a performer's performance,
(c) a published sound recording, or
(d) a fixation of a communication signal
in which copyright subsists, the Board is satisfied that the applicant has made reasonable efforts to locate the owner of the copyright and that the owner cannot be located, the Board may issue to the applicant a licence to do an act mentioned in section 3, 15, 18 or 21, as the case may be.

Modalités de la licence
(2) La licence, qui n'est pas exclusive, est délivrée selon les modalités établies par la Commission.

Conditions of licence
(2) A licence issued under subsection (1) is non-exclusive and is subject to such terms and conditions as the Board may establish.

Droit du titulaire
(3) Le titulaire peut percevoir les redevances fixées pour la licence, et éventuellement en poursuivre le recouvrement en justice, jusqu'à cinq ans après l'expiration de la licence.

Payment to owner
(3) The owner of a copyright may, not later than five years after the expiration of a licence issued pursuant to subsection (1) in respect of the copyright, collect the royalties fixed in the licence or, in default of their payment, commence an action to recover them in a court of competent jurisdiction.

Règlement
(4) La Commission peut, par règlement, régir l'attribution des licences visées au paragraphe (1).
L.C. 1997, ch. 24, art. 50.

Regulations
(4) The Copyright Board may make regulations governing the issuance of licences under subsection (1).
S.C. 1997, c. 24, s. 50.

INDEMNISATION POUR ACTE ANTÉRIEUR À LA RECONNAISSANCE DU DROIT D'AUTEUR OU DES DROITS MORAUX

COMPENSATION FOR ACTS DONE BEFORE RECOGNITION OF COPYRIGHT OR MORAL RIGHTS

Indemnité fixée par la Commission
78. (1) Sous réserve du paragraphe (2), la Commission peut, sur demande de l'une ou l'autre des parties visées aux paragraphes 32.4(2), 32.5(2) ou 33(2), fixer l'indemnité à verser qu'elle estime raisonnable, compte tenu des circonstances. Elle peut notamment prendre en considération toute décision émanant d'un tribunal dans une poursuite pour la reconnaissance des droits visés au paragraphe 32.4(3) ou 32.5(3).

Board may determine compensation
78. (1) Subject to subsection (2), for the purposes of subsections 32.4(2), 32.5(2) and 33(2), the Board may, on application by any of the parties referred to in one of those provisions, determine the amount of the compensation referred to in that provision that the Board considers reasonable, having regard to all the circumstances, including any judgment of a court in an action between the parties for the enforcement of a right mentioned in subsection 32.4(3) or 32.5(3).

Réserve

(2) La Commission est dessaisie de la demande sur dépôt auprès d'elle d'un avis faisant état d'une entente conclue entre les parties; si une poursuite est en cours pour la reconnaissance des droits visés aux paragraphes 32.4(3) ou 32.5(3), elle suspend l'étude de la demande jusqu'à ce qu'il ait été définitivement statué sur la poursuite.

Limitation

(2) The Board shall not

(a) proceed with an application under subsection (1) where a notice is filed with the Board that an agreement regarding the matters in issue has been reached; or

(b) where a court action between the parties for enforcement of a right referred to in subsection 32.4(3) or 32.5(3), as the case may be, has been commenced, continue with an application under subsection (1) until the court action is finally concluded.

Ordonnances intérimaires

(3) La Commission saisie d'une demande visée au paragraphe (1) peut, en vue d'éviter un préjudice grave à l'une ou l'autre partie, rendre une ordonnance intérimaire afin de les empêcher d'accomplir les actes qui y sont visés jusqu'à ce que l'indemnité soit fixée conformément à ce paragraphe.
L.C. 1997, ch. 24, art. 50.

Interim orders

(3) Where the Board proceeds with an application under subsection (1), it may, for the purpose of avoiding serious prejudice to any party, make an interim order requiring a party to refrain from doing any act described in the order until the determination of compensation is made under subsection (1).
S.C. 1997, c. 24, s. 50.

PARTIE VIII
COPIE POUR USAGE PRIVÉ

Définitions

Définitions

79. Les définitions qui suivent s'appliquent à la présente partie.

«artiste-interprète admissible» ***"eligible performer"***

«artiste-interprète admissible» Artiste-interprète dont la prestation d'une oeuvre musicale, qu'elle ait eu lieu avant ou après l'entrée en vigueur de la présente partie :

a) soit est protégée par le droit d'auteur au Canada et a été fixée pour la première fois au moyen d'un enregistrement sonore alors que l'artiste-interprète était citoyen canadien ou résident permanent du Canada au sens de la *Loi sur l'immigration*;

a) soit est protégée par le droit d'auteur au Canada et a été fixée pour la première fois au moyen d'un enregistrement sonore alors que l'artiste-interprète était un citoyen canadien ou un résident permanent au sens du paragraphe 2(1) de la *Loi sur l'immigration et la protection des réfugiés*;
L.C. 2001, ch. 27, art. 240.

PART VIII
PRIVATE COPYING

Interpretation

Definitions

79. In this Part,

"audio recording medium" ***«support audio»***

"audio recording medium" means a recording medium, regardless of its material form, onto which a sound recording may be reproduced and that is of a kind ordinarily used by individual consumers for that purpose, excluding any prescribed kind of recording medium;

"blank audio recording medium" ***«support audio vierge»***

"blank audio recording medium" means

(a) an audio recording medium onto which no sounds have ever been fixed, and

(b) any other prescribed audio recording medium;

"collecting body" ***«organisme de perception»***

"collecting body" means the collective society, or other society, association or corporation, that is designated as the collecting body under subsection 83(8);

b) soit a été fixée pour la première fois au moyen d'un enregistrement sonore alors que l'artiste-interprète était sujet, citoyen ou résident permanent d'un pays visé par la déclaration publiée en vertu de l'article 85.

«auteur admissible» ***"eligible author"***
«auteur admissible» Auteur d'une oeuvre musicale fixée au moyen d'un enregistrement sonore et protégée par le droit d'auteur au Canada, que l'oeuvre ou l'enregistrement sonore ait été respectivement créée ou confectionné avant ou après l'entrée en vigueur de la présente partie.

«organisme de perception» ***"collecting body"***
«organisme de perception» Société de gestion ou autre société, association ou personne morale désignée aux termes du paragraphe 83(8).

«producteur admissible» "eligible maker"
«producteur admissible» Le producteur de l'enregistrement sonore d'une oeuvre musicale, que la première fixation ait eu lieu avant ou après l'entrée en vigueur de la présente partie :

a) soit si l'enregistrement sonore est protégé par le droit d'auteur au Canada et qu'à la date de la première fixation, le producteur était citoyen canadien ou résident permanent du Canada au sens de la *Loi sur l'immigration* ou, s'il s'agit d'une personne morale, avait son siège social au Canada;

a) soit si l'enregistrement sonore est protégé par le droit d'auteur au Canada et qu'à la date de la première fixation, le producteur était un citoyen canadien ou un résident permanent au sens du paragraphe 2(1) de la *Loi sur l'immigration et la protection des réfugiés* ou, s'il s'agit d'une personne morale, avait son siège social au Canada;
L.C. 2001, ch. 27, art. 240.

b) soit si le producteur était, à la date de la première fixation, sujet, citoyen ou résident permanent d'un pays visé dans la déclaration publiée en vertu de l'article 85 ou, s'il s'agit d'une personne morale, avait son siège social dans un tel pays.

«support audio» ***"audio recording medium"***
«support audio» Tout support audio habituel-

"eligible author" ***«auteur admissible»***
"eligible author" means an author of a musical work, whether created before or after the coming into force of this Part, that is embodied in a sound recording, whether made before or after the coming into force of this Part, if copyright subsists in Canada in that musical work;

"eligible maker" ***«producteur admissible»***
"eligible maker" means a maker of a sound recording that embodies a musical work, whether the first fixation of the sound recording occurred before or after the coming into force of this Part, if

(a) both the following two conditions are met:

(i) the maker, at the date of that first fixation, if a corporation, had its headquarters in Canada or, if a natural person, was a Canadian citizen or permanent resident of Canada within the meaning of the *Immigration Act*, and

(i) the maker, at the date of that first fixation, if a corporation, had its headquarters in Canada or, if a natural person, was a Canadian citizen or permanent resident within the meaning of subsection 2(1) of the *Immigration and Refugee Protection Act*, and
S.C. 2001, c. 27, s. 240.

(ii) copyright subsists in Canada in the sound recording, or

(b) the maker was, at the date of that first fixation, if a corporation, had its headquarters in a country referred to in a statement published under section 85 or, if a natural person, was a citizen, subject or permanent resident of such a country;

"eligible performer" ***«artiste-interprète admissible»***
"eligible performer" means the performer of a performer's performance of a musical work, whether it took place before or after the coming into force of this Part, if the performer's performance is embodied in a sound recording and

(a) both the following two conditions are met:

(i) the performer was, at the date of the first fixation of the sound recording, a Canadian citizen or permanent resident of Canada

lement utilisé par les consommateurs pour reproduire des enregistrements sonores, à l'exception toutefois de ceux exclus par règlement.

«support audio vierge» ***"blank audio recording medium"***

«support audio vierge» Tout support audio sur lequel aucun son n'a encore été fixé et tout autre support audio précisé par règlement.

L.C. 1997, ch. 24, art. 50.

within the meaning of the *Immigration Act*, and

(i) the performer was, at the date of the first fixation of the sound recording, a Canadian citizen or permanent resident within the meaning of subsection 2(1) of the *Immigration and Refugee Protection Act*, and

S.C. 2001, c. 27, s. 240.

(ii) copyright subsists in Canada in the performer's performance, or

(b) the performer was, at the date of the first fixation of the sound recording, a citizen, subject or permanent resident of a country referred to in a statement published under section 85;

"prescribed" ***Version anglaise seulement***

"prescribed" means prescribed by regulations made under this Part.

S.C. 1997, c. 24, s. 50.

Copie pour usage privé

Non-violation du droit d'auteur

80. (1) Sous réserve du paragraphe (2), ne constitue pas une violation du droit d'auteur protégeant tant l'enregistrement sonore que l'oeuvre musicale ou la prestation d'une oeuvre musicale qui le constituent, le fait de reproduire pour usage privé l'intégralité ou toute partie importante de cet enregistrement sonore, de cette oeuvre ou de cette prestation sur support audio.

Copying for Private Use

Where no infringement of copyright

80. (1) Subject to subsection (2), the act of reproducing all or any substantial part of

(a) a musical work embodied in a sound recording,

(b) a performer's performance of a musical work embodied in a sound recording, or

(c) a sound recording in which a musical work, or a performer's performance of a musical work, is embodied

onto an audio recording medium for the private use of the person who makes the copy does not constitute an infringement of the copyright in the musical work, the performer's performance or the sound recording.

Limite

(2) Le paragraphe (1) ne s'applique pas à la reproduction de l'intégralité ou de toute partie importante d'un enregistrement sonore, ou de l'oeuvre musicale ou de la prestation d'une oeuvre musicale qui le constituent, sur un support audio pour les usages suivants :

a) vente ou location, ou exposition commerciale;

b) distribution dans un but commercial ou non;

c) communication au public par télécommu-

Limitation

(2) Subsection (1) does not apply if the act described in that subsection is done for the purpose of doing any of the following in relation to any of the things referred to in paragraphs (1)*(a)* to *(c)*:

(a) selling or renting out, or by way of trade exposing or offering for sale or rental;

(b) distributing, whether or not for the purpose of trade;

(c) communicating to the public by telecommunication; or

nication;
d) exécution ou représentation en public.
L.C. 1997, ch. 24, art. 50.

(d) performing, or causing to be performed, in public.
S.C. 1997, c. 24, s. 50.

Droit à rémunération

Right of Remuneration

Rémunération

81. (1) Conformément à la présente partie et sous réserve de ses autres dispositions, les auteurs, artistes-interprètes et producteurs admissibles ont droit, pour la copie à usage privé d'enregistrements sonores ou d'oeuvres musicales ou de prestations d'oeuvres musicales qui les constituent, à une rémunération versée par le fabricant ou l'importateur de supports audio vierges.

Right of remuneration

81. (1) Subject to and in accordance with this Part, eligible authors, eligible performers and eligible makers have a right to receive remuneration from manufacturers and importers of blank audio recording media in respect of the reproduction for private use of
(a) a musical work embodied in a sound recording;
(b) a performer's performance of a musical work embodied in a sound recording; or
(c) a sound recording in which a musical work, or a performer's performance of a musical work, is embodied.

Application des paragraphes 13(4) à (7)

(2) Les paragraphes 13(4) à (7) s'appliquent, avec les adaptations nécessaires, au droit conféré par le paragraphe (1) à l'auteur, à l'artiste-interprète et au producteur admissibles.
L.C. 1997, ch. 24, art. 50.

Assignment of rights

(2) Subsections 13(4) to (7) apply, with such modifications as the circumstances require, in respect of the rights conferred by subsection (1) on eligible authors, performers and makers.
S.C. 1997, c. 24, s. 50.

Redevances

Levy on Blank Audio Recording Media

Obligation

82. (1) Quiconque fabrique au Canada ou y importe des supports audio vierges à des fins commerciales est tenu :
a) sous réserve du paragraphe (2) et de l'article 86, de payer à l'organisme de perception une redevance sur la vente ou toute autre forme d'aliénation de ces supports au Canada;
b) d'établir, conformément au paragraphe 83(8), des états de compte relatifs aux activités visées à l'alinéa *a)* et aux activités d'exportation de ces supports, et de les communiquer à l'organisme de perception.

Liability to pay levy

82. (1) Every person who, for the purpose of trade, manufactures a blank audio recording medium in Canada or imports a blank audio recording medium into Canada
(a) is liable, subject to subsection (2) and section 86, to pay a levy to the collecting body on selling or otherwise disposing of those blank audio recording media in Canada; and
(b) shall, in accordance with subsection 83(8), keep statements of account of the activities referred to in paragraph *(a)*, as well as of exports of those blank audio recording media, and shall furnish those statements to the collecting body.

Exportations

(2) Aucune redevance n'est toutefois payable sur les supports audio vierges lorsque leur

No levy for exports

(2) No levy is payable where it is a term of the sale or other disposition of the blank audio

exportation est une condition de vente ou autre forme d'aliénation et qu'ils sont effectivement exportés.
L.C. 1997, ch. 24, art. 50.

recording medium that the medium is to be exported from Canada, and it is exported from Canada.
S.C. 1997, c. 24, s. 50.

Dépôt d'un projet de tarif
83. (1) Sous réserve du paragraphe (14), seules les sociétés de gestion agissant au nom des auteurs, artistes-interprètes et producteurs admissibles qui les ont habilitées à cette fin par voie de cession, licence, mandat ou autrement peuvent déposer auprès de la Commission un projet de tarif des redevances à percevoir.

Filing of proposed tariffs
83. (1) Subject to subsection (14), each collective society may file with the Board a proposed tariff for the benefit of those eligible authors, eligible performers and eligible makers who, by assignment, grant of licence, appointment of the society as their agent or otherwise, authorize it to act on their behalf for that purpose, but no person other than a collective society may file any such tariff.

Organisme de perception
(2) Le projet de tarif peut notamment proposer un organisme de perception en vue de la désignation prévue à l'alinéa (8)*d)*.

Collecting body
(2) Without limiting the generality of what may be included in a proposed tariff, the tariff may include a suggestion as to whom the Board should designate under paragraph (8)*(d)* as the collecting body.

Délai de dépôt
(3) Il est à déposer, dans les deux langues officielles, au plus tard le 31 mars précédant la cessation d'effet du tarif homologué.

Times for filing
(3) Proposed tariffs must be in both official languages and must be filed on or before the March 31 immediately before the date when the approved tariffs cease to be effective.

Société non régie par un tarif homologué
(4) Lorsqu'elle n'est pas régie par un tarif homologué au titre de l'alinéa (8)*c)*, la société de gestion doit déposer son projet de tarif auprès de la Commission au plus tard le 31 mars précédant la date prévue pour sa prise d'effet.

Where no previous tariff
(4) A collective society in respect of which no proposed tariff has been certified pursuant to paragraph (8)*(c)* shall file its proposed tariff on or before the March 31 immediately before its proposed effective date.

Durée de validité
(5) Le projet de tarif prévoit des périodes d'effet d'une ou de plusieurs années civiles.

Effective period of levies
(5) A proposed tariff must provide that the levies are to be effective for periods of one or more calendar years.

Publication
(6) Dès que possible, la Commission le fait publier dans la *Gazette du Canada* et donne un avis indiquant que quiconque peut y faire opposition en déposant auprès d'elle une déclaration en ce sens dans les soixante jours suivant la publication.

Publication of proposed tariffs
(6) As soon as practicable after the receipt of a proposed tariff filed pursuant to subsection (1), the Board shall publish it in the *Canada Gazette* and shall give notice that, within sixty days after the publication of the tariff, any person may file written objections to the tariff with the Board.

Examen du projet de tarif

(7) Elle procède dans les meilleurs délais à l'examen du projet de tarif et, le cas échéant, des oppositions; elle peut également faire opposition au projet. Elle communique à la société de gestion en cause copie des oppositions et aux opposants les réponses éventuelles de celle-ci.

Board to consider proposed tariffs and objections

(7) The Board shall, as soon as practicable, consider a proposed tariff and any objections thereto referred to in subsection (6) or raised by the Board, and

(a) send to the collective society concerned a copy of the objections so as to permit it to reply; and

(b) send to the persons who filed the objections a copy of any reply thereto.

Mesures à prendre

(8) Au terme de son examen, la Commission :

a) établit conformément au paragraphe (9) :

(i) la formule tarifaire qui permet de déterminer les redevances,

(ii) à son appréciation, les modalités afférentes à celles-ci, notamment en ce qui concerne leurs dates de versement, la forme, la teneur et la fréquence des états de compte visés au paragraphe 82(1) et les mesures de protection des renseignements confidentiels qui y figurent;

b) modifie le projet de tarif en conséquence;

c) le certifie, celui-ci devenant dès lors le tarif homologué pour la société de gestion en cause;

d) désigne, à titre d'organisme de perception, la société de gestion ou autre société, association ou personne morale la mieux en mesure, à son avis, de s'acquitter des responsabilités ou fonctions découlant des articles 82, 84 et 86.

La Commission n'est pas tenue de faire une désignation en vertu de l'alinéa *d)* si une telle désignation a déjà été faite. Celle-ci demeure en vigueur jusqu'à ce que la Commission procède à une nouvelle désignation, ce qu'elle peut faire sur demande en tout temps.

Duties of Board

(8) On the conclusion of its consideration of the proposed tariff, the Board shall

(a) establish, in accordance with subsection (9),

(i) the manner of determining the levies, and

(ii) such terms and conditions related to those levies as the Board considers appropriate, including, without limiting the generality of the foregoing, the form, content and frequency of the statements of account mentioned in subsection 82(1), measures for the protection of confidential information contained in those statements, and the times at which the levies are payable,

(b) vary the tariff accordingly,

(c) certify the tariff as the approved tariff, whereupon that tariff becomes for the purposes of this Part the approved tariff, and

(d) designate as the collecting body the collective society or other society, association or corporation that, in the Board's opinion, will best fulfil the objects of sections 82, 84 and 86,

but the Board is not obligated to exercise its power under paragraph *(d)* if it has previously done so, and a designation under that paragraph remains in effect until the Board makes another designation, which it may do at any time whatsoever, on application.

Critères particuliers

(9) Pour l'exercice de l'attribution prévue à l'alinéa (8)*a)*, la Commission doit s'assurer que les redevances sont justes et équitables compte tenu, le cas échéant, des critères réglementaires.

Factors Board to consider

(9) In exercising its power under paragraph (8)*(a)*, the Board shall satisfy itself that the levies are fair and equitable, having regard to any prescribed criteria.

Publication

(10) Elle publie dès que possible dans la *Gazette du Canada* les tarifs homologués; elle en envoie copie, accompagnée des motifs de sa décision, à l'organisme de perception, à chaque société de gestion ayant déposé un projet de tarif et à toutes les personnes ayant déposé une opposition.

Publication of approved tariffs

(10) The Board shall publish the approved tariffs in the *Canada Gazette* as soon as practicable and shall send a copy of each approved tariff, together with the reasons for the Board's decision, to the collecting body, to each collective society that filed a proposed tariff, and to any person who filed an objection.

Auteurs, artistes-interprètes non représentés

(11) Les auteurs, artistes-interprètes et producteurs admissibles qui ne sont pas représentés par une société de gestion peuvent, aux mêmes conditions que ceux qui le sont, réclamer la rémunération visée à l'article 81 auprès de la société de gestion désignée par la Commission, d'office ou sur demande, si pendant la période où une telle rémunération est payable, un tarif homologué s'applique à leur type d'oeuvre musicale, de prestation d'une oeuvre musicale ou d'enregistrement sonore constitué d'une oeuvre musicale ou d'une prestation d'une oeuvre musicale, selon le cas.

Authors, etc., not represented by collective society

(11) An eligible author, eligible performer or eligible maker who does not authorize a collective society to file a proposed tariff under subsection (1) is entitled, in relation to

(a) a musical work,

(b) a performer's performance of a musical work, or

(c) a sound recording in which a musical work, or a performer's performance of a musical work, is embodied,

as the case may be, to be paid by the collective society that is designated by the Board, of the Boards's own motion or on application, the remuneration referred to in section 81 if such remuneration is payable during a period when an approved tariff that is applicable to that kind of work, performer's performance or sound recording is effective, subject to the same conditions as those to which a person who has so authorized that collective society is subject.

Exclusion d'autres recours

(12) Le recours visé au paragraphe (11) est le seul dont disposent les auteurs, artistes-interprètes et producteurs admissibles en question en ce qui concerne la reproduction d'enregistrements sonores pour usage privé.

Exclusion of other remedies

(12) The entitlement referred to in subsection (11) is the only remedy of the eligible author, eligible performer or eligible maker referred to in that subsection in respect of the reproducing of sound recordings for private use.

Mesures d'application

(13) Pour l'application des paragraphes (11) et (12), la Commission peut :

a) exiger des sociétés de gestion le dépôt de tout renseignement relatif au versement des redevances qu'elles reçoivent en vertu de l'article 84 aux personnes visées au paragraphe (1);

b) fixer par règlement des périodes d'au

Powers of Board

(13) The Board may, for the purposes of subsections (11) and (12),

(a) require a collective society to file with the Board information relating to payments of moneys received by the society pursuant to section 84 to the persons who have authorized it to file a tariff under subsection (1); and

(b) by regulation, establish the periods, which

moins douze mois, commençant à la date de cessation d'effet du tarif homologué, pendant lesquelles la rémunération visée au paragraphe (11) peut être réclamée.

shall not be less than twelve months, beginning when the applicable approved tariff ceases to be effective, within which the entitlement referred to in subsection (11) must be exercised.

Représentant
(14) Une personne ou un organisme peut, lorsque toutes les sociétés de gestion voulant déposer un projet de tarif l'y autorisent, déposer le projet pour le compte de celles-ci; les dispositions du présent article s'appliquent alors, avec les adaptations nécessaires, à ce projet de tarif.
L.C. 1997, ch. 24, art. 50.

Single proposed tariff
(14) Where all the collective societies that intend to file a proposed tariff authorize a particular person or body to file a single proposed tariff on their behalf, that person or body may do so, and in that case this section applies, with such modifications as the circumstances require, in respect of that proposed tariff.
S.C. 1997, c. 24, s. 50.

Répartition des redevances

Distribution of Levies Paid

Organisme de perception
84. Le plus tôt possible après avoir reçu les redevances, l'organisme de perception les répartit entre les sociétés de gestion représentant les auteurs admissibles, les artistes-interprètes admissibles et les producteurs admissibles selon la proportion fixée par la Commission.
L.C. 1997, ch. 24, art. 50.

Distribution by collecting body
84. As soon as practicable after receiving the levies paid to it, the collecting body shall distribute the levies to the collective societies representing eligible authors, eligible performers and eligible makers, in the proportions fixed by the Board.
S.C. 1997, c. 24, s. 50.

Réciprocité
85. (1) Lorsqu'il est d'avis qu'un autre pays accorde ou s'est engagé à accorder, par traité, convention, contrat ou loi, aux artistes-interprètes et aux producteurs d'enregistrements sonores citoyens canadiens ou résidents permanents du Canada au sens de la *Loi sur l'immigration* ou, s'il s'agit de personnes morales, ayant leur siège social au Canada, essentiellement les mêmes avantages que ceux conférés par la présente partie, le ministre peut, en publiant une déclaration dans la *Gazette du Canada*, à la fois :

Reciprocity
85. (1) Where the Minister is of the opinion that another country grants or has undertaken to grant to performers and makers of sound recordings that are Canadian citizens or permanent residents of Canada within the meaning of the *Immigration Act* or, if corporations, have their headquarters in Canada, as the case may be, whether by treaty, convention, agreement or law, benefits substantially equivalent to those conferred by this Part, the Minister may, by a statement published in the *Canada Gazette*,

Réciprocité
85. (1) Lorsqu'il est d'avis qu'un autre pays accorde ou s'est engagé à accorder, par traité, convention, contrat ou loi, aux artistes-interprètes et aux producteurs d'enregistrements sonores qui sont des citoyens canadiens ou des résidents permanents au sens du paragra-

Reciprocity
85. (1) Where the Minister is of the opinion that another country grants or has undertaken to grant to performers and makers of sound recordings that are Canadian citizens or permanent residents within the meaning of subsection 2(1) of the *Immigration and Refugee*

phe 2(1) de la *Loi sur l'immigration et la protection des réfugiés* ou, s'il s'agit de personnes morales, ayant leur siège social au Canada, essentiellement les mêmes avantages que ceux conférés par la présente partie, le ministre peut, en publiant une déclaration dans la *Gazette du Canada*, à la fois :
L.C. 2001, ch. 27, art. 241.

a) accorder les avantages conférés par la présente partie aux artistes-interprètes et producteurs d'enregistrements sonores sujets, citoyens ou résidents permanents de ce pays ou, s'il s'agit de personnes morales, ayant leur siège social dans ce pays;

b) énoncer que ce pays est traité, à l'égard de ces avantages, comme s'il était un pays visé par l'application de la présente partie.

Protection Act or, if corporations, have their headquarters in Canada, as the case may be, whether by treaty, convention, agreement or law, benefits substantially equivalent to those conferred by this Part, the Minister may, by a statement published in the *Canada Gazette*,
S.C. 2001, c. 27, s. 241.

(a) grant the benefits conferred by this Part to performers or makers of sound recordings that are citizens, subjects or permanent residents of or, if corporations, have their headquarters in that country; and

(b) declare that that country shall, as regards those benefits, be treated as if it were a country to which this Part extends.

Réciprocité

(2) Lorsqu'il est d'avis qu'un autre pays n'accorde pas ni ne s'est engagé à accorder, par traité, convention, contrat ou loi, aux artistes-interprètes ou aux producteurs d'enregistrements sonores citoyens canadiens ou résidents permanents du Canada au sens de la *Loi sur l'immigration* ou, s'il s'agit de personnes morales, ayant leur siège social au Canada, essentiellement les mêmes avantages que ceux conférés par la présente partie, le ministre peut, en publiant une déclaration dans la *Gazette du Canada*, à la fois :

a) accorder les avantages conférés par la présente partie aux artistes-interprètes ou aux producteurs d'enregistrements sonores sujets, citoyens ou résidents permanents de ce pays ou, s'il s'agit de personnes morales, ayant leur siège social dans ce pays, dans la mesure où ces avantages y sont accordés aux artistes-interprètes ou aux producteurs d'enregistrements sonores citoyens canadiens ou résidents permanents du Canada au sens de la *Loi sur l'immigration* ou, s'il s'agit de personnes morales, ayant leur siège social au Canada;

Reciprocity

(2) Where the Minister is of the opinion that another country neither grants nor has undertaken to grant to performers or makers of sound recordings that are Canadian citizens or permanent residents of Canada within the meaning of the *Immigration Act* or, if corporations, have their headquarters in Canada, as the case may be, whether by treaty, convention, agreement or law, benefits substantially equivalent to those conferred by this Part, the Minister may, by a statement published in the *Canada Gazette*,

(a) grant the benefits conferred by this Part to performers or makers of sound recordings that are citizens, subjects or permanent residents of or, if corporations, have their headquarters in that country, as the case may be, to the extent that that country grants those benefits to performers or makers of sound recordings that are Canadian citizens or permanent residents of Canada within the meaning of the *Immigration Act* or, if corporations, have their headquarters in Canada; and

Réciprocité

(2) Lorsqu'il est d'avis qu'un autre pays n'accorde pas ni ne s'est engagé à accorder, par traité, convention, contrat ou loi, aux artistes-interprètes ou aux producteurs d'enregistrements sonores qui sont des citoyens ca-

Reciprocity

(2) Where the Minister is of the opinion that another country neither grants nor has undertaken to grant to performers or makers of sound recordings that are Canadian citizens or permanent residents within the meaning of

nadiens ou des résidents permanents au sens du paragraphe 2(1) de la *Loi sur l'immigration et la protection des réfugiés* ou, s'il s'agit de personnes morales, ayant leur siège social au Canada, essentiellement les mêmes avantages que ceux conférés par la présente partie, le ministre peut, en publiant une déclaration dans la *Gazette du Canada*, à la fois :

a) accorder les avantages conférés par la présente partie aux artistes-interprètes ou aux producteurs d'enregistrements sonores sujets, citoyens ou résidents permanents de ce pays ou, s'il s'agit de personnes morales, ayant leur siège social dans ce pays, dans la mesure où ces avantages y sont accordés aux artistes-interprètes ou aux producteurs d'enregistrements sonores qui sont des citoyens canadiens ou de tels résidents permanents ou, s'il s'agit de personnes morales, ayant leur siège social au Canada;

L.C. 2001, ch. 27, art. 241.

b) énoncer que ce pays est traité, à l'égard de ces avantages, comme s'il était un pays visé par l'application de la présente partie.

Application

(3) Les dispositions de la présente loi que le ministre précise dans la déclaration s'appliquent :

a) aux artistes-interprètes ou producteurs d'enregistrements sonores visés par cette déclaration comme s'ils étaient citoyens du Canada ou, s'il s'agit de personnes morales, avaient leur siège social au Canada;

b) au pays visé par la déclaration, comme s'il s'agissait du Canada.

Autres dispositions

(4) Les autres dispositions de la présente loi s'appliquent de la manière prévue au paragraphe (3), sous réserve des exceptions que le ministre peut prévoir dans la déclaration.

L.C. 1997, ch. 24, art. 50.

Exemption

Aucune redevance payable

86. (1) La vente ou toute autre forme d'aliénation d'un support audio vierge au profit

subsection 2(1) of the *Immigration and Refugee Protection Act* or, if corporations, have their headquarters in Canada, as the case may be, whether by treaty, convention, agreement or law, benefits substantially equivalent to those conferred by this Part, the Minister may, by a statement published in the *Canada Gazette*,

(a) grant the benefits conferred by this Part to performers or makers of sound recordings that are citizens, subjects or permanent residents of or, if corporations, have their headquarters in that country, as the case may be, to the extent that that country grants those benefits to performers or makers of sound recordings that are Canadian citizens or permanent residents within the meaning of subsection 2(1) of the *Immigration and Refugee Protection Act* or, if corporations, have their headquarters in Canada; and

S.C. 2001, c. 27, s. 241.

(b) declare that that country shall, as regards those benefits, be treated as if it were a country to which this Part extends.

Application of Act

(3) Any provision of this Act that the Minister specifies in a statement referred to in subsection (1) or (2)

(a) applies in respect of performers or makers of sound recordings covered by that statement, as if they were citizens of or, if corporations, had their headquarters in Canada; and

(b) applies in respect of a country covered by that statement, as if that country were Canada.

Application of Act

(4) Subject to any exceptions that the Minister may specify in a statement referred to in subsection (1) or (2), the other provisions of this Act also apply in the way described in subsection (3).

S.C. 1997, c. 24, s. 50.

Exemption from Levy

Where no levy payable

86. (1) No levy is payable under this Part where the manufacturer or importer of a

d'une société, association ou personne morale qui représente les personnes ayant une déficience perceptuelle ne donne pas lieu à redevance.

blank audio recording medium sells or otherwise disposes of it to a society, association or corporation that represents persons with a perceptual disability.

Remboursement

(2) Toute société, association ou personne morale visée au paragraphe (1) qui achète au Canada un support audio vierge à une personne autre que le fabricant ou l'importateur a droit, sur preuve d'achat produite au plus tard le 30 juin de l'année civile qui suit celle de l'achat, au remboursement sans délai par l'organisme de perception d'une somme égale au montant de la redevance payée.

Refunds

(2) Where a society, association or corporation referred to in subsection (1)

(a) purchases a blank audio recording medium in Canada from a person other than the manufacturer or importer, and

(b) provides the collecting body with proof of that purchase, on or before June 30 in the calendar year following the calendar year in which the purchase was made,

the collecting body is liable to pay forthwith to the society, association or corporation an amount equal to the amount of the levy paid in respect of the blank audio recording medium purchased.

Inscriptions

(3) Si les règlements pris en vertu de l'alinéa 87*a)* prévoient l'inscription des sociétés, associations ou personnes morales qui représentent des personnes ayant une déficience perceptuelle, les paragraphes (1) et (2) ne s'appliquent qu'aux sociétés, associations ou personnes morales inscrites conformément à ces règlements.

L.C. 1997, ch. 24, art. 50.

If registration system exists

(3) If regulations made under paragraph 87*(a)* provide for the registration of societies, associations or corporations that represent persons with a perceptual disability, subsections (1) and (2) shall be read as referring to societies, associations or corporations that are so registered.

S.C. 1997, c. 24, s. 50.

Règlements

Règlements

87. Le gouverneur en conseil peut, par règlement :

a) régir les exemptions et les remboursements prévus à l'article 86, notamment en ce qui concerne :

(i) la procédure relative à ces exemptions ou remboursements,

(ii) les demandes d'exemption ou de remboursement,

(iii) l'inscription des sociétés, associations ou personnes morales qui représentent les personnes ayant une déficience perceptuelle;

b) prendre toute mesure d'ordre réglementaire prévue par la présente partie;

c) prendre toute autre mesure d'application

Regulations

Regulations

87. The Governor in Council may make regulations

(a) respecting the exemptions and refunds provided for in section 86, including, without limiting the generality of the foregoing,

(i) regulations respecting procedures governing those exemptions and refunds,

(ii) regulations respecting applications for those exemptions and refunds, and

(iii) regulations for the registration of societies, associations or corporations that represent persons with a perceptual disability;

(b) prescribing anything that by this Part is to be prescribed; and

(c) generally for carrying out the purposes

de la présente partie.
L.C. 1997, ch. 24, art. 50.

Recours civils

Droit de recouvrement
88. (1) L'organisme de perception peut, pour la période mentionnée au tarif homologué, percevoir les redevances qui y figurent et, indépendamment de tout autre recours, le cas échéant, en poursuivre le recouvrement en justice.

Défaut de payer les redevances
(2) En cas de non-paiement des redevances prévues par la présente partie, le tribunal compétent peut condamner le défaillant à payer à l'organisme de perception jusqu'au quintuple du montant de ces redevances et ce dernier les répartit conformément à l'article 84.

Ordonnance
(3) L'organisme de perception peut, en sus de tout autre recours possible, demander à un tribunal compétent de rendre une ordonnance obligeant une personne à se conformer aux exigences de la présente partie.

Facteurs
(4) Lorsqu'il rend une décision relativement au paragraphe (2), le tribunal tient compte notamment des facteurs suivants :
a) la bonne ou mauvaise foi du défaillant;
b) le comportement des parties avant l'instance et au cours de celle-ci;
c) la nécessité de créer un effet dissuasif en ce qui touche le non-paiement des redevances.
L.C. 1997, ch. 24, art. 50.

PARTIE IX
DISPOSITIONS GÉNÉRALES

Revendication d'un droit d'auteur
89. Nul ne peut revendiquer un droit d'auteur autrement qu'en application de la présente loi ou de toute autre loi fédérale; le présent article n'a toutefois pas pour effet d'empêcher, en cas d'abus de confiance, un

and provisions of this Part.
S.C. 1997, c. 24, s. 50.

Civil Remedies

Right of recovery
88. (1) Without prejudice to any other remedies available to it, the collecting body may, for the period specified in an approved tariff, collect the levies due to it under the tariff and, in default of their payment, recover them in a court of competent jurisdiction.

Failure to pay royalties
(2) The court may order a person who fails to pay any levy due under this Part to pay an amount not exceeding five times the amount of the levy to the collecting body. The collecting body must distribute the payment in the manner set out in section 84.

Order directing compliance
(3) Where any obligation imposed by this Part is not complied with, the collecting body may, in addition to any other remedy available, apply to a court of competent jurisdiction for an order directing compliance with that obligation.

Factors to consider
(4) Before making an order under subsection (2), the court must take into account
(*a*) whether the person who failed to pay the levy acted in good faith of bad faith;
(*b*) the conduct of the parties before and during the proceedings; and
(*c*) the need to deter persons from failing to pay levies.
S.C. 1997, c. 24, s. 50.

PART IX
GENERAL PROVISIONS

No copyright, etc., except by statute
89. No person is entitled to copyright otherwise than under and in accordance with this Act or any other Act of Parliament, but nothing in this section shall be construed as abrogating any right or jurisdiction in respect of a

individu de faire valoir son droit ou un tribunal de réprimer l'abus.

breach of trust or confidence.
S.C. 1997, c. 24, s. 50.

Règle d'interprétation

90. Les dispositions de la présente loi relatives au droit d'auteur sur les prestations, les enregistrements sonores ou les signaux de communication et au droit à rémunération des artistes-interprètes et producteurs n'ont pas pour effet de porter atteinte aux droits conférés par la partie I et n'ont, par elles-mêmes, aucun effet négatif sur la fixation par la Commission des redevances afférentes.
L.C. 1997, ch. 24, art. 50.

Interpretation

90. No provision of this Act relating to
(a) copyright in performer's performances, sound recordings or communication signals, or
(b) the right of performers or makers to remuneration
shall be construed as prejudicing any rights conferred by Part I or, in and of itself, as prejudicing the amount of royalties that the Board may fix in respect of those rights.
S.C. 1997, c. 24, s. 50.

Conventions de Berne et de Rome

91. Le gouverneur en conseil prend les mesures nécessaires à l'adhésion du Canada :
a) à la Convention pour la protection des oeuvres littéraires et artistiques, conclue à Berne le 9 septembre 1886, dans sa version révisée par l'Acte de Paris de 1971;
b) à la Convention internationale sur la protection des artistes-interprètes ou exécutants, des producteurs de phonogrammes et des organismes de radiodiffusion, conclue à Rome le 26 octobre 1961.
L.C. 1997, ch. 24, art. 50.

Adherence to Berne and Rome Conventions

91. The Governor in Council shall take such measures as are necessary to secure the adherence of Canada to
(a) the Convention for the Protection of Literary and Artistic Works concluded at Berne on September 9, 1886, as revised by the Paris Act of 1971; and
(b) the International Convention for the Protection of Performers, Producers of Phonograms and Broadcasting Organisations, done at Rome on October 26, 1961.
S.C. 1997, c. 24, s. 50.

Examen

92. (1) Dans les cinq ans suivant la date de l'entrée en vigueur du présent article, le ministre présente au Sénat et à la Chambre des communes un rapport sur la présente loi et les conséquences de son application, dans lequel il fait état des modifications qu'il juge souhaitables.

Review of Act

92. (1) Within five years after the coming into force of this section, the Minister shall cause to be laid before both Houses of Parliament a report on the provisions and operation of this Act, including any recommendations for amendments to this Act.

Renvoi en comité

(2) Les comités de la Chambre des communes ou mixtes désignés ou constitués à cette fin sont saisis d'office du rapport et procèdent dans les meilleurs délais à l'étude de celui-ci de même qu'à l'analyse exhaustive de la présente loi et des conséquences de son application. Ils présentent un rapport à la Chambre des communes ou aux deux chambres du Parlement, selon le cas, dans l'année suivant le

Reference to parliamentary committee

(2) The report stands referred to the committee of the House of Commons, or of both Houses of Parliament, that is designated or established for that purpose, which shall
(a) as soon as possible thereafter, review the report and undertake a comprehensive review of the provisions and operation of this Act; and
(b) report to the House of Commons, or to

dépôt du rapport visé au paragraphe (1) ou dans le délai supérieur accordé par celles-ci. L.C. 1997, ch. 24, art. 50.

both Houses of Parliament, within one year after the laying of the report of the Minister or any further time that the House of Commons, or both Houses of Parliament, may authorize. S.C. 1997, c. 24, s. 50.

[Nous reproduisons ci-après les dispositions générales de la Loi modifiant la Loi sur le droit d'auteur *(L.C. 1997, ch. 24) :*

[Reproduced hereunder are the General Provisions of the Act to amend the Copyright Act *(S.C. 1997, c. 24):*

DISPOSITIONS GÉNÉRALES

GENERAL

53. Peu importe la date à laquelle un tarif est certifié pour la première fois au titre de l'alinéa 83(8)*c)* de la *Loi sur le droit d'auteur*, édicté par l'article 50 de la présente loi, sa prise d'effet a lieu le 1er janvier de la première année civile suivant l'entrée en vigueur de cet alinéa et sa période d'effet est de deux années civiles.
L.C. 1997, ch. 24, art. 53.

53. The levies in the first tariffs certified under paragraph 83(8)*(c)* of the *Copyright Act*, as enacted by section 50 of this Act, become effective at the beginning of the first calendar year following the coming into force of that paragraph, regardless of when the tariffs are so certified, and are effective for a period of two calendar years.
S.C. 1997, c. 24, s. 53.

53.1 Par dérogation au paragraphe 67.1(2) et à l'article 70.13 de la *Loi sur le droit d'auteur*, édicté par les articles 45 et 46 de cette loi, la date fixée pour le dépôt du premier projet de tarif aux termes de ces articles est au plus tard le 1er septembre de l'année de l'entrée en vigueur du présent article.
L.C. 1997, ch. 24, art. 53.1

53.1 Notwithstanding subsection 67.1(2) and section 70.13 of the *Copyright Act*, as enacted by sections 45 and 46 of this Act, the date for the filing of the first proposed tariffs under those sections shall be on or before September 1 of the year of the coming into force of this section.
S.C. 1997, c. 24, s. 53.1.

54. Il est entendu que les avis publiés en application du paragraphe 5(2) de la *Loi sur le droit d'auteur* avant l'entrée en vigueur du présent article sont réputés avoir été valides et avoir produit leur effet conformément à leur teneur.
L.C. 1997, ch. 24, art. 54.

54. For greater certainty, all notices published under subsection 5(2) of the *Copyright Act* before the coming into force of this section are deemed to have been validly made and to have had force and effect in accordance with their terms.
S.C. 1997, c. 24, s. 54.

54.1 L'article 6 de la *Loi sur le droit d'auteur* s'applique aux photographies protégées par le droit d'auteur à l'entrée en vigueur du présent article si l'auteur était, selon le cas :
***a*) une personne physique auteur de la photographie au sens du paragraphe 10(2) de la *Loi sur le droit d'auteur*, édicté par l'article 7 de la présente loi;**

54.1 Section 6 of the *Copyright Act* applies to a photograph in which copyright subsists on the date of the coming into force of this section, if the author is
(*a*) a natural person who is the author of the photograph referred to in subsection 10(2) of the *Copyright Act*, as enacted by section 7 of this Act; or
(*b*) the natural person referred to in sub-

b) une personne physique visée au paragraphe 10(1.1) de la *Loi sur le droit d'auteur*, édicté par l'article 7 de la présente loi.
L.C. 1997, ch. 24, art. 54.1

section 10(1.1) of the *Copyright Act* as enacted by section 7 of this Act.
S.C. 1997, c. 24, s. 54.1.

55. (1) La partie II de la *Loi sur le droit d'auteur*, édictée par l'article 14 de la présente loi, a pour effet de remplacer les paragraphes 5(3) à (6) et l'article 11 de cette loi dans leur version antérieure à la date d'entrée en vigueur du paragraphe 5(3) et de l'article 8, respectivement, de la présente loi.

55. (1) Part II of the *Copyright Act*, as enacted by section 14 of this Act, shall be construed as a replacement for subsections 5(3) to (6) and section 11 of the *Copyright Act* as those provisions read immediately before the coming into force of subsection 5(3) and section 8, respectively, of this Act.

(2) Les droits conférés par la partie II de la *Loi sur le droit d'auteur*, édictée par l'article 14 de la présente loi, n'ont pas pour effet de restreindre les droits conférés, en vertu des paragraphes 5(3) à (6) et de l'article 11 de cette loi dans leur version antérieure à la date d'entrée en vigueur du paragraphe 5(3) et de l'article 8, respectivement, de la présente loi, relativement aux empreintes, rouleaux perforés et autres organes au moyen desquels des sons peuvent être reproduits mécaniquement et qui ont été confectionnés avant l'entrée en vigueur du paragraphe 5(3) et de l'article 8, respectivement, de la présente loi.

(2) The rights conferred by Part II of the *Copyright Act*, as enacted by section 14 of this Act, shall not be construed as diminishing the rights conferred by subsections 5(3) to (6) and section 11 of the *Copyright Act* as those provisions read immediately before the coming into force of subsection 5(3) and section 8, respectively, of this Act, in relation to records, perforated rolls and other contrivances by means of which sounds may be mechanically reproduced that were made before the coming into force of subsection 5(3) and section 8, respectively, of this Act.

(3) Les paragraphes 14(1) et (2) de la *Loi sur le droit d'auteur* continuent de s'appliquer, avec les adaptations nécessaires, à la cession du droit d'auteur ou à la concession d'un intérêt dans ce droit effectuées, avant l'entrée en vigueur de la partie II de la *Loi sur le droit d'auteur*, édictée par l'article 14 de la présente loi, par le producteur d'un enregistrement sonore qui est une personne physique comme si l'enregistrement sonore était l'oeuvre et le producteur, l'auteur de celle-ci.
L.C. 1997, ch. 24, art. 55.

(3) Where an assignment of copyright or a grant of any interest therein
(*a*) was made before the coming into force of Part II of the *Copyright Act*, as enacted by section 14 of this Act, and
(*b*) was made by the maker of a sound recording who was a natural person,
subsections 14(1) and (2) of the *Copyright Act* continue to apply in respect of that assignment or grant, with such modifications as the circumstances require, as if the sound recording was the work referred to in those subsections and the maker of the sound recording was its author.
S.C. 1997, c. 24, s. 55.

56. La présente loi n'a pas pour effet de restreindre le droit conféré en vertu de l'article 14.01 de la *Loi sur le droit d'auteur*

56. Nothing in this Act shall be construed as diminishing the right conferred by section 14.01 of the *Copyright Act* as that sec-

dans sa version antérieure à la date d'entrée en vigueur de l'article 12 de la présente loi.
L.C. 1997, ch. 24, art. 56.

tion read immediately before the coming into force of section 12 of this Act.
S.C. 1997, c. 24, s. 56.

57. Il est entendu que l'abrogation dans la *Loi sur le droit d'auteur* des mentions «sujet britannique» et «royaumes et territoires de Sa Majesté» ne porte pas atteinte au droit d'auteur ou aux droits moraux qui existaient au Canada avant l'entrée en vigueur de ces modifications.
L.C. 1997, ch. 24, art. 57.

57. For greater certainty, the amendments to the *Copyright Act* that eliminate references to "British subject" and "Her Majesty's Realms and Territories" do not affect any copyright or moral rights that subsisted in Canada immediately before the coming into force of those amendments.
S.C. 1997, c. 24, s. 57.

58. La présente loi n'a pas pour effet de réactiver le droit d'auteur éteint avant l'entrée en vigueur du présent article.
L.C. 1997, ch. 24, art. 58.

58. Nothing in this Act shall be construed as reviving a copyright that expired before the coming into force of this section.
S.C. 1997, c. 24, s. 58.

58.1 Les ententes en matière de cession d'un droit qui, en vertu de la présente loi, constitue un droit d'auteur ou à rémunération, ou en matière de licence concédant un intérêt dans un tel droit, conclues avant le 25 avril 1996 ne valent pas cession ou concession d'un droit conféré à l'origine par la présente loi, sauf mention expresse du droit à cet effet.
L.C. 1997, ch. 24, art. 58.1.

58.1 No agreement concluded before April 25, 1996 that assigns a right or grants an interest by licence in a right that would be a copyright or a right to remuneration under this Act shall be construed as assigning or granting any rights conferred for the first time by this Act, unless the agreement specifically provides for the assignment or grant.
S.C. 1997, c. 24, s. 58.1.

ABROGATIONS

REPEALS

59. Le paragraphe 42(3) de la *Loi sur le droit d'auteur*, chapitre C-30 des Statuts révisés du Canada de 1970, est abrogé.
L.C. 1997, ch. 24, art. 59.

59. Subsection 42(3) of the *Copyright Act*, chapter C-30 of the Revised Statutes of Canada, 1970, is repealed.
S.C. 1997, c. 24, s. 59.

60. L'article 51 de la *Loi sur le droit d'auteur*, chapitre 55 des Statuts révisés du Canada de 1952, est abrogé.
L.C. 1997, ch. 24, art. 60.*]*

60. Section 51 of the *Copyright Act*, chapter 55 of the Revised Statutes of Canada, 1952, is repealed.
S.C. 1997, c. 24, s. 60.*]*

ANNEXE I
(Article 60)

DROITS EXISTANTS

Colonne I Droit actuel	Colonne II Droit substitué
Oeuvres autres que les oeuvres dramatiques et musicales	
Droit d'auteur	Droit d'auteur tel qu'il est défini par la présente loi[1].
Oeuvres dramatiques et musicales	
Droit de reproduction aussi bien que droit d'exécution et de représentation	Droit d'auteur tel qu'il est défini par la présente loi.
Droit de reproduction, sans le droit d'exécution ou de représentation	Droit d'auteur tel qu'il est défini par la présente loi, à l'exception du seul droit d'exécuter ou de représenter en public l'oeuvre ou une de ses parties importantes.
Droit d'exécution ou de représentation, mais sans le droit de reproduction	Le seul droit d'exécuter ou de représenter l'oeuvre en public, à l'exception de toute autre faculté comprise dans le droit d'auteur, tel qu'il est défini par la présente loi.

[1] Lorsqu'il s'agit d'un essai, d'un article ou d'une contribution, insérés et publiés pour la première fois dans une revue, un magazine ou un autre périodique ou ouvrage de même nature, le droit d'auteur est assujetti à celui de publier séparément l'essai, l'article ou la contribution, auquel l'auteur est admis le 1er janvier 1924, ou l'aurait été en vertu de l'article 18 de la loi intitulée *An Act to amend the Law of Copyright*, chapitre 45 des Statuts du Royaume-Uni de 1842, n'eût été l'adoption de la présente loi.

SCHEDULE I
(Section 60)

EXISTING RIGHTS

Column I Existing Right	Column II Substituted Right
Works other than Dramatic and Musical Works	
Copyright	Copyright as defined by this Act.[1]
Musical and Dramatic Works	
Both copyright and performing right	Copyright as defined by this Act.
Copyright, but not performing right	Copyright as defined by this Act, except the sole right to perform the work or any substantial part thereof in public.
Performing right, but not copyright	The sole right to perform the work in public, but none of the other rights comprised in copyright as defined by this Act.

[1] In the case of an essay, article or portion forming part of and first published in a review, magazine or other periodical or work of a like nature, the right shall be subject to any right of publishing the essay, article or portion in a separate form to which the author is entitled on January 1, 1924 or would if this Act had not been passed have become entitled under section 18 of *An Act to amend the Law of Copyright*, being chapter 45 of the Statutes of the United Kingdom, 1842.

Pour l'application de la présente annexe, les expressions ci-après, employées dans la colonne I, ont la signification suivante:

L'expression «droit d'auteur» ou «droit de reproduction», lorsqu'il s'agit d'une oeuvre qui, selon la loi en vigueur immédiatement avant le 1er janvier 1924, n'a pas été publiée avant cette date, et à l'égard de laquelle le droit d'auteur prévu par une loi dépend de la publication, comprend la faculté d'après la *common law*, si elle existe sur ce point, d'empêcher la publication de l'oeuvre ou toute autre action à son égard.

L'expression «droit d'exécution ou de représentation», lorsqu'il s'agit d'une oeuvre qui n'a pas encore été exécutée ou représentée en public avant le 1er janvier 1924, comprend la faculté d'après la *common law*, si elle existe sur ce point, d'empêcher l'exécution ou la représentation publique de l'oeuvre.
S.R.C., ch. C-30, ann. I; L.C. 1976-77, ch. 28, art. 10.

For the purposes of this Schedule the following expressions, where used in column I thereof, have the following meanings:

"Copyright" in the case of a work that according to the law in force immediately before January 1, 1924 has not been published before that date and statutory copyright wherein depends on publication, includes the right at common law, if any, to restrain publication or other dealing with the work;

"Performing right", in the case of a work that has not been performed in public before January 1, 1924, includes the right at common law, if any, to restrain the performance thereof in public.
R.S.C., c. C-30, Sched. I; S.C. 1976-77, c. 28, s. 10.

ANNEXE II
[Abrogée, L.C. 1993, ch. 44, art. 74.]

SCHEDULE II
[Repealed, S.C. 1993, c. 44, s. 74.]

ANNEXE III
[Abrogée, L.C. 1997, ch. 24, art. 51.]

SCHEDULE III
[Repealed, S.C. 1997, c. 24, s. 51.]

DISPOSITIONS CONNEXES

—L.R.C. 1985, ch. 10 (4e suppl.), art. 23 à 27:

Application
«23. (1) Les droits visés à l'article 14.1 de la *Loi sur le droit d'auteur*, édicté par l'article 4, s'appliquent aux oeuvres créées tant avant qu'après l'entrée en vigueur de cet article.

Recours
(2) Les recours mentionnés au paragraphe 34(1.1) de la *Loi sur le droit d'auteur*, édicté par l'article 8, ne peuvent être formés qu'à l'égard de violations survenues après l'entrée en vigueur de cet article.

RELATED PROVISIONS

— R.S.C. 1985, c. 10 (4th Supp.), ss. 23 to 27:

Application re moral rights
"23. (1) The rights referred to in section 14.1 of the *Copyright Act*, as enacted by section 4, subsist in respect of a work even if the work was created before the coming into force of section 4.

Restriction
(2) A remedy referred to in subsection 34(1.1) of the *Copyright Act*, as enacted by section 8, may only be obtained where the infringement of the moral rights of the author occurs after the coming into force of section 8.

Dérogation

(3) Par dérogation au paragraphe (1) et à l'article 3, les droits visés à l'article 14.1 de la *Loi sur le droit d'auteur*, édicté par l'article 4, ne sont pas opposables à quiconque est, lors de l'entrée en vigueur du présent article, titulaire du droit d'auteur ou détenteur d'une licence relative à l'oeuvre en cause, ou encore une personne autorisée par l'un ou l'autre à accomplir tout acte mentionné à l'article 3 de la *Loi sur le droit d'auteur*, tant que subsiste cette titularité ou cette licence, les droits visés au paragraphe 14(4) de la même loi leur étant opposables comme s'il n'avait pas été abrogé au titre de l'article 3 de la présente loi.

Idem

(3) Notwithstanding subsection (1) and the repeal by section 3 of subsection 14(4) of the *Copyright Act*, the rights referred to in section 14.1 of that Act, as enacted by section 4, are not enforceable against

(a) a person who, on the coming into force of this section, is the owner of the copyright in, or holds a licence in relation to, a work, or

(b) a person authorized by a person described in paragraph (*a*) to do an act mentioned in section 3 of that Act,

in respect of any thing done during the period for which the person described in paragraph (*a*) is the owner or for which the licence is in force, and the rights referred to in subsection 14(4) of that Act continue to be enforceable against a person described in paragraph (*a*) or (*b*) during that period as if subsection 14(4) of that Act were not repealed.

Disposition transitoire: application

24. Le paragraphe 1(2), la définition de «programme d'ordinateur» au paragraphe 1(3) et l'article 5 de la présente loi s'appliquent à tout programme d'ordinateur élaboré antérieurement à l'entrée en vigueur de ces dispositions; toutefois, lorsque par la seule application de ces paragraphes et du présent article un droit d'auteur subsiste à l'égard d'un programme d'ordinateur élaboré avant le 27 mai 1987, les actes ayant visé celui-ci avant cette date n'ont pas pour effet de constituer une violation du droit d'auteur.

Application re computer programs

24. Subsection 1(2), the definition "computer program" in subsection 1(3) and section 5 apply in respect of a computer program that was made prior to the day on which those provisions come into force but where, by virtue only of subsections 1(2) and (3) and this section, copyright subsists in a computer program that was made prior to May 27, 1987, nothing done in respect of the computer program before May 27, 1987 shall be construed to constitute an infringement of the copyright.

Confection d'empreintes, rouleaux perforés, etc.

25. N'est pas considéré comme une violation du droit d'auteur sur une oeuvre musicale, littéraire ou dramatique le fait de confectionner, au Canada, dans les six mois suivant l'entrée en vigueur de l'article 7 de la présente loi, des empreintes, rouleaux perforés ou autres dispositifs au moyen desquels des sons peuvent être reproduits et l'oeuvre soit exécutée, soit représentée mécaniquement, lorsque celui qui les confectionne prouve:

a) qu'il en avait déjà fabriqué en conformité avec les dispositions des articles 29 ou 30 de

Making of records, perforated roll, etc .

25. It shall be deemed not to be an infringement of copyright in any musical, literary or dramatic work for any person to make within Canada during the six months following the coming into force of section 7 records, perforated rolls or other contrivances by means of which sounds may be reproduced and by means of which the work may be mechanically performed, if the person proves

(a) that before the coming into force of section 7, the person made such contrivances in respect of that work in accordance with sec-

la *Loi sur le droit d'auteur*, abrogés par l'entrée en vigueur de l'article 7 de la présente loi, et des règlements d'application de l'article 33;
b) qu'il s'est conformé, en ce qui a trait aux dispositifs fabriqués dans les six mois suivant l'entrée en vigueur de l'article 7 de la présente loi, aux articles 29 ou 30 de la *Loi sur le droit d'auteur*, dans leur version antérieure à l'entrée en vigueur de cet article 7.

Violations antérieures
26. Le paragraphe 64(1) et l'article 64.1 de la *Loi sur le droit d'auteur*, édictés par l'article 11, s'appliquent à toute prétendue violation du droit d'auteur, même quand elle survient avant l'entrée en vigueur de cet article.

Maintien en poste
27. Indépendamment des autres dispositions de la présente loi, les membres de la Commission d'appel du droit d'auteur, nommés en application de la version de l'article 68 de la *Loi sur le droit d'auteur* antérieure à l'entrée en vigueur de l'article 13 de la présente loi, sont maintenus en poste et peuvent continuer d'exercer leurs attributions dans la mesure uniquement où il leur faut donner suite aux examens, et aux mesures en découlant, commencés en application de l'article 69 de la même loi avant l'entrée en vigueur de l'article 14 de la présente loi.»

— L.C. 1988, ch. 65, art. 149 :

Disposition transitoire
«149. Il demeure entendu que, peu importe la date à laquelle la Commission certifie pour la première fois un tarif au titre de l'alinéa 70.63(1)*d)* de la *Loi sur le droit d'auteur*, la prise d'effet de celui-ci est le 1er janvier 1990.»

Loi portant mise en oeuvre de l'Accord de libre-échange nord-américain.

—L.C. 1993, ch. 44, art. 75 à 77.

Application de certaines modifications
«75. (1) Sous réserve du paragraphe (2), les dispositions de la présente loi relatives à la

tion 29 or 30 of the *Copyright Act* and any regulation made under section 33 of that Act, as they read immediately before the coming into force of section 7; and
(b) that the making would, had it occurred before the coming into force of section 7, have been deemed not to have been an infringement of copyright by section 29 or 30 of the *Copyright Act*, as it read immediately before the coming into force of section 7.

Infringements before coming into force
26. Subsection 64(1) and section 64.1 of the *Copyright Act*, as enacted by section 11, apply in respect of any alleged infringement of copyright occurring prior to, on or after the day on which section 11 comes into force.

Continuation in office
27. Notwithstanding any other provision of this Act, the members of the Copyright Appeal Board appointed pursuant to section 68 of the *Copyright Act*, as it read immediately before the coming into force of section 13, continue in office and may continue to perform their duties and exercise their powers to the extent necessary to consider and deal with any matter before it pursuant to section 69 of that Act before the coming into force of section 14."

— S.C. 1988, c. 65, s. 149 :

First certified statements of royalties
"149. For greater certainty, the royalties in the first statements certified under paragraph 70.63(1)(*d*) of the *Copyright Act* become effective on January 1, 1990 regardless of when the statements are so certified"

An Act to implement the North American Free Trade Agreement.

—S.C. 1993, c. 44, ss. 75 to 77

Application of certain amendments
"75. (1) Subject to subsection (2), amendments to the *Copyright Act* made by this Act

durée du droit d'auteur s'appliquent à toute oeuvre créée avant ou après l'entrée en vigueur de la présente loi.

relating to the term of copyright apply in respect of all works, whether made before or after the coming into force of this section.

Idem

(2) La présente loi n'a pas pour effet d'étendre ou de réactiver le droit d'auteur lorsqu'il a expiré avant l'entrée en vigueur du présent article.

Idem

(2) Where the term of the copyright in a work expires before the coming into force of this section, nothing in this Act shall be construed as extending or reviving that term.

Oeuvre cinématographique

76. (1) Sous réserve des paragraphes (2) et 75 (2), la *Loi sur le droit d'auteur,* dans sa version modifiée par la présente loi, s'applique à toute oeuvre cinématographique créée avant ou après l'entrée en vigueur du présent article.

Cinematographs

76. (1) Except as provided by subsection (2) of this section, the *Copyright Act,* as amended by this Act, applies in respect of all cinematographs, whether made before or after the coming into force of this section, subject to subsection 75(2) of this Act.

Idem

(2) L'article 10 de la *Loi sur le droit d'auteur,* en son état à l'entrée en vigueur du présent article, continue de s'appliquer, en ce qui a trait à l'auteur d'une photographie, à toute oeuvre cinématographique créée et protégée à titre de photographie avant cette date.

Idem

(2) Section 10 of the *Copyright Act,* as that section read immediately before the coming into force of this section and in so far as it governs who is the author of a photograph, continues to apply in respect of all cinematographs made before the coming into force of this section that were, before the coming into force of this section, protected as photographs.

Application de l'article 5

77. L'article 5 de la *Loi sur le droit d'auteur,* dans sa version modifiée par la présente loi, n'a pas pour effet de conférer un droit d'auteur sur des oeuvres créées avant l'entrée en vigueur du présent article qui n'étaient pas, sous le régime de l'article 5 de la *Loi sur le droit d'auteur* en son état à l'entrée en vigueur du présent article, susceptibles de faire l'objet d'un droit d'auteur.»

Application of section 5

77. Nothing in section 5 of the *Copyright Act,* as amended by this act, confers copyright on works made before the coming into force of this section that did not qualify for copyright under section 5 of the *Copyright Act* as it read immediately before the coming into force of this section."

Règles sur le droit d'auteur

C.R.C., ch. 422

Loi sur le droit d'auteur
(L.R.C. 1985, ch. C-42)

[Abrogées, DORS/97-457.]

Copyright Rules

C.R.C., c. 422

Copyright Act
(R.S.C. 1985, c. C-42)

[Repealed, SOR/97-457.]

RÈGLEMENT SUR LE DROIT D'AUTEUR

Table des matières

COPYRIGHT REGULATIONS

Table of Contents

Règlement sur le droit d'auteur

DORS/97-457

Loi sur le droit d'auteur
(L.R.C. 1985, ch. C-42)

RÈGLEMENT SUR LE DROIT D'AUTEUR

DÉFINITIONS

1. Les définitions qui suivent s'appliquent au présent règlement.
« commissaire » Le commissaire aux brevets. (*Commissioner*)
« Loi » La *Loi sur le droit d'auteur*. (*Act*)

CORRESPONDANCE

2. (1) Toute correspondance destinée au commissaire est adressée au Bureau du droit d'auteur.

(2) Sous réserve du paragraphe (4), toute correspondance adressée au Bureau du droit d'auteur est réputée reçue par celui-ci le jour où elle est livrée à l'un des établissements suivants, pendant les heures de bureau de l'établissement :
a) le Bureau du droit d'auteur;
b) un établissement désigné par le commissaire dans la *Gazette du Bureau des brevets* pour recevoir livraison de la correspondance adressée au Bureau du droit d'auteur.

(3) La correspondance adressée au Bureau du droit d'auteur peut être transmise à ce bureau par télécopieur. Dans ce cas, la télécopie est réputée reçue par le Bureau du droit d'auteur

Copyright Regulations

SOR/97-457

Copyright Act
(R.S.C. 1985, c. C-42)

COPYRIGHT REGULATIONS

INTERPRETATION

1. The definitions in this section apply in these Regulations.
"Act" means the *Copyright Act*. (*Loi*)
"Commissioner" means the Commissioner of Patents. (*commissaire*)

CORRESPONDENCE

2. (1) All correspondence intended for the Commissioner shall be addressed to the Copyright Office.

(2) Subject to subsection (4), correspondence addressed to the Copyright Office shall be considered to be received by the Copyright Office on the day that the correspondence is delivered to one of the following establishments, where the delivery is made during the business hours of that establishment, namely,
(a) the Copyright Office; or
(b) an establishment that is designated by the Commissioner in the *Canadian Patent Office Record* as an establishment to which correspondence addressed to the Copyright Office may be delivered.

(3) Correspondence addressed to the Copyright Office may be transmitted to the Copyright Office by facsimile, in which case the facsimile shall be considered to be received

le jour de la transmission, si celle-ci a lieu avant minuit, heure de l'endroit où est situé ce bureau.

by the Copyright Office on the day it is transmitted, where the transmission takes place before midnight local time of the place where the Copyright Office is located.

(4) Si la livraison visée au paragraphe (2) est faite après les heures de bureau, la correspondance adressée au Bureau du droit d'auteur est réputée reçue par celui-ci à l'heure d'ouverture le jour ouvrable suivant.

(4) Where the delivery mentioned in subsection (2) is made after business hours, correspondence addressed to the Copyright Office shall be considered to be received by the Copyright Office on the next working day at the start of business hours.

3. (1) Les communications relatives à un droit d'auteur sont faites par écrit, mais le commissaire peut également accepter les communications faites verbalement.

3. (1) Communication in respect of a copyright shall be in writing, but the Commissioner may also accept oral communications.

(2) Le commissaire peut demander qu'une communication verbale soit confirmée par écrit.

(2) The Commissioner may request that an oral communication be confirmed in writing.

4. (1) Toute adresse requise aux termes de la Loi ou du présent règlement est une adresse postale complète comprenant les nom et numéro de rue, le cas échéant, ainsi que le code postal.

4. (1) Any address required to be furnished pursuant to the Act or these Regulations shall be a complete mailing address and shall include the street name and number, where one exists, and the postal code.

(2) Dans le cas où il n'a pas été avisé d'un changement d'adresse, le commissaire n'est pas tenu responsable de la correspondance non reçue par l'auteur, son représentant légal, la personne se présentant comme l'agent d'un auteur ou de son représentant légal, un cédant, un cessionnaire, un concédant ou un titulaire de licence.

(2) Where the Commissioner has not been notified of a change of address, the Commissioner is not responsible for any correspondence not received by an author, legal representative, any person purpoting to be the agent of an author or their legal representative, or by an assignor, assignee, licensor or licensee.

DEMANDE D'ENREGISTREMENT D'UN DROIT D'AUTEUR

APPLICATION FOR REGISTRATION OF COPYRIGHT

5. (1) La demande d'enregistrement d'un droit d'auteur :
a) sur une œuvre est faite conformément à l'article 55 de la Loi et ne vise qu'une seule œuvre;
b) sur une prestation, un enregistrement sonore ou un signal de communication est faite conformément à l'article 56 de la Loi et ne vise qu'une seule prestation, un seul enregistrement ou un seul signal de communication.

5. (1) An application for the registration of a copyright
(a) in a work, shall be in accordance with section 55 of the Act, and deal with the registration of only one work; or
(b) in a performer's performance, sound recording or communication signal, shall be made in accordance with section 56 of the Act, and deal with the registration of only one performer's performance, sound recording or communication signal.

(2) La demande d'enregistrement d'un droit d'auteur visée au paragraphe (1) est accompagnée de la taxe prévue à la colonne 2 de l'article 1 de l'annexe.

DEMANDE D'ENREGISTREMENT D'UN ACTE DE CESSION OU D'UNE LICENCE

6. (1) La demande d'enregistrement d'un acte de cession d'un droit d'auteur ou d'une licence concédant un intérêt dans un droit d'auteur :

a) est faite par écrit;

b) contient les renseignements suivants :

(i) les nom et adresse du cédant et du cessionnaire, ou du concédant et du titulaire de licence,

(ii) une description de l'intérêt concédé par la cession ou la licence,

(iii) le titre de l'œuvre, de la prestation, de l'enregistrement sonore ou du signal de communication et, s'il y a lieu, son numéro d'enregistrement.

(2) La demande d'enregistrement visée au paragraphe (1) est accompagnée :

a) de tout document visé à l'alinéa 57(1)*a*) de la Loi;

b) de la taxe prévue à la colonne 2 de l'article 2 de l'annexe.

DISPOSITIONS GÉNÉRALES

7. Si le commissaire conclut qu'une demande d'enregistrement d'un droit d'auteur, d'un acte de cession d'un droit d'auteur ou d'une licence concédant un intérêt dans un droit d'auteur est irrégulière parce qu'il y manque des renseignements ou d'autres éléments, il en avise l'auteur de la demande, qui dispose des 60 jours suivant la date de l'avis pour corriger l'irrégularité. Si l'irrégularité n'est pas corrigée dans ce délai, le commissaire avise l'auteur de la demande qu'il rejette celle-ci. Dans ce cas, il ne peut être entrepris aucune autre démarche en vue de l'enregistrement que si une nouvelle demande est présentée et si la taxe applicable prévue à l'annexe est acquittée.

(2) An application for the registration of a copyright referred to in subsection (1) shall be accompanied by the fee set out in column 2 of item 1 of the schedule.

REQUEST FOR REGISTRATION OF ASSIGNMENT OR LICENCE

6. (1) A request for the registration of an assignment of copyright, or a licence granting an interest in a copyright, shall

(a) be in writing; and

(b) contain the following information:

(i) the names and addresses of the assignor and assignee or the licensor and licensee,

(ii) a description of the interest being granted by assignment or licence, and

(iii) the title of the work, performer's performance, sound recording or communication signal, and, if available, the registration number of that work, performer's performance, sound recording or communication signal.

(2) A request for registration referred to in subsection (1) shall be accompanied by

(a) any document referred to in paragraph 57(1)*(a)* of the Act; and

(b) the fee set out in column 2 of item 2 of the schedule.

GENERAL

7. Where the Commissioner determines that an application for registration of copyright, or a request for registration of an assignment of copyright, or a licence granting an interest in a copyright, is defective because it lacks any information or other item, the Commissioner shall notify the person applying for a requesting registration and that person shall have sixty days from the date of that notice to cure the defect. If the defect is not cured within that sixty day period, the Commissioner shall notify that person that the application or request has been rejected, in which case no further action may be taken for registration unless a fresh application or request is made and the applicable fee set out in the schedule for that fresh application or request is paid.

8. Les demandes d'enregistrement d'un droit d'auteur, d'un acte de cession d'un droit d'auteur ou d'une licence concédant un intérêt dans un droit d'auteur et la correspondance adressée au commissaire doivent être rédigées de façon claire et lisible et, si elles sont sur papier, être présentées sur du papier blanc, d'un seul côté de la feuille, mesurant au moins 8 po sur 11 po (21 cm sur 28 cm) et au plus 8 1/2 po sur 14 po (22 cm sur 35 cm) et comportant des marges de gauche et du haut d'au moins 1 po (2,5 cm).

8. All applications for registration of copyright, requests for registration of an assignment of copyright, or a licence granting an interest in a copyright, and any correspondence to the Commissioner shall be legible and clear and, if in paper form, on white paper that measures at least 8 inches by 11 inches (21 cm by 28 cm) but not more than 8 1/2 inches by 14 inches (22 cm by 35 cm) on one side only, with left and upper margins of at least 1 inch (2.5 cm).

9. La taxe que doit payer tout bénéficiaire d'un service visé à la colonne 1 des articles 3 à 6 de l'annexe, fourni par le Bureau du droit d'auteur, est le montant prévu à la colonne 2.

9. The fee to be paid by a user of a service of the Copyright Office set out in column 1 of any of items 3 to 6 of the schedule is the fee set out in column 2 of that item.

ABROGATION

10. Les *Règles sur le droit d'auteur* sont abrogées.

REPEAL

10. The *Copyright Rules* are repealed.

ENTRÉE EN VIGUEUR

11. Le présent règlement entre en vigueur le 1er octobre 1997.

COMING INTO FORCE

11. These Regulations come into force on October 1, 1997.

ANNEXE
(Paragraphe 5(2), alinéa 6(2)b) et articles 7 et 9)

TARIF DES TAXES

Art.	Colonne 1 Service	Colonne 2 Taxe ($)
1.	Acceptation d'une demande d'enregistrement d'un droit d'auteur :	
	a) conformément à l'article 55 de la Loi	65
	b) conformément à l'article 56 de la Loi	65
2.	Acceptation, pour enregistrement, de l'acte de cession d'un droit d'auteur ou d'une licence relative à un droit d'auteur, conformément à l'article 57 de la Loi	65
3.	Traitement d'une demande de procédure accélérée concernant une demande d'enregistrement d'un droit d'auteur ou l'enregistrement d'un acte de cession, d'une licence ou de tout autre document	65
4.	Correction d'une erreur d'écriture dans un document d'enregistrement, y compris, sans taxe supplémentaire, la délivrance d'un certificat corrigé d'enregistrement du droit d'auteur, conformément à l'article 61 de la Loi, ou examen d'une demande visant à inclure dans le registre des droits d'auteur tout autre document relatif à un droit d'auteur	65

SCHEDULE
(Subsection 5(2), paragraph 6(2)(b) and sections 7 and 9)

TARIFF OF FEES

Item	Column 1 Service	Column 2 Fee ($)
1.	Accepting an application for registration of a copyright	
	(a) pursuant to section 55 of the Act	65
	(b) pursuant to section 56 of the Act	65
2.	Accepting for registration an assignment or licence of a copyright pursuant to section 57 of the Act	65
3.	Processing a request for accelerated action on an application for registration of a copyright or for registration of an assignment, licence or other document	65
4.	Correcting a clerical error in any instrument of record including, without further fee, issuing a corrected certificate of registration of copyright, pursuant to section 61 of the Act, or processing a request to include in the Register of Copyrights any other document affecting a copyright	65
5.	Certifying a copy of a document	
	(a) for the certificate	35
	(b) for each page	.50

Colonne 1		Colonne 2
Art.	Service	Taxe ($)
5.	Certification d'un document :	
	a) pour le certificat	35
	b) pour chaque page	0,50
6.	Fourniture de copies ou d'extraits du registre des droits d'auteur, ou de copies de certificats, de licences ou d'autres documents, par page	0,50

Column 1		Column 2
Item	Service	Fee ($)
6.	Providing copies of or extracts from the Register of Copyrights, or copies of certificates, licences or other documents, for each page	.50

RÈGLEMENT SUR LA DÉFINITION DE SIGNAL LOCAL ET SIGNAL ÉLOIGNÉ

Table des matières

LOCAL SIGNAL AND DISTANT SIGNAL REGULATIONS

Table of Contents

Règlement sur la définition de signal local et signal éloigné

DORS/89-254

Loi sur le droit d'auteur
(L.R.C. 1985, ch. C-42)

RÈGLEMENT CONCERNANT LA DÉFINITION DE SIGNAL LOCAL ET SIGNAL ÉLOIGNÉ POUR L'APPLICATION DU PARAGRAPHE 28.01(2) DE LA LOI SUR LE DROIT D'AUTEUR

Titre abrégé

1. *Règlement sur la définition de signal local et signal éloigné.*

Définitions

2. La définition qui suit s'applique au présent règlement.
«aire de transmission »
a) Dans le cas d'une station terrestre de télévision, l'aire comprise à l'intérieur du périmètre de rayonnement prévu de classe B de la station, déterminé conformément à la méthode décrite à l'annexe, et dans un rayon de 32 km de ce périmètre;
b) dans le cas d'une station terrestre de radio M.F., l'aire comprise à l'intérieur du périmètre de rayonnement prévu de 0,5 mV/m de la station, déterminé conformément à la méthode décrite à l'annexe;
c) dans le cas d'une station terrestre de radio M.A., l'aire comprise dans un rayon de 32 km de l'emplacement du studio principal de la station. (*area of transmission*)

Local Signal and Distant Signal Regulations

SOR/89-254

Copyright Act
(R.S.C. 1985, c. C-42)

REGULATIONS DEFINING LOCAL SIGNAL AND DISTANT SIGNAL FOR THE PURPOSES OF SUBSECTION 28.01(2) OF THE COPYRIGHT ACT

Short Title

1. These Regulations may be cited as the definition of *Local Signal and Distant Signal Regulations*.

Interpretation

2. For the purposes of these Regulations, "area of transmission" means
(*a*) in respect of a terrestrial television station, the area within the predicted Grade B contour of the station, as determined in accordance with the method set out in the schedule, and the area within a radius of 32 kilometres from that contour;
(*b*) in respect of a terrestrial F.M. radio station, the area within the predicted 0.5 mV/m field strength contour of the station, as determined in accordance with the method set out in the schedule; and
(*c*) in respect of a terrestrial A.M. radio station, the area within a radius of 32 kilometres from the principal studio of the station. (*aire de transmission*)

Signal local et signal éloigné

3. Pour l'application du paragraphe 28.01(2) de la *Loi sur le droit d'auteur*, édicté par L.C. 1988, ch. 65, art. 63 :
a) «signal local» s'entend :
(i) à l'égard de la totalité de la zone de desserte d'un système de retransmission par câble, du signal d'une station terrestre de radio ou de télévision dont l'aire de transmission comprend la totalité de cette zone,
(ii) à l'égard d'une partie de la zone de desserte d'un système de retransmission par câble, du signal d'une station terrestre de radio ou de télévision dont l'aire de transmission comprend cette partie de la zone,
(iii) à l'égard de la zone de desserte d'un système terrestre de retransmission par ondes hertziennes, du signal d'une station terrestre de radio ou de télévision dont l'aire de transmission comprend l'emplacement de l'émetteur de ce système de retransmission;
b) «signal éloigné» s'entend de tout signal qui n'est pas un signal local.

Local Signal and Distant Signal

3. For the purposes of subsection 28.01(2) of the *Copyright Act*, as enacted by S.C. 1988, c. 65, s. 63,
(*a*) "local signal" means
(i) in respect of the entire service area of a cable retransmission system, the signal of a terrestrial radio or television station the area of transmission of which covers all of that area,
(ii) in respect of a portion of the service area of a cable retransmission system, the signal of a terrestrial radio or television station the area of transmission of which covers all of that portion, and
(iii) in respect of the service area of a terrestrial retransmission system utilizing hertzian waves, the signal of a terrestrial radio or television station the area of transmission of which covers the site of the transmitter of that retransmission system; and
(*b*) "distant signal" means a signal that is not a local signal.

ANNEXE

(*Article 2*)

MÉTHODE SERVANT À DÉTERMINER LE PÉRIMÈTRE DE RAYONNEMENT PRÉVU DE 0,5 MILLIVOLT PAR MÈTRE (mV/m) D'UNE STATION TERRESTRE DE RADIO M.F. ET LE PÉRIMÈTRE DE RAYONNEMENT PRÉVU DE CLASSE B D'UNE STATION TERRESTRE DE TÉLÉVISION

Hauteur de l'antenne au-dessus du sol moyen (HASM)

1. La hauteur de l'antenne au dessus du sol moyen (HASM) est déterminée sur une carte topographique en appliquant la méthode suivante :
a) le site d'émission est indiqué sur la carte au moyen de ses coordonnées géographiques;
b) deux cercles concentriques à rayon de 3 km et 16 km respectivement sont tracés à par-

SCHEDULE

(*Section 2*)

METHOD FOR DETERMINING THE PREDICTED 0.5 MILLIVOLT PER METRE (mV/m) CONTOUR OF TERRESTRIAL F.M. RADIO STATIONS AND THE PREDICTED GRADE B CONTOUR OF TERRESTRIAL TELEVISION STATIONS

Height of Antenna above Average Terrain (HAAT)

1. The height of an antenna above average terrain shall be determined on a topographical map by
(*a*) marking the transmitting site on the map, using the geographical coordinates of the site;
(*b*) drawing two concentric circles with radii of 3 km and 16 km, respectively, from the transmitting site marked under paragraph (*a*);

tir du site d'émission indiqué conformément à l'alinéa *a*);

c) huit radiales à intervalle de 45° sont tracées à partir du site d'émission en commençant au nord vrai;

d) le profil graphique du segment de terrain compris sur chaque radiale entre 3 km et 16 km du site d'émission est tracé; les huit graphiques doivent être tracés séparément sur du papier quadrillé de forme rectangulaire, en indiquant sur l'abscisse la distance en kilomètres et sur l'ordonnée l'élévation en mètres au-dessus du niveau moyen de la mer; le graphique devant représenter la topographie du terrain;

e) l'élévation moyenne du sol au-dessus du niveau moyen de la mer pour chaque segment de terrain compris entre 3 km et 16 km du site d'émission est déterminée selon le cas :

(i) au moyen d'un planimètre,

(ii) en divisant le segment en secteurs égaux et en faisant la moyenne de leur élévation médiane respective,

(iii) en établissant la moyenne de l'élévation d'un nombre de points également espacés, ce nombre devant être suffisant pour représenter le terrain;

f) la HASM pour chaque radiale est obtenue en soustrayant l'élévation moyenne du sol déterminée selon l'alinéa *e*) de la hauteur au-dessus du niveau moyen de la mer du centre de rayonnement de l'antenne.

Périmètre de rayonnement prévu

2. (1) Le périmètre de rayonnement prévu d'une station de radio M.F. est défini par une intensité de champ de 0,5 mV/m.

(2) Le périmètre de rayonnement prévu de classe B d'une station de télévision est défini par les champs d'intensité suivants, selon le canal en cause :

a) 47 dB au-dessus de 1 μV/m pour les canaux 2 à 6;

b) 56 dB au-dessus de 1 μV/m pour les canaux 7 à 13;

c) 64 dB au-dessus de 1 μV/m pour les canaux 14 à 69.

(*c*) starting at true north, drawing eight radials from the transmitting site at intervals of 45°;

(*d*) drawing, for each radial, a profile graph for the segment of terrain between 3 km and 16 km from the transmitting site, with the eight profile graphs plotted separately on rectangular coordinate paper, the distance in kilometres as the abscissa and the elevation in metres above mean sea level as the ordinate and reflecting the topography of the terrain;

(*e*) obtaining the average elevation of the terrain above mean sea level for each segment of terrain between 3 km and 16 km from the transmitting site by

(i) using a planimeter,

(ii) dividing the segment in equal sectors and averaging their respective median elevations, or

(iii) averaging the elevations at a sufficient number of equally spaced points to provide a representation of the terrain; and

(*f*) obtaining the HAAT for each radial by subtracting the average terrain elevation calculated in accordance with paragraph (*e*) from the height above sea level of the centre of radiation of the antenna.

Predicted Contours

2. (1) For F.M. radio stations, the predicted contour is defined by a field strength of 0.5 mV/m.

(2) For television stations, depending on the channel involved, the predicted Grade B contour is defined by the following field strength:

(*a*) 47 dB above 1 μV/m for channels 2 to 6;

(*b*) 56 dB above 1 μV/m for channels 7 to 13;

(*c*) 64 dB above 1 μV/m for channels 14 to 69.

(3) La HASM obtenue conformément à l'article 1 est déterminée pour chaque radiale et la puissance apparente rayonnée (PAR) est déterminée au plan de rayonnement maximal (dans le cas d'antennes directionnelles, la valeur de la PAR dans la direction de chaque radiale doit être utilisée).

(4) Les courbes de propagation F(50,50) appropriées prévues aux tableaux I à III doivent être utilisées avec la HASM et la PAR déterminées conformément au paragraphe (3) pour déterminer la distance du site d'émission au point de rayonnement sur chaque radiale.

(5) Les points déterminés au paragraphe (4) sont reliés par une courbe lisse pour obtenir le périmètre de rayonnement.

Nota : La ligne de 40 dB est utilisée à titre de référence pour une puissance apparente rayonnée (PAR) de 1 kW.

(3) The HAAT determined in accordance with section 1 shall be ascertained for each radial and the effective radiated power (ERP) shall be ascertained in the plane of maximum radiation (in the case of directional antennas, the ERP value in the direction of each radial shall be used).

(4) The appropriate F(50,50) propagation curves (Tables I to III) shall be used with the HAAT and the ERP ascertained in accordance with subsection (3) to determine the distance from the transmitting site to the contour point on each radial.

(5) The contour points determined under subsection (4) shall be joined by a smooth curve to obtain the contour.

Note: The 40 dB line is the reference line for an effective radiated power (ERP) of 1 kW.

TABLEAU I

ESTIMATION DE L'INTENSITÉ DE CHAMP DÉPASSÉE À 50 % DES EMPLACEMENTS RÉCEPTEURS POSSIBLES, POUR AU MOINS 50 % DU TEMPS, POUR UNE ANTENNE RÉCEPTRICE DE 9,1 MÈTRES.

TABLE I

ESTIMATED FIELD STRENGTH EXCEEDED AT 50% OF THE POTENTIAL RECEIVER LOCATIONS FOR AT LEAST OF THE TIME AT A RECEIVING ANTENNA HEIGHT OF 9.1 METRES.

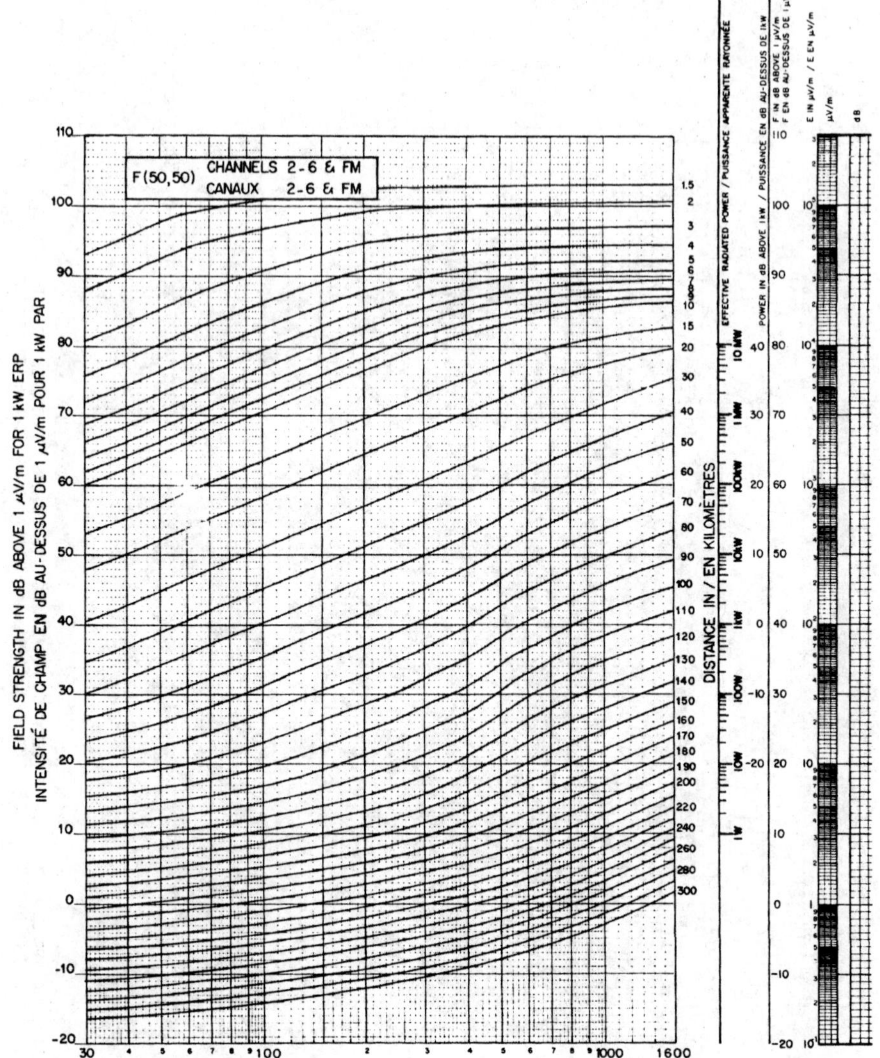

HAUTEUR DE L'ANTENNE ÉMETTRICE AU-DESSUS DU SOL MOYEN, EN MÈTRES

TRANSMITTING ANTENNA HEIGHT ABOVE AVERAGE TERRAIN, IN METRES

TABLEAU II

ESTIMATION DE L'INTENSITÉ DE CHAMP DÉPASSÉE À 50 % DES EMPLACEMENTS RÉCEPTEURS POSSIBLES, POUR AU MOINS 50 % DU TEMPS, POUR UNE ANTENNE RÉCEPTRICE DE 9,1 MÈTRES

TABLE II

ESTIMATED FIELD STRENGTH EXCEEDED AT 50% OF THE POTENTIAL RECEIVER LOCATIONS FOR AT LEAST 50% OF THE TIME AT A RECEIVING ANTENNA HEIGHT OF 9.1 METRES.

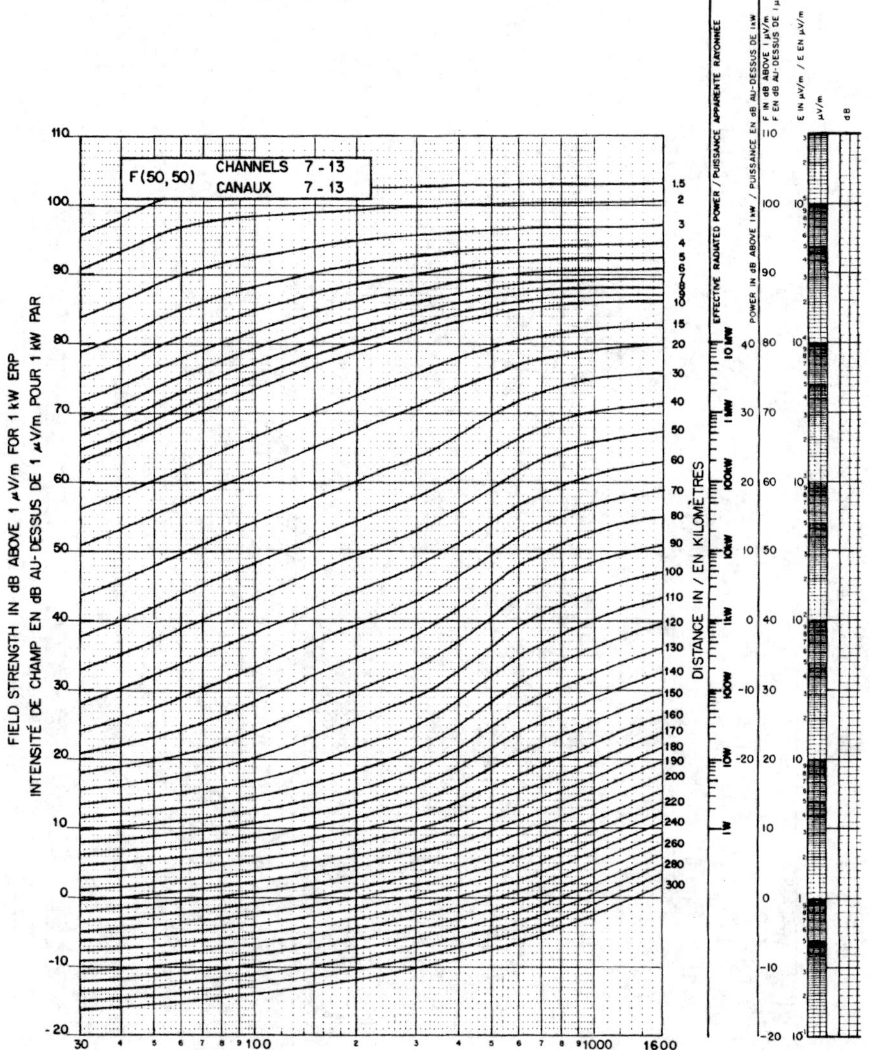

HAUTEUR DE L'ANTENNE ÉMETTRICE AU-DESSUS DU SOL MOYEN, EN MÈTRES

TRANSMITTING ANTENNA HEIGHT ABOVE AVERAGE TERRAIN, IN METRES

TABLEAU III

ESTIMATION DE L'INTENSITÉ DE CHAMP DÉPASSÉE À 50 % DES EMPLACEMENTS RÉCEPTEURS POSSIBLES, POUR AU MOINS 50 % DU TEMPS, POUR UNE ANTENNE RÉCEPTRICE DE 9,1 MÈTRES

TABLE III

ESTIMATED FIELD STRENGTH EXCEEDED AT 50% OF THE POTENTIAL RECEIVER LOCATIONS FOR AT LEAST 50% OF THE TIME AT A RECEIVING ANTENNA HEIGHT OF 9.1 METRES.

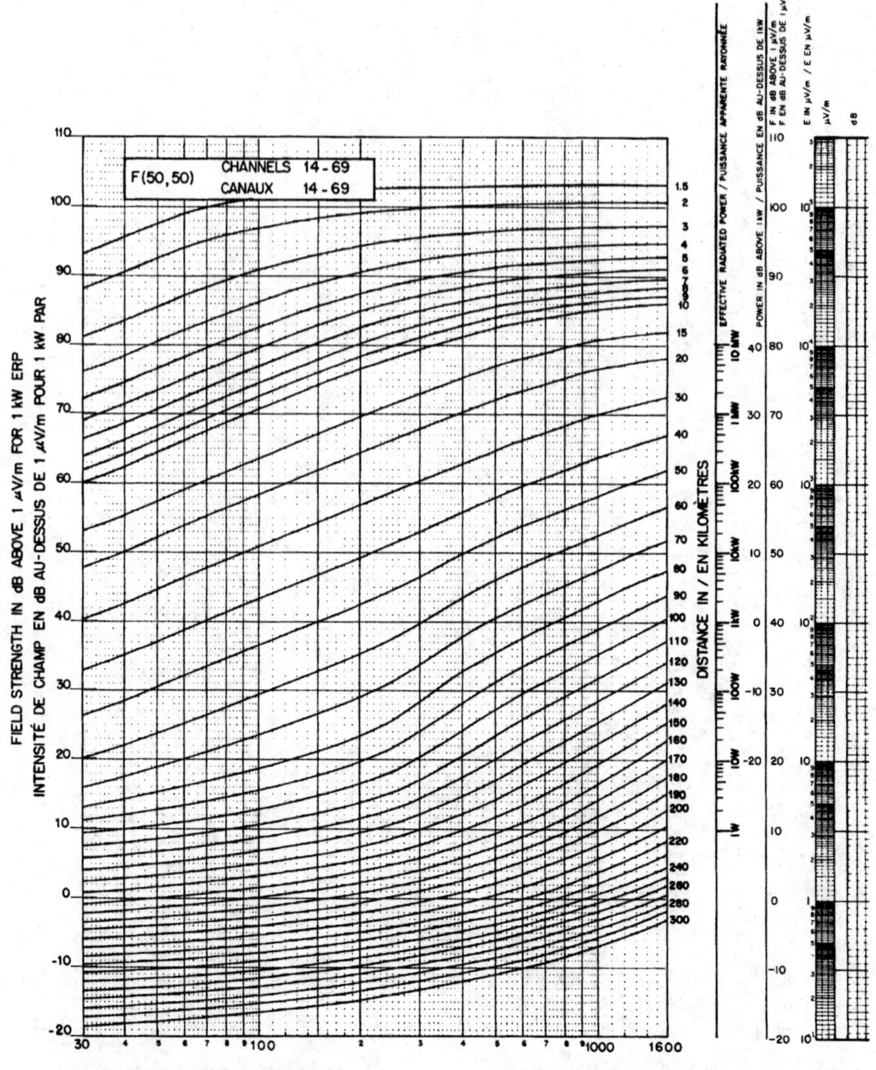

HAUTEUR DE L'ANTENNE ÉMETTRICE AU-DESSUS DU SOL MOYEN, EN MÈTRES

TRANSMITTING ANTENNA HEIGHT ABOVE AVERAGE TERRAIN, IN METRES

RÈGLEMENT SUR LA DÉFINITION DE PETIT SYSTÈME DE RETRANSMISSION

Table des matières

DEFINITION OF SMALL RETRANSMISSION SYSTEMS REGULATIONS

Table of Contents

Règlement sur la définition de petit système de retransmission

DORS/89-255

Modifié par DORS/94-754.

Loi sur le droit d'auteur
(L.R.C. 1985, ch. C-42)

RÈGLEMENT CONCERNANT LA DÉFINITION DE PETIT SYSTÈME DE RETRANSMISSION POUR L'APPLICATION DU PARAGRAPHE 70.64(1) DE LA LOI SUR LE DROIT D'AUTEUR

Titre abrégé

1. *Règlement sur la définition de petit système de retransmission.*

Définitions

2. Les définitions qui suivent s'appliquent au présent règlement.
«licence» Licence attribuée en vertu de l'alinéa 9(1)*b*) de la *Loi sur la radiodiffusion*, qui permet au titulaire d'exploiter une entreprise de réception de radiodiffusion se livrant à la distribution, au moyen de signaux retransmis par câble ou par ondes hertziennes, de services de programmation destinés à être reçus dans des locaux. (*licence*)
«local» Selon le cas :
a) une habitation, notamment une maison unifamiliale ou un logement d'un immeuble à logements multiples;
b) une pièce d'un immeuble commercial ou d'un établissement. (*premises*)
«zone de desserte» Zone dans laquelle le titulaire d'une licence est autorisé aux termes de celle-ci à fournir des services. (*licensed area*)

Definition of Small Retransmission Systems Regulations

SOR/89-255

Amended by SOR/94-754.

Copyright Act
(R.S.C. 1985, c. C-42)

REGULATIONS DEFINING SMALL RETRANSMISSION SYSTEMS FOR THE PURPOSE OF SUBSECTION 70.64(1) OF THE COPYRIGHT ACT

Short Title

1. These Regulations may be cited as the *Definition of Small Retransmission Systems Regulations.*

Definitions

2. In these Regulations,
"licence" means a licence issued under paragraph 9(1)(*b*) of the *Broadcasting act* authorizing the licensee to carry on a broadcasting receiving undertaking that distributes programming services to premises by means of signals that are retransmitted by cable or Hertzian waves; (*licence*)
"licensed area" means the area within which a licensee is authorized, under its licence, to provide services; (*zone de desserte*)
"premise" means
(*a*) a dwelling, including a single-unit residence or a single unit within a multiple-unit residence, or
(*b*) a room in a commercial or institutional building. (*local*)

Petit système de retransmission

3. (1) Sous réserve des paragraphes (2) à (4) et de l'article 4, pour l'application du paragraphe 70.64(1) de la *Loi sur le droit d'auteur*, «petit système de retransmission» s'entend d'un système de retransmission par câble ou d'un système terrestre de retransmission par ondes hertziennes qui retransmettent un signal, à titre gratuit ou non, à au plus 2000 locaux situés dans la même zone de desserte.

(2) Pour l'application du paragraphe (1), dans le cas d'un système de retransmission par câble qui, avec un ou plusieurs autres systèmes de retransmission par câble, fait partie d'une unité, le nombre de locaux auxquels ce système retransmet un signal est réputé correspondre au nombre total de locaux auxquels tous les systèmes de retransmission par câble de cette unité retransmettent un signal.

(3) Pour l'application du paragraphe (2), font partie d'une même unité les systèmes de retransmission par câble qui répondent aux critères suivants :
a) ils sont la propriété ou sous le contrôle direct ou indirect de la même personne ou du même groupe de personnes;
b) leurs zones de desserte respectives sont, à un point quelconque, à moins de 5 km d'au moins une d'entre elles et, si ce n'était cette distance, celles-ci constitueraient une suite — linéaire ou non — de zones de desserte contiguës.

(4) Le paragraphe (2) ne s'applique pas aux systèmes de retransmission par câble qui faisaient partie d'une unité au 31 décembre 1993.

4. Est exclu de la définition figurant au paragraphe 3(1) le système de retransmission par câble qui est un système à antenne collective situé dans la zone de desserte d'un autre système de retransmission par câble qui retransmet un signal, à titre gratuit ou non, à plus de 2000 locaux situés dans cette zone de desserte.

Small Retransmission Systems

3. (1) Subject to subsections (2) to (4) and section 4, for the purpose of subsection 70.64(1) of the *Copyright Act*, "small retransmission system" means a cable retransmission system, or a terrestrial retransmission system utilizing Hertzian waves, that retransmits a signal, with or without a fee, to not more than 2,000 premises in the same licensed area.

(2) For the purpose of subsection (1), where a cable retransmission system is included in the same unit as one or more other cable retransmission systems, the number of premises to which the cable retransmission system retransmits a signal is deemed to be equal to the total number of premises to which all cable retransmission systems included in that unit retransmit a signal.

(3) For the purpose of subsection (2), a cable retransmission system is included in the same unit as one or more other cable retransmission systems where
(*a*) they are owned or directly or indirectly controlled by the same person or group of persons; and
(*b*) their licensed areas are each less than 5 km distant, at some point, from at least one other among them, and those licensed areas would constitute a series of contiguous licensed areas, in a linear or non-linear configuration, were it not for that distance.

(4) Subsection (2) does not apply to a cable retransmission system that was included in a unit on December 31, 1993.

4. The definition set out in subsection 3(1) does not include a cable retransmission system that is a master antenna system located within the licensed area of another cable retransmission system that retransmits a signal, with or without a fee, to more than 2,000 premises in that licensed area.

RÈGLEMENT SUR LA DÉFINITION DE PETIT SYSTÈME DE TRANSMISSION PAR FIL

Table des matières

DEFINITION OF "SMALL CABLE TRANSMISSION SYSTEM" REGULATIONS

Table of Contents

Règlement sur la définition de petit système de transmission par fil

DORS/94-755

Loi sur le droit d'auteur
(L.R.C. 1985, ch. C-42)

RÈGLEMENT DÉFINISSANT «PETIT SYSTÈME DE TRANSMISSION PAR FIL» POUR L'APPLICATION DU PARAGRAPHE 67.2(1.1) DE LA LOI SUR LE DROIT D'AUTEUR

Titre abrégé

1. *Règlement sur la définition de petit système de transmission par fil.*

Définitions

2. Les définitions qui suivent s'appliquent au présent règlement.
«licence» Licence attribuée en vertu de l'alinéa 9(1)*b*) de la *Loi sur la radiodiffusion*, qui permet au titulaire d'exploiter une entreprise de réception de radiodiffusion se livrant à la distribution, au moyen de signaux transmis par câble, de services de programmation destinés à être reçus dans des locaux. (*licence*)
«local» Selon le cas :
a) une habitation, notamment une maison unifamiliale ou un logement d'un immeuble à logements multiples;
b) une pièce d'un immeuble commercial ou d'un établissement. (*premises*)
«zone de desserte» Zone dans laquelle le titulaire d'une licence est autorisé aux termes de celle-ci à fournir des services. (*licensed area*)

Definition of "Small Cable Transmission System" Regulations

SOR/94-755

Copyright Act
(R.S.C. 1985, c. C-42)

REGULATIONS DEFINING "SMALL CABLE TRANSMISSION SYSTEM" FOR THE PURPOSE OF SUBSECTION 67.2(1.1) OF THE COPYRIGHT ACT

Short Title

1. These Regulations may be cited as the *Definition of "Small Cable Transmission System" Regulations.*

Interpretation

2. In these Regulations,
"licence" means a licence issued under paragraph 9(1)(*b*) of the *Broadcasting Act* authorizing the licensee to carry on a broadcasting receiving undertaking that distributes programming services to premises by means of signals that are transmitted by cable; (*licence*)
"licensed area" means the area within which a licensee is authorized, under its licence, to provide services; (*zone de desserte*)
"premises" means
(*a*) a dwelling, including a single-unit residence or a single unit within a multiple-unit residence, or
(*b*) a room in a commercial or institutional building. (*local*)

Petit système de transmission par fil

3. (1) Sous réserve des paragraphes (2) à (4) et de l'article 4, pour l'application du paragraphe 67.2(1.1) de la *Loi sur le droit d'auteur*, «petit système de transmission par fil» s'entend d'un système de transmission par câble qui transmet un signal, à titre gratuit ou non, à au plus 2000 locaux situés dans la même zone de desserte.

(2) Pour l'application du paragraphe (1), dans le cas d'un système de transmission par câble qui, avec un ou plusieurs autres systèmes de transmission par câble, fait partie d'une unité, le nombre de locaux auxquels ce système transmet un signal est réputé correspondre au nombre total de locaux auxquels tous les systèmes de transmission par câble de cette unité transmettent un signal.

(3) Pour l'application du paragraphe (2), font partie d'une même unité les systèmes de transmission par câble qui répondent aux critères suivants :
a) ils sont la propriété ou sous le contrôle direct ou indirect de la même personne ou du même groupe de personnes;
b) leurs zones de desserte respectives sont, à un point quelconque, à moins de 5 km d'au moins une d'entre elles et, si ce n'était cette distance, celles-ci constitueraient une suite linéaire ou non de zones de desserte contiguës.

(4) Le paragraphe (2) ne s'applique pas aux systèmes de transmission par câble qui faisaient partie d'une unité au 31 décembre 1993.

4. Est exclu de la définition figurant au paragraphe 3(1) le système de transmission par câble qui est un système à antenne collective situé dans la zone de desserte d'un autre système de transmission par câble qui transmet un signal, à titre gratuit ou non, à plus de 2000 locaux situés dans cette zone de desserte.

Small Cable Transmission System

3. (1) Subject to subsections (2) to (4) and section 4, for the purpose of subsection 67.2(1.1) of the *Copyright Act*, "small cable transmission system" means a cable transmission system that transmits a signal, with or without a fee, to not more than 2,000 premises in the same licensed area.

(2) For the purpose of subsection (1), where a cable transmission system is included in the same unit as one or more other cable transmission systems, the number of premises to which the cable transmission system transmits a signal is deemed to be equal to the total number of premises to which all cable transmission systems included in that unit transmit a signal.

(3) For the purpose of subsection (2), a cable transmission system is included in the same unit as one or more other cable transmission systems where
(*a*) they are owned or directly or indirectly controlled by the same person or group of persons; and
(*b*) their licensed areas are each less than 5 km distant, at some point, from at least one other among them, and those licensed areas would constitute a series of contiguous licensed areas, in a linear or non-linear configuration, were it not for that distance.

(4) Subsection (2) does not apply to a cable transmission system that was included in a unit on December 31, 1993.

4. The definition set out in subsection 3(1) does not include a cable transmission system that is a master antenna system located within the licensed area of another cable transmission system that transmits a signal, with or without a fee, to more than 2,000 premises in that licensed area.

RÈGLEMENT SUR LES CRITÈRES APPLICABLES AUX DROITS À PAYER POUR LA RETRANSMISSION

Table des matières

RETRANSMISSION ROYALTIES CRITERIA REGULATIONS

Table of Contents

Règlement sur les critères applicables aux droits à payer pour la retransmission

DORS/91-690

Loi sur le droit d'auteur
(L.R.C. 1985, ch. C-42)

RÈGLEMENT CONCERNANT LES CRITÈRES APPLICABLES À LA FIXATION DES DROITS À PAYER POUR LA RETRANSMISSION DES SIGNAUX ÉLOIGNÉS

Titre abrégé

1. *Règlement sur les critères applicables aux droits à payer pour la retransmission.*

Critères

2. Les critères dont la Commission doit tenir compte pour l'application de l'alinéa 70.63(1)*a*) de la *Loi sur le droit d'auteur* en vue de la fixation de droits justes et équitables sont les suivants :
a) les droits payés pour la retransmission des signaux éloignés aux États-Unis en application du régime de retransmission aux États-Unis;
b) les effets, sur la retransmission des signaux éloignés au Canada, de l'application de la *Loi sur la radiodiffusion* et des règlements pris en vertu de celle-ci;
c) les droits et les modalités afférentes aux droits dans les ententes écrites à l'égard des droits pour la retransmission des signaux éloignés au Canada qui ont été conclues entre les sociétés de perception et les retransmetteurs et présentées à la Commission dans leur intégralité.

Retransmission Royalties Criteria Regulations

SOR/91-690

Copyright Act
(R.S.C. 1985, c. C-42)

REGULATIONS RESPECTING CRITERIA FOR ESTABLISHING A MANNER OF DETERMINING ROYALTIES FOR THE RETRANSMISSION OF DISTANT SIGNALS

Short Title

1. These Regulations may be cited as the *Retransmission Royalties Criteria Regulations.*

Criteria

2. The criteria to which the Board must have regard in establishing under paragraph 70.63(1)(*a*) of the *Copyright Act* a manner of determining royalties that are fair and equitable are the following:
(*a*) royalties paid for the retransmission of distant signals in the United States under the retransmission regime in the United States;
(*b*) the effects on the retransmission of distant signals in Canada of the application of the *Broadcasting Act* and regulations made thereunder; and
(*c*) royalties and related terms and conditions stipulated in written agreements in respect of royalties for the retransmission of distant signals in Canada that have been reached between collecting bodies and retransmitters and that are submitted to the Board in their entirety.

RÈGLEMENT SUR LES ENTREPRISES DE PROGRAMMATION

Table des matières

PROGRAMMING UNDERTAKING REGULATIONS

Table of Contents

Règlement sur les entreprises de programmation

DORS/93-436

Loi sur le droit d'auteur
(L.R.C. 1985, ch. C-42)

RÈGLEMENT DÉFINISSANT ENTREPRISE DE PROGRAMMATION

Titre abrégé

1. *Règlement sur les entreprises de programmation.*

Entreprise de programmation

2. Pour l'application du paragraphe 3(1.4) de la *Loi sur le droit d'auteur*, «entreprise de programmation» s'entend d'un réseau, autre qu'un réseau au sens de la *Loi sur la radiodiffusion*, constitué :
a) d'une part, d'une personne qui transmet par télécomunication tout ou partie de ses émissions ou de sa programmation directement ou indirectement à la personne visée à l'alinéa *b*);
b) d'autre part, d'une personne qui communique au public par télécommunication tout ou partie des émissions ou de la programmation visées à l'alinéa *a*).

Programming Undertaking Regulations

SOR/93-436

Copyright Act
(R.S.C. 1985, c. C-42)

REGULATIONS DEFINING PROGRAMMING UNDERTAKING

Short Title

1. These Regulations may be cited as the *Programming Undertaking Regulations.*

Programming Undertaking

2. For the purpose of subsection 3(1.4) of the *Copyright Act*, "programming undertaking" means a network, other than a network within the meaning of the *Broadcasting Act*, consisting of
(*a*) a person who transmits by telecommunication all or part of the person's programs or programming directly or indirectly to the person referred to in paragraph (*b*); and
(*b*) a person who communicates all or part of the programs or programming referred to in paragraph (*a*) to the public by telecommunication.

AVIS CERTIFIANT QUE DES PAYS ACCORDENT LES AVANTAGES DU DROIT D'AUTEUR

Table des matières

CERTIFICATION OF COUNTRIES GRANTING EQUAL COPYRIGHT PROTECTION NOTICE

Table of Contents

Avis certifiant que des pays accordent les avantages du droit d'auteur

C.R.C., ch. 421

Loi sur le droit d'auteur
(L.R.C. 1985, ch. C-42)

AVIS DONNÉ EN VERTU DU PARAGRAPHE 4(2) DE LA LOI SUR LE DROIT D'AUTEUR CERTIFIANT QUE CERTAINS PAYS ACCORDENT LES AVANTAGES DU DROIT D'AUTEUR

Titre abrégé

1. Le présent avis peut être cité sous le titre: *Avis certifiant que des pays accordent les avantages du droit d'auteur.*

Certification

2. Le ministre de la Consommation et des Corporations certifie que les pays énumérés dans l'annexe accordent ou se sont engagés à accorder aux citoyens du Canada les avantages du droit d'auteur aux conditions sensiblement les mêmes qu'à ses propres citoyens ou une protection de droit d'auteur réellement équivalente à celle que garantit la *Loi sur le droit d'auteur* et, pour l'objet des droits conférés par cette loi, un tel pays doit être traité comme s'il était un pays tombant sous l'application de cette loi.

ANNEXE
(Art. 2)

Andorre
Argentine
Cambodge
Chili

Certification of Countries Granting Equal Copyright Protection Notice

C.R.C., c. 421

Copyright Act
(R.S.C. 1985, c. C-42)

NOTICE PURSUANT TO SUBSECTION 4(2) OF THE COPYRIGHT ACT CERTIFYING THAT CERTAIN COUNTRIES GRANT THE BENEFIT OF COPYRIGHT PROTECTION

Short Title

1. This Notice may be cited as the *Certification of Countries Granting Copyright Protection Notice.*

Certification

2. The Minister of Consumer and Corporate Affairs hereby certifies that the countries listed in the schedule grant or have undertaken to grant to citizens of Canada the benefit of copyright on substantially the same basis as to its own citizens or copyright protection substantially equal to that conferred by the *Copyright Act* and, for the purpose of the rights conferred by the said Act, such a country shall be treated as if it was a country to which the said Act extends.

SCHEDULE
(S. 2)

Andorra
Argentina
Cambodia
Chile

Costa Rica	Costa Rica
Cuba	Cuba
Équateur	Ecuador
Guatemala	Guatemala
Haïti	Haiti
Kenya	Kenya
Laos	Laos
Liberia	Liberia
Malawi	Malawi
Malte	Malta
Mexique	Mexico
Nicaragua	Nicaragua
Nigéria	Nigeria
Paraguay	Paraguay
Pérou	Peru
République de Panama	Republic of Panama
Venezuela	Venezuela
Zambie	Zambia

Ordonnance sur les droits en matière de droit d'auteur

DORS/78-665

Loi sur le droit d'auteur
(L.R.C. 1985, ch. C-42)

[Abrogée, DORS/97-458.]

Copyright Fees Order

SOR/78-665

Copyright Act
(R.S.C. 1985, c. C-42)

[Repealed, SOR/97-458.]

RÈGLEMENT SUR LA DÉFINITION DE « SYSTÈME DE TRANSMISSION PAR ONDES RADIOÉLECTRIQUES »

Table des matières

DEFINITION OF "WIRELESS TRANSMISSION SYSTEM" REGULATIONS

Table of Contents

Règlement sur la définition de « système de transmission par ondes radioélectriques »

DORS/98-307

Loi sur le droit d'auteur
(L.R.C. 1985, ch. C-42)

RÈGLEMENT SUR LA DÉFINITION DE « SYSTÈME DE TRANSMISSION PAR ONDES RADIOÉLECTRIQUES »

DÉFINITION

1. Pour l'application de l'article 68.1 de la *Loi sur le droit d'auteur*, « système de transmission par ondes radioélectriques » s'entend d'un système exploité par une station terrestre de radio qui transmet en mode analogique ou numérique un signal porteur de prestations d'œuvres musicales ou d'enregistrements sonores constitués de ces prestations, sous forme analogique ou numérique, dans la bande de fréquences AM ou FM ou toute autre gamme de fréquence attribuée par le ministre aux termes de l'article 5 de la *Loi sur la radiocommunication*, sans guide artificiel aux fins de la réception à titre gratuit par le public.

ENTRÉE EN VIGUEUR

2. Le présent règlement entre en vigueur le 28 mai 1998.

Definition of "Wireless Transmission System" Regulations

SOR/98-307

Copyright Act
(R.S.C. 1985, c. C-42)

DEFINITION OF "WIRELESS TRANSMISSION SYSTEM" REGULATIONS

EXPRESSION DEFINED

1. For the purposes of section 68.1 of the *Copyright Act*, "wireless transmission system" means a system operated by a terrestrial radio station that transmits in analog or digital mode a signal containing performers' performances of musical works or sound recordings embodying the performers' performances, in analog or digital form, whether in the A.M. or F.M. frequency band or in any other range assigned by the Minister under section 5 of the *Radiocommunication Act*, without artificial guide for free reception by the public.

COMING INTO FORCE

2. These Regulations come into force on May 28, 1998.

Décret sur la reproduction de la législation fédérale

TR/97-5

Autorité autre que statutaire

Toute personne peut, sans frais ni demande d'autorisation, reproduire des textes législatifs du gouvernement du Canada et des codifications de ceux-ci, ainsi que des décisions et des motifs de décisions de cours et de tribunaux administratifs établis par le gouvernement du Canada, pourvu qu'une diligence raisonnable soit exercée pour veiller à ce que les documents reproduits soient exacts et que la reproduction ne soit pas présentée comme une version officielle.

Reproduction of Federal Law Order

SI/97-5

Other than statutory authority

Anyone may, without charge or request for permission, reproduce enactments and consolidations of enactments of the Government of Canada, and decisions and reasons for decisions of federally-constituted courts and administrative tribunals, provided due diligence is exercised in ensuring the accuracy of the materials reproduced and the reproduction is not represented as an official version.

Règlement fixant les délais de déchéance pour les réclamations des droits des titulaires non membres de sociétés de perception

DORS/97-164

Loi sur le droit d'auteur
(L.R.C. 1985, ch. C-42)

RÈGLEMENT FIXANT LES DÉLAIS DE DÉCHÉANCE POUR LES RÉCLAMATIONS DES DROITS DES TITULAIRES NON MEMBRES DE SOCIÉTÉS DE PERCEPTION

1. Tout titulaire du droit de communiquer une œuvre au public par télécommunication aux termes de l'alinéa 3(1)*f)* de la *Loi sur le droit d'auteur*, ou toute personne se réclamant de lui, qui n'a pas habilité une société de perception à agir à son profit peut, si l'œuvre a été communiquée dans le cadre du paragraphe 28.01(2) de cette loi, réclamer auprès de la société de perception désignée, d'office ou sur demande, à cette fin par la Commission, le paiement des droits relatifs à cette communication :
a) au plus tard le 31 décembre 1998, dans le cas d'une œuvre retransmise avant le 1er janvier 1997;
b) dans les deux ans suivant la fin de l'année civile au cours de laquelle l'œuvre est retransmise, dans le cas d'une œuvre retransmise le 1er janvier 1997 ou après cette date.

2. Le présent règlement entre en vigueur le 19 mars 1997.

Regulations Establishing the Period for Royalty Entitlements of Non-members of Collecting Bodies

SOR/97-164

Copyright Act
(R.S.C. 1985, c. C-42)

REGULATIONS ESTABLISHING THE PERIOD FOR ROYALTY ENTITLEMENTS OF NON-MEMBERS OF COLLECTING BODIES

1. An owner or person claiming under the owner of the right referred to in paragraph 3(1)*(f)* of the *Copyright Act* in respect of a work who does not authorize a collecting body to collect, for that person's benefit, royalties for the communication of the work in the manner described in subsection 28.01(2) of the same Act is, if that work is so communicated, entitled to be paid those royalties by the collecting body that is designated by the Board, of its own motion or on application, if this entitlement is exercised
(a) no later than December 31, 1998, where the retransmission occurred before January 1, 1997; and
(b) within two years after the end of the calendar year in which the retransmission occurred, where the retransmission occurred on January 1, 1997 or after.

2. These Regulations come into force on March 19, 1997.

RÈGLEMENT SUR LA DÉFINITION DE RECETTES PUBLICITAIRES

Table des matières

REGULATIONS DEFINING "ADVERTISING REVENUES"

Table of Contents

Règlement sur la définition de recettes publicitaires

DORS/98-447

Loi sur le droit d'auteur
(L.R.C. 1985, ch. C-42)

RÈGLEMENT SUR LA DÉFINITION DE RECETTES PUBLICITAIRES

DÉFINITION

1. Dans le présent règlement, « système » s'entend d'un système de transmission par ondes radioélectriques. *(system)*

RECETTES PUBLICITAIRES

2. (1) Pour l'application du paragraphe 68.1(1) de la *Loi sur le droit d'auteur*, « recettes publicitaires » s'entend du total, net de taxes et des commissions versées aux agences de publicité, des contreparties en argent, en biens ou en services, reçues par un système pour annoncer des biens, des services, des activités ou des événements, pour diffuser des messages d'intérêt public ou pour des commandites.

(2) Aux fins du calcul des recettes publicitaires, les biens et services sont évalués à leur juste valeur marchande.

(3) Pour l'application du paragraphe (1), lorsqu'un système agit pour le compte d'un groupe de systèmes qui diffusent, simultanément ou en différé, un seul événement :
a) la contrepartie que le système agissant pour le compte du groupe remet à un autre système faisant partie du groupe est incluse dans les recettes publicitaires du second système;

Regulations Defining "Advertising Revenues"

SOR/98-447

Copyright Act
(R.S.C. 1985, c. C-42)

REGULATIONS DEFINING "ADVERTISING REVENUES"

INTERPRETATION

1. In these Regulations, "system" means a wireless transmission system. *(système)*

ADVERTISING REVENUES

2. (1) For the purposes of subsection 68.1(1) of the *Copyright Act*, "advertising revenues" means the total compensation in money, goods or services, net of taxes and of commissions paid to advertising agencies, received by a system to advertise goods, services, activities or events, for broadcasting public interest messages or for any sponsorship.

(2) For the purpose of calculating advertising revenues, goods and services shall be valued at fair market value.

(3) For purposes of subsection (1), when a system acts on behalf of a group of systems which broadcast a single event, simultaneously or on a delayed basis,
(a) any compensation paid by the system acting on behalf of the group of systems to a system that is part of the group is part of the advertising revenues of that system; and

b) la différence entre la contrepartie reçue par le système agissant pour le compte du groupe et toute contrepartie visée à l'alinéa *a)* est incluse dans les recettes publicitaires de ce système.

ENTRÉE EN VIGUEUR

3. Le présent règlement entre en vigueur le 31 août 1998.

(b) the difference between the compensation received by the system acting on behalf of the group of systems and any compensation referred to in paragraph *(a)*, is part of the advertising revenue of the system which acts on behalf of the group.

COMING INTO FORCE

3. These Regulations come into force on August 31, 1998.

DÉCLARATION LIMITANT LE DROIT À RÉMUNÉRATION ÉQUITABLE POUR CERTAINS PAYS PARTIES À LA CONVENTION DE ROME

Table des matières

LIMITATION OF THE RIGHT TO EQUITABLE REMUNERATION OF CERTAIN ROME CONVENTION COUNTRIES STATEMENT

Table of Contents

Déclaration limitant le droit à rémunération équitable pour certains pays parties à la Convention de Rome

DORS/99-143

Loi sur le droit d'auteur
(L.R.C. 1985, ch. C-42)

DÉCLARATION LIMITANT LE DROIT À RÉMUNÉRATION ÉQUITABLE POUR CERTAINS PAYS PARTIES À LA CONVENTION DE ROME

LIMITATIONS

1. Le droit à rémunération équitable ne s'applique que pendant une durée de 20 ans à l'exécution en public ou à la communication au public par télécommunication d'un enregistrement sonore dont le producteur, lors de la première fixation, était citoyen ou résident permanent d'un des pays suivants ou, s'il s'agit d'une personne morale, avait son siège social dans l'un de ces pays :
a) Bolivie;
b) Honduras;
c) Lesotho;
d) Uruguay.

2. Le droit à rémunération équitable ne s'applique qu'à la communication au public par télécommunication d'un enregistrement sonore dont le producteur, lors de la première fixation, était citoyen ou résident permanent d'un des pays suivants ou, s'il s'agit d'une personne morale, avait son siège social dans l'un des ces pays :
a) Japon;
b) Norvège.

3. Le droit à rémunération équitable ne s'applique qu'à l'exécution en public d'un

Limitation of the Right to Equitable Remuneration of Certain Rome Convention Countries Statement

SOR/99-143

Copyright Act
(R.S.C. 1985, c. C-42)

LIMITATION OF THE RIGHT TO EQUITABLE REMUNERATION OF CERTAIN ROME CONVENTION COUNTRIES STATEMENT

LIMITATIONS

1. A right to equitable remuneration applies only for a duration of 20 years for the performance in public or the communication to the public by telecommunication of a sound recording whose maker, at the date of its first fixation, was a citizen, or permanent resident of, or, if a corporation, had its headquarters in, one of the following countries:
(a) Bolivia;
(b) Honduras;
(c) Lesotho; or
(d) Uruguay.

2. A right to equitable remuneration applies only to the communication to the public by telecommunication of a sound recording whose maker, at the date of its fixation, was a citizen or permanent resident of, or, if a corporation, had its headquarters in, one of the following countries:
(a) Japan; or
(b) Norway.

3. A right to equitable remuneration applies only to the performance in public of a sound

enregistrement sonore dont le producteur, lors de la première fixation, était citoyen ou résident permanent du Liban ou, s'il s'agit d'une personne morale, avait son siège social dans ce pays.

4. Le droit à rémunération équitable ne s'applique pas à l'exécution en public ni à la communication au public par télécommunication d'un enregistrement sonore dont le producteur lors de la première fixation, était citoyen ou résident permanent d'un des pays suivants ou, s'il s'agit d'une personne morale, avait son siège social dans l'un de ces pays :
a) Barbade;
b) Burkina Faso;
c) Cap-Vert;
d) Congo;
e) République tchèque;
f) El Salvador;
g) Fidji;
h) Guatemala;
i) Irlande;
j) Monaco;
k) Nigéria;
l) Paraguay;
m) Sainte-Lucie.

ENTRÉE EN VIGUEUR

5. La présente déclaration entre en vigueur à la date de son enregistrement.

recording whose maker, at the date of its first fixation, was a citizen or permanent resident of Lebanon, or, if a corporation, had its headquarters in Lebanon.

4. A right to equitable remuneration does not apply to the performance in public or the communication to the public by telecommunication of a sound recording whose maker, at the date of its first fixation, was a citizen or permanent resident of, or, if a corporation, had its headquarters in, one of the following countries:
(a) Barbados;
(b) Burkina Faso;
(c) Cape Verde;
(d) Congo;
(e) Czech Republic;
(f) El Salvador;
(g) Fiji;
(h) Guatemala;
(i) Ireland;
(j) Monaco;
(k) Nigeria;
(l) Paraguay; or
(m) Saint Lucia.

COMING INTO FORCE

5. This Statement comes into force on the day on which it is registered.

RÈGLEMENT SUR LES ŒUVRES CINÉMATOGRAPHIQUES VISÉES PAR UN DROIT À RÉMUNÉRATION

Table des matières

CINEMATOGRAPHIC WORKS (RIGHT TO REMUNERATION) REGULATIONS

Table of Contents

Règlement sur les œuvres cinématographiques visées par un droit à rémunération

DORS/99-194

Loi sur le droit d'auteur
(L.R.C. 1985, ch. C-42)

RÈGLEMENT SUR LES ŒUVRES CINÉMATOGRAPHIQUES VISÉES PAR UN DROIT À RÉMUNÉRATION

DÉFINITIONS

1. Les définitions qui suivent s'appliquent au présent règlement.
« émission canadienne » S'entend au sens de l'article 2 du *Règlement de 1987 sur la télédiffusion*, du paragraphe 2(1) du *Règlement de 1990 sur la télévision payante* ou de l'article 2 du *Règlement de 1990 sur les services spécialisés*. *(Canadian program)*
« organisme cinématographique gouvernemental canadien » Organisme fédéral ou provincial participant au développement et à la production d'œuvres cinématographiques. *(Canadian government film agency)*

ŒUVRES CINÉMATOGRAPHIQUES

2. Les productions dans lesquelles la prestation d'un artiste-interprète a été incorporée par suite d'un contrat conclu par celui-ci le 22 avril 1999 ou après cette date qui présentent l'une ou l'autre des caractéristiques suivantes sont des œuvres cinématographiques pour l'application de l'article 17 de la *Loi sur le droit d'auteur* :
a) la production fait l'objet d'un certificat de production cinématographique ou magnétoscopique canadienne délivré par le ministre

Cinematographic Works (Right to Remuneration) Regulations

SOR/99-194

Copyright Act
(R.S.C. 1985, c. C-42)

CINEMATOGRAPHIC WORKS (RIGHT TO REMUNERATION) REGULATIONS

INTERPRETATION

1. The definitions in this section apply in these Regulations.
"Canadian government film agency" means a federal or provincial agency engaged in the development and production of cinematographic works. *(organisme cinématographique gouvernemental canadien)*
"Canadian program" means a Canadian program as defined in subsection 2(1) of the *Pay Television Regulations, 1990*, in section 2 of the *Specialty Services Regulations, 1990*, and in section 2 of the *Television Broadcasting Regulations, 1987*. *(émission canadienne)*

PRESCRIBED CINEMATOGRAPHIC WORKS

2. The following are prescribed cinematographic works for the purposes of section 17 of the *Copyright Act*, namely, a cinematographic work in which a performer's performance has been embodied as a result of an agreement entered into by the performer on or after April 22, 1999:
(a) in respect of which the Minister of Canadian Heritage has issued a Canadian film or video production certificate under the *Income Tax Act*;

du Patrimoine canadien aux termes de la *Loi de l'impôt sur le revenu*;
b) la production est une émission canadienne accréditée par le Conseil de la radiodiffusion et des télécommunications canadiennes;
c) la production a reçu des fonds d'aide à la production de films de la Société de développement de l'industrie cinématographique canadienne ou d'un autre organisme cinématographique gouvernemental canadien.

(b) that is recognized as a Canadian program by the Canadian Radio-television and Telecommunications Commission; or
(c) that has received production funding from the Canadian Film Development Corporation, or other Canadian government film agency.

ENTRÉE EN VIGUEUR

3. Le présent règlement entre en vigueur le 22 avril 1999.

COMING INTO FORCE

3. These Regulations come into force on April 22, 1999.

RÈGLEMENT SUR L'IMPORTATION DE LIVRES

Table des matières

BOOK IMPORTATION REGULATIONS

Table of Contents

Règlement sur l'importation de livres

DORS/99-324

Loi sur le droit d'auteur
(L.R.C. 1985, ch. C-42)

RÈGLEMENT SUR L'IMPORTATION DE LIVRES

DÉFINITIONS

1. Les définitions qui suivent s'appliquent au présent règlement.
« catalogue » Toute publication, sous forme imprimée ou sur microfiche ou support électronique, qui, à la fois :
a) est mise à jour au moins une fois par année;
b) énumère les titres des livres qui existent sous forme imprimée et qu'il est possible de se procurer auprès d'au moins un distributeur exclusif;
c) indique, pour chacun des livres, son titre, son Numéro normalisé international ainsi que le nom du distributeur exclusif, celui de l'auteur et le prix de catalogue au Canada. *(catalogue)*
« commande spéciale » La commande visant l'exemplaire d'un livre que le libraire ou le détaillant qui n'est pas un libraire n'a pas en stock et qu'il commande à la demande d'un client. *(special order)*
« détaillant » Toute personne qui vend des livres dans le cadre de l'exploitation d'une entreprise, à l'exception du distributeur exclusif et de l'éditeur. *(retailer)*
« édition canadienne » L'édition d'un livre qui est publié sous le régime d'une entente accordant un droit distinct de reproduction pour le marché canadien et qu'il est possible de se procurer au Canada auprès d'un éditeur canadien. *(Canadian edition)*

Book Importation Regulations

SOR/99-324

Copyright Act
(R.S.C. 1985, c. C-42)

BOOK IMPORTATION REGULATIONS

INTERPRETATION

1. The definitions in this section apply in these Regulations.
"Act" means the *Copyright Act. (Loi)*
"bookseller" means an individual, firm or corporation that is directly engaged in the sale of books in Canada for at least 30 consecutive days in a year and
(*a*) whose floor space is open to the public and is located on premises consisting of floor space, including book shelves and customer aisles, of an area of at least 183 m^2 (600 sq. ft.); or
(*b*) whose floor space is not open to the public and that derives 50% of his or her or its gross revenues from the sale of books. *(libraire)*
"Canadian edition" means an edition of a book that is published under an agreement conferring a separate right of reproduction for the Canadian market, and that is made available in Canada by a publisher in Canada. *(édition canadienne)*
"catalogue" means a publication in printed, electronic or microfiche form that
(*a*) is updated at least once a year;
(*b*) lists all book titles currently in print that are available from at least one exclusive distributor; and
(*c*) identifies the title, the International Standard Book Number, the exclusive distributor, the author and the list price in Canada for each book listed. *(catalogue)*

« format » À l'égard d'un livre :
a) le type ou la qualité de la reliure;
b) les polices ou les dimensions des caractères d'imprimerie;
c) le type ou la qualité du papier;
d) le contenu, désigné notamment par la mention qu'il s'agit d'une version abrégée, intégrale ou illustrée. *(format)*
« jour férié » Le samedi ou un jour férié au sens du paragraphe 35(1) de la *Loi d'interprétation. (holiday)*
« libraire » Tout particulier, entreprise ou société qui, pendant au moins 30 jours consécutifs au cours de l'année, vend des livres au Canada :
a) soit dans des locaux accessibles au public dont la superficie, y compris les rayons de livres et les allées, est d'au moins 183 m^2 (600 pi^2);
b) soit dans des locaux non accessibles au public et dont au moins 50 % du revenu brut provient de la vente de livres. *(bookseller)*
« livre soldé » Livre :
a) soit qui est vendu par l'éditeur à un prix inférieur au coût du papier, de l'impression et de la reliure;
b) soit qui est vendu par l'éditeur à prix réduit et pour lequel l'auteur ou le titulaire du droit d'auteur ne reçoit aucune redevance. *(remaindered book)*
« Loi » La *Loi sur le droit d'auteur. (Act)*
« prix de catalogue » Le prix figurant dans un catalogue ou imprimé sur la couverture ou la jaquette d'un livre. *(list price)*
« taux de change courant » Le taux de change en vigueur le jour de la transaction, selon une banque canadienne. *(current exchange rate)*

"current exchange rate" means the rate of exchange prevailing on the day on which a transaction takes place, as ascertained from a Canadian bank. *(taux de change courant)*
"format" in relation to a book, means
(*a*) the type or quality of binding;
(*b*) the typeface or size of print;
(*c*) the type or quality of paper; or
(*d*) the content, including whether the book is abridged or unabridged, or illustrated. *(format)*
"holiday" means a Saturday or a holiday as defined in subsection 35(1) of the *Interpretation Act. (jour férié)*
"list price" means the price for a book that is set out in a catalogue or printed on the cover or jacket of the book. *(prix de catalogue)*
"remaindered book" means a book
(*a*) that is sold by the publisher for less than the cost of paper, printing and binding; or
(*b*) that is sold at a reduced price by the publisher and for which the author or copyright owner receives no royalty. *(livre soldé)*
"retailer" means a person who sells books in the course of operating a business, but does not include an exclusive distributor or a book publisher. *(détaillant)*
"special order" means an order for a copy of a book that a bookseller or a retailer other than a bookseller does not have in stock and that the bookseller or retailer orders at the request of a customer. *(commande spéciale)*

APPLICATION

2. (1) Le présent règlement s'applique :
a) aux livres en anglais ou en français qui sont importés au Canada et pour lesquels des droits territoriaux canadiens distincts ont été créés ou accordés par contrat;
b) aux éditions canadiennes qui sont importées au Canada.

(2) Il est entendu que le présent règlement s'applique aux livres qui, après son entrée en

APPLICATION

2. (1) These Regulations apply to
(*a*) English-language and French-language books that are imported into Canada and for which separate and distinct Canadian territorial rights have been created or contracted; and
(*b*) Canadian editions that are imported into Canada.

(2) For greater certainty, these Regulations apply to books referred to in subsection (1)

vigueur, sont ajoutés à une commande passée avant celle-ci.

that are added, after the coming into force of these Regulations, to an order placed before the coming into force of these Regulations.

(3) Il est entendu que le présent règlement n'autorise pas l'accomplissement d'un acte ou une omission qui constituerait une violation du droit d'auteur aux termes du paragraphe 27(2) de la Loi.

(3) For greater certainty, these Regulations shall not be construed as authorizing anyone to do or to omit to do an act that would constitute an infringement of copyright under subsection 27(2) of the Act.

CALCUL DES DÉLAIS

COMPUTATION OF TIME

3. (1) Le calcul des délais prévus par le présent règlement est régi par les articles 26 à 30 de la *Loi d'interprétation.*

3. (1) The computation of time under these Regulations is governed by sections 26 to 30 of the *Interpretation Act.*

(2) Les jours fériés n'entrent pas dans le calcul d'un délai de moins de sept jours prévu par le présent règlement.

(2) If a period of less than seven days is provided for in these Regulations, a day that is a holiday shall not be included in computing the period.

(3) Si le règlement prévoit qu'un délai se termine un jour donné, le délai expire à l'heure de fermeture des bureaux.

(3) If a period for the doing of a thing is provided for in these Regulations and is expressed to end on a specified day, the period ends at the close of business on the specified day.

AVIS DE L'EXISTENCE D'UN DISTRIBUTEUR EXCLUSIF

NOTICE OF EXCLUSIVE DISTRIBUTOR

4. (1) Avant que la personne visée aux paragraphes 27.1(1) ou (2) de la Loi passe sa commande, le distributeur exclusif, le titulaire du droit d'auteur ou le titulaire d'une licence exclusive lui donne l'avis mentionné au paragraphe 27.1(5) de la Loi, selon les modalités suivantes :

a) dans le cas d'un détaillant autre qu'un libraire, il lui envoie un avis écrit en conformité avec le paragraphe (2);

b) dans le cas d'un libraire, d'une bibliothèque ou d'un autre établissement constitué ou administré pour réaliser des profits qui gère des collections de documents, il mentionne le fait qu'il existe un distributeur exclusif du livre en cause :

(i) soit dans la dernière édition du *Canadian Telebook Agency Microfiche* et celle de *Books in Print Plus – Canadian Edition*, publiées par R.R. Bowker, si le livre est en an-

4. (1) An exclusive distributor, a copyright owner or an exclusive licensee shall give the notice referred to in subsection 27.1(5) of the Act to a person referred to in subsection 27.1(1) or (2) of the Act before the person places an order, in the following manner:

(*a*) in the case of a retailer other than a bookseller, in writing in accordance with subsection (2); and

(*b*) in the case of a bookseller, library or other institution established or conducted for profit that maintains a collection of documents, by setting out the fact that there is an exclusive distributor of the book in the latest edition of

(i) the *Canadian Telebook Agency Microfiche* and *Books in Print Plus – Canadian Edition*, published by R.R. Bowker, if the book is an English-language book, and the *Banque de titres de langue française*, if the book is a French-language book, or

glais, et dans la dernière édition de la *Banque de titres de langue française*, si le livre est en français,
(ii) soit dans la dernière édition du catalogue qu'il leur a fournie sur demande et sous la forme demandée.

(ii) a catalogue supplied by the exclusive distributor, copyright owner or exclusive licensee to the bookseller, library or other institution, at the request of, and in the form requested by, the bookseller, library or other institution.

(2) L'avis prévu à l'alinéa (1)*a*) est envoyé au détaillant à sa dernière adresse connue par messager, par la poste ou par télécopieur ou autre moyen électronique.

(2) The notice referred to in paragraph (1)(*a*) shall be sent to the retailer at the retailer's last known address by personal delivery, by mail, or by facsimile or other electronic means.

(3) S'il est distributeur exclusif pour tous les titres d'un éditeur donné, le distributeur peut, au lieu d'envoyer l'avis prévu au paragraphe (1), envoyer un avis à cet effet à la personne visée aux paragraphes 27(1) ou (2) de la Loi à sa dernière adresse connue par messager, par la poste ou par télécopieur ou autre moyen électronique, et ce avant que celle-ci passe sa commande.

(3) Instead of the notice referred to in subsection (1), an exclusive distributor that represents all of the titles published by a particular publisher may send a notice to that effect to a person referred to in subsection 27(1) or (2) of the Act, at that person's last known address, by personal delivery, by mail, or by facsimile or other electronic means, before the person places an order.

(4) L'avis envoyé conformément aux paragraphes (1) ou (3) produit ses effets à l'égard des titres en question tant qu'il n'a pas été révoqué ou modifié par le distributeur exclusif, le titulaire du droit d'auteur ou le titulaire d'une licence exclusive, selon le cas.

(4) A notice given in accordance with subsection (1) or (3) is valid and subsisting in respect of any title covered by the notice until the notice is revoked or amended by the exclusive distributor, copyright owner or exclusive licensee, as the case may be.

(5) L'avis mentionné aux paragraphes (2) ou (3) est réputé reçu par le détaillant :
a) s'il est envoyé par messager, le jour de sa livraison;
b) s'il est envoyé par la poste, le dixième jour suivant sa mise à la poste;
c) s'il est envoyé par télécopieur ou autre moyen électronique, aux date et heure indiquées par l'appareil de transmission.

(5) The notice referred to in subsection (2) or (3) is deemed to have been received by the retailer, if it is
(*a*) delivered personally, on the day of delivery;
(*b*) sent by mail, on the tenth day after the day on which the notice was mailed; or
(*c*) sent by facsimile or other electronic means, on the date and at the time indicated by the sending apparatus.

LIVRES IMPORTÉS

5. (1) Pour l'application de l'article 2.6 de la Loi, les critères de distribution régissant les commandes de livres importés sont les suivants :
a) le distributeur exclusif doit :
(i) expédier les livres commandés au destinataire dans le délai suivant :
(A) dans le cas des livres importés et en stock au Canada :

IMPORTED BOOKS

5. (1) For the purpose of section 2.6 of the Act, where an order for imported books is placed, the following distribution criteria are established:
(*a*) an exclusive distributor shall
(i) ship the order to the person who placed the order
(A) for books imported into Canada and in stock in Canada,

(I) au cours des 12 mois suivant l'entrée en vigueur du présent règlement, dans les cinq jours suivant la date de réception de la commande,
(II) après l'expiration de cette période de 12 mois, dans les trois jours suivant la date de réception de la commande visant des livres en anglais,
(III) après l'expiration de cette période de 12 mois, dans les cinq jours suivant la date de réception de la commande visant des livres en français,
(B) dans le cas des livres importés des États-Unis mais non en stock au Canada :
(I) au cours des 12 mois suivant l'entrée en vigueur du présent règlement, dans les 15 jours suivant la date de réception de la commande,
(II) après l'expiration de cette période de 12 mois, dans les 12 jours suivant la date de réception de la commande,
(C) dans le cas des livres importés d'Europe mais non en stock au Canada :
(I) au cours des 12 mois suivant l'entrée en vigueur du présent règlement, dans les 35 jours suivant la date de réception de la commande visant des livres en anglais,
(II) après l'expiration de cette période de 12 mois, dans les 30 jours suivant la date de réception de la commande visant des livres en anglais,
(III) dans les 60 jours suivant la date de réception de la commande visant des livres en français,
(D) dans le cas des livres importés d'autres pays mais non en stock au Canada :
(I) au cours des 12 mois suivant l'entrée en vigueur du présent règlement, dans les 60 jours suivant la date de réception de la commande,
(II) après l'expiration de cette période de 12 mois, dans les 50 jours suivant la date de réception de la commande,
(ii) fournir les livres dans le format demandé, si celui-ci existe,
(iii) sous réserve des lois provinciales régissant les prix en matière de distribution de livres, fournir les livres à un prix ne dépassant pas :
(A) dans le cas des livres importés des États-

(I) within 12 months after the coming into force of these Regulations, no later than five days after the day on which the order is received from the person who placed the order,
(II) after the end of the 12-month period referred to in subclause (I), no later than three days after the day on which the order is received from the person who placed the order, in the case of English-language books, and
(III) after the end of the 12-month period referred to in subclause (I), no later than five days after the day on which the order is received from the person who placed the order, in the case of French-language books,
(B) for books imported from the United States and not in stock in Canada,
(I) within 12 months after the coming into force of these Regulations, no later than 15 days after the day on which the order is received from the person who placed the order, and
(II) after the end of the 12-month period referred to in subclause (I), no later than 12 days after the day on which the order is received from the person who placed the order,
(C) for books imported from Europe and not in stock in Canada,
(I) within 12 months after the coming into force of these Regulations, no later than 35 days after the day on which the order is received from the person who placed the order, in the case of English-language books,
(II) after the end of the 12-month period referred to in subclause (I), no later than 30 days after the day on which the order is received from the person who placed the order, in the case of English-language books, and
(III) no later than 60 days after the day on which the order is received from the person who placed the order, in the case of French-language books, and
(D) for books imported from any other country and not in stock in Canada,
(I) within 12 months after the coming into force of these Regulations, no later than 60 days after the day on which the order is

Unis, le prix de catalogue aux États-Unis converti selon le taux de change courant, plus 10 % du prix ainsi converti, les remises applicables étant soustraites du total,
(B) dans le cas des livres importés d'un pays d'Europe ou d'un autre pays, le prix de catalogue dans le pays d'importation converti selon le taux de change courant, plus 15 % du prix ainsi converti, les remises applicables étant soustraites du total;
b) à la demande de la personne qui a passé la commande, le distributeur exclusif doit lui faire savoir, dans le délai suivant, s'il peut ou non exécuter la commande :
(i) si la confirmation se fait par téléphone, dans les deux jours suivant la date de la commande,
(ii) si la confirmation se fait par la poste ou par télécopieur, dans les cinq jours suivant la date de la commande,
(iii) si la confirmation se fait par un moyen électronique autre que le télécopieur :
(A) dans le cas d'une commande passée au cours des 12 mois suivant l'entrée en vigueur du présent règlement, dans les deux jours suivant la date de la commande,
(B) dans le cas d'une commande passée après l'expiration de la période visée à la division (A), le jour suivant la date de la commande.

received from the person who placed the order, and
(II) after the end of the 12-month period referred to in subclause (I), no later than 50 days after the day on which the order is received from the person who placed the order,
(ii) provide the book in the format requested by the person who placed the order, if the format exists, and
(iii) subject to any law of any province with respect to prices concerning the distribution of books, provide the book at a price no greater than
(A) if the book is imported from the United States, the list price in the United States, plus the current exchange rate, plus 10% of the price after conversion, minus any applicable discounts, or
(B) if the book is imported from a country in Europe or any other country, the list price in the country from which the book is imported, plus the current exchange rate, plus 15% of the price after conversion, minus any applicable discounts; and
(*b*) if the person who placed the order so requests, an exclusive distributor shall confirm to that person whether the order can be filled
(i) if the confirmation is made by telephone, no later than two days after the day on which the order is placed,
(ii) if the confirmation is sent by mail or facsimile, no later than five days after the day on which the order is placed, and
(iii) if the confirmation is sent by electronic means other than facsimile,
(A) where the order is placed within 12 months after the coming into force of these Regulations, no later than two days after the day on which the order is placed, and
(B) where the order is placed after the end of the 12-month period referred to in clause (A), no later than the day after the day on which the order is placed.

(2) Si les livres sont fournis à une bibliothèque, les remises visées à la division (1)*a*)(iii)(A) sont établies d'après les conditions générales du marché en Amérique du Nord.

(2) In the case of books provided to libraries, the applicable discounts referred to in clause (1)(*a*)(iii)(A) shall be based on generally prevailing market conditions in North America.

(3) Les paragraphes (1) et (2) ne s'appliquent au distributeur exclusif de livres de format de poche qu'à l'expiration de la période de 12 mois débutant le jour où ils ont été disponibles dans ce format pour la première fois en Amérique du Nord. Si le distributeur fournit les livres dans ce format avant l'expiration de la période, ces paragraphes lui sont alors applicables.

(4) Si le distributeur exclusif n'est pas en mesure de satisfaire aux critères énoncés aux paragraphes (1) et (2) pour une commande donnée, la personne qui l'a passée peut importer les livres en cause par un autre intermédiaire.

ÉDITIONS CANADIENNES

6. (1) Pour l'application de l'article 2.6 de la Loi, les critères de distribution régissant les éditions canadiennes sont les suivants :
a) le distributeur exclusif doit mettre sur le marché canadien un nombre suffisant d'exemplaires de l'édition canadienne en cause;
b) avant que la commande soit passée :
(i) le fait qu'il s'agit d'une édition canadienne doit :
(A) soit être mentionné sur la couverture ou la jaquette du livre,
(B) soit figurer, si l'édition est en anglais, dans la dernière édition du *Canadian Telebook Agency Microfiche* et celle de *Books in Print Plus – Canadian Edition*, publiées par R.R. Bowker, et, si l'édition est en français, dans la dernière édition de la *Banque de titres de langue française*,
(C) soit figurer dans la dernière édition du catalogue que le distributeur exclusif, le titulaire du droit d'auteur ou le titulaire d'une licence exclusive a fournie sur demande et sous la forme demandée au libraire, à la bibliothèque ou à un autre établissement,
(ii) l'édition canadienne doit par ailleurs :
(A) soit figurer, si l'édition est en anglais, dans la dernière édition du *Canadian Telebook Agency Microfiche* et celle de *Books in Print Plus – Canadian Edition*, publiées par R.R. Bowker, et, si l'édition est

(3) Subsections (1) and (2) apply to an exclusive distributor of a book in paperbound format only after the end of 12 months after the book first becomes available in that format in North America. If the exclusive distributor provides the book in that format before the end of that period, subsections (1) and (2) shall apply.

(4) If an exclusive distributor is unable to meet the criteria for an order set out in subsections (1) and (2), the person who placed the order may import the book through a person other than the exclusive distributor.

CANADIAN EDITIONS

6. (1) For the purpose of section 2.6 of the Act, the following distribution criteria are established for Canadian editions:
(*a*) the exclusive distributor shall make sufficient copies of the Canadian edition available in Canada; and
(*b*) before an order is placed, the Canadian edition must be
(i) identified as a Canadian edition
(A) on the cover or jacket of the book,
(B) in the latest edition of the *Canadian Telebook Agency Microfiche* and of *Books in Print Plus – Canadian Edition*, published by R.R. Bowker, if the edition is an English-language edition, and in the latest edition of the *Banque de titres de langue française*, if the edition is a French-language edition, or
(C) in the latest edition of a catalogue supplied by the exclusive distributor, copyright owner or exclusive licensee to the bookseller, library or other institution, at the request of, and in the form requested by, the bookseller, library or other institution, and
(ii) listed
(A) in the latest edition of the *Canadian Telebook Agency Microfiche* and of *Books in Print Plus – Canadian Edition*, published by R.R. Bowker, if the edition is a English-language edition, and in the latest edition of the *Banque de titres de langue française*, if the edition is a French-language edition, or

français, dans la dernière édition de la *Banque de titres de langue française*,
(B) soit figurer dans la dernière édition du catalogue que le distributeur exclusif, le titulaire du droit d'auteur ou le titulaire d'une licence exclusive a fournie sur demande et sous la forme demandée au libraire, à la bibliothèque ou à un autre établissement.

(2) Si le distributeur exclusif n'est pas en mesure de satisfaire aux critères énoncés au paragraphe (1) pour une commande donnée, la personne qui l'a passée peut importer le livre en cause par un autre intermédiaire.

LIVRES SOLDÉS ET AUTRES

7. Pour l'application du paragraphe 27.1(6) de la Loi, peuvent être importés :
a) les livres qui sont marqués comme étant des livres soldés ou à l'égard desquels l'éditeur original étranger a envoyé au distributeur exclusif, s'il existe, un avis annonçant leur mise en solde, d'une part, et qui ne sont pas vendus au Canada avant l'expiration du délai de 60 jours suivant la date à laquelle ils ont été mis en vente comme livres soldés pour la première fois par l'éditeur dans le pays d'où ils sont importés, d'autre part;
b) les livres que l'importateur ou le détaillant a marqués comme étant des livres endommagés;
c) les livres importés exclusivement en vue de leur réexportation et à l'égard desquels le distributeur exclusif peut, sur demande, prouver qu'une commande en vue de leur réexportation a été passée avant leur importation.

MANUELS SCOLAIRES

8. Pour l'application du paragraphe 27.1(6) de la Loi, les manuels scolaires remplissant les conditions suivantes peuvent être importés :
a) au moment de leur importation, l'importateur fournit un document, notamment un certificat ou une facture, établissant qu'il s'agit de manuels scolaires usagés;
b) ils sont destinés à être mis en vente ou distribués au Canada comme manuels scolaires usagés;

(B) in the latest edition of a catalogue supplied by the exclusive distributor, copyright owner or exclusive licensee to the bookseller, library or other institution, at the request of, and in the form requested by, the bookseller, library or other institution.

(2) If an exclusive distributor is unable to meet the criteria for an order set out in subsection (1) the person who placed the order may import the book through a person other than the exclusive distributor.

REMAINDERED AND OTHER BOOKS

7. For the purpose of subsection 27.1(6) of the Act, a book may be imported if
(*a*) the book is marked as a remaindered book or the original foreign publisher has given notice to the exclusive distributor, if any, that the book has been remaindered, and the book is not sold in Canada before the end of 60 days after the day on which it was first offered for sale as a remaindered book by the original foreign publisher in the country from which the book is imported;
(*b*) the book is marked as a damaged book by the importer or the retailer; or
(*c*) the book is imported solely for the purpose of re-export, and the importer is able to provide evidence, on request, that an order for re-export has been made for the book before its importation.

TEXTBOOKS

8. For the purpose of subsection 27.1(6) of the Act, a textbook may be imported if
(*a*) at the time of importation, the importer provides documentation such as a certificate or an invoice establishing that the textbook is a used textbook;
(*b*) the textbook is to be offered for sale or distribution in Canada as a used textbook; and
(*c*) the textbook is of a scientific, technical or scholarly nature and is for use within an

c) ils sont de nature scientifique, technique ou savante et sont destinés à être utilisés au sein d'un établissement d'enseignement ou d'un établissement de cette nature constitué ou administré pour réaliser des profits.

educational institution or an educational body established or conducted for profit.

COMMANDES SPÉCIALES

9. (1) Pour l'application du paragraphe 27.1(6) de la Loi, les livres faisant l'objet d'une commande spéciale peuvent être importés par un autre intermédiaire que le distributeur exclusif si celui-ci n'est pas en mesure d'exécuter la commande dans le délai indiqué par la personne qui l'a passée.

(2) Dans les 24 heures suivant la réception de la commande, le distributeur exclusif doit faire savoir à la personne qui l'a passée s'il peut l'exécuter ou non dans le délai indiqué par celle-ci.

SPECIAL ORDERS

9. (1) For the purpose of subsection 27.1(6) of the Act, a book that is the subject of a special order may be imported through a person other than the exclusive distributor if the exclusive distributor is unable to fill the order within the time specified by the person who placed the order.

(2) The exclusive distributor shall confirm within 24 hours after the special order is received whether or not the order can be filled within the time specified by the person who placed the order.

LIVRES LOUÉS

10. Une bibliothèque peut importer des livres loués sans passer par le distributeur exclusif.

LEASED BOOKS

10. A library may import leased books through a person other than an exclusive distributor.

ENTRÉE EN VIGUEUR

11. Le présent règlement entre en vigueur le 1er septembre 1999.

COMING INTO FORCE

11. These Regulations come into force on September 1, 1999.

RÈGLEMENT SUR LES CAS D'EXCEPTION À L'ÉGARD DES ÉTABLISSEMENTS D'ENSEIGNEMENT, DES BIBLIOTHÈQUES, DES MUSÉES ET DES SERVICES D'ARCHIVES

Table des matières

EXCEPTIONS FOR EDUCATIONAL INSTITUTIONS, LIBRARIES, ARCHIVES AND MUSEUMS REGULATIONS

Table of Contents

Règlement sur les cas d'exception à l'égard des établissements d'enseignement, des bibliothèques, des musées et des services d'archives

DORS/99-325

Loi sur le droit d'auteur
(L.R.C. 1985, ch. C-42)

RÈGLEMENT SUR LES CAS D'EXCEPTION À L'ÉGARD DES ÉTABLISSEMENTS D'ENSEIGNEMENT, DES BIBLIOTHÈQUES, DES MUSÉES ET DES SERVICES D'ARCHIVES

DÉFINITION ET INTERPRÉTATION

1. (1) Dans le présent règlement, « Loi » s'entend de la *Loi sur le droit d'auteur*.

(2) Dans le présent règlement, la mention de la reproduction d'une œuvre vaut mention de la reproduction de l'intégralité ou de toute partie importante de celle-ci.

JOURNAL ET PÉRIODIQUE

2. Pour l'application du paragraphe 30.2(6) de la Loi, « journal ou périodique » s'entend, selon le cas, d'un journal ou d'un périodique qui a paru plus d'un an avant sa reproduction. Sont exclus de la présente définition les revues savantes et les périodiques de nature scientifique ou technique.

REGISTRE TENU EN VERTU DE L'ARTICLE 30.2 DE LA LOI

3. En ce qui a trait aux actes accomplis par une bibliothèque, un musée ou un service

Exception for Educational Institutions, Libraries, Archives and Museums Regulations

SOR/99-325

Copyright Act
(R.S.C. 1985, c. C-42)

EXCEPTIONS FOR EDUCATIONAL INSTITUTIONS, LIBRARIES, ARCHIVES AND MUSEUMS REGULATIONS

INTERPRETATION

1. (1) In these Regulations, "Act" means the *Copyright Act*.

(2) In these Regulations, a reference to a copy of a work is a reference to a copy of all or any substantial part of a work.

NEWSPAPER OR PERIODICAL

2. For the purpose of subsection 30.2(6) of the Act, "newspaper or periodical" means a newspaper or a periodical, other than a scholarly, scientific or technical periodical, that was published more than one year before the copy is made.

RECORDS KEPT UNDER SECTION 30.2 OF THE ACT

3. In respect of activities undertaken by a library, an archive or a museum under

d'archives en vertu du paragraphe 30.2(1) de la Loi, seule la reproduction d'œuvres est visée par l'article 4.

4. (1) Sous réserve du paragraphe (2), la bibliothèque, le musée ou le service d'archives, ou la personne agissant sous son autorité, obtient les renseignements suivants relativement à la reproduction d'une œuvre en vertu de l'article 30.2 de la Loi :
a) le nom de la bibliothèque, du musée ou du service d'archives reproduisant l'œuvre;
b) si la demande de reproduction est faite par une bibliothèque, un musée ou un service d'archives pour le compte d'un de ses usagers, le nom de la bibliothèque, du musée ou du service d'archives;
c) la date de la demande;
d) tout renseignement permettant d'identifier l'œuvre, notamment :
(i) le titre de l'œuvre,
(ii) le Numéro international normalisé du livre,
(iii) le Numéro international normalisé des publications en série,
(iv) le nom de la revue savante, du périodique de nature scientifique ou technique, du journal ou du périodique dans lequel l'œuvre a paru, le cas échéant,
(v) dans le cas où l'œuvre a paru dans un journal ou un périodique, la date ou les volume et numéro de celui-ci,
(vi) dans le cas où l'œuvre a paru dans une revue savante ou un périodique de nature scientifique ou technique, la date ou les volume et numéro de la revue ou du périodique,
(vii) le numéro des pages reproduites.

(2) La bibliothèque, le musée ou le service d'archives, ou la personne agissant sous son autorité, n'est pas tenu d'obtenir les renseignements visés au paragraphe (1) si la reproduction de l'œuvre est faite en vertu du paragraphe 30.2(1) de la Loi après le 31 décembre 2003.

(3) La bibliothèque, le musée ou le service d'archives, ou la personne agissant sous son autorité, conserve les renseignements visés au paragraphe (1) :

subsection 30.2(1) of the Act, section 4 applies only to the reproduction of works.

4. (1) Subject to subsection (2), a library, an archive or a museum, or a person acting under the authority of one, shall record the following information with respect to a copy of a work that is made under section 30.2 of the Act:
(*a*) the name of the library, archive or museum making the copy;
(*b*) if the request for a copy is made by a library, archive or museum on behalf of a person who is a patron of the library, archive or museum, the name of the library, archive or museum making the request;
(*c*) the date of the request; and
(*d*) information that is sufficient to identify the work, such as
(i) the title,
(ii) the International Standard Book Number,
(iii) the International Standard Serial Number,
(iv) the name of the newspaper, the periodical or the scholarly, scientific or technical periodical in which the work is found, if the work was published in a newspaper, a periodical or a scholarly, scientific or technical periodical,
(v) the date or volume and number of the newspaper or periodical, if the work was published in a newspaper or periodical,
(vi) the date or volume and number of the scholarly, scientific or technical periodical, if the work was published in a scholarly, scientific or technical periodical, and
(vii) the numbers of the copied pages.

(2) A library, an archive or a museum, or a person acting under the authority of one, does not have to record the information referred to in subsection (1) if the copy of the work is made under subsection 30.2(1) of the Act after December 31, 2003.

(3) A library, an archive or a museum, or a person acting under the authority of one, shall keep the information referred to in subsection (1)

a) en gardant le formulaire de demande de la reproduction;
b) de toute autre façon pouvant donner, dans un délai raisonnable, les renseignements sous une forme écrite compréhensible.

(*a*) by retaining the copy request form; or
(*b*) in any other manner that is capable of reproducing the information in intelligible written form within a reasonable time.

(4) La bibliothèque, le musée ou le service d'archives, ou la personne agissant sous son autorité, conserve les renseignements visés au paragraphe (1) relatifs aux reproductions d'une œuvre pendant au moins trois ans.

(4) A library, an archive or a museum, or a person acting under the authority of one, shall keep the information referred to in subsection (1) with respect to copies made of a work for at least three years.

(5) La bibliothèque, le musée ou le service d'archives, ou la personne agissant sous son autorité, met, une fois par année, les renseignements visés au paragraphe (1) relatifs aux reproductions d'une œuvre à la disposition de l'une des trois personnes suivantes, sur réception d'une demande faite par elle conformément au paragraphe (7) :
a) le titulaire du droit d'auteur sur l'œuvre;
b) le représentant du titulaire du droit d'auteur sur l'œuvre;
c) la société de gestion autorisée par le titulaire du droit d'auteur sur l'œuvre à octroyer des licences pour son compte.

(5) A library, an archive or a museum, or a person acting under the authority of one, shall make the information referred to in subsection (1), with respect to copies made of a work, available once a year to one of the following persons, on request made by the person in accordance with subsection (7):
(*a*) the owner of copyright in the work;
(*b*) the representative of the owner of copyright in the work; or
(*c*) a collective society that is authorized by the owner of copyright in the work to grant licences on their behalf.

(6) La bibliothèque, le musée ou le service d'archives, ou la personne agissant sous son autorité, met les renseignements visés au paragraphe (1) à la disposition du demandeur dans les 28 jours suivant la réception de la demande ou dans tout délai supérieur dont les deux conviennent.

(6) A library, an archive or a museum, or a person acting under the authority of one, shall make the information referred to in subsection (1) available to the person making the request, within 28 days after the receipt of the request or any longer period that may be agreed to by both of them.

(7) La demande visée au paragraphe (5) est faite par écrit, indique le nom de l'auteur et le titre de l'œuvre en cause, est signée par le demandeur et est accompagnée d'une attestation de celui-ci précisant qu'il présente la demande aux termes des alinéas (5)*a*), *b*) ou *c*).

(7) A request referred to in subsection (5) must be made in writing, indicate the name of the author of the work and the title of the work, and be signed by the person making the request and include a statement by that person indicating that the request is made under paragraph (5)(*a*), (*b*) or (*c*).

REGISTRE TENU EN VERTU DU PARAGRAPHE 30.21(6) DE LA LOI

5. (1) Le service d'archives ou la personne agissant sous son autorité obtient les renseignements suivants relativement à la reproduction d'une œuvre en vertu du paragraphe 30.21(5) de la Loi :

RECORDS KEPT UNDER SUBSECTION 30.21(6) OF THE ACT

5. (1) An archive, or a person acting under the authority of one, shall record the following information with respect to a copy of a work that is made under subsection 30.21(5) of the Act:

a) le nom du service d'archives reproduisant l'œuvre;
b) le nom de la personne qui demande la reproduction ou, si la demande est faite par un autre service d'archives pour le compte d'un de ses usagers, le nom de l'usager et de ce service d'archives;
c) la date de la demande;
d) tout renseignement permettant d'identifier l'œuvre reproduite.

(*a*) the name of the archive making the copy;
(*b*) the name of the person requesting the copy or, if the request for a copy is made by another archive on behalf of a person who is a patron of the other archive, the name of the patron and the archive making the request;
(*c*) the date of the request; and
(*d*) information that is sufficient to identify the work copied.

(2) Le service d'archives ou la personne agissant sous son autorité conserve les renseignements visés au paragraphe (1) :
a) soit dans un registre qu'il tient des noms de ceux qui ont eu accès à l'œuvre en cause;
b) soit en gardant le formulaire de demande de la reproduction;
c) soit de toute autre façon pouvant donner, dans un délai raisonnable, les renseignements sous une forme écrite compréhensible.

(2) An archive, or a person acting under the authority of one, shall keep the information referred to in subsection (1)
(*a*) in a record maintained by the archive of the names of all individuals who have had access to the work in question;
(*b*) by retaining the copy request form; or
(*c*) in any other manner that is capable of reproducing the information in intelligible written form within a reasonable time.

(3) Le service d'archives ou la personne agissant sous son autorité conserve les renseignements visés au paragraphe (1) pendant au moins trois ans.

(3) An archive, or a person acting under the authority of one, shall keep the information referred to in subsection (1) with respect to copies made of a work for at least three years.

(4) Le service d'archives ou la personne agissant sous son autorité met les renseignements visés au paragraphe (1) relatifs aux reproductions d'une œuvre à la disposition des personnes suivantes qui en font la demande par écrit :
a) l'auteur de l'œuvre;
b) le titulaire du droit d'auteur sur l'œuvre;
c) le représentant de l'auteur ou du titulaire du droit d'auteur.

(4) An archive, or a person acting under the authority of one, shall make the information referred to in subsection (1), with respect to copies made of a work, available, on request in writing, to
(*a*) the author of the work;
(*b*) the owner of copyright in the work; or
(*c*) the representative of the author or owner of copyright.

(5) Le service d'archives ou la personne agissant sous son autorité informe par écrit la personne qui demande la reproduction d'une œuvre dans le cadre du paragraphe 30.21(5) de la Loi que les renseignements visés au paragraphe (1) seront mis à la disposition des personnes visées aux alinéas (4)*a*) à *c*) qui en font la demande. Cette information est donnée au moment de la présentation de la demande ou, si la personne est un usager inscrit du service d'archives, au moment de son inscription.

(5) An archive, or a person acting under the authority of one, shall inform a person requesting a copy of a work under subsection 30.21(5) of the Act, in writing, at the time of the request, or if the person has registered as a patron of the archive, at the time of registration, of the fact that the archive will make the information referred to in subsection (1) available, on request, to the persons referred to in paragraphs (4)(*a*) to (*c*).

USAGERS DES SERVICES D'ARCHIVES

6. (1) Si la personne qui demande la reproduction d'une œuvre à un service d'archives dans le cadre de l'article 30.21 de la Loi est un usager inscrit du service d'archives, celui-ci doit l'informer par écrit au moment de son inscription :
a) que la reproduction ne doit servir qu'à des fins d'études privées ou de recherche;
b) que tout usage de la reproduction à d'autres fins peut exiger l'autorisation du titulaire du droit d'auteur sur l'œuvre en cause.

(2) Si la personne qui demande la reproduction d'une œuvre à un service d'archives dans le cadre de l'article 30.21 de la Loi n'est pas un usager inscrit du service d'archives, celui-ci doit l'informer par écrit au moment de la demande :
a) que la reproduction ne doit servir qu'à des fins d'études privées ou de recherche;
b) que tout usage de la reproduction à d'autres fins peut exiger l'autorisation du titulaire du droit d'auteur sur l'œuvre en cause.

PATRONS OF ARCHIVES

6. (1) If a person requests a copy of a work from an archive under section 30.21 of the Act and the person has registered as a patron of the archive, the archive shall inform the patron in writing at the time of registration
(*a*) that any copy is to be used solely for the purpose of research or private study; and
(*b*) that any use of a copy for a purpose other than research or private study may require the authorization of the copyright owner of the work in question.

(2) If a person requests a copy of a work from an archive under section 30.21 of the Act and the person has not registered as a patron of the archive, the archive shall inform the person in writing at the time of the request
(*a*) that any copy is to be used solely for the purpose of research or private study; and
(*b*) that any use of a copy for a purpose other than research or private study may require the authorization of the copyright owner of the work in question.

ESTAMPILLAGE DES ŒUVRES REPRODUITES

7. La bibliothèque, le musée ou le service d'archives, ou la personne agissant sous son autorité, qui reproduit une œuvre en vertu des articles 30.2 ou 30.21 de la Loi informe la personne qui a demandé la reproduction, par impression d'un texte ou apposition d'une estampille sur la reproduction, si celle-ci est sous une forme imprimée, ou selon tout autre moyen indiqué, si elle est sur un autre support :
a) que la reproduction ne doit servir qu'à des fins d'études privées ou de recherche;
b) que tout usage de la reproduction à d'autres fins peut exiger l'autorisation du titulaire du droit d'auteur sur l'œuvre en cause.

STAMPING OF COPIED WORKS

7. A library, archive or museum, or a person acting under the authority of one, that makes a copy of a work under section 30.2 or 30.21 of the Act shall inform the person requesting the copy, by means of text printed on the copy or a stamp applied to the copy, if the copy is in printed format, or by other appropriate means, if the copy is made in another format,
(*a*) that the copy is to be used solely for the purpose of research or private study; and
(*b*) that any use of the copy for a purpose other than research or private study may require the authorization of the copyright owner of the work in question.

AVERTISSEMENT

8. L'établissement d'enseignement, la bibliothèque, le musée ou le service d'archives qui sont visés par les paragraphes 30.3(2), (3) ou (4) de la Loi veillent à ce qu'un avertisse-

NOTICE

8. An educational institution, a library, an archive or a museum in respect of which subsection 30.3(2), (3) or (4) of the Act applies shall ensure that a notice that contains

ment contenant au moins les renseignements suivants soit apposé sur chaque photocopieuse, ou placé à proximité de celle-ci, de façon à être bien visible et lisible pour les utilisateurs :

« **AVERTISSEMENT !**

Les œuvres protégées par un droit d'auteur peuvent être reproduites avec cette photocopieuse seulement si la reproduction est autorisée :

a) soit par la *Loi sur le droit d'auteur* à des fins équitables ou s'il s'agit de cas d'exception prévues par elle;
b) soit par le titulaire du droit d'auteur;
c) soit par une entente visant une licence entre cet établissement et une société de gestion ou par un tarif, le cas échéant.

Pour plus de renseignements sur la reproduction autorisée, veuillez consulter l'entente visant la licence, le tarif applicable et tout autre renseignement pertinent qui sont disponibles auprès d'un membre du personnel.

La Loi sur le droit d'auteur prévoit des recours civils et criminels en cas de violation du droit d'auteur. »

ENTRÉE EN VIGUEUR

9. Le présent règlement entre en vigueur le 1er septembre 1999.

at least the following information is affixed to, or within the immediate vicinity of, every photocopier in a place and manner that is readily visible and legible to persons using the photocopier:

"**WARNING!**

Works protected by copyright may be copied on this photocopier only if authorized by

(*a*) the *Copyright Act* for the purpose of fair dealing or under specific exceptions set out in that Act;
(*b*) the copyright owner; or
(*c*) a licence agreement between this institution and a collective society or a tariff, if any.

For details of authorized copying, please consult the licence agreement or the applicable tariff, if any, and other relevant information available from a staff member.

The Copyright Act provides for civil and criminal remedies for infringement of copyright."

COMING INTO FORCE

9. These Regulations come into force on September 1, 1999.

RÈGLEMENT SUR LA DÉSIGNATION DE RÉSEAUX (LOI SUR LE DROIT D'AUTEUR)

Table des matières

REGULATIONS PRESCRIBING NETWORKS (COPYRIGHT ACT)

Table of Contents

Règlement sur la désignation de réseaux (Loi sur le droit d'auteur)

DORS/99-348

Loi sur le droit d'auteur
(L.R.C. 1985, ch. C-42)

RÈGLEMENT SUR LA DÉSIGNATION DE RÉSEAUX (LOI SUR LE DROIT D'AUTEUR)

RÉSEAUX

1. Les réseaux désignés pour l'application du paragraphe 30.8(9) de la *Loi sur le droit d'auteur* sont les suivants :
a) les réseaux visés par la définition de « réseau » au paragraphe 2(1) de la *Loi sur la radiodiffusion*;
b) les réseaux composés de deux ou plusieurs entreprises de programmation qui appartiennent à la même personne ou au même groupe de personnes et qui ont une pratique de programmation commune ou ont conclu une entente de partage d'émissions, selon le cas.

ENTRÉE EN VIGUEUR

2. Le présent règlement entre en vigueur le 1er octobre 1999.

Regulations Prescribing Networks (Copyright Act)

SOR/99-348

Copyright Act
(R.S.C. 1985, c. C-42)

REGULATIONS PRESCRIBING NETWORKS (COPYRIGHT ACT)

NETWORK

1. For the purpose of subsection 30.8(9) of the *Copyright Act*, the following are prescribed networks:
(a) networks that are networks within the meaning of the definition "network" in subsection 2(1) of the *Broadcasting Act*; and
(b) networks that consist of two or more programming undertakings that are owned by the same person or group of persons and that have a practice of common programming or an arrangement by which they share programs, as the case may be.

COMING INTO FORCE

2. These Regulations come into force on October 1, 1999.

RÈGLEMENT SUR LES OBLIGATIONS DE RAPPORT RELATIVES AUX ÉMISSIONS, OEUVRES ET AUTRES OBJETS DU DROIT D'AUTEUR REPRODUITS À DES FINS PÉDAGOGIQUES

Table des matières

EDUCATIONAL PROGRAM, WORK AND OTHER SUBJECT-MATTER RECORD-KEEPING REGULATIONS

Table of Contents

Règlement sur les obligations de rapport relatives aux émissions, oeuvres et autres objets du droit d'auteur reproduits à des fins pédagogiques

DORS/2001-296

Loi sur le droit d'auteur
(L.R.C. 1985, ch. C-42)

RÈGLEMENT SUR LES OBLIGATIONS DE RAPPORT RELATIVES AUX ÉMISSIONS, OEUVRES ET AUTRES OBJETS DU DROIT D'AUTEUR REPRODUITS À DES FINS PÉDAGOGIQUES

DÉFINITIONS

1. Les définitions qui suivent s'appliquent au présent règlement.

« établissement » Établissement d'enseignement; y est assimilée la personne agissant sous son autorité. *(institution)*

« code d'identification de l'établissement d'enseignement » Numéro ou autre code de référence attribué à un établissement d'enseignement conformément à l'article 4. *(educational institution identifier)*

« code d'identification de l'exemplaire » Numéro ou autre code de référence attribué à l'exemplaire d'une émission, d'une oeuvre ou d'un objet du droit d'auteur conformément à l'article 3. *(copy identifier)*

« Loi » La *Loi sur le droit d'auteur. (Act)*

« société de gestion » Société de gestion qui se livre à la perception des redevances visées aux paragraphes 29.6(2) ou 29.7(2) ou (3) de la Loi en vertu d'un tarif homologué aux termes de l'alinéa 73(1)*d)* de la Loi. *(collective society)*

Educational Program, Work and Other Subject-matter Record-keeping Regulations

SOR/2001-296

Copyright Act
(R.S.C. 1985, c. C-42)

EDUCATIONAL PROGRAM, WORK AND OTHER SUBJECT-MATTER RECORD-KEEPING REGULATIONS

INTERPRETATION

1. The definitions in this section apply in these Regulations.

"Act" means the *Copyright Act. (Loi)*

"collective society" means a collective society that carries on the business of collecting the royalties referred to in subsection 29.6(2) or 29.7(2) or (3) of the Act under a tariff that has been certified as an approved tariff pursuant to paragraph 73(1)*(d)* of the Act. *(société de gestion)*

"copy identifier" means the number or other reference code assigned to the copy of a program, work or subject-matter in accordance with section 3. *(code d'identification de l'exemplaire)*

"educational institution identifier" means the number or other reference code assigned to an educational institution in accordance with section 4. *(code d'identification de l'établissement d'enseignement)*

"institution" means an educational institution or a person acting under its authority. *(établissement)*

APPLICATION

2. Le présent règlement s'applique :
a) à la reproduction d'émissions d'actualités ou de commentaires d'actualités dans le cadre de l'alinéa 29.6(1)*a)* de la Loi;
b) à la reproduction d'oeuvres ou autres objets du droit d'auteur dans le cadre de l'alinéa 29.7(1)*a)* de la Loi.

DISPOSITIONS GÉNÉRALES

3. L'établissement doit attribuer un numéro ou autre code de référence à tout exemplaire d'une émission, d'une oeuvre et d'un objet du droit d'auteur qu'il produit.

4. Une société de gestion peut attribuer un numéro ou autre code de référence à tout établissement d'enseignement.

ÉTIQUETAGE

5. L'établissement qui reproduit une émission, une oeuvre ou un objet du droit d'auteur doit apposer sur l'exemplaire produit ou son contenant une étiquette qui contient le code d'identification de l'exemplaire et, le cas échéant, le code d'identification de l'établissement d'enseignement.

CONSIGNATION DE RENSEIGNEMENTS

6. (1) Sous réserve du paragraphe (2), l'établissement qui reproduit une émission, une oeuvre ou un objet du droit d'auteur doit remplir lisiblement une fiche de renseignements conforme à celle figurant à l'annexe quant à :
a) la reproduction de l'émission, l'oeuvre ou l'objet du droit d'auteur;
b) toute exécution en public pour laquelle des redevances doivent être acquittées sous le régime des paragraphes 29.6(2) ou 29.7(2) ou (3) de la Loi;
c) la destruction de l'exemplaire.

(2) Le paragraphe (1) ne s'applique pas dans le cas de la reproduction d'une émission d'actualités ou d'un commentaire d'actualités dans le cadre de l'alinéa 29.6(1)*a)* de la Loi si l'exemplaire produit est détruit confor-

APPLICATION

2. These Regulations apply in respect of
(a) copies of news programs and news commentary programs that are made pursuant to paragraph 29.6(1)*(a)* of the Act; and
(b) copies of works and other subject-matter that are made pursuant to paragraph 29.7(1)*(a)* of the Act.

GENERAL PROVISIONS

3. An institution shall assign a number or other reference code to every copy of a program, work or subject-matter that it makes.

4. A collective society may assign a number or other reference code to an educational institution.

MARKING OF COPY

5. An institution that makes a copy of a program, work or subject-matter shall mark on the copy, or on its container, the copy identifier and, if applicable, the educational institution identifier.

RECORDING OF INFORMATION

6. (1) Subject to subsection (2), an institution that makes a copy of a program, work or subject-matter shall complete, in a legible manner, an information record in the form set out in the schedule regarding
(a) the copying of the program, work or subject-matter;
(b) all performances in public of the copy for which royalties are payable under subsection 29.6(2) or 29.7(2) or (3) of the Act; and
(c) the destruction of the copy.

(2) Subsection (1) does not apply to the copy of a program made pursuant to paragraph 29.6(1)*(a)* of the Act if the copy is destroyed, in a manner that complies with section 7, within 72 hours after the making of the copy.

mément à l'article 7 dans les soixante-douze heures suivant la reproduction.

DESTRUCTION

7. La destruction de l'exemplaire d'une émission, d'une œuvre ou d'un objet du droit d'auteur se fait :
a) soit par destruction du support sur lequel l'émission, l'oeuvre ou l'objet du droit d'auteur est enregistré;
b) soit par effacement de l'exemplaire du support.

DESTRUCTION OF COPY

7. Destruction of a copy of a program, work or subject-matter shall be accomplished by
(a) destroying the medium onto which the program, work or subject-matter was copied; or
(b) erasing the copy of the program, work or subject-matter from the medium.

TRANSMISSION DES RENSEIGNEMENTS

8. (1) Sous réserve du paragraphe (2), l'établissement doit transmettre à chaque société de gestion :
a) dans les trente jours suivant la date où la Commission homologue pour la première fois un tarif aux termes de l'alinéa 73(1)*d)*, une copie de toutes les fiches de renseignements sur lesquelles des renseignements ont été inscrits entre la date d'entrée en vigueur du présent règlement et la date d'homologation;
b) par la suite, au plus tard les 31 janvier, 31 mai et 30 septembre de chaque année, une copie de toutes les fiches de renseignements sur lesquelles des renseignements ont été inscrits durant la période de quatre mois précédant le mois où les fiches sont transmises.

(2) L'établissement peut envoyer l'original d'une fiche de renseignements à une société de gestion si l'exemplaire de l'émission, l'oeuvre ou l'objet du droit d'auteur en cause a été détruit.

SENDING OF INFORMATION RECORD

8. (1) Subject to subsection (2), an institution shall send to each collective society
(a) within 30 days after the date on which the Board first certifies a tariff as an approved tariff pursuant to paragraph 73(1)*(d)* of the Act, a copy of every information record on which entries have been made during the period between the date on which these Regulations come into force and the date on which the tariff was certified; and
(b) after that, on or before January 31, May 31 and September 30 in each year, a copy of every information record on which entries have been made during the four months preceding the month in which the record is sent.

(2) Once a copy of a program, work or subject-matter has been destroyed, the institution may send the original information record in respect of the copy to a collective society.

CONSERVATION DES FICHES DE RENSEIGNEMENTS

9. L'établissement doit conserver l'original de la fiche de renseignements portant sur l'exemplaire d'une émission, d'une œuvre ou d'un objet du droit d'auteur pendant deux ans après la destruction de celui-ci, à moins qu'il n'ait transmis cet original à une société de gestion avant l'expiration de ce délai.

RETENTION OF INFORMATION

9. An institution shall retain the original information record in respect of a copy of a program, work or subject-matter until two years after the copy is destroyed unless, during that time, the institution sends the original information record to a collective society.

ENTRÉE EN VIGUEUR

10. Le présent règlement entre en vigueur le 30e jour suivant la date de son enregistrement.

ANNEXE
(Paragraphe 6(1))

FICHE DE RENSEIGNEMENTS

Code d'identification de l'établissement d'enseignement, le cas échéant :

____

Nom et adresse de l'établissement :

____
____
____
____

Personne-ressource : ______________________

N° de téléphone : ______________________
N° de télécopieur : ______________________
Courriel : ______________________

Renseignements sur l'émission, l'oeuvre ou l'objet du droit d'auteur

Code d'identification de l'exemplaire :

____

Titre de l'émission, oeuvre ou autre objet du droit d'auteur : ______________________

Autres renseignements permettant d'identifier l'émission, l'oeuvre ou l'objet du droit d'auteur :

____

[p. ex. : titre d'épisode, sujet, description, titre de chanson]

Durée du segment reproduit : _________ minutes

Date de diffusion (aa/mm/jj) : _________
Heure de diffusion : _________

Autres renseignements permettant d'identifier le diffuseur : ______________________

COMING INTO FORCE

10. These Regulations come into force on the 30th day after the day on which they are registered.

SCHEDULE
(Subsection 6(1))

INFORMATION RECORD

Educational Institution identifier (if assigned):

____

Name and address of institution:

____
____
____
____

Contact name: ______________________

Telephone: ______________________
Facsimile: ______________________
E-mail: ______________________

Details of Program, Work or Subject-matter

Copy identifier: ______________________

Title of program, work or subject-matter:

____

Other identifying information:

____

[e.g. episode title, subject, segment description, song titles(s)]

Duration of segment copied: _________ minutes

Date of broadcast (yy/mm/dd): _________
Time of broadcast: _________

Name, network, call sign or other identifier of the broadcaster: ______________________

Exécutions en public

(Énumérer uniquement les exécutions assujetties au paiement de redevances)

aa/mm/jj	aa/mm/jj
____________	____________
____________	____________
____________	____________
____________	____________

(Énumérer les exécutions supplémentaires sur une autre feuille)

Attestation de destruction

J'atteste que l'exemplaire de l'émission, l'oeuvre ou l'objet du droit d'auteur visé par la présente fiche a été détruit.

Nom : ____________ Titre : ____________
Signature : ____________________________
Date de destruction (aa/mm/jj) : ____________

Record of Public Performances

(List only performances for which royalties are payable)

yy/mm/dd	yy/mm/dd
____________	____________
____________	____________
____________	____________
____________	____________

(Use separate sheet to list additional performances)

Record of Destruction

I certify that the copy of the program, work or subject-matter identified above has been destroyed.

Name: ____________ Title: ____________
Signature: ____________________________
Date of Destruction (yy/mm/dd): ____________

LOI SUR LE STATUT DE L'ARTISTE

Table des matières

STATUS OF THE ARTIST ACT

Table of Contents

LOI SUR LE STATUT DE L'ARTISTE

L.R.C. 1985, ch. S-19.6
[L.C. 1992, ch. 33]

Modifiée par L.C. 1995, ch. 11;
1996, ch. 11; 1998, ch. 26; 1999, ch. 31;
2002, ch. 8.

Loi concernant le statut de l'artiste et régissant les relations professionnelles entre artistes et producteurs au Canada

TITRE ABRÉGÉ

Titre abrégé
1. *Loi sur le statut de l'artiste.*
L.C. 1992, ch. 33, art. 1.

PARTIE I
DISPOSITIONS GÉNÉRALES

Déclaration et politique sur le statut de l'artiste

Déclaration
2. Le gouvernement du Canada reconnaît :
a) l'importance de la contribution des artistes à l'enrichissement culturel, social, économique et politique du Canada;
b) l'importance pour la société canadienne d'accorder aux artistes un statut qui reflète leur rôle de premier plan dans le développement et l'épanouissement de sa vie artistique et culturelle, ainsi que leur apport en ce qui touche la qualité de la vie;
c) le rôle des artistes, notamment d'exprimer l'existence collective des Canadiens et Canadiennes dans sa diversité ainsi que leurs aspirations individuelles et collectives;

STATUS OF THE ARTIST ACT

R.S.C. 1985, c. S-19.6
[S.C. 1992, c. 33]

Amended by S.C. 1995, c. 11;
1996, c. 11; 1998, c. 26; 1999, c. 31;
2002, c. 8.

An Act respecting the status of the artist and professional relations between artists and producers in Canada

SHORT TITLE

Short title
1. This Act may be cited as the *Status of the Artist Act.*
S.C. 1992, c. 33, s. 1.

PART I
GENERAL PRINCIPLES

Proclamation and Policy concerning the Status of the Artist

Proclamation
2. The Government of Canada hereby recognizes
(*a*) the importance of the contribution of artists to the cultural, social, economic and political enrichment of Canada;
(*b*) the importance to Canadian society of conferring on artists a status that reflects their primary role in developing and enhancing Canada's artistic and cultural life, and in sustaining Canada's quality of life;
(*c*) the role of the artist, in particular to express the diverse nature of the Canadian way of life and the individual and collective aspirations of Canadians;

d) la créativité artistique comme moteur du développement et de l'épanouissement d'industries culturelles dynamiques au Canada;
e) l'importance pour les artistes de recevoir une indemnisation pour l'utilisation, et notamment le prêt public, de leurs œuvres.
L.C. 1992, ch. 33, art. 2.

(*d*) that artistic creativity is the engine for the growth and prosperity of dynamic cultural industries in Canada; and
(*e*) the importance to artists that they be compensated for the use of their works, including the public lending of them.
S.C. 1992, c. 33, s. 2.

Fondements de la politique

3. La politique sur le statut professionnel des artistes au Canada, que met en œuvre le ministre du Patrimoine canadien, se fonde sur les droits suivants :
a) le droit des artistes et des producteurs de s'exprimer et de s'associer librement;
b) le droit des associations représentant les artistes d'être reconnues sur le plan juridique et d'œuvrer au bien-être professionnel et socio-économique de leurs membres;
c) le droit des artistes de bénéficier de mécanismes de consultation officiels et d'y exprimer leurs vues sur leur statut professionnel ainsi que sur toutes les autres questions les concernant.
L.C. 1992, ch. 33, art. 3; 1999, ch. 31, art. 192.

Policy statement

3. Canada's policy on the professional status of the artist, as implemented by the Minister of Canadian Heritage, is based on the following rights:
(*a*) the right of artists and producers to freedom of association and expression;
(*b*) the right of associations representing artists to be recognized in law and to promote the professional and socio-economic interests of their members; and
(*c*) the right of artists to have access to advisory forums in which they may express their views on their status and on any other questions concerning them.
S.C. 1992, c. 33, s. 3; 1999, c. 31, s. 192.

Conseil canadien du statut de l'artiste

Constitution

4. (1) Le ministre du Patrimoine canadien constitue le Conseil canadien du statut de l'artiste, composé de sept à douze conseillers à temps partiel, dont un président et au plus deux vice-présidents, et d'au plus neuf suppléants, que le gouverneur en conseil nomme, à titre amovible, sur sa recommandation.

Canadian Council on the Status of the Artist

Establishment

4. (1) The Minister of Canadian Heritage shall establish a Canadian Council on the Status of the Artist, composed of seven to twelve part-time members, including a Chairperson, one or two Vice-chairpersons and not more than nine other members, to be appointed by the Governor in Council on the recommendation of the Minister and to hold office during pleasure of the Governor in Council.

Mission

(2) Le Conseil a pour mission :
a) de conseiller et d'informer le ministre du Patrimoine canadien afin qu'il puisse prendre les meilleures décisions possible concernant les artistes;
b) de promouvoir et de soutenir le statut professionnel des artistes au Canada;
c) de maintenir avec les associations représentant les artistes des contacts étroits, dans

Mandate

(2) The mandate of the Council is
(*a*) to provide information and advice to the Minister of Canadian Heritage in order to ensure the highest quality of decision-making in respect of artists in Canada;
(*b*) to defend and promote the professional status of artists in Canada;
(*c*) to maintain close contacts with associations representing artists across Canada in

les diverses disciplines et partout au Canada, afin de bien comprendre les besoins des artistes et de proposer des solutions adéquates;
d) de proposer, notamment à la suite d'études et de travaux de recherche, des mesures susceptibles d'améliorer les conditions de vie professionnelle des artistes;
e) d'effectuer toute étude que le ministre peut lui demander.

various disciplines of the arts in order better to assess artists' needs and propose useful responses;
(*d*) to propose measures, based on research and studies, to improve the professional working conditions of artists; and
(*e*) to carry out such studies as the Minister of Canadian Heritage may direct.

Rapport
(3) Au plus tard le 31 mai, le Conseil présente au ministre un rapport annuel de son activité pour l'exercice précédent, notamment en ce qui touche toute étude que celui-ci a pu lui demander.

Report
(3) The Council shall submit to the Minister of Canadian Heritage, by May 31 of each year, a report of its activities during the previous fiscal year, including any studies that the Minister directed it to carry out.

Indemnités
(4) Les conseillers ont droit au paiement des frais de déplacement et autres entraînés par l'accomplissement de leurs fonctions et aux jetons de présence que fixe le gouverneur en conseil pour leur participation aux réunions.
L.C. 1992, ch. 33, art. 4; 1995, ch. 11, art. 38; 1999, ch. 31, art. 193(A).

Remuneration
(4) Each Council member shall be paid reasonable travel and other expenses incurred while performing the member's duties, and shall receive such fees for attendance at Council meetings as the Governor in Council may fix.
S.C. 1992, c. 33, s. 4; 1995, c. 11, s. 38; 1999, c. 31, s. 193(E).

PARTIE II
RELATIONS PROFESSIONNELLES

Définitions

Définitions
5. Les définitions qui suivent s'appliquent à la présente partie.
« accord-cadre » ***"scale agreement"***
« accord-cadre » Accord écrit conclu entre un producteur et une association d'artistes et comportant des dispositions relatives aux conditions minimales pour les prestations de services des artistes et à des questions connexes.
« artiste » ***"artist"***
« artiste » Entrepreneur indépendant visé à l'alinéa 6(2)*b*).
« association d'artistes » ***"artists' association"***
« association d'artistes » Groupement — y compris toute division ou section locale de celui-ci — ayant parmi ses objets la promotion ou la gestion des intérêts professionnels

PART II
PROFESSIONAL RELATIONS

Interpretation

Definitions
5. In this Part,
"artist" ***« artiste »***
"artist" means an independent contractor described in paragraph 6(2)(*b*);
"artists' association" ***« association d'artistes »***
"artists' association" means any organization, or a branch or local thereof, that has among its objectives the management or promotion of the professional and socio-economic interests of artists who are members of the organization, and includes a federation of artists' associations;
"Minister" ***« ministre »***
"Minister" means the Minister of Labour;
"party" ***« partie »***
"party" means
(*a*) in respect of the entering into, renewal or

et socio-économiques des artistes qui en sont membres; la présente définition vise également les regroupements d'associations.

« ministre » *"Minister"*
« ministre » Le ministre du Travail.

« moyen de pression » *"pressure tactic"*
« moyen de pression » S'entend notamment :
a) d'un arrêt ou refus de prestation de services par des artistes ou des associations d'artistes agissant conjointement, de concert ou de connivence, pris par les artistes ou les associations pour contraindre le producteur à accepter des conditions d'engagement; lui sont assimilés le ralentissement de travail ou toute autre activité concertée, de la part des artistes ou des associations, relative à la prestation de leurs services;
b) d'une mesure — fermeture du lieu de travail, suspension du travail ou refus de continuer à utiliser les services d'un ou plusieurs artistes — prise par le producteur soit pour contraindre les artistes à accepter des conditions d'engagement, soit pour aider un autre producteur à réaliser cette même fin.

« partie » *"party"*
« partie »
a) En matière de conclusion, renouvellement ou révision d'un accord-cadre, ou de conflit sur l'interprétation, le champ d'application, la mise en œuvre ou la prétendue violation d'un accord-cadre, le producteur et l'association d'artistes;
b) dans le cas d'une plainte déposée devant le Tribunal, le plaignant et la personne ou l'organisation visée par la plainte.

« producteur » *"producer"*
« producteur » Les institutions fédérales et les entreprises de radiodiffusion visées à l'alinéa 6(2)*a*); la présente définition vise à la fois le producteur unique et toute association de tels producteurs.

« Tribunal » *"Tribunal"*
« Tribunal » Le Tribunal canadien des relations professionnelles artistes-producteurs.
L.C. 1992, ch. 33, art. 5.

revision of a scale agreement or in respect of a difference in relation to the interpretation, application, administration or alleged breach thereof, the producer or the artists' association, and
(*b*) in respect of a complaint made to the Tribunal, the complainant or the person or organization that is the object of the complaint;

"pressure tactic" ***« moyen de pression »***
"pressure tactic" includes
(*a*) a cessation of work or a refusal to work or to continue to work by artists or artists' associations in combination, in concert or in accordance with a common understanding, and a slowdown of work or other concerted activity by artists or artists' associations respecting the provision of their services, done to compel a producer to agree to terms or conditions of engagement, or
(*b*) the closing of a place of work, a suspension of production or a refusal to continue the engagement of one or more artists by a producer, done to compel artists, or to assist another producer to compel artists, to agree to terms or conditions of engagement;

"producer" ***« producteur »***
"producer" means a government institution or broadcasting undertaking described in paragraph 6(2)(*a*), and includes an association of producers;

"scale agreement" ***« accord-cadre »***
"scale agreement" means an agreement in writing between a producer and an artists' association respecting minimum terms and conditions for the provision of artists' services and other related matters;

"Tribunal" ***« Tribunal »***
"Tribunal" means the Canadian Artists and Producers Professional Relations Tribunal established by subsection 10(1).
S.C. 1992, c. 33, s. 5.

Application

Obligation de Sa Majesté

6. (1) La présente partie lie Sa Majesté du chef du Canada.

Application

Binding on Her Majesty

6. (1) This Part is binding on Her Majesty in right of Canada.

Champ d'application

(2) La présente partie s'applique :

a) aux institutions fédérales qui figurent à l'annexe I de la *Loi sur l'accès à l'information* ou à l'annexe de la *Loi sur la protection des renseignements personnels*, ou sont désignées par règlement, ainsi qu'aux entreprises de radiodiffusion — distribution et programmation comprises — relevant de la compétence du Conseil de la radiodiffusion et des télécommunications canadiennes qui retiennent les services d'un ou plusieurs artistes en vue d'obtenir une prestation;

b) aux entrepreneurs indépendants professionnels — déterminés conformément à l'alinéa 18*b*) :

(i) qui sont des auteurs d'œuvres artistiques, littéraires, dramatiques ou musicales au sens de la *Loi sur le droit d'auteur*, ou des réalisateurs d'œuvres audiovisuelles,

(ii) qui représentent, chantent, récitent, déclament, jouent, dirigent ou exécutent de quelque manière que ce soit une œuvre littéraire, musicale ou dramatique ou un numéro de mime, de variétés, de cirque ou de marionnettes,

(iii) qui, faisant partie de catégories professionnelles établies par règlement, participent à la création dans les domaines suivants : arts de la scène, musique, danse et variétés, cinéma, radio et télévision, enregistrements sonores, vidéo et doublage, réclame publicitaire, métiers d'art et arts visuels.

L.C. 1992, ch. 33, art. 6.

Application

(2) This Part applies

(*a*) to the following organizations that engage one or more artists to provide an artistic production, namely,

(i) government institutions listed in Schedule I to the *Access to Information Act* or the schedule to the *Privacy Act*, or prescribed by regulation, and

(ii) broadcasting undertakings, including a distribution or programming undertaking, under the jurisdiction of the Canadian Radio-television and Telecommunications Commission; and

(*b*) to independent contractors determined to be professionals according to the criteria set out in paragraph 18(*b*), and who

(i) are authors of artistic, dramatic, literary or musical works within the meaning of the *Copyright Act*, or directors responsible for the overall direction of audiovisual works,

(ii) perform, sing, recite, direct or act, in any manner, in a musical, literary or dramatic work, or in a circus, variety, mime or puppet show, or

(iii) contribute to the creation of any production in the performing arts, music, dance and variety entertainment, film, radio and television, video, sound-recording, dubbing or the recording of commercials, arts and crafts, or visual arts, and fall within a professional category prescribed by regulation.

S.C. 1992, c. 33, s. 6.

Objet

Objet

7. La présente partie a pour objet l'établissement et la mise en œuvre d'un régime de relations de travail entre producteurs et artistes qui, dans le cadre de leur libre exercice du droit d'association, reconnaît l'importance de la contribution respective des uns et des autres à la vie culturelle canadienne et assure la protection de leurs droits.

L.C. 1992, ch. 33, art. 7.

Purpose

Purpose

7. The purpose of this Part is to establish a framework to govern professional relations between artists and producers that guarantees their freedom of association, recognizes the importance of their respective contributions to the cultural life of Canada and ensures the protection of their rights.

S.C. 1992, c. 33, s. 7.

Liberté d'association

Principe

8. L'artiste a la liberté d'adhérer à une association d'artistes et de participer à la formation d'une telle association, à ses activités et à son administration.
L.C. 1992, ch. 33, art. 8.

Freedom of Association

Freedom

8. An artist is free to join an artists' association and to participate in its formation, activities and administration.
S.C. 1992, c. 33, s. 8.

Interprétation

Intermédiaires

9. (1) Le fait qu'un artiste s'oblige par l'intermédiaire d'une organisation n'a pas pour effet de le soustraire à l'application de la présente partie.

Exclusions and Presumptions

Artist contracting through an organization

9. (1) An artist is not excluded from the application of this Part simply by contracting through an organization.

Assimilation

(2) Pour l'application du paragraphe 4(1) de la *Loi sur la concurrence* :

a) les associations d'artistes accréditées en application de la présente partie et formées en vue de donner aux artistes une protection professionnelle convenable sont assimilées, pour les activités qu'elles mènent à cette fin, à des coalitions d'employés;

b) les contrats, accords ou arrangements entre deux producteurs au moins, directement entre eux ou par l'intermédiaire d'une personne morale ou d'une association dont ils font partie, au sujet des négociations portant sur la rémunération et les conditions d'engagement des artistes sont assimilés à des contrats, accords ou arrangements conclus entre deux employeurs.

Presumption for purposes of *Competition Act*

(2) For the purposes of subsection 4(1) of the *Competition Act*,

(*a*) artists' associations certified under this Part that were formed for the purpose of providing appropriate protection for the professional interests of the artists they represent are deemed to be combinations of employees, in relation to those activities of the association that are directed to achieving that purpose; and

(*b*) contracts, agreements or arrangements between or among two or more producers, whether made directly between or among them or through a corporation or an association of producers, pertaining to bargaining in respect of remuneration and the terms and conditions of engagement of artists, are deemed to be contracts, agreements or arrangements.

Exclusion

(3) La présente partie ne s'applique pas, pour les activités qui relèvent de leurs fonctions :

a) aux fonctionnaires — au sens de la *Loi sur les relations de travail dans la fonction publique* — notamment déterminés par la Commission des relations de travail dans la fonction publique ou faisant partie d'une unité de négociation accréditée par celle-ci;

b) aux employés — au sens de la partie I du *Code canadien du travail* — notamment dé-

Employees excluded

(3) This Part does not apply, in respect of work undertaken in the course of employment, to

(*a*) employees, within the meaning of the *Public Service Staff Relations Act*, including those determined to be employees by the Public Service Staff Relations Board, and members of a bargaining unit that is certified by that Board; or

(*b*) employees, within the meaning of Part I

terminés par le Conseil canadien des relations industrielles ou faisant partie d'une unité de négociation accréditée par celui-ci. L.C. 1992, ch. 33, art. 9; 1998, ch. 26, art. 83.

Tribunal canadien des relations professionnelles artistes-producteurs

Constitution et organisation

Constitution

10. (1) Est constitué le Tribunal canadien des relations professionnelles artistes-producteurs, composé d'un président et d'un vice-président et de deux à quatre autres membres à temps plein ou partiel.

Nomination

(2) Les membres, qui sont nommés, sur recommandation du ministre, faite en consultation par celui-ci du ministre du Patrimoine canadien, par le gouverneur en conseil, exercent leur charge à titre inamovible sous réserve de révocation motivée de celui-ci.

Mandat

(3) Le mandat maximal est respectivement de sept ans, pour le président, de cinq ans, pour le vice-président et les membres à temps plein, et de trois ans, pour les autres membres.

Reconduction

(4) Le mandat des membres peut être reconduit à des fonctions identiques ou non.

Exercice des fonctions

(5) Les membres à temps plein se consacrent exclusivement à leurs fonctions.

Conflits d'intérêt

(6) Les membres ne peuvent accepter ni occuper de charge ou d'emploi incompatibles avec leurs fonctions, ni se saisir d'une affaire

of the *Canada Labour Code*, including those determined to be employees by the Canada Industrial Relations Board, and members of a bargaining unit that is certified by that Board. S.C. 1992, c. 33, s. 9; 1998, c. 26, s. 83.

Canadian Artists and Producers Professional Relations Tribunal

Establishment

Establishment

10. (1) The Canadian Artists and Producers Professional Relations Tribunal is hereby established, composed of a Chairperson, a Vice-chairperson and not less than two or more than four other full-time or part-time members.

Appointment

(2) The Governor in Council, on the recommendation of the Minister in consultation with the Minister of Canadian Heritage, shall appoint the members of the Tribunal to hold office during good behaviour, subject to removal by the Governor in Council for cause.

Term of office

(3) The members of the Tribunal shall be appointed for a term not exceeding

(*a*) seven years, in the case of the Chairperson;

(*b*) five years, in the case of the Vice-chairperson and any full-time member; and

(*c*) three years, in the case of any other member.

Re-appointment

(4) Each member is eligible for re-appointment to the Tribunal in the same or another capacity.

Appointment excludes other duties

(5) The full-time members of the Tribunal shall devote the whole of their time to the performance of their duties under this Part.

Conflict of interest

(6) No member of the Tribunal shall accept or hold any office or employment that is inconsistent with the member's duties or take part

dans laquelle ils ont un intérêt.
L.C. 1992, ch. 33, art. 10; 1995, ch. 11, art. 39.

in any matter before the Tribunal in which the member has an interest.
S.C. 1992, c. 33, s. 10; 1995, c. 11, s. 39.

Fonctions du président

11. (1) Le président est le premier dirigeant du Tribunal; à ce titre, il en assure la direction et contrôle la gestion de son personnel; il peut notamment répartir les tâches entre les membres et désigner les présidents de séance.

Powers of the Chairperson

11. (1) The Chairperson is the chief executive officer of the Tribunal and is responsible for management of the staff and supervision of the work of the Tribunal, including the allocation of work among its members and the assignment of members to preside at hearings.

Règlements administratifs

(2) Le Tribunal peut, par règlement administratif, régir son activité et la conduite de ses travaux.

By-laws

(2) The Tribunal may pass by-laws governing the conduct of its affairs.

Délégation

(3) Le président peut déléguer tel de ses pouvoirs, à l'exception du pouvoir de délégation, à tout autre membre.

Delegation

(3) The Chairperson may delegate any of the Chairperson's powers, other than the power to delegate, to any member of the Tribunal.

Intérim du président

(4) En cas d'absence ou d'empêchement du président ou de vacance de son poste, la présidence est assumée par le vice-président.

Acting Chairperson

(4) The Vice-chairperson shall act as Chairperson if that office is vacant, or in the event of the Chairperson's absence or incapacity.

Choix d'un autre intérimaire

(5) En cas d'absence ou d'empêchement du président et du vice-président ou de vacance de leurs postes, la présidence est assumée par le membre que désigne le Tribunal.
L.C. 1992, ch. 33, art. 11.

Idem

(5) In the event of the absence or incapacity of both the Chairperson and the Vice-chairperson, or if both of those offices are vacant, the Tribunal shall designate a member to act as Chairperson.
S.C. 1992, c. 33, s. 11.

Rémunération

12. (1) Les membres reçoivent la rémunération fixée par le gouverneur en conseil et ont droit aux frais de déplacement et autres entraînés par l'accomplissement de leurs fonctions hors du lieu habituel de leur résidence.

Remuneration and expenses

12. (1) Each member of the Tribunal shall be paid such remuneration as the Governor in Council may fix, and be reimbursed for reasonable travel and other expenses incurred while performing the member's duties outside the member's ordinary place of residence.

Rattachement

(2) Les membres à temps plein sont respectivement rattachés à la fonction publique, pour l'application de la *Loi sur la pension de la fonction publique* et de la *Loi sur l'indemnisation des agents de l'État*, et à l'administration publique fédérale, pour l'application des

Members deemed public servants

(2) The full-time members of the Tribunal are deemed to be employed in the public service of Canada for the purposes of the *Public Service Superannuation Act*, the *Government Employees Compensation Act* and regulations made under section 9 of the *Aeronautics*

règlements pris sous le régime de l'article 9 de la *Loi sur l'aéronautique*.
L.C. 1992, ch. 33, art. 12.

Act.
S.C. 1992, c. 33, s. 12.

Siège

13. (1) Sur recommandation du ministre, faite après consultation par celui-ci du ministre du Patrimoine canadien, le gouverneur en conseil fixe le siège du Tribunal; celui-ci fixe les bureaux dont il estime la création nécessaire.

Head office

13. (1) The location of the head office of the Tribunal shall be fixed by the Governor in Council, on the recommendation of the Minister after consultation with the Minister of Canadian Heritage, and the Tribunal may establish any other offices that it considers necessary.

Réunions et quorum

(2) Le Tribunal peut tenir ses réunions et audiences au Canada, aux dates, heures et lieux qu'il estime indiqués, le quorum étant, sous réserve des paragraphes 14(2) et (4), de trois membres.
L.C. 1992, ch. 33, art. 13; 1995, ch. 11, art. 40.

Meetings and quorum

(2) Subject to subsections 14(2) and (4), three members constitute a quorum for meetings or proceedings of the Tribunal, which may be held at such times and locations in Canada as the Tribunal considers desirable.
S.C. 1992, c. 33, s. 13; 1995, c. 11, s. 40.

Décisions et ordonnances du Tribunal

14. (1) La décision ou l'ordonnance rendue par la majorité des membres présents vaut décision de l'ensemble du Tribunal. En cas de partage, le président de séance a voix prépondérante.

Determination of the Tribunal

14. (1) In all proceedings of the Tribunal the decision or order of a majority of the members present is the determination of the Tribunal, and in the event of a tie the presiding member has a deciding vote.

Exception

(2) Un membre peut décider seul d'une demande ou d'une question non contestée dont le Tribunal est saisi, sa décision valant alors décision de l'ensemble du Tribunal; il est alors investi des droits, pouvoirs et immunités conférés au Tribunal par la présente partie, exception faite du pouvoir réglementaire, et est assujetti aux obligations et restrictions imposées au Tribunal.

Uncontested matter

(2) A single member may decide an uncontested application or question before the Tribunal and, for that purpose, the member's decision is a determination of the Tribunal, and the member is subject to the obligations and limitations imposed, and has the powers, rights and privileges conferred, on the Tribunal by this Part, other than the power to make regulations.

Participation après cessation des fonctions

(3) Le membre qui a cessé d'exercer sa charge peut, à la demande du président, participer aux audiences et aux décisions à rendre sur les affaires dont il était saisi. Il conserve à cette fin sa qualité de membre.

Participation of former member in determination

(3) At the request of the Chairperson, a member of the Tribunal who has ceased to hold office may take part in the hearing and determination of any matter of which the member was previously seized and, for that purpose, is deemed to be a member.

Participation impossible

(4) En cas de décès ou d'empêchement de

Where member's participation not possible

(4) Where a member of the Tribunal has died

tout membre y ayant participé, les autres membres qui ont entendu l'affaire peuvent la poursuivre et la trancher.
L.C. 1992, ch. 33, art. 14.

Personnel

15. Le personnel nécessaire à l'exercice de l'activité du Tribunal est nommé conformément à la *Loi sur l'emploi dans la fonction publique* et est rattaché à la fonction publique pour l'application de la *Loi sur la pension de la fonction publique*.
L.C. 1992, ch. 33, art. 15.

Attributions

Règlements

16. Le Tribunal peut, par règlement d'application générale, prendre toute mesure qu'il estime utile en vue de l'exercice de ses attributions, notamment en ce qui touche :
a) les règles de pratique et de procédure, ainsi que la fixation et l'attribution des dépens;
b) l'accréditation des associations d'artistes;
c) la tenue de scrutins de représentation;
d) le délai qui doit s'écouler entre deux demandes d'accréditation présentées par une même association d'artistes pour le même secteur, ou sensiblement le même secteur, quand la première a été refusée;
e) le délai qui doit s'écouler entre deux demandes d'annulation d'accréditation présentées pour un même secteur quand la première a été refusée;
f) les formulaires relatifs aux affaires dont il peut être saisi;
g) les cas d'exercice des pouvoirs prévus à l'article 20 et les délais applicables en l'occurrence;
h) les modalités et délais de présentation des éléments de preuve et renseignements qui peuvent lui être soumis dans le cadre des affaires dont il est saisi;
i) la spécification du délai d'envoi des avis et autres documents, de leurs destinataires, ainsi que les cas où lui-même ou toute autre personne ou association sont réputés les avoir donnés ou reçus;
j) les critères servant à déterminer si un artiste

or is unable to take part in a matter previously heard by that member, the other members who are seized of the matter may continue the proceeding and make the determination.
S.C. 1992, c. 33, s. 14.

Employees

15. The employees that are necessary for the conduct of the Tribunal's business shall be appointed in accordance with the *Public Service Employment Act*, and are deemed to be employed in the Public Service for the purposes of the *Public Service Superannuation Act*.
S.C. 1992, c. 33, s. 15.

Powers

Regulations

16. The Tribunal may make regulations of general application that it considers conducive to the performance of its duties, and in particular regulations providing for
(*a*) the practice and procedure before the Tribunal, including the assessment and awarding of costs;
(*b*) the certification of artists' associations;
(*c*) the conduct of representation votes;
(*d*) the period for submission by an artists' association of a new application for certification, where the Tribunal previously refused to certify the association in respect of the same or substantially the same sector;
(*e*) the period for submission of an application for revocation of the certification of an artists' association, where the Tribunal previously refused an application for revocation in respect of the same sector;
(*f*) the forms to be used in any proceeding that may come before the Tribunal;
(*g*) the periods in which and the circumstances under which the Tribunal may exercise its powers under section 20;
(*h*) the period and form in which evidence and information may be presented to the Tribunal in connection with any proceeding before it;
(*i*) the period for sending notices and other documents, the persons and associations to which they shall be sent, and the circumstances in which they are deemed to have

est représenté par une association;
k) les circonstances lui permettant de recevoir des éléments de preuve attestant la volonté d'artistes d'être représentés ou non par une association donnée, ainsi que les cas où il ne peut rendre publics ces éléments;
l) la délégation de ses fonctions, à l'exception du pouvoir de déléguer et de prendre des règlements, et les pouvoirs et obligations des délégataires.
L.C. 1992, ch. 33, art. 16.

been sent or received;
(*j*) the criteria for deciding whether an artist is represented by an artists' association;
(*k*) the circumstances in which the Tribunal may receive evidence in order to establish whether any artists wish to be represented by a particular artists' association, and the circumstances in which that evidence may not be made public; and
(*l*) the delegation to any person of powers and duties of the Tribunal, other than the power to delegate or to make regulations, and the obligations of that person with respect thereto.
S.C. 1992, c. 33, s. 16.

Pouvoirs du Tribunal

17. Le Tribunal peut, dans le cadre de toute affaire dont il est saisi :
a) convoquer, d'office ou sur demande, toute personne dont il estime le témoignage nécessaire et la contraindre à comparaître et à déposer sous serment, oralement ou par écrit, ainsi qu'a produire les documents et pièces qu'il estime nécessaires pour mener à bien ses enquêtes et examens sur les questions de sa compétence;
b) faire prêter serment et recevoir des affirmations solennelles;
c) accepter sous serment, par voie d'affidavit ou sous une autre forme, tous témoignages et renseignements qu'il juge indiqués, qu'ils soient admissibles ou non en justice;
d) examiner les éléments de preuve qui lui sont présentés sur l'adhésion des artistes à l'association sollicitant l'accréditation.
e) examiner les documents constitutifs ou les statuts et règlements de l'association d'artistes, ainsi que tout document connexe émanant d'elle;
f) procéder, s'il le juge nécessaire, à l'examen de dossiers ou registres et à la tenue d'enquêtes;
g) obliger un producteur ou une association d'artistes à afficher, en permanence et aux endroits appropriés, les avis qu'il estime nécessaire de porter à l'attention des artistes sur toute question dont il est saisi;
h) ordonner à tout moment, avant d'y apporter une conclusion définitive :
(i) que soit tenu un scrutin de représentation,

Powers of Tribunal

17. The Tribunal may, in relation to any proceeding before it,
(*a*) on application or of its own motion, summon and enforce the attendance of any person whose testimony is necessary, in the opinion of the Tribunal, and compel the person to give oral or written evidence on oath and to produce any documents or things that the Tribunal considers necessary for the full investigation and consideration of any matter within its jurisdiction;
(*b*) administer oaths and solemn affirmations;
(*c*) accept any evidence and information that it sees fit, on oath, by affidavit or otherwise, whether or not the evidence is admissible in a court of law;
(*d*) examine any evidence that is submitted to the Tribunal respecting the membership of any artist in an artists' association that is seeking certification;
(*e*) examine documents pertaining to the constitution, articles of association or by-laws of an artist's association;
(*f*) make any examination of records and any inquiries that it considers necessary;
(*g*) require a producer or an artists' association to post in appropriate places and keep posted a notice concerning any matter relating to the proceeding that the Tribunal considers necessary to bring to the attention of artists;
(*h*) order, at any time before the conclusion of the proceeding, that
(i) a representation vote or an additional rep-

ou un scrutin de représentation supplémentaire, chez les artistes en cause s'il estime qu'une telle mesure l'aiderait à trancher un point soulevé, ou susceptible de l'être, qu'un tel scrutin de représentation soit ou non prévu pour le cas dans la présente partie,
(ii) que les bulletins de vote déposés au cours d'un scrutin de représentation soient conservés dans des urnes scellées et ne soient pas dépouillés sans son autorisation;
i) déléguer les pouvoirs que lui confèrent les alinéas *a*) à *h*) en exigeant, éventuellement, un rapport de la part du délégataire;
j) en suspendre ou remettre l'audition;
k) abréger ou proroger les délais applicables à l'introduction de l'instance, à l'accomplissement d'un acte de procédure, au dépôt d'un document ou à la présentation d'éléments de preuve;
l) modifier tout document produit ou en permettre la modification;
m) mettre toute personne en cause à toute étape;
n) arrêter les mesures de publicité à donner aux demandes présentées au titre de la présente partie;
o) accorder des dépens;
p) trancher toute question qui peut survenir, et notamment déterminer :
(i) si une personne est un producteur ou un artiste,
(ii) si un artiste adhère à une association d'artistes ou est représenté par celle-ci,
(iii) si une organisation est une association de producteurs, d'associations d'artistes ou d'artistes,
(iv) si un groupe d'artistes constitue un secteur pouvant faire l'objet de négociations,
(v) si un accord-cadre a été conclu, est en vigueur et quelles sont ses dates de prise d'effet et d'expiration,
(vi) si une personne ou une association est partie à un accord-cadre ou liée par celui-ci.
L.C. 1992, ch. 33, art. 17.

resentation vote be taken among artists affected by the proceeding, whether or not a representation vote is provided for elsewhere in this Part, in any case where the Tribunal considers that the vote would assist it to decide any question that has arisen or is likely to arise in the proceeding, and
(ii) the ballots cast in that representation vote be sealed in ballot boxes and counted only as directed by the Tribunal;
(*i*) authorize any person to do anything that the Tribunal may do under paragraphs (*a*) to (*h*), and to report to the Tribunal thereon;
(*j*) adjourn or postpone the proceeding;
(*k*) abridge or extend the time for instituting the proceeding or for doing any act, filing any document or presenting any evidence;
(*l*) amend or permit the amendment of any document filed;
(*m*) add any person to the proceeding at any stage thereof;
(*n*) set requirements for public notice in respect of any application made under this Part;
(*o*) award costs; and
(*p*) decide any question that arises in the proceeding, including whether
(i) a person is a producer or an artist,
(ii) an artist is a member of, or is represented by, an artists' association,
(iii) an organization constitutes an association of producers, an artists' association, or a federation of artists' associations,
(iv) a group of artists constitutes a sector suitable for bargaining,
(v) a scale agreement has been entered into or is in force, and the dates that it comes into force and expires, and
(vi) any person or organization is a party to or is bound by a scale agreement.
S.C. 1992, c. 33, s. 17.

Critères d'application

Critères
18. Le Tribunal tient compte, pour toute question liée :

Criteria for Application

Criteria for application by the Tribunal
18. The Tribunal shall take into account
(*a*) in deciding any question under this Part,

a) à l'application de la présente partie, des principes applicables du droit du travail;
b) à la détermination du caractère professionnel de l'activité d'un entrepreneur indépendant — pour l'application de l'alinéa 6(2)*b*) —, du fait que ses prestations sont communiquées au public contre rémunération et qu'il a reçu d'autres artistes des témoignages de reconnaissance de son statut, qu'il est en voie de devenir un artiste selon les usages du milieu ou qu'il est membre d'une association d'artistes.
L.C. 1992, ch. 33, art. 18.

the applicable principles of labour law; and
(*b*) in determining whether an independent contractor is a professional for the purposes of paragraph 6(2)(*b*), whether the independent contractor
(i) is paid for the display or presentation of that independent contractor's work before an audience, and is recognized to be an artist by other artists,
(ii) is in the process of becoming an artist according to the practice of the artistic community, or
(iii) is a member of an artists' association.
S.C. 1992, c. 33, s. 18.

Procédure

Expédition des affaires
19. (1) Dans la mesure où les circonstances et l'équité le permettent, le Tribunal fonctionne sans formalisme et avec célérité. Il n'est pas lié par les règles légales ou techniques de présentation de la preuve et peut recevoir les éléments qu'il juge dignes de foi en l'espèce et fonder sur eux sa décision.

Consultation
(2) Afin d'assurer la réalisation de l'objet de la présente partie, les membres peuvent, dans le cadre des affaires dont le Tribunal est saisi, en consulter d'autres membres, de même que son personnel.

Intervention et comparution
(3) Tous les intéressés peuvent, sur autorisation du Tribunal, intervenir dans les affaires dont il est saisi; quiconque comparaît devant lui peut le faire en personne ou en étant représenté par un avocat ou un mandataire.

Admission d'office
(4) Le Tribunal peut admettre d'office les faits ainsi admissibles en justice de même que les faits généralement reconnus et les renseignements qui ressortissent à sa spécialisation.

Proceedings

Informal proceedings
19. (1) In any proceeding before it, the Tribunal
(*a*) shall proceed as informally and expeditiously as the circumstances and considerations of fairness permit;
(*b*) is not bound by legal or technical rules of evidence; and
(*c*) may receive and decide on any evidence adduced that the Tribunal believes to be credible.

Consultation
(2) In order to ensure that the purpose of this Part is achieved, the members of the Tribunal may consult with other members or the staff of the Tribunal in respect of any matter before it.

Right to appear
(3) Any interested person may intervene in a proceeding before the Tribunal with its permission, and anyone appearing before the Tribunal may be represented by counsel or an agent.

Notice of facts
(4) The Tribunal may take notice of facts that may be judicially noticed and, subject to subsection (5), of any other generally recognized facts and any information that is within its specialized knowledge.

Avis d'intention
(5) Sauf pour les faits admissibles d'office, le Tribunal informe les parties et les intervenants de son intention d'admettre des faits ou renseignements et leur donne la possibilité de présenter leurs observations à cet égard.

Notification of intention
(5) The Tribunal shall notify the parties and any intervenor in the proceeding before it of its intention to take notice of any facts or information, other than facts that may be judicially noticed, and afford them an opportunity to make representations with respect thereto.

Rassemblement de la preuve
(6) Le président peut charger un membre de recueillir des éléments de preuve et de préparer à son intention un rapport qui est ensuite transmis aux parties et aux intervenants.

Report on evidence
(6) The Chairperson may direct any member to receive evidence relating to a matter before the Tribunal, to make a report thereon to the Tribunal, and to provide a copy of the report to all parties and any intervenor in the proceeding.

Conclusions
(7) Le cas échéant, le Tribunal peut, après avoir donné aux parties et aux intervenants la possibilité de présenter leurs observations, se fonder sur le rapport pour rendre sa décision ou procéder à toute audition qu'il estime indiquée en l'espèce.
L.C. 1992, ch. 33, art. 19.

Conclusions
(7) After granting all parties and intervenors an opportunity to make representations on any report made pursuant to subsection (6), the Tribunal may make a determination on the basis of the report or hold any further hearings that it considers necessary in the circumstances.
S.C. 1992, c. 33, s. 19.

Réexamen des décisions et ordonnances
20. (1) Le Tribunal peut maintenir, annuler ou modifier ses décisions ou ordonnances et réinstruire une affaire avant de la trancher.

Review of determination or order
20. (1) The Tribunal may uphold, rescind or amend any determination or order made by it, and may rehear any application before making a decision.

Décisions partielles
(2) Dans les cas où, pour statuer de façon définitive sur une demande ou une plainte, il est nécessaire de trancher auparavant un ou plusieurs points litigieux, le Tribunal peut, s'il est convaincu de pouvoir le faire sans porter atteinte aux droits des parties et des intervenants, rendre une décision ou ordonnance ne réglant que tel de ces points et différer sa décision sur les autres.
L.C. 1992, ch. 33, art. 20.

Interim decision
(2) Where it is necessary to decide one or more issues in order to dispose finally of an application or complaint the Tribunal may, if satisfied that it can do so without prejudice to the rights of any party or intervenor in the proceeding, decide or make an order respecting one or more of those issues, and reserve its jurisdiction to decide the remaining issues.
S.C. 1992, c. 33, s. 20.

Révision et exécution des décisions et ordonnances

Révision
21. (1) Sous réserve des autres dispositions de la présente partie, les décisions et ordon-

Review and Enforcement of Determinations and Orders

Determination or order not to be reviewed by court
21. (1) Subject to this Part, every determination or order of the Tribunal is final and

nances du Tribunal sont définitives et ne sont susceptibles de contestation ou de révision par voie judiciaire que pour les motifs visés aux alinéas 18.1(4)*a*), *b*) ou *e*) de la *Loi sur la Cour fédérale* et dans le cadre de cette loi. *[Lors de l'entrée en vigueur de L.C. 2002, c. 8, art. 182, le titre le la* Loi sur la Cour fédérale *deviendra* « Loi sur les Cours fédérales ».*]*

shall not be questioned or reviewed in any court, except in accordance with the *Federal Court Act* on the grounds referred to in paragraph 18.1(4)(*a*), (*b*) or (*e*) of that Act. *[When S.C. 2002, c. 8, s. 182 comes into force, the title of the* Federal Court Act *will be changed to* "Federal Courts Act."*]*

Interdiction des recours extraordinaires

(2) Sauf dans les cas prévus au paragraphe (1), aucune mesure prise ou censée prise par le Tribunal dans le cadre de la présente partie ne peut, pour quelque motif, y compris pour excès de pouvoir ou incompétence, être contestée, révisée, empêchée ou limitée ou faire l'objet d'un recours judiciaire, notamment par voie d'injonction, de *certiorari*, de prohibition ou de *quo warranto*.

L.C. 1992, ch. 33, art. 21.

No review by *certiorari*, etc.

(2) Except as permitted by subsection (1), no determination, order or proceeding made or carried on, or purporting to be made or carried on, by the Tribunal shall be questioned, reviewed, prohibited or restrained on any ground, including the ground that the Tribunal did not have jurisdiction or exceeded or lost its jurisdiction, or be made the subject of any proceeding in or any process of any court on any such ground, whether by way of injunction, *certiorari*, prohibition, *quo warranto* or otherwise.

S.C. 1992, c. 33, s. 21.

Dépôt à la Cour fédérale

22. (1) D'office ou sur demande écrite d'une partie, le Tribunal dépose à la Cour fédérale une copie du dispositif de la décision ou de l'ordonnance sauf s'il estime que rien ne laisse croire qu'elle n'a pas été ou ne sera pas exécutée ou que, pour d'autres motifs valables, le dépôt ne serait d'aucune utilité.

Filing in Federal Court

22. (1) On application in writing by any party or of its own motion, the Tribunal shall file a copy of a determination or order, exclusive of the reasons therefor, in the Federal Court unless, in the opinion of the Tribunal, there is no indication of failure or likelihood of failure to comply with it, or there is no useful purpose to be served by filing it.

Enregistrement

(2) Le Tribunal doit alors préciser par écrit qu'il procède au dépôt conformément au paragraphe (1); la Cour fédérale reçoit ensuite la copie et procède à son enregistrement, sans plus de formalité.

Registration

(2) Where the Tribunal specifies in writing that it is filing a copy of a determination or order pursuant to subsection (1), the Federal Court shall accept it for filing and shall register it without further application or other proceeding.

Effet de l'enregistrement

(3) L'enregistrement confère la valeur d'un jugement de la Cour fédérale à la décision ou à l'ordonnance et, dès lors et à ce titre, ouvre droit aux mêmes procédures ultérieures, comme s'il s'agissait d'un jugement de ce tribunal.

L.C. 1992, ch. 33, art. 22.

Effect of registration

(3) After registration under subsection (2), a determination or order has the force and effect of a judgment of the Federal Court, and any person or organization may take proceedings on it as if it were a judgment obtained in that Court.

S.C. 1992, c. 33, s. 22.

Accréditation des associations d'artistes

Conditions préalables à l'accréditation

Règlements

23. (1) L'accréditation d'une association d'artistes est subordonnée à la prise de règlements qui :

a) établissent des conditions d'adhésion;

b) habilitent ses membres actifs à participer à ses assemblées, à y voter et à se prononcer par scrutin sur la ratification de tout accord-cadre les visant;

c) garantissent aux membres le droit d'obtenir une copie des états financiers du dernier exercice certifiée conforme par le dirigeant de l'association autorisé à le faire.

Interdiction

(2) Les règlements d'une association d'artistes ne peuvent contenir aucune disposition ayant pour effet d'empêcher injustement un artiste d'adhérer ou de maintenir son adhésion à celle-ci ou de se qualifier comme membre.

L.C. 1992, ch. 33, art. 23.

Associations de producteurs

Constitution en association

24. (1) Plusieurs producteurs peuvent se regrouper en association en vue de négocier et de conclure un accord-cadre sous le régime de la présente loi.

Dépôt d'un avis d'association

(2) Une fois constituée, l'association est tenue de déposer auprès du Tribunal, avec tous autres renseignements que celui-ci peut demander, une liste, qu'elle tient à jour, de ses membres et d'en faire parvenir un exemplaire à toute association d'artistes accréditée à qui un avis de négociation a été donné en application de l'article 31 ou de qui elle a reçu un tel avis.

Effet du dépot

(3) Le dépôt de la liste emporte le droit exclusif de négocier au nom des producteurs mem-

Certification of Artists' Associations

Prerequisites for Certification

By-laws required

23. (1) No artists' association may be certified unless it adopts by-laws that

(*a*) establish membership requirements for artists;

(*b*) give its regular members the right to take part and vote in the meetings of the association and to participate in a ratification vote on any scale agreement that affects them; and

(*c*) provide its members with the right of access to a copy of a financial statement of the affairs of the association to the end of the previous fiscal year, certified to be a true copy by the authorized officer of the association.

Prohibited by-laws

(2) No by-laws of the association may have the effect of discriminating unfairly against an artist so as to prevent the artist from becoming or continuing as a member of the association.

S.C. 1992, c. 33, s. 23.

Associations of Producers

Formation

24. (1) Producers may form an association for the purpose of bargaining and entering into scale agreements under this Act.

Filing membership list

(2) In addition to any other information that the Tribunal may require, an association of producers shall file its membership list with the Tribunal, keep the list up to date and send a copy of it to every certified artists' association to which it has issued, or from which it has received, a notice to bargain under section 31.

Effect of filing membership list

(3) After filing its membership list, an association of producers has the exclusive right to

bres de l'association en vue de la conclusion d'un accord-cadre ou de sa modification.
L.C. 1992, ch. 33, art. 24.

bargain on behalf of its members for the purpose of entering into or amending a scale agreement.
S.C. 1992, c. 33, s. 24.

Procédure d'accréditation

Certification Procedure

Demande

25. (1) Toute association d'artistes dûment autorisée par ses membres peut demander au Tribunal de l'accréditer pour un ou plusieurs secteurs :
a) à tout moment, si la demande vise un ou des secteurs pour lesquels aucune association n'est accréditée et si le Tribunal n'a été saisi d'aucune autre demande;
b) dans les trois mois précédant la date d'expiration d'une accréditation ou de son renouvellement, s'il y a au moins un accord-cadre en vigueur pour le secteur visé;
c) sinon, un an après la date de l'accréditation ou de son renouvellement, ou dans le délai inférieur fixé, sur demande, par le Tribunal.

Application

25. (1) An artists' association may, if duly authorized by its members, apply to the Tribunal in writing for certification in respect of one or more sectors
(*a*) at any time, in respect of a sector for which no artists' association is certified and no other application for certification is pending before the Tribunal;
(*b*) in the three months immediately preceding the date that the certification or a renewed certification is to expire, where at least one scale agreement is in force in respect of the sector; or
(*c*) after one year, or such shorter period as the Tribunal may fix on application, after the date of the certification or a renewed certification, where no scale agreement is in force in respect of the sector.

Documents à fournir

(2) La demande est accompagnée d'une copie certifiée conforme des règlements de l'association, de la liste de ses membres et de tout autre renseignement requis par le Tribunal.

Accompanying documents

(2) An application for certification must include the membership list of the artists' association, a certified copy of its by-laws, and any other information required by the Tribunal.

Publicité à donner à la demande

(3) Le Tribunal fait, dès que possible, publier un avis de toute demande d'accréditation pour un secteur donné et y précise le délai dans lequel d'autres associations d'artistes pourront, par dérogation au paragraphe (1), solliciter l'accréditation pour tout ou partie de ce secteur.

Tribunal to give public notice of application

(3) The Tribunal shall give public notice of any application for certification in respect of any sector without delay, indicating any period in which another application may be made by any other artists' association, notwithstanding subsection (1), for certification in respect of that sector or any part of it.

Irrecevabilité

(4) La demande d'accréditation est toutefois, sauf autorisation du Tribunal, irrecevable une fois expiré le délai mentionné au paragraphe (3).
L.C. 1992, ch. 33, art. 25.

When application may not be made

(4) No application for certification in respect of a sector may be made, except with the consent of the Tribunal, after expiration of the period indicated by the Tribunal in any public notice given pursuant to subsection (3).
S.C. 1992, c. 33, s. 25.

Définition du secteur et détermination de la représentativité

Définition du secteur

26. (1) Une fois expiré le délai mentionné au paragraphe 25(3), le Tribunal définit le ou les secteurs de négociation visés et tient compte notamment de la communauté d'intérêts des artistes en cause et de l'historique des relations professionnelles entre les artistes, leurs associations et les producteurs concernés en matière de négociations, d'accords-cadres et de toutes autres ententes portant sur des conditions d'engagement d'artistes, ainsi que des critères linguistiques et géographiques qu'il estime pertinents.

Intervention

(2) Les artistes visés par une demande, les associations d'artistes et les producteurs peuvent intervenir devant le Tribunal, sans l'autorisation visée au paragraphe 19(3), sur toute question liée à la définition du secteur de négociation.

Communication de la décision

(3) Le Tribunal communique sans délai sa décision à l'association intéressée et aux intervenants; cette décision est réputée, par dérogation à l'article 21, interlocutoire.
L.C. 1992, ch. 33, art. 26.

Détermination de la représentativité

27. (1) Une fois le secteur défini, le Tribunal détermine, à la date du dépôt de la demande ou à toute autre date qu'il estime indiquée, la représentativité de l'association d'artistes.

Intervention

(2) Les artistes visés par la demande et les associations d'artistes peuvent intervenir devant le Tribunal, sans l'autorisation visée au paragraphe 19(3), sur toute question liée à la détermination de la représentativité.
L.C. 1992, ch. 33, art. 27.

Determination of Sector and Representativeness of an Association

Determination of sector

26. (1) After the application period referred to in subsection 25(3) has expired, the Tribunal shall determine the sector or sectors that are suitable for bargaining, taking into account
(*a*) the common interests of the artists in respect of whom the application was made;
(*b*) the history of professional relations among those artists, their associations and producers concerning bargaining, scale agreements and any other agreements respecting the terms of engagement of artists; and
(*c*) any geographic and linguistic criteria that the Tribunal considers relevant.

Right to intervene

(2) Notwithstanding subsection 19(3), only the artists in respect of whom the application was made, artists' associations and producers may intervene as of right on the issue of determining the sector that is suitable for bargaining.

Notice of determination

(3) The Tribunal shall give the artists' association concerned and any intervenors notice of its determination under subsection (1) without delay, and that determination is deemed to be interlocutory, notwithstanding section 21.
S.C. 1992, c. 33, s. 26.

Representativity of an association

27. (1) After determining the sector pursuant to subsection 26(1), the Tribunal shall determine the representativity of the artists' association, as of the date of filing of the application for certification or as of any other date that the Tribunal considers appropriate.

Right to intervene

(2) Notwithstanding subsection 19(3), only artists in respect of whom the application was made and artists' associations may intervene as of the right on the issue of determining the representativity of an artists' association.
S.C. 1992, c. 33, s. 27.

Accréditation

Délivrance

28. (1) Le Tribunal délivre l'accréditation s'il est convaincu que l'association est la plus représentative du secteur visé.

Durée et renouvellement

(2) L'accréditation est valable pour trois ans à compter de sa délivrance et, sous réserve du paragraphe (3), est renouvelable automatiquement, une ou plusieurs fois, pour la même période.

Prorogation

(3) Le dépôt, dans les trois mois précédant l'expiration de l'accréditation ou de son renouvellement, d'une demande d'annulation ou d'une autre demande d'accréditation visant le même ou sensiblement le même secteur emporte prorogation de l'accréditation jusqu'à ce que le Tribunal statue sur la demande, le renouvellement ne prenant effet, en cas de rejet de celle-ci, qu'à la date de la décision.

Registre

(4) Le Tribunal tient un registre des accréditations avec mention de leur date de délivrance.

Effet

(5) L'accréditation d'une association d'artistes emporte :

a) le droit exclusif de négocier au nom des artistes du secteur visé;

b) révocation, en ce qui les touche, de l'accréditation de toute autre association;

c) dans la mesure où ils sont visés, substitution de l'association — en qualité de partie à l'acccord-cadre — à l'association nommément désignée dans celui-ci ou à son successeur.

L.C. 1992, ch. 33, art. 28.

Certification

Certification

28. (1) Where the Tribunal is satisfied that an artists' association that has applied for certification in respect of a sector is the most representative of artists in that sector, the Tribunal shall certify the association.

Period of certification

(2) Certification is valid for a period of three years after the date that the Tribunal issues the certificate and, subject to subsection (3), is automatically renewed for additional three year periods.

Extension of period of certification

(3) Where, in the three months immediately before the date that the certification or renewed certification of an artists' association is to expire, an application for certification in respect of the same or substantially the same sector, or an application for revocation of certification, is filed, the period of validity of the association's certification is extended until the date that the application is accepted or rejected and, where it is rejected, renewal of the association's certification takes effect from that date.

Register

(4) The Tribunal shall keep a register of all certificates that it issues and of their dates of issue.

Effects of certification

(5) After certification of an artists' association in respect of a sector,

(*a*) the association has exclusive authority to bargain on behalf of artists in the sector;

(*b*) the certification of any association that previously represented artists in the sector is revoked in so far as it relates to them; and

(*c*) the association is substituted as a party to any scale agreement that affects artists in the sector, to the extent that it relates to them, in place of the association named in the scale agreement or its successor.

S.C. 1992, c. 33, s. 28.

Annulation de l'accréditation

Demande d'annulation

29. (1) Tout artiste du secteur visé peut demander au Tribunal d'annuler l'accréditation au motif que l'association a enfreint le paragraphe 23(2); lorsqu'il allègue que l'association a cessé d'être la plus représentative ou n'a pas pris les mesures voulues en vue de conclure un accord-cadre, il peut également demander l'annulation, mais dans les délais suivants :

a) trois mois avant la date d'expiration de l'accréditation ou de son renouvellement, s'il y a au moins un accord-cadre en vigueur pour le secteur;

b) sinon, un an après la date de l'accréditation ou de son renouvellement, ou dans le délai inférieur fixé, sur demande, par le Tribunal.

Délai de grâce

(2) Le Tribunal peut ne pas prononcer l'annulation si l'association visée se conforme, dans le délai qu'il peut fixer, au paragraphe 23(2).

Prise d'effet

(3) L'annulation de l'accréditation prend effet à la date de la décision du Tribunal ou, si l'association est toujours en contravention avec le paragraphe 23(2), à l'expiration du délai de grâce.

Effet de l'annulation

(4) Tout accord-cadre conclu, pour le secteur en cause, entre l'association et le producteur cesse d'avoir effet à la date de l'annulation ou à la date ultérieure que le Tribunal juge indiquée.

L.C. 1992, ch. 33, art. 29.

Revocation of Certification

Application for revocation

29. (1) An artist in a sector may apply to the Tribunal for an order revoking an association's certification in respect of that sector

(*a*) on the ground that the association's by-laws contravene the requirements of subsection 23(2), at any time; and

(*b*) on the ground that that association is no longer the most representative of artists in the sector, or has failed to make reasonable efforts to conclude a scale agreement,

(i) in the three months immediately preceding the date that the association's certification or a renewed certification is to expire, where at least one scale agreement is in force in respect of the sector, or

(ii) after one year, or such shorter period as the Tribunal may fix on application, after the date of the certification or a renewed certification of the association, where no scale agreement is in force.

Stay of proceedings

(2) The Tribunal may stay any proceedings for revocation of the certification of an artists' association under paragraph (1)(*a*) where the association adopts by-laws that meet the requirements of subsection 23(2) within any period that the Tribunal may specify.

Date of revocation

(3) Revocation of certification is effective from the date of the Tribunal's determination to revoke it or, where an association fails to adopt by-laws within a period specified by the Tribunal pursuant to subsection (2), on the expiration of that period.

Effect of revocation

(4) Any scale agreement for a sector in respect of which the certification of an artists' association has been revoked ceases to have effect from the date of revocation or from any later date that the Tribunal may specify.

S.C. 1992, c. 33, s. 29.

Droits et obligations du successeur

Fusions et transfert de compétence

30. (1) Dans les cas de fusion d'associations d'artistes ou de transfert de compétence entre elles, l'association qui succède à une autre association accréditée au moment de l'opération est réputée subrogée dans les droits, privilèges et obligations de cette dernière — conférés par la présente partie —, que ceux-ci découlent d'un accord-cadre ou d'une autre source.

Questions en suspens

(2) Le Tribunal tranche, à la demande de l'une des associations d'artistes touchées par l'opération, les questions relatives aux droits, privilèges et obligations que l'association peut acquérir dans le cadre de la présente partie ou d'un accord-cadre.
L.C. 1992, ch. 33, art. 30.

Successor Rights and Obligations

Mergers, etc., of associations

30. (1) An artists' association that succeeds a certified artists' association as a result of a merger, amalgamation or transfer of jurisdiction among associations acquires the rights, privileges and duties of that certified association under this Part, whether under a scale agreement or otherwise.

Tribunal to determine questions

(2) On application by an artists' association affected by a merger, amalgamation or transfer of jurisdiction, the Tribunal shall determine the rights, privileges and duties that the association has acquired under this Part or under a scale agreement as a result of the transaction.
S.C. 1992, c. 33, s. 30.

Négociations et accords-cadres

Avis de négociation

Avis de négociation d'un accord-cadre

31. (1) L'association d'artistes, une fois accréditée pour un secteur, ou le producteur en cause peut transmettre à l'autre partie un avis de négociation en vue de la conclusion d'un accord-cadre.

Avis de négociation d'un nouvel accord-cadre

(2) Lorsqu'il y a un accord-cadre, toute partie peut, dans les trois mois précédant la date de son expiration, ou au cours de la période plus longue qu'il prévoit, transmettre à l'autre partie un avis de négociation en vue du renouvellement ou de la révision de celui-ci ou de la conclusion d'un nouvel accord-cadre.

Nouvelles négociations

(3) En cas de substitution d'associations, l'association substituée peut, dans les six mois suivant la date de l'accréditation, exiger que le producteur lié par l'accord-cadre entame des négociations en vue du renouvelle-

Bargaining and Scale Agreements

Notice to Bargain

Notice to bargain to enter into a scale agreement

31. (1) Where an artists' association is certified in respect of a sector, the association or a producer may issue a notice requiring the other party to begin bargaining for the purpose of entering into a scale agreement.

Notice to bargain to renew or revise a scale agreement or enter into a new scale agreement

(2) Where a scale agreement is in force, either party may, in the three months immediately preceding the date that the agreement expires or within any longer period stipulated in the agreement, issue a notice to the other party to begin bargaining in order to renew or revise it or to enter into a new scale agreement.

Notice to bargain

(3) An association substituted as a party to a scale agreement pursuant to paragraph 28(5)(*c*) may, within six months after the date of its certification, issue a notice requiring the producer that is a party to the agreement to

ment ou de la révision de celui-ci ou de la conclusion d'un nouvel accord-cadre.

begin bargaining for the purpose of renewing or revising it or entering into a new scale agreement.

Révision avant échéance

(4) Si l'accord-cadre permet la révision d'une de ses dispositions avant l'échéance, toute partie habilitée à y procéder peut transmettre à l'autre partie un avis de négociation à cet effet.

Revision during term

(4) Where a scale agreement provides for revision during its term, a party entitled to do so by the agreement may give notice to the other party to begin bargaining in order to revise any provision of the agreement.

Copie à expédier au ministre

(5) Une copie de l'avis de négociation est à expédier sans délai au ministre par la partie qui l'a donné.
L.C. 1992, ch. 33, art. 31.

Notice to Minister

(5) Any party that issues a notice to the other party to begin bargaining shall send a copy of the notice to the Minister without delay.
S.C. 1992, c. 33, s. 31.

Obligation de négocier et de ne pas modifier les modalités

32. Une fois l'avis de négociation donné, les règles suivantes s'appliquent :
a) sans retard et, en tout état de cause, dans les vingt jours qui suivent ou dans le délai dont ils sont convenus, l'association d'artistes et le producteur doivent se rencontrer et entamer des négociations de bonne foi, ou charger leurs représentants autorisés de le faire en leur nom, et faire tout effort raisonnable pour conclure un accord-cadre;
b) le producteur ne peut modifier, sans le consentement de l'association d'artistes, ni la rémunération ou les conditions de travail prévus à un accord-cadre, ni les droits ou avantages conférés aux artistes ou à l'association par celui-ci, tant que les conditions fixées à l'article 46 pour l'exercice de moyens de pression ne sont pas réalisées.
L.C. 1992, ch. 33, art. 32.

Duty to bargain and not to change terms and conditions

32. Where a notice to begin bargaining has been issued under section 31,
(*a*) the artists' association and the producer shall without delay, but in any case within twenty days after the notice was issued, unless they otherwise agree,
(i) meet, or send authorized representatives to meet, and begin to bargain in good faith, and
(ii) make every reasonable effort to enter into a scale agreement; and
(*b*) the producer shall not alter, without the consent of the artists' association, any term or condition of engagement, including the rates of remuneration, or any right or privilege of an artist or the association, that is contained in the scale agreement, until such time as pressure tactics are permitted under section 46.
S.C. 1992, c. 33, s. 32.

Durée et effet des accords-cadres

Duration and Effect of Scale Agreements

Effet

33. (1) L'accord-cadre lie les parties pour la durée dont elles conviennent, ainsi que tous les artistes de ce secteur engagés par le producteur; elles ne peuvent y mettre fin qu'avec l'aval du Tribunal ou que dans le cas prévu au paragraphe 31(3).

Effect of scale agreements

33. (1) For the term set out therein, a scale agreement binds the parties to it and every artist in the sector engaged by the producer, and neither party may terminate the agreement without the approval of the Tribunal, except where a notice to bargain is issued under subsection 31(3).

Copie au ministre

(2) Les parties font parvenir, sans délai, une copie de l'accord-cadre au ministre.

Scale agreement to be filed

(2) The parties to a scale agreement shall file a copy of the agreement with the Minister without delay.

Associations de producteurs

(3) L'accord-cadre conclu avec une association de producteurs lie chaque producteur qui en est alors membre et qui n'a pas signifié aux parties son retrait ou qui, n'étant pas lié par un autre accord-cadre dans le même secteur, devient membre de l'association, ainsi que celui qui cesse, après sa conclusion, d'en faire partie. Il lie les producteurs même si l'association est dissoute.

Association of producers

(3) A scale agreement entered into by an association of producers binds, even in the event that the association is dissolved, each producer that

(*a*) is a member of the association at the time the agreement is signed and did not give the parties notice of withdrawal before the agreement was signed;

(*b*) not being a party to any other scale agreement in respect of the same sector, subsequently becomes a member of that association; or

(*c*) withdraws from membership in the association.

Sauvegarde des dispositions plus favorables

(4) L'accord-cadre l'emporte sur les stipulations incompatibles de tout contrat individuel entre un artiste et un producteur, mais n'a pas pour effet de porter atteinte aux droits ou avantages plus favorables acquis par un artiste sous leur régime.

Saving more favourable benefits

(4) A scale agreement applies notwithstanding any inconsistency with a contract between an artist and a producer, but it shall not be applied so as to deprive an artist of a right or benefit under the contract that is more favourable to the artist than is provided for under the agreement.

Interprétation

(5) Chaque droit ou avantage devant être considéré séparément, l'appréciation par le Tribunal de la nature plus favorable de celui-ci se fait disposition par disposition et au cas par cas.
L.C. 1992, ch. 33, art. 33.

Application

(5) The Tribunal shall assess what is more favourable to the artist pursuant to subsection (4) in relation to each right or benefit, and shall compare the elements of each right or benefit under the scale agreement with the elements of each under the contract.
S.C. 1992, c. 33, s. 33.

Changement de la date d'expiration

34. Le Tribunal peut, sur demande conjointe des parties, modifier la date d'expiration de l'accord-cadre afin de la faire coïncider avec celle d'autres accords-cadres auxquels le producteur ou l'association d'artistes est partie.
L.C. 1992, ch. 33, art. 34.

Tribunal may change termination date

34. On the joint application of the parties, the Tribunal may change the termination date of a scale agreement in order to establish a common termination date for two or more scale agreements that bind the producer or the artists' association.
S.C. 1992, c. 33, s. 34.

Représentation

35. Il est interdit à l'association d'artistes, ainsi qu'à ses représentants, d'agir de manière arbitraire ou discriminatoire ou de mauvaise foi à l'égard des artistes dans l'exercice des droits reconnus à ceux-ci par l'accord-cadre.
L.C. 1992, ch. 33, art. 35.

Duty of fair representation

35. An artists' association that is certified in respect of a sector, or a representative thereof, shall not act in a manner that is arbitrary, discriminatory or in bad faith in the representation of any of the artists in the sector in relation to their rights under the scale agreement that is applicable to them.
S.C. 1992, c. 33, s. 35.

Contenu et interprétation des accords-cadres

Content and Interpretation of Scale Agreements

Clause de règlement définitif sans moyen de pression

36. (1) L'accord-cadre comporte obligatoirement une clause prévoyant le mode de règlement définitif — notamment par arbitrage, mais sans recours aux moyens de pression — des conflits qui pourraient survenir, entre les parties ou les artistes qu'il régit, quant à son interprétation, son application ou sa prétendue violation.

Provision for settlement without pressure tactics

36. (1) Every scale agreement must contain a provision for final settlement without pressure tactics, by arbitration or otherwise, of all differences between the parties or among artists bound by the agreement, concerning its interpretation, application, administration or alleged contravention.

Nomination d'un arbitre

(2) À défaut, tout conflit entre les parties est, malgré toute disposition de l'accord-cadre, obligatoirement soumis, pour règlement définitif, à un arbitre de leur choix ou, en cas d'impossibilité d'entente à cet égard et sur demande écrite de nomination adressée au ministre par l'une ou l'autre des parties, à l'arbitre que désigne celui-ci, après enquête, s'il le juge nécessaire.

Where arbitrator to be appointed

(2) Notwithstanding anything in the scale agreement, a difference between the parties to an agreement that does not contain the provision for final settlement required by subsection (1) shall be submitted for final settlement

(*a*) to an arbitrator selected by the parties; or

(*b*) where the parties are unable to agree on an arbitrator and either party makes a written request to the Minister to appoint one, to the arbitrator appointed by the Minister after any inquiry that the Minister considers necessary.

Idem

(3) Lorsque le renvoi à un conseil d'arbitrage est prévu par l'accord-cadre, tout conflit est, malgré toute disposition de celui-ci, obligatoirement soumis à un arbitre conformément au paragraphe (2) dans les cas où l'une ou l'autre des parties omet de désigner son représentant au conseil.

Submission of difference to arbitration

(3) Notwithstanding anything in the scale agreement, a difference between the parties to an agreement that contains a provision for final settlement by an arbitration board shall, if either party fails to name its nominee to the board, be submitted for final settlement to an arbitrator in accordance with subsection (2).

Demande au ministre

(4) Lorsque l'accord-cadre prévoit le règlement définitif des conflits par le renvoi à un

Request to Minister to appoint arbitrator or arbitration board chairperson

(4) Where a scale agreement contains a provision for final settlement without pressure tac-

arbitre ou un conseil d'arbitrage et que les parties ne peuvent s'entendre sur le choix d'un arbitre — ou dans le cas de leurs représentants au conseil d'arbitrage, sur le choix d'un président —, l'une ou l'autre des parties — ou leur représentant — peut, malgré toute disposition de l'accord-cadre, demander par écrit au ministre de nommer un arbitre ou un président, selon le cas.

tics of differences described in subsection (1) by an arbitrator or arbitration board and the parties cannot agree on the selection of the arbitrator or arbitration board chairperson, either party or its nominee may, notwithstanding anything in the agreement, make a written request to the Minister to appoint the arbitrator or arbitration board chairperson, as the case may be.

Nomination par le ministre

(5) Le ministre procède à la nomination, après toute enquête qu'il juge nécessaire.

Appointment by Minister

(5) On receipt of a request made under subsection (4), the Minister shall appoint an arbitrator or arbitration board chairperson, after any inquiry that the Minister considers necessary.

Présomption

(6) L'arbitre ou le président nommé en application des paragraphes (2), (3) ou (5) est réputé l'avoir été aux termes de l'accord-cadre.
L.C. 1992, ch. 33, art. 36.

Presumption

(6) An arbitrator or arbitration board chairperson appointed pursuant to subsection (2), (3) or (5) is deemed to be appointed in accordance with the scale agreement.
S.C. 1992, c. 33, s. 36.

Caractère définitif des sentences

37. (1) Les sentences arbitrales sont définitives et ne sont susceptibles d'aucun recours.

Determinations not to be reviewed by court

37. (1) Every determination of an arbitrator or arbitration board is final and shall not be questioned or reviewed in any court.

Interdiction des recours extraordinaires

(2) Il n'est admis aucun recours ou décision judiciaire — notamment par voie d'injonction, de *certiorari*, de prohibition ou de *quo warranto* — visant à contester, réviser, empêcher ou limiter l'action d'un arbitre ou d'un conseil d'arbitrage exercée dans le cadre de la présente partie.

No review by *certiorari*, etc.

(2) No order shall be made or proceeding taken in any court, by way of injunction, *certiorari*, prohibition, *quo warranto* or otherwise, to question, review, prohibit or restrain an arbitrator or arbitration board in any proceedings under this Part.

Statut

(3) Pour l'application de la *Loi sur la Cour fédérale*, ni l'arbitre nommé en application d'un accord-cadre ni le conseil d'arbitrage ne constituent un office fédéral au sens de cette loi.

[Lors de l'entrée en vigueur de L.C. 2002, c. 8, art. 182, le titre le la Loi sur la Cour fédérale *deviendra «* Loi sur les Cours fédérales *».]*

L.C. 1992, ch. 33, art. 37.

Status of arbitrator or arbitration board

(3) For the purposes of the *Federal Court Act*, an arbitrator or an arbitration board appointed pursuant to a scale agreement or this Part is not a federal board, commission or other tribunal within the meaning of that Act.

[When S.C. 2002, c. 8, s. 182 comes into force, the title of the Federal Court Act *will be changed to* "Federal Courts Act."*]*

S.C. 1992, c. 33, s. 37.

Transmission et publicité des sentences

38. L'arbitre ou le président du conseil d'arbitrage transmet au ministre et aux parties copie de la sentence et la rend publique selon les modalités fixées par règlement.
L.C. 1992, ch. 33, art. 38.

Copy to be filed with Minister

38. A copy of every determination of an arbitrator or arbitration board shall be sent to the parties, filed with the Minister and, in the circumstances prescribed by regulation, made available to the public.
S.C. 1992, c. 33, s. 38.

Pouvoir des arbitres

39. (1) L'arbitre ou le conseil d'arbitrage a les pouvoirs conférés au Tribunal par les alinéas 17*a*), *b*) et *c*); il a en outre celui de décider s'il peut être saisi de l'affaire.

Powers of arbitrator and arbitration board

39. (1) An arbitrator or arbitration board has, in relation to any proceeding before the arbitrator or the board, the powers conferred on the Tribunal under paragraphs 17(*a*) to (*c*) and the power to determine whether any matter referred to the arbitrator or the board is arbitrable.

Idem

(2) Si, au titre de l'accord-cadre, le producteur a pris contre l'artiste des sanctions justifiées ou mis fin légitimement à ses services et en l'absence de mesures particulières dans l'accord-cadre ou le contrat visant la faute reprochée à l'artiste en cause, l'arbitre ou le conseil d'arbitrage a en outre le pouvoir de substituer à la décision du producteur toute autre mesure qui lui paraît justifiée en l'espèce.
L.C. 1992, ch. 33, art. 39.

Idem

(2) Where an artist's services have been terminated or an artist has been disciplined by a producer for cause pursuant to the scale agreement and there is no specific penalty in either the agreement or the contract between the artist and the producer, the arbitrator or arbitration board has the power to substitute for the termination of services or the discipline any other penalty that seems to the arbitrator or the board to be just and reasonable in the circumstances.
S.C. 1992, c. 33, s. 39.

Procédure

40. (1) L'arbitre ou le conseil d'arbitrage établit sa propre procédure; il est toutefois tenu de donner aux parties toute possibilité de lui présenter, en personne ou en étant représentées par un avocat ou un mandataire, des éléments de preuve et leurs arguments.

Procedure

40. (1) The arbitrator or arbitration board shall decide the procedure for hearings, and the parties shall be given the opportunity to present evidence and make submissions and may be represented by counsel or an agent.

Sentence du conseil d'arbitrage

(2) Pour les conflits mentionnés au paragraphe 36(1), le conseil d'arbitrage rend la sentence à la majorité; à défaut de majorité, la sentence appartient au président.

Determination of arbitration board

(2) Where a difference described in subsection 36(1) is submitted to an arbitration board, the majority of the board shall determine the issue, but if the majority cannot agree, the chairperson's decision is the determination of the board.

Frais d'arbitrage

(3) Sauf stipulation contraire de l'accord-cadre ou entente entre elles à l'effet contraire,

Arbitration costs, fees and expenses

(3) Where the parties submit a difference described in subsection 36(1) to an arbitrator or

chacune des parties supporte :
a) ses propres frais d'arbitrage ainsi que la rétribution et les indemnités du membre du conseil d'arbitrage qu'elle a nommé;
b) une part égale de la rétribution et des indemnités de l'arbitre ou du président du conseil d'arbitrage, que celui-ci ait été choisi par elles ou leurs représentants, ou nommé par le ministre.
L.C. 1992, ch. 33, art. 40.

an arbitration board, unless otherwise provided in the scale agreement or agreed by the parties, each party shall pay
(*a*) its own costs and the fees and expenses of any member of an arbitration board that it nominates; and
(*b*) an equal portion of the fees and expenses of the arbitrator or arbitration board chairperson, whether selected by the parties or their nominees or appointed by the Minister under this Part.
S.C. 1992, c. 33, s. 40.

Renvoi au Tribunal

41. (1) Toute question soulevée dans un arbitrage et se rapportant à l'existence d'un accord-cadre, à l'identité des parties qu'il lie ou à son application à un secteur donné ou à une personne doit être déférée au Tribunal par l'arbitre ou le conseil d'arbitrage pour instruction et décision.

Poursuite de la procédure d'arbitrage

(2) Le renvoi ne suspend la procédure engagée devant lui que si l'arbitre ou le conseil d'arbitrage, selon le cas, décide que la nature de la question le justifie ou si le Tribunal lui-même ordonne la suspension.
L.C. 1992, ch. 33, art. 41.

Questions may be referred to Tribunal

41. (1) An arbitrator or arbitration board shall refer to the Tribunal for hearing and determination any question that arises in a matter before it as to the existence of a scale agreement, the identification of the parties to it, or the application of the agreement to a particular sector or artist.

Arbitration proceeding not suspended

(2) Referral of a question to the Tribunal pursuant to subsection (1) does not suspend the proceeding before the arbitrator or arbitration board, unless the Tribunal so orders or the arbitrator or arbitration board decides that the nature of the question warrants suspension of the proceeding.
S.C. 1992, c. 33, s. 41.

Exécution des sentences arbitrales

42. (1) La personne ou l'association touchée par une sentence arbitrale peut déposer à la Cour fédérale une copie du dispositif de la sentence.

Idem

(2) Une fois déposée, la sentence est enregistrée à la Cour fédérale; l'enregistrement confère la valeur d'un jugement de ce tribunal à la sentence et, dès lors et à ce titre, elle ouvre droit aux mêmes procédures ultérieures que celui-ci.
L.C. 1992, ch. 33, art. 42.

Filing of determination in Federal Court

42. (1) Any person or association affected by a determination of an arbitrator or arbitration board may file a copy of the determination, exclusive of the reasons therefor, in the Federal Court.

Registration

(2) The Federal Court shall register the copy of any determination of an arbitrator or arbitration board filed pursuant to subsection (1), and after registration the determination has the same force and effect, and all proceedings may be taken thereon, as if it were a judgment obtained in that Court.
S.C. 1992, c. 33, s. 42.

Maintien de la clause sur le règlement des conflits

43. (1) Malgré toute disposition contraire, la clause visée au paragraphe 36(1) demeure en vigueur après l'expiration de l'accord-cadre tant que les conditions fixées à l'article 46 pour l'exercice de moyens de pression ne sont pas réalisées.

Pouvoir de l'arbitre à l'expiration de l'accord

(2) Les conflits mentionnés au paragraphe 36(1) qui surviennent dans l'intervalle séparant l'expiration de l'accord-cadre et le début de la période mentionnée à l'article 46 peuvent être soumis à un arbitre ou un conseil d'arbitrage et sont assujettis, pour leur règlement, aux articles 36 à 42.
L.C. 1992, ch. 33, art. 43.

Provision for settlement continues in force

43. (1) Notwithstanding anything in a scale agreement, the provision for final settlement required by subsection 36(1) remains in force after termination of the agreement and until such time as pressure tactics are permitted under section 46.

Power of arbitrator where agreement terminates

(2) Where a difference described in subsection 36(1) arises during the period beginning on the date of termination of the agreement and ending on the date that a period described in section 46 begins, an arbitrator or arbitration board may hear and determine the difference, and sections 36 to 42 apply.
S.C. 1992, c. 33, s. 43.

Précompte obligatoire des cotisations

Retenue de la cotisation sociale

44. Si l'association d'artistes en fait la demande, l'accord-cadre comporte une clause obligeant le producteur à prélever, sur la rémunération versée à chaque artiste concerné — qu'il adhère ou non à l'association —, le montant de la cotisation payable régulièrement par les adhérents conformément aux règlements de l'association et à la remettre sans délai à celle-ci.
L.C. 1992, ch. 33, art. 44.

Compulsory Check-off

Association dues to be deducted

44. At the request of an artists' association, a scale agreement shall include a provision requiring the producer to deduct and remit to the association without delay from the remuneration of each artist subject to the scale agreement, whether or not the artist is a member of the association, the amount of the dues regularly paid by a member of the association in accordance with its by-laws.
S.C. 1992, c. 33, s. 44.

Règlement des conflits de travail

Médiateurs

45. Le ministre peut à tout moment nommer — d'office ou sur demande — un médiateur chargé de conférer avec les parties en vue de les aider à conclure un accord-cadre.
L.C. 1992, ch. 33, art. 45.

Settlement of Labour Disputes

Mediation

45. The Minister may, on request or of the Minister's own motion, name a mediator to confer with parties who are unable to reach agreement and to assist them to enter into a scale agreement.
S.C. 1992, c. 33, s. 45.

Interdictions et recours

Moyens de pression

Délais relatifs aux moyens de pression

46. Les producteurs, artistes ou associations d'artistes ne peuvent prendre ou autoriser des

Prohibitions and Remedies

Pressure Tactics

When pressure tactics are permitted

46. No artist, artists' association or producer shall participate in, authorize or apply

moyens de pression que pendant la période comprise entre la fin du sixième mois suivant la date de l'accréditation et la conclusion d'un accord-cadre, s'il n'y en a pas qui les lie pour ce secteur, ou entre le trentième jour suivant l'expiration d'un accord-cadre et la conclusion d'un nouvel accord-cadre entre ceux-ci pour ce secteur.
L.C. 1992, ch. 33, art. 46.

pressure tactics except during the period
(*a*) beginning thirty days after the scale agreement binding the producer and the artists' association expires and ending on the day that a new agreement is entered into in respect of that sector; or
(*b*) beginning six months after the date of certification of an artists' association and ending on the day that a scale agreement is entered into, where there is no scale agreement binding the producer and the artists' association in respect of that sector.
S.C. 1992, c. 33, s. 46.

Déclarations relatives aux moyens de pression

Demande de déclaration d'illégalité par un producteur

47. (1) S'il estime qu'une association d'artistes a pris ou autorisé des moyens de pression qui ont eu, ont ou auraient pour effet de placer un artiste en situation de contravention à la présente partie, ou que des artistes ont été, sont ou seront vraisemblablement associés à ces moyens, le producteur peut demander au Tribunal de les déclarer illégaux.

Ordonnance

(2) Le Tribunal peut, par ordonnance, après avoir donné à l'association ou aux artistes la possibilité de se faire entendre, déclarer illégaux les moyens de pression et, à la demande du producteur, enjoindre à l'association d'artistes d'y renoncer et aux artistes de reprendre le travail, interdire à ceux-ci de s'y associer et sommer leur association, ainsi que les dirigeants ou représentants de celle-ci, de porter immédiatement à la connaissance de ses membres la teneur de l'ordonnance.
L.C. 1992, ch. 33, art. 47.

Declarations respecting Pressure Tactics

Declaration that pressure tactics of an association are unlawful

47. (1) Where a producer alleges that an artists' association has authorized or applied pressure tactics, or that artists have participated, are participating or are likely to participate in pressure tactics, as a result of which an artist was, is or would be in contravention of this Part, the producer may apply to the Tribunal for a declaration that the pressure tactics are unlawful.

Declaration and prohibition of pressure tactics

(2) Where an application is made under subsection (1), the Tribunal may, after affording the artists and the artists' association an opportunity to be heard, declare the pressure tactics to be unlawful and, if the producer so requests, make an order
(*a*) requiring the association to cease or revoke its authorization of the pressure tactics;
(*b*) enjoining artists from participating in those pressure tactics and requiring them, where applicable, to resume the work for which they were engaged; or
(*c*) requiring an artists' association or any officer or representative of an association of which any artist subject to an order made under paragraph (*b*) is a member, to give notice of the order to all artists in the sector who are members of the association.
S.C. 1992, c. 33, s. 47.

Demande de déclaration d'illégalité par une association d'artistes

48. À la demande de l'association qui prétend qu'un producteur a autorisé ou pris des moyens de pression en violation de la présente partie ou est sur le point de le faire, le Tribunal peut, par ordonnance, après avoir donné au producteur la possibilité de se faire entendre, déclarer illégaux les moyens et enjoindre à celui-ci, ainsi qu'à toute personne agissant pour son compte, d'y renoncer ou d'y mettre fin, de permettre aux artistes du secteur qu'il avait engagés de reprendre le travail et de porter immédiatement à leur connaissance la teneur de l'ordonnance.
L.C. 1992, ch. 33, art. 48.

Declaration that pressure tactics of a producer are unlawful

48. Where an artists' association applies to the Tribunal alleging that a producer has authorized or applied pressure tactics in contravention of this Part or is about to do so, the Tribunal may, after affording the producer an opportunity to be heard, declare the pressure tactics to be unlawful and, if the association so requests, make an order

(*a*) requiring the producer or any person acting on behalf of the producer to renounce or to discontinue those pressure tactics and to permit the artists to resume their work, where applicable; or

(*b*) requiring the producer to communicate the contents of an order made under paragraph (*a*) without delay to all artists in the sector engaged by the producer at the time the order is made.
S.C. 1992, c. 33, s. 48.

Teneur et durée des ordonnances

49. (1) Les ordonnances rendues en application des articles 47 et 48 peuvent être assorties des conditions que le Tribunal juge indiquées en l'espèce et, sous réserve du paragraphe (2), sont en vigueur pour la durée qui y est fixée.

Prorogation ou révocation des ordonnances

(2) Sur demande précédée d'un avis de présentation donné aux parties visées par l'ordonnance, le Tribunal peut soit proroger celle-ci, après l'avoir éventuellement modifiée, pour la période qu'il juge indiquée, soit la révoquer.
L.C. 1992, ch. 33, art. 49.

Terms and duration of order

49. (1) An order made under section 47 or 48 shall be in terms that the Tribunal considers necessary and sufficient to meet the circumstances of the case and, subject to subsection (2), shall have effect for the period indicated in the order.

Application for a supplementary order

(2) Where anyone affected by an order made under section 47 or 48 applies to the Tribunal and gives notice of the application to the parties named in the order, the Tribunal may, by supplementary order, continue or modify the order for such period as may be indicated in the supplementary order, or may revoke the order.
S.C. 1992, c. 33, s. 49.

Pratiques déloyales

Interdictions frappant les producteurs

50. Il est interdit à tout producteur et à quiconque agit pour son compte :

a) soit de refuser d'engager un artiste ou de respecter son contrat individuel, soit de faire à l'égard de quiconque des distinctions injustes en matière d'engagement, de rémunéra-

Unfair Practices

Prohibitions relating to producers

50. No producer or person acting on behalf of a producer shall

(*a*) refuse to engage an artist or to honour an artist's contract, or discriminate against an artist with respect to engagement, remuneration or any other term or condition of engage-

tion ou de conditions de travail, ou encore de l'intimider, de le menacer ou de prendre d'autres mesures à son encontre pour l'un on l'autre des motifs suivants :
(i) il adhère à une association d'artistes ou en est un dirigeant ou représentant — ou se propose de le faire ou de le devenir, ou incite une autre personne à l'une de ces fins —, ou contribue à la formation, la promotion ou l'administration d'une association d'artistes,
(ii) il a participé, notamment à titre de témoin, à une procédure prévue par la présente partie, ou peut le faire,
(iii) il a satisfait — ou est sur le point de le faire — à l'obligation de communiquer des renseignements dans le cadre d'une procédure prévue par la présente partie,
(iv) il a présenté une demande ou déposé une plainte sous le régime de la présente partie,
(v) il s'est associé à des moyens de pression qui ne sont pas interdits par la présente partie ou a exercé un droit quelconque prévu par cette dernière,
(vi) il a été expulsé d'une association ou suspendu pour une raison autre que le défaut de paiement des cotisations périodiques, droits d'adhésion et autres paiements qui incombent sans distinction à tous ceux qui veulent adhérer à l'association ou y adhèrent déjà;
b) d'imposer, dans le contrat individuel d'un artiste, une condition visant à l'empêcher, ou ayant pour effet de l'empêcher, d'exercer un droit que lui reconnaît la présente partie;
c) de mettre fin au contrat individuel d'un artiste, de lui infliger des sanctions pécuniaires ou autres, ou de prendre à son encontre d'autres mesures, parce qu'il a refusé de s'acquitter de tout ou partie des attributions d'un autre artiste qui s'associe à des moyens de pression non interdits par la présente partie ou en est la cible;
d) de chercher, notamment par intimidation, par menace de mettre fin à son contrat individuel ou par la prise de sanctions pécuniaires ou autres, à obliger une personne soit à s'abstenir ou à cesser d'adhérer à une association d'artistes ou d'en occuper un poste de dirigeant ou de représentant, soit à s'abstenir :
(i) de participer à une procédure prévue par la présente partie, notamment à titre de témoin,

ment, or intimidate, threaten or discipline an artist, because the artist
(i) is or proposes to become, or seeks to induce any other person to become, a member, officer or representative of an artists' association, or participates in the promotion, formation or administration of an artists' association,
(ii) has testified or participated in a proceeding under this Part, or may do so,
(iii) has made or is about to make a disclosure that may be required in a proceeding under this Part,
(iv) has made an application or filed a complaint under this Part,
(v) has exercised any right under this Part or participated in pressure tactics that are not prohibited by it, or
(vi) has been expelled or suspended from membership in an artists' association for a reason other than a failure to pay the periodic dues, assessments and initiation fees uniformly required to be paid by all members of the association as a condition of acquiring or retaining membership;
(*b*) impose any condition in a contract of engagement that prevents or has the effect of preventing an artist from exercising rights under this Part;
(*c*) terminate an artist's contract, or impose a financial or other penalty or take disciplinary action against an artist, because the artist refuses to perform any of the duties of another artist who is participating in or is subject to pressure tactics that are not prohibited by this Part;
(*d*) seek by intimidation, threat of termination of a contract, imposition of a financial or other penalty, or by any other means, to compel a person to refrain from becoming or to cease to be a member, officer or representative of an artists' association, or to refrain from
(i) testifying or participating in a proceeding under this Part,
(ii) making a disclosure that may be required in a proceeding under this Part, or
(iii) making an application or filing a complaint under this Part;
(*e*) terminate the contract of, or impose any

(ii) de satisfaire à l'obligation de communiquer des renseignements dans le cadre d'une procédure prévue par la présente partie,
(iii) de présenter une demande ou de déposer une plainte sous le régime de la présente partie;
e) de mettre fin au contrat individuel d'un artiste, de lui infliger des sanctions pécuniaires ou autres, ou de prendre à son encontre d'autres mesures, parce qu'il a refusé d'accomplir un acte interdit par la présente partie;
f) de négocier en vue de conclure un accord-cadre ou de conclure un tel accord-cadre avec une association d'artistes dans un secteur qu'il sait ou devrait, selon le Tribunal, savoir être autre que celle déjà accréditée pour les artistes de ce secteur.
L.C. 1992, ch. 33, art. 50.

financial or other penalty on, an artist engaged by the producer, or take any disciplinary action because of the artist's refusal to perform an act that is prohibited by this Part; or
(*f*) bargain for the purpose of entering into a scale agreement, or enter into a scale agreement, with an artists' association in respect of a sector, if the producer knows or, in the opinion of the Tribunal ought to know, that another artists' association is certified in respect of that sector.
S.C. 1992, c. 33, s. 50.

Interdictions frappant les associations d'artistes

51. Il est interdit à toute association d'artistes accréditée et à quiconque agit pour son compte :
a) de négocier en vue de conclure un accord-cadre pour un secteur qu'il sait ou devrait, selon le Tribunal, savoir être représenté par une association accréditée, ou de conclure un tel accord-cadre;
b) de négocier en vue de conclure un accord-cadre pour un secteur avec un producteur qu'il sait ou devrait, selon le Tribunal, savoir être représenté par une association de producteurs qui a effectué le dépôt prévu au paragraphe 24(2), ou de conclure un tel accord-cadre;
c) d'exiger d'un producteur qu'il mette fin au contrat individuel d'un artiste parce que celui-ci a été expulsé de l'association ou suspendu pour une raison autre que le défaut de paiement des cotisations périodiques, droits d'adhésion et autres paiements qui incombent sans distinction à tous ceux qui veulent adhérer à l'association ou y adhèrent déjà;
d) de prendre des mesures disciplinaires contre un artiste ou de lui imposer une sanction quelconque en lui appliquant d'une manière discriminatoire les normes de discipline de l'association;
e) d'expulser un artiste ou de le suspendre, ou de prendre contre lui des sanctions ou autres

Prohibitions relating to artists' associations

51. No certified artists' association or person acting on behalf of such an association shall
(*a*) bargain for the purpose of entering into a scale agreement, or enter into a scale agreement with a producer in respect of a sector, if the association or person knows or, in the opinion of the Tribunal ought to know that another artists' association is certified in respect of that sector;
(*b*) bargain for the purposes of entering into a scale agreement, or enter into a scale agreement in respect of a sector, with a producer that the association knows or, in the opinion of the Tribunal ought to know, is represented by an association of producers that has filed its membership list pursuant to subsection 24(2);
(*c*) require a producer to terminate the contract of an artist engaged by the producer because the artist has been expelled or suspended from membership in the association for a reason other than a failure to pay the periodic dues, assessments and initiation fees uniformly required to be paid by all members of the association as a condition of acquiring or retaining membership;
(*d*) take disciplinary action against or impose any form of penalty on an artist by applying the standards of discipline of the association

mesures, parce qu'il a refusé d'accomplir un acte contraire à la présente partie;
f) si les parties ont inclus à l'accord-cadre une disposition qui impose, comme condition d'embauche, l'adhésion à une association d'artistes déterminée ou donne la préférence, en matière d'embauche, aux adhérents d'une association déterminée, de faire des distinctions injustes à l'égard d'un artiste en matière d'adhésion à l'association d'artistes, de maintien comme adhérent à celle-ci ou encore d'expulsion de celle-ci;
g) d'user de menaces ou de coercition à l'égard d'un artiste ou de lui infliger une sanction pécuniaire ou autre, pour l'un ou l'autre des motifs suivants :
(i) il a participé, notamment à titre de témoin, à une procédure prévue par la présente partie, ou peut le faire,
(ii) il a satisfait — ou est sur le point de le faire — à l'obligation de communiquer des renseignements dans le cadre d'une procédure prévue par la présente partie,
(iii) il a présenté une demande ou déposé une plainte sous le régime de la présente partie.
L.C. 1992, ch. 33, art. 51.

to that artist in a discriminatory manner;
(*e*) expel or suspend an artist from membership in the association, or take disciplinary action or impose any penalty against the artist, for refusal to perform an act that is contrary to this Part;
(*f*) discriminate unfairly against an artist with respect to becoming or continuing as a member of the association or being expelled from it, if the parties have included in a scale agreement a provision that requires membership in a specified artists' association as a condition of engagement, or that grants a preference in engagement to such members; or
(*g*) intimidate, coerce or impose a financial or other penalty on an artist, because the artist
(i) has testified or participated in a proceeding under this Part, or may do so,
(ii) has made or is about to make a disclosure that may be required in a proceeding under this Part, or
(iii) has made an application or filed a complaint under this Part.
S.C. 1992, c. 33, s. 51.

Interdiction des menaces ou mesures coercitives

52. Il est interdit à quiconque de chercher, par des menaces ou des mesures coercitives, à obliger une personne ou une association à adhérer ou à s'abstenir ou cesser d'adhérer à une association d'artistes ou de producteurs.
L.C. 1992, ch. 33, art. 52.

Intimidation or coercion prohibited

52. No person shall seek by intimidation or coercion to compel any person or association to become or refrain from becoming or to cease to be a member of an artists' association or an association of producers.
S.C. 1992, c. 33, s. 52.

Plaintes au Tribunal

53. (1) Quiconque peut adresser au Tribunal une plainte reprochant soit à une association d'artistes, à un producteur — ou à une personne agissant pour leur compte — ou à un artiste d'avoir manqué ou contrevenu aux articles 32, 35, 50 et 51, soit à une personne d'avoir contrevenu à l'article 52.

Complaints to the Tribunal

53. (1) Any person or organization may make a complaint in writing to the Tribunal that
(*a*) a producer, a person acting on behalf of a producer, an artists' association, a person acting on behalf of an artists' association, or an artist has contravened or failed to comply with section 32, 35, 50 or 51; or
(*b*) a person has failed to comply with section 52.

Délai de présentation

(2) La plainte est à présenter, par écrit, dans les six mois qui suivent la date où le plaignant

Time for making complaint

(2) A complaint under subsection (1) shall be made to the Tribunal within six months after

a eu — ou, selon le Tribunal, aurait dû avoir — connaissance des mesures ou des circonstances l'ayant occasionnée.

the date that the complainant knew, or in the opinion of the Tribunal ought to have known, of the action or circumstances giving rise to the complaint.

Recevabilité de la plainte

(3) Le Tribunal instruit la plainte sauf s'il estime :

a) soit qu'elle est dénuée de tout intérêt ou entachée de mauvaise foi;

b) soit qu'elle n'est pas de sa compétence ou que le plaignant pourrait en saisir, aux termes d'un accord-cadre, un arbitre ou un conseil d'arbitrage.

Inadmissible complaints

(3) The Tribunal shall hear a complaint made under subsection (1), unless the Tribunal is of the opinion that the complaint

(*a*) is moot, or is frivolous, vexatious or in bad faith; or

(*b*) is not within the Tribunal's jurisdiction, or could be referred by the complainant to an arbitrator or arbitration board, pursuant to a scale agreement.

Pouvoirs du Tribunal

(4) Le Tribunal peut, après avoir statué sur la recevabilité de la plainte, l'instruire lui-même ou charger un membre qui n'a pas été saisi de l'affaire ou l'un de ses fonctionnaires d'aider les parties à régler le point en litige; il l'instruit toutefois lui-même si les parties ne sont pas parvenues à s'entendre dans le délai qu'il juge raisonnable en l'espèce.

Duty and power of the Tribunal

(4) Where the Tribunal is of the opinion that the complaint must be heard, the Tribunal may appoint a member who was never seized of the matter, or a member of the staff of the Tribunal, to assist the parties to settle it and, where the matter is not settled within a period that the Tribunal considers reasonable in the circumstances, or if the Tribunal decides not to appoint a person to assist the parties to settle it, the Tribunal shall hear and determine the complaint.

Charge de la preuve

(5) En matière d'allégation de contravention à l'article 50, la simple présentation d'une plainte écrite constitue une preuve de la contravention; il incombe dès lors à la partie qui nie celle-ci de prouver le contraire.
L.C. 1992, ch. 33, art. 53.

Burden of proof

(5) A written complaint that a producer or any person acting on behalf of a producer failed to comply with section 50 is itself evidence that the failure actually occurred and, if any party to the complaint proceeding alleges that the failure did not occur, the burden of proof thereof is on that party.
S.C. 1992, c. 33, s. 53.

Ordonnances du Tribunal

54. (1) S'il décide qu'il y a eu contravention aux articles 32, 35, 50, 51 ou 52, le Tribunal peut ordonner à la partie visée par la plainte de cesser d'y contrevenir ou de s'y conformer et en outre enjoindre :

a) dans le cas de l'alinéa 32*b*), au producteur de verser à un artiste une indemnité équivalant au plus, à son avis, à la somme qui lui aurait été versée au titre de l'accord-cadre ou du contrat individuel s'il n'y avait pas eu violation;

Tribunal may make orders

54. (1) Where the Tribunal determines that a party to a complaint failed to comply with section 32, 35, 50, 51 or 52, the Tribunal may order the party to comply with or to cease contravening that section and may

(*a*) in respect of a failure to comply with paragraph 32(*b*), order a producer to pay the artist compensation not exceeding the amount of remuneration that would, but for that failure, have been paid to the artist pursuant to the scale agreement or the artist's contract, in the

b) dans le cas de l'article 35, à l'association d'exercer, au nom de l'artiste, les droits et recours que, selon lui, elle aurait dû exercer ou d'aider l'artiste à les exercer lui-même dans les cas où elle aurait dû le faire;
c) dans le cas des alinéas 50*a*), *c*) ou *e*), au producteur :
(i) d'engager ou de réengager, dans la mesure du possible, l'artiste qui a fait l'objet d'une mesure interdite par ces alinéas,
(ii) de verser à tout artiste lésé par la contravention une indemnité équivalant au plus, à son avis, à la somme qui lui aurait été versée au titre de l'accord-cadre ou de son contrat individuel s'il n'y avait pas eu contravention,
(iii) d'annuler les mesures prises et de verser à l'intéressé une indemnité équivalant au plus, selon lui, à la sanction pécuniaire ou autre, prévue par l'accord-cadre ou le contrat individuel, qui a pu être infligée à l'artiste par le producteur;
d) dans le cas de l'alinéa 50*d*), au producteur d'annuler toute mesure prise et de verser à l'intéressé une indemnité équivalant au plus, à son avis, à la sanction pécuniaire ou autre, prévue par l'accord-cadre ou le contrat individuel, qui a pu être infligée à l'artiste par le producteur;
e) dans le cas de l'alinéa 50*d*), à l'association d'artistes d'admettre ou de réadmettre l'artiste;
f) dans le cas des alinéas 51*d*), *e*), *f*) ou *g*), à l'association d'artistes d'annuler toute mesure prise et de verser à l'intéressé une indemnité équivalant au plus, à son avis, à la sanction pécuniaire ou autre qui a pu être infligée à l'artiste par l'association ou à la perte que celui-ci a subie.

opinion of the Tribunal;
(*b*) in respect of a failure to comply with section 35, require an artists' association to pursue the rights and remedies of any artist affected by that failure, or to assist the artist to pursue any rights and remedies that, in the opinion of the Tribunal, it was the duty of the association to pursue;
(*c*) in respect of a failure to comply with paragraph 50(*a*), (*c*) or (*e*), order a producer
(i) to engage or to continue to engage, if possible, an artist who has been dealt with in a manner prohibited by that paragraph,
(ii) to pay to any artist affected by that failure compensation not exceeding the amount of remuneration that would, but for the failure, have been paid to that artist pursuant to the scale agreement or the contract, in the opinion of the Tribunal, and
(iii) to rescind any disciplinary action taken against any artist affected by that failure, and pay the artist compensation not exceeding the amount, in the opinion of the Tribunal, of any financial or other penalty provided for in the scale agreement or the contract and imposed on the artist by the producer;
(*d*) in respect of a failure to comply with paragraph 50(*d*), order a producer to rescind any action taken against any artist affected by the failure, and pay the artist compensation not exceeding the amount, in the opinion of the Tribunal, of any financial or other penalty provided for in the scale agreement or the contract and imposed on the artist by the producer;
(*e*) in respect of a failure to comply with paragraph 51(*d*), order an artists' association to reinstate or admit the artist as a member; and
(*f*) in respect of a failure to comply with paragraph 51(*d*), (*e*), (*f*) or (*g*), order an artists' association to rescind any disciplinary action taken against any artist affected by the failure, and pay the artist compensation not exceeding the amount, in the opinion of the Tribunal, of the artist's actual loss or of any financial or other penalty.

Autres ordonnances

(2) Afin d'assurer la réalisation de l'objet de la présente partie, le Tribunal peut ordonner

Idem

(2) In order to ensure that the purpose of this Part is achieved, the Tribunal may, in addi-

toute mesure, en plus ou au lieu de celles visées au paragraphe (1), qu'il estime juste en l'espèce pour obliger le producteur ou l'association d'artistes à prendre des dispositions de nature à remédier ou à parer aux effets de la contravention.
L.C. 1992, ch. 33, art. 54.

tion to or in lieu of any other order authorized under subsection (1), order a producer or an artists' association to do or refrain from doing anything that it is equitable to require of them, so as to counteract or remedy the contravention of or non-compliance with a provision referred to in that subsection.
S.C. 1992, c. 33, s. 54.

Accords de coproduction

Désignation d'un responsable

55. (1) Il incombe au producteur qui conclut un accord de coproduction de veiller à ce que celui-ci désigne une personne effectivement chargée de retenir les services d'artistes aux fins de la coproduction.

Application de la présente partie

(2) La présente partie ne s'applique à la coproduction que si la personne ainsi désignée est un producteur au sens de la présente partie.
L.C. 1992, ch. 33, art. 55.

Co-production Agreements

Co-production agreement

55. (1) Where a producer enters into a co-production agreement, the producer shall ensure that the agreement designates the person who will actually engage the artists for the co-production.

Application of Part to co-production

(2) This Part does not apply in respect of a co-production unless the person designated pursuant to subsection (1) is a producer within the meaning of this Part.
S.C. 1992, c. 33, s. 55.

Règlements

Règlements

56. Sur recommandation du ministre, faite après consultation par celui-ci du ministre du Patrimoine canadien, le gouverneur en conseil peut, par règlement, prendre toute mesure réglementaire prévue par la présente partie et toutes autres mesures — autres que celles prévues par l'article 16 — qu'il juge utiles pour l'application de la présente partie.
L.C. 1992, ch. 33, art. 56; 1995, ch. 11, art. 41.

Regulations

Regulations

56. On the recommendation of the Minister after consultation with the Minister of Canadian Heritage, the Governor in Council may make regulations prescribing anything that may be prescribed under any provision of this Part, and any other regulations that the Governor in Council considers necessary to carry out the provisions of this Part, other than regulations that may be made by the Tribunal under section 16.
S.C. 1992, c. 33, s. 56; 1995, c. 11, s. 41.

Infractions et peines

Infractions et peines

57. (1) Sous réserve des paragraphes (2) et (3), quiconque contrevient à la présente partie, à l'exception des articles 32, 50 et 51, commet une infraction et encourt une amende maximale de cinq mille dollars.

Offences and Punishment

Offence and penalty

57. (1) Subject to subsections (2) and (3), every person who contravenes or fails to comply with any provision of this Part other than sections 32, 50 and 51 is guilty of an offence and liable to a fine not exceeding five thousand dollars.

Infraction à l'article 46

(2) Quiconque contrevient à l'article 46 commet une infraction et encourt :

a) s'il s'agit d'un artiste, une amende maximale de deux mille dollars;

b) s'il s'agit d'un dirigeant ou d'un employé d'une association d'artistes accréditée, ou d'un administrateur, mandataire ou conseiller d'une association d'artistes acréditée ou d'un producteur, une amende maximale de cinquante mille dollars;

c) s'il s'agit d'une association d'artistes accréditée ou d'un producteur, une amende maximale de cent mille dollars.

Idem

(2) Every artist, artists' association or producer that contravenes section 46 is guilty of an offence and liable to a fine

(*a*) not exceeding two thousand dollars, in the case of an artist;

(*b*) not exceeding fifty thousand dollars, in the case of an officer, employee, director, agent or advisor of a certified artists' association or director, agent or advisor of a producer; or

(*c*) not exceeding one hundred thousand dollars, in the case of a producer or a certified artists' association.

Témoins défaillants

(3) Commet une infraction et encourt une amende maximale de quatre cents dollars quiconque :

a) ayant été cité aux termes de l'alinéa 17*a*), omet de comparaître;

b) ne produit pas les documents et pièces en sa possession ou sous sa responsabilité malgré un ordre en ce sens donné en application de l'alinéa 17*a*);

c) refuse de prêter serment ou de faire une affirmation solennelle, bien qu'ayant été requis de le faire en application de l'alinéa 17*a*);

d) refuse de répondre à une question qui lui est régulièrement posée par le Tribunal ou un de ses membres en application de l'alinéa 17*a*) ou encore par un arbitre ou un conseil d'arbitrage.

L.C. 1992, ch. 33, art. 57.

Further offences

(3) Every person who

(*a*) being required to attend to give evidence pursuant to paragraph 17(*a*), fails to attend accordingly,

(*b*) being compelled to produce, pursuant to paragraph 17(*a*), any document or thing in the person's possession or under the person's control, fails to produce the document or thing,

(*c*) refuses to be sworn or to affirm, as the case may be, after being required to be sworn or affirmed pursuant to paragraph 17*a*), or

(*d*) refuses to answer any proper question put to the person pursuant to paragraph 17(*a*) by the Tribunal or a member of the Tribunal or by an arbitrator or an arbitration board

is guilty of an offence and liable to a fine not exceeding four hundred dollars.

S.C. 1992, c. 33, s. 57.

Poursuites

58. (1) Les poursuites pour infraction à la présente partie peuvent être intentées contre une association de producteurs ou d'artistes et en leur nom.

Prosecutions

58. (1) A prosecution for an offence under this Part may be brought against and in the name of an association of producers or an artists' association.

Présomptions

(2) Dans le cadre de ces poursuites, les associations de producteurs ou d'artistes ou les regroupements d'associations sont réputés être des personnes, tandis que les actes ou omissions commis par leurs dirigeants ou mandataires sont, dans la mesure où ils ont le

Idem

(2) For the purpose of a prosecution under subsection (1),

(*a*) an artists' association or an association of producers is deemed to be a person; and

(*b*) any act or thing done or omitted to be done by an officer or agent of an artists' asso-

pouvoir d'agir en leur nom, réputés être le fait de ces groupements.

ciation or an association of producers within the scope of the officer or agent's authority is deemed to be an act or thing done or omitted to be done by the association.

Exclusion de la peine d'emprisonnememt
(3) La peine d'emprisonnement est exclue en cas de défaut de paiement de l'amende infligée pour une infraction à la présente partie.
L.C. 1992, ch. 33, art. 58.

Imprisonment precluded
(3) Where a person is convicted of an offence under this Part, no imprisonment may be imposed as punishment for default of payment of any fine imposed as punishment.
S.C. 1992, c. 33, s. 58.

Consentement du Tribunal
59. Il ne peut être engagé de poursuites pour infraction à la présente partie sans l'autorisation écrite du Tribunal.
L.C. 1992, ch. 33, art. 59.

Consent of Tribunal before prosecution
59. No prosecution may be instituted in respect of an offence under this Part without the consent in writing of the Tribunal.
S.C. 1992, c. 33, s. 59.

Preuve

Evidence

Décisions du Tribunal
60. (1) Le document censé contenir ou constituer une copie d'une décision du Tribunal et signé par un de ses membres est admissible en justice sans qu'il soit nécessaire de prouver l'authenticité de la signature ou la qualité officielle du signataire, ni de présenter d'autres éléments de preuve.

Documents as evidence
60. (1) Any document purporting to contain or to be a copy of a determination of the Tribunal and to be signed by a member thereof is admissible in evidence in any court without proof of the signature or official character of the member or any further proof.

Certificat du ministre
(2) Le certificat censé signé par le ministre ou un fonctionnaire affecté au Service fédéral de médiation et de conciliation et attestant la réception ou la transmission — avec la date —, ou au contraire la non-réception ou la non-transmission, par le ministre des documents prévus par la présente partie est admissible en justice sans qu'il soit nécessaire de prouver l'authenticité de la signature qui y est apposée ou la qualité officielle du signataire, ni de présenter d'autres éléments de preuve.
L.C. 1992, ch. 33, art. 60; 1996, c. 11, art. 88(A); 1998, ch. 26, art. 84.

Certificate of Minister is evidence
(2) A certificate, purporting to be signed by the Minister or an official of the Federal Mediation and Conciliation Service, stating that any document referred to in this Part was or was not received or given by the Minister pursuant to this Part and, if received or given, stating the date that it was received or given, is admissible in evidence in any court without proof of the signature or official character of the Minister or official, or any further proof.
S.C. 1992, c. 33, s. 60; 1996, c. 11, s. 88(E); 1998, c. 26, s. 84.

Rapport annuel

Annual Report

Rapport annuel du Tribunal
61. Au plus tard le 31 janvier qui suit la fin de chaque exercice, le Tribunal présente au ministre son rapport d'activité pour l'exer-

Annual report
61. The Tribunal shall, on or before January 31 next following the end of each fiscal year, submit to the Minister a report on the activi-

cice précédent. Ce dernier le fait déposer devant le Parlement dans les quinze jours suivant sa réception ou, si le Parlement ne siège pas, dans les quinze premiers jours de séance ultérieurs de l'une ou l'autre chambre.
L.C. 1992, ch. 33, art. 61.

ties of the Tribunal during the immediately preceding fiscal year, and the Minister shall cause the report to be laid before Parliament within fifteen days after the receipt thereof or, if Parliament is not then sitting, on any of the first fifteen days thereafter that either House of Parliament is sitting.
S.C. 1992, c. 33, s. 61.

Dispositions diverses

Vices de forme ou de procédure

62. Les actes accomplis au titre de la présente partie ne sont pas susceptibles d'invalidation au seul motif qu'ils sont entachés d'un vice de forme ou de procédure.
S.C. 1992, ch. 33, art. 62.

Rémunération et indemnités

63. Les personnes qui exercent, à la demande du ministre, les attributions prévues par la présente partie, à l'exception des arbitres et présidents de conseil d'arbitrage, recoivent la rémunération et les indemnités fixées par règlement si elles ne font pas partie de l'administration publique fédérale.
L.C. 1992, ch. 33, art. 63.

Indemnités des témoins

64. Il est alloué à tout témoin qui se rend à la convocation du Tribunal, dans le cadre des affaires dont il est saisi, la rétribution et les indemnités en vigueur pour les témoins en matière civile dans la juridiction de droit commun de la province où elles sont entendues.
L.C. 1992, ch. 33, art. 64.

Dépositions en justice

65. Les membres du Tribunal et de son personnel, ainsi que toutes les personnes nommées par lui ou le ministre au titre de la présente partie, ne sont pas tenus de déposer en justice relativement à des renseignements obtenus dans l'exercice de leurs fonctions.
L.C. 1992, ch. 33, art. 65.

Miscellaneous

Defect in form or irregularity

62. No proceeding under this Part is invalid by reason only of a defect in form or a technical irregularity.
S.C. 1992, c. 33, s. 62.

Remuneration and expenses

63. Every person not employed in the public service of Canada who, at the request of the Minister, performs functions under this Part in any capacity, other than as an arbitrator or arbitration board chairperson, shall be paid the remuneration and expenses prescribed by regulation.
S.C. 1992, c. 33, s. 63.

Witness fees and expenses

64. A person who is summoned by the Tribunal and attends as a witness in any proceeding taken under this Part is entitled to be paid the allowance for expenses and the witness fees that are in force with respect to witnesses in civil suits in the superior court of the province in which the proceeding is taken.
S.C. 1992, c. 33, s. 64.

Member of Tribunal, employee, etc., not required to give evidence

65. No member or employee of the Tribunal or any person appointed by the Tribunal or the Minister under this Part is required to give evidence in any civil action, suit or other proceeding, respecting information obtained in the discharge of duties under this Part.
S.C. 1992, c. 33, s. 65.

Examen de la Loi

66. (1) La septième année suivant l'entrée en vigueur du présent article, le ministre du Patrimoine canadien en consultation avec le ministre, procède à l'examen de la présente loi et des conséquences de son application. Aussitôt après, il présente à chaque chambre du Parlement son rapport sur la question, dans lequel il fait état des modifications qu'il juge souhaitables.

Saisie automatique

(2) Le comité de la Chambre des communes habituellement chargé des questions relatives à la culture est automatiquement saisi du rapport.

L.C. 1992, ch. 33, art. 66; 1995, ch. 11, art. 42.

Review of Act

66. (1) In the seventh year after the coming into force of this section, the Minister of Canadian Heritage, in consultation with the Minister, shall undertake a review of the provisions and operations of this Act and shall immediately submit to each House of Parliament a report thereon including a statement of any changes the Minister of Canadian Heritage would recommend.

Permanent referral

(2) The report submitted to the House of Commons pursuant to subsection (1) stands permanently referred to the committee of that House that normally considers cultural matters.

S.C. 1992, c. 33, s. 66; 1995, c. 11, s. 42.

DISPOSITIONS TRANSITOIRES

Ententes antérieures

67. (1) Sur avis en ce sens expédié au Tribunal par les deux parties, toute entente portant sur des conditions d'engagement d'artistes et conclue avant l'entrée en vigueur du présent article continue, en ce qui touche ses dispositons compatibles avec la présente partie, à s'appliquer jusqu'à son expiration, la conclusion d'un accord-cadre ou la date que le Tribunal peut fixer sur demande, comme s'il s'agissait d'un accord-cadre conclu sous le régime de la présente partie; les parties à cette entente sont dès lors assimilées à une association d'artistes et à un producteur.

Demande d'accréditation et négociation

(2) Par dérogation au paragraphe 31(2), toute association d'artistes peut, avant l'expiration de cette entente, demander son accréditation sous le régime de la présente partie et, une fois accréditée, transmettre à l'autre partie un avis de négociation en vue du renouvellement ou de la révision de l'entente visée au paragraphe (1) ou de la conclusion d'un accord-cadre.

Précision

(3) La demande d'accréditation présentée en application du paragraphe (2) ou la négocia-

TRANSITIONAL

Previous agreements

67. (1) On notice in writing to the Tribunal by the parties to any agreement concerning the terms of engagement of artists that is in effect on the coming into force of this section, the terms and conditions of the agreement that are not inconsistent with this Part shall continue to bind the parties to the agreement for any period that the Tribunal may determine on application, or until the agreement expires or a scale agreement is entered into, as if the agreement were a scale agreement under this Part, and each party to the agreement shall be treated as if the party were an artists' association or a producer.

Request for certification

(2) An artists' association may apply for certification at any time before the termination of an agreement referred to in subsection (1), and may issue a notice at any time after certification, notwithstanding subsection 31(2), requiring the other party to begin bargaining in order to renew or revise the agreement or to enter into a scale agreement.

Presumption

(3) The application for certification and subsequent negotiation of a scale agreement by

tion d'un accord-cadre ne constituent pas des pratiques déloyales au sens des articles 50 et 51.

an artists' association certified in the circumstances described in subsection (2) are deemed not to be unfair practices contrary to sections 50 and 51.

Effet des accords-cadres sur les ententes

(4) L'accord-cadre conclu entre un producteur et une association d'artistes n'emporte révocation de l'entente conclue avant l'entrée en vigueur du présent article que dans la mesure où il s'applique aux artistes et producteurs du secteur pour lequel l'association est accréditée.
L.C. 1992, ch. 33, art. 67.

Effect of scale agreement on previous agreements

(4) A scale agreement entered into under this Part revokes all agreements entered into before the coming into force of this section in so far as the scale agreement applies to the artists and producers in the sector in respect of which the association is certified.
S.C. 1992, c. 33, s. 67.

MODIFICATIONS CORRÉLATIVES

Loi sur l'accès à l'information

L.R.C., ch. A-1

68. L'annexe I de *Loi sur l'accès à l'information* est modifiée par insertion, suivant l'ordre alphabétique, sous l'intertitre « *Autres institutions fédérales* », de ce qui suit :

Tribunal canadien des relations professionnelles artistes-producteurs
Canadian Artists and Producers Professional Relations Tribunal
L.C. 1992, ch. 33, art. 68.

CONSEQUENTIAL AMENDMENTS

Access to Information Act

R.S.C., c. A-1

68. Schedule I to the *Access to Information Act* is amended by adding thereto, in alphabetical order under the heading "*Other Government Institutions*", the following:

Canadian Artists and Producers Professional Relations Tribunal
Tribunal canadien des relations professionnelles artistes-producteurs
S.C. 1992, c. 33, s. 68.

Loi sur la Cour fédérale

L.R.C., ch. F-7

69. Le paragraphe 28(1) de la *Loi sur la Cour fédérale*, édicté par l'article 8 du chapitre 8 des Lois du Canada (1990), est modifié par adjonction de ce qui suit :

o) le Tribunal canadien des relations professionnelles artistes-producteurs constitué par le paragraphe 10(1) de la *Loi sur le statut de l'artiste*.
L.C. 1992, ch. 33, art. 69.

Federal Court Act

R.S.C., c. F-7

69. Subsection 28(1) of the *Federal Court Act*, as enacted by section 8 of chapter 8 of the Statutes of Canada, 1990, is amended by striking out the word "and" at the end of paragraph (*m*) thereof, by adding the word "and" at the end of paragraph (*n*) thereof, and by adding thereto the following paragraph:

(*o*) the Canadian Artists and Producers Professional Relations Tribunal established by subsection 10(1) of the *Status of the Artist Act*.
S.C. 1992, c. 33, s. 69.

Loi sur la protection des renseignements personnels

L.R.C., ch. P-21

70. L'annexe de *Loi sur la protection des renseignements personnels* est modifiée par insertion, suivant l'ordre alphabétique, sous l'intertitre « *Autres institutions fédérales* », de ce qui suit :

Tribunal canadien des relations professionnelles artistes-producteurs
Canadian Artists and Producers Professional Relations Tribunal
L.C. 1992, ch. 33, art. 70.

ENTRÉE EN VIGUEUR

Décret

71. La présente loi ou telle de ses dispositions entre en vigueur à la date ou aux dates fixées par décret du gouverneur en conseil.
L.C. 1992, ch. 33, art. 71.

Privacy Act

R.S.C., c. P-21

70. The schedule to the *Privacy Act* is amended by adding thereto, in alphabetical order under the heading *"Other Government Institutions"*, the following:

Canadian Artists and Producers Professional Relations Tribunal
Tribunal canadien des relations professionnelles artistes-producteurs
S.C. 1992, c. 33, s. 70.

COMING INTO FORCE

Coming into force

71. This Act or any provision thereof shall come into force on a day or days to be fixed by order of the Governor in Council.
S.C. 1992, c. 33, s. 71.

RÈGLEMENT SUR LES CATÉGORIES PROFESSIONNELLES (LOI SUR LE STATUT DE L'ARTISTE)

Table des matières

STATUS OF THE ARTIST ACT PROFESSIONAL CATEGORY REGULATIONS

Table of Contents

Règlement sur les catégories professionnelles (Loi sur le statut de l'artiste)

DORS/99-191

Loi sur le statut de l'artiste
(L.R.C. 1985, ch. S-19.6
[L.C. 1992, ch. 33])

RÈGLEMENT SUR LES CATÉGORIES PROFESSIONNELLES (LOI SUR LE STATUT DE L'ARTISTE)

DÉFINITIONS

1. Les définitions qui suivent s'appliquent au présent règlement.
« création d'une production » Création d'une production dans les domaines suivants : arts de la scène, musique, danse et variétés, cinéma, radio et télévision, enregistrements sonores, vidéo, doublage et réclame publicitaire. *(creation of a production)*
« Loi » La *Loi sur le statut de l'artiste. (Act)*

CATÉGORIES PROFESSIONNELLES

2. (1) Sous réserve du paragraphe (2), pour l'application du sous-alinéa 6(2)*b)*(iii) de la Loi, sont établies à l'égard de la création d'une production les catégories professionnelles visées aux alinéas *a)* à *e)*, qui comprennent les professions dont l'exercice contribue directement à la conception de la production et consiste à effectuer une ou plusieurs des activités décrites aux alinéas respectifs :
a) catégorie 1 : conception de l'image, de l'éclairage et du son;
b) catégorie 2 : conception de costumes, coiffures et maquillages;
c) catégorie 3 : scénographie;

Status of the Artist Act Professional Category Regulations

SOR/99-191

Status of the Artist Act
(R.S.C. 1985, c. S-19.6
[S.C. 1992, c. 33])

STATUS OF THE ARTIST ACT PROFESSIONAL CATEGORY REGULATIONS

INTERPRETATION

1. The definitions in this section apply in these Regulations.
"Act" means the *Status of the Artist Act. (Loi)*
"creation of a production" means the creation of a production in the performing arts, music, dance and variety entertainment, film, radio and television, video, sound-recording, dubbing or the recording of commercials. *(création d'une production)*

PROFESSIONAL CATEGORIES

2. (1) Subject to subsection (2), in relation to the creation of a production, the following professional categories comprising professions in which the practitioner contributes directly to the creative aspects of the production by carrying out one or more of the activities set out in paragraph *(a)*, *(b)*, *(c)*, *(d)* or *(e)*, respectively, are prescribed as professional categories for the purposes of subparagraph 6(2)*(b)*(iii) of the Act:
(a) category 1 – camera work, lighting and sound design;
(b) category 2 – costumes, coiffure and make-up design;

d) catégorie 4 : arrangements et orchestration;
e) catégorie 5 : recherche aux fins de productions audiovisuelles, montage et enchaînement.

(2) Sont exclues des catégories professionnelles visées au paragraphe (1) :
a) les professions qui consistent à effectuer, dans le cadre de toute activité visée au paragraphe (1), la comptabilité, la vérification ou le travail juridique, publicitaire, de représentation, de gestion, administratif ou d'écriture, ou autre travail de soutien;
b) les professions qu'exercent les personnes visées au sous-alinéa 6(2)*b)*(i) de la Loi ou qui consistent à effectuer une activité visée au sous-alinéa 6(2)*b)*(ii) de la Loi.

ENTRÉE EN VIGUEUR

3. Le présent règlement entre en vigueur le 22 avril 1999.

(c) category 3 – set design;
(d) category 4 – arranging and orchestrating; and
(e) category 5 – research for audiovisual productions, editing and continuity.

(2) The professional categories prescribed by subsection (1) do not include any profession in which the practitioner of the profession
(a) carries out, in connection with an activity referred to in subsection (1), the activities of accounting, auditing, legal, representation, publicity or management work or clerical, administrative or other support work; or
(b) is a person referred to in subparagraph 6(2)*(b)*(i) of the Act or carries out an activity referred to in subparagraph 6(2)*(b)*(ii) of the Act.

COMING INTO FORCE

3. These Regulations come into force on April 22, 1999.

LOI SUR LE STATUT PROFESSIONNEL ET LES CONDITIONS D'ENGAGEMENT DES ARTISTES DE LA SCÈNE, DU DISQUE ET DU CINÉMA

Table des matières

AN ACT RESPECTING THE PROFESSIONAL STATUS AND CONDITIONS OF ENGAGEMENT OF PERFORMING, RECORDING AND FILM ARTISTS

Table of Contents

LOI SUR LE STATUT PROFESSIONNEL ET LES CONDITIONS D'ENGAGEMENT DES ARTISTES DE LA SCÈNE, DU DISQUE ET DU CINÉMA

L.R.Q., c. S-32.1

Modifiée par L.Q. 1988, c. 69; 1990, c. 4; 1992, c. 61; 1994, c. 14; 1997, c. 26; 1999, c. 5; 2000, c. 8; 2000, c. 56.

CHAPITRE I
CHAMP D'APPLICATION ET DÉFINITIONS

Application

1. La présente loi s'applique aux artistes et aux producteurs qui retiennent leurs services professionnels dans les domaines de production artistique suivants : la scène y compris le théâtre, le théâtre lyrique, la musique, la danse et les variétés, le film, le disque et les autres modes d'enregistrement du son, le doublage et l'enregistrement d'annonces publicitaires.
L.Q. 1987, c. 72, art. 1.

Interprétation

2. Dans la présente loi, à moins que le contexte n'indique un sens différent, on entend par :

«artiste» *"artist"*

«artiste» une personne physique qui pratique un art à son propre compte et qui offre ses services, moyennant rémunération, à titre de créateur ou d'interprète, dans un domaine visé à l'article 1;

«film» *"film"*

«film» une oeuvre produite à l'aide d'un moyen technique et ayant comme résultat un effet cinématographique, quel qu'en soit le support, y compris le vidéo;

AN ACT RESPECTING THE PROFESSIONAL STATUS AND CONDITIONS OF ENGAGEMENT OF PERFORMING, RECORDING AND FILM ARTISTS

R.S.Q., c. S-32.1

Amended by S.Q. 1988, c. 69; 1990, c. 4; 1992, c. 61; 1994, c. 14; 1997, c. 26; 1999, c. 5; 2000, c. 8; 2000, c. 56.

CHAPTER I
SCOPE AND DEFINITIONS

Scope

1. This Act applies to artists and to producers who retain their professional services in the following fields of artistic endeavour: the stage, including the theatre, the opera, music, dance and variety entertainment, the making of films, the recording of discs and other modes of sound recording, dubbing, and the recording of commercial advertisements.
S.Q. 1987, c. 72, s. 1.

Interpretation

2. In this Act, unless the context indicates a different meaning,

"artist" *«artiste»*

"artist" means any natural person who practises an art on his own account and who offers his services for remuneration, as a creator or performer in any field of artistic endeavour referred to in section 1;

"film" *«film»*

"film" means a work produced with the use of technical means resulting in a cinematographic effect, regardless of the medium, and includes a video;

«producteur» ***"producer"***
«producteur» une personne ou une société qui retient les services d'artistes en vue de produire ou de représenter en public une oeuvre artistique dans un domaine visé à l'article 1.
L.Q. 1987, c. 72, art. 2; 1999, c. 5, art. 310.

"producer" ***«producteur»***
"producer" means a person or partnership who or which retains the services of artists in view of producing or presenting to the public an artistic work in a field of endeavour contemplated in section 1.
S.Q. 1987, c. 72, s. 2; 1999, c. 5, s. 310.

Société commerciale
3. Le fait pour un artiste de fournir ses services personnels au moyen d'une société ou d'une personne morale ne fait pas obstacle à l'application de la présente loi.
L.Q. 1987, c. 72, art. 3; 1997, c. 26, art. 1.

Business firm
3. The fact that an artist furnishes personal services through a partnership or legal person is no obstacle to the application of this Act.
S.Q. 1987, c. 72, s. 3; 1997, c. 26, s. 1.

Couronne liée
4. La présente loi lie le gouvernement, ses ministères et organismes.
L.Q. 1987, c. 72, art. 4; 1997, c. 26, art. 2.

Binding effect
4. This Act is binding on the Government and on government departments and bodies.
S.Q. 1987, c. 72, s. 4; 1997, c. 26, s. 2.

Restriction
5. La présente loi ne s'applique pas à une personne dont les services sont retenus pour une occupation visée par une accréditation accordée en venu du *Code du travail* (L.R.Q., c. C-27) ou par un décret adopté en vertu de la *Loi sur les décrets de convention collective* (L.R.Q., c. D-2).
L.Q. 1987, c. 72, art. 5.

Inapplicability
5. This Act does not apply to a person whose services are retained for an occupation contemplated by a certification granted under the *Labour Code* (R.S.Q., c. C-27) or a decree passed under the *Act respecting collective agreement decrees* (R.S.Q., c. D-2).
S.Q. 1987, c. 72, s. 5.

CHAPITRE II
STATUT PROFESSIONNEL DE L'ARTISTE

Artiste à son compte
6. Pour l'application de la présente loi, l'artiste qui s'oblige habituellement envers un ou plusieurs producteurs au moyen de contrats portant sur des prestations déterminées, est réputé pratiquer un art à son propre compte.
L.Q. 1987, c. 72, art. 6.

Association
7. L'artiste a la liberté d'adhérer à une association d'artistes, de participer à la formation d'une telle association, à ses activités et à son administration.
L.Q. 1987, c. 72, art. 7.

CHAPTER II
PROFESSIONAL STATUS OF ARTISTS

Status
6. For the purposes of this Act, an artist who regularly binds himself to one or several producers by way of engagement contracts pertaining to specified performances is deemed to practise an art on his own account.
S.Q. 1987, c. 72, s. 6.

Choice of association
7. Every artist is free to join any artists' association he chooses and to participate in its establishment, activities and administration.
S.Q. 1987, c. 72, s. 7.

Conditions d'engagement

8. L'artiste a la liberté de négocier et d'agréer les conditions de son engagement par un producteur. L'artiste et le producteur liés par une même entente collective, ne peuvent toutefois stipuler une condition moins avantageuse pour l'artiste qu'une condition prévue par cette entente.
L.Q. 1987, c. 72, art. 8.

Conditions of engagement

8. Every artist is free to negotiate and agree the conditions of his engagement by a producer. An artist and a producer bound by the same group agreement cannot, however, stipulate a condition that is less advantageous for the artist than the condition stipulated in the group agreement.
S.Q. 1987, c. 72, s. 8.

CHAPITRE III
RECONNAISSANCE D'UNE ASSOCIATION D'ARTISTES

CHAPTER III
RECOGNITION OF ARTISTS' ASSOCIATIONS

SECTION I
DROIT À LA RECONNAISSANCE

DIVISION I
RIGHT TO RECOGNITION

Exigences préalables

9. A droit à la reconnaissance, l'association d'artistes qui satisfait aux conditions suivantes :
1° elle est un syndicat professionnel ou une association dont l'objet est similaire à celui d'un syndicat professionnel au sens de la *Loi sur les syndicats professionnels* (L.R.Q., c. S-40);
2° elle rassemble la majorité des artistes d'un secteur de négociation défini par la Commission de reconnaissance des associations d'artistes et des associations de producteurs instituée par l'article 43.
L.Q. 1987, c. 72, art. 9; 1997, c. 26, art. 3.

Recognition

9. Every artists' association which
(1) is a professional syndicate or an association having an object similar to that of a professional syndicate within the meaning of the *Professional Syndicates Act* (R.S.Q., c. S-40),
(2) comprises the majority of artists in any negotiating sector defined by the Commission de reconnaissance des associations d'artistes et des associations de producteurs established by section 43,
is entitled to recognition.
S.Q. 1987, c. 72, s. 9; 1997, c. 26, s. 3.

Règlements

10. Une association ne peut être reconnue que si elle a adopté des règlements :
1° établissant des conditions d'admissibilité fondées sur des exigences de pratique professionnelle propres aux artistes;
2° établissant des catégories de membres dont elle détermine les droits, notamment le droit de participer aux assemblées et le droit de voter;
3° conférant aux membres visés par un projet d'entente collective le droit de se prononcer par scrutin secret sur sa teneur lorsque ce projet comporte une modification aux taux de rémunération prévus à une entente liant déjà l'association envers une association de producteurs ou un autre producteur du même secteur;

By-laws

10. No association may be recognized unless it adopts by-laws
(1) prescribing membership requirements based on the professional attributes of artists;
(2) establishing classes of members and determining the rights of each class, in particular the right to take part in meetings and the right to vote;
(3) conferring on the members included under a draft group agreement the right to vote by secret ballot on its contents where the draft agreement contains an amendment to the rates of remuneration provided in an existing agreement binding between the association and an association of producers or another producer in the same sector;

4° prescrivant l'obligation de soumettre à l'approbation des membres qualifiés toute décision sur les conditions d'admissibilité à l'association;
5° prescrivant la convocation obligatoire d'une assemblée générale ou la tenue d'une consultation auprès des membres lorsque 10 % d'entre eux en font la demande.
L.Q. 1987, c. 72, art. 10; 1997, c. 26, art. 4.

(4) prescribing that all decisions as to membership requirements shall be submitted to the qualified members for approval;
(5) making the calling of a general meeting or the polling of the members mandatory where 10% of the members request it.
S.Q. 1987, c. 72, s. 10; 1997, c. 26, s. 4.

Interdiction
11. Les règlements d'une association d'artistes ne doivent contenir aucune disposition ayant pour effet d'empêcher injustement un artiste d'adhérer ou de maintenir son adhésion à l'association d'artistes ou de se qualifier comme membre de celle-ci.
L.Q. 1987, c. 72, art. 11.

Prohibition
11. The by-laws of an artists' association shall contain no provision whereby an artist would be unjustly prevented from joining or maintaining his membership in the association or from qualifying for membership in the association.
S.Q. 1987, c. 72, s. 11.

Interdiction
11.1 Aucun artiste, ni aucune personne agissant pour un artiste ou pour une association reconnue d'artistes ne peut chercher à dominer, entraver ou financer la formation ou les activités d'une association de producteurs, ni empêcher quiconque d'y participer.

Prohibition
11.1 No artist or person acting on behalf of an artist or a recognized artists' association shall seek to dominate, hinder or finance the formation or the activities of any association of producers, or to prevent any person from participating therein.

Interdiction
Aucun producteur, ni aucune personne agissant pour un producteur ou pour une association de producteurs ne peut chercher à dominer, entraver ou financer la formation ou les activités d'une association reconnue d'artistes, ni empêcher quiconque d'y participer.
L.Q. 1997, c. 26, art. 5.

Prohibition
No producer or person acting on behalf of a producer or an association of producers shall seek to dominate, hinder or finance the formation or the activities of a recognized artists' association, or to prevent any person from participating therein.
S.Q. 1997, c. 26, s. 5.

Interdiction
11.2 Nul ne peut user d'intimidation ou de menaces pour amener quiconque à devenir membre, à s'abstenir de devenir membre ou à cesser d'être membre d'une association d'artistes ou d'une association de producteurs.
L.Q. 1997, c. 26, art. 5.

Prohibition
11.2 No person shall use intimidation or threats to induce anyone to become, refrain from becoming or cease to be a member of an artists' association or an association of producers.
S.Q. 1997, c. 26, s. 5.

SECTION II
PROCÉDURE DE RECONNAISSANCE

Demande à la Commission
12. La reconnaissance est demandée par une association d'artistes au moyen d'un écrit adressé à la Commission.

DIVISION II
RECOGNITION PROCEDURE

Application
12. An artists' association shall apply for recognition by way of a written application addressed to the Commission.

Autorisation
La demande doit être autorisée par résolution de l'association et signée par des représentants spécialement mandatés à cette fin.
L.Q. 1987, c. 72, art. 12.

Authorization
The application must be authorized by a resolution of the association and signed by representatives specially mandated for that purpose.
S.Q. 1987, c. 72, s. 12.

Secteurs de négociation
13. Une association peut demander à être reconnue pour un ou plusieurs secteurs de négociation.
L.Q. 1987, c. 72, art. 13.

Negotiating sectors
13. An association may apply for recognition for one or several negotiating sectors.
S.Q. 1987, c. 72, s. 13.

Période de la demande
14. Une reconnaissance peut être demandée :
1° en tout temps à l'égard d'un secteur pour lequel aucune association n'est reconnue;
2° dans les trois mois précédant chaque cinquième anniversaire de la date d'une prise d'effet d'une reconnaissance.

Periods for application
14. Recognition may be applied for
(1) at any time in respect of a sector for which no association is recognized;
(2) within the three months preceding every fifth anniversary of the date of taking effect of a recognition.

Demande de reconnaissance
Toutefois, lorsque la Commission a déjà été saisie, par une association d'artistes, d'une demande de reconnaissance pour un secteur, une autre association ne peut présenter une demande pour ce même secteur ou partie de celui-ci, que dans les vingt jours suivant la publication de l'avis visé à l'article 16.
L.Q. 1987, c. 72, art. 14; 1988, c. 69, art. 51; 1997, c. 26, art. 6.

Exception
However, where an artists' association has filed an application for recognition in respect of a sector with the Commission, no other artists' association may file an application for that sector or for part of that sector except within the 20 days following the publication of a notice under section 16.
S.Q. 1987, c. 72, s. 14; 1988, c. 69, s. 51; 1997, c. 26, s. 6.

Copie des règlements
15. La demande de reconnaissance doit être accompagnée d'une copie certifiée conforme des règlements de l'association et de la liste de ses membres.
L.Q. 1987, c. 72, art. 15.

Accompanying documents
15. The application for recognition must be accompanied with a certified copy of the by-laws of the association and the membership list.
S.Q. 1987, c. 72, s. 15.

Détermination de la représentativité
16. Lorsqu'elle est saisie d'une demande de reconnaissance, la Commission peut prendre toute mesure qu'elle juge nécessaire pour déterminer si les effectifs de l'association constituent la majorité des artistes du secteur visé. Elle peut notamment tenir un référendum.

Ruling
16. Where the Commission is called upon to rule on an application for recognition, it may take any measure it considers necessary to ascertain whether the membership of the association accounts for the majority of artists in the sector concerned. The Commission may, for instance, hold a referendum.

Avis dans deux quotidiens
La Commission doit donner avis dans au moins deux quotidiens de circulation géné-

Publication of notice
The Commission shall publish, in at least two daily newspapers having general circulation

rale au Québec du dépôt d'une demande de reconnaissance. Elle doit pareillement donner avis de son intention de procéder à une détermination de la représentativité de l'association et des mesures qu'elle juge nécessaires de prendre à cette fin. Elle doit indiquer, dans l'avis, la date limite pour présenter une demande de reconnaissance pour le secteur visé ou partie de ce secteur ou pour intervenir en vertu de l'article 17.

in Québec, a notice of the filing of an application for recognition. The Commission shall similarly publish a notice indicating that it intends to ascertain the representativeness of the association and indicating what measures it has decided to take for that purpose. The Commission must state, in the notice, the closing date for filing an application for recognition for the sector or part of the sector concerned, and for addressing the Commission under section 17.

Territoire visé

Lorsque la reconnaissance porte sur un secteur de négociation défini pour une partie seulement du territoire du Québec, un avis prévu au deuxième alinéa peut être donné une fois dans un quotidien de circulation générale au Québec et une fois dans un quotidien circulant dans la partie du territoire visé par la reconnaissance.
L.Q. 1987, c. 72, art. 16; 1988, c. 69, art. 52; 1997, c. 26, art. 7.

Notice in recognized territory

Where an application for recognition relates to a negotiating sector defined for only part of the territory of Québec, a notice provided for in the second paragraph may be given once in a daily newspaper having general circulation in Québec and once in a daily newspaper having circulation in the part of the territory included under the recognition.
S.Q. 1987, c. 72, s. 16; 1988, c. 69, s. 52; 1997, c. 26, s. 7.

Intervention

17. Lors d'une demande de reconnaissance, les artistes et les associations d'artistes de même que tout producteur et toute association de producteurs peuvent intervenir devant la Commission sur la définition du secteur de négociation.

Negotiating sector

17. Where an application for recognition is being considered, the artists, the artists' associations and any producer or association of producers may address the Commission on the question of defining the negotiating sector.

Parties intéressées

Toutefois, seuls les artistes et les associations d'artistes du secteur ainsi défini sont parties intéressées en ce qui a trait au caractère majoritaire des adhérents à l'association requérante.

Interested parties

Notwithstanding the foregoing, only the artists and the artists' associations in the sector so defined are interested parties with respect to whether the members of the applicant association are in the majority.

Délai de présentation

Ces interventions doivent être présentées à la Commission dans les vingt jours suivant la publication de l'avis prévu à l'article 16.
L.Q. 1987, c. 72, art. 17; 1997, c. 26, art. 8.

Time limit

An address to the Commission must be presented within 20 days following the publication of a notice under section 16.
S.Q. 1987, c. 72, s. 17; 1997, c. 26, s. 8.

Acceptation de la Commission

18. Si elle constate que l'association rassemble la majorité des artistes du secteur et si elle estime que ses règlements satisfont aux exigences de la présente loi, la Commission

Granting of recognition

18. If the Commission is satisfied that the association comprises the majority of artists in the sector concerned and that its by-laws fulfil the requirements of this Act, it shall

accorde la reconnaissance.
L.Q. 1987, c. 72, art. 18.

Médiateur
18.1 Lorsque la Commission a été saisie d'une demande de reconnaissance pour un secteur et qu'une autre association présente une demande pour ce même secteur ou partie de celui-ci, les parties peuvent conjointement demander à la Commission de désigner un médiateur.

Frais
Les parties assument les frais et la rémunération du médiateur.
L.Q. 1997, c. 26, art. 9.

Avis à la G.O.Q.
19. Lorsque la Commission accorde la reconnaissance, elle en donne avis à la *Gazette officielle du Québec* après l'expiration d'un délai de quinze jours de la transmission de la décision aux parties intéressées. La reconnaissance prend effet à compter de la date de cette publication.
L.Q. 1987, c. 72, art. 19.

SECTION III
ANNULATION DE LA RECONNAISSANCE

Vérification
20. Sur demande d'au moins 25 % des artistes du secteur dans lequel une association a été reconnue ou sur demande d'une association de producteurs visée par la reconnaissance, la Commission doit vérifier si cette association rassemble la majorité des artistes du secteur.

Périodes
Une demande de vérification ne peut être faite qu'aux périodes visées au paragraphe 2° de l'article 14.

Annulation
La Commission annule la reconnaissance d'une association si elle estime que celle-ci ne rassemble plus la majorité des artistes du secteur.
L.Q. 1987, c. 72, art. 20.

grant recognition to the association.
S.Q. 1987, c. 72, s. 18.

Mediator
18.1 Where an application for recognition for a sector has been filed with the Commission, and where another association has filed an application for that sector or part of that sector, the parties may, jointly, request that the Commission appoint a mediator.

Cost
The remuneration and expenses of the mediator shall be borne by the parties.
S.Q. 1997, c. 26, s. 9.

Publication of notice
19. Where the Commission grants recognition, it shall publish a notice thereof in the *Gazette officielle du Québec* at the expiry of fifteen days after transmission of the decision to the interested parties. The recognition takes effect on the date of the publication.
S.Q. 1987, c. 72, s. 19.

DIVISION III
WITHDRAWAL OF RECOGNITION

Application for verification
20. On the application of not less than 25% of the artists in the sector in which an association is recognized or on the application of an association of producers affected by the recognition, the Commission shall verify whether the association comprises the majority of artists in the sector.

Periods for application
An application for verification may be made only in the periods contemplated in paragraph 2 of section 14.

Withdrawal
The Commission shall withdraw recognition from an association if it considers that its membership no longer comprises the majority of artists in the sector.
S.Q. 1987, c. 72, s. 20.

Effet de la reconnaissance

21. La reconnaissance d'une association d'artistes annule la reconnaissance de toute autre association d'artistes dans le secteur de négociation visé par la nouvelle reconnaissance.
L.Q. 1987, c. 72, art. 21.

Causes d'une annulation

22. La Commission peut en tout temps, sur demande d'une partie intéressée, annuler une reconnaissance s'il est établi que les règlements de l'association ne sont plus conformes aux exigences de la présente loi ou ne sont pas appliqués de manière à leur donner effet.
L.Q. 1987, c. 72, art. 22.

Avis à la G.O.Q.

23. Lorsque la Commission annule la reconnaissance, elle en donne avis à la *Gazette officielle du Québec* de la même manière qu'une décision accordant une reconnaissance. L'annulation prend effet à compter de la date de cette publication.
L.Q. 1987, c. 72, art. 23.

SECTION IV
EFFETS DE LA RECONNAISSANCE

Droits et pouvoirs

24. Dans le secteur de négociation qui y est défini, la reconnaissance confère à l'association d'artistes les droits et pouvoirs suivants :
1° défendre et promouvoir les intérêts économiques, sociaux, moraux et professionnels des artistes;
2° représenter les artistes chaque fois qu'il est d'intérêt général de le faire et coopérer à cette fin avec tout organisme poursuivant des intérêts similaires;
3° faire des recherches et des études sur le développement de nouveaux marchés et sur toute matière susceptible d'affecter les conditions économiques et sociales des artistes;
4° fixer le montant qui peut être exigé d'un membre ou d'un non-membre de l'association;
5° percevoir, le cas échéant, les sommes dues aux artistes qu'elle représente et leur en faire remise;
6° élaborer des contrats-types pour la presta-

New recognition

21. Recognition of an artists' association withdraws recognition of any other artists' association in the sector contemplated by the new recognition.
S.Q. 1987, c. 72, s. 21.

Period for withdrawal

22. On the application of any interested party, the Commission may withdraw recognition at any time if it is proved that the by-laws of the association no longer fulfil the requirements of this Act or are not enforced.
S.Q. 1987, c. 72, s. 22.

Publication of notice

23. Where the Commission withdraws recognition, it shall give notice thereof in the *Gazette officielle du Québec* in the same manner as for a decision granting recognition. The withdrawal takes effect from the date of publication of the notice.
S.Q. 1987, c. 72, s. 23.

DIVISION IV
EFFECTS OF RECOGNITION

Rights and powers of associations

24. Recognition confers, in the sector defined therein, the following rights and powers on an artists' association:
(1) to defend and promote the economic, social, moral and professional interests of the artists;
(2) to represent the artists in every instance where it is in the general interest that it should do so, and to cooperate for that purpose with any organization pursuing similar ends;
(3) to conduct research and surveys on the development of new markets and on any matter which may affect the economic and social situation of the artists;
(4) to fix the amount that a member or non-member of the association may be required to pay;
(5) to collect any amounts due to the artists whom it represents, and remit the amounts to them;
(6) where there is no group agreement, to es-

tion de services et convenir avec les producteurs de leur utilisation lorsqu'il n'y a pas d'entente collective;
7° négocier une entente collective, laquelle doit prévoir un contrat-type pour la prestation de services par les artistes.
L.Q. 1987, c. 72, art. 24; 1997, c. 26, art. 10.

Liste des membres
25. L'association reconnue doit sur demande de la Commission et en la forme que celle-ci détermine, lui transmettre la liste de ses membres.

Modification aux règlements
Elle doit également transmettre copie à la Commission de toute modification à ses règlements.
L.Q. 1987, c. 72, art. 25.

Association de producteurs
26. Toute association de producteurs et tout producteur ne faisant pas partie d'une association de producteurs doivent, aux fins de la négociation d'une entente collective, reconnaître l'association reconnue d'artistes par la Commission comme le seul représentant des artistes dans le secteur de négociation en cause.
L.Q. 1987, c. 72, art. 26; 1997, c. 26, art. 11.

Rétention sur rémunération
26.1 À compter du moment où l'avis de négociation prévu à l'article 28 a été transmis, une association reconnue d'artistes et une association de producteurs ou un producteur ne faisant pas partie d'une association de producteurs peuvent convenir par écrit qu'un producteur devra retenir, sur la rémunération qu'il verse à un artiste, le montant visé au paragraphe 4° de l'article 24.

Versement à l'association
Dans le cas où une entente écrite est conclue entre les parties ou qu'une décision est rendue par un arbitre en vertu du troisième alinéa, le producteur est tenu de remettre à l'association reconnue d'artistes, selon la périodicité établie, les montants ainsi retenus avec un état indiquant le montant prélevé pour chaque artiste.

tablish model contracts for the performance of services and make agreements with the producers as to the use of such contracts;
(7) to negotiate a group agreement, which must include a model contract for the performance of services by the artists.
S.Q. 1987, c. 72, s. 24; 1997, c. 26, s. 10.

Membership list
25. At the request of the Commission, a recognized association shall transmit its membership list to the Commission in the form prescribed thereby.

Amendments to by-laws
The association shall also transmit a copy of any amendment to its by-laws to the Commission.
S.Q. 1987, c. 72, s. 25.

Recognition
26. Every association of producers and every producer who is not a member of an association of producers shall, for the purposes of negotiating a group agreement, recognize the artists' association recognized by the Commission as the sole representative of the artists in the negotiating sector concerned.
S.Q. 1987, c. 72, s. 26; 1997, c. 26, s. 11.

Agreement
26.1 As soon as the notice of negociation provided for in section 28 is sent, a recognized artists' association and an association of producers or a producer who is not a member of an association of producers may agree, in writing, that a producer shall withhold the amount referred to in paragraph 4 of section 24 from the remuneration paid by the producer to an artist.

Remittance
Where an agreement in writing is entered into between the parties or a decision is made by an arbitrator under the third paragraph, the producer is required to remit to the recognized artists' association, at the established intervals, the amounts withheld together with a statement indicating the amount withheld for each artist.

Défaut d'entente
Un an après la transmission de l'avis prévu à l'article 28, à défaut d'entente sur la retenue ou d'entente collective, l'une des parties peut demander à la Commission de désigner un arbitre qui fixe le montant et détermine les modalités d'application de la retenue. Les dispositions du livre VII du *Code de procédure civile* (L.R.Q., c. C-25) s'appliquent à cet arbitrage, compte tenu des adaptations nécessaires.

Arbitrator
One year after the notice provided for in section 28 has been given, one of the parties may, if no agreement on withholding or group agreement has been entered into, apply to the Commission for the designation of an arbitrator who shall fix the amount to be withheld and determine the terms and conditions applicable to the withholding of that amount. The provisions of Book VII of the *Code of Civil Procedure* (R.S.Q., c. C-25), adapted as required, apply to the arbitration.

Frais de l'arbitre
Les parties assument les frais et la rémunération de l'arbitre.
L.Q. 1997, c. 26, art. 12.

Cost
The expenses and remuneration of the arbitrator shall be borne by the parties.
S.Q. 1997, c. 26, s. 12.

Aliénation de l'entreprise
26.2 L'aliénation de l'entreprise d'un producteur ou la modification de sa structure juridique par fusion ou autrement ne met pas fin au contrat de l'artiste.

Alienation
26.2 The alienation of a producer's enterprise, or a change in its legal structure by way of amalgamation or otherwise, does not terminate the contract of an artist.

Personnes liées
Ce contrat lie l'ayant cause du producteur. Celui-ci est lié, notamment, par la rémunération qui peut devenir due à tout artiste qui a initialement contracté avec le producteur, si les productions visées par ces contrats sont transférées au nouveau producteur.
L.Q. 1997, c. 26, art. 12.

Contract binding
The contract is binding on the successor of the producer. The successor is, in particular, bound to pay such remuneration as may become payable to an artist initially under contract with the producer, if the productions to which the contract relates are transferred to the new producer.
S.Q. 1997, c. 26, s. 12.

SECTION V
ENTENTE COLLECTIVE

Négociation d'une entente
27. Dans un secteur de négociation, l'association reconnue d'artistes et une association non reconnue de producteurs ou un producteur ne faisant pas partie d'une telle association peuvent négocier et agréer une entente collective fixant des conditions minimales pour l'engagement des artistes. Lorsqu'il existe une association reconnue de producteurs pour un champ d'activités, l'association reconnue d'artistes ne peut négocier et agréer une entente collective qu'avec cette association.

DIVISION V
GROUP AGREEMENT

Group agreement
27. In a negotiating sector, the recognized artists' association and an unrecognized association of producers or a producer who is not a member of an association of producers may negotiate and conclude a group agreement providing minimum conditions with respect to the engagement of artists. Where an association of producers is recognized for a field of activities, the recognized artists' association shall not negotiate or conclude a group agreement except with that association.

Prise en considération
En négociant une entente collective, les parties doivent prendre en considération l'objectif de faciliter l'intégration des artistes de la relève ainsi que les conditions économiques particulières des petites entreprises de production.
L.Q. 1987, c. 72. art. 27; 1997, c. 26, art. 13.

Junior artists
In negotiating a group agreement, the parties shall take into consideration the objective of facilitating the inclusion of junior artists and the economic conditions prevailing in small production enterprises.
S.Q. 1987, c. 72, s. 27; 1997, c. 26, s. 13.

Initiative de négociation
28. L'association reconnue d'artistes de même que l'association de producteurs ou le producteur ne faisant pas partie d'une association de producteurs selon le cas peuvent prendre l'initiative de la négociation d'une entente collective en donnant à l'autre partie un avis écrit d'au moins dix jours l'invitant à une rencontre en vue de la conclusion d'une entente collective.

Initiation of negotiation
28. The recognized artists' association or the association of producers, or the producer who is not a member of an association of producers, as the case may be, may initiate the negotiation of a group agreement by giving the other party written notice of at least ten days, requesting a meeting in view of the conclusion of a group agreement.

Avis
Lorsque les parties sont déjà liées par une entente collective, l'association reconnue d'artistes, l'association de producteurs ou le producteur ne faisant pas partie d'une association de producteurs peut donner cet avis dans les 120 jours précédant l'expiration de l'entente.
L.Q. 1987, c. 72, art. 28; 1997, c. 26, art. 14.

Notice
Where the parties are already bound by a group agreement, the recognized artists' association or the association of producers, or the producer who is not a member of an association of producers, may give such a notice in the 120 days preceding the expiry of the agreement.
S.Q. 1987, c. 72, s. 28; 1997, c. 26, s. 14.

Copie à la Commission
29. La partie qui donne l'avis prévu à l'article 28 doit en transmettre copie le même jour à la Commission par courrier recommandé ou certifié. Cette dernière informe les parties de la date où elle a reçu copie de cet avis.
L.Q. 1987, c. 72, art. 29.

Copy of notice
29. The party who gives a notice provided for in section 28 must send a copy thereof on the same day to the Commission by registered or certified mail. The Commission shall inform the parties of the date on which it received a copy of the notice.
S.Q. 1987, c. 72, s. 29.

Négociations
30. À compter du moment fixé dans l'avis prévu à l'article 28, les parties doivent commencer les négociations et les poursuivre avec diligence et de bonne foi.
L.Q. 1987, c. 72, art. 30.

Conduct of negotiations
30. The parties must begin to negotiate at the time fixed in the notice provided for in section 28 and conduct the negotiations in good faith.
S.Q. 1987, c. 72, s. 30.

Médiateur
31. Une partie peut, à toute phase des négociations, demander à la Commission de désigner un médiateur.

Mediator
31. At any stage of the negotiations, either party may request the Commission to appoint a mediator.

Frais du médiateur
La Commission assume les frais et la rémunération du médiateur.
L.Q. 1987, c. 72, art. 31; 1997, c. 26, art. 15.

Cost
The expenses and the remuneration of the mediator shall be borne by the Commission.
S.Q. 1987, c. 72, s. 31; 1997, c. 26, s. 15.

Convocation
32. Le médiateur désigné par la Commission convoque les parties intéressées et tente de les amener à un accord.

Calling of meeting
32. The mediator appointed by the Commission shall convene the interested parties and attempt to bring them to a settlement.

Assistance aux réunions
Les parties sont tenues d'assister à toute réunion où le médiateur les convoque.

Attendance
The parties must attend every meeting to which they are convened by the mediator.

Recommandations
Le médiateur peut faire des recommandations aux parties sur les conditions d'engagement des artistes. Il doit remettre son rapport à la Commission et aux parties.
L.Q. 1987, c. 72, art. 32; 1997, c. 26, art. 16.

Recommendations
The mediator may make recommendations to the parties as to the conditions of engagement of artists. The mediator shall submit his report to the Commission and to the parties.
S.Q. 1987, c. 72, s. 32; 1997, c. 26, s. 16.

Choix d'un arbitre
33. Lors de la négociation d'une première entente collective, une partie peut demander à la Commission de désigner un arbitre si l'intervention du médiateur s'est avérée infructueuse.

Arbitrator
33. During the negociation of a first group agreement, either party may apply to the Commission for the designation of an arbitrator if the intervention of the mediator has not been successful.

Demande conjointe
Pour la négociation des ententes collectives subséquentes, la demande de désignation d'un arbitre doit être faite conjointement par les parties à l'entente antérieure.

Subsequent negociation
During the negociation of any subsequent group agreement, the application for the designation of an arbitrator must be made jointly by the parties to the preceding agreement.

Décision arbitrale
La décision arbitrale a le même effet qu'une entente collective.

Award
The arbitration award has the same effect as a group agreement.

Frais de l'arbitre
La Commission assume les frais et la rémunération de l'arbitre.
L.Q. 1987, c. 72, art. 33; 1997, c. 26, art. 17.

Cost
The expenses and remuneration of the arbitrator shall be borne by the Commission.
S.Q. 1987, c. 72, s. 33; 1997, c. 26, s. 17.

Dispositions applicables
33.1 Les articles 76 et 78, le premier alinéa de l'article 79, les articles 80 à 91 et les articles 93 et 93.7 du *Code du travail* (L.R.Q., c. C-27) s'appliquent, compte tenu des adaptations nécessaires, à l'arbitrage prévu à l'article 33.
L.Q. 1997, c. 26, art. 17.

Provisions applicable
33.1 Sections 76 and 78, the first paragraph of section 79, sections 80 to 91 and sections 93 and 93.7 of the *Labour Code* (R.S.Q., c. C-27), adapted as required, apply to the arbitration provided for in section 33.
S.Q. 1997, c. 26, s. 17.

Action concertée

34. À moins qu'une entente n'ait été conclue ou que les parties n'aient soumis leur différend à l'arbitrage, l'association reconnue d'artistes peut, après l'expiration du trentième jour de la date de réception par la Commission de l'avis prévu à l'article 28, déclencher, à l'égard de l'autre partie, une action concertée en vue de l'amener à conclure une entente collective.

Délai

Après l'expiration du même délai, l'association de producteurs et le cas échéant le producteur ne faisant pas partie d'une association de producteurs peuvent déclencher à l'égard de l'association reconnue d'artistes une action concertée en vue de l'amener à conclure une entente collective.

L.Q. 1987, c. 72, art. 34; 1997, c. 26, art. 18.

Transmission de l'entente collective

35. Une copie conforme de l'entente collective et les annexes de celle-ci doivent être transmises à la Commission dans les soixante jours de sa signature. Il en est de même de toute modification qui est apportée par la suite à cette entente collective.

Effet rétroactif

L'entente collective déposée a effet rétroactivement à la date qui y est prévue pour son entrée en vigueur ou, à défaut, à la date de sa signature.

Avis

La partie qui dépose l'entente collective en avise l'autre partie.

L.Q. 1987, c. 72, art. 35; 1997, c. 26, art. 19.

Procédure d'arbitrage

35.1 L'entente collective doit prévoir une procédure d'arbitrage de griefs.

L.Q. 1997, c. 26, art. 19.

Mésentente

35.2 En cas d'arbitrage de griefs, lorsque les parties ne s'entendent pas sur la nomination d'un arbitre ou que l'entente collective ne pourvoit pas à sa nomination, l'une des

Concerted action

34. Unless an agreement has been reached or the parties have submitted their dispute to arbitration, the recognized artists' association may, after the expiry of 30 days after the date the Commission received the notice provided for in section 28, initiate concerted action against the other party so as to induce the party to conclude a group agreement.

Concerted action

After the expiry of the same time, the association of producers and, as the case may be, the producer who is not a member of an association of producers may initiate concerted action against the recognized artists' association so as to induce it to conclude a group agreement.

S.Q. 1987, c. 72, s. 34; 1997, c. 26, s. 18.

Filing

35. A certified copy of the group agreement and of the schedules to the agreement must be filed with the Commission within 60 days of signing. The same rule applies to any amendment subsequently made to the group agreement.

Retroactive effect

Once filed, a group agreement has effect retroactively from the date of coming into force specified in the agreement, if any, or from the date of signing.

Notification

The party filing the group agreement shall notify the other party of the filing.

S.Q. 1987, c. 72, s. 35; 1997, c. 26, s. 19.

Grievance arbitration

35.1 The group agreement shall include a grievance arbitration procedure.

S.Q. 1997, c. 26, s. 19.

Arbitrator

35.2 If, when a grievance is to be submitted to arbitration, the parties cannot agree on the appointment of an arbitrator or the group agreement does not provide for the appoint-

parties peut en demander la nomination à la Commission.
L.Q. 1997, c. 26, art. 19.

Durée d'une première convention

36. La durée d'une première entente collective est d'au plus trois ans. Si la première entente collective résulte d'une décision arbitrale, sa durée est d'au plus deux ans.
L.Q. 1987, c. 72, art. 36; 1997, c. 26, art. 19.

Association remplacée

37. Une association nouvellement reconnue remplace l'association qui était reconnue dans le même secteur ou, selon le cas, dans le même champ d'activités à l'égard de tous les droits et obligations résultant d'une entente collective en vigueur conclue par cette dernière.

Annulation

L'annulation d'une reconnaissance faite sans qu'une nouvelle association ne soit reconnue, met fin à toute entente collective conclue par l'association privée de sa reconnaissance. Toutefois, les conditions minimales de travail contenues dans l'entente collective continuent de s'appliquer jusqu'à la date d'expiration de l'entente collective ou jusqu'à la signature d'une nouvelle entente collective avec une autre association qui se fait reconnaître dans le même secteur ou, selon le cas, dans le même champ d'activités.
L.Q. 1987, c. 72, art. 37; 1997, c. 26, art. 20.

Avis préalable

37.1 Une association reconnue d'artistes doit, avant d'exercer une action concertée, donner un avis préalable de cinq jours au producteur visé ainsi que, le cas échéant, à l'association dont est membre ce producteur.

Avis à l'association

L'association de producteurs et le producteur qui n'est pas membre d'une association doivent, de la même manière, donner semblable avis à l'association reconnue dont sont membres les artistes visés.
L.Q. 1997, c. 26, art. 21.

ment of an arbitrator, one party may apply to the Commission for the appointment of an arbitrator.
S.Q. 1997, c. 26, s. 19.

Term of agreement

36. The term of a first group agreement shall not exceed three years. If the first group agreement results from an arbitration award, the term shall not exceed two years.
S.Q. 1987, c. 72, s. 36; 1997, c. 26, s. 19.

New association

37. A newly recognized association replaces the association formerly recognized in the same sector or, as the case may be, the same field of activities in respect of all the rights and obligations resulting from a group agreement concluded by the latter association and still in force.

Termination of agreement

The withdrawal of recognition unaccompanied with recognition of a new association terminates any group agreement concluded by the association whose recognition is withdrawn. However, the minimum conditions of employment contained in the group agreement shall continue to apply until the date of expiry of the group agreement or until a new group agreement is entered into with another association that is granted recognition in the same sector or in the same field of activities.
S.Q. 1987, c. 72, s. 37; 1997, c. 26, s. 20.

Prior notice

37.1 A recognized artists' association must, before engaging in concerted action, give five days' prior notice to the producer concerned and, where applicable, to the association of which the producer is a member.

Prior notice

The association of producers and the producer who is not a member of an association must, likewise, give five days' prior notice to the recognized association of which the artists concerned are members.
S.Q. 1997, c. 26, s. 21.

Interdiction

38. Pendant la durée d'une entente collective ou d'une décision arbitrale, il est interdit :

1° à une association reconnue et aux artistes qu'elle représente de boycotter ou de conseiller ou d'enjoindre à des artistes de boycotter un producteur ou une association de producteurs lié par cette entente ou décision ou d'exercer à l'égard de ces derniers un moyen de pression de même nature;

2° à un producteur d'exercer tout moyen de pression ayant pour effet de priver de travail les artistes liés par cette entente ou cette décision.

L.Q. 1987, c. 72, art. 38.

Prohibitions

38. During the term of a group agreement or arbitration award,

(1) no recognized association nor any artists it represents may boycott or advise or enjoin artists to boycott a producer or association of producers bound by the agreement or award, or use any similar pressure tactics against them;

(2) no producer may use any pressure tactics that result in depriving of work artists bound by that agreement or award.

S.Q. 1987, c. 72, s. 38.

Moyen de pression

39. Il est interdit à une association reconnue et aux artistes qu'elle représente d'exercer sur une personne un moyen de pression ayant pour objet d'empêcher un producteur avec lequel l'association est liée par une entente collective de produire ou de représenter en public une oeuvre artistique, ou ayant pour objet d'amener un tiers à faire pression sur un producteur ou sur une association de producteurs pour conclure une entente collective.

L.Q. 1987, c. 72, art. 39; 1997, c. 26, art. 22.

Pressure tactics

39. No recognized association nor any artist represented thereby may use pressure tactics against any person that are designed to prevent a producer to whom the association is bound by a group agreement from producing an artistic work or presenting it to the public, or designed to induce a third person to use pressure tactics against a producer or an association of producers to conclude a group agreement.

S.Q. 1987, c. 72, s. 39; 1997, c. 26, s. 22.

Parties liées

40. L'entente collective lie le producteur et tous les artistes du secteur de négociation qu'il engage. Dans le cas d'une entente conclue avec une association non reconnue de producteurs, l'entente collective lie chaque producteur membre de cette association au moment de sa signature ou qui le devient par la suite, même s'il cesse de faire partie de l'association ou si celle-ci est dissoute.

Effect of agreement

40. The group agreement binds the producer and every artist belonging to the negotiating sector who is engaged by the producer. In the case of an agreement concluded with an unrecognized association of producers, the agreement binds every producer who is a member of the association at the time of the signing of the agreement or who subsequently becomes a member thereof, even if he ceases to belong to the association or the association is dissolved.

Producteurs liés

Dans le cas d'une entente conclue avec une association reconnue de producteurs, l'entente collective lie chaque producteur membre de l'association reconnue, de même que tout autre producteur oeuvrant dans le champ d'activités de l'association reconnue, même

Effect of agreement

In the case of an agreement concluded with a recognized association of producers, the group agreement binds every producer who is a member of the recognized association as well as any other producer working in the field of activities of the recognized associa-

si l'association est dissoute.
L.Q. 1987, c. 72, art. 40; 1997, c. 26, art. 23.

Recours

41. L'association reconnue peut exercer les recours que l'entente collective accorde aux artistes qu'elle représente sans avoir à justifier une cession de créance de l'intéressé.
L.Q. 1987, c. 72, art. 41.

Refus d'engagement

42. Il est interdit à un producteur de refuser d'engager un artiste à cause de l'exercice par ce dernier d'un droit lui résultant de la présente loi.
L.Q. 1987, c. 72, art. 42.

CHAPITRE III.1
RECONNAISSANCE D'UNE ASSOCIATION DE PRODUCTEURS

Conditions préalables

42.1 A droit à la reconnaissance, l'association de producteurs qui satisfait aux conditions suivantes :
1° elle est une association qui a pour objet l'étude, la défense et le développement des intérêts de ses membres;
2° elle est, de l'avis de la Commission, la plus représentative en ce qui a trait à l'importance des activités économiques des producteurs et au nombre de membres qu'elle rassemble oeuvrant dans le champ d'activités défini par la Commission.
L.Q. 1997, c. 26, art. 24.

Champ d'action

42.2 Le producteur a la liberté d'adhérer à une association de producteurs, de participer à la formation d'une telle association, à ses activités et à son administration.
L.Q. 1997, c. 26, art. 24.

Reconnaissance

42.3 Une association de producteurs peut demander à être reconnue pour un ou plusieurs champs d'activités.
L.Q. 1997, c. 26, art. 24.

tion, even if the association is dissolved.
S.Q. 1987, c. 72, s. 40; 1997, c. 26, s. 23.

Recourses

41. The recognized association may exercise the recourses of the artists it represents under the group agreement without having to establish an assignment of the claim of the member concerned.
S.Q. 1987, c. 72, s. 41.

Exercise of rights

42. No producer may refuse to engage an artist on account of his exercising his rights under this Act.
S.Q. 1987, c. 72, s. 42.

CHAPTER III.1
RECOGNITION OF AN ASSOCIATION OF PRODUCERS

Recognition

42.1 Every association of producers which
(1) is an association having as its object the study, defence and promotion of the interests of its members;
(2) is, in the opinion of the Commission, the most representative as regards the economic activity of producers and the number of members working in a field of activities defined by the Commission,
is entitled to recognition.
S.Q. 1997, c. 26, s. 24.

Membership optional

42.2 Every producer is free to join an association of producers and to take part in the establishment, activities and administration of such an association.
S.Q. 1997, c. 26, s. 24.

Fields of activity

42.3 An association of producers may apply for recognition for one or more fields of activity.
S.Q. 1997, c. 26, s. 24.

Exigences préalables

42.4 Une association de producteurs ne peut être reconnue que si elle a adopté des règlements :

1° établissant des conditions d'admissibilité fondées sur l'exercice par les producteurs d'une activité correspondant au champ d'activités pour lequel l'association demande à être reconnue;

2° établissant des catégories de membres dont elle détermine les droits, notamment le droit de participer aux assemblées de l'association et le droit de voter;

3° conférant aux membres visés par un projet d'entente collective le droit de se prononcer par scrutin secret sur sa teneur lorsque ce projet comporte une modification aux taux de rémunération prévus à une entente liant déjà l'association envers une association d'artistes;

4° prescrivant l'obligation de soumettre à l'approbation des membres qualifiés toute décision sur les conditions d'admissibilité à l'association;

5° prescrivant la convocation obligatoire d'une assemblée générale ou la tenue d'une consultation auprès des membres lorsque 10 % d'entre eux en font la demande.

L.Q. 1997, c. 26, art. 24.

By-laws

42.4 No association of producers may be recognized unless it adopts by-laws

(1) prescribing membership requirements based on the exercise, by the producers, of an activity corresponding to the field of activities for which the association has applied for recognition;

(2) establishing classes of members and determining the rights of each class, in particular the right to take part in meetings and to vote;

(3) conferring on the members to whom a draft group agreement applies the right to vote by secret ballot on the content of the agreement if it contains a clause that entails a change in the rates of remuneration established by an existing agreement binding the association and an artists' association;

(4) prescribing that all decisions as to membership requirements shall be submitted to the qualified members for approval;

(5) making the calling of a general meeting or the polling of the members mandatory where 10% of the members request it.

S.Q. 1997, c. 26, s. 24.

Dispositions applicables

42.5 Les articles 11, 12, 14 à 23, les paragraphes 1° à 4° et 7° de l'article 24 et l'article 25 s'appliquent à une association de producteurs, compte tenu des adaptations nécessaires.

Prior notice

42.5 Sections 11, 12 and 14 to 23, paragraphs 1 to 4 and 7 of section 24 and section 25, adapted as required, apply to an association of producers.

Pourcentage applicable

Néanmoins, le pourcentage requis pour la demande visée à l'article 20 s'applique à la fois au nombre de producteurs du champ d'activités pour lequel une association a été reconnue et à l'ensemble des activités économiques réalisées par les producteurs de ce champ d'activités au cours de l'année qui précède la demande.

L.Q. 1997, c. 26, art. 24.

Exception

However, the percentage required for an application under section 20 is calculated on the basis of the number of producers working in the field of activities for which the association has been recognized and the economic activities of all the producers in that field of activities during the year preceding the application.

S.Q. 1997, c. 26, s. 24.

CHAPITRE IV
COMMISSION DE RECONNAISSANCE DES ASSOCIATIONS D'ARTISTES ET DES ASSOCIATIONS DE PRODUCTEURS

SECTION I
CONSTITUTION

Constitution
43. Est instituée la Commission de reconnaissance des associations d'artistes et des associations de producteurs.
L.Q. 1987, c. 72, art. 43; 1997, c. 26, art. 26.

Composition
44. La Commission se compose de trois membres dont un président et un vice-président, nommés par le gouvernement pour une période déterminée d'au plus cinq ans.

Fonctions exclusives
Le président exerce ses fonctions à plein temps.

Rémunération
Le gouvernement fixe la rémunération et les autres conditions de travail des membres de la Commission.
L.Q. 1987, c. 72, art. 44.

Rôle du président
45. Le président de la Commission est responsable de l'administration de la Commission et en dirige le personnel.
L.Q. 1987, c. 72, art. 45.

Nomination
46. Le secrétaire et les autres employés de la Commission sont nommés de la manière prévue et selon le plan d'effectifs établi par la Commission.

Normes et barèmes de rémunération
Sous réserve des dispositions d'une convention collective, la Commission détermine, par règlement, les normes et barèmes de rémunération, les avantages sociaux et les autres conditions de travail des membres de

CHAPTER IV
COMMISSION DE RECONNAISSANCE DES ASSOCIATIONS D'ARTISTES ET DES ASSOCIATIONS DE PRODUCTEURS

DIVISION I
ESTABLISHMENT

Establishment
43. A body is hereby established under the name "Commission de reconnaissance des associations d'artistes et des associations de producteurs".
S.Q. 1987, c. 72, s. 43; 1997, c. 26, s. 26.

Composition
44. The Commission is composed of three members, including a chairman and a vice-chairman, appointed by the Government for a fixed term of not over five years.

Exclusivity of office
The chairman shall perform his duties full time.

Remuneration
The Government shall fix the remuneration and the other conditions of employment of the members of the Commission.
S.Q. 1987, c. 72, s. 44.

Chairman
45. The chairman of the Commission is responsible for the administration of the Commission and the direction of its staff.
S.Q. 1987, c. 72, s. 45.

Employees
46. The secretary and the other employees of the Commission are appointed in the manner and according to the staffing requirements determined by the Commission.

Remuneration
Subject to the provisions of a collective agreement, the Commission shall determine, by by-law, the standards and scales of remuneration, employee benefits and other conditions of employment of the members of

son personnel conformément aux conditions définies par le gouvernement.
L.Q. 1987, c. 72, art. 46; 2000, c. 8, art. 220.

its personnel in accordance with the conditions defined by the Government.
S.Q. 1987, c. 72, s. 46; 2000, c. 8, s. 220.

Nomination temporaire

47. Le gouvernement peut, pour la bonne expédition des affaires de la Commission, nommer pour la période qu'il détermine des membres additionnels à titre temporaire et déterminer leur rémunération.
L.Q. 1987, c. 72, art. 47.

Additional members

47. The Government may, for the proper dispatch of the business of the Commission, appoint additional members on a temporary basis for such period as it may determine and determine their remuneration.
S.Q. 1987, c. 72, s. 47.

Quorum

47.1 Le quorum de la Commission est de trois membres.
L.Q. 1988, c. 69, art. 53.

Quorum

47.1 A quorum of the Commission shall consist of three members.
S.Q. 1988, c. 69, s. 53.

Siège social

48. La Commission a son siège social sur le territoire de la Ville de Montréal.

Head Office

48. The Commission shall have its head office in the territory of the Ville de Montréal.

Mobilité

Elle peut siéger à tout endroit au Québec.
L.Q. 1987, c. 72, art. 48; 2000, c. 56, art. 219.

Sittings

The Commission may sit at any place in Québec.
S.Q. 1987, c. 72, s. 48; 2000, c. 56, s. 219.

Vice-président

49. Le vice-président, en cas d'absence ou d'empêchement du président, exerce les pouvoirs de ce dernier.
L.Q. 1987, c. 72, art. 49; 1997, c. 26, art. 27.

Vice-chairman

49. The vice-chairman shall exercise the powers of the chairman in case of his absence or inability to act.
S.Q. 1987, c. 72, s. 49; 1997, c. 26, s. 27.

Instruction

50. Un membre de la Commission peut continuer à instruire une demande dont il a été saisi et en décider malgré l'expiration de son mandat.
L.Q. 1987, c. 72, art. 50.

Decision after expiry of term

50. A member of the Commission may continue to examine any application or request referred to him and make a decision notwithstanding the expiry of his term.
S.Q. 1987, c. 72, s. 50.

Conflit d'intérêt

51. Un membre de la Commission ne peut, sous peine de déchéance de ses fonctions, avoir un intérêt direct ou indirect dans une entreprise mettant en conflit son intérêt personnel et celui de la Commission.

Conflict of interest

51. No member of the Commission may, under pain of forfeiture of office, have any direct or indirect interest in an undertaking putting his personal interest in conflict with that of the Commission.

Exception

Cette déchéance n'a pas lieu lorsqu'un tel intérêt lui échoit par succession ou par donation

Forfeiture

Forfeiture is not incurred if the interest devolves to the member by succession or gift,

pourvu qu'il y renonce ou en dispose avec diligence.
L.Q. 1987, c. 72, art. 51.

Immunité
52. Les membres et les employés de la Commission ne peuvent être poursuivis en justice en raison d'actes accomplis de bonne foi dans l'exercice de leurs fonctions.
L.Q. 1987, c. 72, art. 52.

Force probante
53. Tout écrit ou document faisant partie des archives de la Commission, signé ou attesté par le président ou une personne qu'il désigne à cette fin, est authentique et fait preuve de son contenu, sans qu'il soit nécessaire d'en prouver la signature.
L.Q. 1987, c. 72, art. 53.

Exercice financier
54. L'exercice financier de la Commission se termine le 31 mars de chaque année.
L.Q. 1987, c. 72, art. 54.

Rapport d'activités
55. La Commission transmet au ministre, au plus tard le 30 juin de chaque année, un rapport de ses activités pour l'exercice financier précédent.

Dépôt à l'Assemblée nationale
Le ministre dépose ce rapport à l'Assemblée nationale dans les 30 jours de sa réception si elle est en session ou, sinon, dans les 30 jours de la reprise de ses travaux.
L.Q. 1987, c. 72, art. 55.

SECTION II
FONCTIONS ET POUVOIRS

Fonctions
56. La Commission a pour fonctions :
1° de décider de toute demande relative à la reconnaissance d'une association d'artistes ou d'une association de producteurs;
2° de statuer sur la conformité à la présente loi des règlements des associations reconnues en ce qui concerne les conditions d'admissibilité et de veiller à ce que les associa-

provided he renounces or disposes of it with dispatch.
S.Q. 1987, c. 72, s. 51.

Immunity
52. The members and employees of the Commission cannot be prosecuted on account of acts done in good faith in the performance of their duties.
S.Q. 1987, c. 72, s. 52.

Records of Commission
53. Any writing or document forming part of the records of the Commission and signed or attested by the chairman or a person designated by him for that purpose is authentic and is proof of its contents, without the necessity of proving the signature thereof.
S.Q. 1987, c. 72, s. 53.

Fiscal year
54. The fiscal year of the Commission ends on 31 March each year.
S.Q. 1987, c. 72, s. 54.

Report of activities
55. Not later than 30 June each year, the Commission shall submit a report of its activities for the preceding fiscal year to the Minister.

Tabling
The Minister shall table the report in the National Assembly within 30 days of receiving it if the Assembly is in session or, if it is not sitting, within 30 days after resumption.
S.Q. 1987, c. 72, s. 55.

DIVISION II
DUTIES AND POWERS

Duties
56. The duties of the Commission are
(1) to decide any application for recognition submitted by an artists' association or an association of producers;
(2) to decide as to the conformity to this Act of the by-laws of recognized associations regarding membership requirements and see to it that the associations enforce those by-laws;

tions appliquent ces règlements;
3° de désigner un médiateur pour l'application des articles 18.1 et 31;
4° de désigner un arbitre pour l'application des articles 26.1 et 33;
5° de donner son avis au ministre sur toute question relative à l'application de la présente loi, notamment sur la mise en oeuvre de mesures propres à favoriser la protection du statut professionnel de l'artiste en harmonie avec le développement des entreprises de production;
6° de dresser annuellement une liste de médiateurs et d'arbitres, après consultation des associations reconnues d'artistes et des associations de producteurs.

(3) to designate a mediator for the purposes of sections 18.1 and 31;
(4) to designate an arbitrator for the purposes of sections 26.1 and 33;
(5) to advise the Minister on any matter relating to the administration of this Act, particularly on the implementation of appropriate measures to foster protection of the professional status of artists in harmony with the development of production enterprises;
(6) to draw up, annually, a list of mediators and arbitrators, after consultation with recognized artists' associations and associations of producers.

Compétence
Elle a également pour fonction de statuer sur toute autre question à l'égard de laquelle elle a compétence en vertu de la *Loi sur le statut professionnel des artistes des arts visuels, des métiers d'art et de la littérature et sur leurs contrats avec les diffuseurs* (L.R.Q., c. S-32.01).
L.Q. 1987, c. 72, art. 56; 1988, c. 69, art. 54; 1997, c. 26, art. 28.

Jurisdiction
It shall also be the duty of the Commission to decide upon any other matter in respect of which it has jurisdiction under the *Act respecting the professional status of artists in the visual arts, arts and crafts and literature, and their contracts with promoters* (R.S.Q., c. S-32.01).
S.Q. 1987, c. 72, s. 56; 1988, c. 69, s. 54; 1997, c. 26, s. 28.

Secteurs de négociation
57. La Commission peut, sur demande, définir des secteurs de négociation ou, selon le cas, les champs d'activités pour lesquels une reconnaissance peut être accordée.
L.Q. 1987, c. 72, art. 57; 1997, c. 26, art. 29.

Negotiating sectors
57. The Commission, upon application, may define negotiating sectors and, where applicable, fields of activity in respect of which recognition may be granted.
S.Q. 1987, c. 72, s. 57; 1997, c. 26, s. 29.

Décision de la Commission
58. La Commission peut, de sa propre initiative, lors d'une demande de reconnaissance et en tout temps sur requête d'une personne intéressée, décider si une personne est comprise dans un secteur de négociation ou, selon le cas, dans un champ d'activités, et de toutes autres questions relatives à la reconnaissance.
L.Q. 1987, c. 72, art. 58; 1997, c. 26, art. 30.

Decision of Commission
58. The Commission, of its own initiative, upon receiving an application for recognition, and at any time on the motion of an interested person, may decide whether a person is comprised in a negotiating sector or, where applicable, a field of activity or decide any other matter relating to recognition.
S.Q. 1987, c. 72, s. 58; 1997, c. 26, s. 30.

Prise en considération
59. Aux fins de l'application des articles 57 et 58, la Commission doit prendre notamment en considération la communauté d'intérêts des artistes ou, selon les cas, des produc-

Interest of artists
59. For the purposes of sections 57 and 58, the Commission shall take into particular account the common interest of the artists or, as the case may be, the producers concerned and

teurs en cause et l'historique de leurs relations en matière de négociation d'ententes collectives.

the history of their relations in respect of the negotiation of group agreements.

Regroupement de producteurs
La Commission prend aussi en considération l'intérêt pour les producteurs de se regrouper selon les particularités communes de leurs activités.
L.Q. 1987, c. 72, art. 59; 1997, c. 26, art. 31.

Interests of producers
The Commission may also take into account the interest that producers may have to group together according to the shared characteristics of their activities.
S.Q. 1987, c. 72, s. 59; 1997, c. 26, s. 31.

Renseignement
60. La Commission peut exiger des associations d'artistes, des associations de producteurs et des producteurs tout renseignement et examiner tout document nécessaires à l'exercice de ses fonctions.
L.Q. 1987, c. 72, art. 60; 1997, c. 26, art. 32.

Examination of documents
60. The Commission may require any information from artists' associations, associations of producers and producers and examine any document, as may be necessary for the performance of its duties.
S.Q. 1987, c. 72, s. 60; 1997, c. 26, s. 32.

Enquête
61. La Commission peut faire enquête sur toute question relative à l'application de la présente loi.

Inquiry
61. The Commission may inquire into any matter relating to the implementation of this Act.

Pouvoirs et immunité
Ses membres sont investis, aux fins d'une enquête ou d'une audition, des pouvoirs et de l'immunité des commissaires nommés en vertu de la *Loi sur les commissions d'enquête* (L.R.Q., c. C-37), sauf du pouvoir d'imposer l'emprisonnement.
L.Q. 1987, c. 72, art. 61.

Powers and immunity
The members of the Commission have, for the purposes of any inquiry or hearing, the powers and immunity of commissioners appointed under the *Act respecting public inquiry commissions* (R.S.Q., c. C-37), except the power to impose imprisonment.
S.Q. 1987, c. 72, s. 61.

Ordonnance provisoire
62. La Commission peut décider en partie seulement d'une demande. Elle peut également rendre toute ordonnance provisoire qu'elle juge nécessaire pour protéger les droits des parties.

Decisions
62. The Commission may decide an application in part only. It may also make any provisional order it considers necessary for the protection of the rights of the parties.

Suspension des négociations
À la suite d'une demande de reconnaissance, ou d'une demande d'annulation de reconnaissance ou d'une demande de vérification de la représentativité d'une association reconnue, la Commission peut ordonner la suspension des négociations et du délai pour déclencher une action concertée et empêcher le renouvellement d'une entente collective. En ce cas, les conditions minimales prévues dans l'entente

Suspension of negotiations
Subsequent to an application for recognition or for withdrawal of recognition or an application for verification of the representativeness of a recognized association, the Commission may order that negotiations and the time in which to initiate concerted action and prevent the renewal of a group agreement be suspended. In such a case, the minimum conditions provided in the group agreement re-

collective demeurent en vigueur et l'article 38 s'applique jusqu'à la décision de la Commission sur la demande dont elle est saisie.
L.Q. 1987, c. 72, art. 62; 1988, c. 69, art. 55.

main in effect and section 38 applies until the Commission has ruled on the applications before it.
S.Q. 1987, c. 72, s. 62; 1988, c. 69, s. 55.

Audition

63. La Commission doit, avant de rendre une décision sur une demande de reconnaissance ou d'annulation de reconnaissance donner à l'association concernée l'occasion de faire valoir son point de vue.

Representations

63. Before rendering a decision on an application for recognition or for withdrawal of recognition, the Commission shall give the association concerned an opportunity to make representations.

Audition

Dans le cas d'une requête portant sur l'appartenance d'une personne à un secteur de négociation ou à un champ d'activités, la Commission doit donner à tout producteur et à toute association intéressée qui interviennent au dossier, l'occasion de faire valoir leur point de vue.

Representations

In the case of a motion relating to the matter of which negotiating sector or field of activities a person belongs to, the Commission shall give every producer and every interested association intervening in the case an opportunity to make representations.

Décision motivée

Toute décision de la Commission doit être motivée par écrit et transmise aux personnes qui sont intervenues au dossier.
L.Q. 1987, c. 72, art. 63; 1997, c. 26, art. 33.

Substantiated decision

Every decision of the Commission must give reasons in writing and be transmitted to the persons having intervened in the case.
S.Q. 1987, c. 72, s. 63; 1997, c. 26, s. 33.

Demande frivole

64. La Commission peut juger irrecevable toute demande ou toute requête qui lui apparaît manifestement frivole, vexatoire ou faite de mauvaise foi.
L.Q. 1987, c. 72, art. 64.

Inadmissible application

64. The Commission may rule that any application or motion that is, in its opinion, manifestly frivolous, vexatious or in bad faith, is inadmissible.
S.Q. 1987, c. 72, s. 64.

Réglementation

65. La Commission peut par règlement :
1° pourvoir à sa régie interne;
2° édicter des règles de preuve et de procédure lesquelles prendront effet sur approbation du gouvernement.
L.Q. 1987, c. 72, art. 65.

By-laws

65. The Commission, by by-law, may
(1) provide for its internal management;
(2) adopt rules of proof and procedure, which shall come into force upon approval by the Government.
S.Q. 1987, c. 72, s. 65.

Décision finale

66. Toute décision de la Commission est finale et sans appel.
L.Q. 1987, c. 72, art. 66.

Final decision

66. Every decision of the Commission is final and without appeal.
S.Q. 1987, c. 72, s. 66.

Révision

67. La Commission peut réviser ou révoquer toute décision ou ordonnance qu'elle a rendue :

Revision or revocation

67. The Commission may revise or revoke any decision or order it has made

1° lorsqu'est découvert un fait nouveau qui, s'il avait été connu en temps utile, aurait pu justifier une décision différente;
2° lorsqu'une partie intéressée n'a pu, pour des raisons jugées suffisantes se faire entendre;
3° lorsqu'un vice de fond ou de procédure est de nature à invalider la décision.
L.Q. 1987, c. 72, art. 67; 1988, c. 69, art. 56.

(1) where a new fact is discovered which, if it had been known in due time, might have justified a different decision;
(2) where a party interested in the issue was, for reasons considered sufficient, prevented from being heard;
(3) where a substantive or procedural defect is likely to invalidate the decision.
S.Q. 1987, c. 72, s. 67.

Disposition non applicable

68. Sauf sur une question de compétence, l'article 33 du *Code de procédure civile* (L.R.Q., c. C-25) ne s'applique pas à la Commission et aucun des recours extraordinaires prévus aux articles 834 à 850 de ce Code ne peut être exercé ni aucune injonction accordée contre la Commission agissant en sa qualité officielle.
L.Q. 1987, c. 72, art. 68.

Extraordinary recourses

68. Except on a question of jurisdiction, article 33 of the *Code of Civil Procedure* (R.S.Q., c. C-25) does not apply to the Commission and no extraordinary recourse provided in articles 834 to 850 of that Code may be exercised nor any injunction granted against the Commission acting in its official capacity.
S.Q. 1987, c. 72, s. 68.

CHAPITRE V
DISPOSITIONS PÉNALES

Infraction et peine

69. Quiconque contrevient à une disposition de l'un des articles 26, 30 et 42 commet une infraction et est passible d'une amende de 100 $ à 1000 $.
L.Q. 1987, c. 72, art. 69; 1990, c. 4, art. 839.

Infraction et peine

70. Quiconque contrevient à une disposition de l'un des articles 11.1, 11.2, du deuxième alinéa de l'article 26.1, 38 ou 39 commet une infraction et est passible d'une amende :
1° de 50 $ à 200 $ s'il s'agit d'un artiste ou d'une personne agissant en son nom;
2° de 500 $ à 5000 $ s'il s'agit d'un dirigeant ou d'un employé d'une association d'artistes ou d'une association de producteurs, d'un administrateur, d'une personne agissant au nom d'une association d'artistes, d'un producteur ou d'une association de producteurs, ou d'un conseiller de l'un d'eux;
3° de 2500 $ à 25 000 $ s'il s'agit d'un producteur, d'une association d'artistes, d'une association de producteurs ou d'une union,

CHAPTER V
OFFENCES AND PENALTIES

Offence and penalties

69. Every person who contravenes any of sections 26, 30 and 42 is guilty of an offence and is liable to a fine of $100 to $1,000.
S.Q. 1987, c. 72, s. 69; 1990, c. 4, s. 839.

Offence and penalties

70. Every person who contravenes section 11.1 or 11.2, the second paragraph of section 26.1, sections 38 or 39 is guilty of an offence and is liable to a fine
(1) of $50 to $200, in the case of an artist or a person acting on an artist's behalf;
(2) of $500 to $5,000, in the case of an officer or employee of an artists' association or an association of producers or of a director, a person acting on behalf of an artists' association, a producer or an association of producers, or any advisor thereof;
(3) of $2,500 to $25,000, in the case of a producer, artists' association or association of producers or in the case of any union, federation, confederation or central labour body to which an artists' association or association of

fédération, confédération ou centrale à laquelle est affiliée ou appartient une association d'artistes ou une association de producteurs.
L.Q. 1987, c. 72, a. 70; 1990, c. 4, art. 839; 1997, c. 26, art. 34.

producers is affiliated or belongs.
S.Q. 1987, c. 72, s. 70; 1990, c. 4, s. 839; 1997, c. 26, s. 34.

71. [Abrogé, L.Q. 1992, c. 61, art. 594.]

71. [Repealed, S.Q. 1992, c. 61, s. 594.]

CHAPITRE VI
DISPOSITIONS TRANSITOIRES ET FINALES

CHAPTER VI
TRANSITIONAL AND FINAL PROVISIONS

Dépôt d'une entente
72. Une association d'artistes liée à une association de producteurs par une entente collective portant sur les conditions d'engagement d'artistes, en vigueur le 12 novembre 1987, peut déposer cette entente auprès de la Commission avant le 1er juin 1988.

Filing of agreement
72. An artists' association bound to an association of producers by a group agreement on the conditions of engagement of artists in force on 12 November 1987 may file the agreement with the Commission before 1 June 1988.

Dépôt des règlements
Une telle association peut, avant le 1er juin 1988, déposer auprès de la Commission copie de ses règlements et, par la suite, copie de toute modification à ces règlements.
L.Q. 1987, c. 72, art. 72.

Copy of by-laws
Such an association may, before 1 June 1988, file with the Commission a copy of its by-laws and, subsequently, a copy of any amendment to its by-laws.
S.Q. 1987, c. 72, s. 72.

Présomption
73. Une association d'artistes qui se conforme à l'article 72 est réputée avoir été reconnue en vertu de la présente loi le 1er avril 1988 pour le secteur de négociation correspondant au champ d'application de l'entente collective déposée.

Recognition
73. An artists' association which complies with section 72 is deemed to have been recognized under this Act on 1 April 1988 for the negotiating sector corresponding to the field to which the filed group agreement applies.

Effet de la reconnaissance
Pour l'application de l'article 14, cette date constitue la date de la prise d'effet de la reconnaissance.
L.Q. 1987, c. 72, art. 73;1999, c. 5, art. 310.

Effective date
For the purposes of section 14, the date mentioned in the first paragraph constitutes the date of taking effect of recognition.
S.Q. 1987, c. 72, s. 73; 1999, c. 5, s. 310.

Entente présumée
74. Toute entente collective liant une association d'artistes reconnue par l'effet de l'article 73 et une association de producteurs est réputée avoir été conclue en vertu de la présente loi.

Presumption
74. Every group agreement binding an artists' association recognized by the effect of section 73 and an association of producers is deemed to have been concluded under this Act.

Application des articles 38 à 41

Les articles 38 à 41 s'appliquent aux associations de producteurs, aux producteurs, aux associations d'artistes et aux artistes visés par cette entente, à compter de la date de son dépôt à la Commission.
L.Q. 1987, c. 72, art. 74.

Litige

75. La Commission peut, à la demande d'une partie liée par une entente collective visée à l'article 74, décider de tout litige sur la définition du secteur de négociation correspondant au champ d'application de cette entente collective, à moins que cette entente ne prévoit la possibilité de soumettre le litige à l'arbitrage.
L.Q. 1987, c. 72, art. 75.

Ministre responsable

76. Le ministre de la Culture et des Communications est responsable de l'application de la présente loi.
L.Q. 1987, c. 72, art. 76; 1994, c. 14, art. 34.

77. [Omis.]
L.Q. 1987, c. 72, art. 77.

Provisions applicable

Sections 38 to 41 apply to the associations of producers, producers, artists' associations and artists included under the agreement, from the date of its filing with the Commission.
S.Q. 1987, c. 72, s. 74.

Decision of disputes

75. The Commission, upon the application of one of the parties bound by a group agreement contemplated in section 74, may decide any dispute as to the definition of the negotiating sector corresponding to the field to which the group agreement applies, unless the agreement provides that the dispute may be submitted to arbitration.
S.Q. 1987, c. 72, s. 75.

Minister responsible

76. The Minister of Culture and Communications is responsible for the administration of this Act.
S.Q. 1987, c. 72, s. 76; 1994, c. 14, s. 34.

77. [Omitted.]
S.Q. 1987, c. 72, s. 77.

RÈGLES DE PREUVE ET DE PROCÉDURE DE LA COMMISSION DE RECONNAISSANCE DES ASSOCIATIONS D'ARTISTES ET DES ASSOCIATIONS DE PRODUCTEURS

Table des matières

RULES OF PROOF AND PROCEDURE OF THE COMMISSION DE RECONNAISSANCE DES ASSOCIATIONS D'ARTISTES ET DES ASSOCIATIONS DE PRODUCTEURS

Table of Contents

Règles de preuve et de procédure de la Commission de reconnaissance des associations d'artistes et des associations de producteurs

D. 1538-90

Modifiées par D. 732-98.

Loi sur le statut professionnel et les conditions d'engagement des artistes de la scène, du disque et du cinéma
(L.R.Q., c. S-32.1, art. 65, par. 2°)

SECTION I
DEMANDES DE RECONNAISSANCE D'UNE ASSOCIATION D'ARTISTES

1. Toute association d'artistes et toute association de producteurs qui présentent à la Commission de reconnaissance des associations d'artistes et des associations de producteurs une demande de reconnaissance en vertu de l'article 12 de la *Loi sur le statut professionnel et les conditions d'engagement des artistes de la scène, du disque et du cinéma* (L.R.Q., c. S-32.1), doivent, en outre des documents requis en vertu de cet article et de l'article 15 de cette loi, y indiquer le nom, l'adresse et le numéro de téléphone du représentant de l'association.
D. 732-98, art. 2.

2. La demande de reconnaissance ou tout acte de procédure se rapportant à cette demande est dûment introduit lorsque quatre exemplaires de cette demande ou de cet acte sont déposés auprès de la Commission ou transmis à son adresse par courrier recommandé, par poste certifiée, par messager ou par huissier.

Rules of proof and procedure of the Commission de reconnaissance des associations d'artistes et des associations de producteurs

O.C. 1538-90

Amended by O.C. 732-98.

An Act respecting the professional status and conditions of engagement of performing, recording and film artists
(R.S.Q., c. S-32.1, s. 65, par. 2)

DIVISION I
APPLICATION FOR RECOGNITION OF AN ARTISTS' ASSOCIATION

1. Every artists' association or producer's association applying to the Commission de reconnaissance des associations d'artistes et des associations de producteurs for recognition under section 12 of the *Act respecting the professional status and conditions of engagement of performing, recording and film artists* (R.S.Q., c. S-32.1), must furnish, in addition to the documents required under that section and section 15 of the Act, the name, address and telephone number of the representative of the association.
O.C. 732-98, s. 2.

2. An application for recognition or any proceeding relating to the application is duly made when four copies of the application or proceeding are deposited with the Commission or sent to its address by registered or certified mail, by messenger or by bailiff.

3. L'association doit transmettre copie de la demande de reconnaissance aux parties intéressées.
D. 732-98, art. 3.

4. La demande de reconnaissance introduite auprès de la Commission peut être retirée en tout temps au moyen d'un avis écrit de la partie concernée ou de son représentant, et copie de cet avis est transmise à toutes les parties intéressées.

SECTION II
AUTRES DEMANDES, REQUÊTES ET INTERVENTIONS

5. Toute autre demande, requête, intervention ou acte de procédure se rapportant à cette autre demande, à cette requête ou à cette intervention doit être présenté par écrit.

6. Cette autre demande, requête ou intervention doit contenir les renseignements suivants :
1° les noms, prénoms, adresse et numéro de téléphone des parties et, le cas échéant, ceux de leur représentant;
2° le numéro de dossier assigné par la Commission, le cas échéant;
3° l'exposé des motifs invoqués au soutien de cette autre demande, de cette requête ou de cette intervention ainsi que les conclusions recherchées.

7. Cette autre demande, requête ou intervention est dûment introduite lorsque quatre exemplaires de cette autre demande, de cette requête ou de cette intervention sont déposés auprès de la Commission ou transmis à son adresse par courrier recommandé, par poste certifiée, par messager ou par huissier.

Le premier alinéa s'applique également à tout autre acte de procédure se rapportant à cette autre demande, à cette requête ou à cette intervention.

8. L'artiste, l'association d'artistes, l'association de producteurs ou le producteur qui désire intervenir devant la Commission con-

3. The association shall send a copy of the application for recognition to the interested parties.
O.C. 732-98, s. 3.

4. An application for recognition made to the Commission may be withdrawn at any time by means of a notice in writing by the party in question or by its representative, and a copy of such notice shall be sent to all the interested parties.

DIVISION II
OTHER APPLICATIONS, MOTIONS AND INTERVENTIONS

5. Any other application, motion, intervention or proceeding relating to that other application, motion or intervention must be submitted in writing.

6. That other application, motion or intervention must contain the following information:
(1) the surnames, given names, addresses and telephone numbers of the parties and those of any representative;
(2) the file number assigned by the Commission;
(3) a statement of the reasons supporting that other application, motion or intervention and the conclusions sought.

7. That other application, motion or intervention is duly made when four copies of that other application, motion or intervention are deposited with the Commission or sent to its address by registered or certified mail, by messenger or by bailiff.

The first paragraph also applies to any other proceeding relating to that other application, motion or intervention.

8. An artist, a producer or an association of artists or producers that wishes to intervene before the Commission respecting an appli-

cernant une demande de reconnaissance conformément à l'article 17 de la Loi doit transmettre par écrit à la Commission les motifs de son intervention dans les 20 jours de la date de l'avis publié par la Commission conformément au deuxième ou au troisième alinéa de l'article 16 de la Loi.
D. 732-98, art. 4.

cation for recognition in accordance with section 17 of the Act must send to the Commission in writing the reasons for his intervention within 20 days of the date of the notice published by the Commission in accordance with the second or the third paragraph of section 16 of the Act.
O.C. 732-98, s. 4.

9. Toute autre demande, requête, intervention ou acte introduit auprès de la Commission peut être retiré en tout temps au moyen d'un avis écrit de la partie concernée ou de son représentant, et copie de cet avis est transmise à toutes les parties intéressées.

9. Any other application, motion, intervention or proceeding made to the Commission may be withdrawn at any time by means of a notice in writing by the party in question or its representative, and a copy of the notice shall be sent to all the interested parties.

SECTION III
REPRÉSENTATION PAR AVOCAT

10. L'avocat qui représente une partie doit produire au dossier de la Commission une comparution écrite à moins que la partie qu'il représente n'ait transmis à la Commission une désignation écrite à cet effet.

11. L'avocat qui cesse de représenter une partie en avise par écrit sans délai la Commission en lui indiquant la date de la fin de son mandat.

DIVISION III
REPRESENTATION BY ADVOCATE

10. The advocate representating a party must produce in the Commission's record an appearance in writing, unless the party he represents has sent to the Commission a designation in writing to that effect.

11. An advocate ceasing to represent a party shall so inform the Commission in writing immediately, indicating the date of the end of his mandate.

SECTION IV
INSCRIPTION AU RÔLE ET AVIS D'AUDIENCE OU D'ENQUÊTE

12. La Commission tient un rôle sur lequel elle inscrit les demandes de reconnaissance, les autres demandes, les requêtes et les interventions par ordre chronologique de réception.

13. L'avis d'audience ou d'enquête contient les mentions suivantes :
1° l'objet de la demande, de la requête ou de l'intervention;
2° la date, l'heure et le lieu de l'audience ou de l'enquête;
3° l'indication qu'en cas du défaut d'une partie avisée de se présenter à l'audience ou à l'enquête, la Commission peut procéder en son absence, sans autre délai ni avis.

DIVISION IV
ENTRY ON THE ROLL AND NOTICE OF HEARING OR INQUIRY

12. The Commission shall keep a roll on which it enters applications for recognition, other applications, motions and interventions in chronological order of receipt.

13. A notice of hearing or inquiry shall contain the following particulars:
(1) the purpose of the application, motion or intervention;
(2) the time and place of the hearing or inquiry;
(3) an indication that in case of default of a party notified to appear at the hearing or inquiry, the Commission shall proceed in his absence, immediately and without further notice.

SECTION V
AUDIENCE ET PREUVE

14. Avant de procéder à l'audience d'une demande ou d'une requête ou d'une intervention, la Commission peut convoquer les parties à une rencontre préliminaire pour conférer sur les moyens propres à simplifier ou abréger l'audience, définir les points en litige et admettre quelques faits ou documents.

15. La Commission peut demander à une partie d'exposer par écrit dans le délai qu'elle indique ses représentations à l'égard d'une demande, d'une requête ou d'une intervention.

La partie qui refuse ou néglige de donner suite à cette demande dans le délai imparti est réputée avoir renoncé à faire des représentations.

16. La Commission peut permettre à une partie de faire valoir son point de vue notamment par écrit ou par la tenue d'une audience.

17. La Commission peut, de sa propre initiative ou à la demande d'une partie, remettre une audience ou l'ajourner aux conditions qu'elle détermine.

La demande de remise ou d'ajournement de l'audience doit être présentée par écrit au plus tard sept jours avant la date fixée pour l'audience et copie doit être transmise à toutes les parties.

18. La Commission peut convoquer toute personne à comparaître devant elle pour témoigner après avoir prêté serment ou fait l'affirmation solennelle.

19. La Commission assigne les témoins par voie de subpoena.

20. La Commission peut ordonner que les témoins déposent hors la présence les uns des autres.

21. Lors de l'audience, toute partie peut, à ses frais, faire enregistrer mécaniquement,

DIVISION V
HEARING AND PROOF

14. Before proceeding with the hearing of an application or an inquiry or an intervention, the Commission may summon the parties to a preliminary meeting to discuss means of simplifying or shortening the hearing, to define the points in dispute and to admit certain facts or documents.

15. The Commission may request a party to set out in writing within the time indicated by the Commission the party's representations in respect of an application, a motion or an intervention.

A party refusing or neglecting to follow up an application within the time fixed shall be deemed to have waived any representations.

16. The Commission may permit a party to put forward its point of view, in particular, in writing or by holding a hearing.

17. The Commission may, on its own motion or at the request of a party, postpone a hearing or adjourn it on the conditions fixed by the Commission.

A request for postponement or adjournment of a hearing must be submitted in writing not later than seven days before the date fixed for the hearing and copies shall be sent to all the parties.

18. The Commission may summon any person to appear before it to give evidence on oath or on solemn affirmation.

19. The Commission shall be *subpoena* witnesses.

20. The Commission may order a witness to give evidence in the absence of the other witnesses.

21. During a hearing, any party may, at its own expense, record mechanically, or take

faire noter en sténographie, en sténotypie ou par tout autre moyen permis par la Commission les témoignages, les dépositions et les contre-interrogatoires.

Les frais de la transcription de ces notes sont assumés par cette partie, à moins que la Commission n'en décide autrement.

22. La Commission peut accepter tout mode de preuve qu'elle croit le mieux servir les fins de la justice. Elle peut requérir la production de tout document qu'elle estime nécessaire et exiger qu'une copie de tout document soit transmise aux autres parties.

23. La Commission dresse un procès-verbal de l'audience qui contient les renseignements suivants :
1° le numéro de dossier assigné par la Commission;
2° la date et le lieu de l'audience;
3° les noms, prénoms et adresse des parties et de leur représentant, le cas échéant, ainsi que leur occupation lorsqu'il s'agit d'une personne physique;
4° les noms, prénoms, occupation et adresse des témoins qui ont été entendus;
5° la liste des pièces produites;
6° les noms, prénoms et fonctions des membres de la Commission qui ont procédé à l'audience;
7° l'état du dossier à la fin de l'audience.

24. La Commission peut avant de rendre sa décision, ordonner la réouverture de l'audience selon les modalités qu'elle détermine pour entendre toute preuve qu'elle juge nécessaire.

25. Une partie qui a l'intention de soulever l'appréhension raisonnable de partialité d'un membre de la Commission qui procède à une audience ou à une enquête doit la soulever dès le début de l'audience ou de l'enquête ou dès qu'elle a connaissance des circonstances qui y donnent ouverture.

down in stenography, stenotypy or by any other means permitted by the Commission, evidence, depositions and cross-examination.

The costs of the transcription of the notes shall be paid by the party, unless the Commission decides otherwise.

22. The Commission may accept any form of evidence that it believes will serve the ends of justice. It may require the submission of any document it considers necessary and may require that a copy of any document be sent to the other parties.

23. The Commission shall draw up the minutes of the hearing containing the following particulars:
(1) the number of the record assigned by the Commission;
(2) the date and place of the hearing;
(3) the surnames, given names and addresses of the parties and their representatives, and their occupations where natural persons are involved;
(4) the surnames, given names, occupations and addresses of the witnesses heard;
(5) a list of the exhibits submitted;
(6) the surnames, given names and duties of the members of the Commission who conducted the hearing;
(7) the stage of the record at the end of the hearing.

24. The Commission may, before delivering its decision, order the reopening of the hearing in accordance with the procedures fixed by it for hearing any evidence it considers necessary.

25. A party who intends to raise a reasonable apprehension of the partiality of a member of the Commission conducting a hearing or an inquiry must raise it at the beginning of the hearing or inquiry or as soon as he has knowledge of the circumstances leading to such belief.

26. Lorsqu'une partie se désiste, elle dépose une déclaration à cet effet au dossier de la Commission et en transmet copie aux autres parties.

26. Where a party withdraws, it shall file a statement to that effect in the record of the Commission and shall send copies to the other parties.

SECTION VI
DÉCISION

DIVISION VI
DECISIONS

27. La Commission consigne l'original de la décision au registre tenu à cette fin à son siège social et elle en dépose une copie conforme au dossier.

27. The Commission shall enter the original of the decision in the register kept for that purpose at its head office and it shall deposit a certified true copy in the record.

28. La Commission transmet une copie conforme de la décision à chaque partie ou à son représentant par courrier recommandé, par poste certifiée, par messager ou par huissier.

28. The Commission shall send a certified true copy of the decision to each party or to his representative by registered or certified mail, by messenger or by bailiff.

SECTION VII
DISPOSITIONS DIVERSES

DIVISION VII
MISCELLANEOUS

29. Toute demande, requête, intervention ou tout autre document expédié par la poste est présumé déposé, produit ou reçu par la Commission le jour de son oblitération postale.

La preuve de transmission par courrier recommandé se fait par la production de l'avis de réception et celle par poste certifiée par la production de l'avis de livraison. La transmission est réputée avoir été faite à la date où a été signé l'avis de réception ou l'avis de livraison, selon le cas.

La preuve de transmission par messager s'établit par la production d'un reçu portant la signature du destinataire et la date de réception.

La preuve de transmission par huissier s'établit par la production du procès-verbal du huissier instrumentant conformément aux dispositions du *Code de procédure civile* du Québec (L.R.Q., c. C-25).
D. 732-98, art. 5.

29. Any application, motion, intervention or any other document sent by mail is deemed to have been deposited, submitted and received by the Commission on the day of the postmark.

Proof of sending by registered mail is made by producing the acknowledgement of receipt and that by certified mail by producing the delivery receipt. The sending is deemed to have taken place on the date when the acknowledgement of receipt or the delivery receipt was signed.

Proof of sending by messenger is made by producing a receipt bearing the signature of the consignee and the date of receipt.

Proof of sending by bailiff is made by producing the return of the bailiff making the service in accordance with the provisions of the *Code of Civil Procedure* of Québec (R.S.Q., c. C-25).
O.C. 732-98, s. 5.

30. Dans la computation de tout délai, le jour qui marque le point de départ n'est pas compté mais celui de l'échéance l'est.

30. In calculating the time, the day marking the starting point is not counted but the concluding day is counted.

Si un délai expire un jour non juridique, un samedi ou un jour où les bureaux de la Commission ne sont pas ouverts, ce délai est prolongé au jour juridique suivant.
D. 732-98, art. 5.

Where the time expires on a non-juridical day, a Saturday or a day on which the offices of the Commission are closed, the time is extended to the following juridical day.
O.C. 732-98, s. 5.

31. Lorsque les présentes règles requièrent la transmission de documents à la Commission, le secrétaire est la personne habilitée à les recevoir au nom de la Commission.
D. 732-98, art. 5.

31. Where these Rules require the sending of documents to the Commission, the secretary is the person authorized to receive them on behalf of the Commission.
O.C. 732-98, s. 5.

32. Les présentes règles entrent en vigueur à la date de leur approbation par le gouvernement.
D. 732-98, art. 5.

32. These Rules come into force on the date of their approval by the Government.
O.C. 732-98, s. 5.

LOI SUR LE STATUT PROFESSIONNEL DES ARTISTES DES ARTS VISUELS, DES MÉTIERS D'ART ET DE LA LITTÉRATURE ET SUR LEURS CONTRATS AVEC LES DIFFUSEURS

Table des matières

AN ACT RESPECTING THE PROFESSIONAL STATUS OF ARTISTS IN THE VISUAL ARTS, ARTS AND CRAFTS AND LITERATURE, AND THEIR CONTRACTS WITH PROMOTERS

Table of Contents

LOI SUR LE STATUT PROFESSIONNEL DES ARTISTES DES ARTS VISUELS, DES MÉTIERS D'ART ET DE LA LITTÉRATURE ET SUR LEURS CONTRATS AVEC LES DIFFUSEURS

L.R.Q., c. S-32.01

Modifiée par L.Q. 1990, c. 4; 1992, c. 61; 1994, c. 14; 1997, c. 26; 1999, c. 5.

CHAPITRE I
CHAMP D'APPLICATION ET DÉFINITIONS

Domaines artistiques visés

1. La présente loi s'applique aux artistes qui créent des oeuvres à leur propre compte dans les domaines des arts visuels, des métiers d'art et de la littérature ainsi qu'aux diffuseurs de ces oeuvres.
L.Q. 1988, c. 69, art. 1.

Pratiques artistiques

2. Pour l'application de la présente loi, les domaines comprennent respectivement les pratiques artistiques suivantes :

«arts visuels» "*visual arts*"
1° «arts visuels» : la production d'oeuvres originales de recherche ou d'expression, uniques ou d'un nombre limité d'exemplaires, exprimées par la peinture, la sculpture, l'estampe, le dessin, l'illustration, la photographie, les arts textiles, l'installation, la performance, la vidéo d'art ou toute autre forme d'expression de même nature;

«métiers d'art» "*arts and crafts*"
2° «métiers d'art» : la production d'oeuvres originales, uniques ou en multiples exemplaires, destinées à une fonction utilitaire, décorative ou d'expression et exprimées par l'exercice d'un métier relié à la transforma-

AN ACT RESPECTING THE PROFESSIONAL STATUS OF ARTISTS IN THE VISUAL ARTS, ARTS AND CRAFTS AND LITERATURE, AND THEIR CONTRACTS WITH PROMOTERS

R.S.Q., c. S-32.01

Amended by S.Q. 1990, c. 4; 1992, c. 61; 1994, c. 14; 1997, c. 26; 1999, c. 5.

CHAPTER I
SCOPE AND DEFINITIONS

Applicability

1. This Act applies to self-employed artists who create works in the field of visual arts, arts and crafts and literature and to the promoters of such works.
S.Q. 1988, c. 69. s. 1.

Interpretation

2. For the purposes of this Act, the said fields include the following artistic activities:

"visual arts" *«arts visuels»*
(1) "visual arts" : the production of original works of research or expression, which are unique or in limited copies and are conveyed by painting, sculpture, engraving, drawing, illustration, photography, textile arts, installation work, performance, art video or any other form of expression of the same nature;

"arts and crafts" *«métiers d'art»*
(2) "arts and crafts" : the production of original works which are unique or in multiple copies, intended for a utilitarian, decorative or expressive purpose and conveyed by the practice of a craft related to the working of wood, leather, textiles, metals, silicates or any other material;

tion du bois, du cuir, des textiles, des métaux, des silicates ou de toute autre matière;

«littérature» *"literature"*

3° «littérature» : la création et la traduction d'oeuvres littéraires originales, exprimées par le roman, le conte, la nouvelle, l'oeuvre dramatique, la poésie, l'essai ou toute oeuvre écrite de même nature.

L.Q. 1988, c. 69, art. 2.

"literature" *«littérature»*

(3) "literature" : the creation and the translation of original literary works such as novels, stories, short stories, dramatic works, poetry, essays or any other written works of the same nature.

S.Q. 1988, c. 69, s. 2.

Interprétation

3. Dans la présente loi, à moins que le contexte n'indique un sens différent, on entend par :

«association» *"association"*

«association» : un groupement d'artistes d'un même domaine ou, si elle fait partie d'un regroupement, d'une même pratique, constitué en personne morale à des fins non lucratives et ayant pour objet la défense des intérêts professionnels et socio-économiques de ses membres;

«diffuseur» *"promoter"*

«diffuseur» : personne, organisme ou société qui, à titre d'activité principale ou secondaire, opère à des fins lucratives ou non une entreprise de diffusion et qui contracte avec des artistes;

«diffusion» *"circulation"*

«diffusion» : la vente, le prêt, la location, l'échange, le dépôt, l'exposition, l'édition, la représentation en public, la publication ou toute autre utilisation de l'oeuvre d'un artiste;

«regroupement» *"group"*

«regroupement» : groupement d'associations d'artistes d'un même domaine.

L.Q. 1988, c. 69, art. 3; 1999, c. 5, art. 309.

Interpretation

3. In this Act, unless the context indicates a different meaning,

"association" *«association»*

"association" means any group of artists from a particular field or, if the association belongs to a group, from a particular activity, which is constituted as a non-profit legal person whose object is the defence of the professional and socioeconomic interests of its members;

"promoter" *«diffuseur»*

"promoter" means any person, body or partnership who or which, as its main or secondary activity, operates for profit or not a circulation enterprise and enters into contracts with artists;

"circulation" *«diffusion»*

"circulation" means the sale, lending, lease, exchange, deposit, exhibition, publishing, public presentation, publication or any other use of the works of artists;

"group" *«regroupement»*

"group" means a group of associations of artists from a particular field.

S.Q. 1988, c. 69, s. 3; 1999, c. 5, s. 309.

Personne morale

4. Le fait pour un artiste d'offrir ses oeuvres au moyen d'une personne morale dont il a le contrôle, ne fait pas obstacle à l'application de la présente loi.

L.Q. 1988, c. 69 art. 4.

Legal person

4. The fact that an artist offers his works through a legal person which he controls is no obstacle to the application of this Act.

S.Q. 1988, c. 69, s. 4.

Disposition non applicable

5. La présente loi ne s'applique pas à un artiste lorsque ses services sont retenus par un diffuseur comme salarié au sens du *Code du travail* (L.R.Q., c. C-27).

L.Q. 1988, c. 69. art. 5.

Provisions not applicable

5. This Act does not apply to an artist whose services are retained by a promoter to work as an employee within the meaning of the *Labour Code* (R.S.Q., c. C-27).

S.Q. 1988, c. 69, s. 5.

Application

6. La présente loi s'applique au gouvernement et à ses ministères, organismes et autres mandataires de l'État lorsqu'ils contractent avec des artistes relativement à leurs oeuvres.
L.Q. 1988, c. 69. art. 6; 1999, c. 5, art. 309.

Applicability

6. This Act applies to the Government, its departments and agencies and other mandataries of the State in all cases where they enter into contracts with artists in respect of their works.
S.Q. 1988, c. 69, s. 6; 1999, c. 5, s. 309.

CHAPITRE II
RECONNAISSANCE DES ARTISTES PROFESSIONNELS

CHAPTER II
RECOGNITION OF PROFESSIONAL ARTISTS

SECTION I
STATUT D'ARTISTE PROFESSIONNEL

DIVISION I
PROFESSIONAL STATUS OF ARTISTS

Exigences requises

7. A le statut d'artiste professionnel, le créateur du domaine des arts visuels, des métiers d'art ou de la littérature qui satisfait aux conditions suivantes :
1° il se déclare artiste professionnel;
2° il crée des oeuvres pour son propre compte;
3° ses oeuvres sont exposées, produites, publiées, représentées en public ou mises en marché par un diffuseur;
4° il a reçu de ses pairs des témoignages de reconnaissance comme professionnel, par une mention d'honneur, une récompense, un prix, une bourse, une nomination à un jury, la sélection à un salon ou tout autre moyen de même nature.
L.Q. 1988, c. 69, art. 7.

Professional artists status

7. Every creator in the field of visual arts, arts and crafts or literature has the status of a professional artist if
(1) he declares himself to be a professional artist;
(2) he produces works on his own behalf;
(3) his works are exhibited, produced, published, presented in public or marketed by a promoter;
(4) he has been recognized by his peers as a professional artist by way of an honourable mention, an award, a prize, a scholarship, an appointment to an adjudication committee or an invitation to participate in a salon or by any other similar means.
S.Q. 1988, c. 69, s. 7.

Artiste professionnel

8. L'artiste qui est membre à titre professionnel d'une association reconnue ou faisant partie d'un regroupement reconnu en application de l'article 10, est présumé artiste professionnel.
L.Q. 1988, c. 69, art. 8; 1999, c. 5, art. 309.

Professional artist

8. Every artist who is a professional member of an association recognized under section 10 or forming part of a group recognized under section 10 is presumed to be a professional artist.
S.Q. 1988, c. 69, s. 8; 1999, c. 5, s. 309.

Liberté d'association

9. L'artiste professionnel a la liberté d'adhérer à une association, de participer à la formation d'une telle association, à ses activités et à son administration.
L.Q. 1988, c. 69. art. 9.

Freedom of association

9. Every professional artist is free to join any association and to participate in its establishment, activities and administration.
S.Q. 1988, c. 69, s. 9.

SECTION II
RECONNAISSANCE DES ASSOCIATIONS PROFESSIONNELLES

§1.—*Droit à la reconnaissance*

Domaines visés

10. La reconnaissance est accordée par la Commission de reconnaissance des associations d'artistes et des associations de producteurs instituée par l'article 43 de la *Loi sur le statut professionnel et les conditions d'engagement des artistes de la scène, du disque et du cinéma* (L.R.Q., c. S-32.1) à une seule association ou à un seul regroupement dans chacun des domaines suivants :

1° les arts visuels;
2° les métiers d'art;
3° la littérature.

L.Q. 1988, c. 69, art. 10; 1997, c. 26, art. 36.

Association représentative

11. La Commission accorde la reconnaissance à l'association ou au regroupement qui est le plus représentatif de l'ensemble des artistes professionnels oeuvrant dans un domaine.

Détermination de l'association

L'association la plus représentative est celle qui, de l'avis de la Commission, groupe le plus grand nombre d'artistes professionnels du domaine visé et dont les membres sont le mieux répartis parmi le plus grand nombre de pratiques artistiques et sur la plus grande partie du territoire du Québec.

Regroupement représentatif

Le regroupement le plus représentatif est celui qui de l'avis de la Commission regroupe les associations les plus représentatives du plus grand nombre de pratiques artistiques du domaine.

L.Q. 1988, c. 69, art. 11.

Reconnaissance d'une association

12. Une association ne peut être reconnue que si ses règlements :

DIVISION II
RECOGNITION OF PROFESSIONAL ASSOCIATIONS

§1.—*Right to recognition*

One association per field

10. Recognition shall be granted by the Commission de reconnaissance des associations d'artistes et des associations de producteurs, established by section 43 of the *Act respecting the professional status and conditions of engagement of performing, recording and film artists* (R.S.Q., c. S-32.1), to only one association or one group in each of the following fields:

(1) visual arts;
(2) arts and crafts;
(3) literature.

S.Q. 1988, c. 69, s. 10; 1997, c. 26, s. 36.

Most representative association

11. The Commission shall grant recognition to the association or group which is the most representative of all the professional artists working in a particular field.

Definition

The most representative association is the association which, in the opinion of the Commission, unites the greatest number of professional artists from a particular field and whose members are the most evenly distributed among the greatest number of artistic activities within that field and the most widely distributed over the greatest area of the territory of Québec.

Most representative group

The most representative group is the group which, in the opinion of the Commission, unites the most representative associations from the greatest number of artistic activities in a particular field.

S.Q. 1988, c. 69, s. 11.

Recognition of association

12. No association shall be recognized unless its by-laws

1° prévoient des conditions d'admissibilité fondées sur l'autonomie et sur des exigences professionnelles propres aux artistes de la pratique ou du domaine visé;
2° prescrivent des règles d'éthique imposant à ses membres des obligations envers le public;
3° confèrent aux membres le droit de participer aux assemblées de l'association et le droit de voter;
4° prescrivent l'obligation de soumettre à l'approbation des membres concernés toute décision sur les conditions d'admissibilité des artistes auxquels s'applique la présente loi;
5° reconnaissent aux membres concernés le droit de se prononcer par scrutin secret sur la teneur de toute entente que l'association peut négocier avec les diffuseurs;
6° exigent la convocation d'une assemblée générale ou la tenue d'une consultation auprès des membres auxquels s'applique la présente loi lorsque 10 % d'entre eux en font la demande.
L.Q. 1988, c. 69, art. 12.

(1) prescribe conditions of membership based on independence and professional requirements specific to artists in the activity or field in question;
(2) prescribe ethical standards which impose obligations on its members toward the public;
(3) confer on the members the right to take part in the meetings of the association and to vote;
(4) prescribe that all decisions as to membership requirements for artists to whom this Act applies shall be submitted to the members for approval;
(5) confer on the members the right to vote by secret ballot on the content of any agreement that the association may negotiate with promoters;
(6) make the calling of a general meeting or the polling of the members to whom this Act applies mandatory where 10 % of such members request it.
S.Q. 1988, c. 69, s. 12.

Reconnaissance d'un regroupement

13. Un regroupement ne peut être reconnu que s'il satisfait aux exigences suivantes :
1° il a été constitué pour la réalisation, dans un domaine, des objets de l'article 25;
2° il a adopté un règlement déterminant, pour l'application de la présente loi, les fonctions assumées par ses instances et celles assumées par les associations qui en font partie;
3° seuls les membres à titre professionnel des associations qui en font partie ont la qualité de membre à titre professionnel du regroupement;
4° ses règlements ou les règlements des associations qui en font partie, selon la détermination faite en application du paragraphe 2°, sont conformes aux exigences de l'article 12.
L.Q. 1988, c. 69, art. 13.

Recognition of group

13. No group shall be recognized unless it meets the following requirements:
(1) it was established to achieve, within a particular field, the objectives set out in section 25;
(2) it has adopted a by-law determining, for the purposes of this Act, which functions shall be assumed by its own governing bodies and which shall be assumed by the governing bodies of the associations forming part of the group;
(3) only professional members of the associations forming part of the group have the status of professional members of the group;
(4) the by-laws of the group or the by-laws of the associations forming part of the group, depending on the determination made pursuant to paragraph 2, meet the requirements set out in section 12.
S.Q. 1988, c. 69, s. 13.

Restriction

14. Une association ne peut être reconnue si ses règlements empêchent injustement un ar-

Restriction

14. An association shall not be recognized if its by-laws unjustly prevent an artist working

tiste oeuvrant dans le domaine visé de faire partie de l'association; il en est de même d'un regroupement si ses règlements ou ceux de l'une ou l'autre des associations regroupées empêchent injustement un artiste oeuvrant dans le domaine visé de faire partie d'une association regroupée.
L.Q. 1988, c. 69, art. 14.

in the field in question from belonging to the association. The same shall apply to a group if its by-laws or those of one of its member associations unjustly prevent an artist working in the field in question from belonging to a member association.
S.Q. 1988, c. 69, s. 14.

§2.—*Demande de reconnaissance*

§2.—*Application for recognition*

Demande à la Commission
15. La reconnaissance est demandée par une association ou un regroupement au moyen d'un écrit adressé à la Commission.

Application for recognition
15. An association or group shall apply for recognition by way of a written application addressed to the Commission.

Résolution de l'association
La demande doit être autorisée par résolution de l'association ou du regroupement et signée par des représentants spécialement mandatés à cette fin.
L.Q.1988, c. 69, art. 15.

Authorization by resolution
The application must be authorized by a resolution of the association or group and signed by representatives specially mandated for that purpose.
S.Q. 1988, c. 69, s. 15.

Documents requis
16. La demande de reconnaissance doit être accompagnée d'une copie certifiée conforme des règlements de l'association ou du regroupement et de la liste de leurs membres.
L.Q. 1988, c. 69, art. 16.

Required documents
16. The application for recognition must be accompanied with a certified copy of the by-laws of the association or group and a list of its members.
S.Q. 1988, c. 69, s. 16.

Période de la demande
17. La reconnaissance peut être demandée :
1° en tout temps à l'égard d'un domaine où aucune association ni regroupement n'est reconnu;
2° dans les trois mois précédant chaque troisième anniversaire d'une prise d'effet d'une reconnaissance.
L.Q. 1988, c. 69, art. 17.

Time of application
17. Recognition may be applied for
(1) at any time in respect of a field in which no association or group is recognized;
(2) within the three months preceding every third anniversary of the date of taking effect of a recognition.
S.Q. 1988, c. 69, s. 17.

Référendum
18. Lorsqu'elle est saisie d'une demande de reconnaissance, la Commission peut prendre toute mesure qu'elle juge nécessaire pour déterminer la représentativité de l'association ou du regroupement. Elle peut notamment tenir un référendum.

Determination of representativeness
18. Where the Commission is called upon to rule on an application for recognition, it may take any measure it considers necessary to ascertain the representativeness of the association or group. The Commission may, for instance, hold a referendum.

Avis dans quotidiens
La Commission doit donner avis au moins deux fois, dans au moins deux quotidiens dis-

Notice in newspapers
The Commission shall publish, at least twice in two daily newspapers having general cir-

tribués au Québec, de son intention de procéder à une détermination de la représentativité de l'association ou du regroupement et des mesures qu'elle juge nécessaires de prendre à cette fin.
L.Q. 1988, c. 69, art. 18.

Intervenants
19. Lors d'une demande de reconnaissance, seuls les artistes et les associations d'artistes du domaine visé peuvent intervenir sur le caractère représentatif de l'association ou du regroupement requérant.
L.Q. 1988, c. 69, art. 19.

Avis à la *G.O.Q.*
20. Lorsque la Commission accorde la reconnaissance, elle en donne avis pour publication à la *Gazette officielle du Québec* après l'expiration d'un délai de 15 jours de la transmission de la décision aux parties intéressées. La reconnaissance prend effet à compter de la date de cette publication.
L.Q. 1988 c. 69, art. 20.

§3.—*Annulation de la reconnaissance*

Vérification
21. Sur demande d'un nombre d'artistes professionnels du domaine où une reconnaissance a été accordée équivalant à 25 % des effectifs de l'association ou du regroupement reconnu ou sur demande d'une association de diffuseurs, la Commission doit vérifier la représentativité de l'association ou du regroupement reconnu.

Période
Une demande de vérification ne peut être faite qu'à la période visée au paragraphe 2° de l'article 17.

Annulation
La Commission annule la reconnaissance d'une association ou d'un regroupement si elle estime que celui-ci n'est plus représentatif des artistes professionnels du domaine.
L.Q. 1988, c. 69, art. 21.

culation in Québec, a notice indicating that it intends to ascertain the representativeness of the association or group and indicating what measures it has decided to take for that purpose.
S.Q. 1988, c. 69, s. 18.

Representations
19. Where an application for recognition is being considered, only the artists and associations of artists in the field in question may present their opinions with respect to the representativeness of the applicant association or group.
S.Q. 1988, c. 69, s. 19.

Notice
20. Where the Commission grants recognition, it shall publish a notice thereof in the *Gazette officielle du Québec* at the expiry of 15 days after transmission of the decision to the interested parties. The recognition takes effect on the date of the publication.
S.Q. 1988, c. 69, s. 20.

§3.—*Withdrawal of recognition*

Representativeness questioned
21. On the application of a number of professional artists in the field in which a recognition has been granted, equal to 25 % of the membership of the recognized association or group, or on the application of an association of promoters, the Commission shall ascertain the representativeness of the recognized association or group.

Period
An application under the first paragraph may be made only in the period defined in paragraph 2 of section 17.

Withdrawal
The Commission shall withdraw recognition from an association or group if it considers that it is no longer representative of the professional artists in the field.
S.Q.1988, c. 69, s. 21.

Annulation

22. La reconnaissance d'une association ou d'un regroupement annule la reconnaissance de tout autre association ou regroupement dans le domaine visé par la nouvelle reconnaissance.
L.Q. 1988, c. 69, art. 22.

Withdrawal

22. Recognition of an association or group withdraws recognition from any other association or group in the field contemplated by the new recognition.
S.Q. 1988, c. 69, s. 22.

Décision de la Commission

23. La Commission peut en tout temps, sur demande d'une partie intéressée, annuler une reconnaissance s'il est établi que les règlements de l'association ou du regroupement ou, compte tenu du paragraphe 2° de l'article 13, d'une association faisant partie du regroupement, ne sont plus conformes aux exigences de la présente loi ou ne sont pas appliqués de manière à leur donner effet.
L.Q. 1988, c. 69, art. 23.

Unenforcement of by-laws

23. On the application of an interested party, the Commission may withdraw recognition at any time if it is proved that the by-laws of the association or group or, taking into account paragraph 2 of section 13, of an association forming part of the group, no longer meet the requirements of this Act or are not enforced.
S.Q. 1988, c. 69, s. 23.

Avis à la *G.O.Q.*

24. Lorsque la Commission annule la reconnaissance, elle en donne avis pour publication à la *Gazette officielle du Québec* de la même manière qu'une décision accordant une reconnaissance. L'annulation prend effet à compter de la date de cette publication.
L.Q. 1988, c. 69, art. 24.

Notice of withdrawal

24. Where the Commission withdraws recognition, it shall publish a notice thereof in the *Gazette officielle du Québec* in the same manner as for a decision granting recognition. The withdrawal takes effect on the date of the publication.
S.Q. 1988, c. 69, s. 24.

§4.—*Effets de la reconnaissance*

Fonctions

25. Dans le domaine visé, l'association ou le regroupement reconnu exerce les fonctions suivantes :
1° veiller au maintien de l'honneur de la profession artistique et à la liberté de son exercise;
2° promouvoir la réalisation de conditions favorisant la création et la diffusion des oeuvres;
3° défendre et promouvoir les intérêts économiques, sociaux, moraux et professionnels des artistes professionnels;
4° représenter les artistes professionnels chaque fois qu'il est d'intérêt général de le faire.
L.Q. 1988, c. 69, art. 25.

§4.—*Effects of recognition*

Duties of association or group

25. In the field in question, the recognized association or group shall
(1) ensure that the honour of the artistic profession and the freedom to practise such profession are upheld;
(2) promote favourable conditions for the creation and circulation of the artists' works;
(3) defend and promote the economic, social, moral and professional interests of professional artists;
(4) represent professional artists in every instance where it is in the general interest that it should do so.
S.Q. 1988, c. 69, s. 25.

Fonctions

26. Pour l'exercice de ses fonctions, l'association ou le regroupement reconnu peut notamment :
1° faire des recherches et des études sur le développement de nouveaux marchés et sur toute matière susceptible d'affecter les conditions économiques et sociales des artistes professionnels;
2° représenter ses membres aux fins de la négociation et de l'exécution de leurs contrats avec les diffuseurs;
3° imposer et percevoir des cotisations;
4° percevoir, à la demande d'un artiste qu'il représente, les sommes qui sont dues à ce dernier et lui en faire remise;
5° établir et administrer des caisses spéciales de retraite;
6° dispenser des services d'assistance technique aux artistes professionnels;
7° organiser des activités de perfectionnement;
8° élaborer des contrats types quant aux conditions minimales de diffusion des oeuvres des artistes professionnels et en proposer l'utilisation aux diffuseurs.

Duties and powers

26. In the performance of its duties, the recognized association or group may, in particular,
(1) conduct research and surveys on the development of new markets and on any matter which may affect the economic and social situation of professional artists;
(2) represent its members for the negotiation and performance of their contracts with promoters;
(3) fix and collect dues;
(4) collect, at the request of an artist whom it represents, any amounts due to him and remit such amounts to him;
(5) establish and administer special retirement funds;
(6) dispense technical support services to professional artists;
(7) organize activities for further training;
(8) draw up model contracts stipulating the minimum conditions of circulation of the works of professional artists and propose the use of such contracts to promoters.

Caisses spéciales de retraite

Les articles 14 et 16 à 18 de la *Loi sur les syndicats professionnels* (L.R.Q., c. S-40) s'appliquent, en y faisant les adaptations nécessaires, aux caisses spéciales de retraite qu'une association ou un regroupement reconnu peut établir et administrer.
L.Q. 1988, c. 69, art. 26.

Special retirement funds

Sections 14 and 16 to 18 of the *Professional Syndicates Act* (R.S.Q., c. S-40), adapted as required, apply to the special retirement funds that a recognized association or group may establish and administer.
S.Q. 1988, c. 69, s. 26.

Regroupement reconnu

27. Lorsqu'il s'agit d'un regroupement reconnu, une association en faisant partie peut, par règlement, être chargée de fonctions et investie de pouvoirs prévus aux articles 25 et 26 à l'égard d'une pratique artistique.
L.Q. 1988, c. 69, art. 27.

Recognized group

27. In the case of a recognized group, an association forming part thereof may be, by by-law, assigned duties and invested with powers provided for in sections 25 and 26 in respect of an artistic activity.
S.Q. 1988, c. 69, s. 27.

Liste des membres

28. L'association ou le regroupement reconnu doit, sur demande de la Commission et en la forme que celle-ci détermine, lui transmettre la liste de ses membres.

List of members

28. At the request of the Commission, a recognized association or group shall transmit the list of its members to the Commission in the prescribed form.

Modifications aux règlements
L'association ou le regroupement doit également transmettre copie à la Commission de toute modification à ses règlements et dans le cas d'un regroupement, de toute modification aux règlements des associations qui en font partie.
L.Q. 1988, c. 69, art. 28.

Exercice de recours
29. L'association et le regroupement reconnus peuvent exercer pour un artiste qu'ils représentent tout recours résultant pour ce dernier de l'application de la présente loi ou d'une entente liant l'association ou le regroupement avec un diffuseur ou une association de diffuseurs, sans avoir à justifier de mandat ni de cession de créance de l'intéressé.
L.Q. 1988, c. 69, art. 29.

CHAPITRE III
CONTRATS ENTRE ARTISTES ET DIFFUSEURS

SECTION I
CONTRATS INDIVIDUELS

Application
30. La présente section s'applique à tout contrat entre un artiste et un diffuseur ayant pour objet une oeuvre de l'artiste.

Application
Elle s'applique également à tout contrat entre un diffuseur et une personne non visée par les chapitres I et II et ayant pour objet la publication d'un livre.
L.Q. 1988, c. 69, art. 30.

Contenu du contrat
31. Le contrat doit être constaté par un écrit rédigé en double exemplaire et identifiant clairement :
1° la nature du contrat;
2° l'oeuvre ou l'ensemble d'oeuvres qui en est l'objet;
3° toute cession de droit et tout octroi de licence consentis par l'artiste, les fins, la durée ou le mode de détermination de la durée et l'étendue territoriale pour lesquelles le droit

Amendment to by-laws
The association or group shall also transmit to the Commission a copy of any amendment made to its by-laws and, in the case of a group, of any amendment made to the by-laws of the association forming part of the group.
S.Q. 1988, c. 69, s. 28.

Recourse
29. A recognized association or group may exercise, on behalf of any artist whom it represents, any recourse of the artist arising from the application of this Act or an agreement binding the association or group to a promoter or an association of promoters, without having to establish any mandate to do so or the assignment of any claim of the artist concerned.
S.Q. 1988, c. 69, s. 29.

CHAPTER III
CONTRACTS BETWEEN ARTISTS AND PROMOTERS

DIVISION I
INDIVIDUAL CONTRACTS

Applicability
30. This division applies to every contract between an artist and a promoter which has a work of the artist as its object.

Applicability
It also applies to every contract, where the object of such contract is the publication of a book, between a promoter and a person who is not contemplated by Chapters I and II.
S.Q. 1988, c. 69, s. 30.

Form and content of contract
31. The contract must be evidenced in a writing, drawn up in duplicate, clearly setting forth
(1) the nature of the contract;
(2) the work or works which form the object of the contract;
(3) any transfer of right and any grant of licence consented to by the artist, the purposes, the term or mode of determination thereof, and the territorial application of such transfer

est cédé et la licence octroyée, ainsi que toute cession de droit de propriété ou d'utilisation de l'oeuvre;
4° la transférabilité ou la non transférabilité à des tiers de toute licence octroyée au diffuseur;
5° la contrepartie monétaire due à l'artiste ainsi que les délais et autres modalités de paiement;
6° la périodicité selon laquelle le diffuseur rend compte à l'artiste des opérations relatives à toute oeuvre visée par le contrat et à l'égard de laquelle une contrepartie monétaire demeure due après la signature du contrat.
L.Q. 1988, c. 69, art. 31.

of right and grant of licence, and every transfer of title or right of use affecting the work;
(4) the transferability or nontransferability to third persons of any licence granted to a promoter;
(5) the consideration in money due to the artist and the intervals and other terms and conditions of payment;
(6) the frequency with which the promoter shall report to the artist on the transactions made in respect of every work that is subject to the contract and for which monetary consideration remains owing after the contract is signed.
S.Q. 1988, c. 69, s. 31.

Formation
32. Le contrat est formé lorsque les parties l'ont signé.

Contract
32. The contract is made when it is signed by the parties.

Responsabilité de l'artiste
L'artiste n'est tenu à l'exécution de ses obligations qu'à compter du moment où il est en possession d'un exemplaire du contrat.
L.Q. 1988, c. 69. art. 32.

Performance
The artist is not bound to perform his obligations until such time as he is in possession of a copy of the contract.
S.Q. 1988, c. 69, s. 32.

Stipulations au contrat
33. Toute entente entre un diffuseur et un artiste relativement à une oeuvre de ce dernier doit être énoncée dans un contrat formé et prenant effet conformément à l'article 31 et comportant des stipulations sur les objets qui doivent être identifiés en vertu de l'article 31.
L.Q. 1988, c. 69, art. 33.

Stipulations of contract
33. Every agreement between a promoter and an artist pertaining to one of the artist's works shall be stipulated in a contract which shall be made and take effect in accordance with section 31 and shall contain stipulations concerning the matters which must be set forth under section 31.
S.Q. 1988, c. 69, s. 33.

Exigences relatives à l'entente
34. Toute entente entre un diffuseur et un artiste réservant au diffuseur l'exclusivité d'une oeuvre future de l'artiste ou lui reconnaissant le droit de décider de sa diffusion doit, en plus de se conformer aux exigences de l'article 31 :
1° porter sur une oeuvre définie au moins quant à sa nature;
2° être résiliable à la demande de l'artiste à l'expiration d'un délai d'une durée convenue entre les parties ou après la création d'un nombre d'oeuvres déterminées par celles-ci;

Exclusivity agreements
34. Every agreement between a promoter and an artist which reserves, for the promoter, an exclusive right over any future work of the artist or which recognizes the promoter's right to determine the circulation of such work shall, in addition to meeting the requirements set out in section 31,
(1) contemplate a work identified at least as to its nature;
(2) be terminable upon the application of the artist once a given period agreed upon by the parties has expired or after a determinate

3° prévoir que l'exclusivité cesse de s'appliquer à l'égard d'une oeuvre réservée lorsque, après l'expiration d'un délai de réflexion, le diffuseur, bien que mis en demeure, n'en fait pas la diffusion;
4° indiquer le délai de réflexion convenu entre les parties pour l'application du paragraphe 3°.
L.Q. 1988, c. 69, art. 34.

Interdiction au diffuseur
35. Un diffuseur ne peut, sans le consentement de l'artiste, donner en garantie les droits qu'il obtient par contrat de ce dernier ni consentir une sûreté sur une oeuvre faisant l'objet d'un contrat et dont l'artiste demeure propriétaire.
L.Q. 1988, c. 69, art. 35.

Acte de faillite
36. Le contrat est résilié si le diffuseur commet un acte de faillite ou est l'objet d'une ordonnance de séquestre en application de la *Loi sur la faillite et l'insolvabilité* (L.R.C. 1985, ch. B-3), si ses biens font l'objet d'une prise de possession en verte de la loi ou, dans le cas d'une personne morale, si elle est l'objet d'une liquidation.
L.Q. 1988, c. 69, art. 36.

Arbitre
37. Sauf renonciation expresse, tout différend sur l'interprétation du contrat est soumis, à la demande d'une partie, à un arbitre.

Choix de l'arbitre
Les parties désignent l'arbitre et lui soumettent leur litige selon les modalités qu'ils peuvent prévoir au contrat. Les dispositions du livre VII du *Code de procédure civile* (L.R.Q., c. C-25) s'appliquent à cet arbitrage compte tenu des adaptations nécessaires.
L.Q. 1988, c. 69, art. 37.

Compte distinct
38. Pour chaque contrat le liant à un artiste, le diffuseur doit tenir dans ses livres un

number of works agreed upon by the parties has been completed;
(3) specify that the exclusive right ceases to apply in respect of a reserved work where, after the expiration of a period for reflection, the promoter, though given formal notice to do so, does not circulate the work;
(4) stipulate the duration of the period for reflection agreed upon by the parties for the application of paragraph 3.
S.Q. 1988, c. 69, s. 34.

Prohibition
35. No promoter may, without the consent of the artist, give as security the rights he obtains by contract from the artist or grant a security on a work subject to a contract and of which the artist remains the owner.
S.Q. 1988, c. 69, s. 35.

Termination of contract
36. The contract shall be terminated if the promoter commits an act of bankruptcy or has a receiver order issued against him pursuant to the *Bankruptcy and Insolvency Act* (R.S.C. 1985, c. B-3), if his property is taken possession of according to law or, in the case of a legal person, if such legal person is liquidated.
S.Q. 1988, c. 69, s. 36.

Arbitrator
37. In the absence of an express renunciation, every dispute arising from the interpretation of the contract shall be submitted to an arbitrator at the request of one of the parties.

Designation of arbitrator
The parties shall designate an arbitrator and submit their dispute to him according to such terms and conditions as may be stipulated in the contract. The provisions of Book VII of the *Code of Civil Procedure* (R.S.Q., c. C-25), adapted as required, apply to such arbitration.
S.Q. 1988, c. 69, s. 37.

Separate account
38. For every contract binding him to the artist, the promoter shall keep, in his books, a

compte distinct dans lequel il inscrit dès réception, en regard de chaque oeuvre ou de l'ensemble d'oeuvres qui en est l'objet :
1° tout paiement reçu d'un tiers de même qu'une indication permettant d'identifier ce dernier;
2° le nombre et la nature de toutes les opérations faites qui correspondent aux paiements inscrits et, le cas échéant, le tirage et le nombre d'exemplaires vendus.

separate account in which he shall record, upon receipt, in respect of every work or works subject to the contract,
(1) every payment from a third person with particulars permitting to identify such third person;
(2) the number and nature of all transactions made which correspond to the payments recorded and, where applicable, the number of copies printed and the number of copies sold.

Compte rendu des opérations
Dans les cas où une contrepartie monétaire demeure due à l'artiste après la signature du contrat, il doit, selon une périodicité convenue entre les parties d'au plus un an, rendre compte par écrit à l'artiste des opérations et des perceptions relatives à son oeuvre.
L.Q. 1988, c. 69, art. 38.

Report of promoter on transactions
Where monetary consideration remains owing to the artist after the contract is signed, the promoter shall, at intervals agreed upon by the parties of not more than one year, report to the artist, in writing, on the transactions and on the payments he has collected in respect of his work.
S.Q. 1988, c. 69, s. 38.

Examen des livres
39. L'artiste peut, après en avoir avisé par écrit le diffuseur, faire examiner par un expert de son choix, à ses frais, toute donnée comptable le concernant dans les livres du diffuseur.
L.Q. 1988, c. 69, art. 39.

Examination of books
39. The artist may, at his own expense and after he has notified the promoter in writing, cause to be examined by an expert of his own choosing any accounting entry in the promoter's books which concerns him.
S.Q. 1988, c. 69, s. 39.

Mise à jour du registre
40. Le diffuseur doit tenir à jour à son principal établissement, un registre relatif aux oeuvres des artistes des domaines des métiers d'art et des arts visuels qu'il a en sa possession et dont il n'est pas propriétaire.

Up-to-date-records
40. The promoter shall keep up to date, at his principal establishment, a record in respect of the works by artists from the fields of arts and crafts and visual arts which are in his possession, but of which he is not the owner.

Contenu
Ce registre doit comporter :
1° le nom du titulaire du droit de propriété de chaque oeuvre;
2° une mention permettant d'identifier l'oeuvre;
3° la nature du contrat en vertu duquel le diffuseur en a la possession.

Content
The record shall set out
(1) the name of the person who holds title to each work;
(2) a note permitting to identify the work;
(3) the nature of the contract pursuant to which the work is in the possession of the promoter.

Consultation
Ces inscriptions doivent être conservées dans le registre du diffuseur tant qu'il assume la responsibilité des oeuvres en application d'un contrat. L'artiste lié par contrat avec le

Access to record
The entries shall be kept in the record of the promoter for as long as he assumes responsibility for the works pursuant to a contract. An artist bound by contract to the promoter may

diffuseur peut consulter ce registre en tout temps pendant les heures normales d'ouverture des services administratifs.
L.Q. 1988, c. 69, art. 40; 1997, c. 26, art. 37.

consult the record at any time during the office hours of the administrative services.
S.Q. 1988, c. 69, s. 40; 1997, c. 26, s. 37.

Lieux loués

41. Toute oeuvre visée par un contrat et se trouvant sur des lieux loués par le diffuseur est présumée s'y trouver provisoirement dans tous les cas où il n'en est pas propriétaire.
L.Q. 1988, c. 69, art. 41.

Presumption

41. Every work subject to a contract and which is on premises leased by the promoter is presumed to be there temporarily in all cases where he is not the owner of the work.
S.Q. 1988, c. 69, s. 41.

Interdiction

42. Sous réserve des articles 35 et 37, on ne peut renoncer à l'application d'une disposition du présent chapitre.
L.Q. 1988, c. 69, art. 42.

Prohibition

42. Subject to sections 35 and 37, no person may waive application of any provision of this chapter.
S.Q. 1988, c. 69, s. 42.

SECTION II
ENTENTES COLLECTIVES SUR DES CONDITIONS MINIMALES DE DIFFUSION

Négociation de l'entente

43. Une association ou un regroupement reconnu et un diffuseur ou une association de diffuseurs peuvent négocier et agréer une entente fixant les conditions minimales de diffusion des oeuvres des artistes représentés par l'association ou le regroupement reconnu.

Contrats types

Cette entente peut porter sur l'utilisation de contrats types ou contenir toute autre stipulation non contraire à l'ordre public ni prohibée par la loi.
L.Q. 1988, c. 69, art. 43.

Durée

44. La durée d'une entente est d'au plus trois ans.
L.Q. 1988, c. 69, art. 44.

Personnes liées

45. Une entente entre une association ou un regroupement reconnu et une association de diffuseurs lie chaque personne qui est membre de l'une ou l'autre de ces associations ou de ce regroupement, au moment de sa signa-

DIVISION II
GROUP AGREEMENTS RESPECTING MINIMUM CONDITIONS OF CIRCULATION

Negotiation of agreement

43. Any recognized association or group and any promoter or association of promoters may negotiate and conclude an agreement providing minimum conditions with respect to the circulation of the works of the artists represented by the recognized association or group.

Model contracts

The agreement may relate to the use of model contracts or contain any other stipulation not contrary to public order nor prohibited by law.
S.Q. 1988, c. 69, s. 43.

Term

44. The term of an agreement shall be not more than three years.
S.Q. 1988, c. 69, s. 44.

Agreement binding

45. Any agreement between a recognized association or group and an association of promoters binds every person who is a member of one or the other of such associations or group at the time of the signing of the agree-

ture, ou qui le devient par la suite, même si cette personne cesse de faire partie de l'association ou du regroupement qui a conclu l'entente, ou si celui-ci est dissout.
L.Q. 1988, c. 69, art. 45.

ment or who subsequently becomes a member thereof, even if he ceases to belong to the association or group that concluded the agreement or if such association or group is dissolved.
S.Q. 1988, c. 69, s. 45.

CHAPITRE IV
DISPOSITIONS PÉNALES ET DIVERSES

CHAPTER IV
PENAL AND MISCELLANEOUS PROVISIONS

Fausse inscription

46. Quiconque pour éluder le paiement d'une somme due à un artiste omet une inscription prévue au premier alinéa de l'article 38 ou fait dans le compte distinct une inscription fausse ou inexacte, commet une infraction et est passible d'une amende maximum de 5000 $ et en cas de récidive d'une amende maximum de 10 000 $.
L.Q. 1988, c. 69, art. 46; 1990, c. 4, art. 958.

Offence and penalty

46. Every person who, in order to avoid payment of any amount owed to an artist, fails to record an entry prescribed in the first paragraph of section 38 or makes a false or inaccurate entry in the separate account is guilty of an offence and is liable to a maximum fine of $5,000 and, in the case of a second or subsequent conviction, to a maximum fine of $10,000.
S.Q. 1988, c. 69, s. 46; 1990, c. 4, s. 958.

Faux renseignements

47. Le diffuseur qui contrevient à une disposition de l'article 40 ou dont le registre comporte des renseignements qu'il sait faux ou inexacts commet une infraction et est passible d'une amende maximum de 5000 $ et, en cas de récidive, d'une amende maximum de 10 000 $.
L.Q. 1988, c. 69, art. 47; 1992, c. 61, art. 593.

Offence and penalty

47. Every promoter who contravenes any provision of section 40 or whose record contains what he knows to be false or inaccurate information is guilty of an offence and is liable to a maximum fine of $5,000 and, for every subsequent offence, to a maximum fine of $10,000.
S.Q. 1988, c. 69, s. 47; 1992, c. 61, s. 593.

Commission de reconnaissance des associations d'artistes et des associations de producteurs

48. La Commission de reconnaissance des associations d'artistes et des associations de producteurs exerce, pour l'application du chapitre II, les pouvoirs que lui confère la *Loi sur le statut professionnel et les conditions d'engagement des artistes de la scène, du disque et du cinéma* (L.R.Q., c. S-32.1).
L.Q. 1988, c. 69, art. 48; 1997, c. 26, art. 38.

Commission de reconnaissance des associations d'artistes et des associations de producteurs

48. The Commission de reconnaissance des association d'artistes et des associations de producteurs shall exercise, for the purposes of Chapter II, the powers conferred upon it by the *Act respecting the professional status and conditions of engagement of performing, recording and film artists* (R.S.Q., S-32.1).
S.Q. 1988, c. 69, s. 48; 1997, c. 26, s. 38.

Ministre responsable

49. Le ministre de la Culture et des Communications est responsable de l'application de la présente loi.
L.Q. 1988, c. 69, art. 49; 1994, c. 14, art. 34.

Minister responsible

49. The Minister of Culture and Communications is responsible for the administration of this Act.
S.Q. 1988, c. 69, s. 49; 1994, c. 14, s. 34.

50. [Modification intégrée aux L.R.Q., c. M-20.]
L.Q. 1988, c. 69, art. 50.

51 à **56.** [Modifications intégrées aux L.R.Q., c. S-32.1.]
L.Q. 1988, c. 69, art. 51-56.

57. [Omis.]
L.Q. 1988, c. 69, art. 57.

50. [Amendment integrated to R.S.Q., c. M-20].
S.Q. 1988, c. 69, s. 50.

51 to **56.** [Amendments integrated to R.S.Q., c. S-32.1.]
S.Q. 1988, c. 69, ss. 51-56.

57. [Omitted.]
S.Q. 1988, c. 69. s. 57.

LOI SUR LES DESSINS INDUSTRIELS

Table des matières

INDUSTRIAL DESIGN ACT

Table of Contents

LOI SUR LES DESSINS INDUSTRIELS

L.R.C. 1985, ch. I-9

Modifiée par L.R.C. 1985, ch. 10 (4e suppl.); L.C. 1992, ch. 1; 1993, ch. 15; ch. 44; 1994, ch. 47; 2001, ch. 34.

Loi concernant les dessins industriels

TITRE ABRÉGÉ

Titre abrégé

1. *Loi sur les dessins industriels.*
S.R.C., ch. I-8, art. 1.

DÉFINITIONS

Définitions

2. Les définitions qui suivent s'appliquent à la présente loi.

«dessin» *"design"* or *"industrial design"*
«dessin» Caractéristiques ou combinaison de caractéristiques visuelles d'un objet fini, en ce qui touche la configuration, le motif ou les éléments décoratifs.

«ensemble» *"set"*
«ensemble» Réunion d'objets du même genre généralement vendus ou destinés à être utilisés ensemble et auxquels sont appliqués le même dessin ou des variantes du même dessin.

«fonction utilitaire» *"utilitarian function"*
«fonction utilitaire» Fonction d'un objet autre que celle de support d'un produit artistique ou littéraire.

«ministre» *"Minister"*
«ministre» Le membre du Conseil privé de la Reine pour le Canada chargé par le gouverneur

INDUSTRIAL DESIGN ACT

R.S.C. 1985, c. I-9

Amended by R.S.C. 1985, c. 10 (4th suppl.); S.C. 1992, c. 1; 1993, c. 15; 1993, c. 44; 1994, c. 47; 2001, c. 34.

An Act respecting industrial designs

SHORT TITLE

Short title

1. This Act may be cited as the *Industrial Design Act.*
R.S.C., c. I-8, s. 1.

INTERPRETATION

Definitions

2. In this Act,

"article" *«objet»*
"article" means any thing that is made by hand, tool or machine;

"design" or "industrial design" *«dessin»*
"design" or "industrial design" means features of shape, configuration, pattern or ornament and any combination of those features that, in a finished article, appeal to and are judged solely by the eye;

"kit" *«prêt-à-monter»*
"kit" means a complete or substantially complete number of parts that can be assembled to construct a finished article;

"Minister" *«ministre»*
"Minister" means such member of the Queen's Privy Council for Canada as is designated by the Governor in Council as the Minister for the purposes of this Act;

en conseil de l'application de la présente loi.
«objet» *"article"*
«objet» Tout ce qui est réalisé à la main ou à l'aide d'un outil ou d'une machine.
«objet utilitaire» *"useful article"*
«objet utilitaire" Objet remplissant une fonction utilitaire, y compris tout modèle ou toute maquette de celui-ci.
«prêt-à-monter» *"kit"*
«prêt-à-monter» Réunion de toutes ou presque toutes les pièces constitutives dont l'assemblage permet de réaliser un objet fini.
«variantes» *"variants"*
«variantes» Dessins s'appliquant au même objet ou ensemble et ne différant pas de façon importante les uns des autres.
L.R.C. 1985, ch. I-9, art. 2; ch. 10 (4e suppl.), art. 20; L.C. 1993, ch. 15, art. 12; ch. 44, art. 161(1).

"prescribed" ***Version anglaise seulement***
means prescribed by regulations and, in relation to fees, includes determined in the manner prescribed by the regulations;
"set" ***«ensemble»***
"set" means a number of articles of the same general character ordinarily on sale together or intended to be used together, to each of which the same design or variants thereof are applied;
"useful article" ***«objet utilitaire»***
"useful article" means an article that has a utilitarian function and includes a model of any such article;
"utilitarian function" ***«fonction utilitaire»***
"utilitarian function" in respect of an article, means a function other than merely serving as a substrate or carrier for artistic or literary matter.
"variants" ***«variantes»***
"variants" means designs applied to the same article or set and not differing substantially from one another.
R.S.C., 1985, c. I-9, s. 2; c. 10 (4th Supp.), s. 20; S.C. 1993, c. 15, s. 12; c. 44, s. 161.

PARTIE I
DESSINS INDUSTRIELS

Enregistrement

Registre

3. Le ministre fait tenir un registre appelé registre des dessins industriels, pour l'enregistrement de ces dessins.
L.R.C. 1985, ch. I-9, art. 3; L.C. 1992, ch. 1, art. 79.

Demande d'enregistrement

4. (1) Le propriétaire d'un dessin, qu'il en soit le premier propriétaire ou le propriétaire subséquent, peut en demander l'enregistrement en payant les droits réglementaires ou calculés de la manière prévue par règlement et en déposant auprès du ministre, en la forme réglementaire, une demande accompagnée :
a) d'une esquisse ou d'une photographie du dessin et d'une description de celui-ci;
b) d'une déclaration portant qu'à sa connaissance, personne d'autre que le premier pro-

PART I
INDUSTRIAL DESIGNS

Registration

Register

3. The Minister shall cause to be kept a register called the Register of Industrial Designs for the registration therein of industrial designs.
R.S.C. 1985, c. I-9, s. 3; S.C. 1992, c. 1, s. 79.

Application to register design

4. (1) The proprietor of a design, whether the first proprietor or a subsequent proprietor, may apply to register the design by paying the prescribed fees and filing an application with the Minister in the prescribed form including
(*a*) a drawing or photograph of the design and a description of the design;
(*b*) a declaration that the design was not, to the proprietor's knowledge, in use by any person other than the first proprietor at the

priétaire du dessin n'en faisait usage lorsque celui-ci en a fait le choix;
c) des renseignements réglementaires.

Présomption
(2) Sous réserve des conditions réglementaires, la demande est considérée comme déposée par une personne autre que celle qui l'a déposée si, avant l'enregistrement du dessin, il est démontré au ministre que cette autre personne était le propriétaire du dessin lors du dépôt de la demande.
L.R.C. 1985, ch. I-9, art. 4; L.C. 1992, ch. 1, art. 79; 1993, ch. 15, art. 13.

Examen antérieur à l'enregistrement
5. (1) Le ministre examine la demande en vue de déterminer si le dessin peut être enregistré aux termes de la présente loi.

Rapport
(2) S'il estime que le dessin ne peut être enregistré, le ministre envoie au demandeur un rapport mentionnant ses objections et le délai pour y répondre.

Abandon
(3) La demande est considérée comme abandonnée si le demandeur ne répond pas, de bonne foi, dans le délai imparti, aux objections qui sont formulées dans le rapport.

Rétablissement
(4) La demande doit être rétablie si, dans le délai réglementaire, le demandeur :
a) présente une demande à cet effet;
b) répond de bonne foi, aux objections formulées dans le rapport;
c) paie les droits réglementaires ou calculés de la manière prévue par règlement.
L.R.C. 1985, ch. I-9, art 5; L.C. 1992, c. 1, art. 143, ann. VI; 1993, ch. 15, art. 13.

Limites et protection
5.1 Les caractéristiques résultant uniquement de la fonction utilitaire d'un objet utilitaire ni les méthodes ou principes de réalisation d'un objet ne peuvent bénéficier de la

time the design was adopted by the first proprietor; and
(*c*) any prescribed information.

Substituted applicants
(2) The application shall, subject to any prescribed terms and conditions, be considered to have been filed by a person other than the person who filed it if, before the design is registered, it is established to the satisfaction of the Minister that the other person was the proprietor when the application was filed.
R.S.C. 1985, c. I-9, s. 4; S.C. 1992, c. 1, s. 79; 1993, c. 15, s. 13.

Examination prior to registration
5. (1) The Minister shall examine each application for the registration of a design to ascertain whether the design meets the requirements of this Act for registration.

Report of objections
(2) Where the Minister finds that a design does not meet the requirements for registration, the Minister shall send the applicant a report setting out the objections to registration and specifying a period for reply.

Abandonment of application
(3) If the applicant does not reply in good faith to the objections within the specified period, the application shall be considered abandoned.

Reinstatement of application
(4) An application that is considered abandoned shall be reinstated if the applicant, within the prescribed period,
(*a*) makes a request for reinstatement;
(*b*) replies in good faith to the objections to registration; and
(*c*) pays the fees prescribed for reinstatement.
R.S.C. 1985, c. I-9, s. 5; S.C. 1992, c. 1, s. 143, sch. VI; 1993, c. 15, s. 13.

Restriction on protection
5.1 No protection afforded by this Act shall extend to
(a) features applied to a useful article that are dictated solely by a utilitarian function of the

protection prévue par la présente loi.
L.R.C. 1985, ch. 10 (4e suppl.), art. 21.

article; or
(b) any method or principle of manufacture or construction.
R.S.C. 1985, c. 10 (4th Supp.), s. 21.

Enregistrement du dessin

6. (1) Si le ministre trouve que le dessin n'est pas identique à un autre dessin déjà enregistré ou qu'il n'y ressemble pas au point qu'il puisse y avoir confusion, il l'enregistre et remet au propriétaire une esquisse ou une photographie ainsi qu'une description en même temps que le certificat prescrit par la présente partie.

Registration of design

6. (1) The Minister shall register the design if the Minister finds that it is not identical with or does not so closely resemble any other design already registered as to be confounded therewith, and shall return to the proprietor thereof the drawing or photograph and description with the certificate required by this Part.

Exception

(2) Le ministre peut refuser, sauf appel au gouverneur en conseil, d'enregistrer les dessins qui ne lui paraissent pas tomber sous le coup des dispositions de la présente partie, ou tout dessin contraire à la morale ou à l'ordre public.

Exception

(2) The Minister may refuse, subject to appeal to the Governor in Council, to register such designs as do not appear to the Minister to be within the provisions of this Part or any design that is contrary to public morality or order.

Idem

(3) Le ministre refuse d'enregistrer le dessin si la demande d'enregistrement a été déposée au Canada :
a) plus d'un an après sa publication au Canada ou ailleurs dans le monde, dans le cas d'une demande déposée au Canada à compter de l'entrée en vigueur du présent paragraphe;
b) plus d'un an après sa publication au Canada, dans les autres cas.

Exception for late applications

(3) The Minister shall refuse to register the design if the application for registration is filed in Canada
(*a*) more than one year after the publication of the design in Canada or elsewhere, in the case of an application filed in Canada on or after the day on which this subsection comes into force; or
(*b*) more than one year after the publication of the design in Canada, in the case of an application filed in Canada before the day on which this subsection comes into force.

Non-application de l'article 29

(4) Il n'est pas tenu compte de l'article 29 pour l'application du paragraphe (3).
L.R.C. 1985, ch. I-9, art. 6; L.C. 1992, ch. 1, art. 80; 1993, ch. 15, art. 14; ch. 44, art. 162.

Non-application of section 29

(4) For the purposes of subsection (3), section 29 does not apply in determining when an application for registration is filed.
R.S.C. 1985, c. I-9, s. 6; S.C. 1992, c. 1, s. 80; 1993, c. 15, s. 14; c. 44, s. 162.

Certificat d'enregistrement

7. (1) Le certificat, qui atteste que le dessin a été enregistré conformément à la présente loi, peut être signé par le ministre, le commissaire aux brevets ou tout membre du personnel du bureau de ce dernier.

Certificate of registration

7. (1) A certificate shall be signed by the Minister, the Commissioner of Patents or an officer, clerk or employee of the Commissioner's office and shall state that the design has been registered in accordance with this Act.

Détails du certificat

(2) Le certificat mentionné au paragraphe (1) indique la date de l'enregistrement, le nom et l'adresse du propriétaire ainsi que le numéro d'enregistrement.

Le certificat fait foi de son contenu

(3) En l'absence de preuve contraire, le certificat est une attestation suffisante du dessin, de son originalité, du nom du propriétaire, du fait que la personne dite propriétaire est propriétaire, de la date et de l'expiration de l'enregistrement, et de l'observation de la présente loi.

Admissibilité en preuve

(4) Le certificat censé avoir été délivré selon le paragraphe (1) est admissible en preuve sans qu'il soit nécessaire de prouver l'authenticité de la signature qui y est apposée ou la qualité oficielle du signataire.
L.R.C. 1985, ch. I-9, art. 7; L.C. 1992, ch. 1, art. 81 et 143; 1993, ch. 15, art. 15.

8. [Abrogé, L.C. 1993, ch. 15, art. 16.]

Droit exclusifs

Droit exclusif

9. Le droit exclusif à la propriété d'un dessin industriel peut être acquis par l'enregistrement de ce dessin conformément à la présente partie.
S.R.C., ch. I-8, art. 9.

Durée du droit

10. (1) Sous réserve du paragraphe (3), la durée du droit exclusif à la propriété d'un dessin industriel est limitée à dix ans à compter de la date de l'enregistrement du dessin.

Taxes périodiques

(2) Le propriétaire d'un dessin industriel est tenu de payer au commissaire aux brevets, afin de maintenir le droit exclusif conféré par l'enregistrement du dessin, les droits réglementaires ou calculés de la manière prévue par règlement pour chaque période réglementaire.

Particulars thereof

(2) The certificate referred to in subsection (1) shall show the date of registration, the name and address of the proprietor and the registration number.

Certificate to be evidence of contents

(3) The certificate, in the absence of proof to the contrary, is sufficient evidence of the design, of the originality of the design, of the name of the proprietor, of the person named as proprietor being proprietor, of the commencement and term of registration, and of compliance with this Act.

No proof of signature required

(4) A certificate appearing to be issued under this section is admissible in evidence in all courts without proof of the signature or official character of the person appearing to have signed it.
R.S.C. 1985, c. I-9, s. 7; S.C. 1992, c. 1, ss. 81 and 143; 1993, c. 15, s. 15.

8. [Repealed, S.C. 1993, c. 15, s. 16.]

Exclusive Right

Exclusive right

9. An exclusive right for an industrial design may be acquired by registration of the design under this Part.
R.S.C., c. I-8, s. 9.

Duration of right

10. (1) Subject to subsection (3), the term limited for the duration of an exclusive right for an industrial design is ten years beginning on the date of registration of the design.

Maintenance fees

(2) The proprietor of a design shall, to maintain the exclusive right accorded by the registration of the design, pay to the Commissioner of Patents such fees, in respect of such periods, as may be prescribed.

Péremption

(3) En cas de non-paiement dans le délai réglementaire des droits réglementaires, le droit exclusif est périmé.

L.R.C. 1985, ch. I-9, art. 10; L.C. 1993, ch. 15, art. 17; ch. 44, art. 163.

Expiration of term

(3) Where the fees payable under subsection (2) are not paid within the time provided for by the regulations, the term limited for the duration of the exclusive right shall be deemed to have expired at the end of that time.

R.S.C. 1985, c. I-9, s. 10; S.C. 1993, c. 15, s. 17; c. 44, s. 163.

Usage sans autorisation

11. (1) Pendant l'existence du droit exclusif, il est interdit, sans l'autorisation du propriétaire du dessin :

a) de fabriquer, d'importer à des fins commerciales, ou de vendre, de louer ou d'offrir ou d'exposer en vue de la vente ou la location un objet pour lequel un dessin a été enregistré et auquel est appliqué le dessin ou un dessin ne différant pas de façon importante de celui ci;

b) d'effectuer l'une quelconque des opérations visées à l'alinéa *a*) dans la mesure où elle constituerait une violation si elle portait sur l'objet résultant de l'assemblage d'un prêt-à-monter.

Using design without licence

11. (1) During the existence of an exclusive right, no person shall, without the licence of the proprietor of the design,

(*a*) make, import for the purpose of trade or business, or sell, rent, or offer or expose for sale or rent, any article in respect of which the design is registered and to which the design or a design not differing substantially therefrom has been applied; or

(*b*) do, in relation to a kit, anything specified in paragraph (*a*) that would constitute an infringment if done in relation to an article assembled from the kit.

Différences importantes

(2) Pour l'application du paragraphe (1), il peut être tenu compte, pour déterminer si les différences sont importantes, de la mesure dans laquelle le dessin enregistré est différent de dessins publiés auparavant.

L.R.C. 1985, ch. I-9, art. 11; L.C. 1993, ch. 44, art. 164.

Substantial differences

(2) For the purposes of subsection (1), in considering whether differences are substantial, the extent to which the registered design differs from any previously published design may be taken into account.

R.S.C. 1985, c. I-9, s. 11; S.C. 1993, c. 44, s. 164.

Propriété

Premier propriétaire

12. (1) L'auteur d'un dessin en est le premier propriétaire, à moins que, pour contrepartie à titre onéreux, il ne l'ait exécuté pour une autre personne, auquel cas celle-ci en est le premier propriétaire.

Droit acquis

(2) Le droit de cette autre personne à la propriété ne va pas plus loin que l'étendue du droit qu'elle a acquis.

L.R.C. 1985, ch. I-9, art. 12; L.C. 1993, ch. 15, art. 18.

Proprietorship

First proprietor

12. (1) The author of a design is the first proprietor of the design, unless the author has executed the design for another person for a good and valuable consideration, in which case the other person is the first proprietor.

Acquired right

(2) The right of another person to the property shall only be co-extensive with the right that the other person has acquired.

R.S.C., c. I-8, s. 12; S.C. 1993, c. 15, s. 18.

Cessions

Cessibilité des dessins

13. (1) Tout dessin, qu'il soit enregistré ou non, est cessible en loi, soit quant à la totalité de l'intérêt, soit quant à quelque partie indivise de celui-ci, au moyen d'une pièce écrite qui est enregistrée au bureau du commissaire aux brevets sur paiement des droits réglementaires ou calculés de la manière prévue par règlement.

Droit de se servir du dessin

(2) Tout propriétaire d'un dessin peut accorder et transporter le droit exclusif de faire, d'utiliser et de vendre ce dessin, ainsi que d'accorder à d'autres le droit de le faire, de l'utiliser et de le vendre dans toute l'étendue ou dans toute partie que ce soit du Canada, pour la durée ou pour une partie de la durée qui reste à courir de ce droit.

Permis

(3) Un droit exclusif ainsi accordé et transporté s'appelle un permis et est enregistré de la même manière et dans le même délai que le sont les cessions.

L.R.C. 1985, ch. I-9, art. 13; L.C. 1993, ch. 15, art. 19.

14. [Abrogé, L.C. 1993, ch. 15, art. 20.]

Action pour violation d'un droit exclusif

Initiative de l'action

15. (1) L'action pour violation d'un droit exclusif peut être intentée devant tout tribunal compétent soit par le propriétaire du dessin, soit par le titulaire d'une autorisation exclusive et relative à celui-ci, sous réserve d'une entente entre le propriétaire du dessin et le titulaire.

Partie à l'action

(2) Le propriétaire du dessin doit être partie à l'action.

L.R.C. 1985, ch. I-9, art. 15; L.C. 1993, ch. 44, art. 166.

Assignments

Design to be assignable

13. (1) Every design, whether registered or unregistered, is assignable in law, either as to the whole interest or any undivided part, by an instrument in writing, which shall be recorded in the office of the Commissioner of Patents on payment of the prescribed fees.

Right to use design

(2) Every proprietor of a design may grant and convey an exclusive right to make, use and vend and to grant to others the right to make, use and vend the design, within and throughout Canada or any part thereof, for the unexpired term of its duration or any part thereof.

Licence

(3) A grant and conveyance under subsection (2) shall be called a licence, and shall be recorded in like manner and time as assignments.

R.S.C. 1985, c. I-9, s. 13; S.C. 1993, c. 15, s. 19.

14. [Repealed, S.C. 1993, c. 15, s. 20.]

Action for infringement

Action by proprietor or licensee

15. (1) An action for infringement of an exclusive right may be brought in any court of competent jurisdiction by the proprietor of the design or by an exclusive licensee of any right therein, subject to any agreement between the proprietor and the licensee.

Proprietor to be a party

(2) The proprietor of the design shall be or be made a party to any action for infringement of the exclusive right.

R.S.C. 1985, c. I-9, s. 15; S.C. 1993, c. 44, s. 166.

Pouvoir du tribunal d'accorder réparation

15.1 Dans toute action visée à l'article 15, le tribunal peut rendre les ordonnances que les circonstances exigent, notamment pour réparation par voie d'injonction ou par recouvrement de profits perçus ou de dommages-intérêts, pour l'imposition de dommages punitifs, ou encore en vue de la disposition de tout objet ou prêt-à-monter faisant l'objet de la violation.
L.C. 1993, ch. 44, art. 166.

Power of court to grant relief

15.1 In any proceedings under section 15, the court may make such orders as the circumstances require, including orders for relief by way of injunction and the recovery of damages or profits, for punitive damages, and for the disposal of any infringing article or kit.
S.C. 1993, c. 44, s. 166.

Compétence concurrente

15.2 La Cour fédérale a compétence concurrente pour juger toute question en matière de propriété d'un dessin ou de droits sur un dessin ainsi que toute action en violation d'un droit exclusif.
L.C. 1993, ch. 44, art. 166.

Concurrent jurisdiction

15.2 The Federal Court has concurrent jurisdiction to hear and determine
(*a*) any action for the infringement of an exclusive right; and
(*b*) any question relating to the proprietorship of a design or any right in a design.
S.C. 1993, c. 44, s. 166.

16. [Abrogé, L.C. 1993, ch. 44, art. 167.]

16. [Repealed, S.C. 1993, c. 44, s. 167.]

Action irrecevable

17. (1) Dans le cadre des procédures visées à l'article 15, le tribunal ne peut procéder que par voie d'injonction si le défendeur démontre que, lors de la survenance des faits reprochés, il ignorait — ou ne pouvait raisonnablement savoir — que le dessin avait été enregistré.

Defence

17. (1) In any proceedings under section 15, a court shall not award a remedy, other than an injunction, if the defendant establishes that, at the time of the act that is the subject of the proceedings, the defendant was not aware, and had no reasonable grounds to suspect, that the design was registered.

Exception

(2) Le paragraphe (1) ne s'applique pas si le plaignant démontre que la lettre «D», entourée d'un cercle, et le nom du propriétaire du dessin, ou son abréviation usuelle, figuraient lors de la survenance des faits reprochés :
a) soit sur la totalité ou la quasi-totalité des objets qui étaient distribués au Canada par le propriétaire ou avec son consentement;
b) soit sur les étiquettes ou les emballages de ces objets.

Exception

(2) Subsection (1) does not apply if the plaintiff establishes that the capital letter "D" in a circle and the name, or the usual abbreviation of the name, of the proprietor of the design were marked on
(*a*) all, or substantially all, of the articles to which the registration pertains and that were distributed in Canada by or with the consent of the proprietor before the act complained of; or
(*b*) the labels or packaging associated with those articles.

Propriétaire

(3) Pour l'application du paragraphe (2), le propriétaire du dessin est celui qui en est le

Proprietor

(3) For the purposes of subsection (2), the proprietor is the proprietor at the time the ar-

propriétaire lors du marquage des objets, des étiquettes ou des emballages.
L.R.C. 1985, ch. I-9, art. 17; L.C. 1993, ch. 15, art. 21; ch. 44, art. 168.

ticles, labels or packaging were marked.
R.S.C. 1985, c. I-9, s. 17; S.C. 1993, c. 15, s. 21; c. 44, s. 168.

Prescription

18. L'action en violation se prescrit par trois ans à compter de celle-ci.
L.R.C. 1985, ch. I-9, art. 18; L.C. 1993, ch. 44, art. 169.

Limitation

18. No remedy may be awarded for an act of infringement commited more than three years before the commencement of the action for infringement.
R.S.C. 1985, c. I-9, s. 18; S.C. 1993, c. 44, s. 169.

PARTIE II
DISPOSITIONS GÉNÉRALES

19. [Abrogé, L.C. 2001, ch. 34, art. 52.]

PART II
GENERAL

19. [Repealed, S.C. 2001, c. 34, s. 52.]

Erreurs d'écriture

Corrections

20. Les erreurs d'écriture qui se glissent dans la rédaction ou dans l'expédition des pièces délivrées sous l'autorité de la présente loi concernant les dessins industriels ne les invalident pas; mais, lorsqu'il s'en découvre, elles peuvent être corrigées sous l'autorité du ministre.
S.R.C., ch. I-8, art. 20.

Clerical Errors

Correction

20. Clerical errors that occur in the drawing up or copying of any instrument under this Act respecting industrial designs shall not be construed as invalidating the instrument, but when discovered, may be corrected under the authority of the Minister.
R.S.C., c. I-8, s. 20.

Examen des livres

Inspection des registres

21. (1) Toute personne peut examiner le registre des dessins industriels.

Copies

(2) Toute personne peut obtenir des copies d'esquisses de dessins industriels enregistrés sur paiement des droits réglementaires ou calculés de la manière prévue par règlement.
L.R.C. 1985, ch. I-9, art. 21; L.C. 1993, ch. 15, art. 22.

Inspection

Inspection of registers

21. (1) Any person may be allowed to inspect the Register of Industrial Designs.

Copies

(2) Any person may obtain copies of registered industrial designs on payment of the prescribed fees.
R.S.C. 1985, c. I-9, s. 21; S.C. 1993, c. 15, s. 22.

Procédure quant à la rectification et aux changements

Correction des inscriptions par la Cour fédérale

22. (1) La Cour fédérale peut, sur l'information du procureur général, ou à l'instance

Procedure as to Rectification and Alteration

Federal Court may rectify entries

22. (1) The Federal Court may, on the information of the Attorney General or at the suit

de toute personne lésée, soit par l'omission, sans cause suffisante, d'une inscription sur le registre des dessins industriels, soit par quelque inscription faite sans cause suffisante sur ce registre, ordonner que l'inscription soit faite, rayée ou modifiée, ainsi qu'elle le juge à propos ou peut rejeter la demande.

of any person aggrieved by any omission without sufficient cause to make any entry in the Register of Industrial Designs, or by any entry made without sufficient cause in the Register, make such order for making, expunging or varying any entry in the Register as the Court thinks fit, or the Court may refuse the application.

Frais

(2) Dans les deux cas, le tribunal peut statuer sur les frais des procédures de la manière qu'il le juge à propos.

Costs

(2) In either case, the Federal Court may make such order with respect to the costs of the proceedings as the Court thinks fit.

Questions à décider

(3) Le tribunal peut, dans une procédure en vertu du présent article, décider toute question dont la décision est nécessaire ou opportune pour la rectification du registre.

Question to be decided

(3) The Federal Court may in any proceedings under this section decide any question that may be necessary or expedient to decide for the rectification of the Register.

Juridiction

(4) La Cour fédérale a juridiction exclusive pour connaître et décider de ces procédures.
S.R.C., ch. I-8, art. 22; ch. 10 (2e suppl.), art. 64.

Jurisdiction

(4) The Federal Court has exclusive jurisdiction to hear and determine proceedings under this section.
R.S.C., c. I-8, s. 22; c. 10 (2nd Supp.), s. 64.

Modification des dessins

23. (1) Le propriétaire inscrit d'un dessin industriel enregistré peut demander à la Cour fédérale l'autorisation d'ajouter quelque chose à un dessin industriel, ou de le modifier dans des détails qui n'ont rien d'essentiel. Le tribunal peut refuser sa demande ou l'accorder aux conditions qu'il juge à propos.

Application to alter design

23. (1) The registered proprietor of any registered industrial design may apply to the Federal Court for leave to add to or alter any industrial design in any particular not being an essential particular, and the Court may refuse or grant leave on such terms as it may think fit.

Avis au ministre

(2) Avis de toute demande projetée au tribunal, en vertu du présent article, pour ajouter à un dessin industriel, ou pour y changer quelque chose, est donné au ministre qui a droit d'être entendu au sujet de cette demande.
S.R.C., ch. I-8, art. 23; ch. 10(2e suppl.), art. 64.

Notice to Minister

(2) Notice of any intended application to the Federal Court under this section for leave to add to or alter any industrial design shall be given to the Minister, and the Minister is entitled to be heard on the application.
R.S.C., c. I-8, s. 23; c. 10 (2nd Supp.), s. 64.

Rectification du registre en conséquence

24. Une copie certifiée d'une ordonnance du tribunal prescrivant d'effectuer, de rayer ou de modifier une inscription sur le registre des dessins industriels, ou de faire une addition ou une modification à un dessin indus-

Consequent rectification of register

24. A certified copy of any order of the Federal Court for the making, expunging or varying of any entry in the Register of Industrial Designs, or for adding to or altering any registered industrial design, shall be transmitted

triel enregistré, est transmise au ministre par un fonctionnaire du greffe du tribunal; après quoi, le registre est rectifié ou modifié conformément à l'ordonnance transmise, ou la teneur de cette ordonnance est autrement dûment inscrite sur le registre, selon le cas.
S.R.C., ch. I-8, art. 24; ch. 10 (2e suppl.), art. 65.

to the Minister by an officer of the Registry of the Court, and the Register shall thereupon be rectified or altered in conformity with the order, or the purport of the order otherwise duly entered therein, as the case may be.
R.S.C., c. I-8, s. 24; c. 10 (2nd Supp.), s. 65.

Règlements

Règlements

25. Le gouverneur en conseil peut, par règlement :

a) déterminer les règles applicables aux titres des dessins;

b) déterminer la forme et le contenu des demandes d'enregistrement des dessins;

c) fixer les droits à acquitter pour tout acte ou service accompli aux termes de la présente loi, ou en préciser le mode de détermination;

d) régir le remboursement des droits acquittés aux termes de la présente loi;

e) régir l'enregistrement des ensembles et celui des variantes d'un dessin;

f) régir la présentation des demandes de priorité visées à l'article 29, y compris les renseignements et documents à fournir à leur soutien et le délai de production des demandes et des renseignements et documents;

g) régir la façon de déterminer la priorité d'une demande dans le cas visé à l'article 29 et, de façon générale, l'application de cet article;

h) prendre toute mesure d'ordre réglementaire prévue par la présente loi ou d'application de celle-ci.

L.R.C. 1985, ch. I-9, art. 25; L.C. 1993, ch. 15, art. 23; ch. 44, art. 170.

Regulations

Regulations

25. The Governor in Council may make regulations

(*a*) governing titles of designs;

(*b*) respecting the form and contents of applications for registration of designs;

(*c*) prescribing fees, or the manner of determining fees, to be paid for anything required or authorized to be done in the administration of this Act;

(*d*) respecting the return of any fees paid under this Act

(*e*) respecting the registration of sets and of variants of a design;

(*f*) respecting the making of requests for priority under section 29, including the information and documents that must be filed in support of a request and the period within which a request must be made and the information and documents must be filed;

(*g*) governing the determination of the priority of applications under section 29 and generally governing the application of that section; and

(*h*) prescribing anything else that is to be prescribed under this Act and generally for carrying out the purposes and provisions of this Act.

R.S.C. 1985, c. I-9, s. 25; S.C. 1993, c. 15, s. 23; c. 44, s. 170.

26 à **28.** [Abrogés, L.C. 1993, ch. 15, art. 23.]

26 to **28.** [Repealed, S.C. 1993, c. 15, s. 23.]

Priorité

Demande déjà déposée dans un autre pays

29. (1) Sous réserve des règlements, la demande d'enregistrement d'un dessin indus-

Priority

Application filed in another country

29. (1) Subject to the regulations, an application for the registration of an industrial de-

triel, déposée au Canada par une personne qui a, ou dont le prédécesseur en titre a, auparavant dûment déposé une demande d'enregistrement du même dessin industriel dans un pays étranger, ou pour un pays étranger, a la même force et le même effet qu'elle aurait si elle était déposée au Canada à la date à laquelle la demande d'enregistrement de ce dessin industriel a été en premier lieu déposée dans ce pays étranger, ou pour ce pays étranger, si les conditions suivantes sont réunies :

a) la demande est déposée au Canada dans les six mois suivant la date la plus éloignée à laquelle toute pareille demande a été déposée à l'étranger pour la première fois;

b) la personne dépose la demande de priorité conformément aux règlements et observe les autres modalités réglementaires.

sign filed in Canada by any person who has, or whose predecessor in title has, previously regularly filed an application for the registration of the same industrial design in or for a foreign country has the same force and effect as the same application would have if filed in Canada on the date on which the application for the registration of the same industrial design was first filed in or for that foreign country, if

(*a*) the application in Canada is filed within six months from the earliest date on which the foreign application was filed; and

(*b*) the person requests priority in respect of the application filed in Canada in accordance with the regulations and complies with any other prescribed requirements.

Définitions

(2) Les définitions qui suivent s'appliquent au présent article.

«Accord sur l'OMC» ***"WTO Agreement"***
«Accord sur l'OMC» S'entend de l'Accord au sens du paragraphe 2(1) de la *Loi de mise en oeuvre de l'Accord sur l'Organisation mondiale du commerce.*

«membre de l'OMC» ***"WTO Member"***
«membre de l'OMC» Membre de l'Organisation mondiale du commerce instituée par l'article I de l'Accord sur l'OMC.

«pays étranger» ***"foreign country"***
«pays étranger» S'entend d'un pays qui, par traité, convention ou loi, accorde aux citoyens du Canada un privilège semblable à celui qui est accordé en vertu du paragraphe (1) quant à la date de dépôt applicable à une demande d'enregistrement d'un dessin industriel et, notamment, d'un membre de l'OMC.

L.R.C. 1985, ch. I-9, art. 29; L.C. 1993, ch. 44, art. 171; 1994, ch. 47, art. 118.

Definitions

(2) In this section,

"foreign country" ***«pays étranger»***
"foreign country"

(*a*) means a country that by treaty, convention or law affords a privilege to citizens of Canada that is similar to the privilege afforded by subsection (1) with respect to the effective date of an application for the registration of an industrial design, and

(*b*) includes a WTO Member;

"WTO Agreement" ***«Accord sur l'OMC»***
"WTO Agreement" has the meaning given to the word "Agreement" by subsection 2(1) of the *World Trade Organization Agreement Implementation Act*;

"WTO Member" ***«membre de l'OMC»***
"WTO Member" means a Member of the World Trade Organization established by Article I of the WTO Agreement.

R.S.C. 1985, c. I-9, s. 29; S.C. 1993, c. 44, s. 171; 1994, c. 47, s. 118.

DISPOSITIONS TRANSITOIRES

Renouvellement

29.1 (1) L'article 10, dans sa version antérieure à la date d'entrée en vigueur du présent article, s'applique au droit exclusif acquis avant cette date.

TRANSITIONAL PROVISIONS

Renewal of rights

29.1 (1) Section 10, as it read immediately before the day on which this section came into force, applies in respect of an exclusive right acquired before that day.

Non-application

(2) Le paragraphe 17(1) ne s'applique pas au dessin enregistré au titre d'une demande déposée avant l'entrée en vigueur du présent article si, après l'enregistrement, le nom du propriétaire, une fois marqué sur l'objet auquel le dessin s'applique, apparaît, si c'est un tissu, sur une des extrémités de la pièce, ainsi que les lettres «Enr.» ou «Rd.» ou «Enr.» et «Rd.», et, si le produit est d'une autre substance, sur le bord ou tout autre endroit convenable de l'objet, ainsi que les lettres «Enr.» ou «Rd.» ou «Enr.» et «Rd.» et l'année de l'enregistrement du dessin.

Non-application of defence provision

(2) Subsection 17(1) does not apply in respect of a design registered on the basis of an application filed before this section comes into force, after the registration, the name of the proprietor of the design appears on the article to which the design applies by being marked, if the manufacture is a woven fabric, on one end of it, together with the letters "Rd." or "Enr." or both "Rd." and "Enr.", and, if the manufacture is of any other substance, with the letters "Rd." or "Enr." or both "Rd." and "Enr." and the year of registration at the edge of it or on any other convenient part.

Marques

(3) La marque peut être faite sur l'objet même ou figurer sur une étiquette attachée à celui-ci.
L.C. 1993, ch. 44, art. 172.

Method of marking

(3) For the purposes of subsection (2), the mark may be put on the manufacture by marking it on the material itself or by attaching to it a label with the proper marks on it.
S.C. 1993, c. 44, s. 172.

Demandes antérieures

30. (1) Sous réserve du paragraphe (3), les demandes d'enregistrement de dessins déposées avant l'entrée en vigueur du présent article sont régies par la présente loi dans sa version ultérieure à l'entrée en vigueur du présent article.

Prior application

30. (1) Subject to subsection (3), an application for the registration of a design filed before this section came into force shall be dealt with and disposed of in accordance with the provisions of this Act as it read immediately after this section came into force.

Enregistrement antérieur

(2) Sous réserve des paragraphes (3) à (6), les affaires survenant, après l'entrée en vigueur du présent article, relativement à un dessin enregistré au titre d'une demande déposée avant celle-ci sont régies par les dispositions de la présente loi dans sa version en vigueur au moment où surviennent les affaires.

Registrations

(2) Subject to subsections (3) to (6), any matter arising after this section came into force in respect of a design registered on the basis of an application filed before it came into force shall be dealt with and disposed of in accordance with the provisions of this Act as it reads when the matter arises.

Application de l'article 4

(3) Une demande d'enregistrement d'un dessin est réputée avoir été déposée conformément à l'article 4 dans sa version ultérieure à l'entrée en vigueur du présent article si, avant l'entrée en vigueur de celui-ci, elle a été déposée par le propriétaire du dessin, qu'il en soit le premier propriétaire ou le propriétaire subséquent, et qu'elle l'a été conformément à l'article 4 dans sa version en vigueur lors du dépôt de la demande.

Application requirements

(3) An application for the registration of a design shall be considered to have been made in accordance with section 4 as it read immediately after this section came into force if the application was made before this section came into force

(a) by the proprietor of the design, whether the first proprietor or a subsequent proprietor; and

(b) in accordance with section 4 as it read at the time the application was made.

Renouvellement

(4) Le paragraphe 10(2), dans sa version antérieure à l'entrée en vigueur du présent article, s'applique au droit exclusif qui a expiré plus de trois mois avant l'entrée en vigueur de celui-ci.

Non-application

(5) Le paragraphe 17(1) ne s'applique pas au dessin enregistré au titre d'une demande déposée avant l'entrée en vigueur du présent article si, après l'enregistrement, le nom du propriétaire, une fois marqué sur l'objet auquel le dessin s'applique, apparaît, si c'est un tissu, sur une des extrémités de la pièce, ainsi que les lettres «Enr.», «Rd.» ou «Enr.» et «Rd.» et, si le produit est d'une autre substance, sur le bord ou tout autre endroit convenable de l'objet, ainsi que les lettres «Enr.», «Rd.» ou «Enr.» et «Rd.» et l'année de l'enregistrement du dessin.

Marque

(6) La marque peut être faite sur l'objet même ou en y attachant une étiquette qui porte les marques voulues.
L.C. 1993, ch. 15, art. 24 .

Renewal of rights

(4) Subsection 10(2), as it read immediately before this section came into force, applies in respect of an exclusive right for which the term expires more than three months before this section came into force.

Non-application of defence provision

(5) Subsection 17(1) does not apply in respect of a design registered on the basis of an application filed before this section came into force if, after the registration, the name of the proprietor of the design appears on the article to which the design applies by being marked, if the manufacture is a woven fabric, on one end of it, together with the letters "Rd.", "Enr." or both "Rd." and "Enr.", and, if the manufacture is of any other substance, with the letters "Rd.", "Enr." or both "Rd." and "Enr." and the year of registration at the edge of it or on any other convenient part.

Method of marking

(6) For the purposes of subsection (5), the mark may be put on the manufacture by making it on the material itself or by attaching to it a label with the proper marks on it.
S.C. 1993, c. 15, s. 24.

Règles régissant les dessins industriels

C.R.C., ch. 964

Loi sur les dessins industriels
(L.R.C. 1985, ch. I-9)

[Abrogées, DORS/99-459.]

Industrial Designs Rules

C.R.C., c. 964

Industrial Design Act
(R.S.C. 1985, c. I-9)

[Repealed, SOR/99-459.]

RÈGLEMENT SUR LES DESSINS INDUSTRIELS

Table des matières

INDUSTRIAL DESIGN REGULATIONS

Table of Contents

Règlement sur les dessins industriels

DORS/99-460

Loi sur les dessins industriels
(L.R.C. 1985, ch. I-9)

RÈGLEMENT SUR LES DESSINS INDUSTRIELS

DÉFINITIONS

1. Les définitions qui suivent s'appliquent au présent règlement.
« Bureau » La section des dessins industriels du Bureau du commissaire aux brevets. *(Office)*
« commissaire » Le commissaire aux brevets. *(Commissioner)*
« demande » Sauf disposition contraire du présent règlement, demande d'enregistrement d'un dessin déposée aux termes de l'article 4 de la Loi. *(application)*
« demandeur » La personne nommée dans une demande à titre de propriétaire d'un dessin ou la personne à qui le dessin est cédé lorsque la demande est pendante. *(applicant)*
« Loi » La *Loi sur les dessins industriels*. *(Act)*
« mandataire » Personne ou entreprise nommée par le demandeur pour agir en son nom pour l'application du présent règlement. *(agent)*
« propriétaire inscrit » Personne inscrite au registre des dessins industriels comme propriétaire d'un dessin. *(registered proprietor)*
« représentant aux fins de signification » Personne ou entreprise au Canada que le demandeur ou le propriétaire inscrit nomme pour recevoir tout avis ou pour recevoir signification de tout document en son nom pour l'application du présent règlement. *(representative for service)*

Industrial Design Regulations

SOR/99-460

Industrial Design Act
(R.S.C. 1985, c. I-9)

INDUSTRIAL DESIGN REGULATIONS

INTERPRETATION

1. The definitions in this section apply in these Regulations.
"Act" means the *Industrial Design Act*. *(Loi)*
"agent" means a person or firm appointed by an applicant to act on their behalf for the purposes of these Regulations. *(mandataire)*
"applicant" means a person who is named as the proprietor of a design in an application or the person to whom a design has been assigned while the application is pending. *(demandeur)*
"application" means, except as otherwise provided in these Regulations, an application for the registration of a design filed under section 4 of the Act. *(demande)*
"Commissioner" means the Commissioner of Patents. *(commissaire)*
"Office" means the industrial design section of the Office of the Commissioner of Patents. *(Bureau)*
"registered proprietor" means, in respect of an industrial design, the person whose name appears in the Register of Industrial Designs as the proprietor of the industrial design. *(propriétaire inscrit)*
"representative for service" means a person or firm in Canada who is appointed by an applicant or registered proprietor to receive any notice or on whom documents are to be served on behalf of the applicant or registered

proprietor for the purposes of these Regulations. *(représentant aux fins de signification)*

DÉPÔT DES DEMANDES

2. Toute demande visée au paragraphe 4(1) de la Loi est déposée auprès du ministre par livraison au Bureau ou à un établissement visé au paragraphe 3(4).

CORRESPONDANCE

3. (1) La correspondance à l'intention du commissaire ou du Bureau est adressée au commissaire.

(2) La correspondance adressée au commissaire peut être livrée matériellement au Bureau pendant les heures normales d'ouverture et est réputée avoir été reçue par le commissaire le jour de la livraison.

(3) Pour l'application du paragraphe (2), la correspondance adressée au commissaire qui est livrée matériellement au Bureau en dehors des heures normales d'ouverture est réputée avoir été livrée au Bureau pendant les heures normales d'ouverture le jour de la réouverture.

(4) La correspondance adressée au commissaire peut être livrée matériellement à tout établissement désigné par lui dans la *Gazette du Bureau des brevets* pour recevoir, pendant les heures normales d'ouverture, livraison de cette correspondance :
a) si elle est livrée à l'établissement un jour où le Bureau est ouvert au public, elle est réputée avoir été reçue par le commissaire le jour de la livraison;
b) si elle est livrée à l'établissement un jour où le Bureau est fermé au public, elle est réputée avoir été reçue par le commissaire le jour de la réouverture.

FILING OF APPLICATIONS

2. An application under subsection 4(1) of the Act must be filed with the Minister by delivering it to the Office or to an establishment referred to in subsection 3(4).

CORRESPONDENCE

3. (1) Correspondence intended for the Commissioner or the Office must be addressed to the Commissioner.

(2) Correspondence addressed to the Commissioner may be physically delivered to the Office during ordinary business hours of the Office and must be considered to be received by the Commissioner on the day of the delivery.

(3) For the purposes of subsection (2), where correspondence addressed to the Commissioner is physically delivered to the Office outside of its ordinary business hours, it must be considered to have been delivered to the Office during ordinary business hours on the day when the Office is next open for business.

(4) Correspondence addressed to the Commissioner may be physically delivered to an establishment that is designated by the Commissioner in the *Canadian Patent Office Record* as an establishment to which correspondence addressed to the Commissioner may be delivered, during ordinary business hours of that establishment, and
(a) where the delivery is made to the establishment on a day that the Office is open for business, the correspondence must be considered to be received by the Commissioner on that day; and
(b) where the delivery is made to the establishment on a day that the Office is closed for business, the correspondence must be considered to be received by the Commissioner on the day when the Office is next open for business.

(5) Pour l'application du paragraphe (4), si la correspondance adressée au commissaire est livrée matériellement à un établissement en dehors des heures normales d'ouverture, elle est réputée avoir été livrée à cet établissement pendant les heures normales d'ouverture le jour de la réouverture.

(5) For the purposes of subsection (4), where correspondence addressed to the Commissioner is physically delivered to an establishment outside of the ordinary business hours of the establishment, it must be considered to have been delivered to that establishment during ordinary business hours on the day when the establishment is next open for business.

(6) La correspondance adressée au commissaire peut lui être communiquée à toute heure par transmission électronique ou autre qu'il précise dans la *Gazette du Bureau des brevets.*

(6) Correspondence addressed to the Commissioner may be sent at any time by electronic or other means of transmission specified by the Commissioner in the *Canadian Patent Office Record.*

(7) Pour l'application du paragraphe (6), si, d'après l'heure locale du lieu où est situé le Bureau, la correspondance est livrée un jour où le Bureau est ouvert au public, elle est réputée avoir été reçue par le commissaire le jour de la livraison.

(7) For the purposes of subsection (6), where, according to the local time of the place where the Office is located, the correspondence is delivered on a day when the Office is open for business, it must be considered to be received by the Commissioner on that day.

(8) Pour l'application du paragraphe (6), si, d'après l'heure locale du lieu où est situé le Bureau, la correspondance est livrée un jour où le Bureau est fermé au public, elle est réputée avoir été reçue par le commissaire le jour de la réouverture.

(8) For the purposes of subsection (6), where, according to the local time of the place where the Office is located, the correspondence is delivered on a day when the Office is closed for business, it must be considered to be received by the Commissioner on the day when the Office is next open for business.

4. (1) Sous réserve du paragraphe (2), la correspondance adressée au commissaire relativement à une demande ou à un dessin enregistré ne doit porter que sur une seule demande ou un seul dessin enregistré, selon le cas.

4. (1) Subject to subsection (2), correspondence addressed to the Commissioner in relation to an application or a registered design must be restricted to one application or one registered design, as the case may be.

(2) Le paragraphe (1) ne s'applique pas à la correspondance concernant :
a) la cession ou le permis touchant plus d'une demande ou plus d'un dessin enregistré ou touchant une ou plusieurs demandes et un ou plusieurs dessins enregistrés;
b) le changement de nom ou d'adresse du propriétaire inscrit de plus d'un dessin enregistré;
c) le changement de nom ou d'adresse du demandeur de plus d'une demande;
d) le changement de nom ou d'adresse du re-

(2) Subsection (1) does not apply to correspondence that relates to
(a) an assignment or a licence affecting more than one application or more than one registered design, or affecting one or more applications and one or more registered designs;
(b) a change in the name or address of a registered proprietor of more than one registered design;
(c) a change in the name or address of an applicant of more than one application;
(d) a change in the name or address of the

présentant aux fins de signification ou du mandataire du propriétaire inscrit de plus d'un dessin enregistré;
e) le changement de nom ou d'adresse du représentant aux fins de signification ou du mandataire du demandeur de plus d'une demande;
f) une demande visant à enregistrer plus d'un dessin à la même date;
g) une demande initiale et le dépôt d'une demande distincte visée au paragraphe 10(3).

representative for service or the agent of a registered proprietor of more than one registered design;
(e) a change in the name or address of the representative for service or the agent of an applicant of more than one application;
(f) a request to have two or more designs registered on the same date; or
(g) an initial application and the filing of a separate application referred to in subsection 10(3).

5. Toute adresse requise pour l'application de la Loi ou du présent règlement est une adresse postale complète comprenant les numéro, nom de rue et code postal, le cas échéant.

5. Any address that is required to be furnished under the Act or these Regulations must be a complete mailing address and include the street name and number and the postal code when they exist.

6. (1) La correspondance relative à une demande doit contenir les renseignements suivants :
a) le numéro de la demande, si un numéro a été attribué;
b) le nom du demandeur;
c) le titre du dessin.

6. (1) Correspondence that relates to an application must include
(a) the application number, if one has been assigned;
(b) the name of the applicant; and
(c) the title of the design.

(2) La correspondance relative à un dessin enregistré doit contenir les renseignements suivants :
a) le numéro d'enregistrement du dessin;
b) le nom du propriétaire inscrit;
c) le titre du dessin.

(2) Correspondence that relates to a registered design must include
(a) the registration number of the design;
(b) the name of the registered proprietor; and
(c) the title of the design.

7. (1) Sous réserve du paragraphe (2), le commissaire entretient la correspondance relative à une demande avec :
a) le demandeur, s'il n'y a qu'un seul demandeur;
b) s'il y a plus d'un demandeur :
(i) soit le codemandeur autorisé par l'autre ou les autres codemandeurs à agir en leur nom,
(ii) soit le premier demandeur nommé dans la demande, en l'absence de l'autorisation visée au sous-alinéa (i).

7. (1) Subject to subsection (2), the Commissioner must conduct correspondence that relates to an application with
(a) the applicant, if there is only one applicant; or
(b) if there is more than one applicant,
(i) the applicant authorized by the other applicant or applicants to act on their behalf, or
(ii) the first applicant named in the application, if no applicant has been authorized in accordance with subparagraph (i).

(2) Le commissaire entretient la correspondance relative à une demande avec le mandataire si la nomination de celui-ci est en vigueur et si le nom de celui-ci figure :
a) soit dans la demande;
b) soit dans l'avis visé à l'article 14.

(2) The Commissioner must conduct correspondence that relates to an application with an agent if their agency has not been revoked and the agent is named
(a) in the application; or
(b) in a notice under section 14.

8. (1) Sous réserve du paragraphe (2) et de l'article 14, le commissaire ne tient pas compte de la correspondance relative à une demande qui provient d'une personne autre que les personnes avec lesquelles la correspondance peut être entretenue aux termes de l'article 7.

8. (1) Subject to subsection (2) and section 14, the Commissioner may not consider any correspondence in relation to an application from anyone other than the persons with whom correspondence may be conducted in accordance with section 7.

(2) Le commissaire accuse réception de la correspondance qui lui est faite dans l'intention avouée ou apparente de contester l'enregistrement d'un dessin, sans indiquer les mesures prises.

(2) Any correspondence made to the Commissioner with the stated or apparent intention of protesting against the registration of an industrial design must be acknowledged, but no information shall be given as to the action taken.

DEMANDES

APPLICATIONS

9. (1) La demande déposée aux termes de l'article 2 est faite en la forme figurant à l'annexe 1 et est accompagnée des droits applicables prévus à la colonne 2 de l'article 1 de l'annexe 2.

9. (1) An application filed under section 2 must be made in the form set out in Schedule 1 and must include payment of the applicable fee set out in column 2 of item 1 of Schedule 2.

(2) La demande doit être en français ou en anglais et doit contenir les pièces et les renseignements suivants, en plus de la déclaration visée à l'alinéa 4(1)*b)* de la Loi :
a) les nom et adresse du demandeur et, dans le cas où un mandataire est nommé, les nom et adresse du mandataire;
b) le titre identifiant l'objet fini ou l'ensemble à l'égard duquel l'enregistrement du dessin est demandé;
c) pour l'application de l'alinéa 4(1)*a)* de la Loi, une description identifiant les caractéristiques du dessin;
d) une esquisse ou une photographie du dessin conformes à l'article 13;
e) dans le cas où le demandeur n'a pas d'établissement au Canada, les nom et adresse de son représentant aux fins de signification.

(2) An application must be in English or French and include the following information and documents in addition to the declaration mentioned in paragraph 4(1)*(b)* of the Act:
(a) the name and address of the applicant and, if an agent is named, the name and address of the agent;
(b) a title identifying the finished article or set in respect of which the registration of the design is requested;
(c) for the purpose of paragraph 4(1)*(a)* of the Act, a description that identifies the features that constitute the design;
(d) a drawing or photograph in accordance with section 13; and
(e) if the applicant has no place of business in Canada, the name and address of a representative for service.

10. (1) La demande vise un seul dessin – s'appliquant à un seul objet ou ensemble – ou des variantes.

10. (1) An application must relate to one design applied to a single article or set, or to variants.

(2) Lorsque la demande n'est pas conforme au paragraphe (1), le demandeur ou son man-

(2) If an application does not comply with subsection (1), the applicant or their agent

dataire la limite à un seul dessin – s'appliquant à un seul objet ou ensemble – ou à des variantes.

(3) Tout autre dessin divulgué dans la demande visée au paragraphe (2) peut faire l'objet d'une demande distincte, si celle-ci est accompagnée des droits applicables prévus à la colonne 2 de l'article 1 de l'annexe 2.

DATE DU DÉPÔT

11. (1) Sous réserve de l'article 29 de la Loi, la date du dépôt d'une demande est la date à laquelle le Bureau reçoit les renseignements exigés aux alinéas 9(2)*a)*, *b)* et *c)* et une esquisse ou une photographie du dessin.

(2) La date de dépôt de toute demande distincte visée au paragraphe 10(3) est celle de la demande initiale si la demande distincte est déposée :
a) avant l'enregistrement du dessin visé par la demande initiale;
b) avant l'expiration du délai fixé pour le rétablissement de la demande initiale aux termes de l'article 17, dans le cas où la demande initiale a été abandonnée.

DOCUMENTS ET PIÈCES

12. Sauf disposition contraire du présent règlement, les documents déposés auprès du ministre, autres que les esquisses et les photographies, doivent être clairs et lisibles et figurer sur le recto de feuilles de papier blanc mesurant au moins 21 cm sur 28 cm ou 8 po sur 11 po et au plus 22 cm sur 35 cm ou 8,5 po sur 14 po, et comportant des marges gauche et supérieure d'au moins 2,5 cm ou 1 po.

13. (1) Sauf disposition contraire du présent règlement, toute esquisse incluse dans la demande doit être faite de lignes noires nettes et inaltérables sur le recto de feuilles de papier blanc mesurant au moins 21 cm sur 28 cm ou 8 po sur 11 po et au plus 22 cm sur 35 cm ou 8,5 po sur 14 po, et comportant des marges gauche et supérieure d'au moins 2,5 cm ou 1 po.

must limit the application to one design applied to a single article or set, or to variants.

(3) Any other design disclosed in the application referred to in subsection (2) may be made the subject of a separate application, if it is accompanied by the applicable fees set out in column 2 of item 1 of Schedule 2.

FILING DATE

11. (1) Subject to section 29 of the Act, the filing date of an application is the date on which the Office receives the information required by paragraphs 9(2)*(a)*, *(b)* and *(c)* and a drawing or photograph of the design.

(2) A separate application referred to in subsection 10(3) has the same filing date as the initial application if it is filed
(a) before the design in the initial application is registered; and
(b) where an initial application has been abandoned, before the expiry of the period set out in section 17 for reinstating of the initial application.

DOCUMENTS AND MATERIALS

12. Except as otherwise provided in these Regulations, all documents, other than drawings and photographs, filed with the Minister must be clear and legible and must be on white paper that measures at least 21 cm x 28 cm or 8 inches by 11 inches, but not more than 22 cm x 35 cm or 8 1/2 inches by 14 inches, be printed on one side only and have left and upper margins of at least 2.5 cm or 1 inch.

13. (1) Except as otherwise provided in these Regulations, a drawing that is included in an application must be made with clear, permanent black lines and must be on white paper that measures at least 21 cm x 28 cm or 8 inches by 11 inches, but not more than 22 cm x 35 cm or 8 1/2 inches by 14 inches, be printed on one side only and have left and upper margins of at least 2.5 cm or 1 inch.

(2) Sauf disposition contraire du présent règlement, toute photographie incluse dans la demande doit être en noir et blanc et mesurer au moins 21 cm sur 28 cm ou 8 po sur 11 po et au plus 22 cm sur 35 cm ou 8,5 po sur 14 po.

(3) L'esquisse ou la photographie montre les caractéristiques du dessin de façon claire et précise.

(4) Toutes les vues sur l'esquisse ou la photographie doivent :
a) montrer l'objet auquel est appliqué le dessin;
b) montrer l'objet seul;
c) être à une échelle suffisante pour être claires et évidentes;
d) se prêter à la reproduction claire en multiples exemplaires par photographie, par procédés électrostatiques, par impression offset de photos et par microfilmage.

MANDATAIRES

14. (1) Sous réserve du paragraphe (2), le commissaire ne reconnaît à une personne ou à une entreprise la qualité de mandataire que si le demandeur, ou la personne ou l'entreprise qui agit comme mandataire, lui fait parvenir un avis écrit, signé par le demandeur, attestant ce fait.

(2) Le paragraphe (1) ne s'applique pas si le mandataire qui communique avec le commissaire est nommé comme tel dans la demande.

(3) Lorsque le commissaire reçoit de la correspondance d'une personne ou d'une entreprise qui se dit mandataire mais à l'égard de laquelle aucun avis écrit n'a été fourni conformément au paragraphe (1) et qui n'est pas nommée comme tel dans la demande, il l'avise par écrit qu'elle dispose d'un délai de 60 jours suivant la date de l'avis pour déposer un avis écrit, signé par le demandeur, attestant sa qualité de mandataire.

(2) Except as otherwise provided in these Regulations, a photograph that is included in an application must be in black and white and must be at least 21 cm x 28 cm or 8 inches by 11 inches, but not more than 22 cm x 35 cm or 8 1/2 inches by 14 inches.

(3) The drawing or photograph must show the features of the design clearly and accurately.

(4) All views on a drawing or photograph must
(a) show the article to which the design is applied;
(b) show the article in isolation;
(c) be on a sufficiently large scale as to be clear and apparent; and
(d) be presented in such a way as to permit its clear reproduction by photography, electrostatic processes, photo offset and microfilming, in any number of copies.

AGENTS

14. (1) Subject to subsection (2), the Commissioner may not recognize a person or firm as an agent unless the applicant, or the person or firm acting as the agent, delivers to the Commissioner a written notice signed by the applicant that states that the person or firm is the agent.

(2) Subsection (1) does not apply if the agent communicating with the Commissioner has been named in the application.

(3) If the Commissioner receives correspondence from a person or firm who claims to be an agent but in respect of whom no written notice has been given under subsection (1) and who has not been named as the agent in the application, the Commissioner must notify the person or firm in writing that the person or firm has 60 days from the date of issuance of the notification to file a written notice signed by the applicant that states that the person or firm is the agent.

(4) Si la personne ou l'entreprise fait parvenir au commissaire un avis écrit dans les 60 jours, le commissaire considère que la correspondance reçue a été déposée le jour de son dépôt initial.

(4) If the person or firm delivers the written notice to the Commissioner within the 60 days, the Commissioner must consider the correspondence to have been filed on the date that it was initially filed.

(5) Si l'avis écrit n'est pas reçu dans les 60 jours, le commissaire retire la correspondance du dossier et celle-ci est réputée non déposée.

(5) If the written notice is not received within the 60 days, the Commissioner must remove the correspondence from the file and consider it not to have been filed.

(6) La nomination d'un mandataire peut être révoquée par un avis de révocation présenté au commissaire et signé par le mandataire ou le demandeur.

(6) The appointment of an agent may be revoked by the applicant or the agent by submitting to the Commissioner a notice of revocation signed by the applicant or the agent.

REPRÉSENTANT AUX FINS DE SIGNIFICATION

15. Les avis des actes de procédure relatifs à une demande ou à un dessin enregistré qui sont envoyés ou signifiés au représentant aux fins de signification ont le même effet que s'ils étaient envoyés ou signifiés au demandeur ou au propriétaire inscrit.

REPRESENTATIVE FOR SERVICE

15. A notice of a proceeding relating to an application or registered design that is sent to, or served on, a representative for service has the same effect as if it were sent to, or served on, the applicant or the registered proprietor.

MODIFICATION D'UNE DEMANDE

16. (1) Sous réserve du paragraphe (2), le demandeur peut demander, avant l'enregistrement du dessin, la modification de sa demande en présentant au commissaire des pièces et des renseignements à l'appui.

AMENDMENT OF APPLICATION

16. (1) Subject to subsection (2), an applicant may request an amendment to an application at any time before the registration of a design by submitting information and material in support of the amendment to the Commissioner.

(2) Le commissaire n'accepte aucune modification de la demande qui aurait pour effet de changer sensiblement le dessin en cause.

(2) The Commissioner may not accept an amendment to an application that would substantially alter the design to which the application relates.

RÉTABLISSEMENT D'UNE DEMANDE

17. La demande de rétablissement d'une demande d'enregistrement d'un dessin présentée aux termes du paragraphe 5(4) de la Loi doit se faire dans les six mois suivant la date à laquelle la demande a été considérée comme abandonnée aux termes du paragraphe 5(3) de la Loi.

REINSTATEMENT OF APPLICATION

17. A request under subsection 5(4) of the Act for the reinstatement of an application must be made within six months after the date on which the application was considered abandoned under subsection 5(3) of the Act.

MAINTIEN DU DROIT EXCLUSIF

18. (1) Le propriétaire inscrit doit, avant l'expiration de la période de cinq ans commençant à la date d'enregistrement du dessin, payer les droits prévus à la colonne 2 de l'article 2 de l'annexe 2 pour le maintien du droit exclusif conféré par l'enregistrement du dessin.

(2) Le propriétaire inscrit qui ne satisfait pas aux exigences du paragraphe (1) peut demander au commissaire de maintenir le droit exclusif conféré par l'enregistrement du dessin s'il :
a) le fait dans les six mois suivant l'expiration de la période de cinq ans commençant à la date d'enregistrement du dessin;
b) paye les droits prévus à la colonne 2 des articles 2 et 3 de l'annexe 2.

MAINTENANCE OF EXCLUSIVE RIGHT

18. (1) The registered proprietor must, before the expiry of the five-year period beginning on the date of the registration of the design, pay the fee set out in column 2 of item 2 of Schedule 2 to maintain an exclusive right conferred by the registration of the design.

(2) If the registered proprietor does not comply with subsection (1), the registered proprietor may, on request to the Commissioner, maintain the exclusive right conferred by the registration of the design if the registered proprietor
(a) makes the request within six months after the expiry of the five-year period beginning on the date of the registration of the design; and
(b) pays the fees set out in column 2 of items 2 and 3 of Schedule 2.

CESSIONS

19. L'acte de cession d'un intérêt dans un dessin ou le permis accordant un intérêt dans ce droit qui est présenté aux fins d'enregistrement en application de l'article 13 de la Loi, est accompagné de la preuve – notamment sous forme d'affidavit ou de copie de l'acte de cession ou du permis – établissant que la personne au nom de laquelle cet intérêt doit être enregistré est le cessionnaire ou le titulaire du permis, ainsi que des droits applicables prévus à la colonne 2 de l'article 4 de l'annexe 2.

ASSIGNMENTS

19. An assignment or licence granting an interest in a design that is presented to be recorded against the design under section 13 of the Act must be accompanied by the applicable fees set out in column 2 of item 4 of Schedule 2 and by evidence that establishes that the person in whose name the interest is to be recorded is the assignee or licensee, which evidence may include an affidavit or a copy of a document effecting the assignment or licence.

PRIORITÉ

20. (1) La demande de priorité déposée au cours de la période de six mois prévue au paragraphe 29(1) de la Loi doit être faite par écrit et indiquer la date à laquelle la demande d'enregistrement du dessin a été déposée pour la première fois dans le pays étranger, ou pour le pays étranger, y compris le nom du pays et le numéro attribué par ce pays à la demande.

PRIORITY

20. (1) A request for priority filed within the six months specified in subsection 29(1) of the Act must be made in writing and indicate the date the application for registration of the design was first filed in or for the foreign country, the name of the country and the number assigned by that country to the application.

(2) Si, avant l'enregistrement du dessin pour lequel une priorité est demandée, une demande a été faite pour l'enregistrement d'un dessin identique ou d'un dessin qui lui ressemble au point qu'on puisse les confondre, le commissaire en avise par écrit le demandeur de la priorité et lui demande de fournir les documents suivants :
a) une copie certifiée de la demande d'enregistrement déposée à l'étranger ou pour un pays étranger sur laquelle il fonde sa demande de priorité;
b) un certificat du bureau de dépôt de la demande d'enregistrement visée à l'alinéa *a)* indiquant la date du dépôt.

(2) If, at any time before the registration of the design for which priority is sought, an application is made for a design that is identical to or so closely resembles the design as to be confounded with it, the Commissioner must so advise in writing the applicant who is requesting priority and request that the applicant provide the following documents
(a) a certified copy of the foreign application on which the request is based; and
(b) a certificate from the office in which the application referred to in paragraph *(a)* was filed showing the date of its filing therein.

(3) La demande de priorité est suspendue jusqu'à ce que la copie certifiée et le certificat aient été déposés.

(3) The request for priority is suspended until the certified copy and the certificate have been filed.

DROITS

21. Les droits à payer pour un service visé à la colonne 1 de l'annexe 2 fourni par le Bureau sont ceux indiqués à la colonne 2 et sont payables au receveur général du Canada.

FEES

21. The fees prescribed for a service described in column 1 of an item of Schedule 2 provided by the Office are the fees set out in column 2 of that item and are payable to the Receiver General of Canada.

MODIFICATION DES *RÈGLES RÉGISSANT LES DESSINS INDUSTRIELS*

22. Le paragraphe 15(5) des *Règles régissant les dessins industriels*, édicté par le décret C.P. 1993-2084 du 15 décembre 1993, est abrogé.

23. L'intertitre précédant l'article 18 et les articles 18 à 20 des mêmes règles, édictés par le décret C.P. 1993-2084 du 15 décembre 1993, sont abrogés.

24. L'annexe II des mêmes règles, édictée par le décret C.P. 1993-2084 du 15 décembre 1993, est abrogée.

AMENDMENTS TO THE *INDUSTRIAL DESIGNS RULES*

22. Subsection 15(5) of the *Industrial Designs Rules*, as enacted by Order in Council P.C. 1993-2084 of December 15, 1993, is repealed.

23. The heading before section 18 and sections 18 to 20 of the Rules, as enacted by Order in Council P.C. 1993-2084 of December 15, 1993, are repealed.

24. Schedule II to the Rules, as enacted by Order in Council P.C. 1993-2084 of December 15, 1993, is repealed.

ENTRÉE EN VIGUEUR

25. Le présent règlement entre en vigueur le 15 décembre 1999.

COMING INTO FORCE

25. These Regulations come into force on December 15, 1999.

ANNEXE 1	SCHEDULE 1
(Paragraphe 9(1))	*(Subsection 9(1))*

DEMANDE D'ENREGISTREMENT D'UN DESSIN INDUSTRIEL

APPLICATION FOR THE REGISTRATION OF AN INDUSTRIAL DESIGN

Le demandeur,
The applicant, ______________________________
(nom du demandeur / name of applicant)

dont l'adresse complète est
whose complete address is ______________________________
____

demande l'enregistrement d'un dessin pour un(e)
hereby requests the registration of a design for a ______________________________
____
(désignation de l'objet / title identifying article)

dont il est le propriétaire.
of which the applicant is the proprietor.

À la connaissance du propriétaire, personne d'autre que le premier propriétaire du dessin n'en faisait usage lorsque celui-ci en a fait le choix.

The design was not, to the proprietor's knowledge, in use by any person other than the first proprietor at the time the design was adopted by the first proprietor.

Description du dessin :
Description of the design:

À REMPLIR SEULEMENT SI LE DEMANDEUR A UN MANDATAIRE /
TO BE COMPLETED ONLY IF AN APPLICANT HAS AN AGENT

Nom du mandataire / Name of agent
Adresse du mandataire / Address of agent

Lorsque le demandeur n'a pas d'établissement au Canada, le nom et l'adresse de son REPRÉSENTANT AUX FINS DE SIGNIFICATION au Canada doivent être indiqués.

If an applicant has no place of business in Canada, the name and address of a REPRESENTATIVE FOR SERVICE in Canada must be provided.

Nom du représentant aux fins de signification / Name of representative for service
Adresse au Canada du représentant aux fins de signification / Address in Canada of representative for service

ANNEXE 2
(Paragraphes 9(1) et 10(3) et articles 18, 19 et 21)

TARIF DES DROITS

	Colonne 1	Colonne 2
Article	Service	Droits ($)
1.	Examen d'une demande d'enregistrement d'un dessin en vertu du paragraphe 4(1) de la Loi	160,00
2.	Maintien de l'enregistrement d'un dessin en vertu du paragraphe 18(1)	215,00
3.	Droit supplémentaire pour la demande de maintien de l'enregistrement d'un dessin en vertu du paragraphe 18(2)	35,00
4.	Examen d'une demande d'enregistrement d'une cession, ou d'un autre document relatif à un dessin, y compris l'enregistrement de la cession ou du document, ainsi que la délivrance d'un certificat d'enregistrement en vertu du paragraphe 13(1) de la Loi :	
	a) le premier dessin mentionné dans la cession ou dans l'autre document;	35,00
	b) chaque dessin supplémentaire mentionné dans la cession ou dans l'autre document	15,00
5.	Fourniture de copies ou d'extraits du registre des dessins industriels, ou de copies de certificats, d'esquisses, de copies dessinées de dessins ou d'autres documents :	
	a) la page photocopiée;	0,50
	b) la page dactylographiée	5,00
6.	Authentification de documents	15,00

SCHEDULE 2
(Subsections 9(1) and 10(3), and sections 18, 19 and 21)

TARIFF OF FEES

	Column 1	Column 2
Item	Service	Fee ($)
1.	Examination of an application to register a design pursuant to subsection 4(1) of the Act	160.00
2.	Maintenance of a registration of a design pursuant to subsection 18(1)	215.00
3.	Supplementary fee for the application for maintenance of a registration of a design pursuant to subsection 18(2)	35.00
4.	Examination of an application to register an assignment, or any other document affecting a design, including registering the assignment, or other document and issuing a certificate of registration thereof pursuant to subsection 13(1) of the Act	
	(a) for the first design referred to in the assignment, or in the other document; and	35.00
	(b) for each additional design referred to in the assignment, or in the other document	15.00
5.	Providing copies of or extracts from the Register of Industrial Designs, or copies of certificates, drawings, drawn copies of designs or other documents	
	(a) for each photocopied page; and	0.50
	(b) for each typed page	5.00
6.	Certification of documents	15.00

Ordonnance sur les droits en matière de dessins industriels

DORS/78-666

Loi sur les dessins industriels
(L.R.C. 1985, ch. I-9)

[Abrogée, DORS/94-275.]

Industrial Design Fees Order

SOR/78-666

Industrial Design Fees Order
(R.S.C. 1985, c. I-9)

[Repealed, SOR/94-275.]

LOI SUR LES TOPOGRAPHIES DE CIRCUITS INTÉGRÉS

Table des matières

INTEGRATED CIRCUIT TOPOGRAPHY ACT

Table of Contents

LOI SUR LES TOPOGRAPHIES DE CIRCUITS INTÉGRÉS

L.R.C. 1985, c. I-14.6
[L.C. 1990, ch. 37]

Modifiée par L.C. 1992, ch. 1; 1993, ch. 15; 1994, ch. 47; 1995, ch. 1; 2001, ch. 4.

Loi visant à protéger les topographies de circuits intégrés et à modifier certaines lois en conséquence

TITRE ABRÉGÉ

Titre abrégé

1. *Loi sur les topographies de circuits intégrés.*

L.C. 1990, ch. 37, art. 1.

DÉFINITIONS

Définitions

2. (1) Les définitions qui suivent s'appliquent à la présente loi.

«circuit intégré» ***"integrated circuit product"***

«circuit intégré» Produit destiné, même sous une forme intermédiaire, à remplir une fonction électronique et dans lequel les éléments, dont au moins un est actif, et tout ou partie des interconnexions sont intégrés dans ou sur — ou à la fois dans et sur — une pièce de matériau.

«date de dépôt» ***"filing date"***

«date de dépôt» Date du dépôt d'une demande d'enregistrement d'une topographie déterminée conformément à l'article 17.

«exploitation commerciale» ***"commercially exploit"***

«exploitation commerciale» Vente, location,

INTEGRATED CIRCUIT TOPOGRAPHY ACT

R.S.C. 1985, c. I-14.6
[S.C. 1990, c. 37]

Amended by S.C. 1992, c.1; 1993, c. 15; 1994, c. 47; 1995, c. 1; 2001, c. 4.

An Act to provide for the protection of integrated circuit topographies and to amend certain Acts in consequence thereof

SHORT TITLE

Short title

1. This Act may be cited as the *Integrated Circuit Topography Act.*

S.C. 1990, c. 37, s. 1.

INTERPRETATION

Definitions

2. (1) In this Act,

"commercially exploit" ***«exploitation commerciale»***

"commercially exploit" means to sell, lease, offer or exhibit for sale or lease, or otherwise distribute for a commercial purpose;

"filing date" ***«date de dépôt»***

"filing date" in respect of an application for registration of a topography, means the filing date of the application as determined in accordance with section 17;

"integrated circuit product" ***«circuit intégré»***

"integrated circuit product" means a product, in a final or intermediate form, that is intended to perform an electronic function and in which the elements, at least one of which is an active element, and some or all of the in-

offre ou exposition en vue de la vente ou de la location, ainsi que toute autre forme de distribution à des fins commerciales.

«ministre» ***"Minister"***

«ministre» Le ministre de la Consommation et des Affaires commerciales.

«registraire» ***"Registrar"***

«registraire» Le registraire des topographies désigné en application de l'article 25.

«registre» ***"register"***

«registre» Le registre tenu conformément à l'article 15.

«ressortissant» ***"national"***

«ressortissant» Relativement à un pays, toute personne physique qui en est citoyenne, y réside ou y est domiciliée.

«topographie» ***"topography"***

«topographie» Schéma, sous quelque forme que ce soit, de la disposition :

a) soit des éléments et, le cas échéant, des interconnexions destinés à servir à la fabrication d'un circuit intégré;

b) soit des interconnexions et, le cas échéant, des éléments destinés à servir à la fabrication, sur mesure, d'une ou de plusieurs couches à ajouter à un circuit intégré dans une forme intermédiaire.

«topographie enregistrée» ***"registred topography"***

«topographie enregistrée» Topographie enregistrée au titre de la présente loi.

terconnections, are integrally formed in or on, or both in and on, a piece of material;

"Minister" ***«ministre»***

"Minister" means the Minister of Consumer and Corporate Affairs;

"national" ***«ressortissant»***

"national" in respect of a country, includes an individual who is a citizen or resident of, or is domiciled in, that country;

"prescribed" ***Version anglaise seulement***

"prescribed" means prescribed by regulations;

"register" ***«registre»***

"register" means the register kept pursuant to section 15;

"registered topography" ***«topographie enregistrée»***

"registered topography" means a topography that is registered under this Act;

"Registrar" ***«registraire»***

"Registrar" means the Registrar of Topographies designated pursuant to section 25;

"topography" ***«topographie»***

"topography" means the design, however expressed, of the disposition of

(a) the interconnections, if any, and the elements for the making of an integrated circuit product, or

(b) the elements, if any, and the interconnections for the making of a customization layer or layers to be added to an integrated circuit product in an intermediate form.

Présomption d'importation ou d'exploitation commerciale

(2) Pour l'application de la présente loi, est réputé faire l'objet d'une exploitation commerciale ou d'une importation, selon le cas, le circuit intégré qui fait partie d'un article exploité commercialement ou importé.

Deemed importation or commercial exploitation

(2) For the purposes of this Act, where an integrated circuit product forms part of an article that is imported or commercially exploited, the integrated circuit product shall be deemed to be imported or commercially exploited, as the case may be.

Première exploitation commerciale d'une topographie

(3) Pour l'application de la présente loi, une topographie fait l'objet d'une première exploitation commerciale dès lors qu'elle-même ou une partie importante d'elle-même — ou un circuit intégré dans lequel elle est incorporée — est exploitée commerciale-

First commercial exploitation of topography

(3) For the purposes of this Act, a topography is first commercially exploited when the topography or a substantial part thereof, or an integrated circuit product that incorporates the topography or a substantial part thereof, is commercially exploited for the first time in

ment pour la première fois en quelque lieu dans le monde par la personne qui en détient alors le droit en ce lieu, ou avec son consentement.

Créateur en cas d'emploi ou de contrat
(4) Pour l'application de la présente loi, dans le cas d'une topographie créée dans le cadre d'un emploi ou au titre d'un contrat, c'est l'employeur ou le destinataire de la création qui est réputé en être le créateur, sauf entente contraire.
L.C. 1990, ch. 37, art. 2; 1992, ch. 1, art. 145.

SA MAJESTÉ

Obligation de Sa Majesté
2.1 La présente loi lie Sa Majesté du chef du Canada ou d'une province.
L.C. 1994, ch. 47, art. 129.

DROIT EXCLUSIF ET PROTECTION

Protection à compter de l'enregistrement
3. (1) Sous réserve des autres dispositions de la présente loi et sauf déclaration d'invalidité, l'enregistrement d'une topographie donne à son créateur ou, en cas de transmission, à l'ayant cause de ce dernier un droit exclusif sur la topographie; l'un ou l'autre bénéficie, à ce titre, d'une protection pour la durée prévue à l'article 5.

Droits conférés par la protection
(2) Le titre de protection sur une topographie enregistrée ou sur toute partie importante de celle-ci confère à son titulaire le droit exclusif de :
a) la reproduire;
b) l'incorporer à la fabrication d'un circuit intégré;
c) l'exploiter commercialement ou l'importer, de même que tout circuit intégré dans lequel elle est incorporée.

Précision
(3) Le présent article n'a pas pour effet de con-

any place in the world by or with the consent of the person who owns the right to so commercially exploit the topography at that time and in that place.

Deemed creator of topography
(4) For the purposes of this Act, where a topography is created in the course of employment or pursuant to a contract, the employer or party to the contract for whom the topography was created shall be deemed to be the creator of the topography unless the employer and employee or the parties to the contract, as the case may be, otherwise agree.
S.C. 1990, c. 37, s. 2; 1992, c. 1, s. 145.

HER MAJESTY

Binding on Her Majesty
2.1 This Act is binding on Her Majesty in right of Canada or a province.
S.C. 1994, c. 47, s. 129.

EXCLUSIVE RIGHT

Exclusive right on registration
3. (1) Subject to this Act, the registration of a topography under this Act, unless shown to be invalid, gives to the creator of the topography or, where the topography has been transferred, the successor in title thereto, an exclusive right in the topography for the duration of the period referred to in section 5.

Scope of exclusive right
(2) The exclusive right in a registered topography consists of the exclusive right to
(a) reproduce the topography or any substantial part thereof;
(b) manufacture an integrated circuit product incorporating the topography or any substantial part thereof; and
(c) import or commercially exploit the topography or any substantial part thereof or an integrated circuit product that incorporates the topography or any substantial part thereof.

Rights not conferred
(3) Nothing in this section confers any rights

férer des droits relativement à toute idée, information ou technique, ou tout procédé, concept ou système susceptible d'être incorporé dans une topographie ou un circuit intégré.
L.C. 1990, ch. 37, art. 3.

Conditions de l'enregistrement

4. (1) Sous réserve du paragraphe (4), la topographie ne peut être enregistrée aux termes de la présente loi qu'aux conditions suivantes :
a) elle est originale;
b) une demande à cet effet — contenant les pièces et renseignements prévus au paragraphe 16(2) et accompagnée du paiement des droits exigés au titre du paragraphe 16(3) — est déposée au bureau du registraire avant sa première exploitation commerciale ou dans les deux années qui suivent;
c) soit au moment de sa création, soit à la date de dépôt, le créateur:
(i) est un ressortissant du Canada ou une personne physique ou morale qui a un établissement effectif et sérieux au Canada en vue de la création de topographies ou de la fabrication de circuits intégrés,
(ii) est soit un ressortissant d'un pays qui protège, directement ou en raison de son adhésion à une organisation intergouvernementale, les topographies conformément à une convention ou un traité auquel ce pays, ou cette organisation, et le Canada sont parties, soit une personne physique ou morale qui y a un établissement du type de celui qui est visé au sous-alinéa (i),
(iii) est un ressortissant d'un pays — ou une personne physique ou morale qui a un établissement du type de celui qui est visé au sous-alinéa (i), dans un pays — qui accorde substantiellement, directement ou en raison de son adhésion à une organisation intergouvernementale, la même protection que la présente loi aux personnes visées au sous-alinéa (i), la constatation de réciprocité faisant l'objet d'un avis publié par le ministre dans la *Gazette du Canada*.
(iv) est un ressortissant d'un membre de l'OMC.

relation to any idea, concept, process, system, technique or information that may be embodied in a topography or an integrated circuit product.
S.C. 1990, c. 37, s. 3.

Conditions of registration

4. (1) Subject to subsection (4), a topography is registrable under this Act only if the following conditions are met:
(a) the topography is original;
(b) an application for registration of the topography, containing the information and material required by subsection 16(2) and accompanied by the fee required by subsection 16(3), is filed with the Registrar before the topography is first commercially exploited or within two years thereafter; and
(c) the creator of the topography is, at the time of its creation or on the filing date of the application,
(i) a national of Canada or an individual or legal entity that has in Canada a real and effective establishment for the crea- tion of topographies or the manufacture of integrated circuit products,
(ii) a national of a country that, either directly or through its membership in an intergovernmental organization, affords protection for topographies in accordance with a convention or treaty to which that country or intergovernmental organization and Canada are contracting parties, or an individual or legal entity that has in such a country or in the territory of a member state of such an intergovernmental organization an establishment of the kind referred to in subparagraph (i), or
(iii) a national or a country or of a member state of an intergovernmental organization that the Minister has certified by notice published in the *Canada Gazette* to be a country or intergovernmental organization that confers protection on nationals of Canada or legal entities that have an establishment of the kind referred to in subparagraph (i) that is substantially equal to the protection conferred by this Act, or an individual or legal entity that has in such a country or in the territory of a member state of such an intergovernmental organization an establishment of that kind.
(iv) a national of a WTO Member.

Originalité

(2) Pour l'application du paragraphe (1), la topographie est originale si :

a) d'une part, elle ne résulte pas de la simple reproduction d'une autre topographie ou d'une partie importante de celle-ci;

b) d'autre part, elle est le résultat d'un effort intellectuel et n'est pas déjà courante chez les créateurs de topographies ou les fabricants de circuits intégrés au moment de sa création.

Originality

(2) For the purposes of subsection (1), a topography is original if the following conditions are met:

(a) it has not been produced by the mere reproduction of another topography or of any substantial part thereof; and

(b) it is the result of an intellectual effort and is not, at the time of its creation, commonplace among creators of topographies or manufacturers of integrated circuit products.

Agencement d'éléments ou d'interconnexions

(3) La topographie qui est constituée par un agencement d'éléments ou d'interconnexions courants est néanmoins originale si celui-ci, pris dans son ensemble, remplit les conditions visées au paragraphe (2).

Combinations of elements or interconnections

(3) Where a topography consists of a combination of elements or interconnections that are commonplace among creators of topographies or manufacturers of integrated circuit products, the topography shall be considered to be original only if the combination, considered as a whole, meets the conditions referred to in subsection (2).

Exception

(4) La topographie qui ne satisfait pas à la condition énoncée à l'alinéa (1)*c*) peut toutefois être enregistrée si sa première exploitation commerciale a eu lieu au Canada.

Exception

(4) A topography that is not registrable by reason that the condition set out in paragraph (1)(*c*) cannot be met is registrable if the topography is first commercially exploited in Canada.

Définitions

(5) Les définitions qui suivent s'appliquent au présent article.

«Accord sur l'OMC» ***"WTO Agreement"***

«Accord sur l'OMC» S'entend de l'Accord au sens du paragraphe 2(1) de la *Loi de mise en oeuvre de l'Accord sur l'Organisation mondiale du commerce.*

«commissaire» ***"Commissioner"***

«commissaire» S'entend du commissaire au brevets.

«membre de l'OMC» ***"WTO Member"***

«membre de l'OMC» Membre de l'Organisation mondiale du commerce instituée par l'article I de l'Accord sur l'OMC.

L.C. 1990, ch. 37, art. 4; 1993, ch. 15, art. 25; 1994, ch. 47, art. 130.

Definitions

(5) In this section,

"Commissioner" ***«Commissaire»***

"Commissioner" means the Commissioner of Patents;

"WTO Agreement" ***«Accord sur l'OMC»***

"WTO Agreement" has the meaning given to the word "Agreement" by subsection 2(1) of the *World Trade Organization Agreement Implementation Act*;

"WTO Member" ***«membre de l'OMC»***

"WTO Member" means a Member of the World Trade Organization established by Article I of the WTO Agreement.

S.C. 1990, c. 37, s. 4; 1993, c. 15, s. 25; 1994, c. 47, s. 130.

Durée de la protection

5. La protection prend effet à la date de dépôt et prend fin au terme de la dixième année

Duration of exclusive right

5. The exclusive right in a registered topography shall subsist for a period

civile qui suit soit l'année pendant laquelle la topographie fait l'objet d'une première exploitation commerciale, soit, si elle est antérieure, l'année de la date de dépôt.
L.C. 1990, ch. 37, art. 5.

(*a*) commencing on the filing date of the application for registration of the topography; and
(*b*) terminating at the end of the tenth calendar year after the earlier of the calendar year in which the topography is first commercially exploited and the calendar year of the filing date of the application.
S.C. 1990, c. 37, s. 5.

Cas de violation

6. (1) Quiconque accomplit l'un des actes visés au paragraphe 3(2) sans le consentement du propriétaire de la topographie enregistrée viole le titre de protection de ce dernier.

Infringement

6. (1) The exclusive right in a registered topography is infringed by any person who does any act referred to in subsection 3(2) without the consent of the owner of the registered topography.

Non-violation

(2) Malgré le paragraphe (1), il n'y a pas violation dans les cas suivants :
a) accomplissement de l'un des actes visés aux alinéas 3(2)*a*) ou *b*) aux fins soit d'analyse ou d'évaluation de la topographie enregistrée, soit de recherche ou d'enseignement lié au domaine des topographies;
b) accomplissement de l'un des actes visés au paragraphe 3(2) relativement à une topographie qui est créée sur la base d'une telle analyse, évaluation ou recherche et qui est elle-même originale au sens des paragraphes 4(2) ou (3);
c) exploitation commerciale ou importation d'un circuit intégré particulier dans lequel est incorporée la topographie enregistrée ou une partie importante de celle-ci après la vente du circuit en quelque lieu dans le monde par la personne qui détient alors le droit de vendre cette topographie en ce lieu, ou avec son consentement;
d) accomplissement de l'un des actes visés au paragraphe 3(2) à des fins privées et non commerciales;
e) introduction temporaire au Canada d'un circuit intégré dans lequel est incorporée une topographie enregistrée, ou une partie importante de celle-ci, si ce circuit, d'une part, fait partie d'un véhicule — y compris un navire, un aéronef ou un vaisseau spatial — enregistré dans un pays étranger et entré au Canada temporairement ou accidentellement et, d'autre part, sert de façon principale ou accessoire à un tel véhicule.

No infringement

(2) Notwithstanding subsection (1), it is not an infringement of the exclusive right in a registered topography for any person
(*a*) to do any act referred to in paragraph 3(2)(*a*) or (*b*) in relation to that registered topography for the sole purpose of analysis or evaluation or of research or teaching with respect to topographies;
(*b*) to do any act referred to in subsection 3(2) in relation to another topography that is created on the basis of the analysis, evaluation or research referred to in paragraph (*a*) and that is original within the meaning of subsection 4(2) or (3);
(*c*) to do any act referred to in paragraph 3(2)(*c*) in relation to a particular integrated circuit product that incorporates that registered topography or a substantial part thereof, at any time after the time at which that particular integrated circuit product is sold in any place by or with the consent of the person who owned the right to sell that registered topography at that time and in that place;
(*d*) to do any act referred to in subsection 3(2) where that act is done for a private and non-commercial purpose; or
(*e*) to bring an integrated circuit product that incorporates that registered topography or a substantial part thereof temporarily into Canada if that integrated circuit product forms part of a vehicle, vessel, aircraft or spacecraft registered in a country other than Canada that enters Canada temporarily or accidentally and is used for a purpose that is

necessary or ancillary to that vehicle, vessel, aircraft or spacecraft.

Non-violation

(3) Aucun des actes énumérés au paragraphe 3(2) ne constitue une violation du titre de protection quand il vise une autre topographie créée de façon indépendante.
L.C. 1990, ch. 37, art. 6.

No infringement

(3) For greater certainty, it is not an infringement of the exclusive right in a registered topography for any person to do any act referred to in subsection 3(2) in relation to another topography that is independently created.
S.C. 1990, c. 37, s. 6.

Transmission

7. (1) La topographie, qu'elle soit enregistrée ou non, est transmissible soit quant à la totalité de l'intérêt, soit quant à quelque partie indivise de celui-ci.

Transfer of topography

7. (1) A topography, whether registered or unregistered, is transferable, either as to the whole interest therein or as to any undivided portion thereof.

Licence

(2) La topographie, qu'elle soit enregistrée ou non, peut faire l'objet d'une licence en tout ou en partie.
L.C. 1990, ch. 37, art. 7.

Licence

(2) A topography, whether registered or unregistered and either as to the whole interest therein or as to any portion thereof, may constitute the subject-matter of a licence.
S.C. 1990, c. 37, s. 7.

Demande d'usage d'une topographie par le gouvernement

7.1 (1) Sous réserve de l'article 7.2, le commissaire peut, sur demande du gouvernement du Canada ou d'une province, autoriser celui-ci à faire usage d'une topographie enregistrée à des fins publiques non commerciales.

Government may apply to use registered topography

7.1 (1) Subject to section 7.2, the Commissioner may, on application by the Government of Canada or the government of a province, authorize the public non-commercial use of a registered topography by that government.

Modalités

(2) Sous réserve de l'article 7.2, l'usage de la topographie peut être autorisé aux fins, pour la durée et selon les autres modalités que le commissaire estime convenables. Celui-ci fixe ces modalités conformément aux principes suivants :

a) la portée et la durée de l'usage doivent être limitées aux fins auxquelles celui-ci a été autorisé;

b) l'usage ne peut être exclusif;

c) l'usage doit avant tout être autorisé pour l'approvisionnement du marché intérieur.

Terms of use

(2) Subject to section 7.2, the use of the registered topography may be authorized for such purpose, for such period and on such other terms as the Commissioner considers expedient, but the Commissioner shall settle those terms in accordance with the following principles:

(*a*) the scope and duration of the use shall be limited to the purpose for which the use is authorized;

(*b*) the use authorized shall be non-exclusive; and

(*c*) any use shall be authorized predominantly to supply the domestic market.

Avis
(3) Le commissaire avise le propriétaire de la topographie enregistrée de l'usage qui est autorisé sous le régime du présent article.

Notice
(3) The Commissioner shall notify the owner of the registered topography of any use of the registered topography that is authorized under this section.

Paiement d'une rémunération
(4) L'usager de la topographie enregistrée paie au propriétaire la rémunération que le commissaire estime adéquate en l'espèce, compte tenu de la valeur économique de l'autorisation.

Payment of remuneration
(4) Where the use of the registered topography is authorized, the authorized user shall pay to the owner of the registered topography such amount as the Commissioner considers to be adequate remuneration in the circumstances, taking into account the economic value of the authorization.

Fin de l'autorisation
(5) Le commissaire peut, sur demande du propriétaire et après avoir donné aux intéressés la possibilité de se faire entendre, mettre fin à l'autorisation s'il est convaincu que les circonstances qui y ont conduit ont cessé d'exister et ne se reproduiront vraisemblablement pas. Le cas échéant, il doit toutefois veiller à ce que les intérêts légitimes des personnes autorisées soient protégés de façon adéquate.

Termination of authorization
(5) The Commissioner may, on application by the owner of the registered topography and after giving all concerned parties an opportunity to be heard, terminate the authorization if the Commissioner is satisfied that the circumstances that led to the granting of the authorization have ceased to exist and are unlikely to recur, subject to such conditions as the Commissioner deems appropriate to protect the legitimate interests of the authorized user.

Incessibilité
(6) L'autorisation prévue au présent article est incessible.
L.C. 1994, ch. 47, art. 131.

Authorization not transferable
(6) An authorization granted under this section is not transferable.
S.C. 1994, c. 47, s. 131.

Usages prévus par règlement
7.2 Le commissaire ne peut s'appuyer sur l'article 7.1 pour autoriser des usages prévus par règlement, à moins que l'usager éventuel ne respecte les conditions réglementaires.
L.C. 1994, ch. 47, art. 131.

Prescribed uses
7.2 The Commissioner may not, under section 7.1, authorize any use that is a prescribed use unless the proposed user complies with the prescribed conditions.
S.C. 1994, c. 47, s. 131.

Appel
7.3 Toute décision rendue par le commissaire dans le cadre des articles 7.1 ou 7.2 peut faire l'objet de l'appel devant la Cour fédérale prévu par la *Loi sur les brevets*.
L.C. 1994, ch. 47, art. 131.

Appeal
7.3 Any decision made by the Commissioner under section 7.1 or 7.2 is subject to appeal to the Federal Court under the *Patent Act*.
S.C. 1994, c. 47, s. 131.

Règlements
7.4 (1) Le gouverneur en conseil peut prendre, concernant les topographies enregis-

Regulations
7.4 (1) The Governor in Council may make regulations for the purpose of implementing,

trées, des règlements pour la mise en oeuvre du paragraphe 2 de l'article 37 de l'Accord sur les aspects des droits de propriété intellectuelle qui touchent au commerce figurant à l'annexe 1C de l'Accord sur l'OMC.

Définition de «Accord sur l'OMC»
(2) Dans le paragraphe (1), «Accord sur l'OMC» s'entend au sens du paragraphe 4(5).
L.C. 1994, ch. 47, art. 131.

RECOURS JUDICIAIRES

Action pour violation du titre de protection

Initiative de l'action
8. (1) L'action pour violation de la protection peut être intentée devant tout tribunal compétent soit par le propriétaire de la topographie enregistrée, soit par le titulaire d'une licence relative à la topographie, sous réserve d'une entente entre lui et le propriétaire de celle-ci.

Parties à l'action
(2) Chaque propriétaire de la topographie enregistrée doit être partie à l'action.
L.C. 1990, ch. 37, art. 8.

Pouvoir du tribunal d'accorder réparation
9. Dans toute action pour violation de la protection, le tribunal compétent peut rendre les ordonnances que les circonstances exigent, notamment pour réparation par voie d'injonction ou par le paiement de redevances ou le recouvrement de profits perçus ou de dommages-intérêts, pour l'imposition de dommages punitifs, ou encore en vue de la disposition de tout circuit intégré contrefait ou de tout article dont il fait partie.
L.C. 1990, ch. 37, art. 9.

Violation involontaire
10. En cas de violation du titre de protection découlant de l'exploitation commerciale ou de l'importation d'un circuit intégré dans lequel est incorporée une topographie enregistrée ou une partie importante de celle-ci, le

in relation to registered topographies, paragraph 2 of Article 37 of the Agreement on Trade-related Aspects of Intellectual Property Rights set out in Annex 1C to the WTO Agreement.

Definition of "WTO Agreement"
(2) In subsection (1), "WTO Agreement" has the same meaning as in subsection 4(5).
S.C. 1994, c. 47, s. 131.

LEGAL PROCEEDINGS

Action for Infringement

Action for infringement
8. (1) An action for infringement of the exclusive right in a registered topography may be brought in any court of competent jurisdiction by the owner of the registered topography or by a licensee of any right therein, subject to any agreement between the licensee and the owner.

Each owner to be party
(2) Each owner of a registered topography shall be or be made a party to any action for infringement of the exclusive right therein.
S.C. 1990, c. 37, s. 8.

Power of court to grant relief
9. In an action for infringement of the exclusive right in a registered topography, a court of competent jurisdiction may make such orders as the circumstances require, including orders providing for relief by way of injunction, the payment of royalties and the recovery of damages or profits, for punitive damages, and for the disposal of any infringing integrated circuit product or any article of which an infringing integrated circuit product forms a part.
S.C. 1990, c. 37, s. 9.

Innocent infringement
10. Where the exclusive right in a registered topography is infringed by reason of the commercial exploitation or importation of an integrated circuit product that incorporates the registered topography or a substantial part

défendeur qui fait la preuve qu'au moment de son acquisition il ne savait pas et n'avait aucun motif raisonnable de croire que le circuit intégré avait été fabriqué et vendu pour la première fois sans le consentement du propriétaire de la topographie enregistrée :

a) n'est pas responsable des dommages-intérêts, des redevances ou des dommages punitifs, ni du remboursement des profits en ce qui touche l'utilisation d'un circuit intégré pendant tout le temps où il n'avait pas effectivement connaissance du fait que celui-ci avait été fabriqué et vendu pour la première fois sans le consentement du propriétaire;

b) a le droit, sur paiement de la juste redevance fixée par le tribunal dans le délai imparti par celui-ci, de disposer du stock de circuits intégrés — ou d'articles dont ceux-ci font partie — acquis pendant cette période.

L.C. 1990, ch. 37, art. 10.

thereof and the defendant in an action for infringement establishes that, at the time the defendant acquired the integrated circuit product, the defendant did not know and had no reasonable grounds to believe that the integrated circuit product was manufactured and sold for the first time without the consent of the owner of the registered topography, the defendant

(a) is not liable for royalties, damages, profits or punitive damages in respect of any dealings with the integrated circuit product prior to the time when the defendant had actual knowledge that the product was manufactured and sold for the first time without the consent of the owner; and

(b) shall have the right to dispose of any inventory of the integrated circuit product or of the article of which the integrated circuit product forms a part that was acquired before the defendant had that knowledge, subject to the condition that the defendant pay a reasonable royalty in respect of that inventory in such amount and at such time as the court may determine.

S.C. 1990, c. 37, s. 10.

Violation après l'exploitation commerciale au Canada

11. (1) Dans une action en violation à l'égard d'un circuit intégré dans lequel est incorporée une topographie enregistrée ou une partie importante de celle-ci et qui est exploité commercialement au Canada par le propriétaire de la topographie ou avec son consentement, le seul recours ouvert au demandeur parmi ceux qui sont mentionnés à l'article 9 est l'injonction dans le cas où le défendeur démontre qu'au moment de la violation il ne savait pas et n'avait aucun motif raisonnable de soupçonner que la topographie était enregistrée.

Infringement after commercial exploitation in Canada

11. (1) Where an integrated circuit product that incorporates a registered topography or a substantial part thereof is commercially exploited in Canada by or with the consent of the owner of the registered topography and an action for infringement is commenced in respect of an act of infringement committed after that commercial exploitation, the plaintiff is not entitled to any relief under section 9 other than by way of an injunction if the defendant establishes that, at the time of the infringement, the defendant was not aware and had no reasonable grounds to suspect that the topography was registered.

Exception

(2) Le paragraphe (1) ne s'applique pas si le demandeur démontre qu'avant la violation la totalité ou la quasi-totalité soit des circuits intégrés exploités commercialement au Canada par le propriétaire de la topographie en-

Exception

(2) Subsection (1) does not apply if the plaintiff establishes that all or substantially all of the integrated circuit products that were commercially exploited in Canada by or with the consent of the owner of the registered topog-

registrée ou avec son consentement, soit de leurs contenants portaient visiblement une mention correspondant substantiellement à un titre de la topographie, tel qu'il figurait dans le registre au moment de la violation.
L.C. 1990, ch. 37, art. 11.

raphy before the infringement, or all or substantially all of the containers housing those integrated circuit products, were visibly marked with a title of the topography that is substantially the same as a title thereof that, at the time of the infringement, appeared on the register.
S.C. 1990, c. 37, s. 11.

Prescription

12. (1) Sous réserve du paragraphe (2), l'action pour violation de la protection visant réparation par le paiement de redevances ou le recouvrement de profits perçus ou de dommages-intérêts ou l'imposition de dommages punitifs se prescrit par trois ans à compter de la violation.

Limitation period

12. (1) Subject to subsection (2), no royalties, damages, profits or punitive damages may be awarded for any act of infringement committed more than three years before the commencement of the action for infringement.

Exception

(2) La prescription ne joue toutefois pas si la violation est d'une nature telle qu'elle n'aurait pu être décelée par un propriétaire ou titulaire de licence diligent et si l'action est intentée dans les trois années suivant le moment où le demandeur a décelé — ou aurait dû déceler — la violation.
L.C. 1990, ch. 37, art. 12.

Exception

(2) The limitation period described in subsection (1) does not apply if

(a) the infringement is of such a nature that, at the time of its commission, it would not have come to the attention of a reasonably diligent owner or licensee of any right in the registered topography; and

(b) the action for infringement is commenced within three years after the infringement came or should have come to the attention of the plaintiff.
S.C.. 1990, c. 37, s. 12.

Correction sans effet

13. Le tribunal compétent peut ordonner que la correction ou la suppression d'une inscription dans le registre faite en vertu de la présente loi ou d'une autre loi fédérale soit sans effet dans une action pour violation intentée contre un tiers ou toute personne ayant acquis de celui-ci un circuit intégré dans lequel est incorporée la topographie enregistrée ou une partie importante de celle-ci, si ce tiers a subi un préjudice du fait de l'inscription dans le registre.
L.C. 1990, ch. 37, art. 13.

Changes in register not applicable

13. If any person has relied to the detriment of that person on any entry in the register as it read before being expunged or amended pursuant to this Act or any other Act of Parliament, a court of competent jurisdiction may order that the expungement or amendment not apply in any action for infringement of the exclusive right in a registered topography taken against that person or against any other person who has acquired from that person an integrated circuit product that incorporates the topography or a substantial part thereof.
S.C. 1990, c. 37, s. 13.

Autres recours

Cas de rétention de circuits intégrés

14. (1) S'il est conduit à penser qu'un circuit intégré a été importé au Canada ou qu'il est sur le point d'y faire l'objet d'une exploitation commerciale en contravention avec la présente loi, le tribunal compétent peut rendre une ordonnance décrétant la rétention provisoire du circuit intégré ou de tout article dont il fait partie, en attendant le jugement qui sera prononcé quant à la légalité de l'importation ou de l'exploitation commerciale, dans une action à engager dans le délai fixé par l'ordonnance.

Garantie

(2) Avant de rendre son ordonnance, le tribunal peut obliger le demandeur ou le requérant à fournir la garantie qu'il fixe en vue de couvrir les dommages que peut subir, du fait de l'ordonnance, le propriétaire ou consignataire du circuit intégré ou de l'article, les frais d'entreposage ainsi que tout autre montant pouvant être exigé à l'égard du circuit intégré pendant la période de rétention.

Indemnité

(3) Sous réserve de l'alinéa (4)*c*) et indépendamment du fait qu'une garantie ait été versée, le demandeur ou requérant est tenu d'indemniser Sa Majesté du chef du Canada des frais ou dettes occasionnés par la rétention d'un circuit intégré ou article aux termes d'une ordonnance rendue en application du paragraphe (1).

Privilège, disposition ou indemnisation

(4) En cas de jugement concluant à l'illégalité de l'importation ou d'une éventuelle exploitation commerciale :

a) l'hypothèque, la priorité ou le droit de rétention selon le *Code civil du Québec* ou les autres lois de la province de Québec ou le privilège qui existaient avant la date de l'ordon-

Other Proceedings

Detention of infringing integrated circuit products

14. (1) Where it is made to appear to a court of competent jurisdiction that an integrated circuit product has been imported into Canada or is about to be commercially exploited in Canada contrary to this Act, the court may make an order for the interim detention of the integrated circuit product or any article of which the integrated circuit product forms a part, pending a final determination of the legality of the importation or commercial exploitation in an action commenced within such time as is specified in the order.

Security

(2) Before an order is made under subsection (1), the plaintiff or petitioner may be required to furnish security, in such form and in such amount as the court may determine, to answer any damages that may by reason of the order be sustained by the owner or consignee of the integrated circuit product or article and for any costs of storage or amount that may become chargeable against the integrated circuit product or article while it remains in detention under the order.

Indemnity

(3) Subject to paragraph (4)(*c*), the plaintiff or petitioner in an action referred to in subsection (1) shall be liable to indemnify Her Majesty in right of Canada against any liability or expense that may result from the detention of an integrated circuit product or article pursuant to any order made under subsection (1), whether or not security is furnished pursuant to subsection (2).

Lien, disposal and indemnity

(4) Where, by the judgment in an action referred to in subsection (1) that finally determines the legality of the importation or commercial exploitation of the integrated circuit product, the court finds that the importation is or the commercial exploitation would be contrary to this Act,

nance rendue aux termes du paragraphe (1) n'ont d'effet que dans la mesure compatible avec l'exécution du jugement;
b) le tribunal peut rendre une ordonnance exigeant la disposition du circuit intégré ou de l'article, notamment par exportation, distribution ou destruction, après paiement de tous droits ou taxes dus en vertu d'une loi fédérale à l'égard du circuit intégré ou de l'article;
c) le propriétaire ou le consignataire du circuit intégré ou de l'article est tenu, solidairement avec le demandeur ou requérant, d'indemniser Sa Majesté du chef du Canada aux termes du paragraphe (3).

(a) any lien for charges against the integrated circuit product or article, or any hypothecs, prior claims or rights of retention within the meaning of the *Civil Code of Québec* or any other statute of the Province of Quebec with respect to the integrated circuit product or article, that existed prior to the date of an order made under subsection (1) has effect only so far as may be consistent with the due execution of the judgment;
(b) the court may make any order for the disposal of the integrated circuit product or article, including by way of exportation, distribution or destruction, after payment has been made of any taxes or duties owing in respect thereof under any Act of Parliament; and
(c) the owner or consignee of the integrated circuit product or article thereupon becomes jointly and severally liable, with the plaintiff or petitioner, to indemnify Her Majesty in right of Canada under subsection (3).

Initiative de la demande
(5) Toute personne intéressée peut, dans une action ou toute autre procédure et soit sur avis, soit *ex parte*, demander au tribunal de rendre l'ordonnance visée au paragraphe (1).
L.C. 1990, ch. 37, art. 14; 2001, ch. 4, art. 90.

Who may make applications
(5) Any order under subsection (1) may be made on the application of any interested person either in an action or otherwise and either on notice or *ex parte*.
S.C. 1990, c. 37, s. 14; 2001, c. 4, s. 90.

DISPOSITIONS GÉNÉRALES

Enregistrement

Registre
15. (1) Il est tenu, sous la surveillance du registraire, un registre pour l'enregistrement des topographies ainsi que des pièces et des renseignements relatifs à chacune d'elles.

Registre fait foi
(2) Le registre fait foi de son contenu dans le détail, et les documents certifiés par le registraire et censés être des copies ou extraits du registre sont admissibles en preuve devant tout tribunal sans qu'il soit nécessaire de produire les originaux.
L.C. 1990, ch. 37, art. 15.

GENERAL

Registration

Register
15. (1) There shall be kept under the supervision of the Registrar a register for the registration of topographies and of information and material relating to each registered topography.

Register to be evidence
(2) The register is evidence of the particulars entered therein and documents purporting to be copies of entries therein or extracts therefrom, that are certified by the Registrar, are admissible in evidence in any court without further proof or production of the originals.
S.C. 1990, c. 37, s. 15.

Demande d'enregistrement

16. (1) Le créateur d'une topographie ou, si elle a fait l'objet d'une transmission, son ayant cause peut déposer une demande d'enregistrement au bureau du registraire.

Forme et contenu de la demande

(2) La demande d'enregistrement d'une topographie doit contenir les pièces et renseignements suivants :

a) un ou plusieurs des titres destinés à désigner la topographie, selon les exigences réglementaires;

b) la date et le lieu de la première exploitation commerciale ou, si la topographie n'a pas fait l'objet d'une exploitation commerciale, une déclaration à cet effet;

c) le nom et l'adresse du demandeur;

d) une déclaration précisant la part du demandeur dans la topographie en cause;

e) toute autre pièce ou tout autre renseignement réglementaires.

Droits

(3) La demande d'enregistrement est accompagnée des droits réglementaires ou calculés de la manière fixée par règlement.

L.C. 1990, ch. 37, art. 16.

Application for registration of topography

16. (1) The creator of a topography or, where the topography has been transferred, the successor in title thereto may apply to the Registrar for registration of the topography.

Content of application

(2) An application for registration of a topography shall contain the following information and material:

(a) one or more titles to identify the topography that conform to the prescribed requirements;

(b) the date on which, and place at which, the topography was first commercially exploited or, if the topography has not been commercially exploited, a statement to that effect;

(c) the name and address of the applicant;

(d) a statement describing the interest that the applicant holds in the topography; and

(e) such other information or material as may be prescribed.

Fee

(3) An application for registration of a topography shall be accompanied by the prescribed fee or a fee determined in the prescribed manner.

S.C. 1990, c. 37, s. 16.

Date de dépôt

17. (1) Sous réserve du paragraphe (2), la date de dépôt d'une demande d'enregistrement d'une topographie est la date à laquelle le registraire reçoit les pièces et les renseignements prévus au paragraphe 16(2) et le montant des droits exigés aux termes du paragraphe 16(3).

Dérogation

(2) Le registraire peut, dans les cas prévus par règlement, attribuer une date de dépôt à une demande ne remplissant pas les conditions du paragraphe (1).

Avis

(3) Après avoir attribué une date de dépôt à la demande, le registraire la communique au demandeur et informe celui-ci des pièces et

Filing date

17. (1) Subject to subsection (2), the filing date of an application for registration of a topography is the date on which the Registrar has received, in respect of the application, the information and material required by subsection 16(2) and the fee required by subsection 16(3).

Exception

(2) The Registrar may, in such circumstances as are prescribed, assign a filing date to an application for registration of a topography notwithstanding that the requirements of subsection (1) have not been met.

Notice to applicant

(3) Where the Registrar assigns a filing date to an application for registration of a topography pursuant to subsection (2), the Registrar

renseignements à fournir pour compléter la demande ainsi que du montant des droits encore à payer, le cas échéant.

shall notify the applicant of that date, of any information or material that is required to complete the application and the amount of the fee, if any, that remains unpaid.

Obligation du demandeur
(4) Le demandeur qui, après avoir reçu l'avis visé au paragraphe (3), ne complète pas la demande et ne paie pas les droits dans le délai réglementaire est réputé se désister.
L.C. 1990, ch. 37, art. 17.

Obligations of applicant
(4) An applicant to whom notice is given in accordance with subsection (3) shall, within the prescribed period, file with the Registrar the information or material, if any, that is required to complete the application and the amount of the fee, if any, that remains unpaid and, in default thereof, shall be deemed to have abandoned the application.
S.C. 1990, c. 37, s. 17.

Enregistrement d'une topographie
18. (1) Sous réserve du paragraphe (3), dès réception des pièces et des renseignements prévus au paragraphe 16(2) et du montant des droits exigés aux termes du paragraphe 16(3), le registraire enregistre la topographie par l'inscription au registre de ce qui suit :
a) la date de dépôt de la demande;
b) le ou les titres de la topographie mentionnés dans la demande et répondant aux exigences réglementaires;
c) toute autre pièce ou tout autre renseignement réglementaires.

Registration of topography
18. (1) Subject to subsection (3), where the Registrar has received the information and material required by subsection 16(2) and the fee required by subsection 16(3) in respect of an application for registration of a topography, the Registrar shall register the topography by entering in the register the following:
(a) the filing date of the application;
(b) the title or titles of the topography that are contained in the application and that conform to the prescribed requirements; and
(c) such other information or material as may be prescribed.

Absence de vérification
(2) Le registraire ne vérifie pas l'exactitude des pièces et renseignements contenus dans la demande.

No inquiry
(2) The Registrar shall not inquire as to the accuracy of any information or material contained in an application for registration of a topography.

Refus d'enregistrer
(3) Le registraire peut refuser d'enregistrer une topographie s'il lui semble, d'après les pièces ou renseignements fournis dans la demande d'enregistrement, que celle-ci a été déposée plus de deux années après la première exploitation commerciale de la topographie ou que les conditions de l'alinéa 4(1)*c*) ou du paragraphe 4(4) n'ont pas été remplies.
L.C. 1990, ch. 37, art. 18.

Registrar may refuse to register
(3) The Registrar may refuse to register a topography if it appears to the Registrar, on the basis of any information or material contained in the application for registration, that the application was filed more than two years after the topography was first commercially exploited or that neither the condition set out in paragraph 4(1)(*c*) nor the condition set out in subsection 4(4) has been met.
S.C. 1990, c. 37, s. 18.

Certificat d'enregistrement

19. (1) Le registraire délivre un certificat d'enregistrement une fois la topographie enregistrée aux termes de la présente loi.

Teneur du certificat

(2) Le certificat précise la date de dépôt de la demande, la date d'expiration du titre de protection et tout autre détail réglementaire.

Présomption

(3) En l'absence de preuve contraire, le certificat censé signé par le registraire est admissible en preuve et fait foi, sans qu'il soit nécessaire de prouver l'authenticité de la signature, des faits suivants :

a) la topographie répondait, à la date de l'enregistrement, aux conditions d'enregistrement énoncées par la présente loi;

b) la demande d'enregistrement est exacte sur tous les points importants et n'omet aucun renseignement important.

Correction des erreurs

(4) Le registraire peut corriger toute erreur matérielle, notamment typographique, dans le certificat d'enregistrement ou remplacer celui-ci par un nouveau.

L.C. 1990, ch. 37, art. 19.

Invalidité de l'enregistrement

20. L'enregistrement d'une top/graphie est invalide dans l'un ou l'autre des cas suivants :

a) la topographie ne répondait pas, à la date de l'enregistrement, aux conditions d'enregistrement énoncées par la présente loi;

b) la demande d'enregistrement est inexacte sur un point important ou omet des renseignements importants, et l'inexactitude ou l'omission n'est pas due à une simple erreur.

L.C. 1990, ch. 37, art. 20

Enregistrement d'autres documents

21. (1) Sur présentation d'une preuve qu'il juge suffisante en l'espèce, le registraire enre-

Certificate of registration

19. (1) The Registrar shall issue a certificate of registration in respect of each topography registered under this Act.

Contents of certificate

(2) A certificate of registration issued in respect of a topography shall include the filing date of the application for registration of the topography, the date of expiration of the exclusive right therein and such other particulars as may be prescribed.

Presumptions

(3) A certificate of registration issued in respect of a topography that purports to be signed by the Registrar is, without proof of the signature, admissible in any court as evidence of the facts therein alleged and is, in the absence of evidence to the contrary, proof that

(a) the topography was registrable under this Act at the time of the registration; and

(b) the application for registration of the topography was correct in all material particulars and did not omit any material information.

Correction of errors

(4) The Registrar may, for the purpose of correcting any typographical or clerical error in a certificate of registration, amend the certificate or issue a new certificate in substitution therefor.

S.C. 1990, c. 37, s. 19.

Invalidity of registration

20. The registration of a topography is invalid if

(a) the topography was not registrable under this Act at the time of the registration; or

(b) the application for registration of the topography was incorrect in a material particular or omitted any material information, unless the incorrectness or omission occurred by mistake.

S.C. 1990, c. 37, s. 20.

Registration of other particulars

21. (1) The Registrar shall enter in the register particulars of any transfer of an interest or

gistre toute transmission ou attribution de licence afférente à une topographie enregistrée.

grant of a licence affecting a registered topography on being furnished with evidence of the transfer or grant that is satisfactory to the Registrar.

Modification des inscriptions

(2) Le registraire peut modifier toute inscription au registre, ou en faire de nouvelles, afin :

a) d'effectuer tout changement concernant le nom ou l'adresse du propriétaire d'une topographie enregistrée;

b) d'effectuer tout changement concernant le titre d'une topographie enregistrée ou l'utilisation d'un nouveau titre;

c) d'effectuer tout changement réglementaire des renseignements;

d) de corriger toute erreur matérielle, notamment typographique.

L.C. 1990, ch. 37, art. 21.

Changes in information

(2) The Registrar may amend any entry in the register, or make new entries, for any of the following purposes:

(a) to reflect any change in the name or address of an owner of a registered topography;

(b) to reflect any change in a registered title of a topography or the use of a new title;

(c) to reflect any prescribed change of information; and

(d) to correct any typographical or clerical error.

S.C. 1990, c. 37, s. 21.

Accès

22. Sous réserve des règlements, le registre, les demandes d'enregistrement de topographies et les pièces déposées auprès du registraire relativement à une topographie enregistrée peuvent être consultés par le public pendant les heures normales de bureau.

L.C. 1990, ch. 37, art. 22.

Public inspection

22. Subject to the regulations, the register, applications for registration of topographies and material filed with the Registrar in relation to any registered topography shall be made available for public inspection during regular business hours.

S.C. 1990, c. 37, s. 22.

Compétence de la Cour fédérale

Compétence concurrente

23. La Cour fédérale a compétence concurrente pour juger toute question en matière de propriété d'une topographie ou de droits sur une topographie enregistrée ainsi que toute action pour violation de la protection.

L.C. 1990, ch. 37, art. 23.

Jurisdiction of Federal Court

Concurrent jurisdiction

23. The Federal Court has concurrent jurisdiction to hear and determine

(a) any action for the infringement of the exclusive right in a registered topography; and

(b) any question relating to the ownership of a topography or any right in a topography.

S.C. 1990, c. 37, s. 23.

Compétence exclusive

24. (1) La Cour fédérale a compétence exclusive, en première instance, pour ordonner, sur demande de toute personne intéressée, la suppression ou la modification d'une inscription dans le registre au motif que l'enregistrement de la topographie est invalide ou que l'inscription, à la date de la demande, n'ex-

Exclusive jurisdiction

24. (1) The Federal Court has exclusive original jurisdiction, on application of any interested person, to order that the registration of a topography or any other entry in the register be expunged or amended on the ground that the registration is invalid or that, at the date of the application, the entry as it

prime ou ne définit pas exactement les droits existants de la personne qui, selon le registre, est le propriétaire.

appears does not accurately express or define the existing rights of any person appearing on the register as the owner of the topography.

Formes de la demande
(2) La demande peut se faire par la production d'un avis de requête, prendre la forme d'une demande reconventionnelle dans le cas d'une action pour violation de la protection, ou d'une réclamation dans le cas d'une action en réparation additionnelle faite sous le régime de la présente loi.

Application
(2) An application under subsection (1) may be made by the filing of an originating notice of motion, by counter-claim in an action for infringement or by statement of claim in an action claiming additional relief under this Act.

Définition de «personne intéressée»
(3) Sont des personnes intéressées, au sens du paragraphe (1), le registraire et le procureur général du Canada ainsi que quiconque subit un préjudice du fait d'une inscription au registre ou a des motifs raisonnables de craindre qu'il en soit ainsi.
L.C. 1990, ch. 37, art. 24.

Definition of "interested person"
(3) In subsection (1), "interested person" includes the Registrar, the Attorney General of Canada and persons who are affected or who reasonably apprehend that they may be affected by any entry in the register.
S.C. 1990, c. 37, s. 24.

Registraire

Registrar

Nomination du registraire
25. (1) Le registraire est désigné par le ministre parmi les personnes employées au ministère de l'Industrie.

Appointment of Registrar
25. (1) There shall be a Registrar of Topographies who shall be designated by the Minister from among persons employed in the Department of Industry.

Attributions
(2) Le registraire exerce les fonctions qui lui sont conférées par la présente loi et celles que peuvent lui attribuer le ministre ou les règlements.

Duties
(2) The Registrar shall perform the duties assigned to the Registrar by this Act and such duties as may be assigned to the Registrar by the regulations or by the Minister.

Intérim
(3) En cas d'absence ou d'empêchement du registraire ou de vacance de son poste, le ministre peut désigner un intérimaire parmi les personnes employées au ministère de l'Industrie.
L.C. 1990, ch. 37, art. 25; 1992, ch. 1, art. 145; 1995, ch. 1, art. 63(1).

Acting Registrar
(3) Where the Registrar is absent or unable to act or the office of Registrar is vacant, the Minister may designate any other person employed in the Department of Industry to perform the duties and exercise the powers of the Registrar for the time being.
S.C. 1990, c. 37, s. 25; 1992, c. 1, s. 145; 1995, c. 1, s. 63(1).

Autres droits

Other Rights

Autres règles de droit
26. Sauf disposition contraire de la présente loi, celle-ci n'a pas pour effet de modifier les

Relationship to other law
26. Except as provided in this Act, nothing in this Act shall affect any right granted by or

droits accordés sous le régime de toute autre règle de droit.
L.C. 1990, ch. 37, art. 26.

under any other law.
S.C. 1990, c. 37, s. 26.

Règlements

Règlements

27. Le gouverneur en conseil peut, par règlement :

a) régir la forme du registre et des index à tenir et des inscriptions à y faire;

b) régir le classement des copies de documents au registre;

c) régir la consultation par le public du registre, des demandes d'enregistrement des topographies et des pièces déposées auprès du registraire relativement à une topographie enregistrée;

d) régir, limiter ou interdire la prise ou la fourniture de copies des demandes d'enregistrement des topographies et de toute pièce déposée auprès du registraire relativement à une topographie enregistrée;

e) attribuer des fonctions supplémentaires au registraire;

f) fixer les droits à verser pour tout acte ou service accompli par le registraire ou en préciser le mode de détermination;

g) prendre toute autre mesure d'ordre réglementaire prévue par la présente loi;

h) prendre toute autre mesure d'application de la présente loi.

L.C. 1990, ch. 37, art. 27.

Regulations

Regulations

27. The Governor in Council may make regulations

(a) governing the form of the register, including any indexes thereto, and the entries to be made therein;

(b) governing the filing of copies of documents in the register;

(c) governing public inspection of the register, of applications for registration of topographies and of material filed with the Registrar in relation to any registered topography;

(d) governing, restricting or prohibiting the making or providing of copies of applications for registration of topographies and of material filed with the Registrar in relation to any registered topography;

(e) assigning duties to the Registrar;

(f) prescribing fees, or the manner of determining the fees, to be paid for any act or service rendered by the Registrar;

(g) prescribing any other matter or thing that by this Act is to be or may be prescribed; and

(h) generally for carrying out the purposes and provisions of this Act.

S.C. 1990, c. 37, s. 27.

Examen par le ministre

Examen

28. (1) Cinq ans après l'entrée en vigueur de la présente loi, le ministre procède à l'examen de celle-ci et des conséquences de son application.

Rapport au Parlement

(2) Le ministre présente son rapport sur la question aux deux chambres du Parlement dans l'année qui suit le début de l'examen.

L.C. 1990, ch. 37, art. 28.

Ministerial Review

Review of Act

28. (1) Five years after the coming into force of this Act, the Minister shall undertake a review of the provisions and operation of this Act.

Report to Parliament

(2) The Minister shall, within one year after undertaking the review referred to in subsection (1), submit a report on the review to each House of Parliament.

S.C. 1990, c. 37, s. 28.

MODIFICATIONS CORRÉLATIVES

29 à **34.** [Modifications.]

ENTRÉE EN VIGUEUR

Entrée en vigueur

35. La présente loi entre en vigueur à la date fixée par décret du gouverneur en conseil.
L.C. 1990, ch. 37, art. 35.

CONSEQUENTIAL AMENDMENTS

29 to **34.** [Amendments.]

COMING INTO FORCE

Coming into force

35. This Act shall come into force on a day to be fixed by order of the Governor in Council.
S.C. 1990, c. 37, s. 35.

RÈGLEMENT SUR LES TOPOGRAPHIES DE CIRCUITS INTÉGRÉS

Table des matières

INTEGRATED CIRCUIT TOPOGRAPHY REGULATIONS

Table of Contents

Règlement sur les topographies de circuits intégrés

DORS/93-212

Loi sur les topographies de circuits intégrés
(L.R.C. 1985, ch. I-14.6)

RÈGLEMENT CONCERNANT LA PROTECTION DES TOPOGRAPHIES DE CIRCUITS INTÉGRÉS

Titre abrégé

1. *Règlement sur les topographies de circuits intégrés.*

Définitions

2. Les définitions qui suivent s'appliquent au présent règlement.
«Bureau» Le Bureau du registraire des topographies. *(Office)*
«demande» Demande d'enregistrement d'une topographie aux termes de l'article 16 de la Loi. *(application)*
«demandeur» Le créateur d'une topographie ou, si elle a fait l'objet d'une transmission, l'ayant cause qui a déposé une demande d'enregistrement aux termes de l'article 16 de la Loi. *(applicant)*
«dessin» Vise notamment un diagramme. *(drawing)*
«Loi» La *Loi sur les topographies de circuits intégrés. (Act)*
«mandataire» Personne ou entreprise nommée par le demandeur conformément à l'article 10. *(agent)*
«représentant aux fins de signification» Personne ou entreprise au Canada nommée conformément à l'article 11 par le demandeur ou

Integrated Circuit Topography Regulations

SOR/93-212

Integrated Circuit Topography Act
(R.S.C. 1985, c. I-14.6)

REGULATIONS RESPECTING THE PROTECTION OF INTEGRATED CIRCUIT TOPOGRAPHIES

Short Title

1. These Regulations may be cited as the *Integrated Circuit Topography Regulations.*

Interpretation

2. In these Regulations,
"Act" means the *Integrated Circuit Topography Act*; *(Loi)*
"agent" means a person or firm appointed by an applicant pursuant to section 10; *(mandataire)*
"applicant" means the creator of a topography or, where the topography has been transferred, the successor in title thereto who applies for registration of a topography pursuant to section 16 of the Act; *(demandeur)*
"application" means an application for registration of a topography made pursuant to section 16 of the Act; *(demande)*
"drawing" includes a plot; *(dessin)*
"Office" means the Office of the Registrar of Topographies; *(Bureau)*
"representative for service" means a person or firm in Canada appointed by an applicant or the owner of a registered topography pursuant to section 11. *(représentant aux fins de signification)*

le propriétaire d'une topographie enregistrée. *(representative for service)*

Communications

3. (1) Toute communication destinée au Bureau doit être adressée au registraire.

(2) La correspondance adressée au registraire est réputée être livrée au Bureau le jour où elle est livrée à l'un des bureaux suivants, si la livraison est effectuée pendant les heures d'ouverture normales de ce bureau :
a) le Bureau;
b) tout bureau que le registraire désigne pour recevoir livraison de la correspondance qui lui est adressée.

4. (1) Sous réserve du paragraphe (2), toute communication concernant une demande ou une topographie enregistrée doit être faite par écrit ou par transmission électronique.

(2) Le registraire peut, si les circonstances l'exigent, tenir compte d'une communication faite oralement au sujet d'une demande ou d'une topographie enregistrée.

5. (1) Sous réserve du paragraphe (2), la correspondance adressée au registraire ne doit porter que sur une seule demande ou une seule topographie enregistrée.

(2) Le paragraphe (1) ne s'applique pas à la correspondance concernant :
a) la transmission d'un intérêt dans une topographie enregistrée ou l'attribution d'une licence afférente à celle-ci, visées au paragraphe 21(1) de la Loi;
b) un changement de nom ou d'adresse du propriétaire de plus d'une topographie enregistrée;
c) un changement de nom ou d'adresse du demandeur de l'enregistrement de plus d'une topographie;
d) un changement de nom ou d'adresse du représentant aux fins de signification du propriétaire de plus d'une topographie enregistrée;
e) un changement de nom ou d'adresse du représentant aux fins de signification ou du

Communications

3. (1) All communications intended for the Office shall be addressed to the Registrar.

(2) Correspondence addressed to the Registrar is deemed to be delivered to the Office on the day that it is delivered to one of the following offices, where the delivery is made during the ordinary business hours of that office:
(*a*) the Office; or
(*b*) an office designated by the Registrar as an office to which correspondence addressed to the Registrar may be delivered.

4. (1) Subject to subsection (2), all communications relating to an application or a registered topography shall be made in writing or by electronic transmission.

(2) The Registrar may, where the circumstances require have regard to an oral communication made in relation to an application or a registered topography.

5. (1) Subject to subsection (2), all correspondence addressed to the Registrar shall deal with only one application or registered topography.

(2) Subsection (1) does not apply in respect of correspondence relating to
(a) a transfer of an interest or grant of a licence affecting a registered topography, referred to in subsection 21(1) of the Act;
(b) a change in the name or address of an owner of more than one registered topography;
(c) a change in the name or address of an applicant for the registration of more than one topography;
(d) a change in the name or address of the representative for service of an owner of more than one registered topography; or
(e) a change in the name or address of the representative for service or the agent of an applicant for the registration of more than one topography.

mandataire du demandeur de l'enregistrement de plus d'une topographie.

6. (1) Sous réserve du paragraphe (2), la personne qui est tenue, aux termes de la Loi ou du présent règlement, de fournir une adresse doit donner l'adresse postale complète et y inclure, le cas échéant, le numéro et le nom de la rue.

(2) La personne visée au paragraphe (1) peut, en plus de l'adresse postale exigée, fournir une autre adresse à laquelle sa correspondance peut lui être expédiée par la poste.

7. (1) La correspondance relative à une demande doit contenir les renseignements suivants :
a) le numéro de la demande, si un numéro a été attribué;
b) le nom du demandeur;
c) le ou les titres de la topographie.

(2) La correspondance relative à une topographie enregistrée doit contenir les renseignements suivants :
a) le numéro d'enregistrement de la topographie;
b) le nom du propriétaire de la topographie;
c) le ou les titres de la topographie.

8. (1) Sous réserve du paragraphe (2), la correspondance relative à une demande est entretenue avec :
a) le demandeur, s'il n'y a qu'un seul demandeur;
b) s'il y a plus d'un demandeur:
(i) soit le codemandeur autorisé par l'autre ou les autres codemandeurs à agir en leur nom,
(ii) soit le premier demandeur nommé dans la demande, en l'absence de l'autorisation visée au sous-alinéa (i).

(2) La correspondance relative à une demande est entretenue avec le mandataire si celui-ci a :
a) soit signé la demande;
b) soit envoyé la demande au Bureau;
c) soit avisé le Bureau de sa nomination.

6. (1) Subject to subsection (2), every person who is required by the Act or these Regulations to furnish an address shall furnish a complete postal address, including a street name and number where applicable.

(2) A person referred to in subsection (1) may furnish, in addition to the required postal address, another address to which correspondence may be mailed.

7. (1) Correspondence relating to an application shall include
(a) the application number, if one has been assigned;
(b) the name of the applicant; and
(c) the title or titles of the topography.

(2) Correspondence relating to a registered topography shall include
(a) the registration number of the topography;
(b) the name of the owner of the topography; and
(c) the title or titles of the topography.

8. (1) Subject to subsection (2), correspondence relating to an application shall be conducted with
(a) the applicant, where there is only one applicant; or
(b) where there is more than one applicant,
(i) the applicant authorized by the other applicant or applicants to act on their behalf, or
(ii) the first applicant named in the application, where no applicant has been authorized in accordance with subparagraph (i).

(2) Correspondence relating to an application shall be conducted with an agent where the agent
(a) has signed the application;
(b) has transmitted the application to the Office; or
(c) has notified the Office of the agent's appointment.

9. Il n'est pas tenu compte de la correspondance relative à une demande qui provient d'une personne ou d'une entreprise autre que celle avec laquelle la correspondance à ce sujet est entretenue.

9. No regard shall be had to any correspondence relating to an application that is received from any person or firm other than the person or firm with whom correspondence on the subject of the application is being conducted.

Nomination d'un mandataire

Appointment of Agent

10. (1) Le demandeur peut nommer une personne ou une entreprise comme son mandataire.

10. (1) An applicant may appoint a person or firm as an agent to act on behalf of the applicant.

(2) Sous réserve du paragraphe (3), il n'est pas obligatoire que la nomination d'un mandataire soit faite par écrit.

(2) Subject to subsection (3), the appointment of an agent need not be made in writing.

(3) Le registraire peut, si les circonstances l'exigent, demander au mandataire de déposer l'acte de sa nomination dans le délai qu'il juge indiqué dans les circonstances.

(3) The Registrar may, where the circumstances require, request that an agent file a written appointment within a period that the Registrar deems appropriate in the circumstances.

(4) Si le mandataire n'obtempère pas à la demande visée au paragraphe (3), le registraire l'avise par écrit que toute correspondance ultérieure sera entretenue avec le demandeur jusqu'au dépôt de l'acte de nomination.

(4) Where an agent fails to file a written appointment as requested pursuant to subsection (3), the Registrar shall give notice to the agent that any further correspondence will be conducted with the applicant until a written appointment is filed.

Nomination d'un représentant aux fins de signification

Appointment of Representative for Service

11. (1) Le demandeur ou le propriétaire d'une topographie enregistrée peut nommer une personne ou une entreprise au Canada pour agir à titre de représentant aux fins de signification.

11. (1) An applicant or the owner of a registered topography may appoint a person or firm in Canada as a representative for service.

(2) Tout avis envoyé ou tout acte de procédure signifié au représentant aux fins de signification a le même effet que s'il était envoyé ou signifié au demandeur ou au propriétaire de la topographie enregistrée, selon le cas.

(2) A notice sent to or a proceeding served on a representative for service has the same effect as if the notice were sent to or the proceeding were served on the applicant or the owner of the registered topography, as the case may be.

Demande

Application

12. (1) La demande et toute modification de celle-ci doivent être faites dans l'une des langues officielles et porter la signature du demandeur ou de son mandataire.

12. (1) An application and any amendment thereto shall be in one of the official languages and shall bear the signature of the applicant or the applicant's agent.

(2) Une demande distincte doit être présentée pour chaque topographie.

(2) A separate application shall be made for each topography.

13. En plus des renseignements et des pièces exigés aux alinéas 16(2)*a*) à *d*) de la Loi, la demande doit contenir les renseignements suivants :
a) lorsque le demandeur n'a pas de bureau ou d'établissement au Canada, les nom et adresse du représentant aux fins de signification;
b) les nom et adresse du mandataire, le cas échéant;
c) une description des pièces déposées, y compris, lorsque la topographie comporte plusieurs couches et contient des renseignements confidentiels, le nombre de couches présentes et le nombre de couches ayant servi aux fins de l'application des articles 15 ou 16;
d) une description de la nature ou de la fonction de la topographie.

13. An application shall contain, in addition to the information and material required by paragraphs 16(2)(*a*) to (*d*) of the Act, the following information:
(a) where the applicant has no office or place of business in Canada, the name and address of a representative for service;
(b) where an agent has been appointed, the name and address of the agent;
(c) a description of the material filed, including, where the topography consists of layers and contains confidential information, the number of layers and the number of layers in relation to which section 15 or 16 has been relied on; and
(d) a description of the nature or function of the topography.

14. (1) En plus des renseignements et des pièces exigés aux alinéas 16(2)*a*) à *d*) de la Loi, la demande doit, sous réserve de toute autre disposition du présent règlement, contenir un jeu complet de plaques, de dessins ou de photographies de la topographie.

14. (1) Subject to these Regulations, an application shall contain, in addition to the information and material required by paragraphs 16(2)(*a*) to (*d*) of the Act, a complete set of overlay sheets, drawings or photographs of the topography.

(2) Les pièces visées au paragraphe (1) doivent être suffisamment agrandies de façon que la conception de la topographie soit bien visible à l'oeil nu.

(2) The material referred to in subsection (1) shall be sufficiently magnified so that the design of the topography is clearly visible to the naked eye.

(3) Lorsque les pièces visées au paragraphe (1) comportent plus d'une plaque, plus d'un dessin ou plus d'une photographie, ces plaques, dessins ou photographies doivent porter des numéros consécutifs.

(3) Where the material referred to in subsection (1) consists of more than one sheet, drawing or photograph, the sheets, drawings or photographs shall be numbered consecutively.

15. Lorsqu'une topographie comportant plus de deux couches renferme des renseignements confidentiels, la demande peut contenir, au lieu du jeu complet de plaques, de dessins ou de photographies visé à l'article 14, un jeu comprenant le même nombre total de plaques, de dessins ou de photographies mais dont un nombre sélectionné de ceux-ci comportent des aires ombrées qui représentent au plus 50 pour cent de la surface totale des plaques, des dessins ou des photogra-

15. Where a topography that consists of more than two layers contains confidential information, an application may contain, instead of a complete set of overlay sheets, drawings or photographs as required by section 14, a set that contains the same total number of sheets, drawings or photographs, but that includes a selected number of sheets, drawings or photographs on which is blocked out up to 50 per cent of the total area covered by those sheets, drawings or photographs, if

phies sélectionnés, si les conditions suivantes sont réunies :
a) les plaques, les dessins ou les photographies sélectionnés sont clairement indiqués dans la demande;
b) le nombre de plaques, de dessins ou de photographies sélectionnés ne représente pas plus de 50 pour cent du nombre total de plaques, de dessins ou de photographies, celui-ci étant diminué de 1 s'il s'agit d'un nombre impair;
c) la demande contient, sous forme de document imprimé, les données interprétatives de schémas de la topographie qui se rapportent aux aires ombrées; toutefois ces données peuvent être ombrées à au plus 50 pour cent, si la demande contient quatre circuits intégrés ou plus incorporant la topographie.

(a) the selected sheets, drawings or photographs are clearly indicated in the application;
(b) the number of sheets, drawings or photographs selected does not exceed 50 per cent of the total number of sheets, drawings or photographs, said total number having been reduced by one where it is an odd number; and
(c) the application contains topography design data in printed form for the areas that are blocked out; however, up to 50 per cent of these data may be blocked out, if the application contains four or more integrated circuit products incorporating the topography.

16. Lorsqu'une topographie renferme des renseignements confidentiels et n'a pas été exploitée commercialement à la date de dépôt de la demande, celle-ci peut contenir, au lieu des pièces visées à l'article 14 :
a) d'une part, les données interprétatives de schémas de la topographie sous forme de document imprimé, lesquelles données peuvent être ombrées à au plus 50 pour cent;
b) d'autre part, un dessin composite ou une photographie de la topographie montrant chacune des couches de la topographie qui a été ombrée à au plus 50 pour cent.

16. Where a topography contains confidential information and has not been commercially exploited at the filing date of an application, the application may contain, instead of the material referred to in section 14,
(a) the topography design data in printed form, of which up to 50 per cent may be blocked out; and
(b) a composite drawing or photograph of the topography, on which up to 50 per cent of each layer of the topography is blocked out.

17. Les données interprétatives de schémas de la topographie sous forme de document imprimé ou les circuits intégrés doivent être déposés au moment du dépôt des autres pièces visées aux articles 14, 15 ou 16, ou après celui-ci, ou au plus tard à la date d'enregistrement de la topographie.

17. Any topography design data in printed form or integrated circuit products shall be filed at the time of or subsequent to the filing of the other material referred to in section 14, 15 or 16 and on or before the date of registration of the topography.

18. Les pièces déposées conformément aux articles 14, 15, 16 ou 17 doivent être désignées par un titre qui consiste en un code alphabétique, numérique ou alphanumérique.

18. All material filed pursuant to section 14, 15, 16 or 17 shall be identified by a title consisting of letters of the Roman alphabet, Arabic numerals or a combination thereof.

19. Les pièces déposées conformément aux articles 14, 15 ou 16 ainsi que les données interprétatives de schémas de la topographie sous forme de document imprimé visées à

19. All material filed pursuant to section 14, 15 or 16 and all topography design data in printed form referred to in section 17 shall be in a storable size, either folded or otherwise,

l'article 17 doivent être d'un format qui se prête à l'entreposage, qu'elles soient pliées ou non, et doivent :
a) soit mesurer au plus 21,5 cm sur 28 cm (8,5 po x 11 po);
b) soit être de format A4.

and shall be
(a) not more than 21.5 cm x 28 cm (8.5 inches x 11 inches); or
(b) in A4 format.

Modification d'une demande

20. (1) Sous réserve du paragraphe (2), le demandeur peut, avant l'enregistrement de la topographie, demander au registraire de modifier sa demande s'il présente les renseignements et les pièces nécessaires et acquitte les droits applicables prévus à l'annexe.

(2) Le registraire ne peut apporter à la demande aucune modification qui aurait pour effet de changer substantiellement la topographie qui en fait l'objet.

Amendment of Application

20. (1) Subject to subsection (2), an applicant may, at any time prior to the registration of a topography, on submitting any necessary information and material and on payment of the applicable fee set out in the schedule, request that the Registrar amend the applicant's application.

(2) The Registrar shall not make any amendment to an application that would substantially alter the topography to which the application relates.

Registre

21. En plus des renseignements exigés par la Loi, le registraire inscrit dans le registre :
a) les renseignements donnés conformément à l'article 13;
b) les pièces déposées conformément aux articles 14, 15, 16 ou 17.

Register

21. In addition to the information required by the Act to be entered in the register, the Registrar shall enter in the register
(a) all information filed pursuant to section 13; and
(b) all material filed pursuant to section 14, 15, 16 or 17.

Modification du registre

22. Pour l'application de l'alinéa 21(2)c) de la Loi, le registraire peut modifier le registre afin d'y effectuer un changement de nom ou d'adresse du représentant aux fins de signification.

Amendment of Register

22. For the purposes of paragraph 21(2)(c) of the Act, the Registrar may amend the register to reflect any change in the name or address of a representative for service.

Certificat d'enregistrement

23. En plus des détails prévus au paragraphe 19(2) de la Loi, le certificat d'enregistrement d'une topographie contient les renseignements suivants :
a) les nom et adresse du propriétaire enregistré de la topographie;
b) le titre de la topographie;
c) une description de la nature ou de la fonc-

Certificate of Registration

23. A certificate of registration issued in respect of a topography shall include, in addition to the particulars required by subsection 19(2) of the Act, the following particulars:
(a) the name and address of the registered owner of the topography;
(b) the title of the topography;
(c) a description of the nature or function of

tion de la topographie;
d) si la topographie a été exploitée commercialement, la date et l'endroit de la première exploitation commerciale de celle-ci;
e) la date d'enregistrement de la topographie;
f) le numéro d'enregistrement de la topographie.

the topography;
(d) where the topography has been commercially exploited, the date on which and place at which the topography was first commercially exploited;
(e) the date of registration of the topography; and
f) the registration number of the topography.

Transmission d'intérêt

24. Toute personne à qui une demande ou un intérêt dans une topographie enregistrée a été transmis doit, si elle n'a pas de bureau ou d'établissement au Canada, fournir au registraire les nom et adresse d'un représentant aux fins de signification.

Transfer of Interest

24. A person to whom an application or an interest affecting a registered topography is transferred shall, if the person has no office or place of business in Canada, provide the Registrar with the name and address of a representative for service.

Consultation publique et délivrance de copies

25. La demande ne peut être consultée par le public qu'après qu'un numéro de demande lui a été attribué.

26. Il est interdit, par quelque moyen que ce soit, de faire ou de fournir une copie des pièces déposées conformément aux articles 14, 15, 16 ou 17, à moins d'avoir obtenu le consentement écrit du demandeur ou du propriétaire de la topographie enregistrée, selon le cas.

Public Inspection and Copies

25. An application shall not be available for public inspection until it has been assigned an application number.

26. Except with the written consent of the applicant or the owner of a registered topography, as the case may be, no person shall, by any means, make or provide a copy of any material filed pursuant to section 14, 15, 16 or 17.

Transmission à la Cour

27. Lorsqu'une demande a été faite à la Cour fédérale conformément au paragraphe 24(1) de la Loi, le registraire doit, à la requête d'une partie et sur paiement des droits applicables prévus à l'annexe, transmettre à cette cour toutes les pièces concernant la demande qui figurent au dossier du Bureau.

Transmission to Court

27. Where an application has been made to the Federal Court under subsection 24(1) of the Act, the Registrar shall, at the request of any of the parties and on payment of the applicable fee set out in the schedule, transmit to that Court all material on file in the Office relating to the application.

Droits

28. Les droits à payer pour tout acte ou service accompli par le registraire sont ceux prévus à l'annexe; ils sont versés en dollars canadiens au receveur général au moment où l'acte ou le service est demandé.

Fees

28. The fees to be paid for acts or services rendered by the Registrar are as set out in the schedule and the appropriate fees shall be paid in Canadian funds to the Receiver General at the time any act or service is requested.

ANNEXE

(Paragraphe 20(1) et articles 27 et 28)

TARIF DES DROITS

1. Dépôt d'une demande .... 200 $
2. Modification d'une demande à la suite d'une requête faite selon le paragraphe 20(1) du présent règlement .... 75 $
3. Inscription au registre des détails de la transmission d'un intérêt dans une topographie enregistrée ou de l'attribution d'une licence afférente à une topographie enregistrée, selon le paragraphe 21(1) de la Loi .... 75 $
4. Modification d'une inscription au registre ou nouvelle inscription au registre, selon le paragraphe 21(2) de la Loi .... 75 $
5. Modification ou remplacement d'un certificat d'enregistrement selon le paragraphe 19(4) de la Loi afin de corriger une erreur matérielle, notamment typographique, attribuable à des renseignements inexacts fournis par le demandeur .... 75 $
6. Transmission à la Cour fédérale des pièces figurant au dossier selon l'article 27 du présent règlement .... 100 $
7. Fourniture d'une copie d'un document, d'inscriptions au registre, d'extraits du registre ou de pièces visées à l'article 26 du présent règlement, pour chaque page d'au plus 21,5 cm x 28 cm (8,5 po x 11 po) 5 $
8. Fourniture d'une copie certifiée conforme d'un document visé au paragraphe 15(2) de la Loi .... 50 $

SCHEDULE

(Subsection 20(1) and sections 27 and 28)

TARIFF OF FEES

1. Filing an application $200.00
2. Amending an application in accordance with a request made pursuant to subsection 20(1) of these Regulations $75.00
3. Entering in the register particulars of a transfer of an interest or grant of a licence affecting a registered topography pursuant to subsection 21(1) of the Act $75.00
4. Amending an entry in the register or making a new entry therein pursuant to subsection 21(2) of the Act $75.00
5. Amending a certificate of registration or issuing a new certificate, pursuant to subsection 19(4) of the Act, for the purpose of correcting a typographical or clerical error made as a result of incorrect information provided by the applicant $75.00
6. Transmitting material on file to the Federal Court pursuant to section 27 of these Regulations $100.00
7. Providing a copy of a document, of entries in or extracts from the register or of any material referred to in section 26 of these Regulations, for each page measuring 21.5 cm x 28 cm (8½ inches x 11 inches) or less $5.00
8. Providing a certified copy of a document referred to in subsection 15(2) of the Act $50.00

Liste de pays auxquels le Canada accorde la protection réciproque sous la Loi

DORS/93-282

Modifiée par DORS/94-27; DORS/94-677.

Loi sur les topographies de circuits intégrés
(L.R.C. 1985, ch. I-14.6)

ANNEXE

Allemagne

Australie

Autriche

Belgique

Danemark

Espagne

États-Unis d'Amérique

Finlande

France

Grèce

Islande

Irlande

Italie

Japon

List of Countries to which Canada Accords Reciprocal Protection under the Act

SOR/93-282

Amended by SOR/94-27; SOR/94-677.

Integrated Circuit Topography Act
(R.S.C. 1985, c. I-14.6)

SCHEDULE

Australia

Austria

Belgium

Denmark

Finland

France

Germany

Greece

Iceland

Ireland

Italy

Japan

Luxembourg

Netherlands

Luxembourg

Norvège

Pays-Bas

Portugal

Royaume-Uni de Grande-Bretagne et d'Irlande du Nord

Suède

Suisse

Norway

Portugal

Spain

Sweden

Switzerland

United Kingdom of Great Britain and Northern Ireland

United States of America

INDEX FRANÇAIS

Sigles employés

B *Loi sur les brevets,* page 1
IF *Loi sur les inventions des fonctionnaires,* page 241
V *Loi sur la protection des obtentions végétales,* page 271
M *Loi sur les marques de commerce,* page 337
A *Loi sur le droit d'auteur,* page 471
SA *Loi sur le statut de l'artiste,* page 715
SDC *Loi sur le statut professionnel et les conditions d'engagement des artistes de la scène, du disque et du cinéma,* page 763
SAV *Loi sur le statut professionnel des artistes des arts visuels, des métiers d'art et de la littérature et sur leurs contrats avec les diffuseurs,* page 801
D *Loi sur les dessins industriels,* page 819
T *Loi sur les topographies de circuits intégrés,* page 853

(Note : le sigle est suivi du ou des numéro(s) d'article(s) de la Loi)

ENGLISH INDEX

Abbreviations used

P *Patent Act,* page 1
PSI *Public Servants Inventions Act,* page 241
PB *Plant Breeders' Rights Act,* page 271
TM *Trade-marks Act,* page 337
C *Copyright Act,* page 471
SA *Status of the Artist Act,* page 715
SPR *An Act Respecting the Professional Status and Conditions of Engagement of Performing, Recording and Film Artists,* page 763
SVA *An Act respecting the Professional Status of Artists in the Visual Arts, Arts and Crafts and Literature, and their Contracts with Promoters,* page 801
D *Industrial Designs Act,* page 819
T *Integrated Circuit Topography Act,* page 853

(Note: the abbreviation is followed by the section number(s) of the Act)